COULEUR & CULTURE

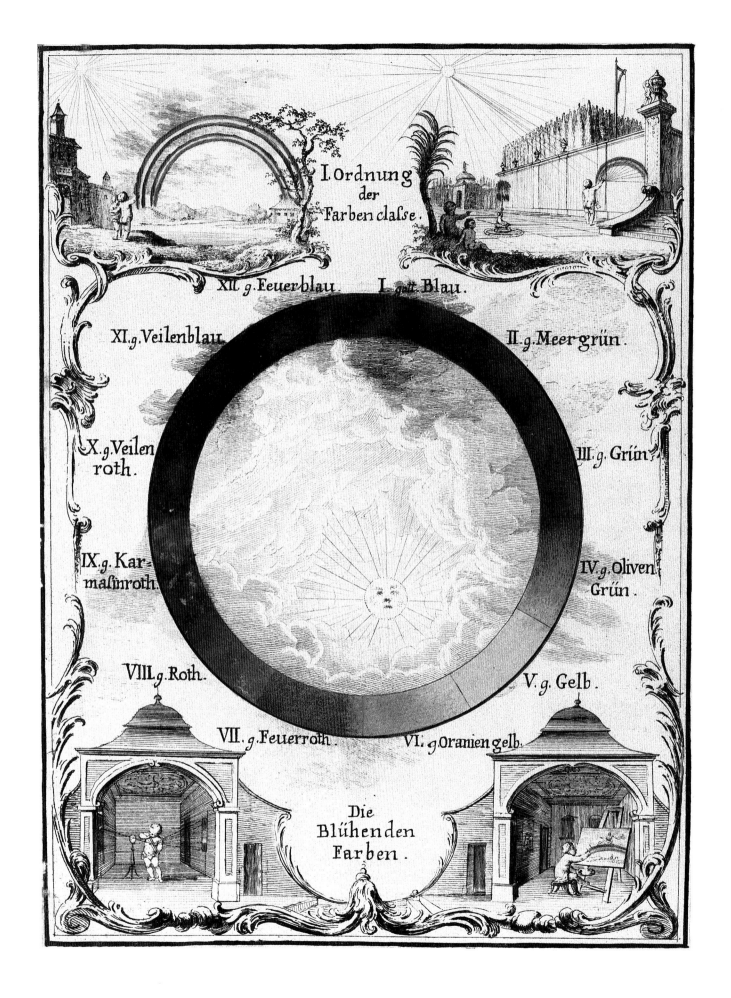

I. Ordnung
der Farben classe.

XII. g. Feuerblau.   I. gut. Blau.

XI. g. Veilenblau.   II. g. Meergrün.

X. g. Veilen
roth.   III. g. Grün.

IX. g. Kar=
masinroth.   IV. g. Oliven
Grün.

VIII. g. Roth.   V. g. Gelb.

VII. g. Feuerroth.   VI. g. Oranien gelb.

Die
Blühenden
Farben.

JOHN GAGE

COULEUR & CULTURE

*Usages et significations de la couleur
de l'Antiquité à l'abstraction*

Traduit de l'anglais par Anne Béchard-Léauté et Sophie Schvalberg

223 illustrations dont 120 en couleurs

Thames & Hudson

Pour Nick et Eva, en souvenir de nos séjours florentins

**Cette édition en langue française bénéficie du concours
de l'Institut National d'Histoire de l'Art et
de la Fondation de France dans le cadre de son programme
de soutien au développement de l'histoire de l'art en France.**

En couverture : Angelika Kauffmann, *Autoportrait en « peinture »*, v. 1779.
Royal Academy of Arts, Londres.

Frontispice : Ignaz Schiffermüller, *Les Couleurs claires*, in *Versuch eines Farbernsystems*
(Recherches sur un système des couleurs, Vienne, 1772). Ce beau cercle chromatique
en douze sections est l'œuvre d'un entomologiste spécialiste des papillons ; il suggère un
ordre « naturel » des couleurs, vérifiable autant en intérieur qu'en extérieur. C'est l'un
des premiers cercles de ce type à opposer entre elles les couleurs complémentaires :
le bleu (I) en face de l'orangé (VII-VI), le jaune (V) en face du violet (XI)
et le rouge (VIII) en face du vert marin (II).

L'édition originale de cet ouvrage a paru sous le titre
Colour and Culture – Practice and Meaning from Antiquity to Abstraction
chez Thames & Hudson Ltd, Londres.

© 1993 John Gage
Traduction française
© 2008 Éditions Thames & Hudson SARL, Paris

Traduit de l'anglais par Anne Béchard-Léauté (chapitres 4, 5, 7, 8, 9, 13 et 14)
et Sophie Schvalberg (introduction, chapitres 1, 2, 3, 6, 10, 11 et 12).

Responsables éditoriales : Anne Levine et Hélène Borraz

Cet ouvrage composé par Cicero à Paris a été reproduit et achevé d'imprimer en
décembre 2007 par l'imprimerie C.S. Graphics pour les Éditions Thames & Hudson.

Dépôt légal : 1ᵉʳ trimestre 2008
ISBN (édition reliée) 978-2-87811-295-5
ISBN (édition brochée) 978-2-87811-312-9
Imprimé à Singapour

SOMMAIRE

INTRODUCTION

CECI N'EST PAS UN OUVRAGE UNIVERSITAIRE et ne saurait l'être malgré son important appareil critique. Par son sujet – la manière dont les sociétés européenne et américaine ont formé et développé leur expérience de la couleur –, il n'entre en effet dans aucune case de la recherche traditionnelle. Tout le monde ou presque s'intéresse à la couleur, mais elle a rarement été traitée comme un tout : ainsi mon livre présente-t-il en ouverture et en épilogue des anecdotes qui montrent que l'incapacité à penser la couleur de façon globale a conduit à des aberrations théoriques, et même pratiques. Mon premier chapitre s'ouvre sur la tentative de définition de l'expérience de la couleur en Grèce ancienne par un groupe de philologues du XIXᵉ siècle (au premier rang desquels se trouvait Gladstone, l'homme d'État britannique) mais sans consulter les archéologues. Ils étaient persuadés que les Grecs du Vᵉ siècle avant J.-C. étaient affligés d'une perception des couleurs anormale, déficiente, et que notre système moderne de vision s'était formé depuis, en deux mille ans. Je conclus ce livre sur une anecdote encore plus étonnante tirée de l'art américain des années 1960, quand plusieurs fins coloristes allèrent jusqu'à se convaincre eux-mêmes, ainsi que la critique et peut-être aussi une partie du public, qu'ils avaient enfin libéré la couleur de la forme. Voilà une opinion d'autant plus surprenante qu'elle fut soutenue par Josef Albers, un artiste qui avait fait l'expérience directe des interactions forme-couleur durant ses travaux de jeunesse au Bauhaus. Dans d'autres domaines des études sur la couleur, il y a toujours des psychologues pour croire, par exemple, que le marron est simplement du jaune foncé, et le noir rien d'autre que l'absence de lumière – certitudes qu'il leur faudrait à l'évidence réviser s'ils discutaient avec des artistes ou s'ils observaient soigneusement les tableaux. En bref, même si bon nombre de domaines universitaires comme les sciences cognitives, la perception des couleurs et la colorimétrie, ou encore la linguistique, tiennent la couleur pour un important sujet de recherche et de débat, cette question n'a pourtant pas joué jusqu'ici un grand rôle dans l'étude des cultures occidentales – entre autres raisons, peut-être, parce qu'elle résiste au traitement académique.

Ce livre n'est pas plus une étude transdisciplinaire, empruntant l'un ou l'autre des chemins explorés par les chercheurs en sciences humaines pour raviver leur domaine de recherche, comme l'histoire de l'art, en ce qui me concerne. C'est bien une étude historique, au sens où elle aborde les points les uns après les autres, recherche l'origine des méthodes et des concepts artistiques et considère l'art comme l'expression la plus vivante et durable des rapports humains à la couleur, à travers une forme visuelle. En tant qu'historien, j'hésite à affirmer que les théories contemporaines puissent durer davantage que celles du passé – je pense en particulier aux conclusions de la psychologie expérimentale qui se sont répandues dans la culture collective. Je conçois ma tâche ainsi : donner au lecteur de quoi alimenter ses réflexions sur la couleur, que ce soit sur le plan historique ou sur celui de l'expérience personnelle. Plus que tout autre élément formel, nous croyons les couleurs douées d'un langage direct et sans équivoque ; on a d'ailleurs gagné beaucoup d'argent sur ce postulat, notamment dans le commerce des biens de consommation. J'espère que mon livre rendra cette hypothèse plus douteuse – et sinon, je souhaite que mon lecteur en conserve non seulement de belles images, mais aussi plusieurs idées-forces sur l'univers visuel d'un large éventail de sociétés occidentales.

Pour autant je ne veux pas suggérer par cette étude que si nous rassemblions les idées élaborées dans divers domaines de recherche sur la couleur, nous pourrions présenter un tableau plus juste du rôle qu'elle a joué, et qu'elle peut toujours jouer, dans ces sociétés. Mon souci est encore moins de proposer un nouveau sujet de recherche qui réunirait les fils d'un écheveau longtemps informe. Ce qui m'intéresse précisément c'est de comprendre comment cette fragmentation s'est produite ; ce qui a empêché des enquêteurs intelligents et sensibles d'arriver à une compréhension claire de leur sujet ; pourquoi la majorité des écrits passés et présents sur la couleur ne sont pas crédibles. La meilleure approche du sujet est probablement la perspective historique, même si la notion même d'histoire de la couleur peut sembler paradoxale à première vue. Quelques éléments autobiographiques éclairciront peut-être l'origine de mes aventures dans ces parages déroutants.

En classe de peinture, à l'école, j'étais fasciné par la couleur – John Piper [1] était mon idole – et quand je finis par m'intéresser à l'histoire de l'art, je restai perplexe qu'on fît si peu de cas de la couleur dans la description et l'explication des styles à travers le temps. Dans mes premières lectures d'esthétique, d'abord Berenson, puis Ruskin, je fus encore plus stupéfait par l'apparente renonciation à la couleur chez des auteurs pour qui, de toute évidence, elle comptait tant. Le merveilleux récit que fait Berenson, dans son *Esquisse pour un portrait de soi-même* (1949 ; éd. fr. 1955), de sa première rencontre avec une « atmosphère de couleur désincarnée » dans l'église supérieure de Saint-François d'Assise, me montrait que sa sensibilité à la couleur ne se limitait pas au paysage naturel, où il la goûtait pleinement, mais qu'il y était aussi sensible en art. Pourtant, il ne laissait pas ses instincts déborder sa morale esthétique : le vrai matériau des arts visuels se trouvait dans les « valeurs tactiles » et les « sensations intellectualisées ». De là sa préférence pour l'art florentin, et plus précisément le dessin florentin [2]. Je découvris bien plus tard combien ces préjugés perceptifs étaient profondément enracinés dans la tradition classique où la capacité à représenter demeure la fonction primordiale de l'artiste. L'idéalisme de Berenson, sa distinction cruciale entre les « sensations intellectualisées » et les

« sensations de la vie courante » ne pouvaient que le rendre hostile à la couleur. Pour lui, elle se rattache par nature à la banalité du réel, elle assimile l'artefact à un objet parmi d'autres, en attirant l'attention sur sa matérialité. Berenson avait un profond dédain pour les matériaux et la technique [3]. À mon sens, c'est précisément la continuité de notre expérience des couleurs dans la nature et en art qui fait de la couleur un enjeu pour nous tous, et pas seulement pour les spécialistes de la peinture.

Plus subtil penseur que Berenson, Ruskin me parut développer une approche de la couleur autrement plus complexe. Sa lecture précoce de Locke lui avait fait considérer la teinte comme un accident ; il avait l'intuition que les contrastes de valeur, qui définissent les rapports de forme et d'espace, étaient la grande affaire des artistes – et même chez Turner, dont il avait connu les œuvres principalement par la gravure. Sa ferveur croissante, à la fin des années 1840, pour l'art des primitifs italiens le conduisit rapidement à réviser son jugement : ayant devant lui l'exemple de Fra Angelico, Ruskin finit par affirmer que « les esprits les plus purs et les plus réfléchis sont ceux qui aiment la couleur par-dessus tout ». Par ailleurs, il avait moins d'inhibition que Berenson à établir une continuité entre l'art et la nature [4]. Cependant, même dans les années 1850, après un militantisme convaincu en faveur des primitifs et des préraphaélites, Ruskin continuait de plaider pour la primauté de la forme, et il agaçait Dante Gabriel Rossetti, son collègue au Working Men's College, en soutenant que l'étude de la couleur ne pouvait s'entamer qu'après des bases solides en clair-obscur. Il intitula d'ailleurs son grand manuel de 1857 *The Elements of Drawing* [5]. À l'époque, je ne comprenais pas totalement l'intérêt d'accorder la même attention à la valeur (le degré de lumière) qu'à la teinte (la position dans le spectre) ; mais je m'en suis persuadé au fil du temps, et j'approuve désormais Ruskin quand il déclare que cela est d'une importance capitale pour Turner.

Berenson et Ruskin me poussèrent à réfléchir à des hiérarchies chromatiques, mais ce fut la rencontre fortuite de deux autres livres dans la bibliothèque de mon *college*, qui me fit prendre conscience que la couleur n'est pas uniquement un phénomène oculaire. Le premier était les *Dante's Studies* (1902) de Paget Toynbee : il comprenait un essai sur le terme médiéval *perse*, devenu obsolète et dont le référent semblait presque impossible à identifier à partir des seuls documents écrits. L'autre livre était *Goethe the Alchemist* (1952) de R. D. Gray : il me persuada que la théorie des couleurs, loin de se résumer à quelques règles générales, est un amalgame précieux de notions de physique et de métaphysique. À l'exposition organisée en 1959 par le Conseil de l'Europe et intitulée « The Romantic Movement », j'eus le loisir d'examiner deux toiles tardives de Turner, *Shade and Darkness – the Evening of the Deluge* et *Light and Colour (Goethe's Theory) – the Morning after the Deluge – Moses writing the Book of Genesis*, et je sus que j'avais trouvé un grand peintre qui pensait de même.

Ni Berenson, ni Ruskin ne furent des historiens, malgré leur grand savoir historique et leur préférence, plus marquée chez Berenson, pour l'art du passé par rapport à l'art de leurs contemporains. Car ces œuvres historiques, ils les abordaient d'abord en critiques d'art. Durant mes études à l'université, je compris que je n'étais ni un bon artiste ni un bon historien, mais que l'histoire allait être ma passion dévorante : je voulais identifier, isoler et expliquer des familles de circonstances indissociables du passé, sans adopter la position du critique faisant du passé une sorte de pré-

sent honoraire. Mais comment l'art, dont la vigueur nous est si présente, peut-il être replacé dans son propre « présent » (passé) ? Voilà une question d'une très grande difficulté que les approches en histoire de l'art les plus récentes n'ont fait qu'éluder. La couleur aggrave le problème : dans quelle mesure, en effet, la couleur que je perçois dans un artefact n'est-elle pas « présente » ? Je peux reconnaître d'après son style qu'une œuvre appartient à une époque donnée, distincte de la mienne ; mais comment puis-je dire la même chose de ses couleurs ? Le rouge n'est-il pas identique quels que soient l'époque et le lieu où il est vu ? Pour trouver la dimension historique de la couleur, j'ai dû observer les artefacts et le langage chromatique des périodes en question ; comme Paget Toynbee m'en avait averti, c'était une affaire hautement délicate. L'étude des vocabulaires chromatiques est l'un des domaines de recherche en expansion croissante depuis les années 1960. Nous avons de bonnes connaissances sur les structures de la pensée chromatique, telle qu'elle s'exprime par le langage, dans plusieurs centaines de cultures, mais nous ne savons presque rien sur la façon dont ces structures se sont formées, et sur leurs rapports à l'expérience. Wittgenstein, par exemple, suppose que six termes de couleur apportent satisfaction dans la plupart des cas – un chiffre qu'il avait certainement établi en pensant au cercle chromatique avec ses trois « primaires » et ses trois « secondaires », comme celui publié par Goethe notamment –, une manière récente et plutôt érudite d'organiser l'espace chromatique [6]. Les gens qui cuisinent au gaz savent que ce sont les flammes bleues, des ondes courtes d'une haute valeur énergétique, qui produisent l'essentiel de la chaleur, et même ceux qui ne le savent pas sont probablement informés que ce sont des ondes encore plus courtes et de plus grande énergie, les ultraviolets, qui brûlent notre peau. Pourtant, dans la vie courante on qualifie le bleu de froid et de chaude l'extrémité rouge du spectre (les ondes longues). On peut penser que l'expérience du soleil rouge et chaud (?) et de la mer bleue et froide (?) est « universelle » mais, d'après les documents écrits, cet élément du folklore populaire ne remonte guère au-delà du XVIIIe siècle – le premier système chromatique à intégrer le couple chaud-froid est probablement celui de George Field, publié seulement en 1835. Quelle peut être notre « expérience » de la couleur dans ce cas ? Pourquoi nos habitudes linguistiques sont-elles à ce point en porte-à-faux avec notre savoir [7] ?

J'ai écrit plus haut que la couleur relève de l'expérience commune, et qu'il n'y a pas de rupture entre les couleurs de la nature et celles de l'art. Mais les artistes ont bien sûr une manière particulière de voir la couleur et une façon singulière de présenter ce qu'ils voient sous la forme d'artefacts. Lorsque j'étais écolier, je fis un été un stage de dessin dans la région d'Oxford. Une après-midi sans soleil, à Dorchester, je tombai sur une extraordinaire composition chromatique, une vieille cabine téléphonique rouge se détachant contre la lisière d'un bois ; le contraste d'ordinaire violent entre la peinture rouge et le feuillage vert y était adouci et accordé par les « chaudes » profondeurs de l'espace sombre rempli d'arbres, derrière la cabine. C'était en contraste une image frappante d'unité et je bravai le trafic pour en peindre, depuis le meilleur point de vue, au milieu de la route, une aquarelle rapide et peu satisfaisante. Quelques années après, en lisant *Colour and Form* d'Adrian Stokes, je fus surpris d'y trouver un souvenir vibrant de la même expérience, à partir d'une boîte aux lettres rouge fixée sur un

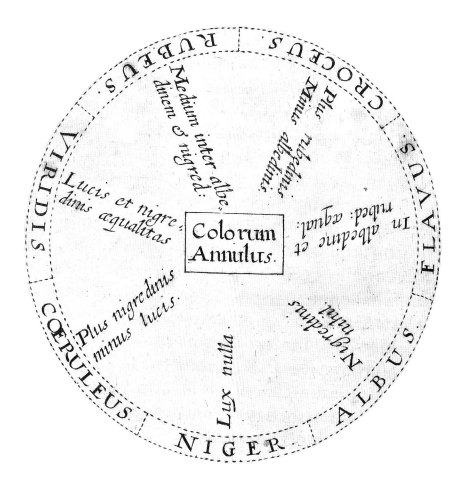

L'une des tentatives les plus précoces et les plus radicales pour réduire la perception des couleurs à un diagramme simple fut le cercle chromatique du médecin et physicien Robert Fludd, publié en 1626 (voir 133). Fludd organise sept couleurs en une séquence tonale entre le blanc et le noir – on remarquera qu'il identifie à la fois le rouge *(rubens)* et le vert *(viridis)* comme couleurs médianes, contenant une même proportion de lumière et d'obscurité, de blanc et de noir. (1)

poteau télégraphique. Stokes concluait son long récit en ces termes :

> Mon expérience fut alors unique. Comme j'avais attendu longtemps de voir nos rutilantes boîtes aux lettres trouver par la lumière une relation structurale dans la campagne anglaise ! Pendant des années, elles m'avaient oppressé la vue, avec leur éclat absurde. Mais ce jour-là, en mai, par un temps couvert, les jeunes feuilles d'un vert tendre et d'une intense luminosité, mais aussi bien placées et bien disposées, étaient venues à la rescousse : elles s'étaient mises en camaraderie avec le rouge, et *les unes avec les autres*, comme des soldats qui empilent leurs chapeaux (rouges) pour se prouver leur amitié et l'unicité de chacun dans la fraternité. De même, je pense qu'un tableau qui « marche » vraiment possède, démultipliée à l'infini, cette espèce de relation, cette espèce de *mouvement* [8].

Cette expérience chromatique, beaucoup de gens pouvaient la faire, elle était peut-être même banale mais il fallait une intention esthétique pour lui donner de la valeur. C'est dans la peinture, ou quand nous regardons en termes picturaux, que ces rapports chromatiques trouvent une cohérence. D'où l'importance centrale de l'art pour l'étude de la couleur dans un contexte social plus large.

Étudiant, j'eus la chance de faire de longs séjours à Florence où je tombai amoureux de ces grands ornements peints dans les psautiers italiens des XIVe et XVe siècles, exposés avec beaucoup d'espace et de lumière dans le couvent San Marco et d'autres bibliothèques et sacristies florentines. J'étais stupéfait que des objets si beaux aient presque été escamotés dans les histoires de la peinture italienne. Je m'imaginais qu'en raison de leur parfait état de conservation, ils nous montraient ce qu'avait pu être la coloration originelle des fresques et des retables de cette période, tant de fois abîmés et repeints. Le fait est que je n'eus jamais l'opportunité de pousser très loin ma curiosité pour les manuscrits enluminés de la Renaissance. Paradoxalement, je n'évoque dans ce livre que deux miniaturistes mentionnés par Dante et dont aucune œuvre n'est connue (*cf.* chapitre 4) ainsi que les remarques désobligeantes de critiques du XVIe siècle sur cette branche de la peinture (*cf.* chapitre 7). Quoi qu'il en soit, je faisais fausse route en extrapolant sur les couleurs de ces œuvres, car les matériaux et les conventions techniques des enluminures étaient très différents de ceux des tableaux ou des fresques, qui divergent aussi grandement les uns des autres. La conviction de Berenson que les matériaux n'ont quasiment aucun rôle à jouer dans le style n'aurait pu survivre à une seule visite à Santa Croce, à Florence, où tant de chapelles encore pourvues de vitraux, de peintures murales et de retables du Trecento démontrent clairement que les gammes chromatiques de chacun de ces arts n'ont pas grand-chose en commun. Peut-être, après tout, son œil était-il trop conditionné par l'usage des photographies en noir et blanc ? L'étude des matériaux, développée en grande partie pour les besoins de la conservation, a redonné de l'objectivité à la compréhension historique de l'art. Il est fondamental que nous sachions comment et de quoi est fait un objet, parce qu'il existe une hiérarchie inhérente aux matériaux et aux techniques – même de nos jours avec la relève des pigments et des produits de synthèse. Mais un précieux outremer n'avait au XIVᵉ siècle pour son utilisateur qu'une valeur esthétique, tout comme une peinture synthétique ou industrielle pour un peintre américain tendance « Colour-Field » dans les années 1960. Ce type d'analyse s'avère d'une importance plus grande pour l'historien que pour le praticien de la conservation qui en est pourtant à l'origine, car le discours théorique de la conservation ne semble pas toujours opérer de distinction entre « conserver » (éviter une détérioration ultérieure de l'œuvre) et « restaurer » (ramener l'œuvre à son hypothétique condition originelle). Seules quelques familles d'objets de petite taille (les émaux, les manuscrits enluminés, les trompe-l'œil représentant des cabinets de curiosités) sont visibles dans leur état d'origine et dans des circonstances quasiment originelles – ce qui nous ramène à la question précédente sur la part du passé qu'il n'est jamais possible de retrouver.

Un tel livre, resté plus de trente ans sur le métier, ne peut s'engager à fond dans la phase la plus récente, avec un sujet évoluant rapidement comme l'histoire de l'art ; d'autant plus, je dois l'admettre, que certains développements récents s'opposent au projet que j'entreprends ici. Quand je me suis mis à l'histoire de l'art, sa branche la plus polémique était l'iconographie, dans le sillage du Warburg Institute de Londres en particulier. Elle semblait réduire le « sujet » de la peinture aux seuls textes écrits. J'eus la chance d'avoir pour maître Edgar Wind qui, bien qu'ancien disciple de Warburg, continuait d'aborder la question d'une manière bien plus large qu'on aurait pu attendre de cette école : il croyait que le sujet devait aussi impliquer le style.

Depuis cette époque, l'influence d'Ernst Gombrich et surtout de Michael Baxandall au sein du Warburg Institute a ramené les caractéristiques formelles au cœur des débats sur le sens des œuvres. C'est à leurs travaux que je dois l'essentiel de ma démarche. L'iconographie dans son acception la plus stricte a été ressuscitée par la plus active des tendances modernes de l'historiographie, qui lui a donné une tournure politique. L'école de la New Art History nous a rendu un fier service en redonnant du sérieux à un domaine qui risquait de se perdre dans la poursuite routinière des sources et des influences de la figuration. Cependant, comme cette école a emprunté ses outils méthodologiques à des auteurs peu attachés aux arts visuels, et comme les images, par leur ambiguïté, se sont avérées bien peu convertibles en propagande, elle a tourné le dos aux caractéristiques visuelles des œuvres pour privilégier les représentations susceptibles d'être aisément transcrites en discours. C'est une nouvelle version du jeu « Trouvez le texte », que l'on trouvera moins souvent cette fois-ci dans la littérature historique que dans la sociologie ou la psychanalyse. Mais ignorer la composante visuelle des beaux-arts quand on est historien d'art, c'est abandonner son traitement aux fétichistes du produit, simplificateurs dans l'âme, que sont les médias et le marché.

Même si j'ai dû aborder bon nombre de points controversés, je n'avais nullement l'intention de verser dans la polémique avec cette étude. Il n'y a pas, en effet, dans la culture occidentale de vrai débat sur la couleur auquel seraient utilement rattachés mes arguments. L'école néo-formaliste allemande de la *Koloritgeschichte* adopte une approche anti-contextuelle et exclusivement préoccupée de peinture, si bien qu'elle ne touche à mon sujet que par la tangente [9]. Je veux simplement démontrer qu'un ensemble de questions doivent être prises à bras le corps. Ma bibliographie, quoique longue, est pourtant très maigre et conçue simplement pour renvoyer le lecteur à mes sources. Je ne crois pas qu'une bibliographie monumentale sur la couleur soit aujourd'hui réalisable, mais j'ai déjà donné les grandes lignes de ce que j'attendrais moi-même d'un article bibliographique [10].

Ainsi ce livre ne peut-il être un panorama historique de la couleur même de A à A ! Une telle histoire ne me paraît pas possible, même si depuis les années 1960 plusieurs historiens moins timides ont tenté de l'écrire [11]. Il nous manque toujours une vue d'ensemble des principaux repères dans l'évolution du regard sur la couleur. De même, nous ne savons toujours pas quels textes historiques traitent de la question, puisque les rares études utiles sur les théories de la couleur, par exemple, portent plutôt sur les progrès du savoir que sur sa diffusion et sa réception par la société tout entière [12]. J'ai donc tenté de trouver certains monuments durables qui ont fait l'objet de commentaires par leurs contemporains ; pour les époques reculées surtout, ils sont très peu nombreux et distants les uns des autres. J'ai essayé d'isoler des techniques, telles que la mosaïque et le vitrail, le dessin et la peinture à l'huile, qui furent clairement des réponses à des besoins esthétiques précis, et j'ai essayé d'en éclaircir les transformations à mesure que ces besoins changeaient. Certains chapitres y sont consacrés entièrement ; d'autres abordent des questions plus théoriques telles que la réinterprétation infinie d'un texte antique sur la peinture en quatre couleurs, le problème de la perception de l'arc-en-ciel, la fonction de la palette, le paradigme de la musique – toutes questions qui réapparaissent à diverses époques. Plusieurs thèmes reviennent en leitmotiv, comme le sentiment de l'incapacité du discours à définir l'expérience de la couleur, ou la notion persistante depuis l'Antiquité jusqu'à Matisse d'un « Orient » gardien de substances et d'expériences chromatiques excitantes mais dangereuses. Ces deux thèmes sont toujours combinés dans la hantise que les traditions rationalistes de la culture occidentale puissent être menacées par l'insidieuse sensualité extra-européenne. Ainsi, dans les années 1940, Berenson pouvait-il encore écrire qu'il percevait les vitraux médiévaux sortis de leur cadre architectural d'une manière « peu différente de la jubilation d'un maharadja tenant des poignées d'émeraudes, de rubis et autres pierres précieuses [13] ». Comment en Occident les artistes et les penseurs ont-ils piloté entre ces écueils – voilà un thème fort intéressant qui poussera le lecteur, je l'espère, à porter sur ces traditions artistiques et psychologiques un nouveau regard.

I · L'héritage antique

Archéologie et philologie · Les théories de la couleur en Grèce ancienne
La splendeur et le mouvement

VERS LA FIN DES ANNÉES 1860, le peintre anglo-danois Lawrence Alma-Tadema exposa une petite toile intitulée *Phidias et la frise du Parthénon, Athènes.* Le grand artiste n'y est pas représenté en sa qualité de sculpteur mais de peintre, mettant la dernière main aux vives couleurs de son relief, où les carnations fauves des cavaliers ressortent sur un fond bleu profond [1]. Ces reconstitutions soignées du passé antique rendirent célèbre Alma-Tadema. L'irruption récente d'un coloriage offensif sur le marbre blanc – cette pureté éclatante qui était perçue comme l'une des noblesses de l'art antique, au moins depuis la Renaissance – avait sa raison d'être [2]. En effet, durant la première moitié du XIXe siècle, les archéologues européens et scandinaves se rendirent à l'évidence : l'architecture et la sculpture grecques avaient bien été peintes et non sans vigueur. Dès 1817, l'érudit anglais William Gell pouvait affirmer, à propos des Grecs, qu'« aucune nation ne montra jamais plus grande passion pour les couleurs criardes [3] ». Même si les débats sur la polychromie de la frise du Parthénon n'avaient pas abouti à des conclusions définitives [4], il est possible qu'Alma-Tadema ait été impressionné par le rapport de fouilles publié en 1862 sur le Mausolée d'Halicarnasse en Asie mineure. La frise sculptée, attribuée à Scopas (IVe siècle av. J.-C.), y était décrite exactement comme dans son image : peinte de couleurs vives, avec un fond outremer et des figures rouge brique [5]. Démontrer que les Grecs peignaient leurs sculptures à l'époque d'excellence de leur art était un coup d'éclat, inconcevable cinquante ans auparavant pour les néoclassiques purs et durs.

Alma-Tadema fut peut-être le plus audacieux, mais non le premier peintre à exploiter la découverte archéologique de la polychromie de l'art grec. Ingres, dans la seconde version de son tableau *Antiochus et Stratonice* (1840), représenta un intérieur d'une extraordinaire richesse, largement au-delà de sa première idée du même sujet en 1807. Il est très probable qu'il s'appuya sur les recherches admirables de Jacques Ignace Hittorff, qui avait fait paraître en 1830 son étude magnifique, *De l'architecture polychrome chez les Grecs* [6]. Nombre d'architectes néoclassiques se tournaient vers la polychromie dans ces années-là. Karl F. Schinckel dessina en 1834, pour le nouveau palais royal sur l'Acropole d'Athènes, un intérieur chargé d'ornements peints et d'incrustations, la même année où Gottfried Semper proposait de réintroduire la polychromie dans l'architecture moderne [7]. La décennie suivante, le dernier des néoclassiques anglais, John Gibson, suivant peut-être en cela les suggestions d'Hittorff, tenta timidement de marier la polychromie et la sculpture. Il réalisa d'abord un portrait de la reine Victoria en 1846, puis, de manière plus significative, une *Vénus teintée* en 1851-1856. Elle fut exposée à Londres lors de l'Exposition universelle de 1862, dans une niche aux couleurs vives, conçue par le dessinateur Owen Jones et portant l'inscription suivante : *Formas Rerum Obscuras*

Illustrat Confusas Distinguit Omnes Ornat Colorum Diversitas Suavis et *Nec Vita Nec Sanitas Nec Pulchritudo Nec Sine Colore Iuventus* (« la douce variété des couleurs éclaire les formes obscures, distingue les formes confuses et les embellit toutes » et « sans couleur, il n'y a ni vie, ni santé, ni beauté, ni jeunesse [8] »). Rien ne pouvait attester de manière plus évidente la mort de l'esthétique de la Renaissance et du néoclassicisme. La découverte à la fin du siècle des vestiges préhelléniques de Mycènes et de Knossos renforça encore l'idée que le monde grec avait toujours été haut en couleurs.

Mais par une ironie de la science, c'est dans ces mêmes années que les philologues hellénistes, s'attaquant à l'expérience grecque de la couleur à partir du langage, aboutirent à des conclusions totalement antithétiques. W. E. Gladstone, l'homme d'État britannique, affirmait en conclusion d'un article sur « les perceptions et les usages de la couleur chez Homère » que le système chromatique du poète était « fondé sur la lumière et l'obscurité », que l'organe de la vue « n'était que partiellement développé chez les Grecs de cette époque » et qu'il n'avait que peu progressé au temps d'Aristote [9]. Des recherches plus fouillées sur la terminologie grecque de la couleur tendirent à confirmer les idées de Gladstone : le phénomène du daltonisme, qui venait d'être décrit, fut invoqué pour rendre compte de l'apparente incapacité des Grecs à distinguer le bleu du jaune [10]. Mais ces deux couleurs comptaient précisément parmi les plus employées dans la première peinture grecque, et les conclusions de Gladstone furent vite infirmées par un chercheur, qui prit la peine de comparer le langage et les œuvres d'art [11]. Nous savons maintenant que les mots ne peuvent être interprétés comme un indicateur fiable de perception et que le phénomène chromatique n'est pas univoque. Outre les distinctions de teinte et de saturation, que les spectateurs modernes tendent à privilégier, il faut aussi tenir compte de la valeur, à savoir le degré de luminosité dans une teinte donnée. Voilà quelle caractéristique préoccupait surtout les Grecs de l'Antiquité, selon une préférence enracinée dans leur théorie de la couleur [12].

Les théories de la couleur en Grèce ancienne

Comme on peut s'y attendre, les plus anciennes mentions de couleurs dans la littérature grecque, qu'on trouve dans les poèmes d'Alcméon de Crotone (Ve siècle av. J.-C.), privilégient l'antithèse entre noir et blanc, entre obscurité et lumière [13]. Au Ve siècle, cette opposition est la colonne vertébrale des théories plus élaborées d'Empédocle et de Démocrite. Le premier utilise l'analogie du peintre qui mélange ses couleurs *(harmonin mixante)* pour clarifier l'harmonie réciproque des quatre éléments que sont la terre, l'air, l'eau et le feu [14]. Selon une première formulation de la notion « qui se ressemble s'assemble », il expose que, dans l'œil, c'est l'élément de

Les sculpteurs néoclassiques furent réticents à suivre les archéologues jusqu'au bout de leurs découvertes. Pourtant montrée à l'Exposition universelle de Londres en 1862 sous un baldaquin qui soulignait l'importance de la couleur (9), la *Vénus teintée* de John Gibson (1851-1856) n'avait de coloré que les cheveux, les lèvres, les yeux et ses ornements en or, avec la plus légère nuance de chair. (2)

feu qui perçoit le blanc, et l'élément d'eau qui perçoit le noir [15]. Les commentateurs tardifs d'Empédocle, Ætius et Stobœus, considèrent qu'il suivait en cela le schéma pythagoricien des couleurs primaires. Ce schéma ajoute au noir et au blanc le rouge et l'*ōchron*, terme flou dont on a cru qu'il désignait tout un éventail de teintes allant du rouge au vert, en passant par le jaune – mais qui doit, en définitive, plutôt désigner une faible intensité de l'une ou l'autre [16]. Stobeus note qu'Empédocle associe les quatre couleurs aux quatre éléments, sans spécifier lesquels étaient appariés avec le rouge et l'*ōchron*.

Démocrite lui aussi évoque quatre couleurs « simples » *(hapla)* : le blanc qui est fonction des corps lisses, le noir qui est fonction des corps rugueux, le rouge qui a rapport à la chaleur et le *chlōron* qui « est composé à la fois du solide et du vide. [...] Les autres couleurs sont dérivées de ces quatre-ci par mélange [17] ». Mais quand Démocrite se met à décrire concrètement ces mélanges, il devient difficile à suivre. L'or et le cuivre s'obtiennent à partir du blanc et du rouge – remarque intéressante quand on pense aux affinités entre l'or et le rouge. Le violet *(porphuron)* s'obtient en mélangeant du blanc, du noir et du rouge – son importante proportion de blanc, qui le rend agréable à l'œil, se déduisant précisément de son éclat *(lampron)*. Quant à l'indigo *(isatin)*, Démocrite pense qu'on l'obtient en mélangeant un noir intense avec un soupçon de *chlōron* (vert pâle) ; et le « vert poireau » *(prasinon)* à partir de rouge et d'indigo, ou d'un vert pâle additionné d'un pigment violet. Il ajoute que le soufre est une variété brillante de ce *prasinon*, ce qui renvoie assez bien aux reflets verts du jaune de soufre [18]. Voilà certainement la plus ancienne trace conservée de cette idée que le jaune et le vert sont deux espèces d'une même famille chromatique. De deux choses l'une : ou bien, de toute évidence, notre auteur n'a qu'une piètre expérience du mélange réel des couleurs,

ou bien il emploie des termes recouvrant une gamme de teintes bien plus large que celles que nous avons coutume d'associer. Démocrite spécifie en outre que l'on pourrait obtenir du *chlōron* par un mélange de rouge et de blanc ; ce qui a conduit un commentateur à croire qu'il avait en tête le contraste successif des couleurs, à partir d'un carré rouge sur fond blanc [19]. Mais retenons surtout les remarques de Théophraste, disciple d'Aristote à qui nous devons ce résumé de la théorie de Démocrite : celui-ci n'aurait pas dû étendre ses couleurs simples au-delà du noir et du blanc ; de plus, le rouge et le vert ne sont pas de vrais opposés, puisqu'ils n'ont pas de « formes » opposées, dans la correspondance entre les couleurs et l'organisation géométrique des atomes [20].

Ces théories d'Empédocle et Démocrite furent reprises et développées par Platon et Aristote au IVe siècle et, par leur biais, devinrent la source de tous les systèmes chromatiques ultérieurs, jusqu'à Newton. Chez Platon, le texte le plus important apparaît dans son poème sur la création, dans le *Timée* (67d-68d) ; il y propose, selon ses termes, « une théorie rationnelle de la couleur ». Le blanc, dit Platon, est l'effet de la dilatation du rayon envoyé par l'œil dans le processus de la vision, et le noir l'effet de sa contraction. À un degré plus violent, ce « feu » et cette dilatation du rayon produisent ce qu'on appelle « l'éblouissement » ; un feu intermédiaire produit le rouge-sang. Mais Platon et ses contemporains n'avaient aucun moyen de mesurer la quantité de lumière réfléchie par une surface colorée ; une telle mesure ne fut techniquement possible qu'au XIXe siècle. Et le philosophe termine ce passage par un cri de désespoir : « Pour les proportions de ces mélanges, même les connaissant, il serait peu sage de les dire, puisque nul n'en saurait tant soit peu montrer la nécessité ou la raison vraisemblable. » Pourtant, il énumère plusieurs mélanges, dont un *ōchron* composé de blanc et jaune flammé *(xanthon)*, lui-même issu d'un mélange de rouge, blanc et *lampron*. Le vert poireau de Platon est un mélange de rouge-feu *(purron)* et de noir *(melan)* [21]. Il conclut :

> Pour les autres couleurs, on voit assez bien par celles-ci à quels mélanges il les faudrait assimiler pour sauver la vraisemblance de nos dires. Mais les vouloir éprouver au contrôle de l'expérience, ce serait méconnaître la différence de l'humaine et de la divine nature : car un dieu, pour rassembler la pluralité dans l'unité et, inversement, de l'unité tirer par analyse la pluralité qu'il faut, possède savoir et pouvoir ; tandis que parmi les hommes nul n'est capable ni de l'une, ni de l'autre de ces opérations, ni ne le sera jamais à l'avenir. *(Timée, 67d-68d)*

Platon transmet ainsi le plus maigre des systèmes chromatiques. Aristote, avec son goût prononcé pour les expériences, fournit un corps doctrinal bien plus étendu et plus complexe, mais totalement dispersé au milieu d'écrits sur toutes sortes de sujets. C'est bien pourtant son école de philosophie qui, dans l'Antiquité, laissa sur la couleur le seul traitement complet à être parvenu jusqu'à nous.

Dans ses *Petits Traités d'histoire naturelle* (442a), Aristote expose que « les couleurs intermédiaires naissent du mélange de la lumière et de l'obscurité [22] ». Il identifie en outre cinq couleurs intermédiaires pures : le rouge cramoisi, le violet, le vert poireau, l'outremer, enfin soit le gris (qu'il imagine être une variété de noir) soit le jaune (qui pourrait être classé avec le blanc, « aussi riche en douceur »). Aristote semble pencher pour une échelle de sept couleurs, du blanc au noir, à cause de sa proximité avec l'octave en musique, qui vient de lui servir de comparaison (439b-440a) pour la méthode de recherche des couleurs intermédiaires par calcul numérique. En revanche, dans son texte sur l'arc-en-ciel (*Météorologiques* 372a), il semble considérer le rouge, le vert et le violet comme les seules couleurs intermédiaires *sans mélange*. Ailleurs, dans le traité *Sur la botanique* (827b) et dans les *Problèmes* XXXI (959a), le vert est considéré comme la couleur intermédiaire centrale entre la terre (noire) et l'eau (blanche). Le rouge est plus proche de la lumière et le violet de l'obscurité (*Météorologiques* 374b-375a).

Le chapitre sur les couleurs (attribué au Pseudo-Aristote) apporte peu de variations sur le même thème : les couleurs « primaires » semblent être ici le blanc (couleur de l'air, de l'eau et de la terre) et le doré (couleur du feu), tandis que le noir devient simplement la couleur des éléments en transformation (791a). Là aussi, de fait, la modification de la lumière par l'obscurité engendre les couleurs intermédiaires, le rouge étant le produit primaire d'une telle modification. Globalement, le tableau de la nature des couleurs, passés le blanc et le noir, reste aussi flou que chez Platon :

Nous ne voyons aucune couleur dans sa pureté, telle qu'elle est réellement, mais toutes mélangées à d'autres ; et même lorsqu'elles ne sont pas mêlées avec une autre couleur, elles le sont du moins aux rayons lumineux et aux ombres ; ainsi apparaissent-elles différentes et non dans leur réalité. C'est pour la même raison que de mêmes objets nous apparaissent de couleurs différentes, selon qu'on les voit dans l'ombre, ou à la lumière du soleil, ou par une lune brillante ou pâle, selon leur inclinaison et leurs diverses positions et d'autres facteurs encore. Il se produit la même chose avec les objets exposés à la lumière du feu, de la lune ou de la lampe, parce que chacune de ces lumières est différente ; et aussi dans le cas des combinaisons de couleurs, parce qu'elles se colorent les unes à travers les autres. Car lorsque la lumière [...] tombe sur une autre couleur et, suite à ce nouveau mélange, elle prend une autre nuance chromatique (793b).

Ces difficultés à identifier les couleurs constituaient une preuve supplémentaire de l'incapacité de l'œil à juger de la nature vraie

Jean-Auguste-Dominique Ingres, *Antiochus et Stratonice* (encre et lavis brun, 1807), une étude d'une qualité sculpturale dans le monochrome. (3)

des choses. Cet aveu d'impuissance fut transmis par la pensée sceptique à partir du Ier siècle de notre ère. De cette époque environ date l'exemple cité par Philon d'Alexandrie, qui devait avoir une résonnance particulière au Moyen Âge : « Avez-vous jamais vu le jabot d'une colombe prendre sous les rayons du soleil mille nuances différentes ? N'est-il pas d'abord magenta et bleu outremer, puis couleur de feu et scintillant comme les braises, et de nouveau jaune et rougeâtre, enfin toutes sortes de couleurs dont il est difficile de retenir les noms exacts [23] ? »

Évidemment, ce qui cause le désespoir d'un observateur produit chez un autre une délectation de tous les sens. Dans une brillante et fameuse description d'une salle somptueuse, Lucien, écrivain grec du IIe siècle, s'attarde à évoquer les plumes du paon, qui devaient fasciner aussi les commentateurs médiévaux :

> C'est alors qu'il apparaît encore plus merveilleux, ses couleurs changeant à la lumière, se modifiant insensiblement et passant à une autre forme de beauté. Cela se produit surtout sur les cercles qu'il porte aux extrémités de ses plumes, chacun entouré d'une sorte d'arc-en-ciel. Ce qui jusqu'alors était du bronze devient, lorsqu'il se penche un peu, de l'or pour le regard ; ce qui, au soleil, avait un éclat bleu [kuanauges] en passant à l'ombre prend un éclat verdoyant [chlōauges]. Ainsi change à la lumière la parure du plumage. (*La Salle*, 11, trad. J. Bompaire)

Le chapitre du Pseudo-Aristote sur les couleurs souligne l'intérêt de mener l'étude chromatique « non pas en mélangeant des pigments comme font les peintres », mais plutôt « en comparant les rayons reflétés à partir de couleurs répertoriées » (792b). Dans son examen de l'arc-en-ciel, Aristote soulignait aussi que les principales couleurs pures étaient celles « que les peintres ne savent pas fabriquer » (*Météorologiques* 372a). Dès Empédocle pourtant, les théoriciens eurent plusieurs fois recours à l'expérience pratique de la couleur en art. Démocrite aurait ainsi rédigé des traités sur la couleur et sur la peinture, mais aucun ne nous est parvenu [24]. Platon, qui fait de fréquentes allusions aux procédés picturaux, notamment pour les décors de théâtre, aurait été peintre dans sa jeunesse, selon la tradition antique [25]. Un auteur anonyme du VIe siècle de notre ère, probablement un platonicien d'Alexandrie, prétend même que les idées de mélanges de couleurs développées dans le *Timée* proviennent de discussions tenues dans l'atelier de Platon [26]. L'un des textes d'Aristote les plus frappants sur le contraste chromatique est issu de son observation du tissage. Il y soulève une question qui ne sera pas abordée de façon systématique avant que Chevreul ne s'en empare au XIXe siècle :

> Les teintures brillantes montrent aussi les effets du contraste. En effet, dans les tissus et les broderies, on ne saurait dire combien l'apparence de certaines couleurs dépend de la façon dont elles sont disposées les unes à côté des autres, par exemple des laines rouge sombre sur un fond de laines blanches ou de laines noires, ou encore placées sous tel ou tel éclairage. C'est pourquoi les brodeurs disent qu'ils se trompent souvent de couleur quand ils travaillent sous la lampe, et qu'ils prennent les unes pour les autres. (*Météorologiques*, 375a, trad. P. Louis)

Voilà une formulation parfaitement claire du problème aujourd'hui connu sous le nom de métamérisme : des couleurs semblant s'accorder sous une certaine lumière, apparaissent discordantes sous une autre.

Nous avons conservé la trace de plusieurs traités techniques dus à des artistes de l'Antiquité, mais nous ne connaissons rien de leur contenu [27]. Peut-être les plus intrigants sont-ils les volumes *Sur la symétrie* et *Sur les couleurs* (*Volumina* […] *de symmetria et coloribus*) attribués par Pline l'Ancien à Euphranor, peintre et sculpteur du milieu du IVe siècle av. J.-C. (*Histoire Naturelle* XXXV, xli, 28). Pline fait mention de plusieurs volumes, suggérant que les traités étaient distincts, mais il a pu tout aussi bien scinder une notion homogène jusque-là dans les débats grecs sur la couleur. De fait, dans le *Ménon* (76d), Platon définit la couleur en soi, selon une terminologie empruntée à Empédocle, comme une émanation des surfaces des objets qui « s'adapte » aux canaux visuels de l'œil, dans le processus de la perception : la couleur est une sorte de « mesure conjointe » (*summetros*) ou symétrie [28]. Pline a peut-être choisi de séparer ces concepts parce qu'Euphranor jouissait, en tant que sculpteur, d'une grande réputation d'expert en symétrie (*usurpasse symmetriam*). C'est en tant que concept de la statuaire, le canon de proportions de la figure humaine, que le terme connut son plus fort retentissement à partir de l'époque hellénistique. Du temps de Pline, les stoïciens avaient conçu la symétrie et la couleur comme les deux ingrédients, essentiels mais bien distincts, de la beauté. Cette formule, transmise notamment par Cicéron, eut un impact considérable sur l'esthétique médiévale [29].

La symétrie est un concept fondé sur le nombre : une proportion ne peut être effective que comme rapport numérique entre plusieurs parties. Or, à l'exception d'Aristote qui essaye de manière assez imprécise et hasardeuse de faire correspondre les couleurs avec l'octave musicale, aucun auteur antique n'a tenté d'interpréter les couleurs en termes de nombres. Plotin, philosophe grec vivant à Rome au IIIe siècle de notre ère, a exclu la couleur des catégories de la beauté, en se fondant précisément sur cet argument : « La couleur, malgré tout son charme, et même la lumière du soleil, étant dépourvue de parties et donc n'étant pas belle par symétrie, doit être exilée du royaume de la beauté. Mais d'où vient alors la beauté de l'or ? Et les éclairs dans la nuit, et les étoiles ? Pourquoi ont-ils une telle beauté [30] ? » Il fait ainsi écho à son maître Platon et, je dirais aussi, à Euphranor. Aucune peinture que l'on puisse attribuer à ce dernier ne nous est parvenue, mais une référence romaine du Ier siècle à son tableau de *Poséidon*, visible à Athènes, évoque « ses couleurs supérieures, celles de la majesté [31] ».

D'autres auteurs antiques évoquent la beauté de la couleur. Démocrite parle assez confusément d'une « très belle couleur » (*kalliston chrōma*), composée de vert, de blanc et de rouge, « mais la composante de vert doit rester petite, car toute addition ne pourrait convenir à l'union du blanc et du rouge [32] ». Dans un passage bien connu du *Philèbe* (53b), Platon fait une allusion à la beauté intrinsèque des couleurs pures ; mais il ne dit pas quelles sont pour lui ces couleurs pures. Ailleurs, par exemple dans *La République* (421c-d), il adopte l'élection, conventionnelle dans l'Antiquité, de la couleur pourpre comme la plus belle des couleurs – une préférence reprise par Aristote dans son examen des couleurs en lien avec la musique.

Le rapport de ces considérations théoriques avec la pratique des peintres de l'Antiquité est très difficile à établir, puisqu'à l'exception de la peinture sur vase, presque aucun spécimen de l'art d'époque classique ne nous est parvenu. Quelques indications, cependant, montrent que les techniques de l'art monumental étaient bien comprises des théoriciens. Pour preuve, ce passage d'Aristote qui présente l'une de ses hypothèses sur l'origine des couleurs intermédiaires :

Les couleurs […] paraissent les unes à travers les autres, comme le font parfois les peintres ; ils passent une couleur sur une autre plus éclatante, tout comme quand ils veulent faire apparaître quelque chose dans l'eau ou dans l'air ; et, par exemple, le soleil semble blanc par lui-même, mais rouge à travers un nuage et de la fumée. (*Petits traités d'histoire naturelle*, 440a, trad. R. Mugnier)

L'usage dans la peinture murale d'un glacis blanc à moitié transparent est connu dès 1400 av. J.-C. à Knossos et on a repéré une sous-couche noire dans les peintures de Tarquinia, ville étrusque du Vᵉ siècle, auxquelles a peut-être travaillé un artiste grec [33]. Bien plus tard, à Pompéi, le recours à une sous-couche de noir, rose, marron ou gris, afin de relever le rouge, devint systématique dans les plus importantes compositions. Pline, qui est mort près de Pompéi durant l'éruption volcanique de l'an 79, a décrit de nombreux fonds rouges et bleus utilisés pour produire les effets les plus brillants avec les pigments de pourpre les moins onéreux (*Hist. Nat.* XXXV, xxvi, 45) [34]. Il nous a aussi laissé le témoignage majeur de ce qui est peut-être le reflet de la théorie dans la pratique picturale : la palette quadrichrome, réduite au noir, blanc, rouge et jaune, attribuée au peintre Apelle et ses contemporains du IVᵉ siècle (*cf.* chapitre 2). Le texte de Pline, qui est au fond une récrimination contre la peinture fleurie de son temps, se conforme à un schéma courant de la rhétorique romaine : la peinture est désormais considérée sans valeur, dit-il, si elle n'est pas exécutée avec une multitude de pigments exotiques et coûteux. Dans un autre passage (*Hist. Nat.* XXXV, xli, 30), il note que ces couleurs *floridi* sont fournies par le commanditaire et non par l'artiste ; cela suggère non seulement leur coût, mais encore leur fonction d'indice du goût du consommateur plutôt que du producteur. L'architecte romain Vitruve constate lui aussi cette pratique à la fin du Iᵉʳ siècle av. J.-C. (*Dix Livres d'architecture*, VII, 7-8). Le thème de la décadence induite par l'extravagance moderne est alors un lieu commun. Sénèque, par exemple, oppose la simplicité des bains dans la villa de Scipion et le goût moderne :

Mais aujourd'hui, qui supporterait de se laver dans de telles conditions ? On se croit pauvre et misérable, si les parois de sa salle de bains ne sont pas recouvertes de plaques de marbre étincelantes qui coûtent les yeux de la tête ; si le marbre d'Alexandrie n'est pas orné d'incrustations de marbre numidique [*crustis Numidicis*] ; si autour de chaque mur ne court pas une décoration recherchée, aussi travaillée pour la couleur qu'une peinture ; si le plafond n'est pas dissimulé par une verrière [*nisi vitro absconditur camera*]. (Lettres à Lucilius, LXXXVI, 6-7, trad. P. Miscevic)

Les références à l'Égypte et à la Numidie sont cruciales, comme la référence aux couleurs indiennes dans la litanie de Pline (*cf.* chapitre 3), tant il importait que la décadence eût une origine exotique, orientale. Un contemporain de Pline, le romancier Pétrone condamnait déjà la Chine et l'Arabie pour leur responsabilité dans ce goût du luxe en train de saper le bon goût romain (*Satiricon*, II, 88 et 119). C'était une extension à l'art de l'ancienne controverse rhétorique entre style attique et style asiatique. L'adjectif attique qualifiait la simplicité et la franchise, quand la souplesse et la surcharge étaient qualifiées d'asiatiques [35]. En rhétorique, le terme *colores* apparaît dès le Iᵉʳ siècle avec Sénèque pour désigner les ornements et l'amplification de la structure essentielle ou du matériau brut d'un raisonnement [36]. Dans l'histoire de la couleur optique, il n'est pas sans intérêt que les matières procurant la délectation des

sens aient été perçues comme une importation orientale en Europe – c'est en effet un *topos* qui parcourt tout ce livre.

Durant toute l'Antiquité, les critiques confèrent à la couleur dans la peinture un statut profondément ambigu. D'un côté, elle incarne l'accidentel, le décoratif, le faux ; de l'autre, elle seule apporte vie et vérité à la peinture [37]. L'antithèse est déjà claire chez Aristote, qui écrit dans la *Poétique* (1450a-b) que « l'esquisse d'un portrait à la craie charmera davantage que les plus belles couleurs appliquées sans ordre ». Platon, en revanche, parle d'un portrait « dont les contours extérieurs ont bien l'air de représenter suffisamment son objet, mais qui n'a pas encore ce relief que donnent les couleurs préparées et l'harmonie de leurs teintes » (*Politique*, 277 b-c). Pour les deux philosophes, la finalité de l'art est l'imitation de la nature ; la couleur semble ou bien favoriser ou bien entraver cette finalité. Même Philostrate, romancier du IIᵉ-IIIᵉ siècle de notre ère, qui délaissa l'idée d'imitation pour celle d'imagination intuitive en art, oppose les couleurs du maquillage à celles de la peinture, dont la fonction est d'imiter : « Si ce n'était pas là son objet, elle ne serait qu'un ridicule mélange de couleurs, sans raisons [38]. » Mais, il poursuit en disant que les couleurs ne sont pas non plus essentielles à l'imitation, puisque le monochrome produit aussi la vraisemblance, pourvu que le dessin soit de qualité : « Si nous dessinions un Indien d'une simple ligne, sans couleur, on verra bien qu'il est noir, car l'aplatissement du nez, les cheveux crépus et hérissés, la mâchoire proéminente, et, dans les yeux, une sorte d'impression de crainte feront que ce que l'on verra semblera noir et sera la représentation d'un Indien, au moins pour les spectateurs qui sauront voir [39]. » Plutarque, au Iᵉʳ siècle de notre ère, résume l'attitude antique dans un brillant paradoxe :

De même que dans les peintures, la couleur produit plus d'effet que le dessin parce qu'elle crée la ressemblance et l'illusion de la réalité, de même en poésie une œuvre qui mêle la fiction à l'imitation du vrai fait plus d'impression et agrée plus qu'un ouvrage qui n'ajoute à la qualité des mètres et du style ni fable ni fiction. (*Moralia*, 16b-c, trad. A. Philippon)

L'accent mis sur la fonction imitative, qui confère en même temps une séduction décorative, se voit à l'œuvre dans la polychromie de l'art hellénistique, comme ce sarcophage peint de Sidon qui présente à la fois une coloration naturaliste et un usage décoratif de la dorure [40].

Pour les critiques de l'Antiquité, la couleur, sans être absolument nuisible, était du moins extrinsèque à la peinture figurative : on a pu montrer que l'*ethos* de l'art hellénistique résidait moins dans l'usage des couleurs que dans la maîtrise de la ligne [41]. À une époque où l'exécution était déjà jugée inférieure à la conception, on a même suggéré que « savoir doser le mélange de couleurs et les appliquer avec justesse » n'était plus l'affaire du maître mais de ses apprentis [42]. Une telle vision n'aurait sûrement pas été bien accueillie au sein de l'atelier, mais nous sommes encore très mal informés sur les pratiques concrètes dans l'Antiquité. L'une des rares représentations d'un artiste antique au travail, sur un sarcophage peint du Iᵉʳ siècle de notre ère, provenant de Kertsch, au sud de la Russie, montre une boîte de couleurs avec seize compartiments. Même les peintres des petites stèles de Volos sont connus pour avoir utilisé une palette de treize pigments, dont deux blancs et trois noirs, en plus du bleu et du vert [43]. À Pompéi, rien moins que 29 pigments différents ont pu être identifiés, dont dix rouges.

Et pourtant, les peintures murales datant de la même époque, dans la ville voisine de Boscotrecase, ne révèlent qu'une palette très limitée de cinq pigments (y compris une terre verte), mais le mélange permettait d'élargir quelque peu la gamme [44]. Un recueil de recettes picturales, donné par Julius Pollux au IIe siècle, énumère douze couleurs, dont une teinte chair *(andreikelon)*, selon une logique d'apparence assez arbitraire *(Onomasticon,* VII, 129). Écrite surtout pour des amateurs de rhétorique, cette forme de compilation lexicale ne nous apprend que bien peu de choses sur les rapports concrets à la couleur.

La splendeur et le mouvement

Même si les récriminations de Pline et Vitruve contre la polychromie extravagante de la peinture romaine tardive ont un caractère conventionnel, elles n'en reflètent pas moins une évolution du goût, qui est attestée à la fois par les monuments et par toute la littérature latine. Nous avons vu que la polychromie n'était pas du tout étrangère à la Grèce classique. L'un des rares documents qui subsistent sur l'économie culturelle en Grèce concerne la décoration intérieure du temple d'Asclépios à Épidaure (IVe siècle av. J.-C.). Les dépenses pour la marqueterie et la statue d'or et d'ivoire du dieu, sans tenir compte du coût des matériaux précieux, furent deux fois et demie supérieures à celles de la colonnade du temple et plus de dix fois supérieures au salaire annuel de l'architecte [45]. La mode des incrustations murales de fins panneaux de marbre coloré remonte certainement en Grèce au VIe siècle ; le plus ancien exemple en est peut-être le Trésor des Siphniens à Delphes, où toute trace du marbre a maintenant disparu. Mais cette mode faisait fureur à Rome après le Ier siècle av. J.-C. [46] Assurément, les Romains ont fait des marbres colorés de Grèce un usage bien plus fréquent que les Grecs eux-mêmes [47]. Un tel développement se perçoit très aisément dans l'évolution des pavements de mosaïque romaine : elle commence par les mosaïques simples en quadrichromie, faites de pierres ou de galets noirs, blancs, rouges et jaunes, datant du IIIe siècle (Morgantina, Serra Orlando en Sicile) ; elle continue avec l'introduction progressive des verres colorés − surtout pour de brillants rouges, bleus et verts au IIe siècle (Pergame) ; elle s'achève sur la splendeur chromatique des mosaïques en verre de Pompéi et Herculanum, ou bien sur cette mosaïque du Ier siècle de notre ère, aujourd'hui au musée de Corinthe, où les plus vifs bleus, verts, jaunes et rouges sont comme tissés dans la bordure géométrique [48]. De même en latin, une expansion marquante de la terminologie chromatique a pu être notée à la fin du Ier siècle : on passe alors d'une simple liste de cinq noms de teintes dans les poèmes homériques à une liste de plus de 70 termes, dont plus de seize pour les rouges, huit pour les bleus et dix pour les verts [49]. La pratique des artistes et la perception du public, en matière de couleurs, ont ainsi dû avancer de concert.

Pourtant, il ne faudrait pas directement en conclure qu'une conception tonale fut remplacée par une vision chromatique. Si nous examinons les descriptions que font les Romains de leurs somptueuses demeures, on constate qu'elles sont toujours vues d'abord en termes de lumière, d'éclat, de splendeur. Le poète latin Lucrèce, pour prendre un exemple du Ier siècle, fait l'éloge de la vie simple : « Si l'on ne possède statues dorées d'éphèbes/tenant en main droite des flambeaux allumés/pour fournir leur lumière aux nocturnes festins,/ni maison brillant d'or et reluisant d'argent,/ni cithares résonnant sous des lambris dorés » *(De la nature,* II, vers 24-

28, trad. J. Kany-Turpin). Il a pu tirer ces images du *locus classicus* de la description architecturale, les vers d'Homère sur le palais d'Alcinoos *(Odyssée,* VI, vers 82-130), mais il les utilise dans un poème didactique et dans une section où, à la suite d'Épicure et Démocrite, il tient beaucoup à démontrer l'absence de réalité physique de la couleur [50].

Si l'on considère les techniques développées par les Romains en peinture et en mosaïque, on retrouve le même souci du lustrage, suggéré par les descriptions. Les murs peints de Pompéi et Boscotrecase étaient polis jusqu'à ce qu'ils brillent comme des miroirs [51]. Les pavements de Pergame et Morgantina étaient égalisés, cirés et polis, non seulement pour en faire ressortir la couleur − de même fait-on aujourd'hui en les mouillant d'eau − mais aussi pour donner un plus grand pouvoir réfléchissant à la surface [52]. L'effet recherché devait approcher celui que Pline attribue à la mince couche de vernis noir employée par Apelle pour finir ses peintures : elle « en exalte la luminosité [*repercussum claritatis*] et les protège contre la poussière et la saleté ». Et « la chose était calculée pour que l'éclat des couleurs ne blessât pas la vue, comme si l'on regardait à travers une pierre spéculaire ; de loin, l'effet mystérieusement obtenu était une atténuation des couleurs trop violentes [53] ». Cet effet double de renforcement et d'adoucissement des couleurs d'une surface, selon les divers angles de vision d'un spectateur en mouvement, c'est exactement l'effet produit par le polissage. Apelle avait, bien sûr, coutume de travailler dans un cadre architectural : ses fameuses peintures de Vénus Anadyomène devaient à l'origine décorer le somptueux temple polychrome à Kos [54].

Comme le suggèrent les lignes de Pline sur Apelle, les Romains étaient très sensibles aux effets de lumière sur les images. Vitruve, par exemple, recommande une exposition au Nord pour les musées, de sorte que l'éclairage soit plus régulier [55]. Ce souci de l'éclat ou du lustre des objets colorés ou de la peinture transparaît aussi dans les préférences chromatiques de l'Antiquité tardive − du moins dans celles qu'on peut attribuer à cette époque avec suffisamment de certitude [56]. La teinte la plus ouvertement prisée était le pourpre, le plus précieux colorant de l'Antiquité. La teinture pourpre, obtenue à partir de plusieurs espèces de coquillage, s'était développée dans les civilisations d'Asie Mineure et de Grèce mycénienne dès le XVe siècle av. J.-C. Au VIIe siècle déjà, le poète lyrique Alcman remarquait que le pourpre était particulièrement admiré [57].

Bien que la tombe royale de Philippe II à Vergina (Macédoine, IVe siècle av. J.-C.) ait livré des fragments d'étoffe pourpre pailletée de médaillons dorés en étoile, le pourpre ne semble pas avoir été un privilège royal jusqu'à l'époque romaine. C'est alors qu'il devint l'objet d'un véritable culte. Pline écrit :

La polychromie de la sculpture grecque fut d'abord un choc pour l'Angleterre victorienne, mais dans les années 1860 les preuves archéologiques étaient trop solides pour être contestées. Dans une peinture montrant les Athéniens du Ve siècle en train de regarder la frise du Parthénon avant le démontage des échafaudages, Alma-Tadema en imagina les bas-reliefs peints de couleurs intenses et schématiques afin de faire ressortir de loin les figures.

4 SIR LAWRENCE ALMA-TADEMA, *Phidias et la frise du Parthénon,* Athènes, 1868-1869 (détail).

Mélange et assortiment

L'éventail chromatique utilisé par les artistes grecs et romains n'était sans doute pas limité à quatre couleurs (blanc, noir, rouge et jaune), comme on l'a cru un temps. Un panneau de Saqqâra (**7**) est presque la seule peinture connue, d'époque classique, à montrer une telle restriction. Chaque siècle, de l'archaïsme (**5**) à l'Antiquité tardive (**6**), comprend des œuvres aux multiples couleurs, y compris du bleu brillant. Mais sur ce fragment de papyrus d'Antinoë (**6**), le bleu-gris des conducteurs de char du milieu a pu être réalisé à partir de noir. Les pigments étaient rarement mélangés sur la palette mais, si nécessaire, un effet comparable était obtenu par des hachures (**8**).

5 Tombe du Plongeur, Paestum, Vᵉ siècle av. J.-C. (détail).
6 Six conducteurs de char, fragment de papyrus d'Antinoë, v. 500.
7 Fragment d'un panneau peint de Saqqâra, IVᵉ siècle av. J.-C.
8 Portrait du Fayoum, Égypte, IVᵉ siècle de notre ère.

7

8

La polychromie grecque restituée

FORMAS RERVM OBSCVRAS ILLVSTRAT CONFVSAS DISTINCVIT OMNES ORNAT COLORVM DIVRSITAS SVAVIS

NEC VITA NEC SANITAS NEC PVLCRITVDO NEC SINE COLORE IVVENTVS

10

Au début du XIXe siècle, on dut
abandonner l'idée que l'architecture et la
sculpture grecques étaient d'un blanc éclatant.
Ingres, le plus grand des peintres néoclassiques
français, représenta des intérieurs grecs
vivement polychromes (**10**). Son ami Hittorff,
archéologue et architecte français, publia des
restitutions colorées de bâtiments grecs (**11**) et
les imita dans ses propres constructions. Owen
Jones conçut en 1862 un temple (**9**) pour
abriter la fameuse *Vénus teintée* de Gibson ; il
portait plusieurs inscriptions proclamant
l'importance de la couleur pour la vie et la
santé, la beauté et la jeunesse.

9 OWEN JONES, « Design for a temple to house
Gibson's *Tinted Venus* », 1862.
10 JEAN-AUGUSTE-DOMINIQUE INGRES, *Antiochus et
Stratonice*, 1834-1840.
11 JACQUES IGNACE HITTORFF, « Le Temple
d'Empédocle à Sélinonte », tiré de *Restitution du
Temple d'Empédocle à Sélinonte, ou De l'Architecture
polychrome chez les Grecs*, 1851.

11

13

La légende d'Apelle

Apelle était le peintre le plus célèbre de l'Antiquité. Aucune de ses œuvres n'a survécu, mais en peindre des reconstitutions d'après des descriptions écrites devint une mode. La *Vénus Anadyomène* de Titien (**13**) recrée l'une de ses peintures qui avait été abîmée dans sa partie basse. Tiepolo (**12**) montre une scène de sa vie, lorsqu'ayant reçu commande de peindre Campaspe, la maîtresse d'Alexandre le Grand, il en tomba amoureux lui-même – sur quoi Alexandre la lui offrit généreusement. Les deux artistes ne semblent pas s'être préoccupés de la tradition donnant à Apelle une palette quadrichrome : la mer de Titien est de teinte bleu-vert, et Tiepolo, naturellement, montre Apelle utilisant une palette bien fournie du XVIIIᵉ siècle, similaire à la sienne.

12 GIOVANNI BATTISTA TIEPOLO, *Alexandre et Campaspe dans l'atelier d'Apelle*, v. 1736-1737.
13 TITIEN, *Vénus Anadyomène* (dite *Vénus Bridgewater*), v. 1520-1525.

Ce précieux liquide brillant [*sublucens*], rose foncé […] Les faisceaux et les haches des licteurs lui ouvrent la voie à Rome, elle contribue à la majesté de l'enfant noble, elle fait la distinction entre l'ordre sénatorial et l'ordre des chevaliers, elle contribue à l'apaisement des dieux dans les cérémonies religieuses, elle éclaire [*illuminat*] tous les vêtements et se mêle à l'or sur le manteau du général triomphant. Qu'on pardonne donc à la folie de la pourpre […] Mais pourquoi faire payer un prix exorbitant des coquillages dont on tire une teinture nauséabonde, d'une vilaine couleur bleu-vert de mer en colère [*color austerus in glauco et irascenti similis mari*] ? (*Hist. Nat.*, IX, xxxvi, 126, trad. Sonnier)

Comme Pline le suggère, le pourpre était une couleur réservée aux plus hautes charges de l'État : sous la forme d'une robe pourpre et or, seul pouvait la porter un général pendant son triomphe. Les sénateurs pouvaient avoir de larges bandes pourpres aux extrémités de leur toge, les chevaliers et les magistrats de haut rang avaient droit à des bandes plus étroites. Cicéron, avec d'autres auteurs du Ier siècle, parle de la « pourpre royale [58] ». Enfin, au début du IVe siècle de notre ère, du temps de Dioclétien, le pourpre était exclusivement associé à l'empereur. En dehors de sa personne, quiconque en portait manifestait en quelque sorte des intentions de conspirateur. Le propriétaire d'un manteau de pourpre, ou d'une étoffe légèrement pourprée, ou même d'une imitation de la pourpre, risquait de lourdes amendes ; malgré tout, il y eut beaucoup de contrevenants au Ve siècle et un actif marché noir des étoffes de pourpre [59].

Les raisons d'un tel culte sont difficiles à établir. D'après Théophraste, Démocrite évoque un pourpre (*porphurios*) qui serait un mélange de blanc, noir et rouge ; le rouge en plus grande proportion, le noir en plus petite et le blanc en proportion moyenne. « La présence du noir et du rouge saute aux yeux ; sa clarté [*phaneron*] et son lustre [*lampron*] témoignent de la présence du blanc, puisque c'est le blanc qui produit de tels effets [60]. » Les noms mêmes du pourpre dans les textes mycéniens et homériques semblent indiquer le mouvement et la variation. Cela s'explique peut-être par les nombreux changements chromatiques durant le processus de teinture – mais c'est aussi et surtout la condition requise pour percevoir le lustre lui-même [61]. Au IVe siècle, le poète Ménandre décrit un tissu fait de fils pourpres et blancs, que l'orientation de la lumière fait chatoyer – un effet peut-être analogue à celui du taffetas changeant de l'Antiquité tardive [62] (*cf.* chapitre 3). Plus de deux siècles après Ménandre, Lucrèce écrit sur « l'éclat brillant des robes pourpres » (*De la nature*, II, v. 58). La beauté de la pourpre était aussi attribuée au lustre de sa surface par Pline et Philostrate. Ce dernier note dans ses *Images* (I, 28) que « bien qu'elle soit d'une couleur sombre, elle participe en quelque sorte de l'éclat du soleil et semble refléter tout l'éclat chatoyant de

Le rouge, comme couleur de la lumière, était un élément important à l'intérieur des bâtiments religieux romains. Ce mur pompéien avait sans doute été poli, autant que peint, pour en renforcer l'éclat. Des illustrations en couleurs de ces somptueux intérieurs furent accessibles au public au début des années 1830, environ un siècle après leur découverte.

14 CHARLES FRANÇOIS MAZOIS, reconstitution d'un mur, édifice d'Eumachia, Pompéi, tiré de *Les Ruines de Pompéi*, 1829.

l'arc-en-ciel ». Pline caractérise dans son *Histoire naturelle*, de manière exhaustive comme toujours, les nombreuses nuances de la pourpre. Sur la pourpre tyrienne, tirée du *murex*, il écrit – on l'a déjà vu – qu'elle « éclaire tous les vêtements » ; et même s'il affirme qu'un rouge franc (*rubeus*) est inférieur à un rouge teinté de noir (IX, xxxviii, 134), il poursuit en décrivant avec précision comment on obtient cette noirceur. Il distingue les deux types de coquillages dont on tire le colorant, le petit *buccinum* (*purpura haemastroma* ?) et le *purpura* (*murex brandaris*) pour expliquer :

Le rouge vif est moins estimé que le rouge foncé ; en additionnant les propriétés colorantes du pourpre et du buccin [*purpura*] (le premier fonce, le second éclaircit), on obtient la plus belle teinte, violet améthyste [*austeritatem nitoremque qui quaeritur cocci*] ; le rouge tyrien à proprement parler est obtenu à partir d'un bain de pourpre pélagienne, sans cuisson, puis d'un second bain de buccin. […] La préférence va à la couleur sang caillé, sombre vue de face, moirée vue de biais [*colore sanguinis concreti, nigricans adspectu, idemque suspectu refulgens*]. (*Hist. Nat.*, IX, xxxviii, trad. Sonnier)

Dans un autre chapitre (IX, xxxix, 138), Pline remarque qu'à son époque, c'est une nuance de pourpre plus pâle qui est en vogue.

Assurément, le vrai pourpre tyrien, teint deux fois, avait de la valeur en raison de sa rareté, comme l'or, car sa fabrication était très peu rentable, et parce que les Phéniciens en avaient gardé le secret pendant des siècles [63]. Mais c'était aussi une couleur d'une exceptionnelle longévité : quand Alexandre le Grand rapporta le butin de sa campagne de Perse, il put constater qu'une grande quantité des étoffes pourpres de Grèce avaient conservé au bout de deux siècles tout leur brillant et leur fraîcheur [64]. D'ailleurs, ce caractère durable de la pourpre inspira aux empereurs, tels Dioclétien et Constantin, de s'en servir comme linceul [65]. Mais dans le processus de teinture avec le *murex*, plusieurs couleurs étaient produites à différentes étapes, dont du jaune, du bleu, du rouge et ce bleu-vert que Pline regardait avec tant de dégoût. On pouvait s'attendre à ce que ces teintes soient également appréciées [66]. Le « pourpre vert » servait, de fait, à Byzance pour distinguer les curateurs de la cour impériale [67]. Mais ces couleurs avaient bien moins de prix que le pourpre ; sans aucun doute, faut-il s'expliquer cela par la valeur symbolique du pourpre comme couleur divine, une valeur qu'on a pu repérer dès le début du Ve siècle av. J.-C. sur un plafond de Chiusi [68]. Le pourpre était divin précisément parce qu'il était porteur de lumière.

L'étoffe pourpre la plus prisée était probablement la variété la plus intense, à double teinture, telle qu'on la remarque sur la robe impériale de Théodora à Ravenne [69]. Pourtant, nous avons vu grâce à Pline et d'autres auteurs, que c'est l'éclat, le lustre de la couleur qui étaient surtout soulignés : peut-être qu'à l'instar du vernis noir d'Apelle, le miracle du pourpre tenait à ce pouvoir de réunir en lui-même l'obscurité et la lumière, soit toute la couleur du monde. Ainsi le test assez rudimentaire que propose Pline pour éprouver le meilleur pourpre a-t-il dû être souvent requis dans l'Antiquité tardive et à Byzance. En effet, la reconnaissance du vrai pourpre, dont l'usage était réservé à la famille impériale, avait force de loi au milieu des nombreuses imitations et le fraudeur pouvait risquer jusqu'à la peine capitale. La promulgation répétée d'édits par les empereurs Gratien, Valentinien, Théodose et Justinien, suggère toute la permanence du problème. Leur formulation, qui spécifie le colorant (*sacri murici*, les buccins sacrés, ou *triti conchylii*, les

34

coquillages broyés) plutôt que la teinte, dite *purpura* tout du long, donne un exemple précoce du recours, comme critère de jugement, à des matériaux clairement identifiables plutôt qu'à des apparences trompeuses [70]. Le code juridique d'Ulpien (IIIe siècle) va jusqu'à définir *purpura* comme tout matériau rouge à l'exception de ceux contenant l'autre colorant rouge d'origine animale, le *coccum*, tiré de l'insecte *coccus illicus* [71].

Mais si le pourpre recouvrait autant de couleurs, comment pouvait-il assumer les significations majeures qu'il attira sans conteste à la fin de l'Antiquité ? Ce fut possible tout d'abord dans la mesure où on le classait généralement avec le rouge [72], le représentant chromatique du feu et de la lumière. Le rouge indique le divin, depuis les temps les plus reculés et dans de nombreuses cultures [73]. On l'utilisait en Grèce ancienne pour sanctifier les mariages et les funérailles, et à la guerre, pour inspirer l'effroi aux ennemis. Avant le Ve siècle, les stèles grecques portaient des fonds peints en rouge (voir les fonds pourprés de certaines stèles hellénistiques de Volos), même si plus tard ces fonds devinrent bleus. L'intérieur de certains temples était peint en rouge, comme le temple d'Aphaïa à Égine. Philostrate rapporte, dans sa *Vie d'Apollonius de Tyane*, l'existence d'un sanctuaire du soleil à Taxila en Inde, où « les murs du temple étaient en pierres rouges d'un éclat doré, qui étincelaient comme les rayons du soleil » (II, 24). Le temple d'Isis à Pompéi avait des murs rouges et, dans la Villa des Mystères de la même ville, le fond des scènes d'initiation est rouge, probablement encore pour des raisons sacrées. On connaît aussi quelques statues de dieux romains peintes en rouge. Le rouge était largement considéré comme la couleur du soleil. Ainsi, certains rites grecs font-ils un usage interchangeable du rouge et du blanc dans un contexte solaire : une mosaïque d'Hélios de la fin du IIIe siècle de notre ère, visible au musée de Sparte, montre le dieu avec un nimbe rougeâtre, projetant des rayons jaune-rouge, rouges et blancs [74].

Enfin, le rouge avait un rapport particulier avec l'or, cette autre « couleur » suprêmement impériale dans l'Antiquité et le haut Moyen Âge [75]. Leur affinité influait sur les procédés de la mosaïque comme de la peinture sur bois. Aristote place le rouge à côté de la lumière dans son échelle chromatique – cela doit être souligné ici car cela nous ramène, à travers le pourpre, à notre premier centre d'intérêt, la lumière.

En effet, si la nature et l'identification des teintes sont un sujet d'incertitude dans le monde gréco-latin, il n'y a aucun doute sur la place de la lumière. La lumière et la vie sont des concepts apparentés [76] : être vivant, c'est voir la lumière du soleil [77]. Sur une pierre tombale de la fin du Ve siècle, dans le Céramique à Athènes, montrant une grand-mère et son petit enfant, une épitaphe touchante donne à lire : « Je tiens ici l'enfant de ma fille, enfant aimé que j'ai porté sur mes genoux, quand vivants tous deux, nous regardions la lumière du soleil, et que je porte mort, maintenant que je suis morte moi-même. » Zeus, le roi des dieux, est une personnification du ciel, en tant que source de clarté et de jour. À partir de l'époque mycénienne, la lumière est un signe de l'épiphanie divine ; les statues mêmes des dieux, comme le Palladium, ont le pouvoir d'aveugler les mortels. De là peut-être la fréquence du thème de l'enlèvement du Palladium sur les gemmes antiques, puisque les pierres précieuses sont en elles-mêmes dépositaires de la lumière [78]. Dion Chrysostome souligne dans ses *Discours* (XII, 25.52) que la statue chryséléphantine de Zeus à Olympie, œuvre de Phidias, diffuse la lumière et la grâce : c'est un présage éclatant *(phasma lamprou)*. Le nimbe ou halo de lumière devient un attribut de la divinité et se voit sur de nombreuses statues à partir d'Alexandre le Grand [79].

Pourtant, il faut attendre la fin de l'Antiquité pour que la lumière prenne une connotation transcendantale en Occident. La Grèce est atypique au sein des cultures antiques en ce qu'elle n'a pas développé de culte aux dieux du soleil et de la lune, ni donné de place importante aux légendes solaires et lunaires dans sa mythologie. Les Grecs jugeaient de tels cultes, dont ceux de l'Égypte ancienne, tout à fait barbares. Mais, au IIe siècle de notre ère, deux orientaux hellénisés, Julien le Chaldéen et son fils Julien le Théurgite, rendirent publics de nombreux oracles qui ramenaient la lumière au centre de la religion antique. Dans ces oracles, le soleil est le centre de l'univers et l'élément dans lequel se révèle le Dieu suprême en personne. Le soleil a des pouvoirs purificateurs et cathartiques ; ses rayons descendent sur la terre pour soulever jusqu'à lui l'âme de l'initié [80]. Les pratiques magiques de la Théurgie, dérivées de ces oracles chaldéens, seront en vogue jusqu'au Ve siècle. Elles incluent, entre autres, l'invocation du Dieu par un médium ; cette manifestation s'accompagne souvent aussi d'une luminosité, d'ordinaire plutôt diffuse ou prenant une forme délimitée [81].

De ces idées, on trouve la discussion contemporaine la plus fine dans les *Énnéades* de Plotin. Ses liens avec les théurgistes ont été âprement débattus, mais il a sans aucun doute partagé avec eux nombre de concepts et d'images [82]. Plotin est tout particulièrement intéressant parce qu'il est le plus grand penseur de la lumière et de la couleur dans l'Antiquité tardive. De plus, comme ses maîtres Platon et Aristote, il démontre une vive curiosité pour la théorie, voire la pratique artistique. C'est un philosophe religieux, surtout soucieux d'explorer la nature de l'âme et les modes de sa réunion avec l'Être Suprême. Il décrit à plusieurs reprises l'Unique en tant que lumière et, spécifiquement, comme le soleil (V, 3.12, 17). Pour Plotin, en effet, la lumière en soi est une image parfaite de l'unité, de la plénitude. Il utilise cette image dans un fort beau passage décrivant l'union de l'âme avec l'Unique :

> Alors on laisse de côté tout enseignement didactique, et s'étant instruit soi-même jusque-là, le voyant reste fixé dans cette vision du Beau à laquelle il est maintenant parvenu, il y fait acte de son intellect, mais emporté comme par une vague de son intellect, et enlevé toujours plus haut par cette vague de plus en plus forte et de plus en plus élevée, tout à coup il a vu, sans qu'il sache comment, et la contemplation ayant rempli ses yeux de la lumière, ne lui a point fait voir autre chose qu'elle, mais c'est la lumière elle-même qui était sa vision lumineuse. Car dans cet Être transcendant, il n'y avait pas l'Être qui est vu et la Lumière qui le fait voir, il n'y avait pas intellect et objet d'intellect, mais une aube de jour engendrant ensuite les deux et les faisant persister en Lui ; et Lui est uniquement aube de lumière engendrant l'Intellect. (VI, 7.36, trad. Alta)

La Beauté est aussi identifiée par Plotin avec l'Unique et avec la Lumière. Dans une première phase, comme nous l'avons vu, il semble accepter les belles couleurs « simples » de Platon, dans le *Philèbe*, ces couleurs « dépourvues de parties » – quoique tous les exemples de Plotin soient moins des couleurs que des lumières : l'or, la foudre, le feu et les étoiles. « Pour ce qui est de la beauté de la couleur, elle est simple dans sa forme et n'est que le résultat de la lumière, forme et réalité sans corps, maîtrisant la matière qui est ténèbres. » (I, 6.3) Plus souvent, Plotin considère les couleurs comme des modes de la lumière seule (II, 4.5) ou bien engendrées par réflexion lumineuse (IV, 4.29) ou, enfin, comme des effets de la lumière sur la matière (IV, 5.7). Parlant de peinture, il concède que la lumière doit être répartie selon la fonction de chacune des parties : « Les gens […] peu connaisseurs en peinture […] se plaignent que les couleurs ne soient pas belles dans toute l'image ; mais l'Artiste a étalé la teinte adéquate en chaque point. » (II, 2.11)

Plotin est particulièrement sensible aux manifestations subjectives de la couleur :

> L'œil aussi quelquefois voit la lumière non pas hors de lui et étrangère, mais avant que paraisse celle-là il voit un instant en lui-même une lumière plus brillante qui jaillit de lui ; ou, la nuit, dans les ténèbres, une sorte de lumière marchant devant lui et venant de lui, ou bien lorsque, ne voulant rien regarder des choses qui sont devant lui il abaisse puis relève rapidement les paupières, il projette également de la lumière ; ou bien en les fermant il voit en lui de la lumière : alors il voit donc sans voir, et il voit bien plus que quand il voit, puisqu'il voit la lumière ; il voyait les autres choses comme éclairées par la lumière, mais elles n'étaient pas la lumière. (V, 5.7)

Il a pu être impressionné par la remarque d'Aristote sur le fait qu'après avoir contemplé le soleil, l'œil produit encore des couleurs, même fermé – un enchaînement de couleurs du blanc au noir (*Sur les rêves*, 459b). Ces phénomènes chromatiques subjectifs suscitent un vif intérêt à partir du IIe siècle – et ils nous préparent à une subjectivité encore plus marquée dans l'art et la théorie du haut Moyen Âge [83]. La pensée esthétique de Plotin fut transmise jusqu'aux temps médiévaux par l'*Hexæmaron* de Basile le Grand (II, vii, 9f) ; mais sa réelle influence sur l'esthétique médiévale peut être mise en doute [84]. Quoi qu'il en soit, l'assimilation que fait Plotin de la couleur avec la lumière ne rencontra guère d'audience dans les siècles qui suivirent ; on trouvait plus intéressant de distinguer les deux notions, à l'instar des péripatéticiens.

Cependant, persistait l'antique tradition d'interpréter les valeurs des couleurs en fonction de leur degré d'incarnation de la lumière. La façon dont Pline caractérise le pourpre tyrien reste bien connue jusqu'au Moyen Âge. Alors qu'il compare aux plus fines étoffes de pourpre la couleur de l'améthyste (*Hist. Nat.* IX, xxviii, 135), les descriptions de cette pierre que font Isidore de Séville, Bède le

Vénérable et Marbode de Rennes l'associent à une nuance de rose noire, comme Pline l'avait fait lui aussi (*nigrantis rosae colore sublucens*, IX, xxxvi, 126). Il se peut que cette comparaison provienne d'une source grecque puisqu'une variante en apparaît dans quelques traités du VIIIe ou IXe siècle, le manuscrit de Lucques et les *Mappae Clavicula* [85]. L'accent mis sur le lustre, qui est si typique des textes romains sur le pourpre, revient aussi dans une certaine littérature technique en grec de la fin de l'Antiquité, comme dans celle de l'Occident médiéval. Le papyrus de Stockholm, par exemple, qui date de la fin du IIIe siècle ou du début du IVe, comprend trois recettes de teinture à la pourpre avec des colorants de substitution ; elles évoquent toutes le lustre. L'une d'elles est précédée d'un avertissement à « garder la chose secrète, car son teint est beau à l'excès [86] ». Au XIe siècle, l'Anonyme de Berne affirme, dans une controverse sur la peinture à l'œuf, que sa préparation donne un éclat au rouge, qui a « presque l'effet de la pourpre la plus chère ». Et Isidore de Séville, en faisant dériver le mot *purpura* de *puritate lucis*, « pureté de la lumière », influence durablement la pensée occidentale jusqu'à la Renaissance [87].

Comme les Anciens, les spectateurs du Moyen Âge isolent difficilement le pourpre au milieu d'un éventail de rouges ; ils raccrochent alors leur perception à des matériaux plutôt qu'à des teintes. Comme « écarlate » et « perse » au bas Moyen Âge (*cf.* chapitre 5), « pourpre » au début du Moyen Âge finit par désigner, non pas une nuance, mais un tissu de soie épaisse, qui pouvait être de n'importe quelle couleur, y compris blanche ou verte [88]. Cette confusion est illustrée par un exemple charmant, dans l'une des mosaïques du XIVe siècle de l'Église du Christ Saint-Sauveur-in-Chora (aujourd'hui le Kariye Djami) à Istanbul : dans la scène où la Vierge doit choisir des fils de couleur pour tisser le rideau du Temple (*cf.* chapitre 7), l'écheveau de pourpre, clairement étiqueté *porphurion*, a été rendu par le mosaïste par un rouge vermillon brillant [89].

Ainsi l'Antiquité grecque et romaine a-t-elle transmis à la postérité un ensemble d'hypothèses sur la couleur, qui se modifièrent lentement et qui donnèrent la toute première place à la valeur tonale, d'ombre et de lumière, plutôt qu'à la teinte. Mais ces hypothèses ne manquèrent pas d'être modifiées et nous pouvons suivre leur altération en nous intéressant à la fortune posthume du plus célèbre artiste de l'Antiquité, le peintre Apelle.

35

Bordure de pavement en mosaïque, Corinthe, Ier siècle de notre ère. Ce pavement est peut-être le premier entièrement fabriqué de tesselles en verre – un grand luxe certes, mais de manière plus significative encore, une œuvre inaugurant l'usage d'une gamme de couleurs brillantes bien plus large que ce qui était disponible en pierre. (15)

2 · La fortune d'Apelle

La théorie des quatre couleurs · Le problème du mélange · Apelle à la Renaissance
Dürer et Titien · La notion de couleurs primaires · L'atelier d'Apelle

ALORS QU'UNE GRANDE ambiguïté entoure les notions de teinte transmises à la postérité par le monde antique, ce que raconte Pline dans son *Histoire naturelle* est très clair : quelques-uns des meilleurs peintres de l'Antiquité utilisèrent sciemment une palette très restreinte :

> C'est en n'utilisant que quatre couleurs – le blanc de Milo, l'ocre d'Attique, la sinope rouge du Pont et l'*atramentum* noir – que les grands peintres Apelle, Aétion, Mélanthius et Nicomaque ont exécuté leurs chefs-d'œuvre. On est allé jusqu'à donner pour un seul de leurs tableaux tous les trésors d'une ville. Mais maintenant que la pourpre a quitté l'étoffe pour occuper les murs, que l'Inde nous envoie la boue violette de ses fleuves qu'ont souillée les serpents et les éléphants, la peinture a perdu sa noblesse. Autrefois c'était la qualité qui régnait et non la quantité [1]. (Trad. Sonnier)

Pline ne fait pas ici que préciser la nature des quatre couleurs, il en attribue l'usage à quatre peintres identifiés, à commencer par Apelle. Né vers 370 av. J.-C. et au sommet de sa gloire dans les années 320, il était le plus célèbre des peintres antiques, bien qu'aucune de ses œuvres n'ait été conservée même jusqu'à l'époque de Pline [2]. Quoi qu'il en soit, Pline et ses confrères écrivains d'art de l'Antiquité furent en mesure de transmettre des anecdotes sur Apelle, sur son extraordinaire carrière et – fait rarissime – sur son style. Nous avons déjà évoqué l'histoire de son étonnant vernis sombre, l'*atramentum*, qui constituait le noir de sa palette tétrachrome. Une autre histoire est celle de son coup d'éclat de dessinateur, quand il réussit, en virtuose, à éclipser Protogène avec sa ligne d'une élégance très supérieure [3]. Apelle était de toute évidence l'un des rares artistes grecs dont on pût nettement imaginer les œuvres.

Toutes les discussions ultérieures sur la palette tétrachrome découlent de Pline et de Cicéron (*Brutus* 50). La plus récente se trouve dans le livre de V. J. Bruno, *Form and Colour in Greek Painting* (1977) : l'auteur en montre des exemples dans les tombes peintes de Lefkadia en Grèce et de Kazanlak en Bulgarie, qui datent de la fin du IVe ou du début du IIIe siècle av. J.-C., soit peu de temps après Apelle. Bruno essaie d'établir la véracité du récit de Pline en le reliant aux idées pré-socratiques des quatre couleurs « fondamentales » des quatre éléments ; il explique aussi l'absence assez étrange du bleu dans cette palette par le fait qu'on a pu donner aux pigments noirs une apparence bleue et qu'il y avait, de fait, en grec un chevauchement linguistique entre le bleu et le noir [4]. Pline était-il conscient, au Ier siècle, des débats philosophiques liant éléments et

couleurs, et avait-il choisi ses quatre pigments en fonction ? Quoi qu'il en soit, il y a peu de raisons de penser que les peintres du IVe siècle les aient jamais eus à l'esprit. Empédocle, qui fut le premier philosophe, selon la tradition, à bâtir une association théorique des éléments avec quatre couleurs, n'y fait aucune allusion dans les fragments que nous avons conservés de ses écrits. Son emploi du terme « polychrome » (*polychroa* [*sic*]) en rapport avec la palette du peintre, dans le fragment 23, suggère qu'il n'avait pas connaissance de la moindre restriction chromatique dans la pratique d'atelier [5]. Ni Ætius ni Stobæus ne donnent de détails sur les quatre couleurs qu'ils attribuent à la théorie des éléments d'Empédocle [6]. Le texte le plus ancien qualifiant quatre couleurs de fondamentales se trouve, nous l'avons vu, dans le traité *De Sensibus* de Théophraste, lui-même quasi contemporain des peintres cités par Pline. Théophraste rapporte que Démocrite, à la fin du Ve siècle av. J.-C., soutenait que ces couleurs « simples » étaient le blanc, le noir, le rouge et le vert [7]. Il ne suggère pas que Démocrite ait relié ces couleurs aux éléments. Dans le traité *Sur les couleurs* (qui est peut-être aussi de sa main), la terre, l'eau et l'air sont ensemble liés au blanc, nous l'avons vu, tandis que le feu est lié au jaune [8]. Ce ne fut qu'au Ier ou IIe siècle de notre ère, avec Ætius (*Lettre sur mes opinions en physique*, I, 15.8), Galien (*Sur les éléments tirés des opinions d'Hippocrate*, I, 2) et le Pseudo-Aristote (*Cosmique*, 396b), qu'il semble y avoir eu un consensus sur l'existence et sur l'identité de quatre couleurs fondamentales rattachées aux éléments, à savoir le noir, le blanc, le rouge et le jaune.

La théorie des quatre couleurs de Pline trouve probablement son explication la plus séduisante dans la doctrine hippocratique des humeurs, au nombre de quatre, qui s'exprimaient, croyait-on, dans les nuances de la complexion humaine. Or, Apelle avait un grand renom comme peintre de la chair (Plutarque, *Alexandre*, 4, et Lucien, *Images*, 7), et il avait hérité d'une tradition grecque plus ancienne consistant à représenter la différence des sexes par une peau claire et une peau foncée [9]. Un portraitiste doué comme lui se devait certainement d'élargir ce répertoire. D'ailleurs, certains commentateurs tardifs de cette palette de quatre couleurs l'ont spécifiquement rattachée à la peinture de la peau.

Hippocrate (qui était à peine plus âgé qu'Apelle) et son école de médecine soutenaient que l'homme était fait de quatre « humeurs » : le sang (rouge), la lymphe (blanche), la bile jaune et la bile noire, lesquelles donnaient, grâce à un mélange parfaitement équilibré *(krēsios)*, un organisme tout aussi parfaitement équilibré [10]. Mais nous ne trouvons pas, dans l'ensemble des textes hippocratiques, cette doctrine appliquée à la couleur de la peau. Elle était sans doute intégrée aux quatre couleurs symptomatiques de la langue (*Épidémies*, VI, 5.8), mais ne fut étendue au teint qu'avec Galien, au IIe siècle de notre ère. C'est alors seulement qu'elle fut accessible aux peintres de la figure humaine [11]. Les auteurs antiques férus de

6 Nicoletto Rosex, *Apelle*, v. 1507-1515. Le peintre le plus célèbre de la Grèce ancienne contemple sur un panneau quatre formes géométriques, qui sont peut-être les équivalents graphiques des quatre éléments, des quatre saisons et des quatre couleurs de sa palette. (16)

physiognomonie ne reprirent pas non plus cette doctrine, malgré leur passion pour la couleur du teint comme indice de la personnalité [12]. Surtout, on trouve très peu de traces de l'usage d'une telle coloration dans cette série impressionnante de portraits peints antiques que sont les effigies funéraires *a tempera* ou à l'encaustique de l'Égypte romaine, alors qu'on y employait aussi pour la chair une palette restreinte [13]. La majorité d'entre elles furent peintes vers l'époque où l'interprétation par Galien de la doctrine hippocratique commençait à se répandre dans tout le monde romain.

Dans d'autres exemples de peinture grecque, l'absence du bleu dans la palette des artistes aux quatre couleurs demeure un sérieux problème. Bruno a réactualisé l'argument selon lequel l'*atramentum* a pu être un pigment bleu-noir qui, une fois mélangé à du blanc ou bien utilisé comme vernis semi-transparent, paraissait bleu ; cet argument est convaincant en lui-même, mais sans pertinence au regard de l'histoire de la palette grecque telle que nous la connaissons. Comme nous l'avons vu au chapitre 1, de nombreux pigments bleus étaient utilisés depuis les temps mycéniens jusqu'à l'époque hellénistique : il ne s'agissait pas de teintes bleu-noir mais de bleus brillants, saturés, fabriqués pour l'essentiel à partir du bleu calciné égyptien, appelé *kuanos* en grec et *cæruleum* en latin [14]. Voilà quelles sortes de bleus on observe dans les peintures murales de l'âge de bronze à Théra et à Knossos, à Mycènes et à Vergina, comme dans les tombeaux du VIe siècle à Kizilbel en Lycie, dans la Tombe du Plongeur près de Pæstum et dans les peintures de Lefkadia et Kazanlak, qui datent des IVe et IIIe siècles [15]. C'est encore le type de bleu utilisé dans les céramiques du style dit de Kertch' (IVe siècle), lesquelles ont été associées au style d'Apelle lui-même [16]. Des œuvres hellénistiques qu'on a considérées comme des copies de peintures d'Apelle ou d'autres peintres aux quatre couleurs, telles que l'*Alexandre Keraunophon* ou la « mosaïque d'Alexandre » à Pompéi, prouvent elles aussi l'usage d'un éventail de bleus et de verts [17]. Un fragment de panneau peint de Saqqâra semble révéler une palette tétrachrome ; il est très intéressant de l'associer à Apelle, dans la mesure où Pline affirme que ce dernier peignait presque exclusivement sur panneau. Ce fragment, partie d'un autel portatif, est peint en blanc, noir, rouge et ocre jaune, plus leurs mélanges gris et rose. Il n'y a pas de bleu [18]. Il n'est sans doute pas impossible que cette petite œuvre provinciale reflète l'esthétique la plus avancée de son époque, mais cela semble bien léger pour contrebalancer l'improbabilité de l'hypothèse suivante : un groupe d'artistes (et leurs commanditaires) auraient renoncé à employer un beau pigment usuel pour des raisons purement esthétiques, et cette restriction délibérée n'aurait trouvé aucun écho dans la pratique de leurs disciples jusqu'à la fin de l'Antiquité.

Pour comprendre le texte de Pline sur les peintres aux quatre couleurs ainsi que les interprétations plus récentes de la pratique d'Apelle, il faut aborder les présupposés esthétiques : comme je l'ai suggéré plus haut, Pline était soucieux avant tout de montrer que la simplicité des anciens valait mieux que l'abus moderne de matériaux chers et tape-à-l'œil. Comme Cicéron, il donne une justification historique à un thème courant de la critique romaine, la litanie contre le goût moderne, exotique, qui est également portée par les voix de Vitruve, Sénèque, Varron et Pétrone [19]. Pline est si soucieux d'établir la vertueuse sobriété de ses artistes classiques, qu'il se risque à de graves incohérences dans ses différents textes sur la pratique d'Apelle. D'abord, les quatre couleurs qu'il énumère si précisément relèvent toutes de la catégorie des *colores austeri*, par opposition aux *colores floridi* qu'il dénonce (*Hist. Nat.* XXXV, xii, 30). Dans un passage sur la peinture archaïque en monochrome (XXXIII, xxix, 117), il explique l'abandon des tons fleuris, tels que le cinabre et le minium, en faveur des ocres austères que sont *rubrica* et *sinopis*, parce que les premiers semblèrent trop vifs aux artistes postérieurs. Mais dans ses lignes sur le vernis noir d'Apelle (*cf.* page 16), il soutient que l'un de ses effets est d'atténuer les couleurs fleuries *(nimis floridis coloribus austeritatem occulte daret)* – précisément cette famille de pigments, a-t-il affirmé auparavant, qu'Apelle avait pris soin d'éviter [20]. Il est bien possible que les sources grecques de Pline aient distingué plusieurs phases dans la carrière du peintre : il utilisa d'abord des tons fleuris sous un vernis sombre, puis restreignit sa palette à des couleurs austères – le même genre d'évolution picturale que l'on observe chez Dürer, Titien ou Rembrandt. En tout état de cause, il semble clair que Pline était prêt à sacrifier la cohérence historique pour promouvoir un idéal romain d'*austeritas*. Il peut aussi avoir songé, par exemple, à la palette tétrachrome employée par les peintres grecs de lécythes à fond blanc du Ve siècle av. J.-C. Mais sa théorie est plus redevable à l'idée générale, propre à son époque, d'un nombre irréductible de couleurs « simples ».

Le problème du mélange

Un des arguments les plus tenaces pour valider la théorie des quatre couleurs est que le petit nombre de pigments de base était susceptible d'une expansion substantielle par mélange. Un savant du XVIIIe siècle a calculé que ces quatre couleurs pouvaient donner à elles seules 819 variations [21]. Voilà un argument qui serait de très bon aloi, si l'on pouvait démontrer que le mélange était une pratique courante des peintres de l'Antiquité et s'il n'y avait pas, alors, tout un ensemble d'opinions négatives à son sujet. Dans le fragment 23, Empédocle compare le mélange des éléments dans le monde matériel avec les mariages de pigments faits par le peintre *(mixante)* pour préparer les offrandes rituelles [22]. Contestant le bol à mélange mentionné par Hérodote (*Histoires*, 1.25), Plutarque évoque « les pigments broyés ensemble et qui perdent leur couleur propre dans l'opération » à propos notamment de mélanges de rouge et d'ocre jaune, ou de noir et de blanc (*Moralia*, 436bc). Ailleurs, Plutarque formule l'opposition très vive du peintre à l'encontre des mélanges : « Mélanger produit du conflit, le conflit produit le changement et la putréfaction est une forme de changement. C'est pourquoi les peintres appellent un mélange de couleurs une "dé-floraison" [*phthora* : terme employé par Aristote pour une disparition] et Homère [*Iliade*, IV, v. 141] appelle la teinture une "souillure" ; enfin, le proverbe populaire voit dans "la pureté sans mélange, la virginité inviolée" [23]. »

Dans le contexte de l'art du portrait, l'on pourrait s'attendre à trouver des mélanges pour la représentation de la chair puisque, dans ce cas, le problème de l'harmonisation des matières colorantes avec les teintes de la nature a dû vite se faire jour. De fait, Platon rattache le mélange de plusieurs couleurs spécifiquement à la peinture de la chair (*Cratyle*, 424e) [24]. Là, comme dans l'encyclopédie de Julius Pollux, la teinte chair reçoit un nom particulier : *andreikelon* (*Onomasticon*, VII, 129). Pourtant, il y a des raisons de croire qu'on recherchait aussi les teintes chair à l'état de pigments purs : dans son examen de l'ocre rouge *(miltos)*, Théophraste signale qu'on en trouve dans la nature de nombreuses nuances, « d'où l'usage qu'en font les peintres pour les teintes chair [25] ».

Comme le suggère la note de Plutarque, le débat était vif dans l'Antiquité sur la nature du mélange : étaient-ce, comme le soutenaient les platoniciens et les péripatéticiens, les seules qualités des substances qui étaient vraiment mélangées, tandis que les substances mêmes demeuraient sous une forme moins stricte d'association ? Ou bien étaient-ce, comme les stoïciens le maintenaient, les substances mêmes qui étaient fondues ensemble et donc détruites ? La question cruciale était la réversibilité de l'opération : le composé pouvait-il être de nouveau réduit à ses éléments ? Le mariage par juxtaposition (*sunthesis, parathesis* ou *mixis*) est réversible ; la fusion (*sunchusis*) ne l'est pas, puisqu'elle conduit à la destruction (*phthora*) des éléments [26]. Aristote, dans son traité *Sur la génération et la corruption* (328a), distingue deux types de mélange : le mélange physique homogène et le mélange « optique » strictement perceptif. Cette dernière notion est attribuée à l'atomiste Démocrite par un commentateur d'Aristote, Alexandre d'Aphrodisias (IIIe siècle de notre ère) [27]. Les notes de Plutarque sur le langage d'atelier suggèrent que les peintres critiquaient la fusion. Quant à la méthode optique, moins radicale, elle faisait bien sûr partie des techniques antiques : on observe davantage une élaboration des tons par hachures superposées, plutôt que des tons définis et fabriqués à l'avance par mélange, dans les peintures murales de Pompéi et dans des exemples plus rares de peinture *a tempera* sur bois, tel un portrait de momie du IVe siècle de notre ère [28]. Autre forme de mélange « optique » pratiqué en Égypte et en Grèce ancienne, le glacis d'une couleur transparente par-dessus un ton opaque, est une méthode signalée tant par Aristote (*Petits Traités d'histoire naturelle*, 440a) que par Pline (*Hist. Nat.* XXXV, xxvi, 45) [29]. Là aussi, le mélange peut facilement se résoudre à ses composantes, comme on peut le voir aux couches superficielles qui s'écaillent.

Apelle était connu dans l'Antiquité comme peintre à l'encaustique (Stacc, *Silves*, I, 1, 100 ; Lucien, *Images*, 23). Cette ancienne technique se rapproche davantage des procédés picturaux modernes de mélange, surtout dans la représentation de la chair. Dans les portraits funéraires d'Hawara et du Fayoum, comme dans les icônes du Sinaï, peintes à l'encaustique au début du christianisme, nous trouvons souvent une plus grande spontanéité du mélange des tons au pinceau, directement sur le panneau – ce qui nous rappelle les artistes pratiquant l'huile à Venise au XVIe siècle et parfois même Rembrandt [30]. Le texte de Pollux sur les méthodes picturales, tout en énumérant treize couleurs, met surtout l'accent sur le mélange en se référant, semble-t-il, principalement à l'encaustique : le terme *mixai* s'applique à la cire et quatre verbes sont donnés en rapport avec les mélanges de couleurs, *kerasai, mixai, symmixai et syncheai* [31]. Cependant, même le plus pictural des portraits du Fayoum, le *Prêtre du Soleil* d'Hawara (IIe siècle), révèle un usage prépondérant des hachures pour modeler la chair [32]. De plus, la palette du peintre à l'encaustique décrite par Pline et par Pollux n'est aucunement limitée, ce qui suggère, au bout du compte, que les mélanges n'étaient pas chose recherchée [33]. L'encaustique est l'une des rares techniques de l'Antiquité à avoir perduré sans modification jusqu'au Moyen Âge : des documents byzantins du IXe siècle en parlent et, parmi les chefs-d'œuvre de la peinture paléochrétienne, figure l'impressionnante série d'icônes à l'encaustique des VIe et VIIe siècles du monastère de Sainte-Catherine sur le mont Sinaï [34]. Mais au IVe siècle, Grégoire de Nysse, l'un des Pères de l'Église les plus lus et qui devait être très familier de cette technique, compare l'âme à un peintre, justement parce que l'une comme l'autre

peuvent séparer en ses parties constitutives ce qui était mélangé ; son analogie évoque les couleurs « élémentaires » des peintres tétrachromes – noir, blanc, rouge et jaune [35].

L'indice le plus révélateur, peut-être, que les mélanges n'étaient pas chose courante dans l'Antiquité est l'absence d'un instrument pour les préparer, à savoir la palette [36]. Un autre indice est l'ignorance surprenante, répandue dans les milieux cultivés, des principes et des effets des mélanges. Bruno a démontré que le passage délicat du *Timée* de Platon sur le mélange (*cf.* page 12) peut s'interpréter de manière convaincante si l'on comprend correctement les termes de couleurs, mais Platon fait exprès de décourager toute enquête [37]. Aucun des mélanges qu'il énumère n'est strictement inter-chromatique : tous sont faits avec des « éclaircissants » ou des « assombrissants », des éléments avec lesquels les savants grecs se sentaient plus à l'aise. Au IIe siècle de notre ère, Aulu-Gelle note un débat intéressant entre le philosophe Favorinus et l'ancien consul Fronton au sujet des termes de couleurs en grec et en latin. S'y révèlent les incertitudes persistantes à propos des couleurs fondamentales et de leurs mélanges. Suivant Démocrite, ils prennent comme couleurs simples le rouge (*rufus*) et le vert. Le ton *fulvus*, classé parmi les rouges, est un mélange de rouge et de vert ; le ton *flavus*, que Fronton considère aussi comme un rouge, un mélange de rouge, vert et blanc [38]. Ces deux tons, *fulvus* et *flavus*, semblent à nos yeux des variétés de jaune, et des mélanges de rouge et vert ne nous semblent possibles que par un processus optique, additionnel, comme celui qu'Aristote effleure dans son texte sur l'arc-en-ciel (*Météorologiques*, 347a, 7-8) [39]. Aulu-Gelle ne fait aucune référence au bleu et le débat laisse à penser qu'aucun savoir dérivé de l'expérience concrète du mélange chromatique n'était d'actualité. Un siècle plus tard, un texte d'Alexandre d'Aphrodisias sur l'arc-en-ciel suggère lui aussi que le mélange n'était pas une pratique habituelle chez les peintres. Aristote avait affirmé qu'il était impossible aux peintres de représenter ce phénomène puisque, en dépit d'une certaine pratique, aucun mélange ne pouvait produire le rouge, vert et violet de l'arc-en-ciel. Dans son commentaire de ce passage, Alexandre d'Aphrodisias développe le raisonnement avec force détails :

> L'impossibilité pour les peintres d'obtenir ou d'imiter les couleurs de l'arc-en-ciel, et la plus grande proximité avec le blanc du rouge [*phoinikoun, puniceus*] par rapport au vert [*prasinon, prasinus*] et au violet [*halourgon, halurgus*], cela s'explique clairement ainsi : les pigments rouges naturels sont le cinabre [*kinnabari*] et le sang de dragon [*drakontion*] qui proviennent du sang des animaux [40] ; le rouge s'obtient aussi par un mélange [*mixis*] de talc [*koupholithos*] et de pourpre [*porphuron, purpureum*], mais cela reste très inférieur aux couleurs naturelles. Le vert naturel [*prasinon*] et le violet sont *chrysocolla* et *ostrum*, l'un fait de sang et l'autre de pourpre marine [41]. Mais les couleurs artificielles ne peuvent y être accordées : le vert est obtenu à partir de bleu [*kuanon*] et de jaune [*ōchron*], le violet à partir de bleu et de rouge, car les énergies en contraste du bleu et du jaune produisent le vert, tandis que celles du bleu et du rouge produisent le violet. Dans ces mélanges, les couleurs artificielles sont très inférieures aux naturelles. [...] Mais encore une fois, le vert est plus proche du blanc que le violet, puisque le premier est fait de jaune, tandis que le violet est fait de rouge [...] or, le jaune est plus proche du blanc que le rouge [42].

D'après ce texte, qui semble la plus ancienne tentative pour établir une échelle de valeurs entre le blanc et le noir, on voit que, tout en mélangeant parfois à la place des pigments naturels des substituts moins chers, les peintres ne cherchaient pas, du moins à la connaissance d'Alexandre, à harmoniser leurs mélanges sur la palette avec les couleurs de la nature.

Les *Nuits attiques* d'Aulu-Gelle et le commentaire d'Alexandre sur les *Météorologiques* d'Aristote étaient des textes familiers au Moyen Âge et à la Renaissance, car ils furent souvent réédités. Leur classification assez floue des teintes et leur manque d'exactitude à propos des mélanges ont pu ralentir le développement de la notion de couleurs primaires, au moins jusqu'au XVIᵉ siècle.

Apelle à la Renaissance

La réputation d'Apelle perdura au Moyen Âge grâce à des biographies d'artistes et des histoires populaires, mais ce n'est qu'au XVᵉ siècle que la nature de son art devint un thème de débat répandu. Sa compétition avec Protogène pour dessiner la ligne la plus fine focalisa l'attention des artistes théoriciens de Florence, Alberti et Ghiberti. La *Calomnie* d'Apelle, tableau qui fit l'objet d'une célèbre description de Lucien, devint l'un des sujets favoris à la fois de l'art et de la littérature [43]. Le premier portrait représentant Apelle dans sa profession semble être une estampe réalisée au début du XVIᵉ siècle par Nicoletto Rosex, graveur du nord de l'Italie [44]. Rosex a placé l'artiste dans un paysage romantique, debout comme un poète silencieux, faisant ainsi allusion à la célèbre définition, attribuée à Simonide, de la peinture comme une poésie sans paroles. Apelle contemple des figures géométriques sur un panneau appuyé contre la base de colonnes jumelles brisées, emblèmes de la force, comme pour symboliser l'ascendant fameux d'Apelle sur les princes [45].

L'élément le plus étonnant peut-être de ce portrait est l'objet sur lequel médite l'artiste. Il rappelle cette « image » exceptionnelle, signée Apelle et Protogène : les trois lignes. Pline se souvient qu'elle était encore conservée à Rome du temps des Césars : « Il paraissait absolument vide [*inani similem*] à côté des autres chefs-d'œuvre et par là même s'attirait davantage et les regards et la célébrité. » (*Hist. Nat.*, XXXV, xxxvi, 83) L'équerre d'architecte posée au pied du panneau ainsi que le compas dessiné sur la base du monument en ruines suggèrent que l'artiste est d'abord un géomètre. C'est ainsi que le présente Ghiberti, dans le premier de ses *Commentaires*, où il interprète la compétition avec Protogène comme un concours de perspective [46]. Mais si Apelle était simplement un géomètre, on est troublé par l'inclusion au bas du panneau d'une quatrième figure, l'octogone ; car les trois figures « primaires » — le cercle, le triangle et le carré — étaient suffisantes d'ordinaire, dans l'esprit de la Renaissance, pour symboliser l'ensemble de la géométrie plane [47]. D'un autre côté, si nous considérons les figures du diagramme d'Apelle comme des symboles de solides — la sphère, la pyramide, le cube et l'octaèdre —, nous tombons sur une nouvelle difficulté numérique. En effet, la doctrine des corps primaires, attribuée à Pythagore à la fin de l'Antiquité et longuement discutée au nord de l'Italie autour de 1500, impliquait une série de cinq solides réguliers : la pyramide, le cube, l'octaèdre et les polyèdres à vingt et douze faces (icosaèdre et dodécaèdre) [48]. L'absence de la sphère est frappante, mais Ætius a caractérisé le dodécaèdre comme « la sphère de toutes les sphères », une idée reprise par Luca Pacioli dans son *De Divina Proportione (Sur la divine proportion)* publié à Venise en 1509 [49].

Une autre série, de *quatre* solides géométriques, était établie par Platon dans son examen de la structure des éléments (*Timée*,

52d sqq.). Elle fut détaillée par Théon de Smyrne au début du IIᵉ siècle de notre ère [50]. D'après cette théorie, tous les éléments étaient construits à base de triangles, selon une complexité croissante, en partant du plus raréfié, le feu (la pyramide), en passant par l'air (octaèdre) et l'eau (icosaèdre) et en allant jusqu'à l'élément le plus dense, la terre, un cube composé de 48 triangles entourés de six pentagones équilatéraux. Si Rosex pensait faire référence à ce schéma de solides et d'éléments, pourquoi introduisit-il un cercle, allusion à la sphère, qui n'y entre pas ? La doctrine platonicienne voudrait que le cercle du diagramme d'Apelle corresponde à l'icosaèdre, puisque la pyramide, le cube et l'octaèdre sont clairement symbolisés par les autres figures planes. L'icosaèdre, fait de 20 triangles équilatéraux, n'est pas un solide réductible à une figure plane bien lisible. Pacioli le considère comme le solide le plus englobant, exception faite du dodécaèdre (*De divina Proportione*, XLVI) et démontre qu'il peut même circonscrire le dodécaèdre (XXXIX). Il développe l'examen que Platon fait de l'eau dans le *Timée* en suggérant que le très grand nombre de faces dans ce solide avait conduit le philosophe à penser que « cela convient à l'eau de façon plus adéquate, à cause de son mouvement descendant et non ascendant, en cas de dispersion », c'est-à-dire que l'icosaèdre est plus proche de la sphère [51]. Si Rosex a suivi ainsi le schéma platonicien, s'il a espéré que son public identifierait le cercle à l'icosaèdre et à l'eau, tandis que les autres figures équivaudraient aux autres éléments, c'est qu'en toute vraisemblance il jugeait cela pertinent par rapport au sujet de son estampe. Et ce pour deux raisons précises : à cause de la réputation d'Apelle comme peintre aux quatre couleurs, et à cause de l'association entre celles-ci et les quatre éléments — association qui était un véritable lieu commun depuis l'Antiquité tardive.

Cependant la gravure de Rosex n'est pas colorée et la lecture chromatique des quatre formes n'est pas aussi évidente qu'il y paraît. Aucun des commentateurs antiques ne rattache une couleur spécifique à chaque élément, mis à part l'auteur du traité *Sur les couleurs*, qui n'en cite que deux, le jaune et le blanc. La vision démocritéenne selon laquelle les éléments ne sont pas en eux-mêmes colorés — la couleur n'étant qu'un attribut secondaire de la matière — persiste par ailleurs durant une bonne partie du Moyen Âge [52]. Le premier auteur à attribuer diverses couleurs aux éléments fut sans doute Antiochos, un astrologue athénien du IIᵉ siècle de notre ère. Comme Théon de Smyrne, il établit un minutieux tableau de correspondances où le noir est la couleur de la terre, le rouge celle de l'air, le blanc celle de l'eau et le jaune celle du feu [53]. Mais il n'y a pas lieu de croire que ce schéma (identique à celui des peintres tétrachromes) était connu au XVᵉ siècle. Quand Alberti en vient à relier des couleurs aux éléments, ses correspondances sont totalement différentes parce qu'il ne considère vraiment pas le noir et le blanc comme des couleurs fondamentales. Selon lui, le rouge correspond au feu, le bleu à l'air, le vert à l'eau et le ton cendré *(cinereum)* à la terre [54]. Enfin, Léonard de Vinci, contemporain de Rosex, réhabilite le noir et le blanc comme couleurs « simples », « puisque les peintres ne peuvent faire sans elles » ; mais c'est à quatre autres couleurs, situées entre ces deux-là, qu'il identifie les éléments. Il propose les mêmes équivalences qu'Alberti, à ceci près qu'Alberti avait écarté le jaune et intégré le vert, tandis que Léonard attribue le jaune à la terre [55].

Ainsi, à la lumière de la théorie contemporaine en Italie du Nord, le diagramme de la gravure de Rosex se lirait de haut en bas comme suit :

cercle – icosaèdre – eau – vert
triangle – pyramide – feu – rouge
carré – cube – terre – jaune
octogone – octaèdre – air – bleu

Mais cela suppose une reconnaissance universelle des équivalences platoniciennes, ce qui n'était pas du tout le cas. Vinci, par exemple, conteste l'association du cube avec la terre : pour lui, la pyramide est le solide le plus stable, ayant moins de faces que le cube, ce qui en fait un symbole plus approprié de la stabilité terrestre [56].

La question se complique encore avec la survivance, jusqu'à la Renaissance, d'un autre schéma de quatre couleurs, dérivé d'un symbolisme de l'Antiquité tardive, celui des courses de chevaux impériales. Dans ce cas, la correspondance se fait avec les quatre saisons, ce qu'Alberti a intégré dans son traité d'architecture : vert pour le printemps, rouge pour l'été, blanc pour l'automne et noir *(fuscus)* pour l'hiver [57]. Les auteurs de la fin de l'Antiquité et de Byzance qui ont traité cette question en rapport avec le Cirque impérial, en particulier Tertullien, Cassiodore et Corippus, ne suivaient pas ce schéma. Tous d'accord avec Alberti sur le printemps et l'été, ils divergent sur l'automne et l'hiver, auxquels Tertullien et Corippus assignent respectivement le bleu et le blanc, tandis que Cassiodore propose l'inverse [58]. Théon de Smyrne donne quant à lui :

printemps – pyramide [donc feu – rouge]
été – octaèdre [donc air – bleu]
automne – icosaèdre [donc eau – vert]
hiver – cube [donc terre – jaune]

et Antiochus d'Athènes :

printemps – rouge
été – jaune
automne – noir
hiver – blanc

Ainsi, autour de 1500, y a-t-il bon nombre d'avis arbitraires et contradictoires sur les liens entre couleurs et formes « fondamentales ». Des raisons claires de préférer une couleur à une autre n'avaient pas encore émergé, probablement à cause du peu d'intérêt qu'on portait alors à cet aspect de la couleur que nous regardons aujourd'hui comme essentiel, à savoir la teinte [59]. De toute évidence, s'il avait fallu comprendre le portrait d'Apelle par Rosex en référence à la palette tétrachrome, son public aurait bien eu du mal à dire quelles couleurs ces formes représentaient, même à l'aide de Pline et de son histoire.

Dürer et Titien

La gloire d'Apelle fit de son nom un compliment savant à adresser à un artiste moderne, si bien qu'il fut souvent employé au Moyen Âge, parfois dans les contextes les plus curieux [60]. D'ailleurs, la façon dont Pacioli juge l'art de Léonard de Vinci comme supérieur à celui d'Apelle et des sculpteurs Myron et Polyclète, relève aussi de la rhétorique de l'éloge [61]. Mais l'intérêt croissant au XVe siècle pour les qualités formelles supposées d'Apelle et pour les thèmes de ses œuvres nous laisserait espérer à son sujet des allusions plus critiques et plus concrètes dans la seconde moitié de la Renaissance – *a fortiori* dans les milieux où, pour traiter l'héritage antique, la collaboration entre peintres et lettrés se faisait plus forte. Il y a au XVIe siècle

deux peintres étroitement associés au savoir humaniste : Dürer, dont la curiosité pour l'Antiquité fut un temps très proche de celle d'Érasme, et Titien, dont le cercle comprenait, au milieu du siècle, nombre de savants et d'esprits universels travaillant pour les maisons d'édition vénitiennes de Giolito et Marcolini. Ces deux artistes furent comparés à Apelle de manière plus durable qu'aucun autre auparavant, et il semble que ce soit surtout leur commune maîtrise de la couleur qui motiva cette comparaison.

Au début, Érasme et Dürer cultivèrent leur intérêt pour Apelle indépendamment l'un de l'autre. Le peintre avait été qualifié d'*altero Apelle* par l'humaniste Conrad Celtis dès 1500 [62]. Quelques années plus tard, Dürer se servit de la perte de tous les écrits antiques sur l'art, dont ceux d'Apelle (Pline, *Hist. Nat.* XXXV, xxxvi, 79), comme d'un aiguillon pour élaborer son propre traité sur la peinture – qui devait, pour la majeure partie, ne jamais être publié [63]. Ainsi est-ce surtout l'Apelle théoricien qui semble avoir intéressé le peintre tandis que l'humaniste Érasme appréciait surtout en lui le satiriste. En 1506, il avait édité *La Calomnie* de Lucien, l'unique source d'information sur le tableau éponyme d'Apelle ; dix ans plus tard, en réponse aux attaques acerbes contre sa première édition du Nouveau Testament, il commandait à Ambrosius Holbein une version de ce même sujet pour la page de titre de la seconde édition [64]. Érasme et Dürer se rencontrent aux Pays-Bas en 1520 où, à deux reprises, le peintre fait le portrait du lettré. Pour ce dernier, il devient vite *nostrum Apellem* [65]. Mais c'est vers la fin de la vie du peintre qu'Érasme invente sa comparaison la plus révélatrice entre Dürer et Apelle : dans son *Colloque sur la prononciation correcte du latin et du grec* (1528), il introduit un passage sur les gravures de Dürer, où il affirme que le peintre parvient à accomplir en une seule couleur ce qu'Apelle n'était parvenu à accomplir qu'avec plusieurs, « quoique peu nombreuses [66] ». De manière étonnante, tandis que le peintre grec avait atteint l'excellence en employant ces quelques couleurs, Dürer atteignait de son vivant l'excellence sans l'aide d'aucune, hormis le noir. Il se peut qu'Érasme se fasse ici l'écho des idées de son ami sur les vertus d'une palette restreinte. Philippe Mélanchton rappelle, en effet, comment le peintre lui disait avoir abandonné dans sa vieillesse la complexité et le chromatisme saillant de ses premières œuvres *(floridas et maxime varias picturas)* pour davantage de simplicité. Le seul texte conservé écrit par Dürer sur la couleur, une note sur la peinture des drapés de 1512 ou 1513, sans doute un fragment de son projet de traité sur la peinture, mettait déjà l'accent sur la simplicité chromatique du relief, l'opposant aux sophistications qu'exige le rendu des taffetas changeants [67]. Mais ce n'est pas en ce sens qu'Érasme réfléchit aux couleurs, et il n'y fait référence ni dans ses notes sur l'*Histoire naturelle* de Pline, qu'il publie en 1516, ni dans l'introduction de sa nouvelle édition en 1525, où pourtant il relate à nouveau l'histoire de la *Vénus* endommagée d'Apelle [68]. Tout cela suggère qu'il ne faisait aucun cas de la palette tétrachrome et que Dürer non plus n'y voyait nulle importance particulière.

L'histoire de Pline pouvait-elle intéresser directement les peintres, alors que l'importance et l'identité même des quatre couleurs restaient obscures ? Bien sûr on a suggéré au XVIIe siècle que cette histoire avait rencontré la sympathie des artistes vénitiens antérieurs, celle de Titien notamment. Dans sa vie de Giorgione datant de 1648, Carlo Ridolfi est soucieux de montrer que ce peintre avait été le premier à employer un large éventail de mélanges pour une plus parfaite imitation de la nature et, en particulier, de la chair :

qui fut initiée par Giorgione à l'aide de quelques teintes, adéquates au sujet qu'il entreprenait de peindre, selon une manière qu'il avait observée aussi chez les anciens (si l'on peut en croire les auteurs), celle d'Apelle, d'Aétion, de Mélanthius et de Nicomaque, lesquels n'utilisaient pas plus de quatre couleurs pour composer les chairs [69].

Les analyses modernes du traitement pictural de la chair par Giorgione ont révélé, de fait, qu'il s'interdisait les pigments « fleuris ». Il n'est pas anodin non plus que Ridolfi cantonne à cet usage le recours à la palette restreinte des Anciens [70]. C'est aussi comme peintre de la chair que Titien était à ses yeux le plus proche de Giorgione ; pourtant, il n'ignorait pas le goût particulier de Titien pour le bleu, combiné à du rouge dans les drapés sans « jamais interférer avec les figures [71] ». Un autre commentateur vénitien du XVIIe siècle, Marco Boschini, mentionne la préférence de Titien pour une palette limitée au noir, au blanc et au rouge pour les sous-couches – ce qui fait peut-être référence à la préparation des zones de couleur chair [72]. À titre individuel, l'intérêt de Titien pour Apelle ne peut être mis en doute : sa *Venus Anadyomène*, dans l'eau jusqu'à mi-cuisses, s'inspire clairement de l'histoire de celle d'Apelle qui fut endommagée dans sa partie inférieure (Pline, XXXV, xxxvi, 91) [73]. Même dans ce tableau, cependant, Titien ne s'est pas interdit d'employer du bleu, à l'extérieur des zones de couleur chair.

13   Lier les noms d'Apelle et de Titien devint un lieu commun dans les nombreux textes d'écrivains d'art vénitiens qui fleurirent au milieu du XVIe siècle, tels ceux de Pietro Bacci dit l'Arétin, Anton Francesco Doni et Ludovico Dolce. Tous trois étaient en relation directe avec le peintre et avaient une connaissance de la vie d'Apelle à travers le récit de Pline [74]. Dans plusieurs lettres écrites entre 1540 et 1548, dont une à Titien lui-même, l'Arétin compare le peintre à Apelle, sans jamais mentionner l'histoire des quatre couleurs pour souligner sa maîtrise ; c'était pourtant le chromatisme de Titien qui suscitait d'abord son admiration [75]. Doni, dans son dialogue sur la peinture de 1549, établit un parallèle entre Apelle et Titien en tant que peintres physiognomonistes ; mais, en dépit de son propre intérêt pour les pigments et surtout pour leur capacité à rendre la chair, lui non plus ne fait pas référence à l'histoire de Pline [76]. Dans l'entourage de Titien, celui qui atteste peut-être le mieux du désintérêt pour l'histoire des quatre couleurs, c'est Dolce, l'un des plus féconds *poligrafi* au service de Giolito et l'un des plus fervents partisans de Titien. Il fit un éloge appuyé des œuvres de ce dernier dans son dialogue *L'Aretino*, publié par Giolito en 1557. Dolce y professe un goût marqué pour la douceur cuivrée des teintes chair, qu'il attribue à Apelle car, dit-il, le peintre antique appréciait le brun par-dessus tout. Étrangement, il ne va pas jusqu'à associer cette tonalité sombre à une palette restreinte [77]. Dolce était pourtant familier de l'histoire de Pline, dans sa forme la plus moderne : en 1565, il publie son *Dialogo* […] *nel quale si ragiona della qualità, diversità e proprietà dei colori*, dont une grande partie est reprise directement de Pline, mais également du *Libellus de Coloribus* d'Antonius Thylesius, publié la première fois à Venise en 1528. Thylesius avait rattaché le texte de Pline sur les couleurs « fleuries » et les couleurs « austères » à la palette tétrachrome, passage que reproduit Dolce dans sa propre version [78]. Celui-ci s'approprie en la renforçant la position de Thylesius qui prétendait écrire non comme philosophe ou comme peintre, mais comme philologue : le point de vue du peintre, affirme-t-il,

revient au « divin Titien [79] ». Mais, encore une fois, il ne laisse jamais entendre que Titien ait travaillé selon le principe des quatre couleurs. Si la théorie des quatre couleurs avait eu la moindre audience parmi les peintres vénitiens des années 1540-1560, nous pouvons être certains que les chroniqueurs lettrés tels que l'Arétin, Doni et Dolce, spécialistes de la copie, en auraient fait leur miel [80].

Même dans la seconde moitié du XVIe siècle, alors qu'on commençait à étudier l'histoire de Pline davantage sous l'angle de la pratique picturale, elle semble avoir eu peu d'influence sur l'interprétation des méthodes de Titien. Un remarquable catalogue illustré fut établi dans les années 1620 pour le collectionneur Andrea Vendramin. Ce volume (*De picturis in museis Andrea Vendrameno positis*), qui comprend de nombreuses reproductions d'œuvres attribuées à Giorgione et Titien, s'ouvre sur une préface en latin tirée du *Gallus Romae Hospes* (1585, 1609) du Français Louis de Montjosieu (Demontiosius), mathématicien, philosophe et cicérone. Ce dernier ouvrage, réédité maintes fois au XVIIe siècle sous le titre *Commentarius de pictura*, renferme l'une des premières et des plus décisives études sur la palette tétrachrome. Or, il m'importe de souligner ceci : tout en conservant les informations adjacentes sur l'histoire de la peinture antique, l'auteur du catalogue de Vendramin ne reprend pas son analyse de la théorie des quatre couleurs [81]. De toute évidence, elle était sans intérêt à ses yeux et on peut croire qu'en ces années 1620 elle n'avait pas été encore associée à la technique vénitienne. En 1648, la façon dont Ridolfi rattache la palette restreinte à Giorgione participe, comme le texte de Pline d'ailleurs, d'une polémique contre la peinture tapageuse des contemporains : il réprouve particulièrement les teintes chair en « gris, orange et bleu » qu'il a repérées chez « quelques modernes » – comprenons Federico Barocci et Rubens probablement [82]. Il n'y a pas lieu de penser que la palette sombre ait jamais fait débat parmi les premiers peintres vénitiens eux-mêmes ; ils auraient jugé difficile d'admettre l'exclusion du bleu. Par une ironie de l'histoire, la réflexion de philologues comme Montjosieu, à la fin du XVIe siècle, a fini par faire du bleu une composante certaine de la palette tétrachrome, laquelle fut au cœur de l'élaboration du système moderne des couleurs « primaires ».

La notion de couleurs primaires

En lien étroit avec celle du mélange chromatique, la question du nombre irréductible de couleurs nécessaires pour reconstituer tout l'éventail des teintes visibles nous semble aller de soi aujourd'hui ; mais, au XIXe siècle encore, les théoriciens des couleurs ne l'avaient pas résolue, puisqu'on proposait différents chiffres et différentes séries de couleurs primaires en fonction du point de vue adopté, celui du médecin, du psychologue ou du peintre [83]. L'histoire de l'idée des couleurs primaires n'est pas simple à ses débuts : il est clair en tout cas que le développement très tardif, dans le contexte de la peinture, de la triade soustractive moderne (rouge, jaune et bleu) témoigne en lui-même de la répugnance à tâter du mélange, comme nous avons pu l'observer. Un autre obstacle était d'ordre linguistique : le problème du classement des couleurs dans une gamme de substances spécifiques. Pline, dans son texte sur les peintres aux quatre couleurs, se révèle capable de faire la distinction entre pigments et termes chromatiques abstraits : le blanc de Milo est *ex albis*, le rouge de Sinope est *ex rubis*, l'*atramentum* est *ex nigris*.

Mais là encore, deux des termes ne sont que les noms géographiques de l'origine des matériaux. La quatrième couleur de Pline – elle aussi identifiée par sa provenance –, le *sil* de l'Attique, est si ambiguë qu'elle a fait l'objet d'une controverse majeure au XVIe siècle. Favorinus, selon Aulu-Gelle, reconnaissait la pauvreté des termes chromatiques du latin et du grec, en comparaison avec l'aptitude de l'œil à distinguer les nuances ; il propose des catégories chromatiques abstraites bien plus étendues que nous n'oserions le faire. Son *rubor* comprend le pourpre *(ostrum)* d'un côté et le jaune *(cocrum)* de l'autre [84]. La littérature technique médiévale, pour l'essentiel, évite le recours direct aux termes chromatiques abstraits et se contente de détailler des colorants [85]. Plusieurs textes de la fin du Moyen Âge trahissent de fait une sensibilité aux problèmes des catégories chromatiques abstraites, mais enchaînent également bien vite sur l'analyse des pigments. Un ouvrage napolitain du XIVe siècle, par exemple, le *De Arte Illuminandi (L'Art d'enluminure)* attribue à Pline l'idée qu'il y a trois couleurs « principales », noir, blanc et rouge, et que toutes les autres sont « intermédiaires ». L'auteur poursuit en indiquant que l'enlumineur a besoin de huit *naturales colores* et il énumère les catégories *niger, albus, rubeus, glaucus, azurinus, violaceus, rosaceus* et *viridis*. Mais en fin de compte, il classe les pigments donnant ces teintes selon qu'ils sont naturels ou artificiels et il arrive à un chiffre global d'environ vingt agents colorants [86]. Pareillement, l'écrivain et peintre toscan de la fin du XIVe siècle Cennino Cennini commence son chapitre sur les couleurs dans son *Libro dell'Arte (Le Livre de l'art)* en affirmant qu'il y a sept couleurs « naturelles ». Puis il se ravise, optant pour quatre couleurs « minérales » (noir, rouge, jaune et vert – les trois dernières étant « naturelles ») qui ont besoin de l'appoint artificiel du blanc, de l'outremer, ou azurite, et du *giallorino* [87]. On voit que Cennini n'était intéressé ni par le statut des couleurs « naturelles » ni par la distinction précise entre celles-ci et les couleurs « artificielles » ; il était peu curieux de théorie mais sentait, et c'est significatif, qu'il lui fallait faire un effort en ce sens au début de son chapitre.

Plusieurs auteurs vénitiens du début du XVIe siècle déplorent la confusion générale à propos de la nature et du nombre des couleurs élémentaires [88]. De fait, avec l'usage croissant des mélanges qu'induisit le développement de la technique à l'huile, on pouvait s'attendre à ce qu'une approche plus empirique du problème soit conduite par les peintres au cours du siècle. On a suggéré, à juste titre, que le caractère le plus important des premiers systèmes chromatiques, élaborés autour de 1600, était le rôle majeur nouvellement dévolu au bleu [89]. Même si le bleu était une couleur non négligeable dans l'Antiquité et durant le Moyen Âge, il ne semble avoir eu sa place dans aucune série de couleurs fondamentales : le vert y était beaucoup plus courant, comme nous l'avons vu. Au XVIe siècle, quand Titien montre un intérêt marqué pour le bleu, l'opinion selon laquelle c'est un élément important de la série fondamentale commence à gagner du terrain et, suite à une curieuse erreur linguistique, il commence à être intégré au système tétrachrome de Pline. L'enjeu était l'identification précise du *sil* attique. Dans l'*Histoire naturelle* (XXXIII, lvi, 158), Pline affirme que le *sil* (l'ocre jaune) et le *caeruleum* (l'azurite probablement) se rencontrent tous les deux dans les mines d'or et les mines d'argent. Voilà ce qui a pu conduire à une confusion des deux pigments – confusion d'autant plus facile au Moyen Âge tardif qu'on employait pour le jaune le terme *cerulus* (de *cera*, la cire) [90].

Un commentateur vénitien de Pline, Ermolao Barbaro, est peut-être le premier à commettre l'erreur, à la fin du XVe siècle [91]. Il est bientôt suivi par d'autres auteurs, dont Cesare Cesariano dans son commentaire à la splendide édition de Vitruve parue à Côme en 1521. Il y affirme catégoriquement que le *sil* est l'outremer (bien qu'il confonde ici le lapis lazuli et l'azurite). En 1528, Thylesius concède que le *silaceus* compte « parmi les bleus [92] ». Ce n'est qu'au milieu du siècle que le sujet gagne en importance dans le contexte du mélange pictural. Dans un traité sur les valeurs monétaires, sans doute écrit après 1563 quand il devient vice-directeur *(luogotenente)* de l'Académie de dessin de Florence, Vincenzo Borghini, ami de Vasari, invoque la critique de Pline contre l'abus des pigments onéreux, en citant l'histoire des quatre couleurs. Pourtant, alors qu'il l'a fait pour tous les autres termes, il est incapable de proposer un équivalent chromatique pour l'*attico*, comme s'il hésitait à croire que les peintres grecs aient jamais pu travailler sans bleu [93]. Dix ans plus tard, à la suite de Guillaume Philander, premier commentateur français de Vitruve, une encyclopédie artistique française, le *Syntaxeon Artis Mirabilis* de Pierre Grégoire, propose pour équivalent au *sil* l'*ianthinus*, une nuance de violet. L'auteur ajoute une suggestion d'importance : à partir des quatre couleurs, toutes les autres peuvent s'obtenir par mélange [94]. L'analyse la plus poussée de toute la question se trouve dans le *Commentarius de pictura* de Louis de Montjosieu arrivé à Rome en 1853. Ce fut l'un des premiers lettrés à mettre les descriptions de styles antiques à l'épreuve de la pratique contemporaine. Il rejette par exemple l'idée que la compétition entre Apelle et Protogène ait porté sur l'aptitude à dessiner des lignes d'une finesse extrême, parce qu'il n'a trouvé aucune obsession de cette sorte chez les dessinateurs modernes tels que Raphaël, Michel-Ange, Salviati, Polidoro da Caravaggio, Le Corrège ou Titien [95]. Abordant le texte de Plinc sur les quatre couleurs, il trouve que l'alternative de Philander pour *sil*, pourpre ou jaune, prête à confusion. Il affirme clairement que l'une des quatre couleurs a dû être le bleu : « Car il est certain que ces quatre couleurs, blanc, noir, rouge et bleu, sont les seules qui soient nécessaires en peinture et à partir desquelles le mélange compose toutes les autres. » Cependant Montjosieu poursuit par une énumération de quelques mélanges qui jettent une ombre sur son expérience pratique. Autant on peut accepter son gris *(cineraceus)* composé de noir et de blanc, et son brun *(fulvus)* fait de rouge et de noir ; autant son vert, un mélange de rouge et de bleu, et son jaune *(luteus)*, fait de rouge et de vert, révèlent que sa pensée était encore très marquée par le schéma antique, car rien n'indique qu'il s'intéressait au mélange optique, seule possibilité d'obtenir de tels résultats [96]. L'essentiel reste que Montjosieu insiste sur la dérivation chromatique à partir de ces quatre couleurs fondamentales, que le *sil* attique était toujours bleu (par opposition à d'autres types de *sil*, qui ont pu être violets ou jaunes) et que les textes de Montjosieu ont été réédités à plusieurs reprises et largement consultés aux XVIe et XVIIe siècles.

Les différents textes sur les couleurs primaires publiés vers 1600 et établissant la triade moderne, soustractive, du rouge, jaune et bleu, s'appuient sur l'expérience du mélange pictural, bien qu'ils soient, pour l'essentiel, dus à des médecins [97]. Robert Boyle, un pharmacien irlandais écrivant au milieu du siècle, résume dans son *Experiments and Considerations Touching Colours* (1664) la façon dont les peintres ont établi pour les philosophes de la nature l'identité de la série primaire, récemment découverte :

Il n'y a que peu de couleurs simples et primaires (si je peux me permettre de les appeler ainsi) dont les diverses combinaisons produisent
en quelque sorte toutes les autres. Car bien que les peintres puissent
imiter les teintes (mais pas toujours la splendeur) des couleurs presque
innombrables que l'on rencontre dans les ouvrages de la nature et de
l'art, je n'ai pourtant pas trouvé qu'ils aient besoin, pour exhiber cette
étrange variété, d'employer d'autres couleurs que le *Blanc* et le *Noir*, le
Rouge, le *Bleu* et le *Jaune* ; ces *cinq*-là, diversement *combinées*, et (si je
puis dire ainsi) *décombinées*, étant suffisantes pour exhiber une variété
et un nombre de couleurs tels que ceux qui méconnaissent la palette
des peintres ne peuvent l'imaginer. (pp. 219-221)

La conviction gagnait que les couleurs primaires étaient au nombre de trois et que le noir et le blanc se tenaient en quelque sorte
à l'extérieur de cette triade, même si l'on pouvait toujours les
considérer comme des couleurs ; cela augmenta encore la confusion dans l'interprétation du texte de Pline. L'archéologue
J.-C. Boulenger esquiva le problème dans les années 1620 en affirmant que les peintres modernes mêlaient leurs teintes à partir de
trois *ou* quatre couleurs, et il s'abstint de les nommer [98]. On peut
penser que le système chromatique de trois (ou cinq) couleurs, que
Boyle présente comme une nouveauté, a été communément
accepté avant la fin du siècle. En outre, si le *sil* attique est alors
identifié à un bleu, il ne peut être aussi un jaune, et on s'éloigne
encore d'une assimilation entre les quatre couleurs d'Apelle et la
nouvelle triade de primaires [99]. Un médecin français, Marin
Cureau de la Chambre, dans un traité sur l'arc-en-ciel publié en
1650, s'inquiétait toujours des incohérences de l'histoire de Pline.
Apelle était connu pour avoir merveilleusement peint la foudre,
mais si le *sil* était bleu, sa palette tétrachrome ne pouvait alors
inclure le jaune « qui est adéquat pour représenter la lumière ». Les
auteurs antiques, dit Cureau, ont dû se référer non pas à des catégories abstraites de couleurs mais à des pigments, et on sait bien
que les *sils* étaient ou bien jaunes ou bien bleus – et il peut ainsi
conclure que le jaune, comme le bleu et le rouge, « est une couleur simple et primaire [100] ». Le peintre allemand Joachim von
Sandrart juge lui aussi difficile de réconcilier le texte de Pline –
qu'il attribue au peintre Euphranor (*cf.* chapitre 1) – avec la doctrine moderne des couleurs primaires. Il propose d'enlever le noir
et le blanc de la série, qui a certainement dû consister en « quatre
couleurs brillantes [*bunte*] rouge, jaune, bleu et vert, nécessaires
pour peindre la création en son entier [101] ».

L'atelier d'Apelle

Ainsi le problème du nombre et de la nature des couleurs fondamentales ne cessa de susciter l'embarras : Roger de Piles, dans ses
textes pour l'Académie Royale de Peinture et Sculpture, à la fin du
XVIIᵉ siècle, appelle « capitales » les quatre couleurs des peintres
antiques, sans les spécifier. Mais dans son adaptation du traité de
Ridolfi sur la peinture de la chair par les Vénitiens, il exclut du
nombre le noir et le blanc [102]. De même, la traduction française anonyme du trente-cinquième livre de Pline, parue à Londres en 1725,
interprète les quatre couleurs comme « simples & primitives », sans
autre commentaire [103]. Cependant, au cours des XVIIIᵉ et XIXᵉ siècles,
à mesure que la conception des primaires en rouge-jaune-bleu
devenait l'orthodoxie des théoriciens d'art, l'histoire de Pline finit
par être interprétée uniquement en ces termes. La seconde édition

de l'*Abrégé de la vie des plus fameux peintres* de A. J. Dézallier
d'Argenville, en 1762, signale qu'un système de cinq primaires,
comme Boyle, a dû être « à peu près » celui des peintres tétrachromes de l'Antiquité. Ce jugement est repris de manière approbatrice
par le critique allemand C. L. von Hagedorn [104]. Celui-ci fait observer que Pline se souciait de ramener les peintres à une simplicité
chromatique primitive, un effort que Hagedorn ne pouvait que
soutenir avec conviction (là allait être aussi toute la question durant
le mouvement néoclassique). Il prétend en outre que les peintres
remarquent peu souvent qu'ils ont plus de quatre couleurs sur leur
palette, oubliant le noir et le blanc, et il termine de façon assez obscure : « Et quand ils y mettroient du mystère, cela ne prouveroit rien
contre ma thèse ; car souvent l'Artiste, la palette à la main, peint
avec un si grand feu qu'il seroit bien embarassé de détailler le
mélange de ses couleurs [105]. » Pourtant Hagedorn écrit à une
époque où la préparation de la palette restait une affaire totalement
codifiée, avec une gamme de pigments dépassant largement le
nombre de quatre (*cf.* chapitre 10). Comment un artiste du
XVIIIᵉ siècle imaginait-il la façon dont Apelle préparait la sienne ?
À la Renaissance, les interprètes du thème de la *Calomnie* ne semblaient aucunement se soucier de suivre Apelle sur le plan chromatique ; ils faisaient, notamment, un usage abondant du bleu [106].
Au XVIIIᵉ siècle, de nombreux artistes représentant Apelle au travail
se plaisent aussi à le montrer comme l'un des leurs. Dans une
Allégorie de la peinture, Sebastiano Conca (1680-1764) donne à voir
Apelle peignant Campaspe, la maîtresse d'Alexandre le Grand, sous
les traits de Vénus. La palette d'Apelle semble préparée pour peindre la chair, avec des rouges, du jaune et du blanc seulement, alors
qu'il y a du bleu dans l'image sur la toile, comme dans d'autres
zones de la scène de Conca [107]. Un sujet similaire, peint par
Francesco Trevisani (1656-1746), représente aussi Apelle tenant une
palette tout sauf restreinte, et comportant du vermillon, comme les
deux versions peintes par Tiepolo d'*Alexandre et Campaspe dans
l'atelier d'Apelle*. La palette du peintre antique, dans la seconde ver- *12*
sion (v. 1736-1737), est préparée selon la séquence habituelle au
XVIIIᵉ siècle : du blanc près du pouce, puis une série de jaunes et de
rouges, jusqu'au noir, pour un total de six couleurs [108].

L'effet des fouilles d'Herculanum, où plusieurs représentations
d'artistes furent mises au jour, renforcé par l'analyse philologique de
l'histoire des quatre couleurs, se repère visuellement pour la première fois peut-être dans le frontispice de Friedrich Oeser pour les
Remarques de Winckelmann (1756). Cette image, par ailleurs totale- *17*
ment « tiepolesque », montre le peintre Timanthe – mentionné par
Cicéron comme un artiste tétrachrome (*Brutus*, 70) – travaillant à
sa plus fameuse peinture, le *Sacrifice d'Iphigénie* [109]. Timanthe n'utilise
pas de palette mais semble prendre ses couleurs de quatre pots ran-
gés à ses pieds. En examinant l'image de plus près, on repère un cinquième pot dans l'ombre, derrière les autres : vraisemblablement,
comme Dézallier d'Argenville, Oeser pensait ainsi évoquer de
manière très générale la question de la palette restreinte. Par la suite,
certains peintres furent plus explicites : dans un tableau inachevé,
David montre Apelle peignant Campaspe à partir de quatre pots de
peinture et sans palette [110]. En 1819, J.-M. Langlois remporte la
médaille d'or au Salon avec une *Générosité d'Alexandre* qui présente *18*
aussi le peintre n'employant que trois pots de couleurs (mais il en
a un quatrième devant lui et tient une palette à la main) [111]. Plus
tard, un autre tableau néoclassique, *Alexandre offrant Campaspe à
Apelle* par Antoine Ansiaux, montre le peintre antique avec une

palette moderne conventionnelle mais ne portant que les trois primaires, rouge, jaune et bleu, selon une disposition tonale de la plus lumineuse à la plus sombre [112]. Un théoricien français des années 1820, J.-N. Paillot de Montabert, disciple de David, soutint que les trois teintes de la triade primaire, additionnées du noir *ou* du blanc, constituaient les quatre couleurs utilisées par les anciens. Un élève d'Ingres, J.-C. Ziegler, réaffirma cette conception dans les années 1850 [113]. C'était un familier du traité de Chevreul, *De la loi du contraste simultané des couleurs* (1839). Le chimiste et théoricien de la couleur avait affirmé en substance que les anciens utilisaient une palette de cinq primaires, dont la triade rouge-jaune-bleu, et que les mélanges se faisaient peut-être « spontanément » (c'est-à-dire de manière optique) par l'effet du contraste simultané, dont il avait fait la démonstration [114]. À l'époque de Chevreul, la lecture des quatre couleurs en terme de combinaison « primaire » n'était plus controversée ; elle ne semble pas avoir, ensuite, vraiment préoccupé les amateurs d'art grec, avant que Gladstone ne soulève, comme nous l'avons vu, la question de la vision chromatique chez les Grecs.

Les peintres de l'époque romantique avaient conscience que le texte de Pline sur les quatre couleurs pouvait se comprendre comme une recommandation pratique. Certains d'entre eux, bien sûr, jugeaient fort inutile de s'efforcer de débrouiller les éléments contradictoires. Le portraitiste norvégien Thomas Bardwell, auteur d'un traité largement diffusé et maintes fois réédité, *Practice of Painting (Pratique de la peinture*, 1756), affichait son scepticisme sur les détails soi-disant pratiques transmis par Pline :

> Pour ma part, je ne puis croire que les quatre couleurs capitales des Anciens se purent mélanger jusqu'à cette perfection surprenante visible dans les œuvres de *Titien* et de *Rubens*. Et si nous n'avons aucune certitude sur leurs méthodes, alors qu'ils vivaient au siècle dernier, comment pourrions-nous comprendre celles des peintres qui vécurent il y a deux mille ans ? (pp. 1-2)

Joshua Reynolds, en revanche, adopta l'attitude la plus courante, en cherchant à concilier le texte de Pline avec la pratique contemporaine. Il soutint l'idée, encore d'actualité au XVIIIᵉ siècle, qu'Apelle s'était imposé un handicap en restreignant sa palette. Il interpréta l'histoire du vernis noir comme une incompréhension par Pline de la sobriété des peintures d'Apelle qui serait due non pas à la baisse générale des tons, mais à « sa manière judicieuse de rompre ces [quatre] couleurs selon les critères de la nature [115] ». Dans ses commentaires au *De Arte Graphica* de Du Fresnoy, Reynolds en viendra à lire ce passage sur le vernis comme une description de glacis, tout en continuant à recommander la palette restreinte : « Je suis convaincu que moins il y aura de couleurs, plus leur effet sera net, et que quatre suffisent pour créer toutes les combinaisons nécessaires. Deux couleurs entremêlées ne peuvent conserver l'éclat de chacune prise séparément ; de même, trois couleurs ne sauraient être aussi brillantes que deux [...] [116]. » Des mélanges trop nombreux seraient une violation de la simplicité inhérente à la pratique d'Apelle. Vers la fin de sa vie, Reynolds réalisa ses tableaux avec des sous-couches simples, faites de blanc, noir, rouge indien et terre de Sienne crue – des couleurs, dit un commentateur, « représentatives (quoiqu'en négatif) des trois couleurs primaires [117] ». Chez Reynolds, il y a aussi l'ombre du vieux préjugé contre le mélange au sens large, persistant depuis l'Antiquité. Dans une note sur le livre de Du Fresnoy, il évoque « cette harmonie produite par ce que les Anciens appelaient la *corruption* [*corruptio*, c'est-à-dire *phthora*] des couleurs, en les mélangeant

Friedrich Oeser, *Timanthe peignant « le Sacrifice d'Iphigénie »*, frontispice des *Gedanken* (*Réflexions*) de J. J. Winckelmann, 1756. Oeser représente Timanthe en train de peindre à l'aide de quatre ou cinq pots de couleurs, disposés sur le sol. (17)

J.-M. Langlois, *La Générosité d'Alexandre*, 1819 (détail). À la fin du néoclassicisme, cette version de l'atelier d'Apelle montre des pots de couleurs en nombre limité, mais avec une palette du XIXᵉ siècle. (18)

et en les rompant jusqu'à ce qu'il y ait une union de l'ensemble, sans rien qui puisse rappeler la palette du peintre ou les couleurs d'origine » ; un procédé caractéristique, selon lui, des écoles bolonaise et hollandaise [118]. Il juge cette méthode pour atteindre l'harmonie inférieure à la pratique des Vénitiens, illustrée suprêmement par Rubens, chez qui « les couleurs les plus brillantes sont admises, avec les deux extrêmes du chaud et du froid, et ceux-ci sont réconciliés par leur dispersion dans toute l'image, jusqu'à ce que l'ensemble fasse l'effet d'un bouquet de fleurs [119] ».

Quelle ironie que Reynolds ait ainsi défendu les mérites antiques de la palette restreinte, car cela fut aussi le cheval de bataille de son ennemi William Blake ! En effet, Blake qui condamnait les œuvres de Titien et de Rubens en les qualifiant de « barbouillages écœurants », attaqua Reynolds en l'accusant précisément de faire des mélanges à la Rembrandt [120]. Mais autour de 1800, Blake lui-même se tourna avec grand intérêt vers Rembrandt et les Vénitiens [121]. C'est probablement durant ses deux années d'étude chromatique, décrites dans une lettre de 1802, qu'il se mit à élargir sa recherche de modèles adéquats et qu'il croisa l'histoire d'Apelle. J. T. Smith, qui connaissait depuis des années le peintre visionnaire, rédigea ses souvenirs peu de temps après la mort de Blake :

> Quant au système chromatique de Blake […], il était, dans de nombreuses œuvres, superbement prismatique. Dans cette branche de l'art, il reconnaissait souvent avoir eu Apelle comme tuteur. Blake disait que le peintre antique était si content de son style qu'il lui était apparu un jour et qu'il lui déclara […] : « Tu possèdes assurément mon système chromatique ; et je voudrais maintenant que tu dessines ma personne, dont nul n'a su encore rendre les traits fidèlement [122]. »

19 Le portrait d'Apelle par Blake peut se reconnaître dans le célèbre dessin de *The Man who taught Blake Painting in his Dreams (L'homme qui enseigna la peinture à Blake en songes)*. Ce portrait est daté de 1819, mais il n'est pas simple de situer la rencontre de l'artiste avec son professeur antique. Blake fait allusion à la compétition avec Proto-

gène dans son *Catalogue descriptif* de 1809, ainsi que dans ses *Carnets*, utilisés à différentes époques dès les années 1780 [123]. Mais la palette « prismatique » distinguée par Apelle lors de leur rencontre onirique fut élaborée dans les aquarelles que Blake conçut en 1803 pour son protecteur Thomas Butts. Dans une lettre qu'il lui envoie en 1802, Blake explique qu'il a fait une étude approfondie des écrits de Reynolds ; c'est d'ailleurs là qu'il a trouvé le passage sur la palette antique, cité plus haut. Il prétend pouvoir en tirer une leçon qu'il va réaffirmer, plus tard, dans ses commentaires en marge des *Œuvres littéraires* de Reynolds : la couleur « rompue », et donc « corrompue » des Vénitiens, est préjudiciable à la grandeur, qui ne peut résulter que de la simplicité [124]. Il est impossible de mesurer à quel point Blake prit au sérieux le message d'Apelle recommandant une palette restreinte : la tonalité fleurie de nombre de ses enluminures tardives, fréquemment rehaussées d'or, suggère qu'il n'eut jamais l'austérité pour esthétique dominante. La technique des aquarelles les plus simples, même les dernières comme la série sur Dante, révèle l'importance du jeu des teintes mélangées et « rompues ». Le premier biographe de Blake, Alexander Gilchrist, dit qu'il avait des pigments « simples et peu nombreux », mais il en nomme cinq ensuite, dont un bleu de cobalt, pigment de synthèse des plus récents, que le peintre complétait à l'occasion avec de l'outremer, de la gomme-gutte ou du vermillon. La palette de la *Peinture* dans la lithographie d'*Énoch* (1821) montre une gamme de six couleurs [125]. Ainsi ne peut-on clore la discussion sur la lecture que faisait Blake de la pratique chromatique d'Apelle : était-elle réductrice comme celle de son contemporain François Gérard [126] ?

De l'Antiquité au XIXe siècle, Apelle représente donc, en tant que coloriste, un idéal de simplicité esthétique, comprise selon les notions de couleurs primaires ou fondamentales propres à chaque époque. Son histoire nous donne un très bel exemple du mauvais ajustement, qui n'est pas rare, entre la théorie et la pratique, et elle révèle combien chaque génération regarde forcément les couleurs du passé en fonction des couleurs qu'elle a sous les yeux.

William Blake, *The Man who taught Blake Painting in his Dreams*, v. 1819. (19)

3 · Lueurs orientales

La mosaïque monumentale · La signification des mosaïques · La lumière dans la liturgie · Réalisme et mouvement
Les couleurs de la lumière divine · Les couleurs de l'Islam

LE RHÉTEUR CHORIKIOS, membre de l'école de Gaza (première moitié du VIe siècle de notre ère), conclut sa description de l'église Saint-Étienne sur une image assez surprenante, celle d'un groupe d'amateurs d'art des premiers temps de la chrétienté :

> Invitons des hommes qui ont étudié les sanctuaires de nombreuses cités, chacun étant expert d'un domaine artistique différent ; et en présence de tels juges, que notre église comparaisse comme en un tribunal face aux temples célèbres du monde. Que l'un d'eux, par exemple, soit spécialiste de la peinture […] ; qu'un autre soit arbitre des marbres, nommés d'après leurs carrières ou d'après leur couleur ; qu'un autre soit expert en chapiteaux ; qu'un autre encore évalue clairement la quantité d'or, pour savoir si elle est insuffisante ou excessive, car ce sont des fautes de goût dans les deux cas. […] Quand tous ces juges se seront réunis, et que chacun se sera prononcé sur l'élément qu'il se trouve connaître mieux que les autres, alors notre église sera déclarée victorieuse à l'unanimité [1].

Voilà une approche totalement laïque de l'art chrétien : un intérieur d'église doit être admiré pour la beauté de ses proportions, ses matériaux précieux et la qualité de son exécution ; en aucun cas il n'est suggéré que ces éléments sont au service d'une fonction religieuse, ou même qu'ils ont un rôle signifiant [2]. Le seul indice que ce bâtiment possède une valeur supérieure à l'impression esthétique immédiate se lit dans la référence aux variétés des marbres des colonnes et des revêtements. En effet, Chorikios écrit que les marbres offrent un double avantage :

> [Ils offrent] à l'église [un matériau] pour d'honorables artisans et sont une source de gloire pour les cités qui les ont envoyés, puisqu'un homme les ayant vus et admirés en loue immédiatement le donateur. Parmi les colonnes, les plus remarquables sont les quatre, teintées naturellement de la couleur du vêtement impérial, et qui définissent l'espace interdit aux personnes extérieures au sacré ministère. [...] Dans la section inférieure [de l'abside] qui étincelle de marbres d'origines diverses, il se trouve une pierre unique par nature mais que l'art a rendue multiple, encadrant seule toute une fenêtre large et haute s'ouvrant au centre. […] La muraille se dissimule en effet sous des bandeaux de marbre si bien appareillés qu'on croirait une œuvre de la nature, et bigarrés de nuances naturelles au point de ne différer en rien d'un dessin fait à la main. C'est pourquoi les peintres, dont le travail est de choisir et de copier les plus beaux objets du monde, auraient-ils à représenter des colonnes ou des plaques sublimes (et j'ai déjà vu de ces choses dans des peintures), qu'ils trouveraient ici quantité d'excellents modèles [3].

Cette manière dont Chorikios valorise l'origine et la couleur des marbres de Saint-Étienne trouve un écho renforcé dans la description de Sainte-Sophie de Constantinople par son contemporain Paul le Silentiaire :

> Sur le mur en pierre de taille resplendissent de toutes parts les chefs-d'œuvre de l'art pictural. C'est la vallée du Proconnèse couronnée de mer qui a enfanté ces marbres. L'assemblage des pierres finement taillées s'égale au trait de pinceau. On y verra, en tesselles carrées ou octogonales, les veines appariées en un décor. Et les tesselles réunies imitent l'éclat d'un tableau. [...] Et qui chantera à pleine bouche, avec les mots sonores d'Homère, les prairies de marbres rassemblés sur les murs si solides et le sol si vaste du temple très haut ? Car le fer du carrier a découpé de sa dent les plaques vert pâle de Carystos ; et il a détaché des hauteurs phrygiennes une pierre tachetée, tantôt rose mêlée d'un blanc nuageux, tantôt à flocons pourpres et blanc brillant qui lancent des éclairs délicats. À profusion, chargé sur les barges fluviales qui descendent le Nil aux bonnes crues, le porphyre, semé de fines étoiles, brille. Et l'on verra l'éclat vert des roches de Laconie, et les marbres fulgurants, aux mille veines sinueuses, que l'on extrait de profondes entailles dans la colline d'Iasos, révélant des filons obliques, couleur sang sur blanc livide ; et tout ce que produit le fond de la Lydie, faisant onduler des fleurs jaune pâle, mêlé de rouge, et tout l'éclat que le soleil africain donne aux pierres en les brûlant de sa lumière d'or : c'est de l'or, c'est du safran parmi les crêtes et les gorges de la haute Maurétanie. Et tout ce que présentent les sommets de la Gaule, couverts de glaciers : ils répandent en abondance un blanc laiteux sur l'épiderme du marbre au noir éclat, le versant çà et là, au hasard. […]. C'était comme des neiges avoisinant de noires lueurs ; leur splendeur mêlée avivait la pierre [4].

L'appréciation des marbres selon leur provenance et la coloration de leurs veines remonte au poète latin Stace (Ier siècle de notre ère) [5]. Il n'est pas étonnant que Chorikios et Paul s'inscrivent dans cette tradition, puisque leurs écrits appartiennent au genre de l'*ekphrasis*, ou description des œuvres d'art. À Gaza, cette convention littéraire était surtout pratiquée par Procope et Jean de Gaza [6]. Leurs textes ne doivent pas être tenus pour de purs exercices rhétoriques, car ils attirent l'attention sur des éléments architecturaux auxquels mécènes et artisans paléochrétiens et byzantins accordaient le plus grand soin et les plus grandes dépenses. Les colonnes de marbre cipolin veiné de vert, provenant de Carystus en Eubée, étaient de fait envoyées aux chrétiens de Gaza [7]. Leurs chapiteaux finement sculptés et ciselés sont peut-être la forme type la plus raffinée de sculpture byzantine monumentale. Même si très peu de voûtes de cette période nous sont parvenues (voir la voûte du Ve siècle reconstituée à Sainte-Sabine de Rome, ou celle du XIIe siècle à la chapelle Palatine de Palerme), nous disposons d'assez de preuves pour affirmer qu'elles étaient particulièrement somptueuses. Chorikios décrit, sur les murs latéraux de Saint-Étienne, une mosaïque du Nil avec ses prairies et ses oiseaux : nous connaissons ce motif, au moins sous forme de pavement, depuis l'Antiquité

21

20 tardive (à Palestrina et Piazza Amerina en Sicile) jusqu'aux églises chrétiennes d'Aquilée dans le nord de l'Italie (fin du Vᵉ siècle) et, non loin de Gaza, dans l'église Saint-Jean-Baptiste à Gerasa [8]. L'iconographie de ces paysages du Nil, bientôt assimilée à celle des quatre rivières du Paradis dans les absides paléochrétiennes (par exemple, celle de Saints-Côme-et-Damien à Rome), n'a pas encore été retrouvée sous forme de mosaïque murale ; mais il n'y a pas lieu de mettre en doute la véracité du texte de Chorikios [9].

Le rhéteur affirme que le plus grand mérite de cette église résidait d'abord dans ses proportions, puis dans son revêtement de marbre. Il conclut : « L'or et d'autres couleurs confèrent du lustre à l'ensemble de l'ouvrage. » Ainsi la symétrie et la couleur sont-elles encore les critères fondamentaux de la beauté, comme elles l'avaient été dans l'Antiquité classique. Pour le spectateur byzantin, comme pour l'amateur antique, ce qu'il faut apprécier en premier lieu dans la couleur, c'est sa valeur lumineuse. Les pièces les plus typiques de l'appareil liturgique paléochrétien – le lustre des soieries dans les vêtements et les rideaux, l'or et l'argent des lampes et de la vaisselle, les pierres précieuses et les émaux des icônes, des reliquaires et des livres pour les processions – se développèrent dans les premiers siècles de la chrétienté d'abord en tant qu'images et réceptacles de la lumière. Pourtant, c'est bien leur environnement de mosaïque d'or et d'argent, « qui semblait, pour ainsi

Palestrina, temple de la Fortune, scène nilotique, Iᵉʳ-IIIᵉ siècle ap. J.-C. Les fréquentes représentations du Nil dans les pavements de mosaïque romains annoncent le thème paléochrétien des quatre fleuves du Paradis et la conception byzantine de la mosaïque, « s'écoulant » comme une rivière. (20)

dire, jaillir d'une fontaine d'or intarissable » (selon les termes de Chorikios, dans son *ekphrasis* de l'église Saint-Serge à Gaza), qui démontre le plus clairement comment une technique spécialisée contribuait à un idéal esthétique [10].

La mosaïque monumentale

La mosaïque monumentale est peut-être le médium le plus ancien de l'art paléochrétien. Par son transfert des pavements aux murs et aux voûtes, la technique même en fut modifiée dans le but précis d'exploiter les effets de lumière. Au début, le style et l'iconographie des mosaïques murales se développa parallèlement aux mosaïques de pavement ; puis, vers le IIIᵉ siècle av. J.-C., les galets des premières mosaïques grecques cédèrent le pas à des cubes taillés de manière régulière, les *tesserae* [11]. Bientôt les tesselles de pierre naturellement colorée furent complétées par d'autres en terre cuite ou en verre, artificiellement colorées, ce qui augmenta considérablement la gamme chromatique. Le plus ancien pavement tout entier de verre qui nous soit parvenu se trouve à Corinthe : il rivalise de 15 richesse avec les mosaïques des murs et des voûtes de Pompéi et d'Herculanum, qui datent de la même époque. Sa bordure renferme des motifs végétaux naturalistes qui rompent avec les motifs géométriques des mosaïques romaines antérieures. Cette tendance se confirma, tout au long du Vᵉ siècle, dans certains pavements hautement polychromes, comme ceux d'Argos ou comme celui qui a été mis au jour dans une basilique paléochrétienne à Heraclea Lyncestis (Bitola), en Macédoine. Ce dernier présente un traitement fleuri du Jardin d'Éden, qui se rattache directement à l'iconographie de plusieurs absides paléochrétiennes de Rome et de Ravenne (Saints-Côme-et-Damien, le Baptistère arien) [12].

Inversement, on retrouve un écho des motifs géométriques des pavements antérieurs dans les plus anciennes mosaïques de voûte qui nous soient parvenues intactes : le cryptoportique de la Villa d'Hadrien à Tivoli (début du IIᵉ siècle), le déambulatoire de Sainte-Constance à Rome et les voûtes de la rotonde de Saint-Georges 26 à Thessalonique (respectivement, fin du IVᵉ et fin du Vᵉ siècle) [13]. La voûte de Tivoli, bien que située dans un passage très sombre où elle n'est visible qu'en lumière artificielle, contient peu de verre (pour les bleus), mais les tesselles grossières comme des petits galets sont fixées librement pour capter la lumière selon des angles différents [14]. Les premières références à des mosaïques de voûte, dans des textes du Iᵉʳ siècle, font toutes allusion au verre ; de fait, jusqu'à ce que s'impose le mot *musivum* (qui a donné notre « mosaïque »), entre le IIᵉ et le IVᵉ siècle, *vitris* (verre) semble avoir désigné à lui seul toutes les mosaïques murales [15]. La rupture décisive avec les techniques employées pour la mosaïque de pavement fut probablement l'introduction de tesselles métalliques – d'abord d'or, puis 27-30 d'argent. On peut en faire remonter l'apparition assez certainement au début du IIIᵉ siècle, en particulier au halo d'or du Christ ressuscité de la voûte en mosaïque du mausolée des Juliens, qui se trouve sous Saint-Pierre de Rome [16]. L'emplacement et la date sont révélateurs car ils coïncident avec le développement d'une technologie apparentée, celle de la vaisselle en verre doré, dont on a trouvé de grandes quantités dans les catacombes romaines : tout comme les tesselles d'or, elle comporte une feuille d'or insérée entre deux couches de verre [17].

Cet usage, alors parcimonieux, des tesselles métalliques est le premier indice clair que la mosaïque paléochrétienne était conçue d'abord pour véhiculer la lumière. Dans le mausolée des Juliens, l'analogie entre or et lumière est patente, puisque le Christ apparaît *26* nimbé, en *sol invictus* (soleil invaincu). À Sainte-Constance, le second monument majeur où sont employés des cubes d'or, ils dénotent une volonté à la fois plus ornementale et plus subtile. Les mosaïques traitant des sujets de l'Ancien Testament – dont l'encadrement décoratif comportait aussi des tesselles dorées – ont maintenant disparu [18]. Néanmoins dans les mosaïques du déambulatoire, qui ont perduré, on ne voit de l'or qu'au centre liturgique de l'image, dans les deux voûtes qui bordent le grand autel ; celui-ci est éclairé par des verrières percées dans une tourelle en surplomb. Nous pouvons considérer que la mosaïque (maintenant perdue) du Christ et des apôtres, dans cette tourelle, comportait également de l'or : au XIIe siècle, on la comparait à Sainte-Pudentienne (v. 401-407) à Rome aussi, où l'emploi de rehauts d'or est remarquable dans la tunique et le nimbe du Christ [19]. Après de si modestes commencements, la mosaïque dorée se répandit à l'ensemble du fond, dans la rotonde de Saint-Georges à Thessalonique par exemple où l'on a constaté en outre le plus ancien usage de cubes d'argent [20]. Elle se répandit aussi dans le revêtement à peine modulé du dôme ou de l'abside de Saint-Victor *in caelo aureo*, à la basilique Ambrosienne de Milan (fin du Ve siècle ?) et à Sainte-Irène d'Istanbul, avec son décor iconoclaste du VIIIe siècle [21]. À l'origine précieux indice du lieu le plus sacré du temple, la mosaïque dorée devint simplement, au cours des siècles, un autre support d'étalage luxueux, surtout dans la chapelle royale de Palerme et la cathédrale de Monreale (XIIe siècle), où l'or est prodigué sur toutes les surfaces comme un bain d'ambre solaire [22].

Avec l'introduction des cubes métalliques se développèrent aussi les techniques de pose ; à cet égard, la pratique de la mosaïque murale s'éloigna de plus en plus de celle du pavement. À Pompéi et à Herculanum, la pose lisse des tesselles de verre à l'intérieur des niches des fontaines et sur leur pourtour semble avoir été conçue pour obtenir le même type de surfaces polies que les pavements [23]. À mesure qu'évolua la technique pour les murs et les voûtes, on créa délibérément une surface irrégulière, produisant – surtout avec l'or – un effet de douceur et de fluidité ; cela est tout à fait frappant dans le dôme de la chapelle Saint-Victor à Milan et dans le « Mausolée » de Galla Placidia à Ravenne [24]. Une irrégularité plus maîtrisée fut obtenue par ratissage de certains cubes métalliques, de façon à ce que grâce à leur inclinaison, allant parfois jusqu'à 30°, ils réfléchissent la lumière vers le spectateur en dessous. Cette technique fut employée surtout pour les nimbes et les mandorles, comme au *33* monastère de Sainte-Catherine-du-Sinaï, au milieu du VIe siècle, ou pour les mosaïques de Saint-Démétrios à Thessalonique (V[e]-VIIe siècle), ou encore pour le panneau surplombant la porte impériale de *29* Sainte-Sophie de Constantinople [25]. Des inscriptions furent aussi réalisées selon le même procédé à Poreč en Croatie et encore à Sainte-Irène et Saint-Démétrios [26]. Ces surfaces irrégulières semblent plus typiques des mosaïques paléochrétiennes que des œuvres médiévales plus tardives : à Sainte-Sophie, elles furent abandonnées dans la plupart des ouvrages des IXe et Xe siècles [27] ; on n'en voit pas d'exemple dans le monastère de Néa Moni à Chios (fin du XIe siècle). Vers la fin du Moyen Âge, quand les premiers traités importants sur les méthodes de pose furent publiés à Venise, l'idéal antique de la surface lisse, sans espace visible entre les cubes, s'était réimposé – on en voit la trace dans la mosaïque du début du XVe siècle couvrant la chapelle Mascoli de la basilique Saint-Marc [28].

Plafond de la chapelle Palatine à Palerme. La lumière dansante produite par ces motifs sculptés évoque l'esthétique byzantine de la couleur en mouvement. (21)

Au plan technique, les mosaïques paléochrétiennes se répartissent globalement en deux catégories. Selon la première méthode, dite « grecque », des petits cubes de pierre sont utilisés pour modeler les chairs et la technique de pose est linéaire ; cette catégorie est largement représentée à Constantinople. La seconde se caractérise par un usage de plus grosses tesselles de verre et par une pose plus aléatoire, « impressionniste ». C'est le style des premières mosaïques de Rome. Je compte étudier de plus près le style « grec », sous l'angle du naturalisme, mais je tiens à souligner d'abord que les deux *28* styles, quoique ayant des effets bien distincts, ont pu coexister dès l'Antiquité. La très célèbre mosaïque de pavement représentant Dionysos sur une panthère, dans la maison des Masques à Délos, révèle une technique des plus minutieuses ; cependant, elle est encadrée de panneaux montrant des centaures, réalisés dans un style lâche, impressionniste, que l'on retrouve dans la mosaïque d'une pièce voisine, contemporaine, représentant un groupe de musiciens [29]. De même, à Saint-Laurent-hors-les-Murs à Rome (VIe siècle), la tête de saint Laurent est en mosaïque de verre de style romain, tandis que, pour la tête de saint Paul, les zones de chair sont réalisées, à la même époque, avec de plus petites tesselles de pierre, posées de manière linéaire [30]. Il est possible que l'ancienne technique « grecque » ait été rattachée plus étroitement aux sujets hellénistiques, comme la bataille d'Alexandre ou les deux saynètes théâtrales de Naples, qui étaient de toute évidence des reproductions de peintures. En conclure que le style « romain » soit plus spécifiquement approprié au médium et, par là-même, plus autonome [31], me semble un jugement hâtif, car la mosaïque a révélé des

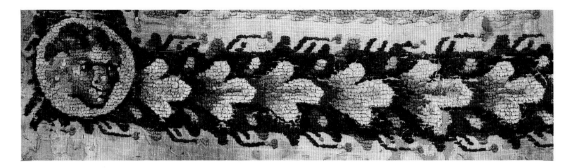

La tapisserie et la mosaïque fonctionnent l'une comme l'autre avec des unités de couleur de même taille et d'espacement régulier, afin de créer une homogénéité d'effet visuel ; la mosaïque a cependant une souplesse bien plus grande (*cf.* 27-30). Ce fragment de tapisserie provenant d'Akhmin (IVe siècle) et ce pavement de mosaïque réalisé à Antioche révèlent tous les deux un recours à des techniques de mélange optique. Le motif circulaire dans la partie gauche de la mosaïque rappelle les rubans de couleur en rotation sur un tour de potier dans l'expérience des mélanges décrite par Ptolémée. (22, 23)

(Page ci-contre) Un panneau de mosaïque provenant de la Villa d'Hadrien, copie d'une peinture, emploie de manière exceptionnelle de très fines tessèles pour rendre, au moyen de hachures, le lustre du plumage des colombes et l'aspect luisant du récipient. (24)

possibilités d'adaptation infinies. Certes, la technique « romaine » permet une surface plus homogène dans son ensemble, ce qui la libère de l'illusionnisme (l'adaptation du matériau et du style aux caractéristiques du sujet), mais elle partage cette homogénéité avec la tapisserie en laine de l'Antiquité tardive, par exemple. Dans ce dernier cas, les contraintes du médium – la répétition régulière des mêmes unités de couleur – imposent une texture uniforme, dont l'effet est très proche de celui de la mosaïque « romaine ».

22

Pour comprendre l'illusionnisme d'une œuvre, il est nécessaire de s'intéresser à son contexte de réalisation. Cela est tout à fait frappant pour un aspect technique de la mosaïque que l'on peut rapprocher d'une théorie chromatique contemporaine, celle du « mélange optique ». On a pu remarquer dans les mosaïques médiévales, toutes époques confondues, que certaines tessèles étaient posées non pas en lignes régulières, mais selon un arrangement « en zig-zag » ou en damier. Cette disposition est particulièrement saisissante dans le style « grec », où elle contraste avec la pose linéaire plus habituelle. Elle semble avoir été utilisée pour les chairs, où il était approprié d'obtenir un modelé doux. On l'utilisa aussi pour des surfaces lustrées comme les écailles de poisson, les plumages et les pelages, ou encore pour des surfaces intrinsèquement lumineuses comme les nimbes, l'arc-en-ciel ou l'eau [32].

27

Des motifs aussi remarquables ne peuvent être le fruit du hasard, ils résultent d'une méthode délibérée. Le fondement théorique du mélange optique fut posé clairement au IIe siècle par Ptolémée ; il identifia deux causes de la fusion optique des couleurs. La première est la distance : l'angle de vision formé par les rayons lumineux qu'émettent de très petites taches de couleur est trop faible pour que l'œil puisse les identifier séparément – ainsi, de nombreux points de couleurs différentes semblent, en vue d'ensemble, d'une même teinte. La seconde cause du mélange optique est la persistance rétinienne : lorsqu'un objet coloré est en mouvement,

une « image en négatif » vient se superposer à l'image consécutive et il se produit un mélange des deux. Ptolémée illustra ce dernier phénomène par la rotation, similaire à un tour de potier, d'une roue multicolore ; voilà précisément la machine à mélanges optiques qu'utiliseront beaucoup de théoriciens de la couleur au XIXe siècle, notamment Clerk Maxwell et Ogden Rood qui furent souvent cités par les néo-impressionnistes [33]. Or, le disque provenant d'un fragment de mosaïque du IIIe ou IVe siècle près d'Antioche et décoré d'un motif radial de carrés noirs, blancs, jaunes, rouges et verts, disposés en zig-zag, pourrait bien représenter le type de disque chromatique auquel pensait Ptolémée.

23

Nous ne devons pourtant pas en conclure que ces anciens mosaïstes étaient des néo-impressionnistes avant la lettre [34] ; et s'ils l'ont été, le style « romain » plus souple et plus homogène se rapproche bien davantage des effets recherchés par le pointillisme que la méthode « grecque », très localisée, des motifs en zig-zag. Pourtant, si nous abordons la question cruciale de la place du spectateur, la variété des effets augmente considérablement. Les petites mosaïques de la Villa d'Hadrien étaient à l'origine insérées dans des pavements : elles étaient faites pour être vues à une distance d'environ un mètre – et leur technique est particulièrement fine. En revanche, la mosaïque de pavement d'Heraclea Lyncestis est bien plus grossière, alors qu'il n'y a pas plus de recul. Les mosaïques du dôme de la rotonde de Saint-Georges se trouvent à dix-huit mètres du sol et, pourtant, les détails des têtes ont été réalisés dans un style linéaire délicat. C'est pourquoi on a suggéré qu'elles avaient été faites au sol, à la manière antique, puis transférées en bloc sur les murs [35]. D'un autre côté, les mosaïques de la voûte de la petite chapelle Saint-Zénon dans Sainte-Praxède à Rome sont situées à un peu plus de quatre mètres au-dessus du spectateur, mais elles sont d'un style très grossier et, à la lumière électrique comme en photographie, leurs contrastes chroma-

24

28

tiques sont très violents. Ce n'est que sous une lumière tamisée que leurs couleurs tendent à se fondre, quoique la texture de la surface demeurent très nettes. De la même manière, le spectateur perçoit clairement la disposition en damier des tesselles au cou de la Vierge dans la monumentale mosaïque de la *Deesis*, dans l'église Saint–Sauveur–in–Chora, à Istanbul. Il y est impossible de reculer suffisamment pour faire fusionner les couleurs. Le mouvement typique du spectateur sous des plafonds et des hauts murs décorés de mosaïques est contraire à celui du spectateur de tableaux de chevalet : on doit avancer parallèlement et non perpendiculairement à la surface. Voilà pourquoi on a tant de mal à trouver la bonne distance et à parvenir au mélange optique. Ce qui nous fait défaut avec ces exemples antiques et médiévaux n'est pas tant la connaissance d'une théorie que l'empirisme infatigable dont sut faire preuve Seurat tout au long de sa carrière.

Ptolémée analysa aussi d'autres effets du mélange optique, notés par Aristote et ses commentateurs dans quelques remarques dispersées : la mise en valeur de teintes contiguës par le contraste et l'adoucissement des bords grâce aux dégradés [36]. C'est la compréhension de ce dernier phénomène qui explique certainement ces touches de vermillon si souvent utilisées dans les premières mosaïques de type « romain », pour les zones de chair [37]. Ce ne sont ni des rehauts, ni les composants d'un système de modelé tonal – mais simplement des touches chromatiques pour donner de la chaleur à la peau. Une intention contraire semble expliquer l'emploi d'une gamme de verts, parfois très vifs, pour modeler la chair ; c'est un usage tout à fait manifeste dans certaines mosaïques du Moyen Âge tardif, en Grèce [38]. Il est possible que ce vert prononcé dérive de la sous-couche verte servant à peindre la chair, qu'on voit parfois à travers des ombres transparentes et qui était déjà employée dans les fresques de Pompéi – même si elle ne devint un procédé courant qu'avec la peinture médio-byzan-

tine [39]. Dans la mosaïque, ce vert n'a de rôle qu'en surface : il sert à refroidir le teint du visage.

Avec la diffusion des fonds d'or, les mosaïstes inventèrent des procédés pour moduler l'uniformité excessive de ces larges zones dorées. D'abord on retourna certaines tesselles pour exposer leur épaisseur de verre. C'est le cas à Sainte-Marie-Majeure à Rome, à Saint-Apollinaire-le-Neuf à Ravenne et à Sainte-Catherine-du-Sinaï. Plus tard, on parsema le fond d'or de quelques tesselles argentées, comme à Sainte-Irène ; et parfois, on maria les deux techniques, comme dans la mosaïque du IXᵉ siècle de l'abside de Sainte-Sophie [40]. Là encore, il s'agit d'un procédé purement chromatique, utilisant le phénomène du dégradé. Il est intéressant de constater que les tesselles destinées à ces fonds d'or ont parfois été fabriquées en Italie avec du verre rouge : posées de manière souvent lâche, elles dépassent de la couche de plâtre jusqu'à un quart de leur épaisseur. Cela permet au verre rouge de réfléchir et de diffuser sa couleur par-dessus l'or, en lui donnant cette nuance rougeâtre si prisée dans l'Antiquité. Le lit de pose était parfois de teinte rouge lui-même, de sorte que le plâtre apparaissant entre les tesselles venait augmenter encore leur éclat rosé [41]. Un bel exemple de cette affinité ressentie par les Byzantins entre le rouge et l'or est donné par un panneau votif du VIIᵉ siècle dans Saint-Démétrios à Thessalonique, où le saint et le donateur sont revêtus d'un *himation* blanc et d'un *tablion* bleu, dont les motifs correspondent. Les triangles dorés sur le fond blanc de la tunique deviennent rouge vif sur le fond bleu du manteau : comme dans l'échelle chromatique d'Aristote *(Petits Traités d'histoire naturelle,* 442a), le rouge est seulement, si l'on peut dire, l'ombre de la lumière.

Les contours des halos sur fonds d'or dans les mosaïques médio-byzantines sont ordinairement en rouge ; sans doute parce qu'ils représentent symboliquement la lumière, mais il peut aussi s'agir de l'ancienne préférence esthétique pour l'association de ces deux couleurs. Grégoire de Nysse écrivit que le fleuve Halys « brille comme un galon d'or sur une longue robe de pourpre, grâce au limon qui rougit ses flots [42] ». Il évoquait ainsi une expérience de couleur pure, particulièrement agréable au spectateur byzantin.

Le lecteur trouvera peut-être que ces cas rares et isolés d'une théorie de la couleur appliquée à la mosaïque ne trahissent ni une grande curiosité ni une vraie culture scientifique de la part des artistes paléochrétiens et byzantins. Il pensera peut-être que ces derniers exécutaient simplement les souhaits de leurs commanditaires, et travaillaient selon des méthodes rudimentaires à peine formalisées. Pour le moment, il serait déraisonnable de suggérer que ces artisans faisaient mieux que partager avec les intellectuels de leur temps quelques (antiques) hypothèses, de faible portée, sur la lumière et la couleur. Pourtant, il y a lieu de croire que le spectateur cultivé d'alors était capable d'enrichir son expérience de l'art d'un savoir scientifique général. En effet, on en trouve des preuves frappantes dans les *Homélies* de Photius, patriarche de Constantinople au IXᵉ siècle. Dans ses sermons, prononcés lors des rassemblements impériaux dans la capitale, Photius fait des allusions répétées à la science de l'optique. En mars 863, il évoque :

> ce temple auguste et sacré [Sainte-Sophie] qu'on pourrait appeler à juste titre [...] l'œil de l'univers, et ce surtout aujourd'hui, lorsqu'en mélangeant le blanc et le noir [une allusion aux vêtements de la congrégation], couleurs à partir desquelles est forgée la constitution naturelle de l'œil, vous remplissez de vos corps les vides de cet espace prodigieux – ce temple forme, dirait-on, l'orbite de l'œil [...][43].

L'image peut sembler alambiquée, certes, si l'on ignore que cette homélie fut prononcée dans un bâtiment dont le dôme d'or ressemble tout à fait à l'orbite gigantesque d'un œil, organe solaire de la vision, selon la théorie platonicienne. De plus, la référence au blanc et au noir, tout en rappelant les yeux noirs des auditeurs, s'inscrit dans la conception empédocléenne du rôle du noir et du blanc dans la perception [44]. Quelques années plus tard, au même endroit, pour célébrer la victoire des iconodules sur les iconoclastes, Photius justifiait sa défense des images en recourant à l'antique doctrine grecque de la supériorité de la vue sur les autres sens. Et il choisissait, parmi les différentes théories de la vision en rivalité à son époque, celle des pythagoriciens et d'Hipparque d'Alexandrie, lequel soutenait que l'œil émet des rayons qui s'étirent vers les objets perçus et les ramènent jusqu'à l'esprit [45]. Dans un sermon pour l'inauguration de la chapelle Palatine (actuelle église de la Vierge de Pharos), Photius fait même une brève allusion à son pavement en mosaïque : « Démocrite aurait dit, je pense, en voyant le minutieux travail du pavement et le prenant pour preuve, que ses atomes n'étaient pas loin d'être découverts ici en train d'affecter réellement la vue [46]. » Ces références en apparence un peu exagérées ne sont aucunement surprenantes de la part de Photius qui était un grand érudit. Il avait constitué une importante compilation de titres et de résumés de ses lectures : ce *Myriobiblion* contient de nombreux titres qui ne nous sont pas parvenus, en particulier un manuscrit des *Eclogues* de Johannes Stobaeus, plus complet qu'aucun de ceux conservés aujourd'hui. Cet ouvrage renfermait dans son premier livre un condensé des notions antiques sur la physique, dont les théories d'Empédocle et de Démocrite sur la vision et la couleur [47].

Évoquant le décor de mosaïque de l'intérieur de la chapelle Palatine, Photius affirme : « C'était comme entrer au Paradis même, sans que rien ne barre la route d'aucun côté, illuminé par

Le chrisme, symbole du Christ, est placé au centre d'une voûte étoilée ; l'émanation de lumière s'affaiblit à mesure qu'elle s'éloigne de sa source. Comparer avec la « ténèbre divine » (33) de la mosaïque de la *Transfiguration* du mont Sinaï. (25)

la beauté de toutes choses brillant tout autour comme autant d'étoiles – ainsi est-on profondément émerveillé [48]. » La luminosité de l'espace religieux était une image de la lumière du Paradis : la mosaïque fut développée comme la forme de peinture la plus hautement lumineuse non seulement pour la délectation esthétique ou l'étalage luxueux, mais afin de véhiculer une iconographie chrétienne de la lumière.

La signification des mosaïques

Certes, la mosaïque murale était un médium luxueux. Les exemples que nous en connaissons aujourd'hui furent en majorité réalisés sur commande impériale, royale ou pontificale. Quant aux matériaux précieux de la mosaïque, comme d'autres, ils furent l'objet de pillage et de réemploi légitime. Si les fonds venaient à manquer, des programmes décoratifs commencés en mosaïque devaient parfois être achevés en peinture ; dans les zones les moins visibles, quelques tesselles dispersées ont parfois servi pour une vaste surface, le reste étant rempli à la fresque. Au sein des matériaux de la mosaïque, il y avait une hiérarchie de valeurs – du marbre au verre, puis des pierres aux tesselles en terre-cuite – et, quand un matériau précieux était épuisé, les mosaïstes devaient parfois poursuivre avec un autre moins onéreux [49]. C'est pourquoi, surtout aux premières phases de son développement, la mosaïque n'est présente que dans les parties les plus symboliques des bâtiments religieux. Si nous examinons donc les programmes iconographiques de ces zones, nous prenons conscience du lien étroit entre le sujet et ses moyens d'expression.

Les témoignages, tant textuels qu'archéologiques, de l'usage antique de mosaïques en verre sur les murs et les voûtes renvoient en majorité à des fontaines ou à des bains [50]. L'étymologie même du terme « mosaïque » (*opus musivum*) révèle la conviction que cette technique était particulièrement appropriée aux résidences des Muses, ou des nymphes, c'est-à-dire aux grottes humides [51]. Ainsi, le recours à des décors de mosaïque dans certains baptistères des premiers temps de la chrétienté (à Naples, v. 400 ; à Albenga et Ravenne à la fin du Vᵉ siècle) s'inscrivait-il dans une tradition ininterrompue. Mais l'iconographie des décors de ces très anciens baptistères était elle aussi particulièrement appropriée au médium. En effet, le rite du baptême équivalait à une attribution de lumière, comme le signifie le terme grec originel *photisma* (illumination). Un texte chrétien de la fin du IIIᵉ siècle, *Le Banquet* du néoplatonicien Méthode d'Olympe, commente la présence de la lune sous les pieds de la femme revêtue de soleil (*Apocalypse* 12,1), en la reliant au baptême :

> Car le clair de lune semble nous baigner comme une eau tiède, et toute forme d'humidité relève de la lune. L'Église [...] doit nécessairement présider au [baptême] comme étant la mère de ceux qui y sont baignés ; et plus précisément, c'est ainsi que la fonction qu'elle assume dans ce bain est appelé *lune* [séléné] : parce que ceux qui sont renouvelés, régénérés, brillent d'une *lumière neuve* [sélas], c'est-à-dire d'une clarté nouvelle, ce qui les fait nommer aussi, par application indirecte, les « nouveaux illuminés » : l'Église fait briller à leurs yeux, à travers les phases de la Passion, la pleine lune spirituelle [...] jusqu'à ce que se lève la radieuse et parfaite lumière du grand Jour [52].

C'est pourquoi le baptême était souvent célébré de nuit et, surtout à l'époque de la veillée pascale – qui met l'accent sur le thème de la résurrection –, les baptistères étaient éclairés par des lampes. Les mosaïques, qui comportent parfois, comme à Naples et à Albenga sur la côte italienne, des cieux étoilés, en devenaient d'autant plus significatives [53]. L'orientation du baptistère, comme celle de l'église, était souvent vers l'Est [54]. Ainsi le candidat au baptême, selon des instructions datant du IVᵉ siècle, devait d'abord faire face à l'Ouest, « le royaume des ténèbres visibles », et devait « renier le maître de l'obscurité et de l'ombre », Satan :

> Quand donc tu renonceras à Satan, foulant aux pieds tout pacte avec lui, tu brises les vieux traités avec l'enfer, à toi s'ouvre le paradis de Dieu, qu'il planta vers l'Orient, et d'où à cause de sa désobéissance fut exilé notre premier père. En symbole de quoi, tu t'es tourné vers l'Orient, région de la lumière. Alors on t'a dit de dire : « Je crois au Père et au Fils et au Saint-Esprit à un seul baptême de pénitence. » [55]

[25] À Albenga, une mosaïque avec le monogramme du Christ dans un ciel étoilé décore la voûte de l'abside orientale du bâtiment, en face de l'entrée. À Naples, le Phénix, emblème de la résurrection, est placé à l'est de la voûte, pour symboliser la lumière naissante de l'illumination [56]. Ces images du Paradis et du Christ en soleil levant étaient également courantes dans cet autre secteur important des premières décorations de mosaïque : l'abside. On sait très peu de choses sur les décors muraux de mosaïque dans les temples préchrétiens [57], mais si l'on peut se fier à un relevé romain du XVIIᵉ siècle d'une chapelle du Lupercale dédiée à Romulus et Rémus (aujourd'hui disparue), la mosaïque fut utilisée au IIIᵉ siècle de notre ère pour décorer l'abside de cet édifice païen [58]. Sans doute, dans la majorité des églises romaines, la mosaïque était-elle initialement confinée à l'abside [59] ; comme l'illustrent les célèbres Saints-Côme-[32] et-Damien à Rome et Saint-Vital à Ravenne, nombreuses sont

celles qui montrent des images de l'Épiphanie prochaine du Christ, qui devait avoir lieu en Orient, selon plusieurs traditions paléochrétiennes [60]. Souvent, des grappes de nuages roses, autour et au-dessus des figures, rendent explicite l'idée d'une aube naissante au cœur de ces scènes. Cette indication marquée de l'heure de la journée semblait si cruciale que dans les absides de Saint-Clément et Sainte-Françoise-Romaine à Rome (XIIᵉ siècle), dont les compositions sont trop encombrées pour permettre de déployer ce thème dans l'espace pictural principal, ces nuages sont tassés dans de petits compartiments situés de chaque côté de la main de Dieu, au sommet de l'ensemble [61].

Une représentation du Christ plus tardive, mais commune aux mosaïques des absides occidentales et aux coupoles centrales des églises byzantines, est celle du Christ Pantocrator, ou Maître de l'Univers. Cette image est aussi une manifestation de la lumière, car le Christ y tient souvent un phylactère ou un livre portant une phrase de l'Évangile de Jean : « Je suis la lumière du monde. » Et même lorsque le livre est fermé, comme à Daphni, à Hosios Loukas ou à Arta (en Grèce occidentale) et dans le Pammakaristos (Fetiye Djami) d'Istanbul, cette formule est remplacée par une reliure étincelante de pierreries [62]. Le poète anglo-saxon Æthelwulf (IXᵉ siècle) semble avoir médité sur cette figure de Christ Pantocrator, quand il évoque des « livres qui présentent les paroles exaltées de Dieu le Foudroyant » et renvoie en particulier à leurs remarquables couvertures dorées [63]. Les reliures des évangéliaires du haut Moyen Âge [36-37] étaient de fait des articles d'exposition, à montrer sur l'autel ou durant les processions [64]. Précieux objets liturgiques à part entière, elles pouvaient être rangées indépendamment du reste du livre et transférées d'un manuscrit à l'autre [65]. Des inscriptions, comme celle figurant sur l'Évangéliaire de Lindisfarne, pouvaient citer non seulement les scribes et les auteurs, mais aussi l'orfèvre qui avait réalisé la reliure « avec de l'or, des gemmes et de l'argent doré – pur métal » ; enfin, était cité aussi l'artisan des plats en cuir [66]. La reliure de ce manuscrit, due à Billfrith, est perdue mais nous en conservons bien d'autres, dont les luxueuses incrustations de pierreries et la prodigalité en or, ivoire et émaux signalent clairement qu'elles pouvaient être perçues comme des incarnations de la lumière divine.

De même, la figure de la Vierge, qui apparaît elle aussi fréquemment dans les premières mosaïques absidiales, peut se lire comme partie intégrante de ce royaume de la lumière. Jean Damascène, théologien du VIIIᵉ siècle, l'invoque ainsi dans son *Homélie sur la Nativité et la Dormition* : « Je vous salue Portes tournées vers l'Orient, d'où parut le Lever de la Vie, éloignant des hommes le coucher de la mort. » Dans une épigramme du Xᵉ siècle à propos d'une icône de la Vierge, Constantin de Rhodes écrit : « Si l'on devait Te peindre, ô Vierge, on aurait besoin non de couleurs mais d'étoiles, afin que Ta personne, Portes de la Lumière, soit esquissée par des corps lumineux [...] [67]. » Dans l'abside du XIIᵉ siècle de Torcello, le *titulus* au bas de la Vierge la désigne comme « Étoile de la Mer » et « Portes du Salut », car étant la seconde Ève, elle vient remplacer la première. C'est dans ce rôle qu'elle apparaît sur le mur ouest, à côté des portes du Paradis, dans la partie inférieure de la vaste mosaïque du Jugement Dernier [68]. Dans ce cas, comme à Sainte-Sophie, à Hosios Loukas et à Kiev, la Vierge porte une étoile sur le front. Un dernier exemple de sa fonction illuminatrice, particulièrement émouvant, se voit dans les mosaïques absidiales du VIᵉ siècle de la cathédrale de Poreč, sur la côte istrienne de la Croatie. Une étoile au front, la Vierge à l'Enfant est assise en dessous du Christ Pantocrator sur l'arche triomphale : elle est couronnée de nuages bleus et roses. Sur les côtés de l'abside, sont représentées deux scènes de sa vie, l'Annonciation et la Visitation. Ces deux événements annonçant la venue du Christ ont lieu au bord de la mer, d'où s'élèvent en stries rosées les premiers indices de l'aube [69]. Parfois le déploiement d'un simple fond d'or, comme à Sainte-Sophie de Thessalonique au VIIe siècle, augmente l'intensité de cette image de la Vierge. Toute iconographie figurative y a disparu : on ne voit ni les nuages illuminés de soleil ni la mandorle de lumière ; la Vierge est simplement devenue le centre éblouissant d'une coupe de lumière [70].

D'après les nombreuses inscriptions – qui souvent évoquent les qualités luminescentes des tesselles – apposées sur les mosaïques par les donateurs et les artisans en Occident, il semble évident que ceux-ci étaient conscients de leur fonction. Un formulation typique court à la base de la conque absidiale de Saints-Côme-et-Damien à Rome : « La maison de Dieu brille de l'éclat des mosaïques [71], et la lumière de la foi y resplendit plus précieuse [72]. » Parfois, le *titulus*, en se référant surtout au revêtement de marbre, est assez long et éloquent pour constituer une *ekphrasis* de la décoration elle-même. Celui de l'église du monastère de Saint-André-Apôtre à Ravenne (fin du Ve siècle ; aujourd'hui en ruines) commence ainsi :

> Soit que la lumière naisse ici, soit qu'elle y soit renfermée, elle règne librement. Peut-être est-ce la lumière première, d'où vient aujourd'hui la beauté du ciel. Peut-être les modestes murs génèrent-ils la splendeur de la lumière du jour, maintenant que les rais extérieurs sont arrêtés. Voyez les floraisons du marbre, une douce lueur, et les reflets de chaque compartiment [*percusa*] de la voûte empourprée. Les dons de Pierre éblouissent grâce à la maîtrise de l'artisan [*auctoris pretio*] [73].

La formule faisant rivaliser l'intérieur de l'église avec la lumière du jour devint un lieu commun de l'esthétique du haut Moyen Âge, en rapport direct avec le rôle croissant dévolu à l'éclairage artificiel. Mais avant d'aborder les thèmes majeurs de l'esthétique paléochrétienne et byzantine concernant la couleur, il nous faut examiner dans quelles conditions matérielles ces décorations étaient perçues.

La lumière dans la liturgie

Dans les premières églises byzantines, comme le « mausolée » de Galla Placidia à Ravenne, les fenêtres en elles-mêmes, ainsi que la luminosité contrôlée qui entrait par elles dans le bâtiment, participaient d'une complexe iconographie de lumière. Un hymne syrien la résume ainsi : « Il brille dans le sanctuaire une lumière unique, pénétrant par trois fenêtres dans le mur ; c'est un autre symbole éloquent de la Trinité du Père, du Fils et du Saint-Esprit [74]. »

L'un des obstacles majeurs à l'appréciation moderne des édifices médiévaux réside dans le fait que les conditions d'éclairage pour lesquelles ils furent conçus ne sont, en général, plus remplies. En visitant aujourd'hui, à Istanbul, l'intérieur de Sainte-Sophie, on reste décontenancé par les évocations éblouissantes de Procope de Césarée ou de Paul le Silentiaire. Cela ne tient pas seulement à l'état de crasse des parements de marbre ni aux voûtes tristement ternies, qui donnent presque au bâtiment l'aspect d'une gare victorienne délabrée, mais cela provient aussi de la réduction de moitié du nombre d'ouvertures à mesure que se sont enchaînées les restaurations depuis le VIe siècle. Avant l'effondrement du dôme en 558, chacune des demi-coupoles était à sa base ceinturée de baies. Celles de la coupole orientale furent réduites de quinze à cinq pour renforcer la structure et les mêmes réductions furent opérées sur la coupole occidentale afin de préserver la symétrie. Quant aux tympans en arc-de-cercle au Nord et au Sud, ils avaient à l'origine des fenêtres semi-circulaires bien plus vastes qu'à présent [75]. Des modifications semblables furent menées à Saint-Marc à Venise, où l'extension du programme de mosaïque signifia, non sans paradoxe, l'obstruction de nombreuses baies. Cependant, l'assombrissement de l'église conduisit, à la fin du XVe siècle, au percement de deux grandes roses dans le mur sud et d'une grande lunette dans le mur nord, ainsi qu'à l'élargissement de nombreuses fenêtres au XVIIe siècle [76]. Même si la diffusion de la lumière est très différente de ce qu'elle dut être dans l'église originelle des XIIe-XIIIe siècles, Saint-Marc nous offre encore l'expérience sans doute la plus authentique d'un intérieur byzantin.

À Monreale, en Sicile, quelque 34 baies furent percées ou agrandies lors des restaurations de 1816, si bien qu'il y a beaucoup plus de lumière dans la nef aujourd'hui qu'au XIIe siècle [77]. Dans ce cas également, la proportion de clarté s'est trouvée augmentée par la substitution au XVIIe siècle des transennes d'origine (sortes de claustra en plomb évidé) par des carreaux de verre transparent – une substitution fréquente dans les monuments paléochrétiens. À Saint-Apollinaire in Classe, aux portes de Ravenne, les transennes actuelles se sont avérées bien moins massives que celles d'origine. Enfin, la mise au jour de fragments de verre coloré, à Saint-Vital de Ravenne comme à Istanbul, suggère qu'à partir du XIIe siècle, au moins, ce type de verre fut utilisé pour l'intérieur en association avec la fresque et la mosaïque. Là aussi, l'effet obtenu devait être considérablement moins lumineux [78].

Quel que soit le résultat d'une modification de la lumière extérieure, par le choix de petites ouvertures ou de verre coloré, il apparaît clairement que l'église paléochrétienne ou byzantine devait être moins vue comme un réceptacle que comme un dispositif générateur de lumière. Ainsi le fait entendre Procope de Césarée, premier panégyriste de Sainte-Sophie : « On pourrait dire que l'espace intérieur n'est pas illuminé du dehors par le soleil, mais que le rayonnement provient du dedans, par l'abondance de lumière qui baigne le sanctuaire tout entier [79]. » L'espace intérieur était conçu pour être regardé surtout en lumière artificielle. Il est clair par exemple, même pour le spectateur moderne, que la mosaïque absidiale du IXe siècle représentant la Vierge à l'Enfant dans la demi-coupole orientale de Sainte-Sophie, placée sans finesse au-dessus de fenêtres existantes, ne fut jamais conçue pour être vue à la lumière du jour, puisqu'elle est pratiquement invisible depuis le corps de l'église en raison même de la lumière provenant des fenêtres. On rencontre le même problème à Torcello. À l'inverse, dans la galerie nord de Sainte-Sophie, il est difficile de voir la mosaïque d'Alexandre du Xe siècle : située très haut sous une voûte elle ne reçoit aucune lumière directe des fenêtres. C'est seulement de nuit et en lumière artificielle que l'on pourrait l'observer correctement.

Voilà précisément la manière dont étaient vues, la plupart du temps, les mosaïques byzantines puisque l'essentiel de la liturgie orientale était nocturne. Quiconque assiste aujourd'hui encore à un service orthodoxe, selon le rite grec ou russe, se rend compte du rôle majeur qu'y jouent les bougies et les candélabres. Depuis la fin du IIe siècle, dans l'Église orientale (orthodoxe), on célèbre l'Eucharistie juste avant l'aube. Saint Jérôme, qui visita Constantinople au IVe siècle en arrivant d'Occident, note : « Dans toutes les églises de l'Orient, même dans celles où il n'y a point de reliques, on allume des cierges en plein jour quand on lit l'Évangile, non pas pour dissiper les ténèbres, mais pour donner des marques d'une joie parfaite [80]. » De même, aux vêpres, célébrées dans la lumière crépusculaire du soir, des lampes et des cierges étaient allumées durant la première moitié du service (appelé *luchnikon* pour cette raison) ; à Pâques, selon le chant de l'Exultet de la veillée pascale, ils devaient brûler jusqu'à ce que brille l'étoile du matin – le Christ. À partir du IIe siècle, le service des vêpres comportait aussi un cantique à la « joyeuse lumière » *(phōs ilaron)*, anticipant l'aurore [81]. Égérie, religieuse espagnole de la fin du IVe siècle, en visite à l'église de la Résurrection à Jérusalem, décrit ainsi le service du soir :

> À la dixième heure [vers 16 h], qu'on appelle ici *licinicon* – nous disons lucernaire –, toute la foule se rassemble de même à l'Anastasis [la Résurrection]. On allume tous les flambeaux et les cierges, ce qui fait une immense clarté. [...] D'énormes lampes de verre sont suspendues partout en grand nombre, et les cierges sont nombreux aussi bien devant l'Anastasis, et devant la Croix et derrière la Croix. Tout cela se termine avec le crépuscule [82].

Beaucoup de services monastiques étaient des veilles et on rapporte qu'après l'achèvement de l'église Saint-Sauveur-in-Chora de Constantinople, son fondateur Théodore Metochites assista aux services nocturnes avec les moines pour observer l'effet des décors de marbre et de mosaïque [83].

D'où l'importance accordée aux lampes et aux cierges, qui jouaient aussi un rôle non négligeable dans le cérémonial de la cour byzantine [84]. L'éloge dithyrambique de Sainte-Sophie composé par Paul le Silentiaire se termine par un long et surprenant passage à propos des éclairages de l'église : « Mais, pour chanter à voix claire cette aube vespérale la parole ne suffit pas. On dirait qu'un Soleil nocturne éclaire la majesté de la demeure. » Il poursuit en décrivant la formidable ceinture de lampes aux réflecteurs d'argent, qui court sur deux niveaux sous le dôme, et les rangées de lampes le long des ailes, accrochées aux bords des galeries et à la base du dôme, enfin le long du chancel et même sur le sol, avant de conclure :

> Le palais aux beautés changeantes renferme en son sein des milliers d'autres lumières suspendues par des chaînes aux nombreux anneaux. Et les unes s'allument dans les nefs, les autres au centre, d'autres vers le soleil ou vers le couchant, d'autres dans les hauteurs, faisant fulgurer la flamme que verse le feu. La nuit resplendissante aussi, avec un rire de plein jour, a des chevilles de rose [85] !

En 1200, l'archevêque Antoine de Novgorod compta 80 bougeoirs en argent sous le dôme, et d'autres encore dans le reste de l'église. Un autre visiteur de Novgorod souligne, au XIVe siècle :

> Une quantité immense, innombrable, de lampes sont suspendues [...] et nous pécheurs, nous y vînmes avec larmes et allégresses, offrant des cierges selon nos moyens, ainsi que devant les saintes reliques.

Même dans l'église Saint-Dimitri de Thessalonique, bien plus petite, un voyageur de la fin XVe siècle dénombra quelque 600 lampes allumées le jour de la fête du saint patron [86].

L'effet de cet éclairage sur les mosaïques nous est difficile à mesurer, habitués que nous sommes à la lumière du jour ou à l'éclat uniforme des projecteurs électriques (comme il est d'usage dans les églises italiennes). Paul le Silentiaire suggérait avec justesse qu'il y avait un effet de mouvement continuel, car la brise et les ondula-tions d'air provoquées par les processions devaient agiter les flammes. La lumière dansante jouait sur les surfaces délicates et irrégulières des mosaïques des voûtes, les rendant plus immatérielles encore qu'elles ne nous apparaissent, et certainement plus poreuses, douces et vivantes. En même temps, il est très peu probable que celles-ci aient donné une plus vive impression de couleur locale.

Réalisme et mouvement

L'esthétique byzantine a fait l'objet d'une attention soutenue ces dernières années ; pourtant les chercheurs ne s'accordent pas sur ses caractères principaux. Deux écoles de pensée se sont développées et s'opposent : l'une soutient que l'approche artistique de Byzance était régie globalement par les idées hellénistiques de vérité et de vraisemblance [87] ; l'autre affirme que les Byzantins cherchaient à créer une distance hiératique et une dimension spirituelle, par essence détachée du réel [88]. Le spectateur profane aurait tendance à juger irréfutable la seconde option, mais une étude précise des documents et des méthodes de représentation visuelle apporte bien plus de crédit à la première école de pensée. Indépendamment des nombreuses *ekphraseis*, qui reflètent forcément plus ou moins les schémas de leurs modèles littéraires hellénistiques, l'abondante somme d'écrits, nés de la résistance victorieuse aux mouvements iconoclastes des VIIIe et IXe siècles, est fortement favorable à une ressemblance stricte entre l'image et son modèle.

L'empereur Léon III, écrivant au début du VIIIe siècle avant sa conversion à l'iconoclasme, précise au calife Omar II : « Nous avons toujours ressenti le besoin de conserver [les images du Christ et de ses disciples] qui nous sont parvenues de leur époque comme leurs représentations vivantes [...]. » Encore plus tôt, le concile *In Trullo* de 691 avait rejeté le type hellénistique du Christ, préconisant qu'il soit montré selon son image historiquement vérifiée, c'est-à-dire barbu, à la mode syrienne [89]. Même les iconoclastes, au concile œcuménique de Hiereia en 754, définirent la peinture comme un art « trompeur » [90]. De nombreux récits populaires d'icônes miraculeuses reposent sur la vraisemblance absolue de ces dernières. Voilà ce qu'escomptait l'artiste byzantin lui-même, comme le prouve cette délicieuse anecdote racontée à Antoine de Novgorod durant sa visite à Sainte-Sophie :

> Là aussi, fixée au-dessus d'une marche se trouve une grande image du Sauveur en mosaïque, à laquelle un doigt manquait à la main droite, et ayant tout terminé, l'artiste dit en la regardant : « Seigneur, je t'ai fait comme tu étais vivant. » Alors une voix, sortant de l'image, dit : « Et quand m'as-tu vu ? » Et l'artiste devint muet et mourut, et le doigt ne fut pas achevé, mais il a été fait en argent doré [91].

Les artistes disposaient de modèles décrits ou dessinés pour connaître l'apparence exacte de leurs sujets. Une liste de traits d'un grand nombre de personnages religieux, accessible dans la compilation de Denys de Fourna au XVIIIe siècle, remonte aux types physionomiques d'Ulpien le Romain, datant du IXe ou du Xe siècle [92]. Antoine de Novgorod met l'accent sur la procédure, on ne peut plus classique, consistant à recourir à des modèles de référence – dans son cas, deux icônes de Sainte-Sophie – pour réaliser les effigies des saints [93]. La nécessité impérative de fabriquer des images dotées d'une ressemblance exacte était aussi valable dans l'art du portrait privé. C'est ce que révèle un texte islamique du IXᵉ siècle, faisant l'éloge des artistes byzantins, aux talents peu communs :

> Si l'un de leurs peintres réalise un portrait sans rien omettre, il n'est pas encore satisfait et s'efforce de représenter son modèle dans sa jeunesse, sa maturité ou sa vieillesse, selon le cas. Même cela ne le satisfait pas : il le peint alors en larmes ou le rire aux lèvres. […] Pourtant, il est toujours mécontent et distingue par sa peinture un rire calme d'un rire embarrassé, un sourire d'un rire franc à vous tirer les larmes des yeux, un éclat joyeux d'un rire moqueur ou menaçant [94].

Même en tenant compte de l'influence de la physiognomonie sur la littérature, ces indices d'une mobilité des traits étaient bien plus perceptibles aux contemporains qu'à nous-mêmes – on s'en rend compte lorsqu'on essaye d'interpréter l'expression du visage du Christ Pantocrator.

Le rôle de la couleur dans l'affirmation de ce réalisme suivait aussi le modèle hellénistique traditionnel. On trouve dans la patristique grecque du IVᵉ siècle des remarques rares mais bien informées sur la nature de la peinture : les auteurs se plaisent à observer que la couleur est utilisée pour donner plus de vérité à l'esquisse initiale. Même Grégoire de Nysse, qui se délecte pourtant des sensations chromatiques pures, reprend le sévère jugement d'Aristote quand il écrit : « […] devant une image tout à fait colorée, avec art, le spectateur ne s'attarde pas à contempler les couleurs utilisées dans le tableau : il ne regarde que la forme que l'artiste a peinte en couleurs [95]. » Pour Grégoire, comme probablement pour la plupart d'entre nous, ces manières d'observer étaient entièrement distinctes. Cette différenciation fut appuyée de nouveau par le concile de 754, par Photius et Jean Damascène au IXᵉ siècle et encore au XIIᵉ siècle par Constantin Manassès. Dans l'*ekphrasis* d'une mosaïque du Grand Palais de Constantinople, celui-ci annonce préférer la peinture à la sculpture, parce qu'en utilisant le clair-osbcur, elle peut rendre « la rudesse de la peau et toutes sortes de complexions : une rougeur, des cheveux blonds, un visage au teint foncé, mais pâle et renfrogné, ou un autre doux, avenant et rayonnant de beauté ». Voilà une approche qui vient directement de Philostrate l'Ancien et de ses *Tableaux* (I, 2) [96].

À l'encontre de cette obsession de la vraisemblance, il faut rappeler l'incapacité fréquente des artistes à différencier les individus et la confiance placée dans les inscriptions. Celles-ci bénéficiaient d'une solide justification théologique dans l'ensemble du monde byzantin. À ce sujet, Jean Damascène écrit au VIIIᵉ siècle : « La grâce divine est donnée aux matériaux par la désignation de la personne représentée dans l'image [97]. » Cependant, chez les auteurs qui analysent le réalisme de la peinture, nous ne trouvons aucun argument qui soutienne la valeur esthétique de la couleur en soi [98]. Au IVᵉ siècle, Grégoire de Naziance avoue qu'il a un faible pour les couleurs soutenues, voire criardes ; mais, ajoute-t-il, elles rendent confuses l'iconographie. Il faudrait leur préférer de loin la palette restreinte de Zeuxis, Polyclète ou Euphranor – dont il ne peut avoir connu les œuvres. Par une belle ironie, ce furent ses écrits qui reçurent des enluminures parmi les plus vives et les plus somptueuses du Moyen Âge [99]. Enfin, nous avons vu avec quel plaisir Paul le Silentiaire compara à des peintures les marbres polychromes de Sainte-Sophie : pour lui, les gloires de la peinture ont dû être, sans aucun doute, les gloires de la couleur.

Ce souci du réalisme affiché par les auteurs commentant l'art byzantin se reflète dans les techniques utilisées. Certes, on connaît

plusieurs exemples frappants où les artistes ont négligé de prendre en compte le spectateur, avec des œuvres ni visibles ni intelligibles ; ainsi les petits panneaux narratifs de Sainte-Marie-Majeure à Rome, ceux de Saint-Apollinaire-le-Neuf à Ravenne et les fresques des chapelles adjacentes à Staro Nagoričane en Macédoine. Pourtant les artistes byzantins firent preuve en général d'un intérêt soutenu pour le trompe-l'œil. Ils procédèrent largement à des corrections d'optique pour prendre en compte la place du spectateur : on en a repéré à Sainte-Irène de Constantinople, à Sainte-Sophie de Thessalonique, à Ravenne et enfin à Sainte-Sophie de Kiev [100]. Dans certaines mosaïques à Rome (chapelle de Jean VII) comme à Ravenne (Saint-Vital), on note aussi un effort pour rendre les bijoux de façon illusionniste, au moyen d'une seule grosse tesselle ou d'un morceau de nacre taillé. Cependant, la pratique courante consistait à représenter les bijoux avec plusieurs tesselles de manière, disons, picturale. Le traitement des chairs et des étoffes en mosaïque révèle aussi une recherche de réalisme. La pratique byzantine habituelle – utiliser des tesselles bien plus petites pour rendre la chair – servait clairement à produire un modelé plus subtil que dans les drapés et les fonds, traités de façon plus large. Dans les étoffes mêmes, on a remarqué aussi bien à Rome (Sainte-Marie-Majeure) qu'à Ravenne (fragments de la basilique ursienne) une différenciation picturale entre des rehauts opaques, obtenus avec du marbre ou du verre mat, et des ombres en verre translucide [101]. Néanmoins à l'église Saint-Sauveur-in-Chora d'Istanbul, sans doute dans le panneau de la Vierge situé dans la nef et dans la *Deesis* du narthex, l'inverse a été vérifié : les rehauts dans les drapés sont en verre, matériau dont la surface brillante suggère la lumière en soi, avec la réduction d'intensité tonale que cet éclat entraîne [102].

34

30

27

Tous ces exemples renvoient au traitement réaliste de la figure ; aucun d'entre eux ne suggère un soupçon de spiritualité au-delà des apparences. Encore moins prouvent-ils que l'artiste aurait traduit cette spiritualité par des déformations expressives. L'unique indice que j'aie pu trouver d'une telle intention se lit dans un sermon de Léon VI (IXᵉ siècle), où il évoque une figure de Christ Pantocrator dans une coupole : elle est tronquée afin « d'offrir une allusion mystique à la grandeur éternelle inhérente à Celui qui est représenté, c'est-à-dire que Son incarnation sur terre n'a pas diminué Sa sublimité [103] ». Mais il existe une large catégorie d'écrits sur l'art, byzantins et paléochrétiens, qui ne s'intéressent pas à la figure tout en traitant du sublime et des moyens de l'atteindre en art : ce sont les descriptions de l'intérieur des édifices, dont nous avons déjà vu plusieurs exemples. Voilà les preuves les plus originales et les plus importantes de l'existence d'une esthétique propre au haut Moyen Âge.

Le modèle absolu de ces *ekphraseis* était la description par Homère du palais d'Alcinoos, où Ulysse se rend avec quelque appréhension (*Odyssée*, ch. VII, v. 82-103 ; trad. Jaccottet) :

Des rehauts d'or pouvaient être employés dans les mosaïques de plafond d'une manière impossible pour les pavements. Dans l'une des baies du déambulatoire de Sainte-Constance à Rome (à l'origine un mausolée pour la fille de Constantin), ils font ressortir le bol où boivent des colombes et signalent la proximité avec le cœur du bâtiment – autrefois une tombe, aujourd'hui l'autel principal.

26 Rome, Sainte-Constance, mosaïque de voûte dans une baie du déambulatoire, IVᵉ siècle de notre ère.

27

27 Istanbul, Saint-Sauveur-in-Chora (Kariye Djami), *Deesis,* v. 1320.
28 Rome, Sainte-Praxède, chapelle de Saint-Zénon, détail de la voûte en mosaïque, IXe siècle.
29 Istanbul, Sainte-Sophie, panneau de *Léon VI s'agenouillant devant le Christ,* IXe siècle.
30 Ravenne, « mausolée » de Galla Placidia, *Le Bon Pasteur,* Ve siècle.

28

29

La couleur lumineuse

C'est à travers la mosaïque que les artistes paléochrétiens et byzantins purent transmettre leur message salvateur. Ils atteignirent un degré admirable d'expressivité avec ce médium difficile : les couleurs vives, y compris l'or, étaient fondues en petits cubes de verre, les tesselles (**30**), afin de renforcer l'effet de brillance. En fonction de l'inclinaison de leurs surfaces, elles scintillaient et miroitaient au gré des déplacements du spectateur. Les tesselles pouvaient être disposées de biais à des emplacements stratégiques, tels que les nimbes (**29**), pour renvoyer la lumière vers le bas. Des illusions d'optique pouvaient être employées afin de varier les effets. Le teint d'un visage était réchauffé (**28**), par exemple, grâce à quelques tesselles rouges éparpillées, ou encore un ombrage en damier conférait un miroitement optique à des sujets d'apparence douce ou brillante (**27**). Les exemples s'échelonnent du Ve au XIVe siècle.

La couleur de la lumière divine

Tout au long du Moyen Âge, les artistes exprimèrent la tradition antique voulant que la lumière soit de couleur rouge. Dans l'une des mosaïques de Saint-Marc à Venise (**31**), la lumière de la Création elle-même est rouge, quand elle est séparée des ténèbres (bleues). Dans nombre de mosaïques d'absides paléochrétiennes, la théophanie du Christ se produit au milieu des nuages rosés de l'aurore (**32**).

31 Venise, Saint-Marc, mosaïque de l'atrium, *La Séparation de la lumière et des ténèbres*, XIIIᵉ siècle.
32 Rome, Saints-Côme-et-Damien, mosaïque absidiale, VIᵉ siècle.

La couleur de la divine ténèbre

33 Sinaï, monastère de Sainte-Catherine, mosaïque absidiale, *La Transfiguration du Christ*, VIᵉ siècle.

Dans la Transfiguration, la « lumière » émanant de la mandorle du Christ devient plus claire à mesure qu'elle s'éloigne de sa source. Au mont Sinaï, elle teinte même de bleu les vêtements des Apôtres. Cette caractéristique inhabituelle (sur le comportement normal de la lumière, voir 25) pourrait refléter une notion diffusée par un théologien du VIᵉ siècle, le Pseudo-Denys ; pour lui, à cette étape de la vie du Christ, « une nuée de ténèbres l'entourait » (*Psaumes* 96/7, 2).

34

La couleur pourpre

La qualité du rouge et le lustre semblent avoir été les deux vertus les plus recherchées de la pourpre antique et médiévale. Pour l'habit de l'impératrice Théodora, à Ravenne, c'est probablement l'éclat et non la teinte qui lui conférait son titre de pourpre impériale. Dans la scène où la Vierge reçoit l'écheveau de laine (**35**), bien qu'une inscription le désigne comme « porphurion », il s'agit clairement d'un vermillon.

34 Ravenne, Saint-Vital, *L'Impératrice Théodora et ses suivantes*, v. 540.
35 Istanbul, Saint-Sauveur-in-Chora (Kariye Djami), *La Vierge recevant l'écheveau de laine*, v. 1320 (détail).

35

33

Le livre enluminé

Les Évangiles eux-mêmes étaient des vecteurs de lumière. Dans une copie du *Commentaire* de Beatus sur l'*Apocalypse* (**36**), le Christ dans un nuage, soutenu par des séraphins, tient le Livre, orné d'une reliure précieuse. Un autre évangéliaire de ce type apparaît sur l'autel dans le *Codex d'Uta* (**37**).

36 *Le Christ apparaissant dans les nuées*, page du *Commentaire sur l'Apocalypse* de Beatus de Liebana, v. 1109.
37 *Saint Erhard offrant la messe*, détail d'une page du *Codex Uta*, XIᵉ siècle.

Un éclat comme du soleil ou de la lune
rayonnait sous les hauts plafonds d'Alcinoos.
Car des parois de bronze s'élevaient des deux côtés,
du seuil jusques au fond, avec des frises d'émail bleu ;
des portes d'or fermaient la robuste maison ;
les montants en étaient d'argent, le seuil de bronze,
d'argent encore le linteau, et l'anneau d'or.

Ici Homère donne le ton de sa description, puis promène rapidement son regard dans l'espace. Il fait allusion à la splendeur du plafond et non à l'allure du pavement, même si une scholie ancienne de ce passage soutient qu'il était doré [104]. Plus tard, à partir du court texte homérique, fut élaboré un type conventionnel de description par Lucien de Samosate, au IIᵉ siècle, et par Nonnos au Vᵉ siècle. Dans son texte *Sur un appartement*, Lucien s'étend longuement sur le plafond doré, qu'il compare à un ciel étoilé. Il mentionne aussi les murs peints, comme recouverts de fleurs printanières. Nonnos, de son côté, dans ses *Dionysiaques* (XVII, 67-90), transforme tout le bâtiment en un étalage somptueux de pierreries et de métaux précieux, et il attire l'attention sur les motifs compliqués du pavement de mosaïque. Il termine en disant que son visiteur « laissant errer ses regards, examine le palais ». Dès le haut Moyen Âge, l'*ekphrasis* reprit ces modèles en amplifiant leurs caractéristiques et en accordant une place spéciale aux sols et aux plafonds. Ainsi, au début du IVᵉ siècle déjà, l'auteur d'une vie de Constantin décrit-il le plafond de l'église du Saint-Sépulcre à Jérusalem : il est composé de caissons sculptés « qui, semblables à une vaste mer, étendaient au-dessus de toute la basilique leur houle ininterrompue, et l'or brillant dont ils étaient couverts faisait étinceler le temple entier de mille reflets continus [105] ». Cette image a fasciné l'Occident médiéval : Paulin la reprend au Vᵉ siècle pour le nouveau plafond de la basilique de Nole en Italie méridionale, avec ses caissons « miroitants » ; au VIᵉ siècle, Venance Fortunat l'introduit dans son texte sur l'évêché de Félix à Ravenne ; enfin, Gislemar fait de même au IXᵉ siècle pour l'abbaye de Saint-Vincent à Paris [106]. Cette comparaison saisissante des plafonds à caissons avec une mer miroitante surpasse les métaphores plus classiques des cieux étoilés ou ensoleillés [107].

Que le pavement soit en mosaïque ou en dalles de marbre (dont les veines rappellent les stries de l'écume sur les brisants ou dans le sillage des navires), on le comparait souvent aussi à la mer et aux rivières dans ces descriptions. L'emploi du marbre vert de Thessalie se prêtait particulièrement à une telle analogie. Dans son texte sur les mosaïques du Grand Palais de Constantinople, datant du règne d'Andronic II Paléologue (1282-1328), Nicéphore Xanthopoulos applique la comparaison à la pièce tout entière : « Ce qui recouvre le sol et habille tout l'espace comme un vêtement de couleur pourrait être, au premier regard, comparé à une mer ondulant de toutes parts en vaguelettes légères, et qui se serait subitement pétrifiée [108]. » Cette image est pourtant moins fréquente que celle où le pavement, et parfois tout l'intérieur de l'église, est comparé à un pré fleuri — encore une figure de haut lignage antique [109]. Parfois, les analogies maritimes et champêtres coexistent car cette iconographie cosmique participe d'une conception médiévale, où l'église se fait l'expression de tout l'univers [110]. Enfin, la relation du pavement à l'élément marin est parfois une simple réponse aux motifs euxmêmes : ainsi, les scènes de pêcheurs dans la vaste mosaïque de pavement de la cathédrale d'Aquilée (fin du Vᵉ siècle), dont le

modèle remonte au temple de la Fortune à Palestrina et dont le style rappelle les mosaïques profanes de Piazza Armerina en Sicile. De même, une série de pavements d'églises du VIᵉ au XIIᵉ siècle, proches de l'Adriatique – en particulier Sainte-Euphémie à Grado – et dans le nord de l'Italie, comportent un motif remarquable en forme de vagues [111]. Cela nous rappelle aussi que l'océan et les grands fleuves étaient classés par Longin, au Iᵉ siècle de notre ère, parmi les images les plus grandioses de la nature (*Du Sublime*, 35).

Cette imagerie maritime appliquée aux plafonds et aux dallages avait pour principale caractéristique de traduire l'idée du mouvement doux et continu des éléments. L'interprétation en terme de mouvement des intérieurs byzantins et paléochrétiens est sans doute le trait le plus original de l'*ekphrasis* post-classique. La description du pavement de Sainte-Sophie de Constantinople par Michel de Thessalonique (XIIᵉ siècle) contient ces affirmations catégoriques : « Le sol est comme la mer, dans son étendue comme dans son apparence ; car des vagues bleues sont soulevées contre la pierre, exactement comme si l'on avait jeté un caillou dans l'eau, et troublé son calme [112]. » L'image aquatique s'étendit à tous les éléments de l'espace intérieur : quand Chorikios suggère que les mosaïques dorées des voûtes sont des fontaines débordantes, Michel Psellus lui fait écho au XIᵉ siècle [113] et, au siècle suivant, Michel de Thessalonique élargit encore l'image de mouvement liquide capable de tirer des larmes au spectateur – l'église et l'observateur sont comme réunis dans une seule et même création : « L'éclat de l'or lui donne presque l'apparence de s'écouler : car ses reflets faisant naître des vagues, pour ainsi dire, dans nos yeux humides, il s'ensuit que l'humidité semble propre à l'or qu'on regarde, et il paraît un écoulement en fusion [114]. » Une implication subjective aussi intense dans la jouissance d'un intérieur d'église se trouvait déjà exprimée dans le texte de Procope sur Sainte-Sophie, au VIᵉ siècle :

Tous les éléments, merveilleusement ajustés ensemble à mi-hauteur, suspendus les uns aux autres et reposant à peine sur leurs bords adjacents, produisent un ouvrage d'une unité et d'une harmonie absolument remarquables ; et pourtant, cela ne permet pas au spectateur de poser son attention quelques instants en un point, car chaque détail détourne et attire aussitôt l'œil à lui. Ainsi la vision se déplace-t-elle constamment, et le visiteur est bien incapable de choisir un élément précis qu'il admirerait plus que tous les autres [115].

Dans sa présentation de la nouvelle église de Saint-Georges de Mangana, Psellus s'éloigne de son propos pour souligner que le bâtiment impressionne par sa taille et sa majesté, mais surtout par ses multiples détails :

Car ce n'était pas le tout qui est d'une extraordinaire beauté, composé qu'il est des parties les plus belles, mais encore chaque partie attire sur elle l'attention des spectateurs, et bien qu'on y jouisse à son gré de toutes les grâces, on ne peut jamais se rassasier d'aucune d'entre elles [116].

Ce sentiment d'extase émerveillée était en partie généré par l'agencement complexe de l'église byzantine, qui est à la fois horizontale et verticale – si différente de la basilique occidentale avec son développement rectiligne jusqu'à l'abside. À cela s'ajoutait le dispositif souvent déroutant des nombreuses peintures et mosaïques figurées, poussé à l'extrême dans les églises peintes du XIVᵉ siècle en Macédoine, comme celle de Staro Nagoričane. L'observateur devait avoir des difficultés à reconstruire la séquence narrative et à la comprendre [117]. Une telle approche de la perception des églises avait d'importantes conséquences sur le style ; un exemple, et non des moindres, étant l'usage retardé, dans la peinture monumentale, du système de la perspective centrale, connu dès la fin de l'Antiquité. Cela pesait aussi sur le traitement de la couleur, car les éléments métalliques dans les fresques et les mosaïques ne sont vraiment perceptibles que par une vision en mouvement. Mais quand les surfaces d'or et d'argent sont très réfléchissantes, les zones chromatiques adjacentes perdent de leur intensité : la lumière détruit la couleur, et le spectateur doit avancer pour apprécier de nouveau les images colorées [118]. Cette séparation fonctionnelle entre lumière et couleur dans les mosaïques byzantines, qui trahit la distinction aristotélicienne dominante au début du Moyen Âge [119], ne pouvait être dépassée que dans une esthétique du mouvement. Voilà sans doute l'aspect le plus important de l'esthétique byzantine. D'ailleurs, au début de la Renaissance, la polémique autour de l'usage direct de l'or en peinture et de la réduction considérable de son emploi en mosaïque (dans la chapelle Mascoli à Venise, par exemple [120]) fut étroitement liée à l'affirmation renouvelée du système de perspective centrale et, par conséquent, à l'arrêt du mouvement du spectateur.

Les couleurs de la lumière divine

Si la lumière et la couleur étaient des phénomènes à la fois distincts et corrélés, quelle était donc la couleur de la lumière ? Et plus particulièrement, celle de la lumière de Dieu ? C'est la question à laquelle répondit Patrick Reuterswärd dans un article de 1969 en affirmant qu'elle était tantôt rouge, tantôt bleue [121]. Mais examinons

Pavement de mosaïque de Sainte-Euphémie, Grado, VIe siècle. Le motif de vaguelettes traduit la notion poétique du pavement de mosaïque perçu comme une mer miroitante. (38)

une série d'églises byzantines dont les programmes iconographiques assez proches offrent de nombreuses opportunités de représentation de la lumière divine : les monastères de Hosios Loukas (v. 1210), Néa Moni à Chios (milieu du XIe siècle) et Daphni (antérieur à 1080). Nous découvrons alors une situation bien plus complexe. Hosios Loukas, qui renferme le cycle de mosaïque le plus complet, comprend dans sa coupole une *Pentecôte* où les flammes rouges du Saint-Esprit sont cernées de rayons blancs, aux bordures d'un sombre gris-bleu. On retrouve ce schéma dans les rayons célestes descendant sur le Christ au moment du *Baptême*. La même formule est employée pour les scènes identiques à Néa Moni, cependant à Daphni, où, en général, les tessels d'argent ont été très employées, les rayons du *Baptême* ont en plus des reflets argentés. Dans la *Nativité* à Hosios Loukas, les rayons qui se posent sur l'Enfant sont dorés tandis qu'ils sont encore argentés à Daphni. Dans la scène de la *Transfiguration* à Néa Moni, l'éblouissante splendeur du Christ est faite d'or, alors que dans la peinture de la crypte d'Hosios Loukas comme dans la mosaïque de Daphni, elle est de bleu, blanc et argent. Le mosaïste y a représenté les rayons émanant du corps du Christ en or et gris à l'intérieur de sa mandorle, afin de les faire constraster avec l'argent bleuté de la mandorle elle-même ; et il a placé du gris et de l'argenté à l'extérieur pour établir un contraste avec le fond d'or du reste de la scène. À Daphni, on trouve aussi l'une des évocations les plus éloquentes de la lumière divine : dans la scène de *L'Annonciation*, un vide étonnant sépare l'archange Gabriel et la Vierge dans lequel la lumière est captée et renvoyée par la surface incurvée. L'absence d'image y est particulièrement frappante, en comparaison avec l'encombrement des personnages dans les trois autres pendentifs de la coupole. Dans ces derniers cas, la lumière souligne les figures du Christ ou du Saint-Esprit (sous la forme d'une colombe), tandis que dans le premier cas, leur présence est sans aucun doute implicitement portée par la lumière réfléchie. En effet, celle-ci occupe précisément dans la composition la zone réservée à l'Enfant ou à la colombe du Saint-Esprit dans les *Annonciations* du Mani (sud du Péloponnèse) et dans une célèbre icône du mont Sinaï [122]. Ici, la lumière divine est assurément d'un bel or pâle.

Peut-être la question de savoir de quelle couleur est la lumière divine est-elle mal posée. En effet, nous avons vu qu'au début du Moyen Âge, l'artiste ne se préoccupait pas tant de la teinte que de la luminosité. Certes, elle pouvait être rouge, surtout à la fin du Moyen Âge [123]. Ainsi, la lumière miraculeuse qui apparaissait dans le Saint-Sépulcre à Jérusalem, aux vêpres du Vendredi Saint, était-elle décrite au XIIe siècle comme n'étant « pas semblable à la flamme ordinaire, mais elle brûle d'une façon merveilleuse et d'un éclat indescriptible et rouge comme le cinabre [124] ». Pourtant, ce rouge avait son importance non comme teinte, mais parce qu'il était l'équivalent de la plus belle lumière.

La lumière divine peut être bleue aussi : il semble que les fonds bleus aient précédé les fonds d'or dans les plus anciennes mosaïques murales [125]. Par ailleurs, le bleu était la couleur dominante dans la plupart des mandorles qui entouraient le Christ, dans les scènes de *Transfiguration* et d'*Anastasis*, à partir du VIe siècle, de même qu'il domine pour l'émanation de la main de Dieu typique des églises byzantines précédemment évoquées. Une étrangeté formelle persiste dans ces mandorles et ces émanations : la majorité d'entre elles renverse la séquence de gradation lumineuse que l'on attendrait d'un corps émettant de la lumière – séquence

Daphni, *L'Annonciation*, v. 1080. La présence du Saint-Esprit est suggérée par la seule réflexion de la lumière sur la mosaïque dorée. (39)

25 clairement décrite par Plotin dans son étude de l'émanation divine (*Ennéades*, IV, 3, 17). Elles se développent à partir d'un centre sombre, autour du corps christique ou de la main de Dieu, vers la plus grande luminosité aux bords extérieurs. Il existe des exceptions à ce schéma (la mandorle du Christ dans le *Jugement Dernier* de Torcello, dans la coupole centrale de Saint-Marc à Venise et dans la fresque de la *Transfiguration* à Néa Moni, par exemple) mais, en général, la séquence « normale » est inversée [126]. Au XIIᵉ siècle, Nicolas Mesaritès donne la raison de cette étrange inversion, quand il décrit la *Transfiguration* de l'église des Saints-Apôtres (aujourd'hui détruite) à Constantinople, où la formule habituelle devait être respectée :

L'espace soutient dans l'air une nuée de lumière, qui porte en son sein Jésus, rendu plus brillant que le soleil, comme une nouvelle lumière générée de la lumière de Son Père, laquelle est jointe comme avec une nuée à la nature humaine. Car il est écrit qu'une nuée de ténèbres l'entourait, et la lumière produit cela [cette nuée] par la transformation de la plus haute nature vers la plus basse, à cause de cette union qui surpasse l'entendement et qui est d'une nature indicible […] [127].

Ainsi l'obscurité survint-elle avec l'incarnation de la lumière divine. Mais il faut apprécier une autre dimension dans le commentaire de Mesaritès : il fait appel à une tradition biblique de ténèbres divines, tradition qu'un théologien byzantin antérieur avait su particulièrement mettre en valeur.

L'antique notion hébraïque selon laquelle Dieu réside dans des ténèbres ineffables [128] fut tout à fait christianisée au VIᵉ siècle avec les écrits (probablement dus à un moine syrien) attribués à Denys l'Aréopagite, philosophe païen converti par saint Paul à Athènes (*Actes des Apôtres* 17, 34). Ce Pseudo-Denys qui, selon une légende souvent illustrée dans l'art byzantin, avait assisté la Vierge dans la mort, était l'un des théologiens les plus fréquemment cités au début du Moyen Âge [129]. Selon lui, « nous appelons insaisissable et invisible Ténèbre la Lumière inaccessible, parce qu'elle transcende la lumière qui se voit » (*Des noms divins*, VII, 2, 143). Dans sa lettre à Gaios, il ajoute que « la ténèbre divine est cette "Lumière inaccessible" où il est dit que Dieu habite » [130]. Que le Christ diffuse une ténèbre lors de la Transfiguration, cela est suggéré de manière remarquable par les corps assombris des trois Disciples qui l'entourent, sur les murs de l'abside de Sainte-Catherine du mont Sinaï, le plus ancien ensemble monumental sur ce sujet. Les tuniques de saint Pierre et de saint Jacques, dans des tons clairs de brun et de pourpre respectivement, deviennent bleu sombre à l'endroit où elles sont touchées par les rayons du Christ [131]. L'émanation divine semble avoir des effets tout aussi étonnants à l'église Saint-Sauveur-in-Chora : dans la mosaïque de la *Dormition de la Vierge*, la mandorle du Christ (grise et bleue) colore en bleu-gris les séraphins dorés là où elle les recouvre ; dans la *Nativité*, la lumière gris clair provenant du Ciel a le même effet sur les bœufs. En accord avec l'impression de stupeur traduite par le texte des Évangiles sur la Transfiguration, le bleu est la couleur de la ténèbre divine qui transcende la lumière. La mosaïque du mont Sinaï semble être la plus ancienne représentation de ce type et cet endroit était particulièrement approprié à l'interprétation dionysienne de la nature de Dieu, puisque le Sinaï est le site où Moïse « s'approcha de ces ténèbres où Dieu se trouvait » (*Exode*, 20, 21) [132].

Durant la Transfiguration, en outre, le vêtement du Christ devient d'un blanc éblouissant. Dans son commentaire de l'épisode, Origène, auteur grec du IIe siècle, développe ainsi l'idée : « Puisqu'il existe différents degrés parmi les choses blanches, ses vêtements deviennent aussi blancs que la plus brillante et la plus pure des blancheurs, c'est-à-dire la lumière [133]. » Origène et ses premiers traducteurs latins avaient à leur disposition plusieurs termes pour désigner le blanc : le grec emploie *lampron* aussi bien que *leukon*, et ses traducteurs *candidus* [134]. Il aurait pu choisir *phaion*, aujourd'hui traduit par « gris » mais signifiant à l'origine « brillant » [135]. *Lampron* (lumineux) était un concept fondamental dans la pensée grecque de la couleur : ainsi figure-t-il, avec *phaion,* parmi les « douze » couleurs (dix en réalité) susceptibles d'être distinguées à l'œil nu, dans un texte très connu à Byzance, un fragment de l'*Optique* de Ptolémée probablement situé dans le premier livre, qui a été perdu [136]. La liste comprend aussi trois termes pour les couleurs sombres et il n'est pas étonnant que les Grecs comme les Latins aient eu plusieurs manières de caractériser le noir : c'est le revers de la médaille de ce qui a paru aux philologues une simplification des groupements chromatiques en « clair » et « obscur » [137].

Le rouge et le bleu n'étaient pas seulement des teintes divines, mais aussi les couleurs de la lumière et de l'obscurité terrestres, comme on le voit dans les mosaïques de la *Création* dans l'atrium de Saint-Marc à Venise (XIIIe siècle). Dans la gamme chromatique établie au XIe siècle par le lexicographe byzantin Souda, le rouge apparaît à côté du blanc et le bleu à côté du noir [138]. Si, au début du Moyen Âge, les peintres regroupaient les couleurs en deux catégories, selon leur affinité avec la lumière ou leur proximité avec l'obscurité, ils n'avaient guère les moyens de perfectionner un véritable

langage symbolique des couleurs [139]. Quant aux vêtements liturgiques, à partir desquels on aurait pu s'attendre à ce qu'un tel langage se développe, il n'y avait pas d'unanimité sur la signification chromatique. Dans ce domaine également, le rouge était d'ordinaire assimilé au blanc, pour les célébrations heureuses, tandis que le violet et l'indigo étaient des équivalents du noir, pour les cérémonies de pénitence ou de deuil. Selon le pape Innocent III qui tenta, à la fin du XIIe siècle, de codifier l'emploi des couleurs dans la liturgie occidentale, le vert était la couleur médiane, « intermédiaire entre le blanc, le noir et le rouge » (en quoi il suivait Aristote) ; et on pouvait donc l'utiliser pour des rituels moins clairement formalisés. L'Église orientale n'avait pas de canon chromatique mais démontrait une préférence pour les couleurs brillantes et le blanc, même pour les célébrations funéraires. Blanc et noir demeuraient pour les deux Églises, d'Orient et d'Occident, les points les plus importants de la gamme chromatique [140].

Des études ont voulu réduire le fossé entre concepteurs et exécutants dans la fabrication de la mosaïque médiévale, afin de souligner la liberté de manœuvre des artisans, notamment dans le choix des couleurs [141]. Assurément, la transmission des idées par le biais des recueils de modèles se concentrait, autant que l'on sache, sur les formes. Les rares exemples attestés du recours à des manuscrits enluminés par les mosaïstes – dont le plus cité est celui de la *Genèse* « Cotton » de la British Library, qui servit de modèle pour les mosaïques de l'atrium de Saint-Marc – ne révèlent aucune influence dans le domaine chromatique [142]. Denys de Fourna, suivant les *Évangiles* de Marc et de Luc, recommande du blanc pour vêtir le Christ transfiguré ; ainsi en est-il la plupart du temps. Mais au monastère de Néa Moni, le Christ est vêtu d'or ; à Daphni, il porte un manteau vert pâle par-dessus une tunique rose et à Nerezi, en Macédoine (XIIe siècle), comme sur une traverse de l'iconostase du mont Sinaï (XIIIe siècle), il a une tunique verte et un manteau rouge. Pourtant, si nous examinons les habits de quelques figures bibliques familières comme saint Pierre, nous constatons que, de Venise au mont Sinaï et sur une période de huit ou neuf siècles, ce dernier porte des vêtements d'une même catégorie de couleur, sinon de la même teinte exactement : un manteau jaune ou brun par-dessus une tunique dans les bleu-vert. Le spectateur du Moyen Âge n'aurait pu le reconnaître aux seules couleurs de ses vêtements ; au monastère de Néa Moni, par exemple, dans la scène où le Christ lave les pieds des disciples, trois autres apôtres sont habillés exactement selon la même combinaison de couleurs que Pierre ; pourtant ses vêtements se rangent invariablement dans la famille des bleus et des bruns. Le peintre médiéval était moins préoccupé par des teintes précises, singulières, que par une catégorie générale [143].

Considérant cette obsession pour les effets de lumière, perceptible dans les premiers développements de la mosaïque médiévale, il est étonnant que les mosaïstes aient si peu usé d'un procédé pictural qui devint très courant pour rendre les drapés dans la peinture médiévale ultérieure. Je veux parler de la variation chromatique, qui permet de modeler les étoffes non pas avec une valeur plus sombre de leur teinte de base, mais avec une autre teinte pouvant être de la même valeur – et de maintenir une haute tonalité d'ensemble. Un modèle des effets de variation chromatique était disponible pour les artistes depuis la fin de l'Antiquité sous la forme des « étoffes de paon » ou taffetas changeants. Ces tissus ont été identifiés dans une mosaïque du Ier siècle de notre ère à Naples représentant une scène de comédie (teinte bleu-vert). Ils ont été décrits au IIIe siècle par

Alexandre d'Aphrodisias [144]. Cependant, comme aucun fragment de tissu antique n'a perduré jusqu'à nous, l'histoire de ces textiles demeure confuse car nous devons nous appuyer pour l'essentiel sur des descriptions littéraires ambiguës. Par exemple, le médecin italien Urso de Salerne a décrit à la fin du XIIe siècle la soie teinte à l'orseille (*sericum auricellatum*), puis plongée dans l'indigo et offrant alors des couleurs chatoyantes, semblables à celles du paon ; était-elle un taffetas changeant (dans lequel le fil de trame est d'une couleur différente du fil de chaîne) ou avait-elle simplement du lustre [145] ? Cela n'est pas clair. Ce qui est plus sûr, c'est qu'au XIe siècle la ville de Tinnīs, près d'Alexandrie, était réputée pour fabriquer un tissu appelé *būkalamūn*, « dont la couleur change selon les heures de la journée » ; l'un des genres en était rouge et vert, et on le comparait au jaspe ou aux plumes du paon [146]. Au début du XIVe siècle, lors de débats sur les illusions chromatiques, on commença à intégrer les soieries aux exemples plus traditionnels du jabot de pigeon et de l'arc-en-ciel. Pierre Auréol, en 1316, fait ainsi le lien entre la gorge de la colombe et ces « vêtements de soie qui changent de couleur quand on les change de position », mais il ajoute que ce ne sont qu'illusions ; cela suggère fortement que, s'il s'agissait de taffetas changeant, il ne l'avait pas observé de près [147]. Vers la même époque, les étoffes *cangiacolore*, c'est-à-dire aux couleurs changeantes, apparaissent dans les inventaires italiens, notamment à Assise [148].

Dans les manuels de peinture, cependant, il y a peu d'indices de ces effets « changeants » : le moine Théophile, dans son traité du XIIe siècle, ne fait référence qu'aux variations tonales, comme Denys de Fourna, dont les informations remontent parfois aux VIIIe et IXe siècles. Les premiers signes d'un usage de la variation chromatique apparaissent seulement dans les gloses d'Héraclius à la fin du XIIIe siècle. Encore la plupart de ces exemples peuvent-ils être compris sous l'angle « tonal » [149]. Les variations en jaune-vert, notamment, sont assez courantes du IVe au XIIe siècle, mais nous avons vu quel était le statut du jaune dans l'Antiquité : une sorte de vert (*cf.* page 12) ; et on a continué jusqu'au XVe siècle de ranger les deux couleurs dans la même famille de teinte [150]. J'ai pu noter aussi des variations en rouge-vert dans les mosaïques de Néa Moni et dans les peintures murales de Moni Mavriotissa à Kastoria, en Grèce du Nord. À partir du XIIe siècle, on peut observer sur tous les monuments du monde byzantin un large éventail de combinaisons, les plus frappantes étant l'utilisation du bleu ou du vert sur du pourpre, celle du jaune sur du bleu ou du rouge, enfin celle du rouge sur du blanc [151]. Le procédé est peut-être plus courant en peinture qu'en mosaïque et dériverait de la méthode, connue dès le XIe siècle, consistant à travailler sur un fond bleu ou noir, à éclaircir l'obscurité (alors que les artisans mosaïstes travaillent en assombrissant la lumière), ce qui impose de créer la lumière à partir de la couleur et rien d'autre [152].

Ces développements (qui accompagnèrent le déclin de la mosaïque en tant que moyen d'expression majeur) témoignent-ils d'une nouvelle sensibilité à la teinte apparue au cours du Moyen Âge ? Il y a certainement quelques raisons de le penser. Les connaissances sur les effets subjectifs de la couleur s'accumulèrent et se diffusèrent durant cette période. Galien écrit sur les miniaturistes : « Surtout quand ils travaillent sur des parchemins blancs [et que leurs yeux se fatiguent vite], ils placent à côté d'eux des objets gris ou de couleur sombre, qu'ils regardent de temps en temps, pour se reposer les yeux [153]. » Cela reflète l'idée grecque selon laquelle la vision dépend fondamentalement de la lumière et de

l'obscurité. Mais deux siècles plus tard, Basile de Césarée mentionne le bleu et le vert comme étant spécifiquement les couleurs reposantes ; c'est pour cette raison aussi que le poète Baudry de Bourgueil, au XIIe siècle, préférait écrire sur des tablettes de cire verte plutôt que noire [154]. Aristote avait considéré le vert comme un juste milieu entre lumière et obscurité ; dans l'Antiquité, on l'associait aussi aux vertus magiques de l'émeraude et autres pierres vertes, qu'on réduisait en poudre pour en faire des baumes oculaires. Désormais cependant, l'idée prenait une inflexion plus subjective ou psychologique [155].

Les couleurs de l'Islam

En examinant le chromatisme d'un large échantillon d'artefacts byzantins, tous médiums confondus, il apparaît clairement qu'une grande part de leur vive coloration (laquelle a valu aux Byzantins cette réputation d'une grande sensibilité chromatique) réside dans les ornements. L'essentiel de cette ornementation s'était élaboré à partir de motifs datant de la fin de l'Antiquité : des fonds paysagers ou architecturaux, qui ont une origine similaire, et surtout des costumes des personnages, qu'on voit debout ou agenouillés, raidis par le poids des étoffes brodées et ornées de bijoux, qu'ils étaient avides de déployer. Ces costumes constituent l'élément le plus éloigné de l'apport grec dans l'art byzantin et, dans de nombreux cas, ils sont même spécifiquement orientaux. À Saint-Apollinaire-le-Neuf, à Ravenne, voilà des Rois mages persans, brillamment vêtus, qui présentent à Marie les vierges saintes, elles-mêmes richement habillées de dalmatiques à fleurs, avec des ceintures à la mode asiatique et l'oriental *loros* qui en dépasse ; sur le mur d'en face, les martyrs en toge blanche sont guidés par un saint Martin en tunique pourpre unie. Les mêmes Rois mages sont représentés sur l'ourlet du manteau de l'impératrice Théodora, dans la mosaïque de Saint-Vital : leur présence souligne non seulement l'influence considérable de la mode orientale du VIe au IXe siècle, mais aussi le fait que ses principaux transmetteurs en Occident furent les femmes élégantes [156]. Charlemagne couvrit son épouse et ses suivantes (ainsi que les nombreuses églises qu'il dota) de riches étoffes et de brocarts d'or – produits d'importation qu'il s'interdisait à lui-même et dont il détournait les hommes de sa cour [157]. À Palerme, le jour de Noël 1185, le voyageur arabe Ibn Jobaïr nota que les chrétiennes portaient des soieries et des broches dorées, des voiles irisés et des chaussons brodés d'or, qu'elles étaient parfumées et maquillées, « tout comme des musulmanes [158] ».

Il ne s'agissait pas uniquement d'un goût féminin : l'amour des bijoux et des étoffes somptueuses, particulièrement des tissus orientaux, était arrivé à Byzance avec l'armée romaine de l'empereur Constantin. Celui-ci était le premier empereur romain « à porter un diadème orné de perles et pierres précieuses », note un ancien chroniqueur [159]. Le biographe de Constantin le décrit ainsi à son arrivée au Concile de Nicée (325) : « Comme un messager céleste de Dieu, vêtu d'atours scintillant de rayons de lumière, pour ainsi dire, renvoyant l'éclat pourpre d'une toge flamboyante et paré de la splendeur étincelante de l'or et des pierreries [...]. » Le même auteur décrit aussi, avec une certaine désapprobation, l'attitude des barbares en audience au palais de l'Empereur à Constantinople : « Comme un spectacle historique, [ils présentaient] à l'Empereur ces cadeaux que leurs nations prisaient, les uns offrant des couronnes d'or, d'autres des diadèmes incrustés de pierreries, quelques-uns amenant des jeunes garçons aux cheveux clairs, d'autres des vêtements barbares brodés d'or et de fleurs [160]. » Les tuniques et les pantalons de vives

40

34

Les costumes persans des Rois mages à Ravenne (VIe siècle) captivèrent les artistes occidentaux et furent largement imités. On pourra voir un indice de la variabilité des descriptions chromatiques à cette époque dans le fait qu'au IXe siècle, le restaurateur de ces mosaïques répertoria ainsi les manteaux : celui que nous voyons pourpre en bleu (symbole du mariage), le blanc en jaune (*flavo*, symbole de la virginité) et le vert en chamarré (symbole de la pénitence). (40)

couleurs, qui devinrent alors un élément de l'uniforme militaire romain, reflètent l'influence des Huns ; d'ailleurs, encore d'autres habits à la mode persane ou des Huns furent introduits par Justinien au VIe siècle [161]. Les costumes représentés sur les mosaïques de Piazza Armerina (datant probablement du début du IVe siècle) laissent voir des *segmenta*, ces panneaux décoratifs incrustés, faits de motifs tissés d'animaux, d'oiseaux et de figures humaines très recherchés en Afrique du Nord dès le premier siècle de notre ère et qui s'étaient déjà répandus dans tout l'Empire romain vers la fin du IIIe siècle [162]. Le goût pour les tissus persans devint même si fort, qu'au VIIe siècle, l'empereur Héraclius fit venir à Constantinople des tisserands iraniens et qu'on imita les étoffes orientales dans tout l'Empire [163].

La mode des riches étoffes n'était pas cantonnée au vêtement. Ces lots de tissu qu'on voit pendre aux bâtiments dans les images du haut Moyen Âge sont les représentations des tentures dont on décorait les églises à Byzance et en Occident pour les jours de fêtes. Ces tentures comprenaient les plus précieux tissus orientaux. La religieuse espagnole Égérie fut grandement impressionnée par les intérieurs ecclésiastiques à Jérusalem et à Bethléem à la fin du IVe siècle :

Les décorations sont si merveilleuses et les mots trop faibles. On n'y voit rien d'autre que de l'or, des pierreries, de la soie : vous voyez des voiles, ils sont de soie brochée d'or ; vous voyez des tentures, elles sont de même de soie brochée d'or. Les objets de culte de toute espèce que l'on sort ce jour-là [à l'Épiphanie] sont d'or incrustés de pierreries [164].

Il y avait, certes, une production de tissus à motifs chrétiens depuis la fin du IVe siècle au moins. Mais beaucoup de draperies et de vêtements d'église comportaient les traditionnels motifs païens : des fleurs, des animaux, des scènes de chasse et même, après la diffusion de l'islam au VIIIe siècle, des inscriptions coufiques à la gloire d'Allah, qui furent ensuite imitées sur les étoffes fabriquées en Occident. Ainsi, à la fin du VIIIe siècle, le pape Léon III offrit-il une tenture pour le ciboire du maître-autel de Saint-Pierre, présentant des tigres brodés au fil d'or. Dix ans plus tard, le pape Grégoire IV fit don pour le portail principal d'un rideau importé d'Alexandrie, montrant « des hommes et des chevaux », probablement une soierie avec scène de chasse [165].

On aurait pu croire que l'exposition dans un cadre chrétien de cette iconographie totalement séculière et souvent païenne allait stimuler des interprétations allégoriques, du même ordre que celles qui apparurent au moment où furent intégrés dans les églises les pavements historiés de la fin de l'Antiquité, avec leurs scènes de pêche et de chasse. Pourtant, rien de tel ne semble s'être produit. Un texte du début IXe siècle, l'*Antirrheticus* de Nicéphore Grégoras, patriarche de Constantinople, fournit une analyse étonnamment précoce qui distingue les programmes à sujets des programmes décoratifs – une distinction dont la résonance est grande dans l'esthétique moderne. Argumentant contre les iconoclastes, Nicéphore affirme que les iconodules vénéraient les objets sacrés en eux-mêmes, et non pas leurs décorations, ni même l'image du

Christ. Les nombreux animaux représentés dans le sanctuaire n'y étaient pas pour être honorés et vénérés, mais «pour le caractère décoratif des étoffes dans lesquelles ils sont tissés». Les saintes icônes n'étaient pas de cette espèce, puisqu'elles étaient sacrées en elles-mêmes et conçues pour rappeler les Archétypes [166]. Il est intéressant de noter que le concept de décoration pure ait été associé aux tissus, car c'est dans la délectation des tissus que les spectateurs médiévaux exprimèrent, de la façon la plus pure, leur goût pour la couleur en soi. Grégoire de Nysse rappelle, dans sa *Vie de Moïse*, l'histoire des vêtements destinés aux officiants du Tabernacle : «La pourpre bleue y alterne avec le cramoisi et l'écarlate avec le lin. Toutes sont entremêlées de fils d'or. Le mélange de ces diverses teintes compose un tissu d'une beauté éblouissante [167].» La version de Grégoire n'est pas seulement frappante parce qu'il souligne la blancheur du lin davantage que son modèle (*Exode* 39, v. 1-3) ; elle l'est aussi parce qu'il s'intéresse, comme d'autres auteurs byzantins, à l'effet visuel, à la beauté du résultat – tandis que le texte hébraïque admire simplement l'habileté de l'ouvrage. Les commentateurs Flavius Josèphe et Philon d'Alexandrie insistaient quant à eux sur la symbolique élémentaire des couleurs [168]. L'une des descriptions d'œuvre d'art les plus vives et les plus précises du Moyen Âge est celle que Réginald de Durham fit des tissus recouvrant les reliques de saint Cuthbert qui avaient été exposées et soumises à examen dans la cathédrale de Durham en août 1104 :

> Il était enveloppé d'une tunique et d'une dalmatique, à la manière des évêques chrétiens. Le style de ces deux vêtements, d'une précieuse couleur pourpre et d'un tissage irisé, est extrêmement beau et admirable. La dalmatique qui est la plus visible présente un ton de pourpre virant au rouge, tout à fait inconnu de notre époque, même des connaisseurs. Elle conserve encore l'éclat de sa fraîcheur et de sa beauté initiales, et quand on la manipule elle émet une sorte de craquement dû à la solidité et à la densité de son tissage raffiné et habile. Les plus subtils motifs de fleurs et de gibier, très délicats par l'exécution comme par le dessin, sont insérés dans le tissu. Et pour augmenter encore son charme et sa beauté, son apparence a été en maints endroits modulée et mouchetée de fils d'une autre couleur entremêlés à la trame […] ; une teinte jaune semble avoir été déposée goutte par goutte [169].

Comme Aristote l'avait simplement signalé et ses commentateurs souligné à la fin de l'Antiquité, ce sont les artisans du textile qui développèrent de la manière la plus intime un savoir sur l'harmonie des couleurs et leurs contrastes [170].

La source de cette valorisation de la couleur pure était probablement à chercher en Orient. D'autre part, avec l'essor de l'islam au VIIe siècle, une culture allait se développer en Asie mineure et dans le monde arabe, avec la même netteté et la même conscience de soi que toute culture occidentale ; et cette culture allait notamment accomplir au Moyen Âge des avancées décisives dans le domaine de l'optique. Par conséquent, on pouvait bien s'attendre à ce que l'art et les idées du Moyen Orient apportent une esthétique tout à fait singulière ou, du moins, une orientation résolument distincte de celles qui se développaient en Europe. De fait, le plus original et le plus intransigeant de tous les styles chromatiques médiévaux est celui des enluminures de l'Espagne septentrionale, aux frontières du monde arabe : les illustrations hautement stylisées du *Commentaire sur l'Apocalypse* de Beatus de Liebana (X[e]-XIIe siècle) furent jugées particulièrement stimulantes par des coloristes comme Picasso et Léger quand elles réapparurent dans les années 1920. Des critiques modernes ont souligné l'autonomie qui caractérise la couleur dans ce groupe remarquable d'une vingtaine de manuscrits. Ils ont mis en valeur la lucidité et la schématisation des zones chromatiques, hautement saturées – ce que l'un d'entre eux a décrit comme «les zones brillantes et immatérielles d'une abstraction cosmique [171]». On ne sait toujours pas clairement quelles furent les relations exactes entre ce style et l'art mozarabe, mais à coup sûr, il emprunta ses modèles visuels à plusieurs sources [172]. Le haut degré de schématisation de ces enluminures s'inscrit dans la tradition manuscrite du traité d'Isidore de Séville *Sur la Nature des choses*, avec l'élaboration précoce d'une gamme de schémas scientifiques, utilisant le cercle en particulier [173]. Même si les manuscrits de Beatus se distinguent nettement les uns des autres par leur choix et leur traitement de la couleur, ils déploient tous un éventail de teintes inhabituel pour articuler des paires de contrastes chromatiques bien délimitées [174]. Enfin, ce qui frappe dans ces grands ouvrages somptueux, c'est l'absence totale de couleurs métalliques. Baudry de Bourgueil évoquait à dessein l'origine arabe de l'or qui rehausse le manuscrit de ses poèmes [175]. En revanche, dans la série de Beatus, on trouve un usage étonnamment généreux d'une peinture jaune, qui restera sans équivalent jusqu'à El Greco à la fin du XVIe siècle. Ces jaunes de Beatus n'ont pas encore été analysés, à ma connaissance, mais certains me semblent être à base de safran, une plante tinctoriale cultivée au Moyen Orient et introduite très largement en Europe vers le XIIe siècle par les Croisés [176]. De nos jours, le jaune a mauvaise presse ; ce serait même la moins populaire des couleurs [177]. Mais il y avait de solides raisons à la fin du Moyen Âge de la juger tout à fait harmonieuse. Les anges d'un jaune si peu discret dans l'*Apocalypse du Beatus de Silos* ont pu être interprétés comme une glose par Bernardino de Busti au XVe siècle, puisque leur couleur *(flavus)* exprimait l'équilibre entre le rouge justicier et le blanc compassionnel [178].

Pour l'œil, ce jaune n'offre que peu d'affinité avec l'or. En outre, contrairement à l'enluminure irlandaise du haut Moyen Âge, dont le répertoire d'entrelacs s'inspire du travail des métaux [179], l'organisation et le traitement de la couleur dans l'enluminure espagnole trahissent un goût marqué pour les tissus. À propos de la modulation subtile des zones chromatiques par des séries de lignes et de points (et qui se caractérise dans l'*Apocalypse du Beatus de Silos* par le motif de minuscules fers à cheval), Meyer Schapiro écrit : «C'est une méthode de dosage de la couleur qui rappelle la touche mouchetée et brisée des impressionnistes, mais elle se rattache aussi au jeu des points et des fils de couleur dans une étoffe tissée [180].» Peut-être n'est-ce pas seulement une coïncidence si l'une des métaphores les plus originales et les plus longuement filées du *Commentaire sur l'Apocalypse* de Beatus joue précisément sur les tissus et leurs teintures. Le mystère de la Trinité, écrit Beatus, peut se comprendre à la façon dont est fait un drap de laine pure, avec ces trois éléments : la chaîne, le peigne et la trame. Mais ce drap d'une pure blancheur est souvent assombri *(fuscantur)* par une gamme de teintures colorées. Certains draps sourient *(subrideant)* en vermillon, d'autres en vert, ou encore en jaune, ou en écarlate, d'autres en différents rouges ou noirs – c'est là l'échantillonnage que nous trouvons bien sûr dans les enluminures de son œuvre, même si elles sont toutes postérieures à ce texte du VIIIe siècle. Pour Beatus cependant, ces couleurs représentaient les multiples hérésies souillant la pureté de la Divinité, hérésies que sa vocation de théologien avait pour but d'éradiquer, mais qui n'étaient en réalité que le prétexte de son vaste commentaire sur l'*Apocalypse de Jean*[181]. Cela nous remet en mémoire l'Évangile apocryphe de saint Philippe, où Dieu est lui-même décrit en teinturier capable de conférer par le baptême à toutes ses créatures une teinture indélébile, mais d'une seule couleur, le blanc. Un épisode a une résonance particulière : celui où le Christ, en visite dans un atelier de teinturerie, jette dans la cuve soixante-douze couleurs et les fait toutes ressortir en blanc[182] !

Les réserves de Beatus sur la polychromie s'inscrivent donc dans le droit fil de l'esthétique de la lumière de l'Antiquité tardive, telle qu'on l'a esquissée ici. Les conceptions islamiques, dont se rapprochaient plus ou moins ses enlumineurs, n'en étaient pas moins de nature byzantine. Les splendides décors en mosaïque du Dôme du Rocher à Jérusalem (691) ou de la Grande Mosquée de Damas (v. 715) ne diffèrent ni par le style ni par les couleurs de leurs équivalents chrétiens ; ce sont, de fait, des artisans byzantins qui y furent employés[183]. Le regard arabe sur ces œuvres n'était pas non plus différent du regard occidental. Un texte du IXe siècle, attribué à Hunain Ibn Ishāq, suggère que les Grecs, les juifs et les chrétiens décoraient leurs temples avec l'intention commune de « revigorer les âmes et conquérir les cœurs ». Un peu plus tard, le philosophe Al-Razi écrivit que l'effet thérapeutique des images provient, si l'on met de côté leur sujet, « des belles et agréables couleurs (jaune, rouge, vert et blanc) et des formes [qui] sont reproduites selon les plus exactes proportions » : voilà une formulation digne de Byzance[184]. Les descriptions de bâtiment dans la culture islamique mettent en valeur les matériaux qui sont sources de lumière et les éléments qui saisissent le spectateur, d'une manière proche des exemples occidentaux[185]. Le rôle de la lumière dans le mysticisme musulman était analogue à celui des temps paléochrétiens ; il découlait probablement d'une théorie de la perception qui empruntait des idées à Platon et à Plotin[186]. Dans le *Livre des trésors* du Syrien Jacques d'Édesse (IXe siècle), la théorie des couleurs est globalement d'inspiration grecque : les couleurs primaires sont le noir et le blanc, dont dérivent les tons intermédiaires, le rouge, le jaune-safran, le vert et le jaune doré. Les couleurs sont reliées aux éléments : le blanc au sec, le noir à l'humide ; enfin, l'œil renferme en lui-même du noir et du blanc, et toutes les couleurs par conséquent[187]. Avicenne (980-1037) était particulièrement intéressé par la question du rapport entre teintes et valeurs ; il avait su les définir simplement comme une série d'échelons distincts entre le noir et le blanc, pour chacune d'entre elles et

pour le gris[188]. Comme nous le verrons au chapitre 9, il fallut de nombreux siècles avant que les théoriciens de la couleur conçoivent qu'un espace chromatique coordonné ne puisse être que tridimensionnel. L'intérêt d'Avicenne pour les valeurs était même supérieur à celui de ses devanciers grecs.

Alhazen écrivit le traité d'optique le plus exhaustif du Moyen Âge et développa précisément l'étude des phénomènes subjectifs liés à la couleur. Lui non plus ne rejeta pas l'importance accordée aux tons par Aristote et Ptolémée, dont les livres lui avaient servi de point de départ. Il fit des expériences de mélanges chromatiques avec un disque rotatif et nota que la couleur « forte » l'emporte sur la « faible » (*Optique*, I, 31 ; II, 19-20). Mais il semble qu'il faille comprendre force et faiblesse en termes de valeurs, les couleurs claires étant les couleurs fortes. Dans une section du traité sur les effets du contraste chromatique (I, 32), il explore seulement sous un angle tonal les contrastes suivants : des points rouges sur un fond blanc apparaissent noirs, mais on les voit blancs sur un fond noir ; on a besoin d'un fond gris pour percevoir leur vraie couleur ; du vert sur un fond jaune semble seulement plus sombre (mais ni plus vert, ni plus jaune) que sur un fond sombre. De manière similaire, un passage sur la beauté (II, 59) n'apporte pas de grande précision sur la lumière et les couleurs : la lune et les étoiles, les fleurs et les étoffes colorées, sont simplement dites belles ; la beauté réside dans la ressemblance comme dans le contraste ; l'harmonie et les proportions en sont les sources fondamentales. Pourtant Alhazen (qui mourut vers 1038) n'apporta pas de réflexions novatrices pour comprendre l'interaction des teintes[189].

En langue arabe, la terminologie chromatique a une structure très proche des langues européennes au Moyen Âge : l'accent est mis sur la lumière et l'obscurité, et la différenciation des teintes demeure assez imprécise[190]. Il est tout à fait frappant que les deux branches de l'artisanat islamique ayant peut-être le plus contribué aux arts soient celles dont l'effet résidait totalement dans une sensation de lumière : les céramiques irisées, imitant le travail du métal, produites en Égypte à partir du VIIe siècle environ, et les soieries monochromes manufacturées en Perse au IXe siècle et à Antioche ou Damas au XI[e][191].

Pour observer une lumière mise au service de la couleur et non l'inverse, nous devons nous tourner vers le vitrail, qui devint, dès le milieu du XIIe siècle, le nouveau médium le plus important dans la peinture monumentale européenne.

La lueur immatérielle du vitrail conféra à la couleur une dimension mystique nouvelle au début du Moyen Âge. Parmi les vitraux les plus hautement symboliques figurent les verrières réalisées pour l'abbé Suger de Saint-Denis, au milieu du XIIe siècle. La rondelle supérieure, qui est une reconstitution moderne, illustre les versets des *Révélations* (V, 1-6), décrivant l'ouverture des sceaux par le Lion et l'Agneau. En dessous, l'Arche d'alliance portant un crucifix est posée sur le Quadrige d'Aminadab ; elle est entourée des symboles des quatre Évangélistes, qui proclament que la résurrection du Nouveau Testament institue une nouvelle Alliance avec Dieu. Suger, suivant en cela le Pseudo-Denys, démontrait que les impressions sensorielles produites par les couleurs vives conduisaient le spectateur « du matériel à l'immatériel », apportant une dimension divine dans la vie humaine. Le verre devenait un médium des mystères.

41 Saint-Denis, chapelle de Saint-Pérégrin, verrière « anagogique », v. 1140 (détail).

QVI EVS EST MAGNVS

LIB...LEO SV...

...IG...AGNVS

...GNVS SIVE

LEO FIT CARO

IVNCTA DEO

FEDERIS...RGA...VCE...

FEDERE MAIOR...VLTIBVITA

...ISIS...IVNAM...

MOR...

...IVA DRIGE...

...AMINA DAB...

La transparence des gemmes

La valeur des pierres précieuses réside aujourd'hui dans leur transparence, mais au début du Moyen Âge, on considérait que toute matière contenait de la lumière, si bien que dans un inventaire des bijoux de Saint-Alban compilé au XIIIe siècle, on trouve désigné comme « saphir », la « gemme des gemmes », un opaque lapis-lazuli (au bas de la page) (**43**). Avec la diffusion du vitrail, la transparence fut de plus en plus prisée ; même un calice en argent (**44**) pouvait présenter cette qualité grâce à un décor de vitrail. Les pierres précieuses avaient aussi des vertus curatives et magiques, grâce à leurs associations divines. En effet, la tradition voulait que les murailles de la Jérusalem Céleste (**42**) soient bâties avec des saphirs (ovales), des émeraudes (rectangulaires) et des perles ; on trouve la même combinaison sur l'Écrin de Charlemagne, autrefois dans le Trésor de Saint-Denis mais détruit à la Révolution.

42 Rome, Sainte-Marie-Majeure, détail de la mosaïque de l'Arc triomphal, *La Jérusalem Céleste*, Vᵉ siècle.

43 MATTHIEU PARIS, *Les Bijoux de Saint-Alban*, inventaire manuscrit, 1257.

44 La Coupe de Mérode, art français ou bourguignon, début du XVᵉ siècle.

45 L'*Escrin de Charlemagne*, IXᵉ siècle (détruit). Aquarelle de E. Labarre, 1794.

45

4 · L'esthétique de Saint-Denis

La nouvelle lumière · L'esthétique de Suger · Les bleus de Saint-Denis
Du vitrail à la peinture sur verre · La matière et la façon
La sécularisation de la lumière · Dante et la psychologie de la lumière

DANS SON RÉCIT des années 1140 sur la reconstruction de l'abbatiale carolingienne de Saint-Denis au nord de Paris, l'abbé Suger fait remarquer qu'il a commandé une mosaïque pour orner la partie supérieure du nouveau portail nord, bien que cela soit une « nouveauté contraire à l'usage [1] ». En effet, en Europe septentrionale au XIIe siècle, les mosaïques murales étaient passées de mode ; l'emploi restreint qu'en fit Suger est probablement un hommage conscient à une tradition chrétienne plus ancienne qu'il put connaître à Rome ou à Nole, près de Naples. En effet, sept siècles auparavant l'évêque Paulin y avait fait décorer la basilique de Saint-Félix d'un vaste programme de mosaïques. Il les avait accompagnées de phylactères semblables à ceux que Suger employa de façon si ostentatoire à Saint-Denis [2]. Afin de gagner en espace et en lumière dans ce mausolée très fréquenté, Paulin avait démoli le mur qui existait entre les deux églises anciennes. Il avait aussi fait inscrire des *versiculi* (un terme également employé par Suger) indiquant combien ce double espace avait permis l'entrée d'une nouvelle lumière *(nova lux)* [3]. L'agrandissement du chœur supérieur de Saint-Denis par Suger donna lieu à une inscription très semblable :

Tandis que la partie postérieure, nouvelle, est jointe à l'antérieure
La basilique resplendit, illuminée en son milieu.
Car resplendit ce qui est brillamment uni aux choses lumineuses
Et traversée d'une lumière nouvelle [*lux nova*] l'œuvre noble resplendit [...] [4].

Dans la tradition paléochrétienne, ces notions de luminosité trouvaient forme dans l'art de la mosaïque tandis que le premier gothique de Saint-Denis développa l'art du vitrail. Suger expliqua très clairement qu'il voyait en cela l'une de ses réussites personnelles. Dans un récit sans doute légèrement antérieur sur la consécration de son abbatiale en 1144, il traite des vitraux des chapelles entourant le nouveau chœur supérieur : « L'église toute entière brillerait de la lumière admirable et ininterrompue de vitraux resplendissants illuminant la beauté intérieure [5]. »

Si, pour le spectateur du Moyen Âge, la lumière se manifeste aussi bien dans le vitrail que dans la mosaïque, pour l'observateur actuel ces fenêtres semblent d'une nature très différente. Entre des vitraux du milieu du XIIe siècle, par exemple ceux de la façade

occidentale de la cathédrale de Chartres, et ceux du chapitre de York Minster, datant du XIIIe siècle, il ne semble pas y avoir grand-chose en commun. La richesse et les tons sombres des premiers – qui s'accentueront au XIIIe siècle – confèrent à l'intérieur une obscurité presque tangible, alors qu'à York la prédominance du blanc ou des grisailles inonde l'espace de lumière [6].

Ce changement manifeste dans l'esthétique du vitrail, qui eut lieu au cours du XIIIe siècle, transparaît dans de nombreux textes de la fin du Moyen Âge et de la Renaissance [7]. Dans le Temple du Dieu suprême du *Roman de Perceforest*, un ouvrage français du XIVe siècle, « il n'y avoit nul fenestrage, fors autant qu'il en falloit pour donner complèttamment clarté, affin que l'on peust veoir pour aller par le temple, et aussy que l'ymage du Dieu fust veue et congneue ; car les sages disoient qu'un lieu de dévotion ne devoit avoir clarté ne paincture, affin que, en aourent, les personnes n'y appliquassent point leurs imaginations ». L'auteur anonyme poursuit en disant que les nouveaux plans de temples ouverts « empeschent dévotion et simplesse [...] la mauvaise vanité forge verrières et fenestres pour avoir ample clarté que dévotion et repentance des meffiaz, qui paravant demouroient es temples, s'en sont fuyes par la haulte clarté [8] ».

À la Renaissance, ce thème devint un lieu commun. Dans l'*Utopie* de Thomas More (1516), par exemple, les églises sont toutes « assez sombres », « ce qu'il ne faut pas imputer à une faute de l'architecte, mais à une intention des prêtres qui pensent qu'une lumière trop vive trouble la méditation, tandis qu'elle aide les pensées à se concentrer et à se porter vers les choses du ciel lorsqu'elle devient pauvre et comme douteuse [9] ». Plus avant dans le siècle, un commentateur allemand écrit en plaisantant que les cœurs étaient jadis plus légers et les églises plus sombres, grâce aux vitraux multicolores [10]. Cette tendance à un éclaircissement du vitrail ne fut pas, comme on l'a parfois avancé, une question d'économie mais bien, en général, un choix esthétique. Le premier traité sur la peinture sur verre que nous connaissons, rédigé par Antoine de Pise vers 1400, insiste sur le fait que les vitraux doivent au moins être composés d'un tiers de verre blanc (incolore), qui rendra le travail plus gai *(allegro)* mais aussi plus lisible *(comparescente)*. À Sienne dans les années 1440, Gaspare di Giovanni da Volterra dut interrompre son travail sur un oculus car certains bourgeois pensaient qu'il assombrirait *il duomo*, lequel s'en trouverait du coup moins *bello* [11].

Pour la plupart des spectateurs modernes, la lumière semble être la clé pour comprendre l'art du vitrail à la période gothique. Certains ont même dit que la notion « d'obscurité gothique » était une pure invention des Lumières ou du romantisme [12]. D'autres se sont fondés sur des textes datant principalement du XIIIe siècle pour reconstruire une « métaphysique de la lumière » liée au

---

Dans les églises médiévales, tous les murs étaient colorés. Des décors peints, des scènes narratives à la fresque, des fausses mosaïques imitées et même des drapés dorés en trompe-l'œil contribuaient à la splendeur du lieu. À Assise, des vitraux généralement plus clairs permettaient une bonne lecture des fresques historiées.

46 Assise, Saint-François, église haute, baie d'Isaac, côté nord, v. 1300.

vitrail, « métaphysique » où la lumière serait perçue comme une force créatrice originelle, un équivalent du divin. Cette analogie est intéressante mais on ne peut vraiment la comprendre sans tenir compte des degrés divers que la notion de lumière recouvrait au Moyen Âge, lesquels furent codifiés au XIIIᵉ siècle dans des écrits sur l'optique. Dans les commentaires sur les six jours de la Création qui remontent à Basile le Grand, la lumière originelle *(lux)* se distingue de celle des corps célestes *(luminaria)*, ces créations ultérieures, dérivées de la *lux*. Isidore de Séville écrit : « *Lux* est la substance même, et *Lumen* découle de *Lux*, c'est-à-dire de la blancheur de la lumière, mais les auteurs confondent les deux. » *(Étymologies* XIII, x, 12 sqq). En effet, ces termes semblent avoir été utilisés presque indifféremment jusqu'au XIIIᵉ siècle, époque où l'on s'accorda généralement pour dire, tout du moins chez les auteurs scientifiques, que *lux* faisait référence aux sources de lumière tandis que *lumen* se référait à la lumière telle qu'elle était perçue, d'un point de vue terrestre si l'on peut dire [13]. Pourtant certains auteurs – le plus important ici étant Jean Scot Érigène au IXᵉ siècle – avaient tenté d'établir une distinction sérieuse entre ces termes. Dans son commentaire sur la *Hiérarchie céleste* du Pseudo-Denys, Érigène se demande si « le Père des lumières [*luminum*] est lui-même lumière *(lux)* [14] ». Dans certaines formules traditionnelles, comme *lux nova* (qui se réfère à la lumière de l'exemption chrétienne et qui est employée par Paulin de Nole et par Suger) ou comme *« Ego sum Lux mundi »* du Christ Pantocrator, l'identification de *lux* au divin est claire. C'est une expression que l'on retrouve inscrite sur les candélabres, véritables équivalents lumineux de la présence divine, comme celui de Gloucester qui remonte au début du XIIᵉ siècle [15].

À l'époque, le lien entre la lumière et la couleur faisait débat mais on s'accordait généralement pour penser que la couleur était, au mieux, un attribut accessoire de la lumière. C'était son aspect le plus matériel, un accident plutôt qu'une substance. La couleur se rapportait à *lumen* plutôt qu'à *lux* ; elle se trouvait donc deux fois plus éloignée de la forme la plus noble de la lumière. Boèce, philosophe romain de l'Antiquité tardive, croyait profondément que la couleur était un accident. Parmi les auteurs arabes plus tardifs qui furent très influents en Occident et qui souhaitèrent définir le lien entre la couleur et la lumière, Avicenne, Alhazen et Averroès firent tous de la lumière un concept structural d'importance supérieure [16]. (On notera toutefois qu'Alhazen établit une distinction entre lumière et couleur et dota cette dernière de pouvoirs indépendants.) Nous avons déjà vu que les premières tentatives de gammes de couleurs juxtaposaient le bleu et le noir (ou les couleurs sombres) et que le bleu est la couleur la plus caractéristique du vitrail français du XIIᵉ siècle [17]. Dans le vitrail de la Crucifixion de Poitiers (v. 1180), l'emploi du bleu comme substitut au noir pour la chevelure et la barbe du Christ est non seulement le reflet d'une érudition doctrinale mais aussi une réaction globale aux valeurs chromatiques [18].

Que le type de vitrail qui fit la gloire de l'époque romane et du premier gothique en France ait pu représenter la lumière dans son aspect le moins divin peut sembler contradictoire. Pourtant, cette contradiction ne persiste que si l'on tient la luminosité pour la préoccupation majeure des premiers maîtres verriers. Or j'aimerais démontrer que ce fut rarement le cas. Pour cela, je dois étudier les textes de Suger qui, plus que les autres, ont incité les commentateurs modernes à projeter sur le XIIᵉ siècle des attitudes propres au

XIIIᵉ siècle – des textes que le spécialiste en la matière a appelés, dans un moment d'égarement, « une orgie de métaphysique néo-platonicienne de la lumière [19] ».

L'esthétique de Suger

Ces récits de Suger sur la reconstruction de Saint-Denis, grâce aux détails qu'ils contiennent et à leur longueur mais aussi parce qu'ils décrivent le programme le plus influent de vitraux anciens, sont les principaux documents pour l'étude du vitrail médiéval. Dans *De Administratio*, Suger raconte comment il fit « peindre de la main exquise de nombreux maîtres venus de différentes nations les nouvelles verrières, splendides dans leur variété, la première qui commence par l'Arbre de Jessé au chevet de l'église jusqu'à celle qui est placée au dessus de la porte principale, à l'entrée, tant au niveau supérieur qu'inférieur [20] ». Il nous donne l'iconographie de certaines de ses verrières préférées situées dans le chevet de l'abbatiale mais n'indique ni le nombre total de vitraux ni les thèmes de tous les autres. Selon la version de la reconstruction que l'on décide d'adopter, il devait y avoir entre cinquante-huit et soixante-huit fenêtres « tant au niveau supérieur qu'inférieur » (c'est-à-dire quatre registres, y compris la crypte qui semble également avoir été ornée de verre peint) [21]. On a estimé que le narthex comprenait onze fenêtres supplémentaires, dont aucune n'a subsisté [22]. Si l'on prend l'auteur au mot et que l'on ajoute les verrières de la nef carolingienne, Suger dut commander en tout entre quatre-vingt-dix et cent vitraux [23]. Il mentionne la somme de sept cents livres et, non sans satisfaction, le don de la totalité du verre bleu – l'élément le plus coûteux. Cela fut sans doute amplement suffisant pour décorer l'ensemble de ces baies dans le style des verrières existantes, ce qui devait certainement rendre l'édifice aussi sombre que la cathédrale de Chartres [24].

On peut donc s'étonner de l'affirmation de Suger dans *De la consécration*, quand il écrit que son circuit de chapelles rayonnantes, dont nous connaissons si bien le style riche et fleuri, produit surtout un effet de lumière. Plusieurs verrières de ces chapelles étaient très certainement des grisailles, mais celles du temps de Suger, dont quelques-unes existent encore à Saint-Denis, présentaient de nombreuses structures losangées à griffons et des bordures rouges et vertes très complexes dont la capacité à transmettre la lumière était bien moindre que les grisailles alors utilisées par les cisterciens [25]. À l'époque, le verre blanc était encore très prestigieux : c'était le plus difficile à produire et Isidore de Séville le considère comme le plus noble (*Étymologies* XVI, XVi, 4). Dans l'est de la France et en Allemagne, on employait traditionnellement des fonds blancs pour les personnages. Vers 1120, dans son traité *Essai sur divers arts*, le moine Théophile mentionne des « fonds du blanc le plus pur ». On en trouve l'exemple dans les toutes premières verrières, les prophètes de la cathédrale d'Augsbourg sans doute réalisés une dizaine d'années plus tard [26]. Il est particulièrement surprenant que Suger ait pu ignorer cette tradition et favoriser les fonds bleus, car même sans avoir eu l'occasion de remarquer ce type de vitraux au cours de ses voyages, il en aurait certainement été informé par ses maîtres verriers « venus de différentes nations ». Son abondante provision de verre bleu lui parvint sans doute entre la rédaction de *De la consécration* (qui mentionne la belle et « merveilleuse » lumière des fenêtres) et celle *De Administratio* (qui n'y fait plus référence). Cependant, comme le verre blanc coûtait alors presque aussi cher que le verre bleu et qu'il est donc peu probable qu'on décidât de l'enlever, cette hypothèse semble assez peu plausible.

Ces deux récits de Suger présentent donc plusieurs difficultés d'interprétation. Dans quelle mesure devons-nous les prendre au sérieux ? Sont-ils une description juste et vivante des réalisations de l'abbé, ou essentiellement des textes de propagande destinés à impressionner son chapitre conventuel et à justifier ses énormes dépenses ? Suger tirait son récit presque mot pour mot d'une chronique carolingienne antérieure ; nous avons vu que les versets qu'il fit inscrire à plusieurs endroits de son édifice sont parfois très proches, par leur insistance sur la lumière, des phylactères paléochrétiens. Ils mettent ainsi précisément l'accent sur certains aspects du culte traditionnel à la lumière que les verrières modernes de Suger, contrairement à toute attente, ne rendirent pas caduques.

Si la fascination de Suger pour la lumière trahissait somme toute une attitude assez conventionnelle et presque dépassée, doit-on attribuer l'obscurité mystérieuse qu'il créa à Saint-Denis à une logique moins futile que son goût pour l'ostentation ? Je le crois, car l'idée qui se cache derrière certains de ses vers et dans son récit (voir ci-dessous) qui veut que la splendeur de la décoration mène, « par anagogie », à la « pureté du Ciel » suggère qu'il connaissait les écrits du Pseudo-Denys (assimilé, au IXᵉ siècle, à saint Denis, patron du royaume de France et de l'abbaye de Suger). Saint Paul s'était moqué de l'autel que Denys et les Athéniens avaient élevé en l'honneur du « Dieu inconnu » ; l'ignorance mystique était un pilier de la doctrine dionysienne qui invoquait une expérience double du divin, à la fois positive et négative. Bien que certains commentateurs modernes aient préféré l'ignorer, le pôle négatif représentait indéniablement la voie supérieure pour le Pseudo-Denys et Suger s'y intéressa comme un certain nombre de ses confrères et contemporains tels Hughes de Saint-Victor et Guillaume de Saint-Thierry, l'ami de saint Bernard [27]. On retrouve un indice de cet intérêt pour la part négative de la théologie dionysienne dans le programme élaboré que Suger conçut pour les « fenêtres anagogiques » des chapelles de son abbaye ; sa description détaillée dans *De Administratio* nous laisse même supposer qu'il en était excessivement fier. C'était un programme digne de saint Paul, cherchant à exposer les traditions ésotérique et exotérique de la religion chrétienne : dans l'Ancien Testament, la vérité est dissimulée par la Loi, tandis que dans le Nouveau, elle est révélée par l'Évangile [28]. Dans les verrières, cette idée de la dissimulation et de la révélation s'articule dans une série de médaillons symboliques extrêmement compliqués, en particulier celui du *Quadrige d'Aminadab* dans la verrière « anagogique ». On l'a qualifié avec justesse de « sorte de hiéroglyphe sacré » et il semble correspondre très étroitement à un passage de la *Hiérarchie céleste* du Pseudo-Denys qui précise les vues de ce théologien sur la nature et la fonction du symbolisme religieux en soi. La divinité, nous dit-il, se transmet mieux par des images incongrues *(dissimilia signa)* : on peut représenter Dieu avec plusieurs visages ou plusieurs pieds, sous les traits d'un grand taureau ou d'un lion féroce ; on dit qu'il a des pattes d'aigle ou un plumage d'oiseau ; on voit dans le ciel des chariots de feu ou de véritables trônes, des chevaux multicolores ou de grands capitaines en armes et d'autres symboles expressifs provenant des Écritures. On a recours à ces images pour élever l'esprit vers le divin : ce sont des *anagogicas sanctas scripturas*. Le Pseudo-Denys poursuit :

Que les métaphores sans ressemblances [*dissimiles similitudines*] soient plus aptes à élever nos âmes, je crois qu'aucune personne sensée ne le remettra en doute ; car il est probable que des figures sacrées de nature plus précieuse induiraient probablement les hommes à l'errance, car ils seraient tentés de croire qu'il y a dans le ciel des essences brillantes comme l'or ou des hommes habillés de lumière, étincelants et bien vêtus, émettant des rayons d'un feu sans danger ; en résumé, qu'il existe toutes les formes célestes dont parlent les Écritures [29].

Dans le vitrail de Suger, les trois symboles zoomorphes des évangélistes ainsi que les roues du quadrige furent associés au Christ en croix et à la figure imposante de son Père, qui surplombe le tout avec une disproportion mesurée, pour créer précisément le genre d'énigme paradoxale que le Pseudo-Denys recommande dans le but de troubler les esprits des hommes simples.

Suger avait principalement accès à la théologie du Pseudo-Denys par l'intermédiaire des traductions et des commentaires d'Érigène. Cet auteur nous intéresse particulièrement car, contrairement au Pseudo-Denys, il s'efforce de relier son expérience mystique à des phénomènes physiques [30]. Dans *Periphyseon : de la division de la nature,* traité auquel Suger semble avoir emprunté plusieurs idées que l'on retrouve dans *De la consécration*, Érigène reprend en le développant le concept dionysien du symbolisme négatif déjà évoqué. Il suggère que les métaphores de la frénésie, de l'ivresse, de l'oubli, de la colère, de la haine ou de la concupiscence sont, pour les esprits simples, plus adaptées au personnage divin que les images de la vie, de la vertu, du souffle, des nuages, de la clarté, du lever du soleil, de l'orage, de la rosée, des averses, de l'eau, de la rivière, de la terre et même plus appropriées que les images plus éloignées, celles du lion, du bœuf, de l'aigle ou du ver, évoquées par le Pseudo-Denys [31]. Plus loin dans le même ouvrage, au cours d'un passage sur l'action de la lumière solaire, Érigène déclare de façon surprenante que celle-ci n'est pas plus brillante à proximité de sa source mais, au contraire, en se rapprochant de la terre, car c'est seulement lorsqu'elle se mélange aux vapeurs essentielles du monde matériel qu'elle peut être captée par les sens [32]. Ainsi, sur le plan purement physique, la lumière qui émane des lointaines sphères célestes est aussi obscurité, une « lumière incompréhensible et inaccessible », selon la formule dionysienne se référant à la demeure de Dieu. À Saint-Denis, l'obscurité lumineuse des verrières de Suger était l'analogie parfaite de la présence divine au sein de son abbatiale. Selon Isidore de Séville (*Étymologies* XVI, xvi, 1), n'est-ce pas dans la nature même du verre de rendre visible mais aussi d'occulter ? Cette caractéristique offrait ainsi à Suger le matériau particulièrement approprié pour son programme iconographique.

Les bleus de Saint-Denis

En suggérant que les vitraux de Saint-Denis étaient avant tout un moyen onéreux de porter un programme décoratif plein d'ambition, nous en avons peut-être donné une fausse lecture. Après tout, dans les années 1140 la technique du vitrail n'avait rien de novateur ; on a souvent cru le contraire car il n'existe presque aucun exemple complet de grandes verrières pour les quatre siècles précédents. Quelles que soient les origines du vitrail historié en Occident (les premiers documents suggèrent qu'il fut utilisé pour la première fois pour le décor des absides romaines où il succéda

32 aux mosaïques comme incarnation lumineuse de la théophanie [33]), il était déjà très largement employé en France au XIIe siècle [34]. À Saint-Denis, l'attention exclusive que Suger porta au thème des verrières orientales laisse penser que leur emplacement correspondait, pour lui aussi, au lieu le plus sacré de l'édifice. La fierté qu'il manifesta pour l'extraordinaire étendue de surface vitrée et le culte de certaines baies à la vie des saints et aux exploits de Charlemagne (dont Suger ne fait pas mention et qui sont probablement plus tardives [35]) préfigure les grands programmes iconographiques des vitraux historiés de la fin du XIIe siècle et du gothique classique. À l'instar des mosaïques siciliennes sous la domination normande, l'art du vitrail se substitua alors aux décors peints ; c'était une autre façon d'obtenir la *varietas* et un prétexte supplémentaire à l'ostentation.

L'importance que Suger ne cesse d'accorder aux valeurs matérielles dans le récit qu'il consacre à son église est partagée par de nombreux commentateurs de l'époque. Son biographe, Guillaume de Saint-Denis (dont les écrits remontent aux années 1150, juste après la mort de Suger), s'étend sur la préciosité des matériaux – l'onyx, la sardoine, le praséodyme et autres pierres précieuses. Il disserte également sur les soieries et les tissus d'or et de pourpre que l'abbé a employés dans certains décors, mais il ne s'attarde pas sur les verrières [36]. Voilà qui respecte les intérêts mêmes de l'abbé : Suger consacre beaucoup plus de lignes à l'abondance de pierres précieuses qu'à la description des vitraux, pour lesquels il emploie toujours l'expression *saphirorum materia* qui n'est peut-être alors qu'une formule générique synonyme de vitrail [37]. Théophile remarque que les Français sont des spécialistes des « précieuses plaques de saphir très utiles pour les verrières » (II, 2). Cette indication sur la préciosité du matériau est importante car on la retrouve aussi de façon caractéristique dans les propos que Suger tient au sujet de ses vitraux. Au milieu du XIIe siècle, dans le débat entre cisterciens et clunisiens sur la décoration légitime, l'expression *vitreae saphiratae* est quasiment synonyme de « verrières belles et précieuses [38] ». À la fin du Moyen Âge, le verre bleu sera de loin la variété la plus onéreuse mais il est difficile de comprendre comment il pouvait déjà en être ainsi à l'époque de Suger. Certes, l'ingrédient le plus coûteux dans le verre bleu de l'époque gothique était le cobalt, probablement importé de Saxe ou de Bohême et venant parfois de destinations aussi lointaines que la Perse. Néanmoins, ce n'était qu'un colorant parmi d'autres : on pouvait également produire du verre bleu à partir d'ingrédients beaucoup plus courants comme le manganèse et le cuivre. On s'est effectivement aperçu que ces composants sont ceux qu'on utilisait le plus fréquemment dans les vitraux français avant le XIIIe siècle [39]. En fait, la clé pour comprendre le prestige de ce verre ne réside pas du tout dans sa composition chimique mais dans l'observation de Théophile qui affirme que les Français savaient produire des plaques de verre bleu à partir de récipients antiques ; il fait probablement référence aux bouteilles de parfum d'un verre bleu opaque courantes en Rhénanie entre le IIe et le IVe siècle de notre ère mais qui devinrent vraisemblablement très rares au XIIe siècle [40]. Une autre source de réemploi du verre était Byzance (Théophile mentionne aussi le recyclage des carrés de mosaïques antiques) où l'on utilisa sans doute le verre pour les fenêtres dès le début du XIIe siècle ; ce verre était probablement aussi un matériau d'importation onéreux [41].

On a noté que certains des motifs des verrières de Saint-Denis présentent des affinités avec les arts du métal et de la joaillerie [42].

Ils semblent effectivement appartenir à cette phase du vitrail français où l'ensemble des arts furent étroitement liés. Ceci se reflète dans l'importance accordée à la fois à la peinture sur verre et au travail du métal dans le traité de Théophile, mais aussi dans l'organisation des ateliers de l'abbaye de Cluny pendant la première moitié du XIe siècle : les orfèvres, émailleurs et « maîtres verriers » y partageaient en effet la même cellule [43]. Rien d'étonnant à cela puisque le verre en tant que substance était associé à la famille des pierres et des métaux et que, depuis longtemps, une part importante de l'art du vitrail résidait dans la fabrication de pierres artificielles [44]. Théophile parle d'ailleurs de l'insertion de ces pierres dans le vitrail, pratique qui, pour l'instant, a seulement été identifiée dans certains vitraux allemands du XIIIe siècle [45].

Toutefois, la fierté principale de Suger quant au « matériau saphir » de Saint-Denis réside certainement dans la signification même de ce matériau. Dans *De Administratio*, il parle de la satisfaction et même de l'enthousiasme qu'il a ressentis en contemplant la Croix de saint Éloi (patron des orfèvres) ainsi que le « crista », ou *Escrin de Charlemagne*, placés sur le maître-autel de son abbatiale, et de la façon dont ils exposent les neufs pierres du paradis énumérées dans Ézéchiel (28 : 13) :

> À ceux qui connaissent les propriétés des pierres précieuses [...] d'une manière anagogique, il devient évident, à leur plus grand étonnement, que parmi leur nombre aucune n'est absente (à la seule exception de l'escarboucle), mais qu'elles abondent copieusement. Lorsque je suis saisi par l'amour de la beauté de la maison de Dieu, la splendeur multicolore des gemmes m'arrache parfois aux soucis extérieurs, et même la diversité des saintes vertus paraît transportée des choses matérielles aux choses immatérielles par une noble méditation, et il me semble que je demeure comme sur quelque plage extérieure à l'orbe terrestre qui ne se trouverait ni dans la lie de la terre, ni dans la pureté du Ciel ; par le don de Dieu, je suis transporté de l'espace inférieur à cet espace supérieur, de manière anagogique [46].

Chez Suger, la connaissance de ces « propriétés » et de « la diversité des vertus sacrées » des pierres semble cruciale pour la conception du « processus anagogique ». Il admet avec une aimable franchise que ni la croix, ni le tabernacle ne comportent d'escarboucle car il sait probablement que cette pierre brille intensément dans l'obscurité et parce qu'il est incapable de certifier que les pierres rouges de l'écrin (les sardoines dont il dresse la liste, ou les rubis mentionnés dans la chronique de la fin du XIIe ou du début du XIIIe siècle) possèdent cette caractéristique rare et fascinante [47]. Bien que certains lapidaires de l'Antiquité et du monde musulman fassent référence aux propriétés magiques de certaines gemmes, l'interprétation systématique des pierres en termes magiques et moraux était alors un phénomène très récent, que l'on doit principalement aux écrits en vers et en prose du lapidaire de Marbode, évêque de Rennes, écrits populaires des années 1090. Une tradition occidentale plus ancienne, par exemple dans le commentaire sur l'*Apocalypse* de Bède le Vénérable, se fondait sur les douze pierres de la Jérusalem céleste (*Révélation* 21 : 18-21 ; Suger, *De la consécration* IV) [48]. À l'époque de Suger, cette allégorie des douze pierres était particulièrement prisée. Le délicat encensoir fondu en forme de Jérusalem céleste, que Théophile décrit, comportait des « représentations des douze pierres » dont chacune était attribuée à un Apôtre, « selon la signification de son nom ». Bien que cette association entre les douze pierres et les douze Apôtres soit une idée ancienne, elle ne semble pas avoir été fixée avant le début du XIIe siècle, dans les *Sermones* du poète allemand Sextus Amarcius qui les attribue à chacun des Apôtres, selon les « vertus » inhérentes aux pierres elles-mêmes [49]. Le statut particulier accordé à ces douze pierres transparaît dans le décor de nombreux objets précieux, dont l'*Escrin de Charlemagne* lui-même. Au sommet de ce reliquaire se trouvait une série de grandes pierres bleues et vertes séparées de perles rondes. Selon l'inventaire détaillé du trésor de Saint-Denis dressé en 1634, les ovales bleues étaient des « saphirs » et les oblongues vertes de « grosses presines d'esmerauldes » [50]. Ce trio de perles, de cabochons bleus et ovales et de pierres vertes à facettes se rencontre également dans les représentations de la Jérusalem céleste, sur les mosaïques de l'arc de triomphe de Sainte-Marie-Majeure de Rome et à Saint-Vital de Ravenne. On le trouvait aussi couramment sur les bordures des mosaïques de nombreuses églises paléochrétiennes [51]. Il symbolise les douze pierres des murs de la Jérusalem céleste et les perles de ses portails. Dans le *Livre de la Révélation* (21), la première pierre s'appelle *jaspis* ; c'est une pierre verte que l'on confondait alors souvent avec le *smaragdus* (la quatrième des douze pierres) et à laquelle on attribuait une forme oblongue qui dépend de la structure cristalline de l'émeraude. La seconde pierre, et, dans ce contexte, la plus importante, était le *saphirus* [52].

Chez Suger, le recours aux « vertus sacrées » des pierres révèle sa connaissance du lapidaire de Marbode dans lequel la puissance divine donne à toute pierre des vertus (*De gemmis*, 34). Marbode accorde une place particulière au *saphirus* pour ses capacités multiples à protéger les personnes qui le portaient : à les libérer de prison ou de tout autre entrave ; à les réconcilier avec Dieu et à les mettre dans de bonnes dispositions pour la prière ; à guérir le corps en refroidissant les organes internes ; à prévenir l'excès de transpiration ; à guérir les plaies quand on le broyait en une pâte mêlée de lait ; à laver les yeux et à calmer les maux de tête et les douleurs de la langue. C'était, pour résumer, une pierre sacrée, « la gemme des gemmes » (*De gemmis*, 41-43). « Damigéron », écrivain grec de l'Antiquité tardive, est probablement la source principale de Marbode, car son lapidaire est mentionné dans une version latine dans plusieurs manuscrits français du XIIe siècle. Le rôle du *saphirus* y est énoncé de manière catégorique : le détenteur de cette pierre « est armé contre toute tromperie et contre toute méchanceté, et contre les stratagèmes de toutes les autres pierres. On dit que ce pouvoir naturel est divin : la pierre est résolument honorée de Dieu (*De gemmis*, 96) [53] ». On comprend ainsi pourquoi Suger était si fier de posséder des rangées entières de vitraux réalisés dans ce matériau.

On comprend moins sans doute l'analogie immédiate que Suger fait entre le vitrail bleu de Saint-Denis et une pierre sombre, opaque et tachetée, et non avec une pierre bleu clair et transparente. En effet, le *saphirus* des auteurs de l'Antiquité et du haut Moyen Âge n'était pas notre saphir (le corindon bleu) mais le lapis-lazuli, et cette interprétation du terme continuera au moins jusqu'au milieu du XIIIe siècle [54]. Sous sa forme adjectivale, *saphirinus*, la pierre bleue, ne semble pas avoir eu de connotations de clarté : cette forme s'utilise alors pour désigner des tissus nettement opaques comme les feutres de Frise qui étaient probablement teints avec de l'indigo profond [55]. Dans son commentaire sur l'*Apocalypse*, Bède le Vénérable avait en effet comparé la couleur de cette pierre au bleu clair du ciel (*quasi coelum cum serenus est*) et, à l'époque de Suger, Hugues de Saint-Victor dans un beau renver-

sement compare aussi aux attributs lumineux de la pierre la transparence et la clarté du ciel [56]. Cette comparaison suggère que les connotations de *saphirus* avaient désormais changé : au lapis-lazuli avait succédé le *jacinthos*, une pierre bleue et transparente qui, bien que faisant partie des douze pierres de la Jérusalem céleste, n'avait pas de réputation particulière au cours du haut Moyen Âge. À l'époque, on pensait que le *jacinthos* se déclinait en trois couleurs – le rouge, le jaune, le bleu – et qu'entre elles c'était la pierre rouge qui avait le plus de valeur, car non seulement elle résistait au feu mais, en plus, elle en était rehaussée [57]. La plus évidente caractéristique de la variété bleue était sa transparence limpide. Le texte de Théophile sur la fabrication du vitrail bleu montre clairement que les « précieuses plaques de saphir [58] » étaient fabriquées à partir de tesselles antiques ou *vascula* bleu opaque auxquelles on rajoutait un verre clair et incolore (*clari et albi*) pour obtenir un matériau à moitié transparent. Dans le débat sur l'embellissement de verrières par l'ajout de pierres artificielles, le *jacinthos* – à son emplacement désormais traditionnel, c'est-à-dire entre les émeraudes (*smaragdos*) – devait être fabriqué à partir de *particulis saphiri clari*, des fragments de saphir clair [59]. À l'instar des écrits contemporains de Hugues de Saint-Victor, ce traité des années 1120 témoigne d'une nouvelle manière d'appréhender les caractéristiques des pierres bleues : les attributs physiques du *jacinthos* appartiennent maintenant aux *saphiri* et, inversement, les connotations morales des *saphiri* sont projetées sur le *jacinthos*. Rien de surprenant à ce que les pierres bleues de l'*Escrin de Charlemagne* – y compris ces beaux saphirs limpides qui en ornent les armoiries, la seule partie de l'objet qui ait subsisté – portent le nom de hyacinthes dans le premier texte à son sujet (du IXe siècle) alors qu'elles seront qualifiées de « saphirs » en 1634 [60]. Il est tentant de suggérer que l'exceptionnelle beauté du vitrail bleu permit d'accélérer – sinon même d'impulser – ce glissement d'appellation d'une pierre opaque à une pierre transparente.

Du vitrail à la peinture sur verre

Le remarquable changement stylistique entre les vitraux de Chartres et de Saint-Denis, d'une part, et ceux du chapitre de York, de l'autre, a principalement été attribué au contrôle grandissant de l'architecte médiéval sur l'ensemble des aspects de la construction et de la décoration, ainsi qu'à son effort pour mettre en valeur ses travaux personnels [61]. Ce point de vue est renforcé par le fait que, à la fin du XIIIe et surtout au début du XIVe siècle, les maîtres verriers eurent de plus en plus recours à des motifs architecturaux [62]. Il faut aussi prendre en compte le changement dans la formation et l'attitude des peintres verriers qui s'étaient intéressés d'abord à des activités artisanales, comme la joaillerie et le travail du métal, avant de se tourner désormais vers la peinture. Au XVe siècle, une séparation s'établit également entre les fonctions du maître verrier (maintenant le plus souvent peintre) et celui de l'exécutant [63]. Au bas Moyen Âge, le vitrail devint plus lumineux grâce à des innovations techniques (en particulier dans la fabrication du verre blanc, matière des plus exigeantes) et à la découverte de nouvelles techniques comme le jaune d'argent. Ce mélange développé vers 1300 permit de peindre librement de nombreux motifs, tels les cheveux et les drapés, dans ce jaune pâle qui caractérise les vitraux du XIVe siècle [64]. Néanmoins, les changements professionnels et techniques ne sauraient dissimuler le caractère essentiellement esthétique et conceptuel de cette évolution dont le contexte, au XIIIe siècle, était marqué par une véritable réévaluation du rôle de la lumière.

Une description anonyme des deux roses de la cathédrale de Lincoln, probablement rédigée vers 1230, suggère que la fascination du Pseudo-Denys pour l'obscurité de la lumière n'était déjà plus largement partagée au milieu du XIIIe siècle. De façon assez convenue, ce texte poétique évoque tout d'abord les lumineuses verrières de la nef et du chœur dont la puissance permet de vaincre le « sombre tyran ». Et de continuer : « À deux elles sont plus fortes, telles deux lumières, leur rayonnement circulaire, vers le Nord et le Sud, surpasse tous les autres vitraux par sa double lumière. Les autres verrières sont comme de vulgaires étoiles, tandis que celles-ci ressemblent l'une au soleil et l'autre à la lune. » Puis le poète s'intéresse à l'image plus immédiate et plus enthousiasmante de l'arc-en-ciel : « De cette manière, ces deux bougies éclairent le chef de l'église et elles imitent l'arc-en-ciel par la vivacité et la variété de leurs couleurs ; on ne saurait vraiment dire qu'elles l'imitent, mais plutôt qu'elles le dépassent car le soleil fait l'arc-en-ciel quand il se réfléchit dans les nuages : ces deux verrières rayonnent sans soleil, elles scintillent sans nuages [65]. » Cette image est particulièrement intéressante appliquée à la cathédrale de Lincoln puisque le poème fut écrit à l'époque où son évêque, Robert Grosseteste, étudiait l'arc-en-ciel avec grand intérêt. Dans un bref traité à ce sujet, il conclut que celui-ci n'est pas, comme les théoriciens l'ont jusque-là supposé (et comme le poète l'a insinué), la conséquence du reflet de la lumière dans un nuage noir, mais bien le résultat d'une opération beaucoup plus complexe, comprenant un processus de six modifications de la lumière – y compris son obscurcissement et sa réfraction – qui engendre les six couleurs de l'arc-en-ciel [66]. Ainsi, tout du moins selon le poète, les artistes des rosaces se rapprochaient d'une réinterprétation de l'arc-en-ciel comme résultant de la lumière seule.

Comme nous avons pu le constater, l'enseignement dionysien était double mais c'est l'aspect positif ou exotérique que nous retrouvons principalement dans les divers débats du XIIIe siècle sur la nature du beau. La philosophie scolastique y avait d'ailleurs porté un grand intérêt. Le Pseudo-Denys s'était interrogé à ce sujet dans son traité sur les *Noms divins* (IV, 5). Au XIIIe siècle, ce chapitre donna lieu à de nombreux commentaires de la part de Thomas Gallo, d'Albert le Grand et de son élève Thomas d'Aquin ; il constitua aussi la base d'un bref traité d'Ulrich Engelbert de Strasbourg, autre élève du saint [67]. Ces écrits renversent les définitions cicéronienne et augustinienne du Beau – la proportion associée à la délicatesse de la couleur *(suavitas)* – et font pencher la balance en faveur de la lumière *(lumen* ou *claritas)*, qui en devient la seule cause active. Par exemple, plus les couleurs étaient gorgées de lumière, plus on les trouvait belles. Chez Albert le Grand, il est particulièrement intéressant de noter que les formes artisanales *(forma artis)* sont plus lumineuses *(clara)* dans les matériaux nobles que dans les matériaux pauvres. Ceci provenait en effet d'une réévaluation, courante au XIIIe siècle, du rôle des pierres précieuses et des matériaux similaires en tant que vecteurs privilégiés de la lumière [68]. Le Pseudo-Denys avait seulement fait référence à quatre pierres classées en fonction de leur couleur, toutes de tons clairs. La blanche *(leukas)* symbolise la lumière ; la rouge *(eruthras)* le feu ; la jaune *(xanthas)* l'or ; la quatrième, l'énigmatique *chlōras*, représente la jeunesse et l'épanouissement de l'âme [69]. Plus tard, Scot Érigène et Jean Sarrazin, traducteur au XIIe siècle du cor-

pus dionysien, l'interprétèrent comme la couleur « pâle » *(pallidas)*. Les auteurs lapidaires de la fin du XIIe et du début du XIIIe siècle étaient nombreux à penser que l'origine de ces pierres résidait dans la lumière même. Dans son très encyclopédique *Jardin des délices* (v. 1176-1196), Herrade de Landsberg voit dans les douze pierres du pectoral d'Aaron les vêtements des premiers anges, qu'elle voit évoluer telle une armée étincelante [70]. Dans le lapidaire de sa *Physique* (vers 1151-1158), Hildegarde de Bingen écrit que toutes les variétés de pierre sont composées de feu et d'eau et que les gemmes dans leur ensemble proviennent des fleuves de l'Orient, là où le soleil est le plus fort. Le saphir, par exemple, avait été créé en plein zénith et contenait donc plus de feu que d'air ou d'eau [71]. Vincent de Beauvais développe ce point de vue dans son *Speculum doctrinale*, une encyclopédie largement diffusée, écrite dans les années 1260. Il y affirme que les pierres et les verres les plus précieux sont ceux qui ont été créés près du soleil et qui ont donc pour vertu de résister au feu [72]. Dans une autre encyclopédie importante rédigée dans le premier quart du XIIIe siècle, Thomas de Cantimpré, soutient aussi que les pierres précieuses sont celles qui ont été délavées depuis l'Orient par les fleuves du Paradis et que les plus rares sont précisément celles qui sont le plus gorgées de soleil. Les plus sombres sont celles contenant le plus de « vapeurs » terreuses, les claires celles qui ont le plus de « vapeurs » d'eau, les bleues le plus de « vapeurs » aériennes et les rouges de « vapeurs » de feu. Néanmoins, Thomas de Cantimpré souligne que la pierre de loin la plus importante est l'escarboucle car elle a le pouvoir de transformer la nuit en jour. Il considère même le *balaustus* (le rubis balais), une escarboucle de piètre qualité, comme plus précieuse que le saphir et le jaspe [73].

Le texte le plus complet sur cette préférence nouvelle pour l'escarboucle, au détriment du saphir, se trouve dans le *Traité des minéraux* (v. 1250), le lapidaire alphabétique d'Albert le Grand. L'auteur cite un corpus d'écrits hermétiques indéterminé :

> Ceci, disent-il, est donc la raison pour laquelle les pierres précieuses possèdent, plus que les autres, des pouvoirs merveilleux. Car, en vérité, elles sont quant à leur substance, très semblables aux choses supérieures, tant en luminosité qu'en transparence. C'est pourquoi certains d'entre eux disent que les pierres précieuses sont des étoiles composées d'éléments. Dans les sphères supérieures, en effet, à ce qu'ils disent, on trouve, pour ainsi dire, les quatre couleurs qui sont les plus fréquentes dans les pierres précieuses. L'une d'entre elles est la sphère sans étoiles, nommée par tous saphir. […] La deuxième est celle de la plupart des étoiles, c'est celle qui porte le nom de la lumière blanche et éclatante. C'est la couleur de l'*adamas*, du béryl et de nombreuses pierres. La troisième est celle que l'on appelle flamboyante et rutilante, que l'on trouve dans le Soleil, dans Mars et dans certains autres [astres]. C'est en tout premier la couleur du *carbunculus* […]. C'est pourquoi l'on dit que le *carbunculus* est la plus noble et possède à la fois les pouvoirs de toutes les autres pierres, car le Soleil reçoit un pouvoir égal au sien, le plus noble parmi tous les pouvoirs célestes, pouvoir universel qui donne lumière et force à tous les corps célestes.

Dans ce texte sur l'escarboucle, Albert le Grand affirme qu'elle est aux pierres ce que l'or est aux autres métaux : « Quand elle est vraiment bonne, elle brille dans le noir comme une braise, et moi-même j'en ai vu une de cette sorte [74]. »

Son témoignage sur la couleur des pierres souligne aussi leur transparence et dans le *Traité des minéraux*, sa première réflexion sur leur nature, il fait le rapprochement entre celle des pierres et celle du verre[75]. Dans la tradition aristotélicienne, la transparence était un problème fondamental chez les auteurs qui s'intéressaient à l'optique car c'était à la fois la condition nécessaire à la propagation de la lumière et des images et un élément essentiel dans la production des couleurs. Dans de nombreux contextes différents, ces écrits citent l'exemple du rayon de lumière qui traverse un morceau de verre sans se modifier. C'est une image que saint Bernard utilisait déjà comme métaphore de l'Immaculée Conception, en impliquant que le verre, resté intact bien que les rayons du soleil l'aient pénétré – exemple miraculeux de deux corps coextensifs –, est incolore[76]. Dans les exemples précédents, le verre était d'ordinaire coloré, pour illustrer ainsi certains aspects de cette proposition : lumière et couleur sont distinctes mais la lumière, vecteur *(hypostasis)* de la couleur, possède la capacité de l'activer[77]. Dans plusieurs exemples, le verre est décrit comme une fenêtre et bien que nous ayons sans doute affaire à des expériences plus mentales que réelles, la fréquence de cette allusion et les formes assez diverses qu'elle prend nous laissent supposer qu'au XIIIe siècle on s'attendait habituellement à ce que le vitrail diffuse la lumière plutôt qu'il ne la retienne, comme le faisaient les pierres et certaines verrières du XIIe siècle[78]. Il est étonnant que deux textes des débuts du XIIIe et du XIVe siècles notent que le verre rouge illustre ce phénomène. En effet, à moins d'être projeté sur un fond de verre clair ou bien d'être éclairci par l'insertion compliquée de verre incolore, le verre rubis paraît presque noir et transmet très peu de lumière[79]. Comme dans l'Antiquité, on attribuait donc au rouge des pouvoirs presque surnaturels.

Cet intérêt prononcé pour la transparence et ses caractéristiques affecta la façon même dont les pierres furent présentées. Les joailliers avaient toujours fait usage, par exemple, des structures naturellement cristallines de l'émeraude et du cristal de roche. Depuis l'époque romaine on pratiquait des tailles et des facettes assez élaborées sur des pierres comme le grenat, le béryl, l'améthyste et la cornaline[80]. Cependant, il semble que l'exploitation des propriétés réfractives des pierres incolores ou hautement transparentes, comme le diamant, ne débuta véritablement qu'au XIIIe siècle. Elle découlait d'une connaissance de plus en plus précise du phénomène de réfraction de la lumière au travers de matériaux transparents de densités différentes, connaissance que seules les recherches optiques de ce siècle étaient à même d'apporter[81]. Nous nous approchons de la Renaissance, époque à laquelle le diamant, avec sa taille élaborée, devint ce qu'il est le plus souvent resté : la plus précieuse des pierres[82].

Cette passion pour la clarté et pour la translucidité domine le langage et l'imagerie de la poésie gothique[83] ; elle se révèle également dans les progrès du travail du métal. Citons en particulier la création de nouveaux émaux transparents à la fin du XIIIe siècle, dont les exemples les plus aboutis sont la coupe d'or royale (*Royal Gold Cup*, British Museum) ou la coupe de Mérode (Victoria and Albert Museum), dont la technique du « plique à jour » donne un motif apparenté au vitrail[84]. Certaines de ces techniques utilisent des émaux incolores placés sur des feuilles ou des fonds de couleur, à la façon dont on montait alors les pierres colorées. On note aussi dans les enluminures et sur les peintures murales du bas Moyen Âge un usage renforcé des glacis sur fonds clairs ou colorés et des finitions au vernis, deux techniques qui seront pleinement exploitées au XVe siècle avec les progrès de la peinture à l'huile[85].

Henri de Blois, évêque (avant 1171) présentant un reliquaire de « cuivre » dans lequel, selon l'inscription et contrairement à l'engouement médiéval pour les matériaux précieux, « l'art prime l'or et les pierres précieuses ». Il semble que ce reliquaire soit décoré de trois médaillons. (47)

La matière et la façon

Ce chapitre entend démontrer que les valeurs artistiques du Moyen Âge dépendaient des caractères à la fois physiques et métaphysiques des matériaux bruts. Les gens d'alors n'étaient pas indifférents à l'attrait de la richesse et, comme les écrits de Suger l'insinuent, une propagande personnelle s'appuyant sur des valeurs monétaires pouvait s'avérer efficace[86]. Beaucoup d'objets du début du Moyen Âge nous semblent être surtout des conglomérats de matières précieuses. La préférence remarquable de l'époque pour les pierres polies plutôt que taillées, qui offrent souvent un contraste frappant avec le raffinement des intailles antiques auxquelles elles sont si souvent associées, s'explique non seulement par un décrochage de savoir-faire mais aussi par une certaine réticence à gaspiller des matériaux de valeur. Il semble que l'importance du statut social des orfèvres à l'époque (souvenons-nous que Suger disait posséder une magnifique croix de saint Éloi, un orfèvre canonisé) dérivait principalement du contact valorisant qu'ils avaient avec des matériaux nobles[87].

Néanmoins, il serait hâtif d'assumer que l'appréciation artistique se limitait à l'évaluation monétaire des matériaux bruts et à leur fonction symbolique. Suger livre à ses lecteurs la citation d'Ovide devenue un lieu commun de la réflexion esthétique, l'apogée de sa description des portes d'argent que Mulciber fit élever pour le Palais du Soleil : *Materiam superabat opus* (« le travail surpassait la matière[88] »). La phrase prend toute sa force quand la matière en question est précieuse, et les premières références à cette formule apparaissent toutes dans le contexte du travail du métal ou de la joaillerie. Pourtant à la période gothique, simultanément à une revalorisation générale du rôle de l'artisan et à un respect croissant pour certaines catégories de travaux manuels[89], cette citation semble de plus en plus s'être appliquée aux matériaux ordinaires d'une valeur intrinsèque moindre, ce qui atteste un glissement de l'admiration pour le seul artisanat[90]. Une excellente manifestation visuelle de ce changement d'attitude est sans doute cette inscription sur une plaque émaillée du XIIIe siècle qui provient probablement d'une croix réalisée à Winchester et qui montre l'évêque Henri de Blois tenant le reliquaire de saint Swithun. L'inscription

44

47

complexe a été traduite comme suit : « L'art prime l'or et les pierres précieuses, l'auteur prime tout ; Henri, de son vivant, offre à Dieu des dons faits de bronze. À lui, qui égale les Muses par l'esprit et qui par la voix prime le marteau, la renommée et le caractère concilient les grands [91]. » La phrase d'introduction, *Ars Auro Gemmisque Prior*, est frappante ainsi que la référence explicite aux matériaux de base que sont le cuivre ou le bronze *(aes)*. La plaque est en cuivre opaque émaillé et champlevé, ce qui implique que ces matières ordinaires sont, par le soin prêté à leur exécution, supérieures à l'or et aux pierres précieuses [92]. Exactement à la même époque, le philosophe Jean de Salisbury développait l'idée radicale que l'art transforme la nature et en améliore les méthodes par son dessein, le *methodon*, « qui évite le gâchis de la nature et en redresse les errances dévoyées [93] ».

Une telle reconnaissance de la transformation par l'artisan des matériaux de base en objets de valeur explique peut-être également le nombre croissant d'allusions aux pierres artificielles (en verre) dans les inventaires du bas Moyen Âge. Même si ceux-ci servaient souvent de guides pour estimer la valeur des gemmes données en gage – les auteurs de ces listes remarquent parfois que les pierres artificielles n'ont pas de valeur [94] –, il était donc dorénavant admis que ce qu'on prenait auparavant pour des pierres véritables n'était en fait que le produit de l'habileté humaine [95]. L'usage du verre pour contrefaire des pierres était courant depuis l'Antiquité et des expériences simples permettaient de le détecter. Pourtant, les premières descriptions d'objets liturgiques importants ne mentionnent pas souvent que nombre de leurs pierres étaient en fait de pauvres ersatz. Au cours du XIIIe siècle, au moment où la lumière commençait à perdre son statut transcendantal pour être étudiée simplement en tant que manifestation des lois optiques terrestres, les pierres furent progressivement adoptées non plus pour leurs propriétés magiques mais purement comme éléments décoratifs et comme preuves de compétence technique [96].

La sécularisation de la lumière

À Byzance au XIVe siècle et en Russie au XVe siècle, un regain d'intérêt pour les théories du Pseudo-Denys permit encore de renforcer la vision moderne de la lumière comme phénomène essentiellement terrestre et physique, que seul le symbolisme associait au divin. On a émis l'hypothèse que Barlaam, un moine calabrais qui se rendit à Constantinople au début du XIVe siècle pour enquêter sur la philosophie païenne et qui y combattit l'hésychasme, un mouvement mystique, fut influencé par la scolastique occidentale. Quoi qu'il en soit, Barlaam eut recours au concept dionysien du Dieu inaccessible pour souligner la séparation entre les royaumes terrestre et divin. Il cite l'exemple de la Transfiguration et soutient que la lumière qui inonda les Apôtres sur le mont Thabor était purement terrestre et que leurs sens seuls la perçurent ; elle ne pouvait être que le symbole du divin et non le divin lui-même [97]. Paradoxalement, les contradicteurs de Barlaam – qui eurent finalement le dessus et qui défendaient l'idée d'un continuum entre Dieu et l'homme grâce à l'incarnation du Christ – encouragèrent également cette exigence d'un traitement plus naturaliste de la lumière et de la figure humaine. On le voit de façon frappante chez le peintre russe Andreï Roublev (1370 ? – v. 1430) dont les contemporains comme les critiques modernes ont noté le souci d'observation de la nature [98].

Au XIVe siècle, la conception néoplatonicienne et médiévale de la lumière en tant que propriété intrinsèque de la matière et directe émanation du divin avait déjà changé. On portait un intérêt presque exclusif à son pouvoir de révéler les propriétés optiques des surfaces. Le meilleur indice de ce changement se trouve probablement dans le remarquable programme pictural de l'église supérieure Saint-François à Assise, réalisé autour de 1300. Il semble que son étendue et sa variété soient sans précédent. Le registre inférieur de la nef et des transepts présente un bandeau de tentures en trompe-l'œil dont les motifs géométriques se rapprochent d'autres tentures dans les scènes de l'Ancien Testament et de la vie de saint François représentées au-dessus ; ils sont proches aussi des motifs de soieries espagnoles de type « Alhambra » de la fin du XIIIe siècle [99]. Surmontant cette base somptueuse, une corniche peinte soutient le registre inférieur des fresques et, au-dessus, une autre corniche, partiellement sculptée et colorée, supporte deux niveaux de scènes ainsi que des vitraux, qui sont sans doute l'élément le plus inattendu de cette décoration. Dans les transepts, les riches verrières du chœur, pareilles à des joyaux, sont remplacées par des panneaux beaucoup plus clairs et, dans la nef, par un éventail de blancs et de couleurs pâles [100]. Cependant, suivant les critères septentrionaux de l'époque, même le décor des verrières les plus récentes est passé de mode : il reflète encore les liens traditionnels avec le travail du métal plutôt qu'avec l'architecture ou la peinture. Les motifs de bordure dans la verrière consacrée à saint François présentent des caractéristiques communes avec le calice de Guccio di Mannaia, l'un des plus anciens et des plus beaux exemples italiens d'émaillerie translucide, réalisé pour le pape Nicolas IV qui en fit don à l'église Saint-François vers 1290 [101]. Ce lien se retrouve également dans la palette des maîtres verriers et de l'émailleur, ce qui laisse supposer que l'éclaircissement du verre était moins l'écho de la mode du Nord qu'une réponse au besoin d'associer, dans un même programme, les arts du vitrail et de la fresque [102]. Ce type d'association sera une caractéristique de la décoration monumentale en Italie centrale jusqu'à la seconde moitié de la Renaissance [103].

Les voûtes d'arêtes de chaque travée sont couvertes d'un répertoire de formes géométriques s'inspirant principalement des mosaïques des ateliers des Cosmates ; ces formes prédominent également dans les scènes narratives et dans l'architecture en trompe-l'œil de l'église supérieure [104]. Ce type de décor peint accompagna les peintures dans le style de Giotto durant tout le XIVe siècle.

Ces schémas décoratifs nous conduisent au pape, car ils relevaient plus ou moins exclusivement de son mécénat et ils s'accordent bien avec l'importance donnée par l'Église romaine au cycle narratif [105]. Dans la nef, ils se caractérisent aussi par une subtilité et une retenue extraordinaires. Les soieries et les tissus dorés d'Espagne qui servaient de modèles pour les tentures peintes auraient pu être un excellent prétexte à l'introduction de dorures véritables, mais on n'y eut pas recours. Bien qu'il y ait beaucoup d'or et de verre dans les mosaïques de l'église inférieure, on retrouve cette sobriété dans les décors des ateliers des Cosmates. Le chœur et les voûtes des transepts de l'église supérieure sont en partie dorés et on peut encore voir, à la croisée du transept, les traces de ce qui fut peut-être un début de mosaïque dorée [106]. Dans un document de 1311, la basilique de Saint-François est décrite ainsi : *lumen et status salutifer [...] totius civitatis et districtus Asisij* (la lumière et la condition salvatrice de toute la ville et de toute la région d'Assise) [107]. L'emploi du terme *lumen* est peut-être banal mais il correspond étroitement au décor de la basilique : en effet, le verre dense, captateur de lumière, ou les surfaces réfléchissantes d'apparence lumineuse sont remplacés par les souples textures des tissus (dont la beauté dépend des rayons de lumière qui tombent sur ses plis), par du verre pâle, vecteur de lumière, et par les surfaces mates de la fresque, qui permettent beaucoup mieux que la mosaïque de jouer sur des effets lumineux comme les ombres dans les scènes figuratives [108].

Pour le contexte esthétique de ce programme original de l'église supérieure de Saint-François, il faut se tourner vers saint Bonaventure, général des franciscains, sous la direction duquel les premières recommandations esthétiques de l'ordre, – les statuts de Narbonne (1260) – furent clairement élaborées. Ces statuts sont remarquables car ils se réfèrent spécifiquement aux vitraux et en permettent un usage beaucoup plus large que ne le firent les statuts des cisterciens au XIIe siècle. Les réticences de ces derniers, leur crainte de la *curiositas,* affectèrent l'ensemble des attitudes monastiques en matière d'art, y compris celles des franciscains réunis à Narbonne. Cette assemblée approuva l'usage de vitraux historiés et colorés derrière le maître-autel et admit comme convenables les représentations de la Crucifixion, de la Vierge Marie, de saint Jean, de saint François et de saint Antoine. Cela suggère que la personne qui élabora ce statut (III, 18) eut peut-être à l'esprit le vitrail existant déjà dans l'église d'Assise, la maison-mère de l'ordre, et qui représente la vie du Christ et ses précédents dans l'Ancien Testament [109]. Bonaventure affectionnait le verre : il utilisa l'exemple de sa fabrication à partir de cendres pour souligner la présence de la lumière dans les substances les plus méprisées [110]. Il ne saurait non plus être considéré comme un ascète, puisqu'il fit don d'un précieux ciboire en argent à l'église Saint-François [111]. Dans le texte particulièrement délicat que Bonaventure consacre à la production artistique dans *De Reductione Artium ad Theologiam,* il insiste fortement sur la connaissance, le plaisir et le désir d'encouragements, des motivations qui figurent dans plusieurs inscriptions insolites que l'on retrouve dans les réalisations des Cosmates [112]. Bonaventure ne faisait pas toujours la distinction entre *lux, lumen* et *splendor* (la lumière reflétée), des catégories qui mettaient à l'épreuve l'ingénuité de bon nombre de ses contemporains [113], mais il apparaît clairement qu'il s'intéressait surtout à la nature de *lumen,* un type de lumière qui ne se prête pas aux spéculations métaphysiques [114]. Dans son esthétique, l'importance que Bonaventure accorde à l'harmonie et à la proportion, ainsi que sa définition de la couleur comme mélange, s'accordent avec le rejet des absolus qui est implicite dans le programme iconographique de l'église supérieure de Saint-François [115].

Dante et la psychologie de la lumière

Bonaventure peut nous aider à comprendre la teneur esthétique de ce décor, mais il ne nous dit pas grand-chose sur les croyances d'un public plus large, essentiellement composé de laïcs. Pour cela, laissons-nous guider par une encyclopédie en langue vernaculaire, annexe à un recueil de poèmes d'amour de Dante et composée durant la première décennie du XIVe siècle. Dans la troisième partie du *Banquet* comme dans de nombreux passages de *La Divine Comédie*, en particulier dans *Le Paradis*, les références rapides à la vision, la lumière et la couleur nous donnent une idée de ce que

les non-spécialistes en pensaient à l'époque. Dante se montre particulièrement fasciné par les rayons de lumière qui traversent des substances transparentes comme le verre, mais aussi par leur reflet sur des surfaces polies [116]. Dans *La Divine Comédie* il revient sans cesse sur le phénomène de l'éblouissement, qu'il caractérise, dans le sillage de Bonaventure, comme nuisible à l'harmonie oculaire [117]. Cette insistance constante, et pas seulement dans la troisième partie du poème où *Le Paradis* est en soi la « zone aveuglante de la lumière », est révélatrice car l'éblouissement est un phénomène psychologique subjectif et, comme à Saint-François, Dante interprète le rôle de la lumière et de la couleur en termes essentiellement humains.

L'intérêt de Dante pour cette nouvelle esthétique de la lumière se voit clairement dans un passage célèbre du *Purgatoire* (Canto XI) où le poète reconnaît dans les rangs des Orgueilleux un miniaturiste qu'il a peut-être véritablement rencontré à Bologne dans les années 1280 :

> « Oh, diss'io lui, 'non se' tu Oderisi,
> l'onor d'Agobbio e l'onor di quell'arte
> che *alluminar* chiamata è in Parisi ? »
> « Frate,' diss'egli, 'più ridon le carte
> che pennelleglia Franco Bolognese :
> l'onor è tutto or u, e mio in parte [...] » (79-84)

(« Oh, lui dis-je, n'es-tu pas Oderisi, l'honneur de Gubbio, l'honneur de cet art qu'à Paris on nomme *enluminer* ? » « Frère, dit-il, elles sont plus riantes que les miennes, les feuilles qui sortent du pinceau de Franco Bolognese. Aujourd'hui l'honneur est tout à lui, il ne m'en reste qu'une part ».) Les historiens de l'art ont habituellement cherché, en s'appuyant sur ces vers, à associer certains manuscrits existants à la main d'Oderisi da Gubbio, dont l'activité est attestée à Bologne entre 1268 et 1271, et à celle de Franco Bolognese, dont on ne sait rien [118]. Pourtant, ce qui frappe d'abord le lecteur dans ce passage, c'est le choix conscient fait par Dante d'un terme d'allure française *alluminar* (sa version du français *enluminer*) plutôt que du terme italien *miniare* (qui vient de *minio,* l'oxyde de plomb rouge). Cherchait-il seulement une rime pour Oderisi ? Je ne le crois pas car, contrairement au terme italien, le terme français lui permet d'aborder l'idée cruciale de la lumière.

Les premiers textes qui appliquent le mot latin *illuminator* (enlumineur) au miniaturiste remontent à la fin du XIe siècle, précisément à l'époque où Théophile utilisa le terme *illuminare* pour faire référence aux rehauts de peinture [119]. Guillaume de Malmesbury établit un lien spécifique entre l'enluminure et la dorure. Ce lien semble courant en Italie à l'époque de Dante quand le terme septentrional fut au moins introduit dans le cercle papal, peut-être suite à l'installation de la papauté en Avignon [120]. Quelle que soit l'origine de cet usage, il est presque certain que Dante souhaitait faire allusion à la lumière car il établit une différence entre Oderisi, l'honneur de l'enluminure, et Franco Bolognese, qui lui était supérieur car ses feuilles étaient plus riantes.

C'est peut-être chez Alain de Lille que Dante trouve cette notion de couleur « riante » en peinture ou, plus probablement, chez Baudri de Bourgueil qui se sert de la même image pour évoquer le manuscrit de ses poèmes que Gérard de Tours a décoré d'or, de vermillon ou de vert pour en faire « rire » les lettres [121]. Cependant, chez Dante cette volonté d'associer le sourire et la lumière revêt un intérêt plus profond. Dans ses prêches sur le

Vierge à l'Enfant du chanoine Manuel de Jaulnes, Sens, 1334. Une des nombreuses Vierges au sourire. (48)

Ange de l'Apocalypse, *Douce Apocalypse*, 1270 (49)

Cantique des cantiques, saint Bernard avait déjà décrit les mouvements de l'esprit comme des lumières émanant du corps – mais il avait du mal à admettre que le rire en fasse partie [122]. Pour Dante, ce lien était inévitable : ailleurs dans le *Purgatoire* (I, 19), il utilise le terme *ridere* dans le sens d'« éclairer », et dans le *Paradis* (XIV, 76-88) il donne aussi à cette notion une tournure psychologique ; dans le *Banquet* (II, viii, 11), il s'interroge : « Qu'est-ce qu'un sourire si ce n'est un éclat [*corruscazione*] des délices de l'âme, c'est-à-dire une lumière [*lume*] qui manifeste ce qui est à l'intérieur ? » Le sourire qui illumine le visage et surtout les yeux des dames était un lieu commun dans les romans courtois français et italiens de l'époque ; en français l'emploi du terme « riant » devint presque synonyme de « cler » [123].

Cette notion visuelle et psychologique devait nécessairement trouver son équivalent en art. Vers 1270, des anges très souriants firent leur apparition dans la sculpture de la cathédrale de Reims. Dans la *Douce Apocalypse*, qui lui est presque contemporaine, cette association entre sourire et lumière est bien explicite dans le personnage du Grand ange (chapitre X, 1-8) dont le « *facies* [...] *erat sol* [124] ». Avec l'introduction de l'expression psychologique, les artistes qui réalisèrent ce manuscrit sombre et délicat ajoutèrent au traditionnel symbolisme des matériaux précieux une nouvelle complexité. Celle-ci gagna en subtilité à mesure que se développa en France la longue série des statues de Vierge à l'Enfant au début du XIVe siècle. À Sens par exemple, le sourire chaleureux et engageant de la Vierge à l'Enfant du chanoine Manuel de Jaulnes tempère la splendeur majestueuse de cette Vierge couronnée, assise sur un trône [125].

Au XVe siècle, dans les écrits de Marsile Ficin, philosophe néoplatonicien et spécialiste de Dante, l'expérience même de la lumière céleste s'apparente désormais à celle du rire. « Qu'est-ce que la lumière en Dieu ? » demande-t-il dans son petit traité *De lumine [in] Quid sit lumen* : « L'immense exubérance de sa bonté et de sa vérité. Qu'est-elle dans les anges ? La certitude de l'intelligence émanant de Dieu et la joie débordante de sa volonté. Qu'est-elle dans les corps célestes ? L'abondance de la vie dans les anges, le déploiement de la puissance dans le ciel [126]. » À la Renaissance, la lumière était non seulement devenue un phénomène de nature optique, mais aussi une propriété psychologique. Les symboles cédaient le pas à l'expérience mais, comme j'espère le démontrer au chapitre suivant, depuis longtemps, c'était l'expérience qui contribuait à la formation de ces symboles.

5 · Le langage et les symboles de la couleur

Les termes de base · Les couleurs de l'héraldique · Le sacré et le profane dans la signification des couleurs
L'influence du Moyen Âge sur la perception moderne du blason

En fait les couleurs pures n'ont même pas de noms communs particuliers, cela montre qu'on leur accorde peu d'importance.
(Ludwig Wittgenstein, *Remarques sur les couleurs* II)

AU PREMIER CHAPITRE, j'ai montré que les recherches du XIXᵉ siècle sur la terminologie des couleurs dans l'Antiquité avait eu du mal à suivre les progrès de l'archéologie. Il faut admettre que le fossé s'est encore creusé aujourd'hui car l'étude du vocabulaire de la couleur s'est remarquablement développée ces trente dernières années, mais l'étude de la couleur dans le monde visible n'a pas suivi, en particulier dans le domaine de l'art. Pour les linguistes, il s'agit principalement d'expliquer pourquoi la plupart des termes désignant les couleurs, dans toutes les cultures et à toutes les époques, se réduisent à un vocabulaire de huit à onze mots [1] de « base » (alors que l'œil est capable de distinguer des millions de nuances de couleurs différentes). Le concept de « termes de base » est une notion relativement récente qui a été mise en avant par une étude majeure, *Basic Color Terms*, publiée en 1969 par Brent Berlin et Paul Kay. Cet ouvrage a suscité la plupart des débats importants sur le sujet [2]. À partir de l'étude de quatre-vingt-dix-huit dialectes ou langues vivantes, Berlin et Kay ont proposé un modèle universel en dix-sept étapes du développement du vocabulaire de la couleur. Au stade I, une langue comporte des termes pour le noir et le blanc ; au stade II, s'ajoute le rouge ; au stade III, le vert ou le jaune ; au stade IV, le jaune ou le vert ; au stade V, le bleu ; au stade VI, le marron ; au stade VII, s'ajoutent soit le violet, soit le rose, l'orange, le gris ou plusieurs de ces couleurs, jusqu'à former une série de onze « termes de base ». Les critiques détaillées à l'encontre de l'ouvrage de Berlin et Kay ont principalement émané de linguistes et d'ethnographes qui se sont en général intéressés aux niveaux ultérieurs au stade II. On a aussi remarqué que les langues de stade I établissent rarement une distinction entre le « noir » et le « blanc » mais plutôt entre les couleurs « sombres » et « claires », « froides » et « chaudes » ou « humides » et « sèches ». Du point de vue de l'histoire culturelle, l'hypothèse la moins concluante dans cet ouvrage est celle qui concerne le test de la réaction « naturelle » à la présentation de petites plaquettes de plastique coloré du système de Munsell, code utilisé par les chercheurs et qui s'appuie sur des hypothèses du XIXᵉ siècle relatives aux couleurs primaires [3].

Il convient d'associer la récurrence d'une couleur à l'expérience plus large de la couleur dans une culture donnée. Cette expérience diffère selon les groupes constituant cette culture et leur intérêt pour cette couleur [4]. Les enfants sont l'un des sous-groupes dont le développement du vocabulaire de la couleur peut s'approcher du système de Berlin et de Kay [5]. En revanche, les femmes n'en font pas partie car on sait depuis longtemps qu'elles sont particulièrement précises et perspicaces dans leur traitement de la couleur [6]. D'autres distinctions peuvent s'établir au sein de groupes qui s'intéressent à la couleur d'un point de vue plus professionnel [7]. Pour l'historien, l'un des cas les plus intéressants est celui des éleveurs et des marchands de chevaux, deux professions qui ont joué un rôle important dans la culture européenne depuis l'Antiquité. Certains auteurs de l'Antiquité tardive, comme Palladius au Vᵉ siècle et Isidore de Séville au VIIᵉ siècle, ont trouvé en latin treize couleurs différentes pour décrire les chevaux. Cette liste comporte certains termes rares et hautement spécialisés [8]. En grec byzantin, la liste est plus courte puisqu'elle ne contient que onze termes dont certains sont extrêmement obscurs [9]. Un glossaire arabo-latin qui remonte à l'an mille comporte une liste de huit couleurs de chevaux et un traité espagnol du XIIIᵉ siècle en possède treize [10]. Plus récemment, dans les pays d'Europe de l'Est et d'Asie centrale, la liste de ces termes est sensiblement plus longue, allant d'une trentaine chez les Kirghiz des steppes à près de deux fois plus en Russie occidentale [11]. Il apparaît donc que lorsque le besoin se fait sentir, l'homme opère une discrimination entre les couleurs et a recours à des termes précis afin de pouvoir communiquer ces nuances.

Pourtant, ce vocabulaire n'a jamais fait que délimiter grossièrement les couleurs dans l'espace. On note dans ce domaine une remarquable tendance à la simplification qui a toujours été bien plus fréquente que les distinctions subtiles. La plupart des données ethnographiques rassemblées pour l'étude de ce vocabulaire proviennent de cultures non occidentales, mais les textes et les objets européens pourraient nous révéler une histoire tout à fait similaire. Dans l'Antiquité tardive, Boèce signale déjà que le terme « noir » décrit à la fois une personne rationnelle, un corbeau irrationnel et l'ébène inanimé ; de même, le terme « blanc » faisait à la fois référence aux cygnes et au marbre, aux hommes et aux chevaux, aux étoiles et aux éclairs. Ce qui signifie que la couleur est un simple accident, incapable de nous fournir des informations sur la véritable nature des choses [12]. Les trois premiers termes de Berlin et Kay – le noir, le blanc et le rouge – forment un trio fondamental en Afrique, en Asie et aussi en Europe. Dans une étude sur la récurrence des mots dans les romans contemporains, on a montré que ces trois couleurs revenaient plus souvent que toute autre [13]. Bien que la plupart des gens soient capables de distinguer un très large éventail de nuances et de communiquer une majeure partie de ces distinctions, il n'en reste pas moins qu'ils ont en général recours à un vocabulaire abstrait très réduit. À moins d'être impliqué professionnellement dans la terminologie des couleurs, il est clair que ce vocabulaire restreint a, la plupart du temps, un grand effet sur notre perception des couleurs. Cette dernière et le vocabulaire s'avèrent donc étroitement liés : puisque la symbolisation est essentiellement une fonction linguistique, la terminologie des couleurs disponible joue un rôle décisif dans la création de tout langage relatif aux symboles de la couleur [14]. Étant très vague, cette terminologie pose de véritables problèmes pour le lecteur de textes historiques et pour les personnes de langues différentes.

Dans l'Antiquité, cette question était déjà familière. Au chapitre 2 nous avons vu comment Aulu-Gelle introduisit le problème du vocabulaire de la couleur dans ses *Nuits attiques* (II, xxvi). Favorinus y remarque que l'œil voit bien plus de *facies* (nuances) de couleurs que le langage n'en peut distinguer et que, dans ce domaine, le grec est bien plus spécifique que le latin. En latin nous dit-il, le terme *rufus* désigne de nombreuses couleurs allant du pourpre à l'or, tandis que le grec possède quatre adjectifs (*xanthos, eruthros, purros* et *kirros*) pour couvrir le même champ lexical. Fronto, le compagnon de Favorinus, lui rétorque en énumérant les sept mots latins désignant le rouge : *fulvus, flavus, rubidus, poeniceus, rutilus, luteus* et *spadix*. L'identification précise de deux de ces termes, *flavus* et *rubidus*, dut exercer un rôle crucial dans le domaine de la médecine antique. Deux traductions latines des écrits du médecin grec Oribase réalisées dans le nord de l'Italie durant l'Antiquité tardive nous le montrent. Dans une discussion sur la couleur de l'urine en tant que symptôme, ces traductions utilisent tantôt *flavus*, tantôt *rubeus*, pour rendre le terme *xanthos* utilisé par Oribase. En grec classique, ce terme peut faire référence à une chevelure claire, au miel, au vin ou au jaune blanchâtre de l'herbe desséchée [15]. Manifestement, au sein de la même langue et d'une même aire géographique, il n'y avait pas de consensus sur le terme le plus approprié à un phénomène aussi important.

Nous avons déjà vu comment les juristes de l'Antiquité tardive cherchèrent à stabiliser le concept de pourpre en faisant référence non pas à un terme chromatique mais à une méthode de fabrication. Au Moyen Âge, les teinturiers tentèrent la même chose pour leurs textiles en distinguant non pas la teinte mais la qualité du tissu qu'ils teignaient à l'aide de colorants précieux. Naturellement, cela suscitera plus tard des interrogations chez les interprètes de textes médiévaux. En Espagne, le terme *purpura* fut, dès le Xᵉ siècle, non pas le nom d'une couleur mais celui d'un tissu de soie. Cet usage se perpétua dans l'Europe entière jusqu'à la Renaissance, si bien que l'on trouve de nombreux « pourpres » différents, allant du blanc au jaune et du bleu au noir, en passant par le rouge et le vert [16]. Une controverse dans le domaine de l'héraldique suggère qu'au XVIIᵉ siècle le pourpre était devenu une teinte (*cf.* page 82). L'histoire du terme « écarlate », beaucoup plus récent, évoque une semblable progression du domaine matériel vers celui de l'abstraction. Dans la culture juive, ces deux colorants étaient étroitement liés, mais l'adjectif « écarlate » apparut dans le monde germanophone au XIᵉ siècle pour désigner un tissu de laine fine de grande valeur. La littérature ancienne mentionne des « écarlates » de différentes couleurs allant du noir au bleu, en passant par le blanc (non teint) et le vert ; mais, naturellement, puisque à l'époque la fabrication des lainages coûteux s'accompagnait également de teintures de grande valeur (au Moyen Âge c'était le *kermes* rouge vif ou *coccus*), il semble qu'au XIIIᵉ siècle « l'écarlate » le plus courant fût de cette couleur. D'où une certaine confusion entre couleur et tissu. Dans *Merlin*, roman en prose du XIIIᵉ siècle, le terme *escrelate* était déjà le paradigme de tous les rouges vifs et, au siècle suivant, il faisait simplement référence à la teinture rouge [17].

Le mystérieux terme médiéval *perse*, toujours problématique parce qu'il tomba en désuétude au XVIIᵉ siècle, a semble-t-il connu un développement analogue. L'origine et la nature de ce mot ont longtemps résisté à l'analyse : de la même façon, les linguistes ont trouvé qu'il s'appliquait à de nombreuses teintes allant du bleu clair au rouge foncé. Quand il fit son apparition à Reichenau au VIIIᵉ siècle, on l'utilisa comme synonyme de *hyacinthinus*, le bleu violacé. L'un de ses derniers emplois signalés, dans le *Dialogue sur les couleurs* de Dolce au milieu du XVIᵉ siècle, concerne la couleur rouille (*ferrugineo*) [18]. Les chercheurs ne s'accordent pas non plus sur l'origine du mot : certains le font dériver du latin tardif *pressus*, l'une des couleurs du cheval chez Palladius [19] ; d'autres l'associent, par l'intermédiaire de *pressus*, à une série de termes espagnols et portugais qui signifient « noir » [20] ; d'autres encore font remonter ce terme à la fleur du pêcher, habituellement d'un rose bleuté (*persica*), au lilas persan ou au bleu violacé du bleuet (*persele*) [21]. En Europe du Nord à la fin du Moyen Âge, ce terme utilisé pour le tissu désignait manifestement la nuance de bleu la plus sombre et la plus chère (*satblaeu* en flamand). Toutefois, un héraldiste du XVᵉ siècle déclare que le *pers*, s'il est certes bleuâtre, n'est pas aussi sombre que le bleu [22]. Un des textes les plus détaillés, un manuel d'arts ménagers de la fin du XIVᵉ siècle, souligne le problème d'interprétation que pose ce terme. Dans un chapitre sur l'entretien des vêtements, l'auteur anonyme signale que le détergent n'enlève pas les taches sur une *robe de pers* ; « Et se sur quelzconques autres couleurs de drap y a tache de destainture de couleur […] », poursuit-il, comme si le *pers* était une couleur. Pourtant, à la fin de ce passage l'auteur écrit : « Pour oster tache de robe de soye, satin, camelot, drap de Damars ou autre […] », comme si le *pers* était un vêtement plutôt qu'une couleur [23]. Les chercheurs actuels n'approuvent pas l'idée que *perse* dérive de *persan* [24], mais au XIᵉ siècle, l'un des textes les plus anciens mentionne « une tunique de tissu doré *perse* (*tunicam de panno perso inaurato*) qui pourrait bien évoquer une origine persane [25]. Comme « pourpre » et « écarlate », *perse* était peut-être un terme surtout employé pour le tissu, en l'occurrence une soierie d'origine orientale (ensuite imitée en Occident), habituellement sombre, mais qui pouvait s'obtenir dans une variété de nuances différentes. Dans ce cas, ce terme montrerait encore une fois comment les spécialistes de la couleur au Moyen Âge parvinrent à stabiliser la perception fluctuante des nuances en se concentrant sur leur substance matérielle.

Les couleurs de l'héraldique

L'exemple le plus frappant de cette stratégie de stabilisation est sans doute le langage artificiel des blasons héraldiques de la fin du Moyen Âge. Il est étonnant que les anthropologues n'aient jamais entièrement exploité cette obsession pour la lignée et le pouvoir qui est peut-être, dans le monde moderne, l'héritage médiéval le plus visible et le plus attrayant. Le contrat passé en 1541 entre un grand d'Espagne et les moines dominicains de San Telmo au nord du pays, pour lesquels l'aristocrate avait fait construire une nouvelle église et son couvent, est caractéristique de la façon dont les armoiries affirment le statut social. Ce contrat stipule que les armes du donateur et de sa femme devaient être représentées à perpétuité dans la pierre ou en peinture, sur les colonnes, les piles, les murs, les voûtes, les arches, les portes et dans d'autres parties de la chapelle principale, de l'église et du couvent « et qu'aucunes autres armoiries de toute autre personne de quelconque rang ne soit jamais installée ou permise » [26]. À quelques années d'intervalle, cela rappelle les armoiries de propagande du grand mécène

Chevaliers s'affrontant en joute, rôle d'armes militaire, Angleterre, XVᵉ siècle. On sait ici le nom des chevaliers mais lorsqu'ils portaient le casque dans les champs, seules leurs armoiries, conçues selon les règles de l'héraldique par les hérauts, permettaient de les identifier. À l'époque, les couleurs et les teintes du blason étaient l'or, l'argent, le *gules* (rouge), l'azur, le vert et le *sable* (noir, qui tire son nom de la zibeline) ; c'est un vocabulaire aux valeurs fluctuantes. (50)

Henry VIII dans la chapelle du King's College de Cambridge, bien que celles-là n'aient apparemment jamais été réalisées en couleurs. Inversement, des réformateurs comme saint Antonin, archevêque de Florence au XVᵉ siècle, classaient précisément les armoiries parmi les vanités superflues que les églises ne devaient pas arborer [27].

L'héraldique est restée en grande partie l'apanage des généalogistes. Ce n'est qu'au cours des trente dernières années que l'histoire des idées a commencé à se pencher sur la structure de ces témoignages familiaux, en se concentrant moins sur les armoiries historiques que sur celles de personnages fictifs comme les chevaliers de la Table Ronde [28]. Nous nous intéresserons ici au développement du langage du blason qui commença au XIIᵉ siècle et était déjà normalisé dans toute l'Europe au XVIᵉ siècle. À certains égards, il s'oppose au vocabulaire de la couleur auquel les langues européennes sont habituées. L'histoire du blason en tant que langage n'a jamais été faite, mais manifestement il fallut plusieurs siècles pour qu'il adopte sa forme finale. À l'évidence, il fut essentiellement créé par un nombre croissant de hérauts professionnels, garants pour les familles et plus tardivement pour les institutions, du port d'armes ainsi que du contrôle et de la forme de celles-ci.

Dans l'Antiquité, les Athéniens connaissaient les emblèmes ou les symboles de lignage [29]. Pourtant, ce n'est qu'au XIᵉ siècle dans le nord de la France que le bouclier armorié semble avoir été spécifiquement conçu comme moyen de reconnaissance lors du 53 combat [30]. Un émail de 1151 environ, conservé au Mans et à l'effigie de Geoffroi Iᵉʳ Plantagenêt, comte d'Anjou, comporte sans doute l'une des premières représentations authentiques d'armoiries. L'emblème du comte avec ses lions d'or sur champ azur fut signalé en 1123 ou 1127 lors de sa cérémonie d'investiture en tant que chevalier. Il refit son apparition sur les armoiries de son petit-

fils à la fin du siècle [31]. Au début du XIIᵉ siècle, avec la diffusion dans toute l'Europe de la pratique de la joute venue de France, le 50 besoin de signes distinctifs s'imposa [32]. L'accroissement du nombre de hérauts s'accompagna d'un besoin de régulation et du développement de leur métier, mais il fallut plusieurs décennies pour que le langage du blason se spécialise. Les premières descriptions de blasons se trouvent dans les romans de chevalerie français qui utilisent le même vocabulaire (le vermeil ou rouge, le blanc, l'or et l'azur) que celui qu'emploie l'auteur de la *Chanson de Roland*, à la fin du XIᵉ siècle [33]. L'or et l'azur devinrent ensuite des termes techniques du blason car ce sont respectivement le métal et le pigment les plus précieux [34]. Pourtant, à ce stade précoce, d'autres termes servaient tout autant pour décrire le jaune et le bleu. Le *Roman de Troie* de Benoît de Saint-Maure (v. 1155) mentionne aussi des écus argent, vert, *porpre* ou *porprin*, ces derniers termes allant causer une confusion certaine dans le vocabulaire héraldique plus tardif. Une dizaine d'années plus tard, *Érec et Énide* de Chrétien de Troyes met en scène un tournoi près d'Édimbourg (Tenebroc) où les bannières et les écussons sont décrits à l'aide de plusieurs termes pour le bleu et l'or, et d'un autre terme problématique : le sinople. À l'époque, ce terme signifie probablement « rouge » – il est régulièrement associé à l'azur (2097-2119) – mais il sera ensuite synonyme de vert. Les poèmes de Chrétien de Troyes témoignent de l'émergence du métier de héraut, bien que l'auteur eût apparemment peu de sympathie à l'égard de cette profession. Dans *Lancelot : le Chevalier de la Charette* (années 1180), il introduit un tournoi où la reine est informée de l'identité et des armoiries de certains chevaliers non pas par un héraut mais par d'autres nobles qui assistent au spectacle (5773-5799). Auparavant, quand un héraut apparaît dans le poème (5563 sqq), il se méprend sur les armoiries déterminantes que porte Lancelot.

Ce n'est qu'au milieu du XIIIe siècle que des collections d'armoiries (ou « rôles d'armes ») témoignent de l'importance grandissante du héraut et d'une plus grande normalisation des termes utilisés. En France, le rôle d'armes Bigot et en Angleterre le rôle d'armes Glover possèdent un vocabulaire de huit termes : six teintes (ou nuances) et deux fourrures. Désormais, les noms de teintes sont l'or, l'argent (que les deux rôles d'armes appellent aussi « blanc »), l'azur, le gueules, le vert et le sable (dit « noir » dans le rôle d'armes Bigot et parfois dans le rôle d'armes Glover). Les termes pour les fourrures sont l'hermine et le vair [35]. Le nouveau mot qui désigne le rouge est « geules », qui dérive du latin *gula* (gorge) et qui s'utilise pour les colliers de renard, y compris pour la têtc à gueule ouverte, très à la mode au XIIe siècle [36]. Le terme « gueules » apparaît aussi en héraldique par le biais du poème *Le Tournoi de l'Antéchrist* qui l'emploie au moins à partir des années 1230 comme attribut de la luxure et de la gloutonnerie *(gula)* [37]. L'autre terme nouveau est « sable » (la zibeline), qui dérive aussi de la mode des fourrures mais dont la couleur noire procède plus de la teinture que de l'apparence de cette peau. Au XVe siècle, la zibeline est la plus précieuse des fourrures et on la qualifie d'« or noir » [38]. Les deux autres termes dérivent directement des fourrures : l'hermine, une fourrure semi-précieuse – qui sera pourtant la toison la plus prisée du monde arabe à la fin du Moyen Âge [39] – et le vair (l'écureuil *sciurus varius*), dont on voyait déjà les vagues stylisées caractéristiques sur la doublure du manteau de Geoffroi Plantagenêt. À une époque plus tardive, le vair fut généralement considéré comme la fourrure médiévale la plus précieuse, et il donna son nom au métier de fourreur en allemand *(Buntwerker)* et dans les dialectes vénitien, florentin et flamand [40].

Ainsi, le vocabulaire du blason se fondait-il essentiellement sur un critère de valeur : il comportait les deux métaux les plus précieux, les pigments les plus rares (le lapis-lazuli ou outremer) et les quatre fourrures les plus coûteuses. Chez les poètes, le langage héraldique plus relâché s'est aligné sur des goûts aristocratiques, perçus avec une plus grande finesse [41]. La seule surprise dans ce langage ésotérique est la présence d'un vert assez ordinaire et l'absence du pourpre. Il est difficile de surestimer l'importance du vert au Moyen Âge. Nous avons vu que dans l'Antiquité il était considéré comme une couleur moyenne particulièrement agréable et que, pour cette même raison, le pape Innocent III l'avait autorisé dans la liturgie au XIIIe siècle. En cela, il fut rejoint par Guillaume d'Auvergne, auteur scolastique qui appréciait davantage le vert que le rouge car, écrit-il en se faisant l'écho des péripatéticiens, il « est entre le blanc qui dilate l'œil et le noir qui le contracte [42] ». Le problème en français était que « vert », terme depuis longtemps utilisé pour les blasons, prêtait désormais à confusion par son homophonie avec *vair* [43]. Dans la pratique, le problème était généralement contourné par l'emploi de l'adjectif *vairé* [44]. Pourtant, cela dut tout de même présenter quelques difficultés en franco-normand oral ; la solution fut en fin de compte de le remplacer par le terme *sinople*. Ce terme poétique évoque *sinopis* qui, comme dans l'Antiquité, s'employait en général pour désigner le rouge mais qui, paradoxalement, devint synonyme de vert au début du XIIIe siècle [45] – cependant, en poésie le terme *sinople* désignera encore le rouge pendant deux siècles. Dans le traité d'héraldique le plus complet de l'époque, le héraut Jehan Courtois, dit Sicile, doit expliquer à Alphonse le Magnanime, roi d'Aragon et de Sicile, que ce terme signifie « vert » dans un certain contexte ; non pas le vert

banal des teintures et de la peinture, mais le beau vert rafraîchissant de la nature [46]. Néanmoins, dans ce vocabulaire spécialisé, le « vert » était un excellent ajout car c'est un terme ancien et exotique dont seuls les initiés pouvaient comprendre la signification. Bien que ce ne fût jamais une teinte armoriale très répandue, elle était déjà fermement ancrée dans les canons héraldiques du début du XVe siècle [47].

Le pourpre posait aussi problème aux hérauts et, contrairement au *sinople*, il ne fut jamais véritablement accepté. Vers 1250, le peintre et historien Matthieu Paris en fait l'un de ses rouges, au même titre que *rubeus* et *gules*, dans ses descriptions assez précises d'une série d'écussons [48]. De manière prévisible, le problème était précisément là : comme William Caxton le dit dans sa traduction du *Livre des faits d'armes et de chevalerie* (1408-1409) de Christine de Pisan à la fin du XVe siècle : « La seconde couleur est le pourpre que nous nommons rouge [49]. » Le plus ancien traité d'héraldique qui nous soit parvenu (v. 1280-1300) remarque déjà que très peu de gens pensaient que le pourpre était une couleur de l'héraldique. Les seules armoiries anciennes à l'inclure comme teinte distinctive sont celles du roi d'Espagne, dont les lions sont dits *purpure* dans deux copies du rôle d'armes Glover (v. 1235) mais *azure* dans un autre [50]. Un peu plus tardivement, il en alla de même pour le rôle d'armes Walford (v. 1275) qui comporte le mot *azure* dans une copie du XVIe siècle [51]. En Espagne au XVIIe siècle, les héraldistes entretiennent la confusion en employant le terme *purpura* pour le rouge du champ tandis que l'adjectif habituellement utilisé pour les lions était *rojo*, un rouge plus franc [52]. Rien de surprenant à ce que dans l'un des derniers traités classiques d'héraldique, *L'Art du blason justifié* de 1661, le père C. F. Ménestrier cherche à bannir le pourpre, citant le cas contrariant des armes du roi d'Espagne et arguant qu'il est impossible pour les artistes héraldistes de se décider sur la manière de rendre cette teinte : « Les Peintres & les Enlumineurs ne savent quelle couleur employer pour ce pourpre prétendu : les uns le font de couleur de mauve, d'autres de couleur de vin ; quelques-uns de la couleur des maures, qui est un violet obscur, d'autres d'une couleur semblable au sac des meures, qui est plus claire [53]. » C'est en effet à l'héraldique que l'on doit la fin du concept de pourpre royal. Un traité d'héraldique anonyme écrit en France au début du XVe siècle déclare que le pourpre n'est pas une couleur simple mais plutôt un mélange de toutes les autres teintes. Un peu plus tard, le héraut Sicile explique que comme ce mélange en fait « la plus basse » des couleurs, certaines autorités l'ont exclue de leurs canons. En revanche, le même auteur adopte l'idée plus traditionnelle que le pourpre est l'attribut qui convient aux rois et aux empereurs. À l'évidence, il n'avait pas prévu la destinée des armes espagnoles, aujourd'hui blasonnées de gueules [54].

Le sacré et le profane dans la signification des couleurs

La lente assimilation du *sinople* au vert et la quasi-exclusion de *purpure* dans le langage du blason suggèrent que ce vocabulaire très artificiel a recours à l'abstraction : il doit s'écarter du vocabulaire habituel et, en même temps, pouvoir être associé à des objets de grande valeur matérielle. Les quatre fourrures en font partie pour leur valeur monétaire et non pas parce que les animaux dont elles proviennent (le renard, la zibeline, l'hermine et l'écureuil) occupaient une place quelconque dans le bestiaire médiéval, dont la

53

fonction était essentiellement morale. La teneur de ces termes étant si abstraite, comment parvinrent-ils à remplir les fonctions symboliques que les héraldistes et le grand public leur attribuèrent de plus en plus, en particulier aux XIVᵉ et XVᵉ siècles ? En usant d'imagination, de stratégies communes à la symbolique médiévale ainsi qu'en faisant part d'un refus de penser en termes universaux.

Depuis le romantisme et la psychologie jungienne des archétypes, nous pensons qu'un symbole doit être doué d'une validité universelle et qu'il doit répondre, en quelque sorte, à un besoin profondément ressenti. Ce n'est pourtant pas la façon dont on concevait le symbole au Moyen Âge. À l'époque, les symboles étaient des inventions fluctuantes de l'imagination, qu'ils soient adoptés ou non par des institutions telles que l'Église. Ils dépendaient des « couleurs » de la rhétorique, un procédé antique d'amplification et d'embellissement très vivant dans la théorie poétique médiévale ⁵⁵. Ainsi un vieil hymne byzantin pouvait-il comparer la Vierge à une variété d'objets tant naturels qu'artificiels et un manuel de prêche anglais de la fin du XIVᵉ siècle dotait-il le paon de seize significations différentes ⁵⁶. De saint Augustin à Dante, les théoriciens du symbolisme ont souligné cette ambiguïté : au XIIᵉ siècle par exemple, dans sa discussion particulièrement exhaustive sur les symboles, Pierre de Poitiers soutient que le même objet peut avoir des connotations opposées. Le lion était ainsi souvent comparé au diable, à cause de sa férocité, mais aussi au Christ, pour son courage ⁵⁷. Il n'est donc pas du tout étonnant que ceux qui étudient aujourd'hui la symbolique médiévale des couleurs parviennent difficilement à des conclusions d'ordre général sur la signification des couleurs, même après avoir réussi à les identifier. Le *103* pourpre royal de la tunique du Christ pouvait être semblable au rouge écarlate du péché ⁵⁸. Dans le contexte essentiellement profane de l'héraldique, ce besoin impérieux de symboles se satisfaisait en faisant des emprunts éclectiques à des idées religieuses d'une part (solution à laquelle on eut souvent recours à long terme) et, d'autre part, en prêtant du sens aux caractéristiques matérielles des couleurs elles-mêmes.

La volonté de donner du sens aux couleurs de l'héraldique apparut d'abord dans les écrits de Matthieu Paris. Le double champ rouge et noir des armoiries du prince Henri (mort très jeune en 1183) lui faisait penser que le rouge était la couleur de la vie et que le noir était la couleur de la mort ⁵⁹. Il était aussi attiré *52* par l'idée du chevalier porteur du « bouclier de la foi » (*Scutum fidei*, selon la métaphore de l'Épître de saint Paul aux Éphésiens [6:16]), un diagramme théologique dont l'origine remonte probablement à Robert Grosseteste et qui présente les liens du Père, du Fils et du Saint-Esprit sous la forme d'un triangle coloré. Le champ de l'écu est vert, une couleur que l'héraldique plus tardive n'associe apparemment plus à la foi ⁶⁰. Les insignes portant le nom des membres de la Trinité sont en rouge et en bleu ⁶¹. Cette association du rouge, du bleu et du vert fut aussi utilisée dans les dia-*55* grammes un peu plus anciens du théologien italien Joachim de Flore. Dieu le Père y est représenté en beige, son Fils en rouge, l'Esprit-Saint en bleu et le vert y exprime l'unité de la Divinité. Pourtant, il n'y avait pas de distribution normalisée des couleurs chez Joachim de Flore ou chez les artistes du *Scutum fidei* ⁶². Cette image impressionnante est particulièrement intéressante parce qu'elle nous indique que le spectateur du milieu du XIIIᵉ siècle était déjà capable d'interpréter des armoiries en termes moraux ou métaphysiques.

La littérature islandaise du XIIIᵉ siècle nous offre une indication très complète de cette interprétation des armoiries : dans la *Saga de Didreck*, une description saisissante d'une douzaine d'écussons et de leurs détenteurs nous montre que tous les chevaliers qui prennent part au banquet du roi Théodoric de Berne (Didreck) possèdent des armoiries symboliques. Théodoric a un bouclier rouge, tout comme un autre chevalier, Hildebrand, qui lui fait ainsi allégeance. L'attribution d'armoiries semblables pour les membres d'une même famille prouve que l'auteur de la saga connaissait les fonctions de l'héraldique. Son interprétation morale des armoiries se fonde en général sur les animaux qui les ornent mais parfois aussi sur la couleur. Par exemple, Heine le Fier porte un bouclier bleu qui indique sa froideur et sa morosité ; Fasold et son frère Ecke ont des écussons ornés d'un lion rouge dont la couleur reflète le goût pour le combat ; le chevalier Hornbogi de Wendland et son fils Amelung ont des écussons marron, signe de valeur et de courtoisie ⁶³. Cette couleur indique que le poème fut influencé par la culture germanique car le marron, teinte de blason courante en Allemagne à partir du XIIIᵉ siècle, ne trouva sa place dans l'héraldique française ou anglaise qu'un siècle plus tard (avec les adjectifs « tanné » ou *tawny* ») ⁶⁴. Dans la science héraldique tardive, l'association de teintes et de pierres précieuses, dont l'interprétation morale était déjà bien établie, marque un autre développement de la symbolique. Dans plusieurs poèmes héraldiques, Peter Suchenwirt, héraut allemand de la fin du XIVᵉ siècle, utilisa des perles, des rubis, des diamants, des émeraudes, de la nacre et un « saphir brun » dans ses armes ⁶⁵. Vers 1400, cette idée fut adoptée en France et en Angleterre où elle s'étendit immédiatement à un système de correspondances ⁶⁶. Un traité français anonyme conservé à la bibliothèque Mazarine associe à chaque teinte non seulement sa pierre, mais aussi son métal, ses humeurs, son élément, sa planète, ses signes du zodiaque et son jour de la semaine. L'azur évoque ainsi le saphir, les éloges, la beauté, la *hautesse*, le tempérament sanguin, la planète Vénus, le signe des Gémeaux, de la Balance et du Verseau, l'air, l'argent fin (utilisé dans la fabrication d'un certain nombre de pigments bleus très raffinés) et le vendredi ⁶⁷. Au milieu du XVᵉ siècle, le héraut Sicile proposa un projet semblable mais ses correspondances ne sont guère comparables : l'association de l'azur avec le saphir, l'air et le tempérament sanguin lui convenait mais, d'un point de vue moral, cette couleur représentait pour lui la loyauté, la « science » et la justice ; il y voyait un lien avec l'enfance mais aussi avec l'automne ; sa planète était Jupiter et son jour le mardi ⁶⁸. Ces correspondances furent particulièrement en vogue chez les héraldistes anglais du XVᵉ siècle qui introduisirent d'autres variantes locales dans leurs écrits ; ces associations libres semblent plus rhétoriques que pratiques et pourtant, nous savons qu'à la fin du siècle, des hérauts professionnels inspectant le nord de l'Angleterre (pour vérifier des registres familiaux et maintenir les règles de procédure de l'héraldique) utilisèrent le vocabulaire des pierres précieuses ⁶⁹. Il n'est guère étonnant de voir, vers 1420, Thomas, duc de Clarence, recommander dans ses instructions à l'adresse des hérauts la lecture de livres sur les propriétés des couleurs, des plantes et des pierres « pour que par celle-ci ils puissent plus convenablement et plus aisément attribuer des armes à chacun ⁷⁰ ».

L'association des couleurs du blason avec l'astrologie et le calendrier les orienta vers le domaine du costume. Nous savons qu'en Italie au XVᵉ siècle, comme à Naples où Alphonse le Magnanime employait les services du héraut Sicile, cet aspect de l'interprétation de la couleur trouva un écho dans les cours princières. Le gendre d'Alphonse, Lionel d'Este, duc de Ferrare, avait la réputation de choisir la couleur de ses vêtements selon la position des planètes et les jours de la semaine [71]. Alphonse lui-même s'habillait toujours avec soin, montrant une préférence pour le noir qui, comme le héraut Sicile l'explique, était signe de mélancolie et de prudence. À son époque, le noir était la couleur vestimentaire la plus demandée « pour la simplicité qui est en elle » ; c'était l'équivalent du diamant et certaines étoffes noires étaient aussi chères que les tissus rouge écarlate [72].

Comme nous pouvons évidemment nous y attendre, les valeurs morales de l'héraldique s'exprimèrent tout d'abord par le vêtement : l'*Ordene de Chevalerie*, un célèbre poème français du milieu du XIIIᵉ siècle, décrit la façon dont le chevalier, lors de sa cérémonie d'investiture, revêtait une tunique blanche pour montrer la pureté de son corps, puis un manteau rouge écarlate pour se rappeler le devoir qui lui incombait de verser le sang afin de défendre l'Église. Il chaussait ensuite des bas marron censés lui rappeler la terre où il reposerait et, à la fin de la cérémonie, il se parait d'une ceinture blanche en signe de chasteté [73]. L'habit a toujours eu une valeur expressive. Un des premiers débats médiévaux sur le problème de la couleur est la longue discussion (v. 1127-1149) entre saint Bernard de Clairvaux et Pierre le Vénérable : ils s'y demandent si les moines devaient porter du blanc, comme les cisterciens, ou du noir, comme l'ordre plus ancien des bénédictins à Cluny. Saint Benoît lui-même, fondateur du monachisme occidental, a laissé la question ouverte, recommandant le port de l'étoffe la moins onéreuse ou du cuir à disposition, mais Pierre le Vénérable souligne que seul le noir pouvait, dans cette vallée de larmes, exprimer de façon adéquate l'humilité, la pénitence et la pauvreté. Le blanc exprimait la joie et même la gloire, comme dans l'épisode de la Transfiguration du Christ ; il était donc assez peu adapté à cet usage. Pierre le Vénérable avance des arguments anthropologiques, théologiques et historiques ayant trait à la question : le noir, dit-il, est par exemple une couleur funèbre en Espagne. Ce débat nous indique le haut degré de sophistication dans l'interprétation des couleurs [74]. Il nous rappelle l'étonnement du maître de cérémonie du pape Alexandre VI quand ce dernier, lors d'une procession pour calmer la tempête qui avait fait déborder le Tibre et occasionné de nombreuses victimes en 1495, voulut s'habiller de

blanc ; le blanc, devait-il expliquer, exprime « la joie et la réjouissance », et il parvint finalement à convaincre le pape de porter du violet jugé plus convenable [75].

Comme ces exemples le suggèrent, c'est au sein de l'Église que l'expressivité de la couleur du vêtement fut la plus communément reconnue. Toutefois, l'histoire des couleurs de la liturgie démontre aussi qu'il n'y avait pas non plus de consensus dans ce domaine sur la connotation précise des couleurs liturgiques. Le noir et le blanc posaient rarement problème. Le pape Innocent III, instigateur vers 1200 d'un des premiers canons en matière de couleurs liturgiques, suggéra l'utilisation du rouge pour les fêtes des Apôtres et des martyrs à cause de son association avec le sang et avec le feu de la Pentecôte. En revanche, son contemporain Sicard de Crémone soutenait que les draperies et les vêtements sacerdotaux de cette couleur étaient signe de chasteté [76]. Au XIIIᵉ siècle, l'intérêt croissant des hérauts pour la signification des teintes fut très vraisemblablement stimulé par une volonté ecclésiastique d'uniformisation des canons liturgiques qui se reflète dans le très populaire et très volumineux *Rationale Divinorum Officiorum* de Guillaume Durand, évêque de Mende. Le héraut Sicile avait bien sûr fait référence à l'emploi liturgique du rouge pour les fêtes des martyrs et Guillaume Durand renvoya à son vendredi noir qui selon lui convenait à la pénitence du vendredi [77]. D'un point de vue liturgique, le jaune avait la même fonction que le vert − ce qui vient certainement de la confusion dont ils faisaient traditionnellement l'objet − et le violet avait la même fonction que le noir. Cependant, tant dans les sphères profanes que religieuses, les peintres devenaient plus précis dans leur emploi des couleurs allégoriques. Par exemple, dans sa fresque du *Bon Gouvernement* du Palazzo Pubblico de Sienne (1338-1339), Ambrogio Lorenzetti utilise pour ses figures de la Tempérance, de la Justice, du Courage et de la Prudence un code de couleurs qui dérive d'un exposé alors récent sur la signification des pierres précieuses : le bleu, le vert, le diamant et l'escarboucle. Dans sa *Maestà* de Massa Marittima, il va même jusqu'à désigner par des mots et des couleurs les trois vertus théologales que sont la foi, l'espérance et la charité [78]. Incontestablement, la couleur et sa signification prirent une place plus centrale dans la conscience laïque de l'Europe médiévale. Des poèmes d'amour profanes comme *Die Jagd der Minne* de Hadamar von der Laber (1335-1340) comportent de longs passages sur les connotations amoureuses des couleurs qui sont, dans ce cas, au nombre de six : le vert, le blanc,

56

Futur chevalier recevant ses armes, enluminure de la fin du XIVᵉ siècle du *Roman de Troie* de Benoît de Saint-Maure. (51)

Blasons héraldiques

52

La plaque funéraire émaillée de Geoffroi Plantagenêt (**53**) présente le premier véritable emblème héraldique de notre connaissance : des lions rampants sur le boulier et le couvre-chef. Geoffroi porte aussi un manteau doublé de vair dont le dessin stylisé fut repris en héraldique. L'emblème des lions symbolise probablement ce que l'inscription proclame : qu'il était un vaillant défenseur de la foi. Mais ce n'est peut-être qu'un siècle plus tard que les couleurs du blason furent interprétées de manière symbolique. Le chevalier vertueux de Peraldus (**52**) porte le vert de la foi sur son blason mais conformément au caractère inventif du symbolisme médiéval, le vert n'est pas la seule couleur attribuée à cette vertu théologique.

52 Chevalier portant le « blason de la foi », Peraldus, *Summa de Vitiis*, v. 1240/1255.
53 Effigie funéraire de Geoffroi Plantagenêt, v. 1151.

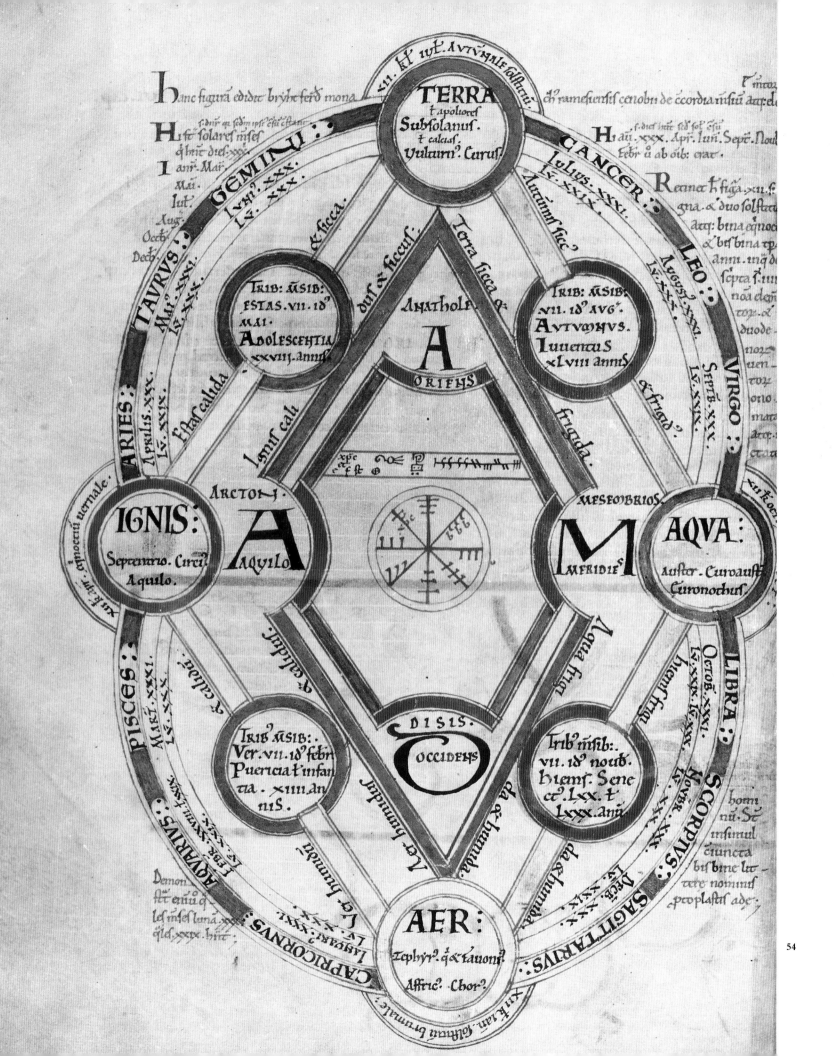

54

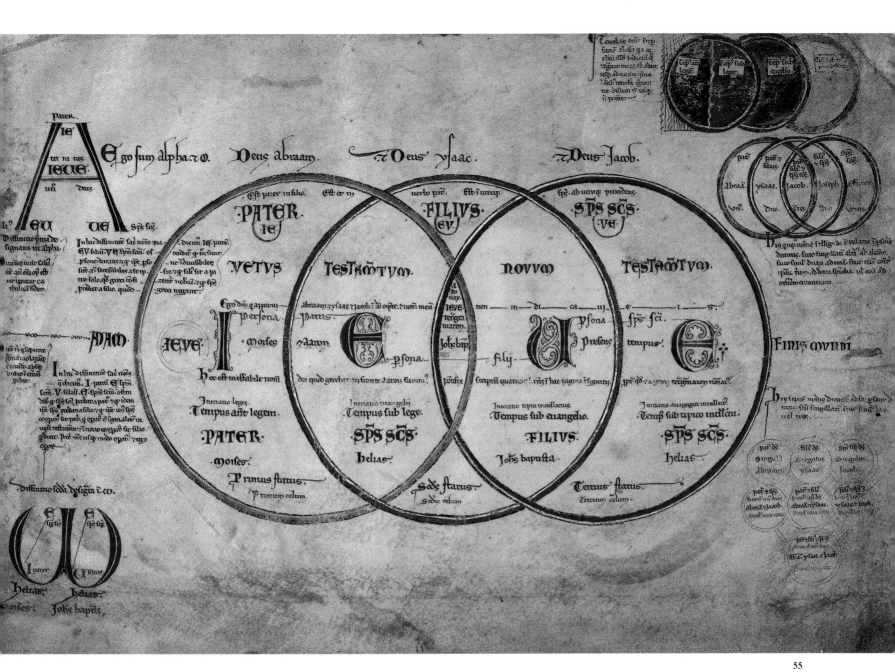

Diagrammes sur la couleur

Le goût médiéval pour les systèmes qui nous ont légué ces
magnifiques diagrammes ne doit pas nous laisser penser que les
couleurs avaient une symbolique incontestable. La corrélation que
Byrtferth établit entre les quatre humeurs, les quatre saisons ou
encore les quatre points cardinaux (**54**) n'est qu'un exemple parmi
de nombreux autres projets similaires attribuant des couleurs aux
quatre éléments. Dans un même manuscrit, Joachim de Flore
attribue, à chaque page, des équivalences de couleurs différentes au
Fils et au Saint-Esprit. La couleur permettait davantage d'embellir
l'imagination que d'exprimer une quelconque notion de vérité
objective.

54 Attribué à Byrtferth de Ramsey, *Le Système
quadruple du Macrocosme et du Microcosme*, d'après
une collection de textes scientifiques, v. 1080/1090
55 *La Sainte Trinité*, Joachim de Flore, *Liber
Figurarum*, XIIᵉ siècle

le rouge, le bleu, le jaune et le noir. Au XVᵉ siècle en Allemagne, un poème populaire, qui allait par la suite devenir un jeu de rimes, fut consacré aux six ou sept couleurs d'une tunique multicolore et à leur interprétation [79].

La signification du blason héraldique s'élargit aussi de façon plus spécialisée et plus savante. À partir du XIVᵉ siècle, le droit d'arborer des écus armoriés particuliers devait se défendre devant la loi [80]. Un juriste italien, Bartolo de Sassoferrato, semble avoir été le premier à établir des critères pour leur attribution. Pour lui, il existait cinq teintes ; selon des critères scientifiques, il soutenait que le doré était la plus noble des couleurs car il représentait la lumière. Venait ensuite le rouge (*purpureus sive rubeus*) puisqu'il représentait le feu, le plus noble des éléments. Ainsi, seules les armes des princes pouvaient comporter de l'or et du rouge. La troisième teinte était le bleu, qui représentait l'air, « un corps diaphane et transparent, particulièrement réceptif à la lumière ». À propos des deux couleurs restantes, le noir et le blanc, Bartole, citant Aristote, affirme que le blanc est noble par sa légèreté et que le noir est moins noble parce qu'il est l'opposé du blanc. Outre le fait qu'elle soit liée à l'organisation de la société, cette hiérarchisation des couleurs pouvait, selon Bartole, avoir également une influence sur l'agencement des armoiries placées sur les écussons ou les bannières : les couleurs nobles devaient se trouver au-dessus des autres [81].

Il semble que même en Italie, ces recommandations très restrictives n'aient pas été respectées. Vers la fin du siècle, Johannes de Bado Aureo (« Jean de la Jauge d'or »), un obscur héraldiste anglais, entreprit une critique des idées de Bartole, armé de références scientifiques beaucoup plus solides. Johannes s'inspire de son maître, un certain François dont on ne sait rien. Maître François divisait les couleurs en trois : le groupe primaire (le blanc et le noir) ; le secondaire (*medius* – le bleu, le jaune et le rouge) ; et le tertiaire (*submedius*). Le noir ne pouvait pas être la couleur la moins noble (bien qu'elle fût inférieure au blanc) car elle appartenait au premier groupe. Dans le second groupe, le bleu venait en premier car il représentait l'« air noble » et que le clair et le sombre s'y trouvaient en commune mesure. Le jaune venait ensuite (*aureus*) et n'était pas aussi noble que le blanc car il était plus éloigné de la couleur de la lumière. Prêtant à confusion, le rouge était aussi à égale distance entre le blanc et le noir ; c'était la couleur la mieux adaptée aux princes parce qu'elle était signe de courage et de férocité. Mais le vert, cette couleur du groupe tertiaire qui est un mélange de deux couleurs secondaires, le bleu et le jaune, ne convenait pas du tout aux armoiries et, de fait, les « Anciens » ne l'utilisaient pas [82]. Contrairement à d'autres héraldistes qui associaient le diamant au noir, Maître François le reliait au bleu. L'une des raisons pour lesquelles le bleu était plus noble que le jaune venait du fait que Dieu l'avait fait envoyer par un ange pour être à la base des armoiries de l'empereur Charlemagne : trois fleurs d'or sur champ azur [83]. Le jaune, pour Maître François, était inférieur parce que, selon Avicenne, il nécessitait l'incorporation du rouge, du blanc et du noir et était produit également à partir de l'une « des plus viles

La foi, l'espérance et la charité forment les marches menant au trône de la Vierge et sont chacune dotées d'une couleur spécifique : le blanc, le vert et le rouge.

56 AMBROGIO LORENZETTI, *Maestà*, v. 1335 (détail).

couleurs au monde », à savoir le vert du troisième groupe. Le rouge était inférieur au bleu parce que, sous sa forme la plus noble (le feu), il requiert la présence de l'air bleu qui l'illumine [84].

Ce jeu sur les composantes de la couleur pour l'élaboration d'une hiérarchie des teintes plus scientifique que celle de Bartole de Sassoferrato est typique de la scolastique tardive et de sa façon de couper les cheveux en quatre. Toutefois, quand, dans les années 1430, l'humaniste italien Lorenzo Valla attaqua l'agencement de Bartole, ce n'était plus au sujet de ses descriptions physiques des teintes, mais en grande partie à propos de l'expérience quotidienne de la langue vernaculaire. Nous voyons, nous dit Valla, que le soleil n'est pas doré, une couleur que nous désignerions par les termes *fulvus, rutilus* ou *croceus*, mais plutôt argenté (*argenteus*) ou blanc (*candidus*). Mais pourquoi le blanc devrait-il être supérieur à toutes les couleurs, comme le veut paradoxalement Bartole dans son traité ? Préférons-nous les perles et les cristaux aux escarboucles, aux émeraudes, aux saphirs, aux topazes ou le linge blanc aux soieries rouges ou pourpres ? Quant au noir, le corbeau et le cygne sont sacrés pour Apollon, et l'œil, seul juge de la couleur, est noir en son centre : ce ne peut donc être la couleur la plus méprisable. Et qu'en est-il de l'ordre des pierres précieuses que Dieu prescrivit pour le décor du pectoral d'Aaron ou pour les murs de la Jérusalem céleste ? Assez parlé, conclut Valla, vouloir établir une loi sur la dignité des couleurs est stupide [85]. Notons que ce n'est pas le principe d'attribution des couleurs en lui-même que Valla tourne en ridicule mais plutôt le système réducteur et illogique de Bartole de Sassoferrato. Après s'être fait expulser par les étudiants en droit de la faculté de Pavie pour cette attaque à l'encontre du juriste, Valla s'installa en 1437 à Naples à la cour d'Alphonse Iᵉʳ dont le héraut Sicile, comme nous l'avons vu, avait intégré dans son *Blason des Couleurs* un très vaste réseau d'associations [86].

Au moment où le système juridico-scientifique de l'héraldique tardive subissait les attaques de l'humaniste italien, François Rabelais, le plus grand auteur français de la Renaissance, tournait en ridicule le système de correspondances plus populaire et moins systématique du héraut Sicile. Suivant la mode de l'époque, Gargantua se doit de posséder un emblème familial blasonné argent (« blanc ») et azur (« bleu »). Le blanc parce qu'il est signe, pour le père de Gargantua, de « joye, plaisir, délices et réjouissance » ; le bleu parce qu'il fait référence aux choses célestes. Cependant, nous dit Rabelais, le lecteur peut y trouver à redire car le blanc symbolise la foi (comme dans la *Maestà* de Lorenzetti) et le bleu évoque la constance. Qui le dit ? Un petit livre ridicule intitulé *Le Blason des Couleurs*, si peu recommandable qu'il ne porte même pas de nom d'auteur et qu'il est diffusé par des camelots. Quelle tyrannie que de vouloir imposer des règles de fabrication des emblèmes « sans aultres demonstrations et argumens valables [87] ». Rabelais poursuit en écrivant qu'il espère lui-même avoir un jour le temps d'écrire un livre qui prouve « tant par raisons philosophicques que par auctoritez reçues et approuvées de toute ancienneté [...] » quelles couleurs existent dans la nature et ce que chacune d'entre elles représente (ce qu'il ne fit apparemment jamais). Plus loin dans *Gargantua*, il aborde les arguments aristotéliciens sur l'opposition du blanc et du noir, employés, de l'aveu de tous, pour la réjouissance et le deuil. Il cite Valla par opposition à Bartole ainsi que divers auteurs antiques pour montrer que le blanc, de la même manière qu'il agrandit le regard, élargit également le cœur. Rabelais conclut en disant que sur les armes de

56

Gargantua, « le bleu signifie certainement le ciel et choses celestes par mesmes symboles que le blanc signifioit joye et plaisir [88] ».

Malgré d'aussi importantes critiques, le décryptage de blasons héraldiques devint l'une des occupations favorites des cours italiennes de la Renaissance. Au début du XVIe siècle, Louis de Gonzague composa un traité sur le sujet (aujourd'hui disparu) qui fut un des sujets de conversation possibles mentionnés dans *Le Livre du courtisan* (1528), le très influent traité de bonnes manières de Balthazar Castiglione [89]. *Del Significato de'colori* de F. P. Morato, ouvrage s'inspirant largement des écrits du héraut Sicile, fut édité une douzaine de fois au cours du XVIe siècle et une version italienne du *Blason* du héraut Sicile, qui avait été publié en français en 1495 puis en 1528, fit l'objet de deux réimpressions à Venise vers la fin du siècle. Une publication italienne rivale, le *Ragionamento di Luca Contile sopra la proprietà delle imprese…* (Pavie, 1574), suivit le même modèle mais choisit un ensemble relativement différent de correspondances entre les teintes et les jours de la semaine (le bleu pour le jeudi, le noir pour le vendredi *et* le samedi). Aucune de ces publications italiennes n'utilise le français héraldique normalisé, que l'Italie n'allait d'ailleurs jamais adopter [90].

L'influence du Moyen Âge sur la perception moderne du blason

L'idée que le blason héraldique incarne un authentique langage des couleurs se renforça dans les traités d'héraldique du XVIIe où cet art prit sa forme actuelle ; au début du XIXe siècle, elle apparut de nouveau dans la grande synthèse romantique sur la signification des couleurs du baron Portal, ouvrage qui exerça une grande influence [91]. Dans sa « loi des oppositions », Portal remit en vogue la notion médiévale de l'ambivalence des symboles par laquelle le rouge, par exemple, pouvait à la fois signifier l'amour et la haine [92]. Même s'il en était conscient, Portal ne parvint pourtant pas à s'accommoder des perceptions esthétiques d'un terme courant comme *sinople*, dont les connotations rouges/vertes illustrent le principe de la complémentarité propre au XIXe siècle [93]. Cette complémentarité dépend en grande partie du phénomène physiologique de la rémanence rétinienne : une vision chromatique en appelant une autre. Au Moyen Âge, le lien entre le rouge et le vert était probablement le plus proche car ils figuraient tous les deux au centre de l'échelle chromatique [94]. On concevait alors la beauté et l'harmonie comme le moyen terme entre deux extrêmes [95]. Dans la seconde partie du Moyen Âge, l'association du rouge et du vert dans le costume était l'un des mélanges les plus populaires, en particulier en Europe du Nord si bien qu'en 1281 et 1287, les synodes de Cologne et de Liège décrétèrent que les prêtres n'avaient pas le droit de porter ces couleurs sans raison particulière [96]. On peut se demander si les motivations derrière cette association de couleurs étaient d'ordre esthétique ou économique : nous savons, quoi qu'il en soit, qu'à la fin du XIVe siècle en Toscane, les couleurs pour ces textiles étaient de loin les plus onéreuses (elles coûtaient trois fois plus cher que le bleu [97]). Dans la perception médiévale des couleurs, il existait d'autres confusions que celle entre le rouge et le vert. Il est peut-être encore plus surprenant de savoir qu'en latin et en français trois mots très employés à la fin du Moyen Âge, *glaucus*, *ceruleus* et *bloi*, signifiaient à la fois bleu ou jaune, deux couleurs perçues comme complémentaires à la fin du XIXe siècle [98]. Ces anomalies s'expliquent peut-être par leur contexte technologique : au Moyen Âge, les

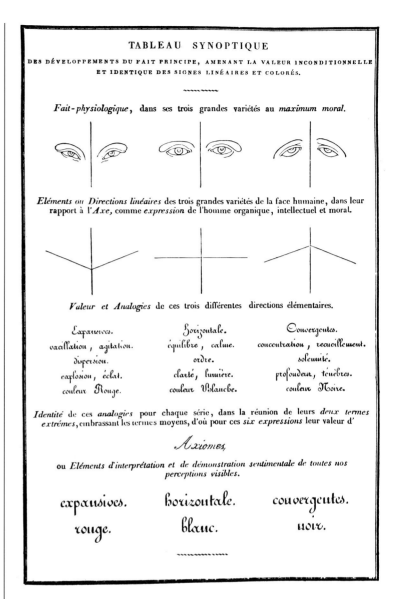

Au cours du XIXe siècle, l'interprétation du symbolisme de la couleur prit une orientation plus psychologique, ce qui eut une incidence sur l'héraldique. « La table synoptique » de 1827 par D. P. G. Humbert de Superville interprète le rouge comme une couleur « violente » et « expansive » ; l'héraldique identifie cette couleur par des lignes verticales, en accord avec son caractère dynamique. (57)

maîtres-verriers utilisaient le même oxyde de cuivre pour fabriquer la verrerie rouge et verte, variant simplement leur temps de cuisson [99]. Lors de la fabrication du colorant bleu à partir de la guède, on pouvait observer une variation chimique analogue, cette fois du jaune vers le bleu. À l'abri de la lumière, les feuilles de la guède sont d'un jaune intense et virent seulement au bleu quand elles sont exposées. Au Moyen Âge, ces deux phases portaient le nom d'*isatis* (guède) [100]. Pourtant, comme nous avons affaire à de vastes communautés linguistiques, cette technologie était peut-être trop spécialisée pour avoir autant d'incidence sur la terminologie. Certains chercheurs pensent aussi que la vision présente certaines déficiences quant à la perception des couples de couleurs rouge/vert et jaune/bleu. Quelle que soit la façon dont on explique ces anomalies, ces exemples de la flexibilité extrême du vocabulaire de la couleur à la période médiévale montrent clairement que la prudence s'impose quand il s'agit de traduire le symbolisme des couleurs dans le langage psychologique moderne, comme on le faisait si fréquemment à la fin du XIXᵉ siècle.

On peut en effet douter de l'importance des couleurs héraldiques par rapport aux formes qu'elles étaient censées embellir. Si les écussons de couleur unie sont très courants dans les romans médiévaux, ils sont presque inexistants dans les armoiries historiques, où le sens a toujours eu tendance à passer par les emblèmes. La plupart des armoiries anciennes étaient représentées sur des sceaux ou des carreaux monochromes [101]. Quand la gravure permit de reproduire les armoiries à partir du XVᵉ siècle, il fallut une centaine d'années avant que n'apparaisse un système graphique capable de suggérer les différentes teintes ; il fallut un siècle supplémentaire avant qu'une telle codification ne fût largement reconnue [102]. Un système flamand de 1623 qui utilisait les hachures pour l'or et les pois pour le bleu ne s'est jamais généralisé [103]. Dans *De Symbolis Heroicis* (1634) et *Tesserae Gentilitae* (1638), P. Silvestre de Petra-Sancta publie le premier code qui allait être adopté de façon générale. Il utilisait des points pour l'or, des hachures verticales pour le gueules, des horizontales pour l'azur etc. En 1639, le traité théorique de Marc de Vulson de la Colombière diffusa très largement ce système [104]. On l'employait encore au XIXᵉ siècle et il alla même jusqu'à s'étendre, par-delà le contexte héraldique, au vocabulaire général de la couleur, par exemple dans les planches du *Natural System of Colours* de Moïse Harris, vers 1776. Paradoxalement, dans le contexte très fortement empreint de psychologie du Paris fin de siècle, ce système graphique, élaboré pour des questions de pure commodité au XVIIᵉ siècle (de nombreuses années après l'acceptation plus ou moins générale d'un code héraldique des couleurs

dans toute l'Europe), fut perçu comme l'incarnation de certaines vérités psychologiques profondes. Déjà à la période romantique, le mythographe D. P. G. Humbert de Superville avait publié un schéma sur les liens entre la direction des lignes et les effets des couleurs, mais celui-ci reposait sur un étrange système de correspondances cosmiques [105]. Dans son *Protracteur* de 1888, Charles Henry, ami de Seurat, donna à ces liens une tournure empirique, psychologique et mathématique. Quelques années plus tard dans un article de la *Revue de Paris*, l'esthéticien Paul Souriau ramène cette question au contexte des hachures des blasons traditionnels :

> On ne conçoit pas à première vue comment il peut s'établir une analogie quelconque entre les traits parallèles tracés dans tel ou tel sens et du vert ou de l'orange. Pourtant les traits horizontaux qui s'accordent mieux que les autres avec le mouvement habituel des yeux, ont quelque chose de plus doux qui les rend propres à exprimer les teintes neutres de la nature, le ton des objets lointains, les nuances doucement dégradées de la mer ou du ciel. Des traits verticaux au contraire, ayant quelque chose de plus contrariant pour le regard, d'anormal et de voyant, exprimeront plutôt des couleurs vives et tranchées. Pourquoi dans les gravures de blason, le rouge est-il précisément symbolisé par des raies verticales et le bleu par des raies horizontales ? […] D'instinct [le graveur] exprimera les différences de couleur par des différences de direction [106].

Souriau écrit à une époque où la psychologie expérimentale, en particulier en France et en Allemagne, permet de voir le choix des couleurs et leurs associations comme l'expression d'états psychologiques. Nous verrons néanmoins que ce procédé était à peine plus fiable que celui qu'utilisaient les créateurs de symboles du bas Moyen Âge.

57

153

Les armoiries de George Field (1777-1854) illustrent la persistance des conventions graphiques dans les couleurs de l'héraldique jusqu'à l'époque moderne. L'or est symbolisé par des points, le bleu par des lignes horizontales. (58)

L'histoire de Noé, d'après la *Paraphrase du Pentateuque et de Josué* d'Ælfric
(XIᵉ siècle). L'enlumineur médiéval a voulu traduire par de nombreuses
bandes les « mille couleurs » que Virgile évoque à propos de l'arc-en-ciel. (59)

6 · Détisser l'arc-en-ciel

De Titien à Testa · Les romantiques · Les couleurs du prisme et l'harmonie
Épilogue contemporain

[…] Tous les charmes ne sont-ils pas rompus
Au simple contact de la froide philosophie ?
Il y avait un arc-en-ciel que nous vénérions autrefois au firmament :
Nous connaissons sa trame, sa contexture ; elle est donnée
Platement dans le catalogue des choses communes.
La philosophie rognera les ailes de l'ange,
Conquerra les mystères à l'aide de règles et de lignes,
Videra l'atmosphère hantée, la mine qu'habitent les gnomes –
Elle détissera l'arc-en-ciel.
(John Keats, *Lamia*, 1819 ; trad. Marc Porée, 1996)

DANS L'UNE des plus anciennes histoires de l'optique, qui date 1772, le chimiste anglais Joseph Priestley remarque que « de tous les phénomènes optiques naturels, *l'arc-en-ciel* est sans doute le plus frappant. En toute logique, nous constatons qu'il a toujours absorbé l'attention des philosophes [1] ». Ce fut le cas, en effet, et cela perdure depuis lors [2]. Priestley affirme par ailleurs que dans l'arc-en-ciel, « *l'ordre régulier des couleurs* était […] une particularité qui ne pouvait échapper à personne [3] ». Or, cette assertion soulève plusieurs difficultés, car la masse de preuves qu'il apporte suggère que ni le nombre de couleurs, ni même leur ordre, n'étaient tout à fait clairs pour l'ensemble des observateurs. De plus, les documents littéraires comme les témoignages visuels livrent une multiplicité d'analyses divergentes. Cela n'est guère surprenant si l'on se rappelle que l'identification des couleurs dans la lumière blanche, selon un spectre désormais banalisé, a rencontré la réticence des spectateurs lors d'expériences en laboratoire, jusqu'à une époque récente [4]. Un jeune observateur ne pouvait, à la fin du XIXᵉ siècle, distinguer que quatre couleurs dans un arc-en-ciel bien net – ce qui devrait nous aider à comprendre la vision, très courante au Moyen Âge, d'arcs à quatre couleurs. L'arc bichromatique, presque aussi fréquent dans l'art médiéval, peut s'expliquer en partie par le caractère saillant du rouge et du vert, encore souvent constaté dans le spectre [5]. Il est clair que la délicatesse des transitions tonales dans l'arc-en-ciel, qui devait pousser certains théoriciens à en faire un modèle de l'harmonie chromatique, est aussi ce qui rend extrêmement difficiles le calcul et la dénomination des couleurs. En cela, le phénomène se prêtait particulièrement à une interprétation orientée par l'un ou l'autre des nombreux dogmes en vigueur.

Comme toutes les manifestations célestes, l'arc-en-ciel et les apparitions connexes de couleur prismatique (telles que les nimbes et les parhélies) ont fait l'objet d'un examen soutenu de la part des astronomes de tout temps et dans nombre de civilisations [6]. Dans la tradition juive, l'arc-en-ciel pouvait être un présage d'espoir, comme dans l'histoire de l'alliance entre Dieu et Noé ; dans la tradition judéo-chrétienne, il pouvait symboliser la puissance divine lors du Jugement Dernier, selon la prophétie

64, 65

d'Ézéchiel (I, 28) ou la Révélation de saint Jean (4, 3). Dans un contexte profane, l'arc-en-ciel pouvait utilement indiquer tour à tour la bonne ou la mauvaise fortune : en 1806, quand Napoléon couronna Frédéric-Auguste de Saxe, un arc-en-ciel apparu dans le voisinage fut interprété comme un bon présage mais il s'avéra de mauvais augure, annonçant la poursuite de la guerre et finalement la partition du nouveau royaume [7].

Malgré son poids symbolique aux plans politique et religieux, l'analyse et la représentation de l'arc-en-ciel demeurèrent un problème insoluble. Les auteurs antiques, d'Homère à Isidore de Séville, en avaient transmis des conceptions où il varie de une à six divisions chromatiques. Ovide et Virgile avaient même suggéré l'impossibilité de les dénombrer, en parlant d'un millier [8]. L'ordre des couleurs n'était pas stabilisé non plus : la séquence bien observée par Aristote, composée de rouge (*phoinicon*), de vert (*prasinon*) et de pourpre (*halourgon*), était devenue à la fin de l'Antiquité : jaune, rouge, pourpre, orange, bleu et vert, sous la plume du philosophe stoïcien Ætius et sous celle de l'historien romain Ammien Marcellin [9]. Les rares témoignages visuels nous étant parvenus fournissent davantage de preuves d'une étude rationnelle du phénomène en lui-même par les Grecs et les Romains. C'est au VIᵉ siècle probablement que l'illustrateur du *Vergilius Romanus*, dont le manuscrit original datait sans doute du IVᵉ siècle, condensa les mille couleurs du poète en une séquence de trois : rouge, blanc et vert [10]. Les mosaïstes, de leur côté, tirèrent le meilleur parti de leurs techniques pour rendre le chatoiement et la luminosité du phénomène. Une remarquable mosaïque de Pergame offre un arc à dix couleurs réalisé avec trente rangées de tesselles, se mêlant aux bords, le jaune étant placé au centre (IIᵉ siècle av. J.-C.). Un fragment bien plus modeste, issu d'un pavement des thermes romains de Thessalonique (IIIᵉ siècle de notre ère), comporte un arc à cinq couleurs : rouge, rose, blanc, jaune et vert, avec le blanc pour centre lumineux, comme l'écharpe d'Iris dans le *Vergilius Romanus* [11].

À l'époque médiévale, il est frappant de constater que de nombreuses représentations de l'arc-en-ciel ont une affinité avec certaines conceptions contemporaines du phénomène visible, quant au nombre et à l'ordre des couleurs, alors que la coloration des autres objets dans l'image est fantaisiste ou conventionnelle. Dans le manuscrit de la *Genèse* de Vienne (VIᵉ siècle), par exemple, l'arc-en-ciel scellant l'alliance de Dieu avec Noé est représenté en deux tons : bleu-vert (l'eau) et rouge (le feu) ; ainsi est-il décrit presque à la même époque dans la huitième homélie sur Ézéchiel de Grégoire le Grand (laquelle fut citée jusqu'à la Renaissance, en dépit du nombre croissant de conceptions antagonistes [12]). D'autres artistes optèrent pour la version aristotélicienne d'un arc à trois couleurs, qui ne manqua pas d'être interprétée comme un symbole de la Trinité, jusqu'au XVIIᵉ siècle [13]. Dans le manuscrit anglo-saxon de la *Paraphrase du Pentateuque et de Josué* d'Ælfric,

64

59

Allégorie du Jugement, Cesare Ripa, *Iconologie*, 1611. (60)

L'arc-en-ciel dans l'histoire de Noé, d'après la *Weltchronick (Chronique de Nuremberg)* due à Hartmann Schedel, 1493. Les quatre bandes sont conformes au système de Théodoric de Freiberg, au siècle précédent. Mais dans un autre passage de la *Chronique*, il est question de deux bandes (rouge et verte), ce qui concorde avec Grégoire le Grand. (61)

l'histoire de Noé est illustrée avec un arc divisé en six bandeaux de couleur, eux-mêmes divisés en plus petites unités. Voilà qui suggérait encore le flou des « mille couleurs » de Virgile, qui était passé dans la glose médiévale de l'Ancien Testament à travers les commentaires de saint Jérôme sur Ézéchiel [14].

Il existe même des exemples médiévaux d'arcs-en-ciel qui se rapprochent de la formule newtonienne aux sept couleurs. L'un d'eux se trouve dans un splendide livre d'heures normand, réalisé dans le deuxième quart du XVe siècle ; l'étude de la réfraction était alors déjà bien avancée en Europe du Nord et en Europe centrale. Pour rappel, Dante avait non seulement ressuscité une théorie des sept couleurs dans sa *Divine comédie*, mais il avait aussi conçu l'arc secondaire comme une réflexion et donc une inversion du premier [15].

Par ailleurs, l'enlumineur du manuscrit d'Ælfric marqua une distinction entre l'arc-en-ciel de Noé, de nature quasiment historique, et d'autres arcs bibliques signalant le Christ en majesté, dont la mandorle n'est décrite autrement dans Ézéchiel et dans la Révélation que par simple analogie avec l'arc-en-ciel [16]. Il semblerait qu'au moment de montrer un événement aussi singulier et signifiant que l'Alliance, l'enlumineur ait tenu à se rapprocher autant que possible de sa vérité littérale. Au XVIe siècle, une tentative similaire se lit implicitement à travers deux images très contrastées du peintre Grünewald : la *Madone Stuppach* qui présente l'un des plus anciens arcs-en-ciel insérés dans un paysage et sans aucun doute l'un des plus admirablement observés, et la *Résurrection* du retable d'Issenheim qui montre une gloire totalement transcendantale [17]. L'arc de Grünewald n'était pas une invention de son cru : il dérivait, de même que le symbolisme très riche du tableau, des *Révélations* de sainte Brigitte de Suède où la Vierge se décrit elle-même comme un arc-en-ciel servant de messager entre la terre et les cieux, par-dessus les nuages ténébreux du péché et du monde

profane [18]. Le peintre n'a pourtant pas suivi sa source de façon servile : on ne voit pas de nuages sombres derrière l'arc [19] et ses extrémités ne sont pas solidement fichées en terre ; enfin, peut-être par l'effet du nimbe de la Vierge, le ciel au centre de l'arc semble réellement plus vivement illuminé. Avec sa sensibilité et son observation attentive de l'arc-en-ciel, ce peintre luthérien s'opposait de manière frappante à Luther en personne. Ce dernier avait d'abord contredit la théorie d'Aristote au motif qu'elle se heurtait à ses propres constats (Luther aurait observé un halo solaire), mais il avait reconnu sa perplexité et, prétextant ensuite que l'œil était moins digne de confiance que la raison, il s'était replié sur la version traditionnelle de saint Grégoire d'un arc bichromatique [20].

Nous avons vu qu'un deuxième emploi de l'arc-en-ciel a son importance dans la symbolique chrétienne, celui qui se rattache à l'Apocalypse. Cette ambivalence du motif persista jusqu'à l'époque romantique. Avant le IXe siècle, l'arc-en-ciel de majesté s'était transformé en trône du Christ (fait de saphirs, selon saint Jérôme [21]) ; c'est le type de Christ en gloire, avec parfois aussi un second arc en guise de repose-pied, qui se développa spécifiquement pour la représentation du Christ-Juge, maintenue sans rupture jusqu'aux réalisations des décorateurs Rococo [22]. C'est encore le type adopté par Cesare Ripa comme emblème du Jugement en soi *(Giudizio)* dans son *Iconologie*, ce dictionnaire des allégories du début de l'âge baroque [23]. Si on lui donnait une interprétation newtonienne, l'image de Ripa pourrait nous conduire à *L'Ancien des jours* de Blake [24]. Mais Ripa abordait en fait l'arc-en-ciel comme son contemporain Tommaso Campanella : il ne représentait pas la réduction à une simplicité rigide, mais l'agrégation de réseaux d'expérience en un complexe psychologique :

> Pour expliquer l'arc-en-ciel, nous dirons que tout homme s'élevant à l'attention publique doit bâtir son jugement d'une multitude d'expériences, tout comme l'arc-en-ciel est le résultat de multiples couleurs apparues et assemblées par les rayons du soleil [25].

De Titien à Testa

L'arc-en-ciel n'apparaît pas seulement comme emblème du Jugement dans l'*Iconologie* de Ripa. Dans son commentaire sur la personnification d'une province italienne, l'Ombrie, il fait aussi une digression exceptionnellement longue sur l'arc qui surplombe les chutes de Piediluce, sur le lac Velino. Ripa prend soin d'expliquer que ce n'est pas un arc-en-ciel ordinaire, mais un arc « unique, qui se forme spécialement les jours où le ciel est très clair [26] ». Le même arc avait été célébré par Pline dans son *Histoire naturelle* (II, lxii, 153) et il devint une importante étape du Grand Tour, à la fin du XVIIIe siècle. Cependant, la part de surprise et d'émerveillement dans le texte de Ripa peut nous aider à comprendre pourquoi, avant cette époque, on évoquait si rarement le phénomène dans les essais de paysage dépourvus de portée allégorique. Si nous considérons ainsi un imagier de la Renaissance, la *Weltchronik* d'Hartmann Schedel (1493), remarquable pour son astucieux système de reproduction des images, nous trouvons parmi une douzaine de comètes et autres manifestations du feu divin, la trace de deux arcs-en-ciel seulement, représentés de manières bien distinctes. L'histoire de Noé comporte un arc à quatre bandes, même si le texte (§ XI) réaffirme la véracité symbolique de l'arc à deux couleurs de saint Grégoire, à l'encontre des tenants de l'arc à cinq ou six couleurs. En revanche, le grand arc-en-ciel visible en complément du feu divin, sous le règne du pape Jean IV, comporte trois couleurs et, d'après le commentaire (§ CLI), il ne manqua pas de signifier pour de nombreux esprits l'approche de la fin du monde.

Certes, les indications de Ripa à propos de l'*Ombrie* et celles de Léonard de Vinci [27], légèrement antérieures, témoignent chez les amateurs d'une curiosité pour l'arc-en-ciel en soi. Mais on n'en trouve qu'un tout petit nombre dans la peinture de paysage du XVIe siècle, genre alors émergent. Le *Départ d'Enneas Sylvius pour Bâle* de Pinturrichio se classe difficilement dans la catégorie du pur paysage, et l'arc-en-ciel et les nuages qui l'environnent ne figuraient pas dans les dessins préparatoires. On pourrait les interpréter comme les signes annonciateurs d'un voyage mouvementé ou bien, à l'inverse, du succès stupéfiant que remporta le pape dans sa mission politique [28]. Mais ils trahissent plus vraisemblablement ce relâchement de l'iconographie du paysage, qu'on a pu remarquer à cette époque et qui pourrait expliquer, comme dans d'autres tableaux, l'apparition d'un arc-en-ciel là où le sujet ne l'exigeait pas [29]. Même si un intérêt se développa pour les effets atmosphériques spectaculaires (comme dans *La Tempête* de Giorgione, *L'Adoration* de Dosso Dossi ou *La Bataille d'Alexandre* d'Altdorfer), les théoriciens du paysage ne prirent pas alors l'arc-en-ciel en exemple de l'étendue chromatique. Pourtant, dans le *paragone*, la comparaison des arts qui fut pratiquée en Italie du début du XVIe siècle avec Castiglione jusqu'à la fin du siècle avec Cristoforo Sorte, c'est précisément la versatilité de la couleur dans la représentation des orages et des ciels nocturnes, des lueurs crépusculaires et des explosions de foudre, qui fut perçue comme la gloire spécifique de l'art du paysage [30].

Au XVIe siècle, l'un des rares peintres italiens à avoir fait grand usage du motif de l'arc-en-ciel est Titien. Il introduisit des arcs d'une complexité extrême, comportant parfois jusqu'à six couleurs, dans ses compositions de *Vénus et Adonis* et *Diane et Callisto* [31]. Chez Titien, les arcs présentent une majorité de tons chauds avec, aux extrémités de leur séquence chromatique, des roses profonds ou des pourpres. Cela est peut-être en partie dû au mauvais état de certaines peintures (abimées ou salies), mais cela s'accorde aussi très bien avec un texte sur l'arc-en-ciel publié à Venise en 1501 dans l'encyclopédie de Giorgio Valla. Valla énumère cinq couleurs dont trois sont des rouges : *puniceum, ostrinum* et *purpureum* [32]. Et ce ne peut être une simple coïncidence si, dans l'un de ses dialogues, le philosophe florentin Antonio Brucioli choisit Titien comme interlocuteur de l'architecte Serlio, pour un débat sur la nature de l'arc-en-ciel. Brucioli, qui affirmait que Titien surpassait la nature par les proportions et les coloris de ses figures, situe la discussion dans la maison du peintre et la fait débuter par une référence à un arc dans l'un de ses tableaux. Titien pose une question sur l'arc-en-ciel de l'Alliance et apprend qu'il comporte les deux couleurs de l'eau et du feu, lesquelles, en équilibre, garantissent à l'Humanité qu'aucun déluge ne surviendra dans un avenir proche. En revanche, l'explication scientifique de l'arc-en-ciel est totalement aristotélicienne, avec les trois couleurs attendues : pourpre *(pavonazzo)*, vert et rouge [33]. Si Titien a jamais lu ce dialogue, il n'a pas dû en tirer grand sens.

66 Durant une majeure partie du XIXe siècle, la *Madone Stuppach* de Grünewald fut attribuée à Rubens [34]. Pour Constable, comme pour Reynolds, les paysages de Rubens signifiaient « des arcs-en-

ciel sur un ciel d'orage, des rayons de soleil, des clairs de lune, des comètes […] ». Constable comptait parmi les chefs-d'œuvre du 67 peintre le *Paysage à l'arc-en-ciel* qui se trouve aujourd'hui à la Wallace Collection de Londres [35]. Ce jugement était typiquement romantique, et même typiquement anglais, car le premier biographe de Rubens, le très prolixe Roger de Piles, n'accorda guère d'attention particulière à ce motif [36]. Néanmoins, il introduisit la notion des « accidents de lumière », dont l'arc-en-ciel constituait à coup sûr l'exemple le plus frappant, notion qui allait devenir un lieu commun de la critique du paysage au XIXe siècle [37]. De Piles avait aussi étudié deux paysages de Rubens avec arc-en-ciel, figurant dans la collection de Richelieu. D'autre part, on pouvait voir dans des collections anglaises, dès le début du XIXe siècle, des copies de cinq paysages de ce type sur les sept connus actuellement [38]. De toute évidence, ce goût avait partie liée avec l'engouement des Britanniques pour la météorologie.

Rubens employa l'arc-en-ciel pour accompagner tout autant le désastre (comme dans *Paysage avec le naufrage de saint Paul*, Adler 36) que l'espoir de la moisson estivale. Il est probable qu'il se soit penché sur les qualités picturales du motif dans l'entourage romain d'Elsheimer, car il existe un petit panneau dû à Johann König, un imitateur de celui-ci, représentant *le Chemin vers Emmaüs*, et où apparaît non sans hardiesse un arc-en-ciel [39]. De Piles affirme que *Paysage* fut peint en Italie et le paysage à l'arc-en-ciel du Louvre est également classé dans la période italienne de l'artiste (tandis que l'on juge plus tardive la version de l'Hermitage) [40]. Très vite, l'intérêt de Rubens pour ce phénomène s'accrut et ne fut plus cantonné aux paysages : il se mit à introduire des arcs-en-ciel dans des tableaux de figures. Le premier d'entre eux est sans doute *Junon et Argus* (v. 1610) dans lequel il 114 ajouta Iris et son emblème au récit ovidien du berger aux cent yeux. Le tableau fut réalisé à l'époque où Rubens travaillait aux illustrations du traité d'optique de François d'Aguilon : c'est pourquoi on a pu l'interpréter comme une allégorie de l'optique et de la couleur en particulier [41]. Il se peut aussi que cette toile ait marqué le point de départ d'un intérêt croissant pour l'arc-en-ciel, car le peintre en peignit rien moins que trois dans le cycle grandiose de *La Vie de Marie de Médicis*. Sur l'un d'eux notamment, il eut une discussion avec son conseiller Peiresc, ce dont atteste sa correspondance [42]. La présence de ces arcs ne semble pas uniquement dépendre de l'extraordinaire bonne fortune de la Reine, dont l'ancêtre Catherine de Médicis avait pour insigne un arc-en-ciel, avec la devise *Luce apporto, e bonaccia* (j'apporte la lumière et le retour au calme) [43]. Certes, Rubens a pu vouloir le rappeler, même si, comme dans d'autres scènes du cycle, il ne s'agit pas d'une confusion d'identités [44].

Les arcs-en-ciel symboliques de Rubens étaient faits de rouge, de jaune et de bleu ou vert. Dans ses paysages, les arcs sont bien plus complexes et attestent d'une observation approfondie, quoique un peu brouillonne – ce dont les critiques auraient pu lui savoir gré. C'est peu de temps après l'achèvement du cycle Médicis en 1625, que Descartes acheva sa théorie de l'arc-en-ciel, théorie fondamentale au plan mathématique et par ses principes novateurs d'examen et d'expérimentation [45]. Mais Rubens, comme Goethe qui lui pardonnait ses éclairages illogiques en raison des impératifs supérieurs du savoir-faire pictural [46], était seulement un (proto)romantique, parce que tous les adjectifs lui vont. Pour les peintres et les critiques du mouvement romantique, aux

Le Triomphe de la Peinture sur le Parnasse, par Pietro Testa, témoigne de l'obsession de ce peintre pour l'arc-en-ciel. Goethe possédait un tirage de cette gravure. (62)

yeux desquels l'observation comptait autant que l'imagination, c'est sa désinvolture à l'égard des données du plein air qui contribua à le ramener au rang de simple modèle technique. À propos du tableau de la Wallace Collection, sans doute bien plus sombre au XIXᵉ siècle qu'il ne l'est aujourd'hui, Ruskin note que l'arc-en-ciel est « d'un bleu terne, *plus noir* que le ciel, dans une scène éclairée du côté de l'arc. Il ne faut pas reprocher à Rubens son ignorance de l'optique mais de n'avoir pas pris la peine de regarder avec soin un arc-en-ciel [47]». Turner, qui put voir le tableau du Louvre en 1802, n'est pas moins sévère :

> [L'œuvre] me semble la peinture la plus réfléchie. Pourtant, comme tous ses autres paysages, il est défectueux en termes de lumière et de propriétés naturelles. La figure de la femme en bleu attire l'œil et l'empêche de se perdre dans les lignes embrouillées et mal conçues ; quant aux figures du milieu qui sont éclairées du côté opposé, c'est une preuve qu'il voulait sa lumière de ce côté et qu'il préféra commettre une erreur que de prolonger la lumière sur le sol jusqu'à la zone de ciel. Puis l'œil est guidé par le jaune dans les arbres jusqu'au ciel et, de là, jusqu'à l'arc-en-ciel qui est dur et criard par l'emploi du bleu vif au dernier plan – ce qui est un autre exemple de ses distorsions des effets naturels, dont il était ignorant [48].

C'est sans conteste au XVIIᵉ siècle que nous devons chercher une approche résolument proto-romantique de l'arc-en-ciel, mais on la trouvera moins chez Rubens que chez Jacob Ruisdael ou Pietro Testa.

De même que, selon Goethe, Rembrandt était le penseur parmi les peintres du XVIIᵉ siècle, Ruisdael était le poète. C'est en raison de sa poésie et de son économie de moyens (si éloignée de l'exubérance d'un Rubens) qu'il fut admiré par des artistes romantiques aussi dissemblables que Delacroix et Samuel Palmer, Constable et Caspar David Friedrich. L'intelligence que ces peintres avaient de Ruisdael se limitait à une interprétation symbolique de son iconographie. Nulle toile ne s'y prête mieux que le *Cimetière juif* avec son explosion de couleurs ; il en existe deux versions, aujourd'hui à Dresde et à Detroit. C'est à propos de la seconde que John Smith écrivit ceci en 1835 :

> La grandeur et la solennité de la scène sont renforcées au plus haut point par les nuages orageux qui déferlent, et au milieu desquels on peut entrevoir les couleurs évanescentes d'un arc-en-ciel. Avec ce merveilleux tableau, l'artiste a de toute évidence voulu transmettre une leçon de morale sur la vie humaine et le sublime des sentiments et des effets qui parcourent toute la composition, l'élève à la hauteur du magistral Nicolas Poussin [49].

Cette interprétation de Smith ne diffère pas en substance du commentaire de Goethe sur le tableau de Dresde [50]. Pourtant, ni l'un ni l'autre ne semblent avoir su qu'il s'agissait d'un cimetière juif, et que Ruisdael en avait fait plusieurs études au crayon, étonnamment détaillées [51]. On ne sait rien du contexte de la commande, cependant, si l'arc-en-ciel introduit par le peintre est le symbole chrétien du jugement ou le symbole juif de la réconciliation, il est clair que ces toiles signifiaient pour Ruisdael, comme plus tard pour les romantiques, bien plus qu'une topographie pittoresque.

Le cas du peintre de Lucques, Pietro Testa, est diamétralement opposé, car si nous sommes bien informés sur l'homme, très peu de ses œuvres nous sont parvenues. Goethe possédait plusieurs de ses gravures, dont deux comportaient un arc-en-ciel [52]. Cette exception faite, Testa semble avoir été pratiquement ignoré des romantiques, alors que son état d'esprit et sa manie de l'observation (grandement stimulée par Léonard de Vinci) auraient pu le leur rendre sympathique. Son biographe Baldinucci écrit au XVIIᵉ siècle :

> Son tempérament était parfois mélancolique et, en conséquence, il avait toujours une inclination particulière pour les objets très anciens et pour les représentations de scènes nocturnes et de variations de l'atmosphère et du ciel. Ses œuvres démontrent combien il lui fallut se consacrer à l'étude d'après nature, jusqu'au jour d'un funeste accident. Il se trouvait sur les rives du Tibre, concentré à observer et dessiner des reflets d'arc-en-ciel sur l'eau, quand soudain, peut-être poussé par quelqu'un, ou bien à cause d'un glissement du terrain, ou pour quelque autre raison que j'ignore, il tomba dans le fleuve [53].

Testa mourut noyé en 1650. On trouve d'autres récits de sa mort chez Baldinucci [54] ; mais quelles qu'en fussent les circonstances, on peut dire qu'il fut le premier martyr de l'optique. En effet, certains préceptes qu'il laissa dans ses notes sur la peinture, tout en expliquant pourquoi il peignit si peu de tableaux, révèlent la minutie et la qualité « scientifique » de ses préparations :

> La pratique de la peinture consiste en une observation continuelle du beau, et en son assimilation, pour ainsi dire, par les yeux, et avec l'usage des mains pour le mettre en pratique dans les lignes, les couleurs et le clair-obscur, toujours en imitant et en cherchant simultanément à découvrir pourquoi l'objet perçu est et semble être ce qu'il est. […] De l'imitation nous passons peu à peu à l'observation

TAB. LXVI.

Les arcs-en-ciel et leurs conditions d'apparition firent l'objet de recherches et de théories dès l'Antiquité. Jusqu'à la fin du Moyen Âge, on croyait que l'arc-en-ciel était une sorte de réflexion du soleil sur un nuage noir, avant de comprendre qu'il résulte de la réfraction variable de la lumière à travers des gouttes d'eau. Ce phénomène est représenté par des cercles dans cet élégant diagramme de J.-J. Scheuchzer (XVIIIᵉ siècle). Il montre l'effet de la réfraction simple dans l'arc primaire, inférieur, et celui de la double réfraction (avec un ordre des couleurs inversé) dans l'arc secondaire, supérieur ; l'arc circulaire, enfin, est représenté dans la nuée vaporeuse d'une chute d'eau. Cette planche est directement fondée sur les travaux d'Isaac Newton (*Optique*, 1730), mais elle remplit en même temps une fonction bien plus traditionnelle d'explication de l'arc-en-ciel comme signe biblique de l'Alliance de l'homme avec Dieu dans la Genèse.

63 La formation de l'arc-en-ciel, J.-J. Scheuchzer, *Physica sacra*, 1731.

63

GENESIS Cap. IX. v. 12.17.
Iridis demonstratio.

I. Buch Mosis Cap. IX. v. 12.17.
Untersuchung des Regenbogen.

64

64 L'Alliance avec Noé, *Genèse* de Vienne, VIᵉ siècle.
65 L'Arche de Noé, livre d'heures, Normandie,
v. 1430-1440.
66 MATTHIAS GRÜNEWALD, *Madone Stuppach*,
1517-1519.

L'arc éclatant
de la promesse

L'iconographie chrétienne abonde en
représentations d'arcs-en-ciel, mais ils sont
rarement d'apparence similaire. Pour la scène
de l'Alliance avec Dieu, l'artiste paléochrétien
de la *Genèse* de Vienne utilise un système
bichromatique : le vert d'eau symbolise le
Déluge et le bandeau rouge inférieur le feu
du Jugement Dernier (**64**). L'enlumineur
normand a peut-être eu connaissance des
recherches du XIVᵉ siècle suggérant que les
couleurs étaient formées, dans l'ordre du
prisme, par réfraction lumineuse, car il peint
un arc-en-ciel comportant les couleurs du
spectre (**65**). À la Renaissance, Grünewald
illustre l'analogie entre la Vierge et l'arc-en-
ciel, qu'il avait trouvée dans les *Révélations* de
sainte Brigitte de Suède (**66**). Peut-être
reprend-il aussi une métaphore plus ancienne
de la Vierge comme arc-en-ciel, due à saint
Bonaventure (*Laus Virginus*, 6), qui insiste sur
le bleu comme symbole de la virginité et sur
le rouge comme symbole de la charité – deux
couleurs saillantes dans l'arc de Grünewald.

65

Le phénomène naturel

68

La beauté mystérieuse de l'arc-en-ciel a souvent été observée et traduite en peinture, mais ce sont surtout les maîtres hollandais et flamands qui l'introduisirent dans le répertoire du paysage. Ruisdael conserve des intentions symboliques, puisqu'il peint un arc-en-ciel entre des ruines, des tombeaux et une rivière, comme une image du transitoire et de la mort (**68**). Rubens, en revanche, semble s'être intéressé principalement à son effet de luminosité (**67**). Son traitement de l'arc-en-ciel, en rose, bleu et jaune, pour l'essentiel, est souvent peu crédible du point de vue de l'éclairage, pourtant ses arcs ressemblent plus à des phénomènes atmosphériques, dans leur délicatesse, qu'aucune autre représentation antérieure au XIXe siècle.

67 PIERRE-PAUL RUBENS, *Paysage à l'arc-en-ciel*, 1636-1637.
68 JACOB VAN RUISDAEL, *Le Cimetière juif*, 1654-1655 (détail).

67

69

Les utilisations de l'arc-en-ciel

Comme il comprend toutes les couleurs de la lumière dans un ordre donné, l'arc-en-ciel offrait aux peintres une « clé » naturelle pour atteindre l'harmonie chromatique. Angelika Kauffmann et son ami Goethe s'y intéressaient tous les deux (**69**) – mais Goethe, l'anti-newtonien, disposait ses couleurs selon une séquence « aristotélicienne » (générée à la jonction de la lumière et de l'obscurité, à travers un prisme), avec le bleu au sommet (**70**). À l'époque romantique, rendre la fugacité de l'arc-en-ciel devint pour les peintres une façon recherchée d'éprouver la précision de leur regard et leur habileté d'exécution. Si l'on en croit son inscription sur l'aquarelle, Glover peignit l'arc-en-ciel « pendant le temps que dura l'effet » (**71**). Turner, quant à lui, brossa rapidement les variations lumineuses dans son minuscule carnet (**73-74**). Dans les années 1830, l'intérêt croissant de Constable pour les phénomènes inhabituels le conduisit à garder la trace de cet extraordinaire arc double, apparu près de chez lui à Hampstead (**72**).

70

69 ANGELIKA KAUFFMANN, *Autoportrait en « Peinture »*, v. 1779.
70 D'après JOHANN WOLFGANG VON GOETHE, *Paysage de montagne à l'arc-en-ciel*, 1826.
71 JOHN GLOVER (1767-1849), *Un arc-en-ciel*.
72 JOHN CONSTABLE, *Londres vu des hauteurs de Hampstead, avec un double arc-en-ciel*, portant l'inscription « entre 6 et 7 heures du soir, juin 1831 ».
73-74 J. M. W. TURNER, *La Cathédrale de Durham avec un arc-en-ciel*, 1801.

71

72

73

74

La forme la plus pure d'arc-en-ciel artistique : la série des *Rainbow Splashes*
(Éclaboussures d'arc-en-ciel) réalisée et photographiée par Andy Goldsworthy
en 1980, en des lieux reculés de la campagne anglaise – exactement dans le
sillage des arcs admirés par les voyageurs (comme celui de Scheuchzer, 63)
visitant les chutes suisses et italiennes depuis l'époque classique.

75 ANDY GOLDSWORTHY, *Rainbow Splash, River Wharfe, Yorkshire, octobre 1980.*

et de là, à la certitude mathématique. […] Quand une bonne technique a été acquise, nous passons à la compréhension des causes. Quand celles-ci sont comprises, puisque nous sommes bien informés et impatients, nous commençons à travailler au tableau [55].

Testa plaça un arc-en-ciel dans sa toile du *Triomphe de la Peinture* et dans la gravure qu'il en fit. On a perdu la trace du tableau, mais à en juger d'après la piètre photographie qu'il en reste [56], il semble que le peintre ait compris les contrastes lumineux à l'intérieur et à l'extérieur de l'arc (la bande sombre d'Alexandre) et qu'il ait compté six bandes de couleurs. Tout cela conforte assez les informations de Baldinucci sur sa curiosité. En tant que symbole de la science des couleurs, l'arc-en-ciel devint un lieu commun sur les frontispices de traités d'optique et de manuels de peinture. Mais c'est en tant que concept qu'il suscita l'attention des romantiques, car il suggérait une zone où l'art et la nature pouvaient se rencontrer sur un pied d'égalité : la brève carrière de Testa et l'intensité de sa recherche en optique annoncent le travail et les théories du peintre allemand Philipp Otto Runge.

Les romantiques

Si les artistes romantiques curieux des questions chromatiques et météorologiques allèrent puiser l'inspiration chez leurs prédécesseurs des XVIe et XVIIe siècles, cela tient au fait que la tradition paysagiste du XVIIIe n'avait guère mieux à leur offrir en comparaison. Elle avait suivi, peu ou prou, les styles du Lorrain, de Salvatore Rosa, de Nicolas et Gaspard Poussin, lesquels n'avaient d'ailleurs pas employé les effets de lumière des plus extravagants. Quand Watteau ou Gainsborough prenaient exemple sur des paysages rubéniens, ils en éliminaient les observations les plus originales. Enfin, le mouvement pittoresque qui eut sur l'art du paysage l'influence la plus marquée à l'échelle internationale ne fut pas plus favorable à la science des couleurs, car il proposa également une série de normes, elles-mêmes fondées sur l'expérience de Salvatore Rosa, des Poussins et du Lorrain. Rosa semble avoir été le premier peintre à appliquer l'adjectif « pittoresque » à des paysages ; pourtant, et cela est très révélateur, dans une lettre à G. B. Ricciardi en mai 1662, où il ne tarit pas d'éloges sur les vues de montagnes entre Loreto et Rome, il ne décrit que rapidement les chutes de Terni, sur le lac Velino (ces chutes qui allaient devenir, à l'époque romantique et de manière ininterrompue, un lieu d'étude de l'arc-en-ciel), évoquant seulement l'*orrida Bellezza* (effroyable beauté) des cascades et des embruns emportés sur une demi-lieue de longueur [57]. Bien sûr, il est possible que Rosa soit passé là par mauvais temps et n'ait pu voir d'arc-en-ciel. Pareillement, un siècle plus tard, son émule anglais, William Gilpin, jamais ne rapporta avoir vu le moindre arc-en-ciel dans ses voyages, alors qu'il avait parcouru les Îles britanniques des années entières ; il préparait ainsi une dizaine de guides sur les vues pittoresques, qui furent largement lus en Europe, si l'on en juge par les nombreuses traductions et satires qui en furent publiées. Gilpin donne des recommandations si timorées en matière de couleur qu'on l'imagine mal conseiller d'introduire un arc-en-ciel dans un paysage, même s'il en avait vu. Ce n'est qu'après sa mort que certaines de ses vues furent rehaussées en couleurs et dotées d'arcs-en-ciel, dans l'édition de John Heaviside Clark des *Practical illustrations of Gilpin's Day* (1811) [58]. Non que Gilpin ne portât aucun

intérêt aux variations climatiques ; il les avait même étudiées durant plusieurs années, dans l'intention de publier un ouvrage de prévisions météorologiques [59]. Peut-être est-ce précisément cette quête de données régulières, d'une norme, qui lui fit suggérer aux artistes « d'éviter toute apparence inhabituelle dans la nature » [60]. En revanche, pour la génération suivante l'attrait provenait de tout ce qui était hors du commun ; et grâce à l'habitude de l'observation, même l'exceptionnel devint normal.

Les arcs-en-ciel permanents au-dessus des cascades de Tivoli devinrent des attractions touristiques incontournables dès le début du XIXe siècle [61]. Un voyageur anglais écrivit à ce propos en 1830 :

> En différents points de vue, se trouvent de petites cabines […] pour le confort des artistes et autres visiteurs. […] Les arcs-en-ciel sont très variés, selon l'angle sous lequel on les voit : depuis le milieu, où la rivière surgit du tourbillon de la grande cascade pour plonger dans un autre, le courant semble peint avec une large couche de plusieurs couleurs, qui ne sont jamais rompues ni mélangées, jusqu'à ce qu'elles soient lancées en l'air dans une nuée de gouttelettes où elles se mêlent en mille éclats chamarrés. Plus haut, un arc irisé enjambe la verdure humide de la colline qui s'élève le long de la cascade ; et, à mesure que les embruns tourbillonnants s'élèvent en plus ou moins grande quantité, l'arc change constamment et rapidement de coloration, disparaissant tout entier parfois et brillant d'autres fois d'un éclat des plus soutenus. Le guide m'a dit que la nuit, la lune engendre un arc blanc sur la colline [62].

Aux abords des célèbres cascades de Terni, le pape Pie VI avait fait construire un pavillon d'été, et d'autres abris furent installés pour les touristes en des endroits stratégiques d'où la vue sur les arcs était la meilleure [63]. Même en Suisse, où tant d'autres sublimes paysages pouvaient séduire le voyageur, les arcs-en-ciel sur les chutes de Schaffhausen devinrent un site classique ; les peintres suisses de *vedute*, tels que Caspar Wolf, commencèrent dans les années 1770 à en introduire dans leurs œuvres [64]. En 1816, Byron fut fasciné aux chutes de Jungfrau par un arc « pourpre et or principalement, changeant quand on change de place ; je n'ai jamais rien vu de comparable [65] ». Pourtant, l'excitation de la découverte sera mieux illustrée par les textes de trois peintres du XIXe siècle.

En 1823, dans une lettre à sa fiancée, le paysagiste Carl Rottmann décrivit « un indescriptible effet d'orage » sur Murnau, un village montagnard au sud de Munich, plus tard rendu célèbre par Kandinsky et Münter :

> L'atmosphère était d'un gris rougeoyant, comme les eaux noires du Wallersee et les montagnes de l'autre côté du lac. Sur ma droite, une des chapelles du monastère dans le bois de pins était éclairée sur une colline verte. Sur ma gauche, un arc-en-ciel plongeait dans les eaux. Et au milieu de sa courbe, un rideau de pluie rouge s'abattait à travers les éclairs. La stupéfaction et le frisson que j'en avais auraient pu me faire tourner la tête, si cela avait duré un peu plus longtemps. Mais ce genre de vision me laisse une impression tout à fait remarquable […], un étrange sentiment confus […] d'une vie inconnue, du monde des esprits [66].

Une dizaine d'années plus tard, le jeune peintre français Paul Huet visita le vallon d'Enfer en Auvergne et rapporta une expérience similaire dans une lettre à sa sœur : « Je n'avais rien vu de si extraordinaire, vingt, trente lieues d'horizon tout autour de moi ; à mes pieds les précipices les plus sauvages, au-dessous de moi, du côté

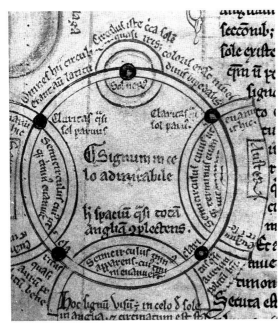

Le phénomène rare et étrange de la parhélie, un arc formé dans des cristaux de glace autour du soleil, tel qu'il fut transcrit par deux peintres distingués. Matthew Paris représenta la « merveille dans le ciel » qu'il put voir en 1233 ; John Sell Cotman immortalisa le phénomène « curieux et magnifique » dans un dessin de 1815. (76, 77)

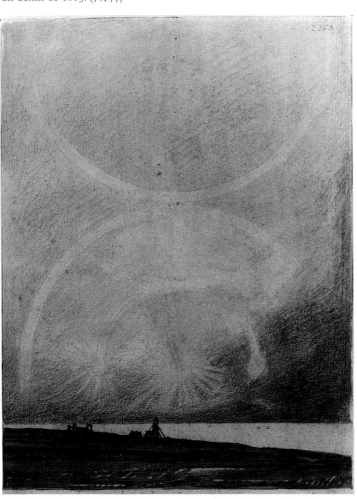

par où nous étions venus d'épais nuages d'où sortaient des arcs-en-ciel ; au dessus de ma tête un ciel serein […] [67]. » En 1850, l'Américain C. R. Leslie, peintre de genre et biographe de Constable, consigna dans son journal sa première vision d'un arc de lune, phénomène naturel des plus rares et des plus romantiques :

> Je remarquai, comme on le voit souvent dans l'arc solaire, que la brume sur laquelle il se détachait était d'une ombre plus dense et plus uniforme à l'extérieur de l'arc. Les couleurs du prisme n'étaient pas perceptibles à l'œil, et l'arc paraissait d'une douce lumière pâle, quasi blanche. Il avait l'air d'être le fantôme de ce magnifique arc double que j'avais vu le matin, presque à la même place dans le ciel [68].

Constable, quant à lui, retraça dans une aquarelle remarquable un *72* effet d'arc-en-ciel peu courant au-dessus d'Hampstead Heath ; John Sell Cotman dessina en sépia le phénomène « curieux et splendide » de parhélie qu'il put observer en 1815 [69] et Samuel *77* Palmer, enfin, dans un carnet de jeunesse projeta en 1824 de peindre « un crépuscule sur Saturne avec l'anneau coloré d'une autre teinte et […] toutes sortes de couleurs […]. Ou bien […] comme un gigantesque arc-en-ciel [70] ». Mais ces manifestations plus énigmatiques dépassent rarement le stade peu ambitieux du mémento. Rotman, par exemple, n'introduisit que des arcs banals dans les paysages grecs qu'il peignit pour Louis Ier, roi de Bavière [71]. De même, les arcs-en-ciel présents dans les grands paysages de Constable sont relativement classiques. Je n'ai pu découvrir qu'un seul arc de lune, de grande taille, dans une peinture atypique et merveilleuse de Caspar David Friedrich [72]. En *78* Angleterre, dès 1808, un critique anonyme ayant rapporté plusieurs apparitions de halo lunaire, s'exclama : « Pourquoi cela ne devrait-il pas attirer autant l'attention en Art que dans la Nature [73] ? » Et pourtant, le seul exemple que je connaisse d'un phénomène si rarement rencontré est le halo solaire peint par Turner dans *Staffa : la grotte de Fingal* (1832) [74]. L'expérience qui fut à la source de ce tableau affecta profondément l'artiste, comme le suggère la lettre qu'elle occasionna, l'une des rares où il traitât directement de peinture [75].

Ces exceptions météorologiques ne constituaient pas seulement pour les paysagistes des problèmes d'observation mais aussi, comme nous l'avons vu, des problèmes de tradition picturale. Joshua Reynolds, dans un passage assez confus du quatrième de ses *Discours* (1771), n'approuve pas l'emploi des « accidents de lumière » dans la peinture de paysage. Son successeur à la présidence de la Royal Academy, Benjamin West, nota en 1813 à propos de la colline de Bromley au sud de Londres « la fraîcheur des champs et l'apparence générale du paysage » mais observa que « malgré leur agrément dans la nature, de telles vues et de telles couleurs n'avaient pas leur place dans la peinture de paysage [76] ». Néanmoins, vers la fin du XVIIIe siècle, peut-être grâce aux suggestions de Roger de Piles, commença à s'imposer l'idée qu'un paysage puisse être animé par un ciel et une atmosphère variables. Dans ce domaine, les pays du nord étaient plus avantagés que ceux du sud. Un essai sur le paysage, publié en Angleterre dès 1783, présente cette argumentation : « Nous avons […] un grand avantage sur l'Italie, dans l'extrême variété et la beauté de nos ciels septentrionaux : leurs formes sont souvent charmantes et magnifiques, il y a tant de mouvement dans le passage des nuages. Tout cela est pratiquement inconnu dans la placidité de l'hémisphère sud [*sic*] [77]. » Dans une lettre de 1838, Paul Huet se plaint d'être ori-

Caspar David Friedrich, *Paysage avec arc de lune*, 1808. Friedrich, comme Turner (85), s'intéressa à l'arc-en-ciel sous toutes ses formes. Son paysage de montagne, manifestement éclairé par la lune, procure le spectacle peu commun d'un arc de lune étrangement fuselé. (78)

ginaire du nord, ce qui lui rend si difficile de traiter les ciels clairs du Midi[78]. Même Blake, dont on ne peut mettre en doute le mépris pour « l'œil végétatif » (ainsi appelle-t-il l'observation de la nature), démontra qu'il était favorable aux « accidents de lumière » dans son aquarelle de Felpham et dans un passage de sa *Lettre ouverte (Public Address)* de 1809[79]. La tension entre ces écoles de pensée rivales fut sans doute la plus vive dans l'œuvre de Pierre-Henri de Valenciennes : en tant qu'élève de Vernet, il hérita de l'École française de Rome la tradition des esquisses à l'huile sur le motif et il réalisa, probablement dès les années 1780, un grand nombre d'études libres et subtiles, comprenant plusieurs arcs-en-ciel[80]. Mais on voit clairement d'après ses carnets que Valenciennes concevait la composition de paysage tout à fait à la façon de Gaspard Poussin : ses toiles les plus grandes ne font guère que rassembler ses observations de lumière et d'ombre dans un schéma du XVIIᵉ siècle.

Adhérer à ce format ne signifiait pas invariablement désapprouver les effets atmosphériques plus raffinés. De fait, l'arc-en-ciel fut introduit au XIXᵉ siècle dans le paysagisme allemand conventionnel par le peintre autrichien Josef Anton Koch, dont les compositions étaient le plus souvent des versions soignées du modèle poussinesque. Koch avait été très marqué en 1791 par les arcs-en-ciel déployés sur les chutes du Rhin à Schaffhausen[81] ; mais lorsqu'il peignit ce motif dans sa première toile d'importance, en 1805, ce fut comme un élément symbolique du Sacrifice de Noé[82]. Koch était aussi un admirateur de Rubens et c'est probablement à son exemple qu'il finit par placer des arcs-en-ciel dans les paysages épiques, où ils n'ont pas de rôle direct, comme dans ses grands tableaux aujourd'hui à Munich et à Karlsruhe, ou dans *Le Cavalier revenant dans la tempête* (v. 1830)[83]. Il fut reconnu comme le maître de l'école méridionale du paysagisme allemand et ses émules les plus importants (Rottman, l'Écossais G. A. Wallis et Ferdinand Olivier, un paysagiste du groupe des nazaréens) montrèrent tous, à un moment ou un autre, de l'intérêt pour l'arc-en-ciel comme motif pictural, même s'il faut en faire une lecture symbolique la plupart du temps[84]. L'originalité du paysage romantique tient à cette double préoccupation : l'alliance d'observations plus rigoureuses et plus étendues et d'un propos symbolique voire métaphysique. Dans ces deux domaines, la barrière qui sépare les romantiques de leurs devanciers du XVIIᵉ siècle n'est pas tant le paysage du XVIIIᵉ, ni même le culte du pittoresque, que l'apport d'Isaac Newton pour qui la poésie était « une sorte d'ingénieuse absurdité[85] ».

Les couleurs du prisme et l'harmonie

L'épisode le plus savoureux, à mon goût, dans le combat des romantiques contre Newton fut le « dîner immortel » donné par le peintre B. R. Haydon pour Wordsworth, Keats et Charles Lamb le 28 décembre 1817. Haydon raconte ceci :

Lamb devint excessivement joyeux et délicieusement spirituel. [...] Puis, dans un élan d'humeur indescriptible, en m'injuriant, il me reprocha d'avoir peint la tête de Newton dans mon tableau [*L'Entrée du Christ à Jérusalem*] : « C'est un gaillard, dit-il, qui ne croit à rien si ce n'est pas net comme les trois côtés d'un triangle. » Alors il tomba d'accord avec Keats pour dire que Newton avait détruit toute la poésie de l'arc-en-ciel, en le réduisant à des couleurs prismatiques. Il était impossible de résister à Lamb et nous bûmes tous « à la santé de Newton et à la confusion des mathématiques[86] ».

Les critiques se sont régalés de ce passage, mais leur attention s'est globalement portée sur Keats (qui devait cristalliser son opposition à Newton, quelques années plus tard, dans *Lamia*) ou sur Wordsworth. Ce dernier, loin d'être un farouche anti-newtonien, tenait cependant pour des raisons personnelles et poétiques à l'intégrité de l'arc-en-ciel, et, après une brève hésitation, se joignit au toast[87]. Quant à Haydon, dont le journal démontre une grande curiosité pour les problèmes de couleur et de technique et dont l'appréhension de la nature était profondément religieuse[88], il fut des plus chauds partisans de Newton. En effet, les problèmes que posait au peintre l'optique newtonienne étaient très différents de ceux posés au poète. Le préjugé poétique contre le « détissage », la démystification de l'arc-en-ciel, ne fut pas éphémère : même Ruskin (qui avait pourtant été à sept ans un enfant des Lumières, en écrivant un poème didactique sur l'arc-en-ciel, dont la tonalité imitait Thomson ou Akenside [89]) en vint à affirmer, quand il composa le troisième volume des *Peintres modernes* à la fin des années 1840 : « Je me demande sérieusement si un homme qui connaît les lois de l'optique, tout croyant qu'il soit, peut ressentir avec autant de force émotionnelle la vénération qui saisit un paysan inculte à la vue d'un arc-en-ciel [90]. » Par ces mots, Ruskin se place du côté des poètes. Et si nous regardons du côté des peintres, nous aurons plus de chance de trouver des opposants à Newton parmi ceux qui ont reçu leur formation au XVIIIe siècle, tels Louis-Bertrand Castel ou Goethe, James Barry ou William Blake. En revanche, durant la période romantique même, Newton fut admiré par Haydon et Runge, Palmer et Olivier, le nazaréen Friedrich Overbeck et enfin Turner [91]. Dante Gabriel Rossetti lui-même, qui était pourtant et poète et peintre, admirateur aussi bien de Blake que de Keats (dont il jugea la réponse lors du « dîner immortel » « splendide » et « magnifique » [92]), trouva une place à Newton parmi les strapontins des immortels, avec Christophe Colomb, Cromwell, Haydon, Isaïe, Jeanne d'Arc et beaucoup d'autres [93].

Les poètes comme Keats et Thomas Campbell semblent avoir pris au pied de la lettre l'interprétation de l'arc-en-ciel faite par Newton au début du XVIIIe siècle : la science avait effectivement « détissé » l'arc-en-ciel et les romantiques ne firent que transposer le symbolisme moral. J'étudierai au chapitre 9 la nature de la théorie newtonienne et ses prolongements aux XVIIIe et XIXe siècles. Je veux seulement souligner ici que le vieux débat sur le nombre de couleurs dans l'arc-en-ciel s'était réorienté sur le nombre de couleurs susceptibles d'être qualifiées de « primaires » : en bref, combien fallait-il de fils de couleur pour son tissage ? La réponse de Newton semblait en suggérer trois, bien que le spectre de l'arc soit divisé en sept tons [94]. D'autres théoriciens n'en comptaient pas plus d'un [95]. Il fallait s'attendre à ce qu'un tel débat laisse les peintres perplexes. Le peintre irlandais James Barry était assez partisan de Newton pour le ranger parmi « ces grands hommes de bonne volonté ayant vécu en tout temps et en tout pays, et qui furent les cultivateurs et les bienfaiteurs de l'humanité » ; c'était le programme de son *Elysium* dont il décora la Society of Arts de 1783 à 1801 [96]. Mais lors de sa conférence sur la couleur pour la Royal Academy, au début des années 1790, il résume ainsi les réticences des peintres à accepter l'optique de Newton :

> Pour ma part, je suis très peu convaincu ou satisfait par les théories splendides, déduites des expériences du prisme, qui sont transmises depuis quelque temps avec une grande assurance. […] De telles expériences me paraissent, sinon étrangères au véritable objet de l'enquête, du moins très vagues et très peu concluantes, et elles me semblent avoir été menées par des hommes peu entraînés aux différences et affinités progressives des couleurs. Pour illustrer mon propos par un exemple, nos philosophes ont soutenu avoir découvert dans le phénomène de l'arc-en-ciel sept couleurs primitives exactement. Mais s'ils désignent par l'adjectif « primitives » des couleurs simples, dans la composition desquelles n'entre aucune autre, pourquoi sept alors qu'il y en a trois ? S'ils pensent seulement dénombrer les différences, sans tenir compte de la réalité factuelle de la production des composées à partir des primitives, pourquoi en trouver plus de six ? Et pourquoi ne

pas doubler ce chiffre ou le multiplier encore plus, si l'on considère tous les tons intermédiaires ? […] Citons le témoignage d'Aristote qui est, avec sa justesse habituelle, arrivé à la division tripartite [97].

C'est le jeune ami de Barry, William Blake, qui développa l'opposition la plus aiguë à Newton en Angleterre. Pourtant, à la différence d'un poète antérieur, Christopher Smart, ou de Novalis, son contemporain allemand (qui donna au terme de « Lumières » une étymologie caustique en jouant avec les connotations les plus triviales du mot [98]), Blake ne mentionna guère l'*Optique* du savant dans ses textes polémiques. De plus, les arcs-en-ciel et les nimbes de Christ en gloire qui apparaissent fréquemment dans l'ensemble de son œuvre ont un nombre et une séquence de couleurs essentiellement fidèles à Newton [99].

Si Blake divisait la lumière de façon newtonienne, c'est parce qu'il avait besoin d'une image en couleur illustrant l'état de division du monde matériel. Pour ses admirateurs, cette couleur était en deux mots « superbement prismatique [100] ». Selon les critiques plus facétieux de Turner et de John Martin, le terme « prismatique » signifiait malade, comme si l'un ou l'autre avait des prismes à la place des yeux [101]. Aucun autre aspect de la peinture romantique ne fit l'objet, comme la couleur, d'autant de spéculations et de polémiques autour de la recherche fiévreuse de formules et de recettes. Avec l'arc-en-ciel et le prisme, les artistes crurent trouver un modèle d'harmonie chromatique sanctionné par les maîtres (Léonard de Vinci, Raphaël et Rubens) et recommandé par la nature elle-même. Une version anglaise du *Traité de la peinture* de Léonard, publiée au XVIIIe siècle, donne ce conseil : « Si tu souhaites t'approcher d'une couleur, invoques-en une autre ; imite la Nature, et fais avec ton pinceau ce que font les rayons du Soleil sur un nuage, en formant un arc-en-ciel, où les couleurs s'amalgament doucement les unes aux autres sans aucune rigidité [102]. » Le conseil de Léonard de Vinci renfermait une sorte de paradoxe, dans la mesure où Aristote et ses disciples avaient largement insisté sur l'impossibilité de peindre l'arc-en-ciel : aucun pigment disponible ne pouvait en restituer les couleurs lumineuses [103]. J'ai montré dans le chapitre 2 la façon dont le commentateur d'Aristote, Alexandre d'Aphrodisias (qui signala le premier le bandeau sombre, qui porte son nom), avait étudié en détail pourquoi on ne pouvait reproduire les couleurs immatérielles et pures de l'arc-en-ciel avec des matériaux mélangés. Je montrerai au chapitre 9 que cette contradiction entre couleurs matérielles et immatérielles ne fut pas résolue avant le XVIIe siècle. Ce problème de l'école péripatéticienne n'avait bien sûr pas empêché les artistes, même ceux du Moyen Âge, d'essayer de fixer en couleur ces phénomènes exceptionnels. Matthieu Paris, par exemple, dans des études dénotant une observation brillante, peignit les parhélies visibles près de Worcester et Hereford en 1233. Il écrivit que parmi le bon millier de spectateurs, certains « en souvenir de cet extraordinaire phénomène, ont peint sur parchemin des soleils et des anneaux de couleurs variées, afin qu'un événement si rare n'échappe pas à la mémoire humaine [104] ». Cependant, l'idée que l'arc-en-ciel soit impossible à peindre persista, si bien qu'au milieu du XIXe siècle un critique allemand put remarquer que selon lui, même Rubens, Poussin et Koch, malgré leurs brillants efforts, n'avaient réussi à démontrer le contraire [105].

Le conseil de Léonard de Vinci ne devait rien à l'optique, ni même à la théorie de la peinture ; c'était la paraphrase d'un passage du traité de la musique de Boèce, de la fin de l'Antiquité, lequel

76

Le président de la Royal Academy, Benjamin West, en pleine conférence en 1817 sur les principes prismatiques de l'harmonie chromatique dans la peinture (portrait peint par Thomas Lawrence). On voit exposé sur le mur, derrière le chevalet, le diagramme de sphère graduée avec une séquence de couleurs prismatiques. (79)

n'avait fait que développer une étude beaucoup plus ancienne de Ptolémée sur l'harmonie musicale. Boèce écrit dans *Sur la musique* (V, v) :

> Mais voici comment les sons s'unissent par une limite commune. C'est en effet comme lorsqu'on observe un arc-en-ciel : les couleurs sont si proches les unes des autres qu'aucune limite précise ne les sépare l'une de l'autre – on passe, pour ainsi dire, du rouge au jaune comme par l'effet d'une transformation continue […] [106].

Léonard de Vinci avait dû trouver particulièrement stimulante cette hypothèse selon laquelle une relation entre le *sfumato* chromatique de l'arc-en-ciel et le ton musical pouvait aussi constituer un lien avec les principes de l'harmonie chromatique. Dans ce contexte, Boèce ne fut pas oublié au XVIIe siècle, quand le philologue hollandais Franciscus Junius étudia le concept grec d'*harmogen* (l'harmonie), défini par Pline comme la transition d'une couleur à une autre (*Hist. Nat.* XXXV, xi, 29). Junius explique :

> Un procédé imperceptible de l'art, qui permet au faiseur d'artifice de passer à la dérobée d'une couleur dans une autre, par une insensible gradation. [...] l'arc-en-ciel nous apporte une meilleure preuve de cette harmogen, quand il abuse notre vue dans les ombres presque indistinctes de multiples couleurs se fondant, se mourant et s'évanouissant mollement. *Car, même s'il brille dans l'arc-en-ciel un millier de*

couleurs diverses, comme dit Ovide, […] leur transition finit par tromper le regard du spectateur ; on voit toutes ses couleurs comme une seule au point où elles se rencontrent, bien qu'à distance elles soient très différentes [107].

L'exemple de l'arc-en-ciel suggérait ainsi aux peintres la méthode pour réaliser des transitions subtiles d'un ton au suivant. Les artistes maniéristes firent plus particulièrement preuve de cette habileté dans leurs drapés changeants, méthode qui fut hautement recommandée par le mécène de Véronèse, Daniele Barbaro – peut-être indépendamment de Léonard de Vinci [108]. Mais là n'était pas la seule manière de percevoir l'arc-en-ciel comme un modèle de l'harmonie chromatique. Un autre théoricien hollandais du XVIIe siècle, Karel van Mander donna des instructions détaillées sur la façon dont les pigments pouvaient égaler les six couleurs de l'arc-en-ciel qui, affirmait-il, se juxtaposaient de manière intrinsèquement harmonieuse : le bleu paraît particulièrement beau à côté du violet, le violet à côté du rouge, le rouge à côté du jaune orangé, et ainsi de suite [109]. Dans l'Angleterre romantique, ces notions reçurent même le sceau de l'autorité académique. En 1804, quand le Conseil de la Royal Academy débattit pour savoir s'il fallait retirer les copies des Cartons de Raphaël (exécutées par James Thornhill), son président Benjamin West souligna les avantages qu'il y avait à étudier ces copies plutôt que des gravures « car *l'arrangement des couleurs* pouvait être appris par leur biais […] et car cet arrangement était tout aussi magistral que la composition était supérieure [110] ». De nouveau, en 1817, West prouva que :

> Le juste arrangement chromatique dans une peinture d'histoire est l'ordre des couleurs dans un arc-en-ciel. En l'occurrence, dans un tableau, il faut exposer les couleurs chaudes et brillantes à l'endroit où tombe l'éclairage principal et laisser les couleurs froides dans l'ombre. De plus, comme par une seconde réflexion un arc-en-ciel moins vif accompagne l'arc éclatant, on recommande de répéter les mêmes couleurs dans une autre zone du tableau. […] Il fit remarquer que dans une peinture du Vatican à Rome [à savoir la *Salle d'Héliodore*], Raphaël n'avait pas respecté ce principe ; mais qu'il eût jugé bon d'arranger ses couleurs selon ce principe dans ses *Cartons*, […] cela était manifeste [111].

Ce fut à cette conférence improvisée que West montra une peinture représentant deux sphères ou globes, dont l'un était neutre et l'autre teinté de couleurs prismatiques. Le deuxième globe servait à « montrer comment les couleurs de l'arc-en-ciel expriment les différents degrés de lumière directe, de lumière filtrée et de réflexion, et il nous montra combien l'arrangement de ces couleurs était parfaitement adapté aux buts de la peinture [112] ». Voilà le dispositif qu'on peut voir au-dessus d'une petite copie du carton de Raphaël pour *La Mort d'Ananias*, dans le portrait officiel de West peint par Lawrence (vers 1820) [113]. Ces images de globes ont été décrites en détail lors de cette conférence par un membre de l'auditoire de West, le paysagiste A. W. Callcott. Il précise que le premier globe, purement tonal, à gauche du conférencier, était plus grand que le globe prismatique, à droite. Le premier était d'un brun foncé avec de légères variations du côté éclairé, commençant par un ton rougeâtre, puis jaunâtre, bleu et enfin « complètement neutre ». Le deuxième globe était composé

> des couleurs les plus tranchées, en commençant par le rouge, lequel se changeait en orange, puis l'orange en jaune, le jaune en vert, le vert en

79

bleu et le bleu en ténèbres. Puis, sur le côté touché par la réflexion, la même séquence de couleurs se répétait. […] Cet arrangement sur la boule était le seul principe sans faille à partir duquel pouvaient être agencées dans une image les couleurs de la lumière et de l'ombre [114].

Callcott note que West appliqua sa théorie à plusieurs cartons de Raphaël, parmi lesquels l'*Ananias* [115], mais qu'il évita de mentionner *Les Portes du temple* (ou *La Guérison de l'infirme*) dont l'organisation chromatique contredisait directement sa théorie. C'est durant cette conférence que Callcott se souvint que l'ordre des couleurs était inversé dans le second arc-en-ciel, bien que West n'en tînt pas compte.

L'exposé que présenta West sur sa théorie de l'arc-en-ciel n'était nullement le premier, car il y réfléchissait depuis longtemps déjà, avant même d'atteindre ses hautes fonctions à l'Académie. Dans une note préparée pour un disciple allemand dans les années 1780, West avait pris l'exemple de Rubens pour expliquer cet arrangement, qu'il allait trouver ensuite sans égal chez Raphaël. À cette date, il pensait davantage en termes d'équilibre des tons chauds et des tons froids, selon l'ordre de l'arc-en-ciel ; la moindre infraction à cette règle pouvait « induire dans l'œil une telle dispersion et une telle discorde, qu'il s'en détacherait, dégoûté comme l'oreille [par] un son discordant [116] ». Dans une conférence de l'Académie en 1797, il avait soutenu que les meilleurs fonds pour peindre des couleurs prismatiques étaient en bleu, en gris ou en violet, « car ces couleurs participent de la teinte aqueuse du ciel sur lequel apparaît l'arc-en-ciel [117] ». Les conclusions pragmatiques qu'il en tirait n'étaient ni très originales ni très solides ; mais il était plus novateur dans sa façon d'observer une anticipation de ces préceptes, dérivés d'une étude de la nature, dans l'interprétation des Maîtres anciens. Chez eux, comme il le reconnut plus tard, « il pouvait repérer le respect de cette règle, comme principe fondateur, seulement dans les dernières œuvres de Raphaël ». Il admettait que « dans *Le Martyre de saint Pierre* de Titien, l'arrangement chromatique s'organise selon un schéma totalement contraire [118]. » Et pourtant, le postulat impliqué par cette théorie (la nature a révélé le secret de l'harmonie chromatique dans la structure du spectre prismatique) avait beau être peu vérifié en pratique, il n'en était pas moins familier en Occident et continua de préoccuper les peintres, des romantiques à Cézanne [119].

Nous avons vu comment West élabora ses idées sur l'arc-en-ciel en guise de modèle chromatique en étudiant Rubens. C'est l'analyse très personnelle que ce dernier fit des couleurs de la chair, analyse depuis longtemps considérée comme « prismatique » ou « primaire » [120], qui fut à l'origine d'un embryon de théorie de l'arc-en-ciel chez les romantiques français. Un disciple de Delacroix, Andrieu, se souvenait que dans sa jeunesse son maître avait puisé de nouveaux principes de coloration dans l'arc-en-ciel, tel qu'il apparaît condensé dans une goutte d'eau, et qu'il en avait introduit l'idée dans sa première grande peinture, *La Barque de Dante* (1822) [121]. Andrieu a peut-être appris l'histoire de la bouche de Delacroix lui-même, mais les gouttelettes sur le torse d'un des damnés sont aujourd'hui bien plus brillantes que les autres couleurs de la toile : il se pourrait que le tableau ait été retravaillé vers la fin des années 1840. Quoi qu'il en soit, c'est là un motif tout à fait rubénien, peut-être repéré dans le cycle Médicis, alors exposé au Palais du Luxembourg et dont Delacroix fit plusieurs études à l'huile au début des années 1820. Dans une conversation avec George Sand,

des années plus tard, Delacroix évoqua (comme certains de ses contemporains anglais) à propos d'un nu d'enfant peint par Rubens, un « arc-en-ciel fondu dans la chair [122] ». Mais contrairement à Turner ou West, il était peu enclin à poursuivre bien loin ou bien longtemps la théorie des couleurs – même s'il y revint vers la fin de sa vie (*cf.* chapitre 9). Il suggère dans une entrée provisoire de son *Dictionnaire des beaux-arts*, resté inachevé, que les peintres doivent se défier des sirènes de l'université et s'en tenir à leur art [123].

Le romantique allemand Philipp Otto Runge fut un peintre beaucoup plus engagé sur le plan théorique : il était convaincu que l'approfondissement de la science des couleurs depuis Newton devait refonder la peinture de paysage, laquelle finirait par absorber tous les autres genres [124]. À la différence de West, il trouvait que le spectre de l'arc-en-ciel présentait une séquence trop monotone pour constituer un fondement de la composition chromatique et pour rendre compte de l'infinie variété de textures présentes dans la nature [125]. *Les Heures du jour*, dont seul *Le Petit Matin* put être peint, devaient être, comme Runge l'affirma clairement dans une lettre, une manifestation concrète de « la différence merveilleuse entre couleurs invisibles et visibles, ou transparentes et opaques [126] ». Il dessina un arc-en-ciel newtonien dans le décor symbolique de la bordure du *Jour* pour représenter les couleurs visibles de la nature qui « s'estompent jusqu'au blanc *[geht in Ermattung des Weissen über]* », au lieu de s'élever jusqu'à la perfection de la lumière [transparente], comme dans *Le Petit Matin* [127]. Assurément, il pensait comme Blake que la formation des couleurs matérielles était une dégradation tragique de la lumière. Ainsi, les commentateurs qui ont interprété cet arc-en-ciel comme un symbole du pacte céleste sont-ils, à coup sûr, loin du but [128]. Un autre a laissé entendre que Runge avait placé le serpent de Moïse autour des fleurs de la passion de la bordure en référence à un passage de l'Évangile de Jean (3, 14) dans lequel le serpent symbolise les efforts de l'homme, créature terrestre, envers Dieu ; or, l'allusion est encore plus nette dans une version antérieure de la gravure où les Tables de la Loi mosaïque figuraient à l'emplacement des fleurs [129]. À l'instar de Turner qui introduisit avec la même intention un serpent dans la toile *Light and Colour – Goethe's Theory* (Lumière et couleur – la théorie de Goethe), mais qui en détruisit l'optimisme symbolique par son commentaire plein d'amertume [130], Runge présenta l'arc-en-ciel comme une matérialisation de la lumière, la réconciliation finale avec Dieu n'arrivant qu'à la fin de la série, qu'il eut le temps de graver mais non de peindre.

L'intérêt de Runge pour le spectre de l'arc-en-ciel était autant technique que philosophique, comme le montrent ses nombreuses expériences. Il divisait à volonté la lumière en sept teintes, selon Newton, ou en trois couleurs primaires ; cette alternative était essentielle à son système symbolique. Comme de nombreux peintres de son temps, il dérogeait parfois au romantisme. L'analyse scientifique de l'arc-en-ciel ne cessa pas avec Newton, car sa doctrine soulevait de nombreuses questions qui allaient tracasser également artistes et savants. Henry Howard expliqua à ses étudiants de la Royal Academy dans les années 1840 :

162

80

169

Philipp Otto Runge, *Le Jour*, 1803. Au sommet de son dessin allégorique, Runge plaça un arc-en-ciel à sept bandes surplombant le triangle symbolique de la sainte Trinité qu'il interprétait en termes de couleurs primaires : bleu pour le Père, rouge pour le Fils et jaune pour le Saint-Esprit. (80)

L'on parvient à l'harmonie la plus parfaite lorsque les sept teintes de l'arc-en-ciel se déploient ensemble. Dans chaque cas, on a la juste proportion de couleur froide, nécessaire pour équilibrer la couleur chaude. On pourrait en déduire que, pour produire un agréable effet de lumière dans une peinture, il faudrait adopter la même proportion de couleurs chaudes et froides que celle que nous percevons dans le rayon solaire diffracté ; mais [...] ces proportions ne semblent pas avoir été précisément définies [131].

Howard avait raison, malgré les efforts de Samuel Galton et Matthew Young au début du siècle pour mesurer les proportions des couleurs prismatiques dans la lumière blanche [132]. Et la question ne fut certes pas résolue par l'observation de l'arc-en-ciel dans les conditions naturelles.

John Priestley, dans son histoire de l'optique, a consacré un chapitre aux observations de l'arc-en-ciel et des phénomènes apparentés qui ont été menées au XVIIIe siècle ; elles prouvaient l'existence d'une multitude d'exceptions – tant en couleur qu'en largeur et en nombre d'arcs – à la norme newtonienne [133]. Dès 1722, le recteur de Petworth dans le Sussex avait observé et décrit quatre arcs totalement distincts ; d'où il concluait que « l'arc-en-ciel semble rarement très vif sans quelque chose de cette nature ; et que l'accord supposé exact entre ses couleurs et celles du prisme est la raison pour laquelle on l'a si peu observé [134] ». Il nota aussi la difficulté de consigner l'aspect fugace de l'arc-en-ciel, ce qui devait précisément fasciner beaucoup d'observateurs à l'époque romantique. Comme l'écrit Wordsworth dans son *Ode. Pressentiments d'immortalité* (II), « l'arc-en-ciel va et vient [...] ». Dans le premier acte de la seconde partie du *Faust*, Goethe en tirait cette moralité :

Je contemple avec un charme croissant
La cascade qui se déchaîne en mugissant à travers les rochers ;
De chute en chute, elle roule maintenant se déversant en mille flots,
Et jetant avec bruit, haut dans les airs, écume sur écume.

Carl Gustav Carus, *Allégorie de la mort de Goethe*, 1832. Carus ajoute à son mémorial un arc-en-ciel, ce phénomène qui avait mobilisé la curiosité de Goethe une grande partie de sa vie. (81)

David Lucas, mezzotinte d'après Constable, *La Cathédrale de Salisbury vue depuis la campagne : l'arc-en-ciel*, v. 1835. Constable fut probablement incité à étudier l'arc-en-ciel comme un problème géométrique par la grande gravure que réalisa Lucas d'après son paysage de 1831 (National Gallery, Londres). Dans la gravure, les conditions atmosphériques nécessaires à l'apparition de l'arc-en-ciel sont plus justement observées que dans la peinture de Constable, où il a pour principale fonction de symboliser l'espoir. Les diagrammes réalisés par Constable vers 1833 expliquent la formation des couleurs dans les gouttes d'eau. (82, 83)

Mais avec quelle magnificence s'élève de cette tempête
La courbe à durée changeante de l'arc multicolore
Qui, tantôt nettement dessiné, tantôt fondu dans l'air,
Répand à l'entour un frais et vaporeux frisson !
C'est là l'image de l'activité humaine.
Médite cela et tu comprendras mieux que ce reflet coloré, c'est la vie [135].

Malgré son plaidoyer passionné pour l'étude de la couleur dans la nature, Goethe appuyait son exposé théorique sur des expériences avec un prisme, car il était soucieux de réfuter Newton sur son propre terrain. Un seul dessin d'arc-en-ciel, peu convaincant, a pu être associé à ses illustrations pour *La Théorie des couleurs* [136] et le supplément annoncé sur le phénomène ne parut pas du vivant du poète [137]. Dans un fragment non daté, cependant, il traite bien de l'arc-en-ciel : il prétend que cela a conduit les étudiants en science de la couleur à une obsession de la réfraction. Bien qu'il ait observé le bandeau sombre d'Alexandre entre les deux courbes de l'arc double, Goethe ne semble pas s'être rendu compte que les différences de luminosité entre l'extérieur et l'intérieur de l'arc confirmaient sa propre théorie de la génération des couleurs par l'interaction de la lumière et de l'ombre [138].

Par son évanescence, le phénomène avait fasciné Goethe toute sa vie durant. Vers 1770, il trouva un regain d'inspiration poétique à la vue d'un arc double en Alsace, « plus merveilleux, plus coloré, plus prononcé, mais aussi plus fugitif que je n'aie jamais vu [139] ». À la fin des années 1820, comme il écrivait le passage du *Faust* cité plus haut, il envisageait toujours de composer son supplément à la *Théorie des couleurs* sur ce sujet délicat [140]. Un mois avant de mourir, en 1832, il y revenait encore dans sa correspondance avec

70

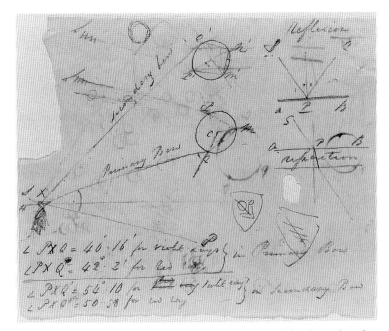

Constable aborda l'art de Paolo Uccello en choisissant de l'illustrer par *Le Sacrifice de Noé* (peint pour le Chiostro Verde, dans Santa-Maria-Novella à Florence), « entièrement dominé par un arc-en-ciel [144] ». Ses propres arcs ont suscité l'admiration d'un météorologue [145], qui déclara que Constable ne fût « jamais coupable de peindre une séquence de couleurs qui fût fausse, tant pour l'arc principal que pour l'arc secondaire ». Ce jugement est bien exagéré, car dans sa première étude d'arc-en-ciel conservée, Constable n'a pas su renverser l'ordre des couleurs de l'arc secondaire [146]. Au moins jusqu'aux années 1830, sa curiosité pour les arcs-en-ciel n'était pas plus scientifique que son intérêt pour les nuages ; il a d'ailleurs parfois représenté des situations météorologiques invraisemblables. Mais on mesurera combien son traitement de l'arc-en-ciel pouvait être insolite et convaincant en comparant sa toile de *La Cathédrale de Salisbury vue depuis la campagne* avec un tableau du peintre et architecte allemand Karl Friedrich Schinkel, *Ville médiévale au bord de l'eau*, en apparence similaire. Les deux images portent, pour une part, un message symbolique. Selon Constable, la sienne dégage un sentiment de « solennité, non de gaité [147] ». Quand il conçut la composition de son tableau, sa femme venait de mourir ; de plus, il était resté ébranlé par la loi d'Émancipation des catholiques de 1829, qui lui semblait porter un coup fatal à l'Église anglicane. On a pu suggérer que Constable trouva dans l'arc-en-ciel un symbole de réconciliation avec la vie et qu'en posant sa base sur la maison de son ami l'archidiacre Fisher, il signifiait aussi un espoir pour l'Église [148]. Mais on peut tout aussi bien envisager le tableau sans lui attribuer de portée symbolique puisque Constable, en 1836, l'intitula d'après un simple effet météorologique : *Après-midi d'été, l'orage se retire*.

82

84

Schinkel, quant à lui, conçut sa toile pour faire pendant à son *Paysage grec* [149] et illustrer le contraste entre les préoccupations terrestres de l'architecture grecque et les aspirations célestes de l'architecture gothique. Le motif de l'arc-en-ciel, emprunté par Schinkel à Koch durant leur séjour romain [150], n'est qu'un accessoire symbolique ; il vient renforcer l'idée que l'art gothique

Sulpice Boisserée, antiquaire et collectionneur, et il le dissuadait de croire un instant qu'il eût réduit l'arc-en-ciel à une équation soluble [141]. Assurément, c'est à cette préoccupation de toute une vie que se réfère le peintre et savant Carl Gustav Carus dans son *Allégorie de la mort de Goethe* ; on y voit un arc-en-ciel se dessiner derrière la lyre du poète. Carus avait été un ami et un correspondant régulier de Goethe jusqu'en 1831 ; au début des années 1820, il avait discuté avec le poète de plusieurs questions chromatiques [142].

81

Dans la peinture de paysage, l'expression la plus subtile de la fugacité du phénomène se trouve sans doute chez deux artistes anglais, Constable et Turner. L'un des biographes de Constable mentionne l'arc-en-ciel comme caractéristique de son œuvre [143] et, de fait, ce fut l'un des motifs préférés du peintre. Au cours des conférences sur le paysage qu'il donna dans les années 1830,

Dans sa *Ville médiévale au bord de l'eau* (1815), Karl Friedrich Schinkel utilise l'arc-en-ciel en tant que symbole, comme au Moyen Âge ; il représente ici l'aspiration de l'âme vers Dieu. L'arc est trop étroit et le ciel bien trop uniformément noir pour suggérer les conditions atmosphériques réelles dans lesquelles un arc-en-ciel peut être observé. (84)

J. M. W. Turner, *Le Lac de Buttermere, avec une partie de Cromackwater (Cumberland), une averse,* 1798. Le poème de Thomson, *Les Saisons,* évoque « toutes les teintes » dans le « grand arc éthéré », mais la peinture de Turner est plus fidèle au phénomène peu courant qu'il a observé : un arc de brume où les gouttes d'eau sont minuscules et l'arc quasiment blanc. (85)

« exprime et manifeste l'Idéal, de sorte que monde idéal et monde réel se fondent totalement et que dans l'apparence extérieure du bâtiment nous percevions ce qui nous relie directement au surnaturel, à Dieu ; alors qu'auparavant seul le monde terrestre, avec toutes ses limites, était le sujet des œuvres d'art [151] ». Schinkel n'a introduit aucune des conditions météorologiques nécessaires et, à l'instar de Koch (qui dessina des études pour ses tableaux avec arc-en-ciel sans y inclure d'arc [152]), il peignit probablement son arc directement sur la toile. Ce n'est pas si rare et ce fut peut-être la manière dont procéda aussi Constable pour sa *Cathédrale de Salisbury,* car aucune des esquisses conservées, y compris l'étude d'ensemble, ne montre d'arc-en-ciel [153]. Certes, il réalisa plusieurs études d'arc-en-ciel, plus anciennes [154], mais elles sont sans rapport avec ce tableau. Ce qui nous rappelle que Constable avait un mode de travail relativement traditionnel. En effet, aucun peintre de plein-air consciencieux n'aurait imaginé qu'un phénomène atmosphérique aussi complexe puisse se comprendre isolé de son contexte. Turner, par exemple, ne semble pas avoir peint d'études d'arc-en-ciel en tant que telles, mais il a parfois noté des indications de couleurs sur des croquis de paysages entiers [155]. Sur deux petites *73-74* aquarelles de la cathédrale de Durham, peintes au début de sa carrière, il admet ouvertement que l'arc-en-ciel est le résultat fugace d'un changement de temps et d'éclairage.

Quant à Constable, le travail nécessité par l'introduction de l'arc-en-ciel dans la *Cathédrale de Salisbury,* eut un impact important sur sa conception du paysage dans les années 1830. Cette com- *82* position fut reproduite à l'aquatinte par David Lucas et Constable mit un soin infini à vérifier la justesse de l'estampe, laquelle, a-t-on fait remarquer, est plus conforme que la peinture aux conditions

météorologiques [156]. Il en modifia le titre pour *L'Arc-en-ciel,* disant plus tard qu'il « constitue le sujet du tableau [157] ». En 1835, il écrivit à Lucas : « S'il n'est pas fait de manière exquise, s'il n'est pas tendre – et élégant – évanaissant [*sic*] et charmant – au plus haut point – nous sommes tous les deux ruinés. J'y suis arrivé pour m'être beaucoup occupé d'arcs-en-ciel – avec beaucoup de bonheur – sous l'impulsion des règles mentionnées ci-dessus [158] ». Les règles en question ne sont pas très claires, mais il est possible que le peintre ait consulté son ami George Field. Ce théoricien de la couleur *173* avait inventé un ingénieux prisme circulaire, le chromascope, et l'avait adapté pour qu'il projette un spectre en arc-de-cercle. Durant la réalisation de la gravure de Lucas, la largeur de l'arc-en-ciel fut réduite de 3,8 cm à 2,2 cm, ce qui peut refléter le recours à un mécanisme de proportions comme celui de Field [159].

Dans les dernières années de sa vie, Constable peignit davantage d'arcs-en-ciel et se mit à réaliser des esquisses préparatoires en couleurs, comme celles pour la grande aquarelle de *Stonehenge* [160]. Constable s'intéresse alors à la météorologie scientifique et recopie des diagrammes illustrant la formation des couleurs par réfraction dans une goutte d'eau [161]. On peut comparer son arc double, d'une *83* grande sensibilité, à ceux de Koch, qui ne semble jamais avoir remarqué l'inversion des couleurs, ou au travail de peintres anglais de paysages, tel John Glover qui ne sut même pas voir cet effet en *71* l'ayant sous les yeux, ou bien, de manière plus stupéfiante encore, à un pré-raphaélite comme Millais, qui ne corrigea le deuxième arc de sa *Jeune Aveugle* (avec majoration du prix de vente !) que lorsqu'on lui signala l'inversion [162].

Quand la *Cathédrale de Salisbury* de Constable fut exposée en 1831, le critique du *Morning Chronicle* la qualifia de « grossière et vulgaire imitation par M. Constable des folies monstrueuses de M. Turner[163] ». Si jamais peintre mérite le titre de « maître de l'arc-en-ciel » à l'époque romantique, c'est assurément Turner. Son premier arc-en-ciel exposé, inséré dans la toile *Le Lac de Buttermere*, annonce déjà une sensibilité peu commune. Turner fut contraint de modifier en profondeur un extrait des *Saisons* de Thomson sur l'arc-en-ciel, afin d'obtenir une légende adéquate à sa propre représentation[164]. Thomson avait écrit (*in Le Printemps*, 11, v. 203-212) :

> Cependant sur les nuages que l'Orient oppose à l'astre du jour, paroît tout à coup un arc immense ; il se courbe sur la terre embellie, et déploie dans une juste proportion toutes les couleurs primitives, depuis le rouge éclatant, jusqu'au violet, dont la teinte affoiblie se perd dans les cieux. Viens auguste Newton ; imite l'effet de la nue qui se résoud en pluie ; reçois et brise sur ton prisme les rayons du soleil. Montre à l'œil du sage comme le blanc les réunit tous ; dégage la lumière de ce labyrinthe, et développe aux savans la théorie des couleurs.

La version de Turner, en 1798, était la suivante :

> Jusqu'au moment où le soleil couchant resplendit / Dans le ciel occidental – il frappe aussitôt de son rapide éclat / Les montagnes illuminées dans une brume jaune / Enfourchant la terre – l'arc-en-ciel majestueux / Se déploie, immense, et révèle toutes ses couleurs.

Une esquisse à l'aquarelle de 1797 comportant plusieurs retouches sur l'arc-en-ciel suggère que Turner ne savait pas précisément comment traiter cet effet insaisissable. Pourtant, l'image renferme tous les éléments qui l'intéresseront ensuite dans la couleur du paysage : l'arc diaphane se prolonge dans le lac, par réflexion. C'était là, au début d'une longue carrière, la première d'une importante série d'études et de représentations d'arcs-en-ciel. La délicatesse d'observation de ces travaux est sans précédent. Par exemple, dans une note manuscrite de 1818, Turner consigne les variations en largeur de l'arc selon l'aspect du ciel en arrière-plan[165]. Il avait pleinement conscience aussi des limites de son médium : je ne connais pas d'autre arc-en-ciel après celui du *Lac de Buttermere* jusqu'au début des années 1830, époque où Turner parvint à affiner sa technique à l'huile presque au même degré que ses aquarelles. Les années 1840 virent le sommet de ses représentations d'arc-en-ciel, car il s'en servit alors de façon expressive, pour traduire le pessimisme croissant de ses dernières années. En 1847, alors que sa santé déclinante ne lui permit d'envoyer à l'exposition de la Royal Academy qu'une toile assez maladroitement retouchée, il accomplit un dernier tour de magie du vernissage en peignant un arc-en-ciel sur le *Sacrifice de Noé* de Daniel Maclise[166]. Deux ans plus tard, pour son exposition suivante, la seule toile inédite était une ancienne marine qu'il avait repris pour l'augmenter d'un arc-en-ciel et en faire la fragile et éclatante *Balise de détresse*[167]. Les légendes des tableaux de Turner, à cette époque, ne laissent aucun doute sur le sens de l'arc-en-ciel : ce n'est pas un symbole d'espoir ni de réconciliation. En 1837, il prépara un paysage en vignette, avec arc-en-ciel, pour illustrer le poème de Thomas Campbell, *Les Plaisirs de l'Espoir*. La vision qui ouvre le poème invoque les enchantements de la perspective aérienne et pourrait servir de commentaire à l'œuvre même de Turner. Mais Campbell, qui faisait l'éloge de Newton dans ce poème, fondait son optimisme sur le bonheur domestique et le salut de l'âme ; c'était là deux idées étrangères à Turner, le mécréant, le père illégitime, qui vivait dans une misère noire. À l'exception de l'arc-en-ciel, le peintre ne choisit d'illustrer dans les *Poèmes* de

Campbell que des épisodes pouvant se lire comme des désastres : le navire qui sombre, la chute de Varsovie sous l'armée napoléonienne, l'origine terrifiante de la Loi mosaïque. Dans un poème plus tardif, consacré à l'arc-en-ciel et que Turner dut lire même s'il ne l'illustra pas, Campbell met en doute le pouvoir de la science à dégager la signification du phénomène[168]. Quand le poème de Turner, *Les Illusions de l'Espoir*, réapparut après une longue absence dans le catalogue d'exposition de la Royal Academy en 1839, il prolongeait une allégorie des plus hermétiques titrée *La Fontaine d'Illusion*, dispensatrice de « la rosée d'arc-en-ciel[169] ». Selon ce poème, les bulles prismatiques visibles dans *Lumière et couleur (la théorie de Goethe)* avaient valeur de « présages de l'Espoir », mais elles étaient également « éphémères comme la mouche estivale, qui s'élève, voltige, se développe et meurt[170] ». Dans le dernier lot de peintures qu'exposa Turner, l'année précédant sa mort, c'était *Enée contant son histoire à Didon* qui renfermait le dernier arc-en-ciel – en l'occurrence, un arc de lune. La légende du tableau aurait pu servir de titre au même lugubre poème :

> L'Espoir trompeur brillait sous le croissant pâle de la lune
> Didon écoutait l'histoire de Troie perdue et vaincue[171].

Épilogue contemporain

La fascination pour l'arc-en-ciel comme motif pictural a perduré au XXᵉ siècle, en particulier avec les néo-romantiques du sud de l'Allemagne avant la Première Guerre mondiale. Wassily Kandinsky avait déjà placé un arc-en-ciel tout à fait orthodoxe, avec sept couleurs, dans sa gouache de 1905, *Fête tunisienne du mouton*. Comme son ami Franz Marc, il s'intéressait aussi au phénomène à l'époque où se formait le groupe du *Blaue Reiter* (le Cavalier Bleu)[172]. L'arc-en-ciel a refait son apparition plusieurs décennies plus tard, sous une forme des plus pures, dans les œuvres de Richard Long et Andy Goldsworthy. Cependant, nous donnerions volontiers raison à Paul Klee qui affirmait dès les années 1920 à ses étudiants du Bauhaus que l'arc-en-ciel avait épuisé tout son pouvoir d'attraction symbolique ou théorique[173].

Franz Marc, *Chevaux bleus avec un arc-en-ciel*, 1913. (86)

7 · La controverse entre *disegno* et *colore*

Alberti et le gris · Ghiberti et la perception · La symbolique des couleurs au Quattrocento
L'importance des matériaux · Léonard de Vinci · La couleur vénitienne au XVIᵉ siècle

À LA RENAISSANCE EN ITALIE, la critique et la pratique artistiques donnèrent une nouvelle force à l'idée antique selon laquelle la ligne pouvait parvenir à une représentation juste, sans s'encombrer de la couleur, accessoire à la forme. À la fin du Quattrocento, un texte clé de Philostrate, *La Vie d'Apollonius de Tyane* (*cf.* chapitre 1), fut traduit en latin par le Florentin Alemanno Rinuccini. En 1549, le chroniqueur vénitien Ludovico Dolce le traduisit en italien. Avec Pline (XXXV, v, 15-16), avec Denys d'Halicarnasse (*Isée* 4) au Iᵉʳ siècle de notre ère, puis avec Isidore de Séville (*Étymologies XX,* 19,16), le schéma antique du progrès historique de l'art proposait une évolution de la ligne au clair-obscur et enfin à la couleur. À la fin du Moyen Âge, même les profanes étaient capables de concevoir ce processus au sein d'une œuvre unique, comme le suggère l'ingénieux exercice proposé par Ugo Panziera, un mystique franciscain. Selon Panziera, pour rendre l'image du Christ vivante à l'esprit, il suffit tout d'abord d'évoquer son nom ; ensuite, il faut en imaginer le dessin *(disegnato)* ; en troisième lieu, en concevoir le contour ombré *(ombrato)* ; il faut encore imaginer son incarnation *(incarnato)*, ce qui inclut une notion de couleur, et, enfin, passer d'une image plane à une image en relief *(rilevato)* ¹. Cependant, dans cet exemple pas plus que dans les textes antiques on ne juge les premiers stades de création plus importants que les derniers. La couleur fut seulement jugée inférieure au dessin quand les Romains critiquèrent les pigments vifs, à cause de leur connotation luxueuse. On retrouve de nouveau cette attitude chez les humanistes italiens du XIVᵉ siècle. Par exemple, Giovanni di Conversino écrit qu'une peinture est moins admirée pour « la délicatesse et la pureté des couleurs [*colorum puritatem ac elegantiam*] » que pour « l'agencement et les proportions des membres ». Seuls les ignorants sont simplement attirés par la couleur. Néanmoins, la beauté des pigments *(pigmentorum pulchritudo)* peut contribuer à celle des proportions ². Certes, dans les mouvements iconoclastes du Moyen Âge et vers la fin de la période du Carême, on constate parfois une attirance pour les images monochromes. Le *Parement de Narbonne*, une grisaille sur soie de la fin du XIVᵉ siècle, ainsi que les habits liturgiques de Carême qui l'accompagnent étaient peut-être les premiers dessins monochromes réalisés depuis l'Antiquité ³.

D'un point de vue psychique et physiologique, cette idée que le dessin est suffisant en soi n'est pas sans fondements. Les enfants en bas âge, au cours de leur découverte de l'environnement, ont tendance à se concentrer sur les contours. Le daltonisme est souvent détecté avec beaucoup de retard, car la perception des couleurs est fonctionnellement moins importante que la distinction clair/foncé. Les recherches récentes sur la perception des couleurs ont montré que l'œil possède deux systèmes indépendants de récepteurs mono et polychromatiques. On sait aussi depuis le début du XIXᵉ siècle qu'une alternance rapide d'ombre et de lumière stimule la sensation de couleurs (jaune, vert et bleu clair) ; l'expérience est par exemple assez fréquente quand on regarde la télévision en noir et blanc ⁴. Grâce à la photographie et au cinéma, nous sommes tous familiers d'un monde en noir et blanc : ce type d'images a succédé aux gravures monochromes réalisées pour la première fois au XVᵉ siècle et qu'on jugera, jusqu'au XIXᵉ siècle, adéquates à la reproduction des peintures – même dans le milieu des peintres. Au XVIᵉ siècle à Venise, où se développa pour la première fois la controverse entre coloristes et dessinateurs, il n'était pas rare que les peintres présentent encore à leur mécène leurs idées sous forme de grisaille ⁵. Dans ce chapitre, je voudrais étudier en particulier le développement de l'art monochrome et retracer l'histoire de la querelle entre *disegno* (le dessin, le contour) et *colore* en Italie.

Alberti et le gris

À n'en pas douter, dès la fin du XIVᵉ siècle, la distinction entre le dessin et la couleur en tant que valeurs esthétiques était largement établie en Italie. Dans une lettre de 1395, deux mécènes toscans mentionnent une crucifixion « si bien dessinée [*disegnato*] qu'elle n'aurait pu être améliorée, même si elle avait été dessinée par Giotto ⁶ ». À l'époque, comme aujourd'hui, Giotto était perçu comme un artiste et un dessinateur hors pair ⁷. À la même date environ, Cennino Cennini, élève d'Agnolo Gaddi (fils de Taddeo Gaddi, lui-même élève de Giotto), tirait une certaine fierté à être considéré comme l'arrière petit-fils de Giotto ; en même temps, il reconnaissait que la couleur d'Agnolo était « plus belle et plus fraîche » *(vago e fresco)* que celle de son père, plus proche de Giotto ⁸. Fidèle à la tradition toscane, Cennini accordait aussi beaucoup d'intérêt à diverses techniques de dessin, y compris à la préparation minutieuse d'esquisses finement modelées au pinceau sur papier teinté (dont un exemple de Taddeo Gaddi nous est parvenu) ⁹. Néanmoins, Cennini n'établissait aucune antithèse entre dessin et couleur : il juge les deux techniques fondamentales à la peinture (iv) et perçoit ses clairs-obscurs sur papier teinté comme des étapes vers la coloration (xxxii).

Cennini rédigea son livre de techniques dans les années 1390, surtout à l'attention des artistes professionnels. Quarante ans plus tard, lorsque deux autres Toscans, l'architecte et humaniste Leon Battista Alberti et le sculpteur Lorenzo Ghiberti, s'intéressèrent à la théorie de l'art, ils songèrent à un autre public. Il leur importait par-dessus tout de distinguer entre les différents aspects du processus visuel.

Fra Bartolomeo, *Pala della Signoria*, v. 1512. Ce bel exemple de *disegno* florentin, qui n'est pourtant qu'un grand dessin monochrome à l'huile, fut jugé assez bon pour servir de retable, du XVIᵉ au XVIIIᵉ siècle, dans l'église de Saint-Laurent. (87)

Alberti était peintre amateur et, dans son traité *De la peinture*, il déclare écrire en qualité de peintre. Pourtant, il consacre sa version italienne abrégée, probablement rédigée en 1435, à l'architecte Brunelleschi et sa version latine plus longue *(De Pictura)* au prince de Mantoue. Ce traité est loin d'être un manuel pratique. Mais, en particulier dans sa version latine, il comporte un débat sur la couleur qui apporte un éclairage important sur la perception du clair-obscur au début du Quattrocento [10]. En peinture, Alberti distingue trois phases : la circonscription ou le dessin des contours, la composition et la « réception de la lumière » *(receptio luminum)* qui inclut la couleur (II, 30). Dans ce passage long et répétitif sur le noir et le blanc, le fait que la couleur dérive de la lumière s'avère donc très important (II, 46-47) :

[Nous avons enfin montré que] les genres [*genera*] de couleurs ne changeant pas, elles deviennent plus ouvertes ou plus fermées selon que la lumière ou l'ombre les frappe ; que le blanc et le noir sont les couleurs par lesquelles nous représentons dans la peinture les lumières et les ombres ; qu'il faut considérer les autres couleurs comme une matière à laquelle on ajoute des degrés de lumière et d'ombre. Il faut donc expliquer, sans retenir d'autres choses, comment le peintre doit utiliser le blanc et le noir. [...] il faut appliquer tout son talent et tout son soin à placer convenablement ces deux couleurs [...]. Et cela, tu l'apprendras parfaitement de la nature et des choses mêmes. Enfin, lorsque tu posséderas parfaitement tout cela, tu modifieras la couleur à l'intérieur des contours au moyen d'une très petite quantité d'un blanc très léger au lieu qui convient, et tu ajouteras aussitôt la même quantité de noir comme il convient, dans le lieu opposé. Car, par cette addition de noir et de blanc, on perçoit mieux, comme je l'ai dit, ce qui fait relief. [...] si, comme nous l'avons enseigné, le peintre a correctement tracé les contours des surfaces et distingué l'emplacement des lumières, il sera facile de mettre la couleur [*ratio colorandi*]. En effet, comme par une très légère rosée, il commencera par modifier la surface de noir ou de blanc, comme il convient, jusqu'à la ligne de séparation. Ensuite, il ajoutera, si je puis dire, une rosée de noir en deçà de la ligne, une rosée de blanc au-delà, et ainsi de suite jusqu'à ce qu'il obtienne que le lieu le plus éclairé soit entièrement teint de la couleur la plus ouverte [*apertior*], et surtout, que cette couleur, comme de la fumée, se dissolve dans les parties contiguës. Il faut se rappeler qu'une surface ne doit jamais être tellement blanchie que tu ne puisses la rendre encore plus éclatante. Même si l'on fait des vêtements d'un blanc de neige, il faut rester bien en deçà du blanc ultime. Car le peintre n'a rien d'autre que la couleur blanche pour représenter l'éclat même des surfaces les plus polies, et il ne trouve que le noir pour rendre les ténèbres les plus profondes de la nuit. Pour peindre des vêtements blancs, il convient donc d'utiliser un seul des quatre genres de couleurs [*quatuor generibus colorum*], celui qui est ouvert et clair [*apertum et clarum*]. Inversement, pour peindre un manteau plutôt noir, nous prendrons un autre genre extrême, qui ne soit pas trop éloigné de l'ombre, comme la couleur d'une mer sombre et profonde. Enfin, cette composition du noir et du blanc a une telle force que si on la fait avec art et mesure elle peut donner à voir dans la peinture des surfaces très brillantes d'or, d'argent et de verre. [...] Comme j'aimerais que l'on vende aux peintres la couleur blanche beaucoup plus cher que les pierres les plus précieuses ! [...] Il est difficile de dire avec quelle modération et quelle mesure il faut répartir le blanc dans la peinture [...]. Mais s'il faut passer sur une faute, il faut moins reprendre ceux qui usent du noir à profusion que ceux qui utilisent le blanc avec une certaine

intempérance. Nous apprenons de la nature même à exécrer, dans la pratique de la peinture, les œuvres noires et horribles [*atrum et horrendum*]. [...] Ainsi nous aimons tous par nature ce qui est ouvert et lumineux [*aperta et clara*]. C'est pourquoi il faut barrer plus étroitement le chemin par lequel il est plus facile de pécher [11].

Il s'agit là de l'un des plus importants postulats de l'histoire de la couleur. Il me semble aussi riche sur l'évolution du rapport à la peinture à la Renaissance que l'exposé beaucoup plus célèbre d'Alberti sur le système de perspective centrale. En soi, ses propos sur le *sfumato* n'ont rien de très original : Cennini a employé les mêmes termes *(a modo d'un fummo bene sfumate)* dans son chapitre sur le clair-obscur (XXXI). Cependant, et contrairement à Cennini, Alberti cherche à faire un exposé raisonné de sa pratique du modelé. Son emploi du terme *apertus* (« ouvert ») pour les couleurs claires montre qu'il avait présente à l'esprit la théorie classique de l'incidence de la lumière et de l'obscurité sur l'œil (*cf.* page 12). Bien qu'il se défende d'écrire pour les philosophes (I, 9), ses instructions se fondent sur ce qui est peut-être la première étude cohérente de la valeur des couleurs (leur degré d'ombre et de lumière). Auparavant, des auteurs médiévaux comme Avicenne à la fin du XIᵉ siècle et Théodoric de Freiberg au XIVᵉ siècle s'en étaient vainement approchés [12].

Dans un précédent passage plus théorique (I, 9-10) sur la lumière et la couleur, Alberti soutient, contre les traditions antique et médiévale, qu'« ainsi le mélange avec le blanc ne change pas le genre de couleurs mais crée des espèces. Le noir a une force identique, car du mélange avec le noir naissent de nombreuses espèces de couleurs ». Il poursuit :

On peut donc suffisamment faire comprendre au peintre que le blanc et le noir ne sont en rien de véritables couleurs, mais si je puis dire, des modificateurs de couleurs, puisque le peintre n'a rien trouvé que le blanc pour rendre l'éclat extrême de la lumière et n'a rien que le noir pour montrer les plus profondes ténèbres. Ajoutons à cela qu'on ne trouvera nulle part un blanc ou un noir qui ne participe de quelque genre de couleur.

Cette observation est la clé du passage du Livre II où Alberti affirme que les objets noirs et blancs ne doivent pas être peints avec des pigments d'un noir ou d'un blanc purs mais avec les valeurs des quatre familles de couleurs, légèrement plus sombres que le blanc pur et plus claires que le noir absolu. Cette observation nous permet également d'interpréter un aspect déroutant du texte sur les quatre couleurs. Alberti associe les quatre *vera genera* aux quatre éléments (*cf.* chapitre 2) ; il identifie le rouge au feu, le bleu (*celestis seu caesius* en latin mais seulement *celestrino* en italien) à l'air, le vert à l'eau et la couleur cendre (*cinereum* en latin, *bigia e cenericcia* en italien) à la terre. Récemment, à partir d'idées préconçues sur les couleurs primaires, certains commentateurs ont cherché à y introduire le jaune, soutenant que *bigia* et *cenericcia* avaient pu signifier « jaune foncé » [13]. À l'opposé du flou extrême du lexique chromatique des textes dont s'inspirent ces commentateurs (seul le traité de Cennini est antérieur à Alberti), le *De Pictura* affirme clairement (I, 9) que la couleur de la terre est un mélange de noir et de blanc *(terrae quoque color pro albi et nigri admixtione suas species habet)*. Deux des manuscrits du XVIᵉ siècle en version italienne peuvent nous orienter car ils expliquent cette identification de la terre à *bigia* et à *cenericcia* grâce à cette note : « Et comme la terre est le détritus [*feccia*] de tous les éléments, il n'est peut-être pas faux d'affirmer que toutes les couleurs sont grises [*bixi*] comme les détritus de la terre [14]. » Toutes les couleurs tiennent donc du gris : tout comme le système de perspective centrale d'Alberti est la clé de la cohérence spatiale, dans une composition, le gris est la clé de la cohérence tonale.

Nous avons vu que, depuis l'Antiquité, le jaune fut interprété non pas comme une nuance de couleur indépendante mais plutôt comme une variété de vert clair. C'est encore ainsi qu'on le percevait dans l'Italie d'Alberti [15]. L'humaniste n'avait pas besoin d'une quatrième couleur « primaire » mais d'une couleur médiane à placer entre le noir et le blanc absolus ; de même, son rouge et son vert saturés étaient les couleurs médianes de leurs tons génériques respectifs. Pareillement, son « bleu ciel » (désigné par deux termes en latin car le bleu était généralement perçu comme une couleur sombre) était la couleur médiane dans sa gamme de bleus. Pour comprendre l'art du coloriste, Alberti doit accorder le même statut au gris et aux trois autres couleurs « véritables », à partir desquelles de nombreux mélanges (*admixione*) peuvent être réalisés [16].

Dans son exposé sur le traitement du « noir » et du « blanc », Alberti soutient que ces couleurs peuvent servir à la représentation d'objets brillants et même de l'or. Ce souhait maintes fois exprimé de savoir rendre l'or et les pierres précieuses en peinture (par exemple II, 25) a souvent été interprété comme une attitude nouvelle envers les matériaux à la Renaissance. Voilà un fort contraste avec le Moyen Âge et sa vénération pour les couleurs et les métaux précieux telle qu'elle transparaît au chapitre xcvi du livre de Cennini. Toutefois, quand Alberti fait le point sur la question dans son second ouvrage (49), et mentionne les ornements dorés du costume de la reine Didon, il affirme clairement que, selon son système de perspective centrale avec point de fuite (52), l'usage d'or véritable donnerait une impression ambiguë. En effet, vu sous certains angles, ce métal semblerait tantôt clair, tantôt foncé, détruisant ainsi l'unité tonale d'un tableau soigneusement agencé. Alberti ne voit aucune objection à l'emploi des matériaux précieux en tant que tels et poursuit en déclarant que les éléments architecturaux en peinture (il fait peut-être ici référence aux encadrements) peuvent être réalisés dans ces matériaux. En effet, « une histoire parfaitement achevée est tout à fait digne de recevoir des ornements, même de pierres précieuses ». En dehors du goût bien connu des collectionneurs humanistes pour le gothique international et son emploi fréquent de tels matériaux, nous verrons plus avant dans ce chapitre que, dans les contrats, les mécènes convenaient expressément de l'emploi de métaux et de pigments précieux pour l'exécution d'œuvres religieuses. Le plus surprenant dans l'ouvrage d'Alberti est qu'il ne se réfère qu'à des œuvres profanes : bien qu'il fût célèbre pour ses églises, l'architecte avait exclusivement à l'esprit le décor des palais où l'incidence de la lumière est plus forte et plus constante que dans un espace religieux. Dans son traité un peu plus tardif sur l'architecture, Alberti insiste sur les surfaces réfléchissantes des bâtiments civils, préconisant l'emploi de plâtre ciré et poli à la manière antique, ainsi que la technique « récemment découverte » de la peinture à l'huile de lin, deux procédés très stables qui rendaient l'effet de bijoux ou de « verres limpides » [17]. Ces deux techniques avaient d'abord des fins décoratives mais, chose étonnante, Alberti recommande aussi l'emploi de la mosaïque pour imiter la peinture, en raison de l'éclat des tesselles hautement réfléchissantes. D'ailleurs, toujours dans le cadre du débat sur le dessin et la cou-

leur, cet argument séduira un siècle plus tard le critique florentin Anton Francesco Doni dans son réquisitoire contre la fragilité de la peinture à l'huile des nouveaux maîtres vénitiens [18]. Alberti percevait donc les différentes exigences de la peinture selon les divers contextes architecturaux et les sujets profanes qu'il décrit dans son *De Pictura* devaient évidemment être facilement transportables.

Malgré l'importance nouvelle qu'Alberti accorde au noir, au blanc et au gris, son ouvrage n'est nullement un plaidoyer pour le *disegno*, contre le *colore*. Si un tableau doit être bien dessiné (*bene conscriptam*), il doit aussi être excellemment (*optime*) coloré (II, 46). Contrairement aux peintres antiques dont on pensait la palette restreinte, Alberti soutient que « les genres et les espèces de couleurs » devraient apparaître en peinture *cum gratia et amenitate* (II, 48). Il poursuit en décrivant les nymphes de la suite de Diane, l'une vêtue de vert, l'autre de blanc (*candidus*), la suivante de rouge (*purpureus*), une autre encore parée de jaune et ainsi de suite « de telle façon que les couleurs claires soient toujours jointes à des couleurs sombres, d'un genre différent ». Ce célèbre passage s'applique de manière saisissante au groupe de muses qui se déploient dans le *Parnasse* que Mantegna peindra beaucoup plus tard pour Isabelle d'Este. Elles y sont vêtues de couleurs allant de l'« azur au bleu roi, de l'or à l'orange, tantôt vêtues de vert, tantôt de rose ou de blanc éclatant » [19]. Mantegna perçut sans doute également la pertinence des remarques d'Alberti sur l'accord (*coniugatio* en latin, *amicizia* en italien) de certaines couleurs entre elles. Il utilise en effet pour quelques personnages les contrastes de rouge et de vert, mais aussi de rouge et de bleu que l'architecte préconisait : « La couleur rouge [*rubeus*], placée entre le bleu [*coelestis*] et le vert [en italien, la formulation est plus imprécise : « proche », *presso*], met en honneur l'un et l'autre [ici, l'italien est bien plus spécifique, ces couleurs conférant également un respect visible, *vista*]. La couleur blanche donne de la gaîté [*hilaritas, letizia*] non seulement aux couleurs cendre [*cinereus*] et safran, mais à presque toutes les couleurs. » Alberti se faisait peut-être ici l'écho de principes partagés à l'époque dans les ateliers, bien qu'il y eût évidemment des précédents médiévaux à cette notion d'harmonie, entre le rouge et le vert par exemple, et que toute cette conception de plénitude et de variété eût également un parfum très médiéval [20]. La notion de rouge et de bleu opposés mais complémentaires et en particulier l'idée qu'une grande proportion de blanc (un tiers) viendra toujours égayer l'œuvre et la rendra bien visible (*comparascente*), apparurent un peu plus tôt dans le traité sur la peinture sur verre d'Antoine de Pise, actif à Florence vers 1400 [21]. Le penchant d'Alberti pour les couleurs claires et vives apparaît aussi dans la façon dont il traite des vêtements dans un autre ouvrage, portant cette fois sur la famille, où l'un des interlocuteurs recommande par-dessus tout l'emploi de couleurs gaies (*lieti*) et claires (*aperti*), deux termes que l'on rencontre dans le *De Pictura* [22]. Ainsi, Alberti rapporta une variété d'expériences dans ce qui s'imposa comme la première véritable discussion théorique sur les arts visuels.

Ghiberti et la perception

Alberti explique la « réception de la lumière » sur les surfaces à partir de « l'expérience » (I, 8). Il hésite donc en général à recourir à l'autorité des « philosophes ». Son contemporain Lorenzo Ghiberti n'avait pas les mêmes scrupules : dans la plus longue section de ses *Commentaires* (un important traité sur l'art de la fin des années 1440), le sculpteur plonge au cœur de la science optique médié-

92

vale et de sa branche la plus obscure pour saisir le comportement de la lumière dans ses conditions les plus compliquées. Plus particulièrement, il veut comprendre la corrélation qui existe entre le regard et le cerveau. Le texte de Ghiberti n'est ni court ni aisé à lire car il comporte une proportion plus que respectable de citations antiques et médiévales. Certains commentateurs en ont donc contourné la problématique sans comprendre sa pertinence par rapport à l'œuvre très originale de l'artiste [23]. Pourtant, son troisième *Commentaire* nous éclaire sur le développement de la perception de l'ombre et de la lumière tel qu'il émergera un demi-siècle plus tard dans le débat sur les vertus respectives du dessin et de la couleur. Ghiberti commence par cette affirmation péremptoire : « Ô savant [lecteur], rien ne saurait être perçu sans lumière [24]. » Cela nous montre d'emblée son double intérêt pour la lumière et la perception, c'est-à-dire pour les effets subjectifs liés à la présence ou à l'absence de lumière. Son travail sur le vitrail, à une époque où l'on critique souvent l'obscurité qu'il induit dans les églises (*cf.* chapitre 4), l'aura sensibilisé aux liens entre la couleur et le degré d'éclairage d'un édifice, sujet qu'il aborde souvent dans son livre [25]. L'éclairage de la sculpture l'intéresse encore davantage et comme la statuaire de l'époque est souvent peinte, il peut également traiter de la couleur dans son argumentation. Chez les spécialistes de la perspective du XIIIe siècle que Ghiberti cite fréquemment, l'apparence variable des teintes sous des lumières faibles ou vives est un sujet courant [26]. C'est un thème implicite dans les définitions d'Alberti, et Ghiberti lui accorde une importance primordiale. En parlant d'un détail finement sculpté, invisible sous une faible lumière, il s'intéresse à la couleur :

> De nouveau, nous observons que les corps solides *[corpi densi]* de couleurs vives, tels les bleus ou les bleu ciel *[azzurini e celesti]*, placés dans des endroits sombres et sous une faible lumière, sembleront ternes *[torbidi]* [27] ; et dans un endroit clair et lumineux, ils paraîtront vifs et clairs et plus ils y seront, plus la lumière les éclairera. Sous une faible lumière ce corps semblera sombre : l'œil ne pourra distinguer sa couleur et il paraîtra presque noir [28].

Comme on peut s'y attendre chez un artiste travaillant le verre et contrairement aux spécialistes de la perspective qui avaient trop tendance à généraliser, Ghiberti fait attention à bien spécifier des couleurs précises, ce qui laisse penser qu'il a fait ses propres expériences [29]. On retrouve également cette caractéristique chez des praticiens de la perspective de l'époque comme le Polonais Sandivogius de Czechlo (v. 1410-1476) qui, tout en travaillant dans la même direction qu'Alhazen et Witelo, raffinera leurs idées et les concrétisera [30]. Il semble qu'on avait alors perdu l'habitude de séparer lumière et couleur en tant qu'objets de perception. Leur corrélation devint particulièrement évidente par le nombre croissant de scènes nocturnes au XIVe et au début du XVe siècle, en Italie tout comme en Europe du Nord. Les diverses représentations nocturnes du cycle de la *Vie de la Vierge* de Taddeo Gaddi dans la chapelle Baroncelli de Santa Croce à Florence (1332-1338) témoignent déjà d'une diminution certaine de la couleur, sans toutefois qu'elle disparaisse complètement (comme cela est possible en « vision scotopique » où sont sollicités les bâtonnets, ces photorécepteurs situés sur la rétine) [31]. Parmi les artistes un peu plus jeunes que Ghiberti, on s'attendrait par exemple à trouver des nocturnes sans couleurs chez Piero della Francesca, peintre et écrivain passionné de sciences et c'est bien le cas de sa *Stigmatisation de saint François*

peinte sur la prédelle de l'autel de Pérouse. Pourtant, une peinture légèrement antérieure, le *Rêve de Constantin* dans l'église Saint-François à Arezzo [32], ne présente pas cette caractéristique. L'un des meilleurs peintres de cette nouvelle perception n'est autre que Fra Angelico, un associé de Ghiberti. Dans son *Annonciation* de Cortone, le premier plan aux riches couleurs totalement éclairé se détache sur une scène nocturne lointaine montrant en grisaille l'Expulsion d'Adam et Ève [33]. Les scènes monochromes n'étaient donc pas simplement une question de goût ou de technique : au Quattrocento on peut considérer qu'elles reflétaient le processus même de la vision. 88

La symbolique des couleurs au Quattrocento

Cette reconnaissance progressive de la couleur comme fonction perceptive de la lumière, incorporant plus ou moins de valeurs tonales, freina l'opposition croissante entre *disegno* et *colore* au Quattrocento. La survivance d'attitudes symboliques propres au Moyen Âge retarda également cette évolution ; nous avons vu par exemple au chapitre 5 que les familles d'Este et de Médicis avaient choisi pour leurs livrées des couleurs associées aux vertus théologales. J'ai toutefois démontré la contingence géographique de la symbolique des couleurs au Moyen Âge, une caractéristique qui perdura jusqu'à la Renaissance où se côtoyaient plusieurs « systèmes » différents et conflictuels [34]. L'attaque de Lorenzo Valla contre le système héraldique de Bartolo de Sassoferrato et la critique de Rabelais contre celui du héraut Sicile nous indiquent que les contemporains trouvaient eux-mêmes cette symbolique fastidieuse. Au XVIe siècle à Venise, plusieurs auteurs se mirent à comparer ces diverses opinions et s'aperçurent qu'elles n'avaient presque rien en commun. En 1525, dans une série de dialogues sur l'amour où la force expressive des couleurs joue évidemment un rôle primordial, Mario Equicola convient qu'il est tout simplement dangereux de parler des couleurs, d'abord parce que des différences existent entre les termes antiques et modernes et ensuite parce que diverses autorités ont attribué des équivalents chromatiques différents aux éléments et aux planètes. Pire encore, « la signification des couleurs est sensiblement différente chez les Italiens, les Espagnols et les Français [35] ». Equicola cherche à résoudre ce problème en proposant de juxtaposer les couleurs selon un principe de « variété » conçu en termes de chimie : les couleurs dont les constituants chimiques sont semblables ne devraient pas se côtoyer. Plus significatif encore, dans un ouvrage sur la symbolique des couleurs, Fulvio Pellegrini Morato, autre écrivain vénitien de l'époque, suggère que l'œil seul devrait juger de l'assortiment des couleurs, sans tenir compte de leur signification. Il propose d'associer le gris *(berettino)* au ton fauve *(leonato)*, le jaune-vert au rouge ou à la couleur chair, le bleu *(turchino)* à l'orange, le marron au vert foncé, le noir au blanc et le blanc à la couleur chair ; selon Morato, ces associations devraient surtout être plaisantes à l'œil et il va même jusqu'à dire qu'un assortiment de couleurs élaboré selon leur signification pourrait s'avérer esthétiquement très désagréable. On notera que les opinions de Morato seront reprises dans les années 1560 par Ludovico Dolce, un proche de Titien [36].

Au début du Quattrocento, la symbolique des couleurs commença à prendre une inflexion très matérialiste et cela même dans un contexte religieux. À propos des scènes de Sassetta sur *La Vie de saint François* où le jeune saint donne son manteau à un 90

Dans cette *Annonciation* de Fra Angelico, l'herbe, traitée comme une tapisserie, et le déploiement de riches étoffes et d'ornements précieux, évoquent une approche de la couleur plus médiévale que renaissante. Pourtant, en haut à gauche, le traitement monochrome et nocturne de la scène de l'Expulsion nous indique que le peintre était au courant de la démarche plus scientifique en matière de perception des couleurs que Lorenzo Ghiberti, son collaborateur, commençait alors à introduire dans le débat artistique.

88 FRA ANGELICO, *Annonciation*, v. 1434.

89

La valeur des teintures

89 Attribué à BENEDETTO DI BINDO, *Vierge de l'humilité et saint Jérôme traduisant l'Évangile de saint Jean*, Sienne, v. 1400.
90 SASSETA, *Saint François renonçant à son héritage*, 1437/1444.
91 JEAN VAN EYCK, *La Vierge du chancelier Rolin*, v. 1437 (détail).

Au bas Moyen Âge, les colorants les plus vifs étant les plus coûteux, ils avaient parfois des connotations spirituelles. Sur la partie gauche du diptyque (**89**), la Vierge a filé des couleurs vives pour tisser le rideau du Temple. Au cours du temps, ces couleurs furent toutes utilisées pour représenter son vêtement. Selon la tradition italienne, la Vierge porte ici un manteau bleu-pourpre, probablement peint avec le plus précieux des pigments bleus : l'outremer. Dans nombre de tableaux de Van Eyck, la Vierge est parée de rouge, comme ici où la Vierge est reine des Cieux (**91**), et où l'inscription sur le bord de son manteau la compare à « un jardin de roses ». Au bas Moyen Âge, l'étoffe rouge était la plus précieuse et convenait par exemple aux Pères de l'Église, tel saint Jérôme (**89**). Les biens auxquels saint François renonce pour se consacrer à une vie de pauvreté sont aussi représentés par une toge rouge (**90**).

90

De la gaîeté dans la variété

Sur une toile peinte pour Isabelle d'Este, Mantegna suit les conseils d'Alberti qui préconise, afin de rendre la plus grande variété, que les manteaux de personnages représentés sous forme de frise soient de couleurs contrastées. Il recommande aussi l'usage abondant du blanc pour « égayer » les autres couleurs. (Voir au verso)

92 ANDREA MANTEGNA, « Apollon et les neuf muses », détail du *Parnasse*, v. 1497.

91

93

La couleur du dessin

On a souvent opposé le *disegno* florentin au *colore* vénitien.
Pourtant, deux des plus grands dessinateurs florentins, Léonard de
Vinci et Michel-Ange, furent aussi d'éminents coloristes aux
pratiques extrêmement différentes. Dans son *Portrait de Ginevra Benci*
(**93**), la cohérence tonale que Léonard créa entre le premier plan et
le paysage de l'arrière-plan dépasse ses modèles flamands (91) et

procède de la même maîtrise du clair-obscur que celle de ses dessins
(98). Michel-Ange, qui méprisait la peinture à l'huile, introduisit une
variété de couleurs sans précédent dans ses fresques de la Chapelle
Sixtine (**94**). Comme leur restauration récente l'a révélé, il y adopta
à la fois une palette très vive, évoquant le Quattrocento, et des effets
iridescents étonnants, qui anticipent le maniérisme.

94

L'emploi de petites études en couleurs, pour l'élaboration très détaillée des retables comme ceux de Barocci, et le choix du médium tendre et pictural du pastel pour les dessins (voir 100), suggèrent que l'opposition traditionnelle entre *disegno* et *colore* avait perdu de sa force dans la deuxième moitié du XVIᵉ siècle, en Italie centrale tout du moins. Cependant, elle fut relancée à un niveau plus théorique en France par l'Académie à la fin du XVIIᵉ siècle, puis dans les années 1820.

95 FEDERICO BAROCCI, *Il Perdono di Assisi*, 1574/1576.

chevalier démuni, un commentateur moderne a dit que le bleu outremer du vêtement avait une résonance particulièrement symbolique pour l'observateur de l'époque [37]. Certes, ce dernier devait prêter attention à ce manteau bleu aux ombres d'un violet profond (que l'on peut accessoirement interpréter comme du taffetas changeant), mais il était sûrement plus impressionné par la somptueuse tunique lie-de-vin à laquelle le saint renonça en quittant son père pour embrasser une carrière religieuse. D'ailleurs, lors de la restauration des deux panneaux, les analyses ont montré que Sassetta avait été tenté de rehausser l'éclat de ce tissu en insérant une feuille d'argent sous le glacis cramoisi [38]. Le public pieux de l'époque se souvenait peut-être même qu'à une étape antérieure de sa vie, à Foligno, saint François, qui craignait la mort, s'était prudemment débarrassé d'un *pannis scarlaticis* très luxueux. Le spectateur n'en avait sans doute pas conscience mais le peintre lui-même jugea sans doute que le pigment utilisé pour la robe de saint François, la teinture *kermes* élaborée à base d'insectes, était particulièrement approprié puisque c'est la teinture mère du tissu écarlate [39]. En effet, au XVᵉ siècle en Toscane, ce tissu était encore des plus coûteux. Dans un manuel pour teinturiers rédigé à Florence, le rouge cramoisi *(chermisi)* est « la première couleur, la plus noble et la plus importante que nous possédions », d'où sa mention spécifique dans les règles somptuaires de Florence de 1464 [40]. Peu après la réalisation du retable de Sassetta, dans une lettre qu'elle adressait à son fils à Naples, la patricienne florentine Alessandra Macinghi Strozzi se réjouissait que sa fille eût reçu pour cadeau de fiançailles un gilet de velours rouge cramoisi qui, écrit-elle, est « le plus beau tissu de Florence [41] ». En revanche, les tissus bleus revêtaient en Toscane une importance bien moindre. Selon ce même manuel florentin, ils ne valent pas vraiment la peine d'être mentionnés et on peut en obtenir des teintures deux fois moins chères [42]. De même, le bleu outremer abondamment utilisé pour l'édifice représenté sur le retable de Sassetta était plus certainement perçu comme un badigeon que comme un pigment précieux de la peinture. Certains textes nous rapportent que dans l'architecture civile toscane du début du Quattrocento, les voûtes et les murs plâtrés étaient totalement peints, parfois même en bleu ou en doré. Un texte bolognais de cette période nous fournit deux recettes bon marché pour le bleu mural [43]. Les admirateurs de Sassetta étaient souvent des mécènes ou des donateurs qui connaissaient bien le coût et les matériaux de la peinture, mais on peut penser que l'iconographie de son retable leur importait plus que ses techniques onéreuses.

En ce sens, les preuves fournies par les contrats sont relativement trompeuses. Les contrats de la Renaissance étaient des documents légaux qui, en faisant référence à des matériaux et à un métier, représentaient les intérêts du mécène face à l'artiste professionnel. Les intérêts de ce dernier, ainsi que sa production, étaient régulés par une guilde professionnelle [44]. Cela ne veut pas dire que les intérêts des deux partis divergeaient nécessairement : dans le contrat, les mentions de matériaux renvoyaient en fait aux conditions de la guilde qui veillait, par exemple, à ce que les couleurs les plus chères ne soient pas remplacées par d'autres moins onéreuses. Au XIVᵉ siècle à Florence, Sienne et Pérouse par exemple, ces règles interdisaient la substitution de l'or par de l'argent, de l'argent par de l'étain, du bleu outremer par de l'azurite, de l'azurite par de l'indigo ou d'autres végétaux, et enfin du vermillon par du minium, pour ne citer que les pigments précieux mentionnés dans les contrats italiens jusqu'au XVIᵉ siècle [45]. Plusieurs documents suggèrent que le

mécène pouvait parfois fournir des pigments comme l'or, l'outremer ou le vermillon, bien que cela ne soit pas toujours stipulé dans les contrats. Un document de 1459 prouve que les autorités de la ville de Sienne s'étaient chargées de fournir l'or et l'outremer à Sano di Pietro pour une fresque représentant la Vierge, commencée par Sassetta. Vingt ans plus tard, le mécène de Ghirlandaio notait dans son livre de comptes qu'il avait fourni les couleurs pour *La Cène* de Passignano [46]. Un cas particulièrement intéressant est celui de François de Gonzague, marquis de Mantoue : en 1493, un de ses agents à Venise envoya à Mantegna un lot de couleurs préparées par « un maître [*maestro*] qui fabrique du bleu outremer et d'autres couleurs parfaites […] qui est venu s'installer à demeure chez votre Seigneur ». On ne sait rien d'autre sur ce fabricant de couleurs mais disposer à demeure de services tels que les siens devait être très rare, même au sein d'une cour aussi active dans le domaine des arts que Mantoue [47]. Dans ce contrôle des pigments précieux par les mécènes, on peut voir une garantie de durée de la prestation. Cependant, cela rappelle également l'Antiquité et les critiques de Vitruve et de Pline (*cf.* page 15) et peut aussi signifier que le mécène avait tendance à imposer ses goûts au détriment de ceux de l'artiste.

Les mécènes pouvaient prescrire dans leurs contrats quels matériaux devaient être utilisés mais ils ne pouvaient imposer la façon de les employer. Une note concernant le *Tabernacle des Linaiuoli* de Fra Angelico à Florence précise l'emploi des « meilleures couleurs or, bleu et argent que l'on puisse trouver » (et suggère que le peintre pouvait s'autoriser à réduire les frais). Pourtant, la Vierge, au centre du panneau principal est maintenant d'un bleu (azurite ?) très pâle et légèrement verdâtre, alors que, dans l'*Adoration des Mages* en dessous, une Vierge plus petite est peinte dans un bleu outremer saturé, immédiatement reconnaissable [48]. En 1454, le contrat de Piero della Francesca pour le retable de saint Augustin à Sansepolcro exigeait comme d'habitude des « couleurs bonnes et raffinées », ainsi que de l'or et de l'argent. Cependant, dans le cas de saint Michel (pour qui l'on s'attendrait à un déploiement d'or et d'argent comme pour celui de Filippo Lippi un peu plus tardif), l'armure dorée est peinte dans un style albertien et l'or est réservé au halo de l'archange [49]. Un contrat sicilien du début du XVᵉ siècle laisse entendre que le mécène pouvait même contrôler le traitement des matériaux précieux afin qu'ils soient visibles à tous et mis en valeur comme il se doit. En 1417, Corardus de Choffu dut peindre un retable de la Vierge pour le compte de deux mécènes. Il devait le réaliser

> aussi bien que son savoir et ses compétences le lui permettent, avec des couleurs délicates et, en particulier, de l'or fin ainsi qu'un bleu outremer et une laque raffinés ; les couleurs, l'or, l'azur et l'alac seront analogues à ceux du tableau de l'autel de dame Flos de Cisario dans la cathédrale de Palerme […] [50].

Ainsi, dans les contrats, les références aux matériaux étaient essentiellement des conventions légales. Elles étaient souvent jugées accessoires, tout comme les indications sur les normes professionnelles qui n'étaient pas systématiquement incluses dans les règles des guildes. On ne saurait utiliser ces contrats pour juger des attitudes symboliques ou esthétiques d'alors sans se fonder sur des précisions complémentaires. Les documents de l'époque ne permettent pas non plus de vérifier l'idée selon laquelle les contrats perdirent en importance à la fin de la Renaissance. En 1515, le contrat de commande passé à Andrea del Sarto pour la *Vierge des Harpies* exige que la robe de la Vierge soit peinte dans un bleu outremer d'au moins « cinq grands florins l'once ». Cela rappelle le contrat passé deux siècles plus tôt à Pietro Lorenzetti pour le retable de l'église Santa Maria della Pieve à Arezzo qui stipulait déjà que l'or employé devait contenir « cent feuilles d'or par florin ». Ce contrat de 1320 qui impose aussi l'emploi d'un « bleu outremer choisi » pour la Vierge à l'Enfant et quatre autres figures fut interprété très librement par le peintre puisque la Vierge n'est pas vêtue de bleu mais d'un brocart d'or [51].

Ce choix d'un bleu outremer des plus précieux pour le vêtement de la Vierge, si courant dans les contrats italiens, illustre parfaitement combien la symbolique religieuse des couleurs à la Renaissance doit être appréhendée dans le contexte sémiologique plus large des valeurs matérielles profanes. De fait, le bleu céleste du manteau de la Vierge a semblé être axiomatique de sa nature virginale pour certains commentateurs du XXe siècle tout comme pour certains auteurs de la fin du Moyen Âge. Dans les années 1920, pour le phénoménologue catholique Hedwig Conrad-Martius, l'affirmation de Goethe selon laquelle le bleu était « négation » démontrait combien cette couleur était particulièrement emblématique de l'humilité de Marie. Plus récemment, un spécialiste d'histoire culturelle a soutenu que la connotation traditionnellement masculine de cette couleur nous éclaire quant à la Vierge sur « son pouvoir qui dépasse la question des genres » *(übergeschlechtlicher Gewaltenbereiche)* [52]. Lorsque les historiens de l'art de notre époque rencontrent une Vierge vêtue d'une autre couleur que ce bleu censément canonique, ils tentent de surmonter le problème en avançant des raisons techniques, liturgiques ou expressives [53]. Pourtant, on a prouvé depuis longtemps que l'usage du bleu pour ce manteau était loin d'être courant en Europe du Nord avant 1400, et qu'il ne fut certainement pas impératif après cette date [54]. Le meilleur exemple de la tradition dominante de la symbolique des couleurs de la fin du Moyen Âge et de la Renaissance est sans doute un petit diptyque des années 1400 attribué au peintre Benedetto di Bindo. La Vierge y a interrompu son ouvrage pour allaiter l'Enfant et a laissé sur la table les bobines de fil coloré qu'elle utilisait : du blanc, du vermillon et deux nuances de bleu, la plus foncée étant celle de son manteau. Il est ici fait allusion à un épisode de sa vie mentionné dans le *Proto-évangile de Jacques* dont nous avons déjà parlé au sujet de la ville de Byzance au XIVe siècle (*cf.* chapitre 1). Marie faisait partie des vierges choisies pour tisser le rideau du Temple avec de l'or, du coton ou du lin, du bleu jacinthe, du rouge écarlate et du pourpre. Le tissage de chacune des couleurs fut tiré au sort et Marie tira d'abord le rouge écarlate puis le pourpre ; alors qu'elle tissait chez elle, l'archange Gabriel lui rendit visite et lui annonça la naissance de son Fils [55]. Comme l'indique l'œuvre de Benedetto di Bindo, il y a un lien direct entre les couleurs du rideau du Temple et celles des vêtements de la Vierge car les traditions juive et chrétienne attachaient beaucoup d'importance aux couleurs de cette étoffe sainte [56]. Selon Flavius Josèphe, auteur juif du premier siècle de notre ère (*Guerres des Juifs* V, v, 4), ce rideau est le symbole de l'univers et ses couleurs représentent les quatre éléments : l'écarlate symbolise le feu, le lin blanc évoque la terre (car c'est une fibre végétale), le bleu est le symbole de l'air et le pourpre celui de l'eau (car il provient d'un coquillage).

De nombreux auteurs byzantins et occidentaux reprirent ces équivalences et ajoutèrent d'autres attributs à cet ensemble de quatre couleurs très évocateur. Isidore de Séville (*Étymologies* XIX, xxi, 1-8) y apporta une interprétation mystique qui eut beaucoup d'in-

fluence : chez lui, le bleu symbolise le ciel ; le pourpre, le martyre ; le rouge écarlate, la charité ; le lin blanc, la chasteté et la pureté. Au XIIe siècle, Hughes de Saint-Victor relia cette double exégèse aux constituants matériels de l'homme empruntés aux quatre éléments et à son côté spirituel fondé sur les quatre vertus cardinales que sont la sagesse, la justice, la tempérance et le courage [57]. Cet auteur a aussi soutenu que la couleur pourpre était particulièrement appropriée à Marie, en tant que reine des Cieux. Dans la tradition byzantine, nous dit-il, elle était souvent vêtue de pourpre ; au VIIe siècle, lors du transfert de son manteau de l'église de Blachernae à Sainte-Sophie où l'on voulut le conserver, on s'aperçut qu'il était fait d'une laine pourpre qui, miraculeusement, n'avait pas changé [58]. On dit aussi qu'une icône byzantine représentant la Vierge à l'Enfant en robe rouge pâle sous un manteau bleu servit de prototype à cette association de couleurs si courante en Europe occidentale à partir du XIVe siècle [59]. Dans le bleu outremer à dominante violette – *si bello violante*, comme en parle Cennino Cennini (LXII) – et au coût élevé, les peintres occidentaux voyaient le parfait équivalent de la pourpre impériale, d'où son emploi noble dans de très nombreuses versions de l'image de la Vierge. La seconde couleur que choisit la Vierge pour le rideau du Temple était le rouge écarlate, très souvent utilisé en association avec le bleu de sa robe. Aux Pays-Bas où l'écarlate était de loin le colorant textile le plus cher au XVe siècle, la Vierge portait souvent une étoffe de cette teinte qui, à cause des connotations floues du latin *purpureus* (*cf.* chapitre 1) peut aisément être interprétée comme de la pourpre [60].

Sur le diptyque de Benedetto di Bindo, la Vierge est accompagnée de saint Jérôme qui traduit en latin l'évangile de saint Jean. Il porte l'habit de cardinal et arbore donc deux variétés de rouge fort précieuses : vermillon pour le chapeau et cramoisi pour la robe. Si Alberti avait eu à décrire en latin cette image à ses amis lettrés, il aurait sans doute établi une distinction entre les deux termes, mais pour sa propre famille il se serait probablement contenté d'un seul terme vernaculaire [61]. D'un autre côté, selon le très sévère code vestimentaire appliqué à Venise au début de la Renaissance pour les fonctions officielles (où nous apprenons avec surprise que le rouge écarlate et le *pavonazzo* – un pourpre profond – étaient des couleurs de deuil, le noir ayant été rattaché à d'autres fonctions sociales), il était essentiel de pouvoir clairement distinguer entre un rouge jaunâtre et un rouge bleuâtre pour comprendre les symboles politiques de l'époque. Le chroniqueur Marin Sanudo, gardien de l'orthodoxie officielle, nota par exemple avec attention la couleur du costume du doge et celle de son concile, en 1509. Par temps de guerre et en pleine campagne d'austérité, à l'occasion de l'importante fête de Corpus Christi, il remarqua que le doge Loredan continuait de porter son costume habituel de velours cramoisi alors que certains sénateurs portaient du rouge écarlate, d'autres du noir ou du *pavonazzo*, selon le degré d'affliction qu'ils souhaitaient exprimer [62]. Ainsi, à l'instar du théoricien de la couleur Fulvio Morato, les chroniqueurs politiques devaient de plus en plus affûter leur sens de l'observation.

De même, dans l'histoire vestimentaire de l'Église romaine, les différentes représentations du costume de saint Jérôme sont loin d'être insignifiantes. Au XIIIe siècle, le pape Innocent IV décréta que ses cardinaux devaient porter le chapeau rouge, symbole du martyr de la Foi, mais ils conservèrent la robe pourpre traditionnelle jusqu'en 1464, date à laquelle Paul Ier leur permit de se vêtir

89
35

91
89

en rouge écarlate. Cette décision résultait directement de l'arrêt du commerce du pourpre byzantin après la conquête turque en 1453 et de la découverte en 1462 dans les territoires de la Papauté d'une riche source d'alun, ingrédient essentiel à la teinture du kermès qui était auparavant importé de Turquie [63]. Alors, pourquoi avant 1464 les peintres représentaient-ils si souvent les cardinaux avec un chapeau et une robe de la même couleur (ou, comme dans notre exemple siennois, dans un rouge très légèrement pourpré) [64] ? Comme nous l'avons souvent vu, la réponse réside dans le fait que notre distinction moderne entre le pourpre et le rouge était encore relativement inhabituelle au début de la Renaissance. Le rouge écarlate, le pourpre, le bleu outremer, la laque cramoisie et le vermillon du peintre étaient perçus, ainsi que le manteau de la Vierge, comme des couleurs apparentées, unies de manière symbolique par leur beauté, leur rareté et leur remarquable cherté.

L'importance des matériaux

À la Renaissance, Venise était le grand magasin où les artistes se fournissaient en couleurs ; l'origine vénitienne du *maestro* qui apporta un lot de pigments à Mantegna en 1493 n'est donc pas surprenante. On trouvait en particulier le fameux bleu outremer du Badakhshan (aujourd'hui en Afghanistan) qui provenait, comme son nom l'indique, « d'outremer ». Il s'oppose à l'azurite, ou « bleu prussien », importée d'Europe centrale ou septentrionale [65]. Les mécènes savaient que s'ils voulaient obtenir les meilleurs matériaux, ils devaient être prêts à financer leur importation depuis Venise et les contrats tenaient parfois compte de ce facteur. Ainsi, dans celui passé à Filippino Lippi pour les fresques de la chapelle Strozzi à Santa Maria Novella de Florence (1487), une clause stipule que le peintre pouvait garder une certaine somme d'argent afin d'en disposer quand « il voudrait se rendre à Venise ». Le contrat passé auprès de Pinturicchio pour le grand cycle de fresques de la bibliothèque Piccolomini à Sienne (1502), qui devait être peint « d'or, de bleu outremer, de glacis verts et d'autres couleurs, conformément aux appointements », inclut aussi la somme de 200 ducats d'or à payer d'emblée « à Venise, pour l'achat de pigments dorés et d'autres couleurs nécessaires [66] ».

Outre la vente de matériaux bruts, Venise produisait aussi des pigments manufacturés prêts à l'emploi [67]. Elle avait en cela pour rivale la ville de Florence où la confrérie laïque des Gesuati du couvent de San Giusto alle Mura s'était spécialisée dans la production de pigments de lapis-lazuli et d'azurite de la meilleure qualité [68]. Il est difficile de surestimer l'importance de cette spécialisation croissante dans la production et la vente de matériaux pour artistes, car elle va de pair avec l'indépendance grandissante des artistes. Elle s'accompagne aussi d'une nouvelle importance donnée aux académies sur les ateliers et les guildes dans la formation des artistes au cours du XVIe siècle. Cennini, par exemple, évitait de dévoiler les détails des recettes compliquées et diverses pour produire un vermillon artificiel à partir du mercure et du soufre. À sa décharge, il invoque le fait que le peintre, s'il souhaite obtenir ces formules, peut se lier d'amitié avec les *frati* (xl), terme par lequel il entend sans doute les Gesuati de Florence [69]. Léonard de Vinci, dont les carnets prouvent amplement l'intérêt pour la chimie des matières picturales, fut également l'un des clients de cette confrérie. Son contrat pour l'*Adoration des Mages* (restée inachevée), comporte une clause inhabituelle précisant que l'artiste doit se fournir

97

en couleurs auprès des Gesuati [70]. Au milieu du XVIe siècle, la transformation des pigments bruts en peinture au sein même des ateliers d'artistes était probablement devenue beaucoup plus rare, et cela même à Venise. Dans son *Dialogo di pittura* (1548), le peintre vénitien Paolo Pino écrit dédaigneusement qu'il ne souhaite pas décrire la nature des différentes couleurs car, dit-il, tout le monde connaît cela, y compris les marchands de couleurs eux-mêmes qui savent comment les employer. La beauté, dit Pino, ne se résume pas à un bleu outremer à soixante *scudi* l'once, à une belle laque ou à des couleurs aussi chatoyantes dans la boîte que sur le tableau [71].

Cette spécialisation dérivait en partie de la fabrication de plus en plus sophistiquée des peintures, dont l'exemple le plus évident est le développement de la peinture à l'huile au XVe siècle. La purification des huiles et la distillation d'essences pour diluants, que ce développement entraîna, exigeaient des techniques et un équipement qui ne se trouvaient habituellement pas dans les ateliers d'artistes. Là encore, les Gesuati montrèrent qu'ils étaient capables de s'adapter à une nouvelle mode [72]. La contribution importante des restaurateurs à l'histoire des techniques a enfin permis, au cours des années 1970-1980, de mettre un terme à l'anecdote amusante et étonnamment universelle de la « découverte » par Jean van Eyck de la peinture à l'huile. En réalité, les huiles rentraient déjà depuis plusieurs siècles dans la composition de la peinture. Vers la fin du XIIe siècle, le médecin Urso de Salerne rédigea ce qui est sans doute le premier texte sur les techniques distinctes de l'huile et de la détrempe mélangées à du lait de figue [73]. Aux XIVe et XVe siècles, il semble que ces deux méthodes furent progressivement amalgamées, d'où la difficulté d'identifier précisément la technique utilisée dans une œuvre italienne jusqu'au XVIe siècle [74]. En fait, Van Eyck contribua essentiellement à cette technique en introduisant une méthode compliquée de glacis de couleurs transparentes sur fond clair. Les chercheurs ne sont d'ailleurs pas encore tombés d'accord sur l'origine précise de ce perfectionnement. Ils ont remarqué que l'art de Van Eyck était associé à celui de la peinture sur verre [75]. Manifestement, un certain nombre de ses contemporains peignaient aussi des sculptures ; dans ce domaine, la technique traditionnelle des vernis de couleurs transparentes comme le rouge et le vert sur des feuilles d'or ou d'argent était alors bien développée [76]. Les nouvelles méthodes à l'huile permettaient aussi de peindre sur une toile fine *(Tüchlein)* avec une peinture fine liée par un mélange de colle et d'eau. Cette technique était très employée aux Pays-Bas au début du XVe siècle. Nous pouvons imaginer que les peintres qui utilisaient cette méthode, dont Van Eyck, aient pu vouloir transférer ces couches très fines, et le modelé régulier que leur permettait un médium fluide, à la peinture sur bois plus durable et plus expressive [77]. Ce transfert n'était possible qu'avec le développement des diluants distillés (qui, cependant, sont attestés aux Pays-Bas dès le début du XIVe siècle [78]). Quelles que soient les origines de cette nouvelle méthode flamande, elle a eu de très vastes conséquences. La surface lisse et précieuse des tableaux de Van Eyck et leurs détails extrêmement raffinés ont aisément conduit aux empâtements épais et aux glacis subtils qui se développèrent d'abord au XVIe siècle dans la peinture vénitienne. Cette combinaison était désormais possible grâce à un épaississement de l'huile, à l'ajout de résines et aux mélanges compliqués désormais possibles sur la palette puisque chaque particule de pigment se trouvait maintenant scellée dans une enveloppe d'huile qui la protégeait des éventuelles réactions chimiques avec son environnement. De plus, cette nouvelle

91, 106

Atelier de Taddeo Gaddi, *Présentation de la Vierge*, après 1330. L'emploi d'un fond teinté, comme ici, faisait déjà partie de la tradition toscane du dessin avant le XVe siècle ; le sentiment de cohérence qui se dégage de cette technique fut vite exploité pour la peinture à l'huile. (96)

possibilité d'un traitement illusionniste du détail ainsi que la pérennité de la peinture à l'huile (par opposition à la vulnérabilité des couleurs) firent que progressivement les pigments c'éssèrent d'être des indicateurs de la valeur d'une œuvre, comme le reflètent les remarques cinglantes de Pino et de Dolce. Cette évolution est certes d'origine flamande, mais c'est en Italie qu'elle laissa ses premières marques sur le plan esthétique.

Ces nouvelles méthodes se diffusèrent en Italie par l'intermédiaire de l'œuvre de Filippo Lippi à Florence et d'Antonello de Messine à Naples dans les années 1430 et 1440 [79]. Un document faisant référence à l'œuvre commune d'Andrea del Castagno et de Paolo Uccello dans le réfectoire de San Miniato al Monte, sur les hauteurs de Florence, laisse supposer que ces techniques étaient déjà répandues dans les années 1450, mais qu'elles étaient aussi très coûteuses. En février 1454, ces artistes obtinrent dix florins supplémentaires pour leur œuvre, réalisée en l'occurrence à l'huile, « ce qu'ils n'étaient pas obligés de faire [80] ». Peu de temps après, à Milan, l'architecte Antonio Averlino (dit Filarete) rédigeait le premier texte important sur la peinture à l'huile. Il y cite Van Eyck et Van der Weyden sur lesquels il avait sans doute obtenu des renseignements par le biais de Zanetto Bugatti, leur élève milanais.

Cette technique, écrit Filarete, peut s'utiliser sur du bois ou sur une surface murale et son fond peut être de n'importe quelle couleur, y compris le blanc *(biacca)* :

> Puis, au-dessus, mettez en quelque sorte une ombre de blanc [*una ombra di bianco*], c'est-à-dire quoi que vous souhaitiez faire, donnez une forme aux personnages ou aux édifices ou aux animaux ou aux arbres ou à quoi que ce soit [d'autre] que vous devez faire, dans un blanc [*biacca*] qui doit être finement broyé. Ainsi toutes les couleurs doivent être broyées, et chaque fois, laissez-les bien sécher, afin qu'elles s'incorporent bien [*s'incorporí*] les unes aux autres.

Les formes devaient être dessinées en blanc, les ombres dans n'importe quelle couleur, « et ensuite, d'une touche légère, donnez leur une mince couche de la couleur dont vous devez les recouvrir [81] ».

La référence aux minces couches de pigments finement broyés laisse à penser que Filarete connaissait bien les procédés flamands mais le plus étonnant dans ce texte est qu'il prescrit de dessiner en blanc sur fond coloré. Cela ne correspond pas en effet à la pratique septentrionale mais plutôt à la technique de Paolo Ucello à l'époque dans sa peinture à l'huile [82]. Ces recommandations rappellent les techniques de dessin utilisées en Italie centrale à partir du XIVe siècle. Le dessin sur papier coloré, souvent réalisé à la mine d'argent et présentant de nombreux rehauts blancs, devint l'une des techniques graphiques les plus connues de la Renaissance italienne, et fut utilisée par Ucello lui-même [83]. Le fond teinté était important car d'emblée il établissait l'unité tonale de l'image. Lorsque Vasari vint à décrire les diverses méthodes de dessin un siècle plus tard, il écrivit :

> D'autres dessins d'ombres et de lumière sont exécutés sur du papier teinté qui donne une nuance moyenne ; le crayon marque les contours, à savoir le contour ou le profil, et ensuite un demi-ton ou une nuance sont rendus à l'aide d'encre mélangée à un peu d'eau, ce qui produit une teinte délicate : puis, avec un pinceau fin teinté de blanc de plomb, trempé de gomme, on ajoute des rehauts. Cette méthode très picturale montre au mieux le procédé de la couleur [84].

Le sens des couleurs d'Uccello n'est pas moins conceptuel que son sens de l'espace linéaire : il aimait les contours vifs et les contrastes forts au détriment d'une unité tonale d'ensemble. Cependant, la technique du fond légèrement teinté, une fois associée à la recherche d'une cohérence visuelle et à une méthode de travail d'après nature, permit de révolutionner la compréhension des relations tonales en peinture. En effet, cette technique de dessin sur papier coloré se développa en particulier chez des peintres florentins comme Filippino Lippi et Ghirlandaio, pour qui l'observation attentive de la nature était d'un intérêt primordial. Cet intérêt n'était d'ailleurs pas confiné à l'Italie : quand il s'agissait de persuader un mécène d'augmenter ses gages, Dürer n'ignorait pas « l'attrait des plus belles couleurs [85] ». Adepte de l'esquisse en plein air, il comprit que la fonction de la couleur était d'imiter les tonalités de la nature. Dans le seul fragment de son traité sur la peinture qui nous reste (*cf.* chapitre 2) – un passage sur la peinture des drapés –, il plaide pour une unité tonale qui évite à la fois les extrêmes dans l'ombre et la lumière et les contrastes de couleurs pour la représentation des matières iridescentes. On retrouve ces effets larges et unifiés dans ses *Apôtres* (1526), par exemple [86]. Le grand contemporain allemand de Dürer, le sculpteur Tilman

Riemenschneider, introduisit également la conception d'unité tonale dans sa sculpture sur bois, en abandonnant la polychromie traditionnelle. Il se mit à « colorer » certaines zones de ses retables en relief, à l'aide d'un répertoire de marques graphiques vaguement lié aux nouvelles conventions tonales adoptées à l'époque en Allemagne dans la gravure, notamment par Dürer. Au début des années 1490, son retable de Münnerstadt, premier retable monochrome d'Allemagne et première œuvre de grandes dimensions de l'artiste (aujourd'hui dispersé), suscita un tel scandale que, sous la pression des paroissiens, un autre sculpteur, Veit Stoss, fut chargé de le peindre au début du XVIᵉ siècle [87].

Ainsi, en 1500, le monochrome et la dépréciation des valeurs inhérentes aux couleurs pures qui l'accompagne occupaient-ils déjà une place centrale dans l'expérience visuelle de l'Europe occidentale. Léonard de Vinci fut le théoricien de cette évolution et son plus excellent interprète.

Léonard de Vinci

Le style de Léonard reflète les préjugés de Vitruve et de Pline à l'encontre des couleurs extravagantes ainsi que l'évolution des pratiques depuis le Quattrocento. En effet, celles-ci s'orientent avec lui de manière magistrale vers une surface picturale à l'harmonie tonale à la fois plus atténuée et plus cohérente. Son étude d'une grande variété d'auteurs médiévaux lui a fait découvrir les traités d'optique et les idées de la suprématie de la lumière. On ne sait pas clairement ce qui poussa Léonard de Vinci à s'insurger contre ces traités, hormis son sens de la provocation bien connu et sa foi inconditionnelle en la nouveauté [88]. Il est le traducteur de *Perspectiva Communis* (1269/1279) de Pecham où « parmi les études des causes et des raisons naturelles, la lumière est celle qui réjouit le plus ceux qui la contemplent » mais là où l'auteur, dans les pages introductives de son livre, écrivait « Quand l'œil contemple de vives lumières il souffre grandement et ressent de la douleur » (I, 1.1), Léonard atténue ces propos en traduisant : « quand il croise la lumière le regard souffre quelque peu [89]. » À l'époque, la lumière en tant que phénomène subjectif commence déjà à perdre en importance. Les lectures médiévales de Léonard (en particulier Alhazen, Bacon, Witelo et Pecham) le confrontent à une variété de problèmes d'optique sous l'angle physiologique et, à l'instar de Ghiberti, une grande partie de son œuvre peut s'interpréter comme un moyen de tester, de raffiner et d'approfondir ces questions en les confrontant à sa propre expérience de la nature.

L'explication qu'il donne pour la couleur bleue du ciel illustre bien son approche. Les auteurs médiévaux soutenaient qu'elle résultait d'un mélange entre le blanc de l'air et l'obscurité de l'espace. Par exemple Ristoro d'Arezzo, encyclopédiste toscan du XIIIᵉ siècle, tirait ses conclusions de l'expérience artistique : « Même si selon les savants le ciel devrait être incolore, examinons les raisons pour lesquelles il nous semble bleu. Les peintres instruits qui utilisent les couleurs, quand ils souhaitent simuler [*contrafare*] le bleu, juxtaposent deux couleurs opposées, l'une claire, l'autre foncée, et de ce mélange résulte la couleur bleue. » Il en va de même de l'eau profonde et des différents bleus du ciel, de jour comme de nuit : « Et parce que c'est la nature de l'ombre et de la lumière, quand ils se mélangent, de produire la couleur bleue, de même les peintres instruits qui utilisent ce mélange de couleurs, quand ils veulent simuler un bleu clair rajoutent du clair et, quand ils veulent

simuler un bleu foncé, rajoutent du foncé. » Le ciel ne peut être bleu grâce à des vapeurs de cette couleur car si tel était le cas, écrit Ristoro, les étoiles nous sembleraient également bleues ; « Et pour preuve [*segno*], si vous placez un verre bleu transparent, ou vert, ou rouge, ou d'une autre couleur [entre vous et les objets] vous les voyez de cette même couleur, en particulier si vous contemplez de l'autre côté [du verre] des objets de couleur claire. » Le ciel bleu constellé de blanc, conclut Ristoro, « est plus noble et plus agréable à l'œil que toute autre couleur [90] ». Le récit de Léonard intègre plusieurs de ces idées mais il aborde le problème de façon assez différente. Dans le *Codex Hammer* (1506/1509), il écrit :

> Je dis que l'azur qu'on voit dans l'atmosphère n'est point sa couleur spécifique, mais qu'il est causé par la chaleur humide évaporée en menues et imperceptibles particules que les rayons solaires attirent et font paraître lumineuses quand elles se détachent contre la profondeur intense des ténèbres de la région ignée qui forme couvercle au-dessus d'elles. On peut l'observer comme je l'ai vu moi-même quand je fis l'ascension du Mont Bô, pic de la chaîne des Alpes qui sépare la France de l'Italie ; [...] l'air était sombre au-dessus de ma tête et les rayons du soleil frappant la montagne avaient bien plus d'éclat que dans les plaines en contrebas, parce qu'une moindre épaisseur d'atmosphère s'étendait entre leurs cimes et le soleil. Comme nouvel exemple de la couleur de l'atmosphère, nous prendrons la fumée que dégage le vieux bois sec ; s'échappe-t-elle des cheminées, elle semble d'un bleu prononcé, lorsqu'elle s'interpose entre l'œil et un espace obscur ; mais à mesure qu'elle s'élève entre l'œil et l'atmosphère lumineuse, elle emprunte aussitôt une teinte gris cendré ; et ce, parce qu'elle n'a plus derrière elle l'obscurité, mais la luminosité de l'air. Mais si cette fumée provient d'un bois jeune et vert, elle ne se colorera point en bleu, car étant opaque et chargée d'un lourd poids d'humidité, elle fera l'effet d'un nuage dense qui accuse des lumières et des ombres précises, comme un corps solide. [...] Nous pouvons également observer la différence entre les atomes de la poussière et ceux de la fumée, qu'on voit dans les rayons du soleil lorsqu'il filtre dans les pièces obscures à travers les fissures des murs ; l'une semble couleur de cendre et l'autre – la fumée subtile – du plus beau bleu. Nous pouvons constater aussi dans les ombres obscures des montagnes éloignées de l'œil, que l'atmosphère entre l'œil et ces ombres paraît très bleu, et dans la partie de ces montagnes qui est en lumière, sa couleur primitive ne varie guère. Mais qui veut en avoir une preuve définitive fera sur une planche des taches de différentes couleurs, parmi lesquelles il inclura un noir extrêmement intense ; si ensuite il étend sur le tout une mince [couche de] blanc transparent, il s'apercevra que la clarté du blanc ne présente nulle part une couleur d'un plus bel azur qu'au-dessus du noir – mais il faut qu'il soit très fin et finement broyé [91].

Cette vaste analyse introduit un certain nombre de thèmes récurrents dans les recherches de Léonard sur la nature : l'importance des montagnes dans l'étude de la perspective aérienne ; sa fascination pour la fumée, une préoccupation traditionnelle chez les artistes du Quattrocento qui s'intéressaient au modelé tonal mais renouvelée ici dans le domaine de la couleur [92] ; enfin, sa volonté de mettre à l'épreuve de la peinture les idées sur la nature. Là où Ristoro plaçait la peinture avant l'étude de la nature en général (et se contentait d'une ou deux expériences), Léonard y arrive seulement après une longue série d'exemples et sa manière suggère qu'il n'a pas vraiment tenté l'expérience. Le secret d'atelier pour créer un beau bleu-gris en apposant une couche noire transparente sur

L'Adoration des Mages, huile inachevée de 1481, et *La Vierge et l'Enfant avec un chat*, esquisse au crayon et à l'encre de 1478 environ, montrent l'extrême similitude entre le dessin de Léonard, qui a recours à de larges zones d'ombres et de lumières, et la technique de ses premières peintures. (97, 98)

un fond blanc était connu depuis longtemps (Titien l'employa, par exemple, pour la ceinture de Tarquin dans le *Tarquin et Lucrèce* de Cambridge [93]). En revanche, le procédé inverse, une couche blanche sur du noir, est alors beaucoup plus problématique, notamment à cause de la difficulté de se procurer un blanc quasiment transparent. Le blanc de plomb *(biacca)* que Léonard mentionne est particulièrement dense et couvrant. D'ailleurs, un chercheur contemporain ayant répété « l'expérience » du peintre a trouvé qu'il n'obtenait que des « gris peu agréables tirant sur le vert [94] ».

La manière dont Léonard aborde le problème du bleu du ciel est caractéristique des obstacles qui peuvent se présenter dès qu'on souhaite comprendre l'attitude vis-à-vis de la couleur : une abondance de schémas, certes, mais aussi des exemples disparates qui s'enchaînent indéfiniment, sans fil conducteur apparent. C'est une méthode empirique véritablement incontrôlée. Les notes de Léonard, tout en étant vraisemblablement destinées à une ou à plusieurs publications, sont répétitives et parfois contradictoires. Il ne s'agit pas là d'entrer dans les insolubles problèmes de datation

et d'interprétation qu'elles ont pu engendrer [95]. Je me permettrai seulement d'indiquer certains aspects fondamentaux de l'approche de la couleur chez Léonard en essayant de relier sa théorie à son extraordinaire pratique artistique.

Le plus frappant dans sa conception de la couleur, en théorie comme en pratique, est sans doute sa réévaluation de l'obscurité. J'ai montré, dans le domaine de la mosaïque puis du vitrail, que l'obscurité avait acquis, au début du Moyen Âge, une valeur positive et mystique qui provenait en grande partie d'une lecture approfondie du Pseudo-Denys. À la Renaissance, le regain d'intérêt en Italie pour le corpus dionysien, avec les nouvelles traductions d'Ambrogio Traversari (érudit de l'entourage de Ghiberti) dans les années 1430 et de Marsile Ficin en 1490, n'a sans doute fait que renforcer les liens exotériques entre cette théologie et la métaphysique de la lumière. Pourtant, on est en droit de supposer que les éléments négatifs et mystiques de cette doctrine se réaffirmèrent après 1500 au moins dans les cercles artistiques. La *Vierge de la Miséricorde* de Fra Bartolommeo (1515) comporte un nuage sombre juste au-dessous de la silhouette du Christ à la fois selon une logique dionysienne et dans l'esprit de Savonarole, mentor du peintre [96]. Fra Bartolommeo est aussi l'un des premiers à avoir adopté les nouveaux principes du clair-obscur structural que Léonard avait développés. Peut-être Léonard ne connaissait-il pas la théologie mystique dionysienne ou bien celle-ci ne l'intéressait pas. Il est cependant certain qu'il concevait le rôle de l'obscurité de manière très active : « L'ombre [est] plus puissante que la lumière [*lume*], écrit-il vers 1492, parce qu'elle empêche entièrement le corps de clarté, alors que la clarté ne parvient jamais tout à fait à chasser l'ombre des corps, c'est-à-dire des corps opaques [97]. » Léonard projetait d'écrire sept ouvrages de taxinomie des ombres et les notes rédigées pour la plupart d'entre eux nous sont parvenues. Pour la pratique de la peinture, la distinction la plus importante qu'il établit est celle entre l'ombre *(ombra)* et l'obscurité *(tenebre)*. Il soutient en effet que l'ombre se situe entre lumière et obscurité et qu'elle peut soit être infiniment sombre, soit contenir un degré infime d'obscurité [98]. Là où la métaphysique médiévale exigeait une pluralité de types de lumière, et fut développée en ce sens par le néo-platonicien Marsile Ficin (lequel concevait la couleur comme une « lumière opaque » et, dans son échelle chromatique à douze tons, du clair au foncé, incluait quatre tons clairs [99]), Léonard revendique des dégradés d'ombres infinis. Dans une note datant de 1508 environ, il dénigre les peintres contemporains qui : « Quand il s'agit de reproduire des choses enchevêtrées [*infuscate*] : arbres, prairies, cheveux, barbes, fourrures, les personnes d'expérience emploient quatre degrés de lumière pour rendre la même couleur ; d'abord un fond sombre, puis un mélange qui a un peu la forme de la partie à reproduire, troisièmement une partie plus claire et plus définie ; quatrièmement, tu feras les lumières de préférence dans les parties hautes pour les mouvements de la figure ; il me semble néanmoins que ces distinctions sont à l'infini quand il s'agit d'une quantité continue, laquelle est en soi divisible à l'infini [...]. »

Il poursuit en avançant une preuve mathématique de cette proposition [100]. Le concept de l'infinité des ombres est la base philosophique du *sfumato* de Léonard, cette méthode de dégradé tonal infiniment subtil pour laquelle le peintre développa de nombreux médiums et techniques graphiques. À la fin du XVIᵉ siècle, un traité de Lomazzo lui attribue un nouveau type de pastel tendre, utilisé pour les têtes du Christ et des Apôtres dans les dessins préparatoires de *La Cène* (dont aucun ne nous est parvenu, hormis les pastels rouges) [101]. Un dessin de très grande taille comme le carton de *La Vierge, l'Enfant et sainte Anne* utilise le fusain et probablement la craie sous forme de rehauts. Par ailleurs, il semble que les têtes comportent de fortes traces d'estompage au doigt [102]. Le travail de restauration a révélé cette technique dans nombre de peintures de Léonard, des premiers tableaux comme *L'Annonciation* et son *Portrait de Ginevra Benci*, à la version tardive de *La Vierge aux rochers* de Londres. La fine texture du doigt est un outil subtil pour obtenir dans le modelé les nuances requises et, comme si c'était une poudre sympathique, Léonard en transmit la finesse aux chairs qu'il peignait [103].

Fidèle aux traditions florentines du Quattrocento, Léonard utilise à la fois le papier teinté pour ses dessins (même quand ceux-ci font la taille du carton de Londres) et, sur ses murs ou panneaux de bois, une sous-couche complète ou partielle dans diverses tonalités plutôt sombres [104]. Comme il l'écrit à propos du dessin dans son *Traité de la peinture* : « Pour donner du relief aux objets dessinés, les peintres doivent teindre la surface du panier d'un ton moyen et puis faire les ombres plus foncées et à la fin les lumières les plus fortes, par petites touches qui seront les premières à se perdre pour l'œil avec la distance [105]. » Rien ne démontre plus clairement le rôle prépondérant de l'ombre dans sa manière de concevoir une image. Même lorsqu'il commençait par un fond clair, comme c'est le cas dans de nombreux dessins ou dans des œuvres à l'huile à peine amorcées comme l'*Adoration* ou *Saint Jérôme*, il semble qu'il extirpait lentement de faibles zones lumineuses d'une matrice d'obscurité.

Léonard de Vinci est considéré comme le père du clair-obscur bien que ce concept technique n'apparaisse pas en tant que tel dans ses écrits, hormis dans son *Traité* où il le désigne comme une science de grande importance *(di gran discorso)*. Cette idée, qui ne se popularisera en Italie que dans les années 1520, pourrait bien avoir été introduite dans les notes du peintre par les éditeurs du *Traité* au cours des décennies suivantes [106]. Si tel est le cas, son incapacité à penser en termes de concept spécifique l'élément qui se placerait à côté de *disegno* et de *colore* pourrait bien résulter de l'ambiguïté constante du peintre à l'égard de la couleur, dont on trouve un exemple dans son emploi du terme *bello* (beau).

On sait depuis longtemps que, dans certains contextes, il donne à cet adjectif la connotation de « clair » ou « lumineux » [107]. Ainsi, le vert est plus *bello* grâce à l'ajout de jaune. La clarté du ciel près de l'horizon est plus *bella* qu'au zénith ; quand les couleurs sont placées dans un espace lumineux, plus la lumière a de la *splendore*, plus les couleurs gagnent en *bellezza* [108]. Cette notion n'est peut-être qu'une survivance de l'esthétique exotérique dionysienne mais, comme le montre un autre passage important du *Traité*, elle aura des conséquences importantes dans le traitement de la couleur :

Sous quel aspect [parte] *une couleur donnée apparaît plus belle en peinture.* Il faut observer sous quel aspect une couleur apparaît plus belle dans la nature : quand elle reçoit des reflets, ou quand elle est éclairée, ou quand elle a les ombres moyennes, ou quand elle les a obscures, ou quand elle est transparente. Cela dépend de la couleur dont il s'agit, car différentes couleurs ont leur plus grande beauté dans les ombres, le blanc dans ses lumières, le bleu, le vert et le brun dans les ombres moyennes, le jaune et le rouge dans la lumière, l'or dans les reflets, et la laque dans les ombres moyennes [109].

Léonard établit ici un modèle de beauté par la couleur qui dépend d'une échelle de valeurs tonales (selon laquelle le rouge est proche de la lumière) ; ce modèle était particulièrement difficile à retranscrire en peinture si l'on donnait toute l'attention nécessaire au relief. Dans une note remontant à 1492 que Léonard intégra plus tard au *Traité*, il déclare : « Et pour cela je te recommande, Ô peintre, de vêtir tes figures de couleurs plus claires. Car si tu les fais de couleur foncée, elles auront peu de relief et, de loin, se détacheront peu ; [cela parce que les ombres de toutes choses sont obscures :] et si tu fais un vêtement foncé, il y aura peu de contraste entre la lumière et les ombres ; et sur les vêtements clairs le contraste sera plus grand [110]. » Cependant, au milieu de remarques peu flatteuses sur certaines peintures qui annoncent l'attitude vénitienne du XVIᵉ siècle, il pose la question :

Qu'est-ce qui importe le plus : que la forme abonde en belles couleurs ou qu'elle présente un grand relief ? Seule la peinture montre une merveille à ceux qui la contemplent, car elle donne du relief à ce qui n'existe pas et l'impression de sortir des murs ; mais les couleurs

Mariotto Albertinelli, *L'Annonciation*, 1506-1510. Afin de renforcer le clair-obscur de son retable, Albertinelli créa un nouveau blanc, très puissant, mais il endommagea les qualités picturales de son œuvre par ses révisions constantes. (99)

ne font honneur qu'à ceux qui les fabriquent, car en elles rien n'est source d'étonnement, hormis leur beauté et celle-ci n'est pas due au peintre mais à celui qui les a créées. Un sujet peut comporter des couleurs laides et pourtant étonner ceux qui le contemplent, grâce à cette illusion de relief [111].

Les extraits que je viens de citer suffisent à suggérer qu'en matière de beauté Léonard se trouve confronté à un dilemme, puisqu'il en vint à penser qu'elle devrait être sacrifiée au profit du relief. Pourtant, il semble principalement appréhender ce sacrifice pour les vêtements, un domaine où il peut également déployer, au moins de façon limitée, ces contrastes harmonieux qu'il identifie par paire de couleur (tel le manteau bleu doublé de jaune dans *La Vierge à l'œillet*, un tableau précoce, ou dans *La Vierge aux rochers*). Ces amas de drapés sculpturaux et désordonnés, bien qu'ils trouvent clairement leur origine dans l'art néerlandais, avaient une

fonction purement abstraite. Il n'est pas étonnant qu'à partir des années 1470 plusieurs ateliers florentins, notamment celui de Verrocchio où Léonard fut formé, se soient exercés à l'étude de ces drapés compliqués pour comprendre le traitement des ombres et de la lumière [112]. Les essais très aventureux de Léonard en matière de techniques picturales nous privent de toute certitude sur ses œuvres que nous ne voyons pas de la même façon que lui : les teintes roses et perlées que l'informateur de Vasari décrit en voyant la *Joconde* ont disparu depuis longtemps même si l'on peut deviner la tonalité générale de cette œuvre depuis la restauration récente de la version d'atelier du *Saint Jean-Baptiste* de Milan [113].

Chez Léonard, la foi en l'illusion picturale et sa capacité à rendre distinctement les effets de la nature atteignent un degré de fanatisme sans précédent. Dans son *Traité*, il soutient qu'en travaillant à l'extérieur, le peintre devrait directement comparer ses couleurs avec celle du sujet qu'il traite – « ainsi, la couleur que vous réalisez coïncide avec la couleur naturelle » – en s'aidant d'échantillons peints sur papier à comparer avec l'original [114]. Ses observations remarquables sur les effets de la couleur dans l'ombre et dans les reflets, et les impressions saisissantes causées par les contrastes de couleurs, ont conduit certains commentateurs à comparer ses idées à celles de l'impressionnisme :

Si tu regardes une femme en blanc au milieu d'un paysage, le côté qu'elle expose au soleil aura un éclat si vif que certaines parties blesseront la vue, tel le soleil lui-même ; quant au côté exposé à l'atmosphère – lumineuse à cause des rayons solaires qui s'y mêlent et la pénètrent –, cette atmosphère étant bleue en soi, la partie de la femme tournée vers elle semblera trempée dans l'azur. Si le sol à ses pieds représente un pré éclairé et que la femme est entre lui et le soleil, tu verras que toutes les parties des plis [de sa robe] tournées vers le pré seront teintées par les rayons qu'il réfléchit. Ainsi se trouve-t-elle emprunter les couleurs des objets avoisinants, tant lumineux que non lumineux [115].

On croirait contempler un Renoir des années 1870, mais Léonard n'introduit ces exemples que pour les rejeter. Ce qui lui importe, c'est ce qu'il nomme la « véritable » couleur des objets, inaltérée par les reflets de l'environnement dont les effets, écrit-il, peuvent être « très laids » [116]. De même, les forts contrastes de tons qui rendent les choses « ambiguës ou confuses » pour le peintre, sont à éviter [117]. Tout comme Alberti, qui déconseillait l'utilisation de tons opposés, Léonard recommande un éclairage régulier et diffus, en particulier pour les portraits. À cet effet, le peintre devrait peindre en noir les murs d'une cour et la recouvrir d'un auvent afin de diffuser la lumière. « Ou bien, quand tu veux faire le portrait de quelqu'un, fais-le par mauvais temps ou vers le soir, et place le modèle avec le dos contre un des murs de cette cour. Observe dans les rues, quand le soir tombe par mauvais temps, les visages des hommes et des femmes, quelle grâce et délicatesse s'y remarque [118]. »

Afin de faire correspondre son art à sa perception des choses, Léonard essaya des mélanges compliqués de pigments, de nouveaux types d'huile et de térébenthine, avec les conséquences désastreuses que l'on voit si bien dans *La Cène* [119]. Mais son désir même de concilier des exigences irréconciliables, comme la nuance et le ton, ne pouvait que le mener à la catastrophe. Nous ne savons pas pourquoi il décida d'abandonner *L'Adoration* et *Saint Jérôme* à un stade aussi précoce. En 1481, il acheta des pigments précieux pour *L'Adoration* qu'il ne semble pas avoir utilisés. Il semble plutôt qu'il ait essayé de créer des couleurs par superposition de glacis [120]. Nous pouvons imaginer qu'il peina sur ce tableau, comme peina Mariotto Albertinelli, l'assistant de Fra Bartolommeo, trente ans plus tard sur son *Annonciation*. Signée et remise à son commanditaire, cette œuvre est aujourd'hui très endommagée, ses zones claires et sombres ayant été trop laborieusement travaillées. Vasari nous raconte comment le peintre essaya d'y réconcilier la douceur *(dolcezza)* et la force :

> Mariotto fit et refit plusieurs fois cette peinture avant de l'achever, remplaçant des couleurs claires, par d'autres plus sombres ou plus vives, plus intenses ou atténuées ; mais il n'arrivait pas à ce qu'il voulait et il trouvait que sa main ne répondait pas à sa pensée ; il aurait voulu trouver un blanc plus lumineux que la céruse et s'efforça d'épurer celle-ci pour intensifier à son gré les tons les plus clairs. Finalement, voyant qu'il ne pouvait y réussir par les moyens d'un art fondé sur le talent et l'intelligence humaine, il se contenta de ce qu'il avait fait, renonçant à l'impossible.

Les commanditaires d'Albertinelli (la Compagnia di San Zenobi) ne furent pas satisfaits du résultat mais un comité d'assesseurs composé de peintres passa outre leur décision [121].

Jongler avec les tonalités était la conséquence logique de cette obsession de l'adéquation entre les tons précis de la nature et ceux de la peinture. Elle était si marquée à Florence que la *Pala della Signoria* de Fra Bartolommeo, qui n'est apparemment qu'un grand dessin à l'huile, fut autorisée à figurer sur un autel [122]. Cet acte marque l'apothéose du *disegno* mais, comme j'ai tenté de le démontrer, c'était un *disegno* soutenu par un fond de couleur et une puissance chromatique.

La couleur vénitienne au XVIᵉ siècle

Au XVIᵉ siècle, quand le débat sur le dessin et la couleur se concentra sur le style de Titien, celui qu'on déclara le maître du dessin florentin ne fut pas Léonard mais Michel-Ange. La restauration des fresques de la Chapelle Sixtine et celle, moins controversée, du *Tondo Doni* à Florence ont montré que Michel-Ange était un coloriste d'une puissance et d'une originalité insoupçonnées. Il maîtrisait parfaitement une palette fortement saturée qui, d'une certaine manière, était proche de celles des artistes du milieu du Quattrocento. On ne s'étonnera donc plus que dès qu'il obtint la commande du décor de la Chapelle Sixtine, en 1508, il se fit envoyer de « beaux bleus » par les Gesuati de Florence [123]. Depuis la restauration de l'édifice, on voit mieux combien sa palette et sa manière de peindre font de lui le précurseur, dans les années 1510 et 1520, des maniéristes comme Andrea del Sarto, Pontormo, Bronzino et même Rosso Fiorentino, tous coloristes d'une grande finesse [124]. C'est sans doute à ce genre de chromatisme que Ludovico Dolce, défenseur de Titien, faisait allusion dans une lettre de 1550 environ où il oppose une *Saint Catherine* du maître vénitien à

> cette diversité des couleurs que la plupart des peintres d'aujourd'hui affectent dans leur œuvre et qui, hormis le fait que nous sachions qu'on les emploie pour donner du relief aux personnages et pour plaire au regard de l'ignorant, vont aussi au-delà du probable. Car il n'est pas fréquent – et peut-être même impossible – de jamais voir hommes de livrées [*divise*] si diverses ensemble et que certains soient vêtus de rouge, d'autres de jaune, d'autres de pourpre [*pavonazzo*], d'autres de bleu et d'autres encore de vert [125].

Dans le *Dialogue de la peinture* que Dolce publia à l'époque, il observe dans le détail la peinture de drapés, se faisant l'écho des remarques de Léonard et de Paolo Pino :

> Que nul ne croit que le pouvoir de la couleur ne consiste que dans le choix de belles couleurs : de belles laques, de beaux bleus, de beaux verts et ainsi de suite, puisque ces couleurs sont belles même quand elles ne servent pas ; il réside plutôt dans le traitement adéquat qu'on en fait. [Certains peintres] ne savent pas comment imiter les différentes nuances de tissus et apposent les couleurs comme elles viennent, entièrement saturées, ainsi dans leur œuvre seules les couleurs sont à complimenter [126].

L'Arétin, autre critique du cercle de Dolce, avait déjà comparé ces palettes très crues à celles des miniaturistes qui ne savaient peindre que des fraises et des escargots, ou qu'imiter le velours et les boucles de ceinture en utilisant les jolies couleurs du vitrail [127]. Il y a une certaine ironie à ce que Titien ait lui-même demandé à L'Arétin, en 1548, de lui procurer une demi-livre de laque « si flamboyante et splendide par sa couleur garance qu'à ses côtés, le cramoisi du velours et de la soie deviennent moins beaux [128] ».

Pour les Vénitiens, le terme *colore* n'était donc pas synonyme de nuances vives et de contrastes exacerbés mais plutôt d'un maniement du pinceau particulièrement riche et évocateur. Pino soutenait que le peintre talentueux devait être capable de substituer une couleur à une autre en obtenant toutefois l'effet désiré [129]. Mais c'était aussi une fonction d'harmonie chromatique que le mélange pouvait atteindre [130] et ces mélanges des peintres vénitiens du XVIᵉ siècle, en particulier chez Titien, étaient d'une complexité sans précédent [131]. Vers 1505, la technique d'ombrage délicat, notamment sur les visages, à la manière de Léonard de Vinci, fut introduite dans la peinture vénitienne par Giovanni Bellini, dans le maître-autel de Santa Zaccaria, puis par Giorgione, dans le retable de Castelfranco. Tout cela contribua à atténuer la tonalité des œuvres dans leur ensemble ainsi que leur échelle chromatique. Cette tendance fut renforcée par l'emploi de fonds de couleur du même type que ceux que nous avons vus à Florence, en dessin comme en peinture [132]. La palette des peintres vénitiens du XVIᵉ siècle se distingue à peine de celle qui était utilisée au siècle précédent mais l'épaississement du médium, le plus grand recours à l'empâtement et l'acceptation des mélanges indiquent que le traitement pictural du peintre était devenu le principal objet d'admiration pour l'amateur d'art. Cette notion de traitement ostensible dérivait aussi de la pratique et de l'appréciation du dessin.

Au cours du XVIᵉ siècle, la controverse entre *disegno* et *colore* devint un exercice intellectuel dans les académies d'art plus ou moins officielles dont le nombre ne cessait d'augmenter. La première d'entre elles, l'Accademia di Disegno de Florence, fut fondée en 1563 et suscita même l'intérêt des plus grands artistes vénitiens, qui tenaient beaucoup à en faire partie. L'ambiguïté qui existait dans la notion de *disegno* qui recouvrait à la fois un répertoire de techniques graphiques, une aptitude à rendre un volume en trois dimensions sur une surface bidimensionnelle et la capacité de visualiser et de concrétiser une idée sous forme graphique, devint inextricable et alimenta le débat au sein des académies, mais aussi entre elles, pendant plusieurs siècles. En revanche, on s'attaqua moins aux ambiguïtés propres à la notion de *colore*, tels l'embellissement chromatique d'une œuvre ou l'arrangement tonal d'une composition. En effet, par des évolutions déjà mûries aux

XVᵉ et XVIᵉ siècles essentiellement et dont nous avons déjà traité, la notion de *colore* fut perçue au mieux comme secondaire.

95 Le perfectionnement de ces idées à la fin du XVIᵉ siècle s'éclaire en étudiant l'œuvre de Federico Barocci, peintre qui sut, mieux que tout autre, associer dessin et peinture. Barocci n'était ni florentin ni vénitien puisqu'il était originaire des Marches. Bellori, son premier biographe, et les nombreuses séquences de son œuvre qui nous restent, montrent combien sa méthode était extraordinairement soignée. Une fois qu'il avait décidé d'un sujet, il faisait des études d'après nature au fusain, à la craie et souvent au pastel,

100 un médium qu'il s'était particulièrement approprié (bien que Bellori prétendît que c'étaient les pastels de Corrège – dont aucun exemple n'a subsisté – qui l'avaient encouragé dans cette voie). Ensuite, Barocci réalisait des modèles en argile ou en cire pour les différents personnages et les drapait selon le rôle qu'ils tenaient dans la composition. L'agencement général donnait lieu à une étude à l'huile ou à la gouache en clair-obscur d'après laquelle il tirait un carton grandeur nature marqué au fusain, à la poudre de plâtre ou aux pastels. Il transférait ce carton sur la toile apprêtée puis peignait un petit « carton » à l'huile pour organiser les relations chromatiques « afin que les couleurs soient concordantes et s'unissent entre elles sans se heurter, et il disait que comme la mélodie vocale réjouit l'ouïe, le regard se divertit de la consonance des couleurs associée à l'harmonie de la composition linéaire.

Ainsi désignait-il la peinture comme une musique [133] ». Enfin, Barocci peignait la grande toile sur laquelle il ébauchait les zones générales de couleurs à l'aide d'une palette presque pastel et d'un *sfumato* diffus très proche de ses premières études au pastel et à l'huile réalisées d'après nature [134]. C'était là peut-être la première méthode de travail où le peintre accordât dans sa pratique autant d'importance au dessin qu'à la couleur, même s'il faisait lui aussi passer ses « inventions » (ses esquisses en clair-obscur) avant les « cartons » en couleurs [135].

Néanmoins, nous ne sommes plus loin du XVIIᵉ siècle et du Gréco, dont les couleurs s'apparentent beaucoup à celles de Barocci. Le Gréco confia, dans un entretien quelques années avant sa mort en 1614, que la peinture des couleurs était beaucoup plus difficile que le dessin et que Michel-Ange « était un brave garçon mais qu'il ne savait pas peindre [136] ». Le Gréco travailla bien sûr à Venise et se fait ici l'écho de l'opinion vénitienne. Chez les peintres de Venise à la fin du XVIᵉ siècle, la pratique des ébauches « dessinées » à l'huile était devenue très courante. Marcantonio Bassetti, peintre vénitien actif à Rome au début du XVIIᵉ siècle, a rapporté que l'« académie » à laquelle il appartenait et où il utilisait des pinceaux et des « colori » pour ses études d'après nature, était perçue par ses amis romains comme très « alla veneziana ». Mais ceux-ci s'accordaient avec lui pour penser que « dans la mesure où l'on dessine, on sait également peindre [137] ».

Federico Barocci, étude au pastel pour la tête de saint François du *Perdono di Assisi* (voir 95). (100)

8 · La plume de paon

Les indicateurs de couleurs · Léonard de Vinci et l'alchimie · La distinction alchimique des genres chez Jean van Eyck. La Chapelle Sixtine et l'alchimie · Les métaphores spirituelles dans les eaux-fortes

Pâles et noirs, et faux citrin, imparfaits blancs et rouges, les plumes du paon de couleur gaie, l'arc-en-ciel, la panthère mouchetée, le lion vert, et le bec du corbeau. Toutes les couleurs apparaissent avant la parfaite blancheur, et encore plusieurs autres. Après laquelle apparaît le gris et faux citrin, et enfin apparaîtra le sang rouge invariable. Et alors tu auras ta Médecine au troisième ordre, multipliée en son propre genre [1].

CETTE SÉRIE de métaphores colorées, extraite d'un poème du XVe siècle de George Ripley, nous introduit à un domaine de l'expérience où l'identification précise des couleurs fut toujours indispensable : la pratique de l'alchimie. En effet, dès l'Égypte hellénistique, elle fut étroitement associée à la technologie des couleurs. Il semble que l'alchimie commença avec la technologie, c'est-à-dire lorsqu'on prit conscience des variations d'apparence à la surface des métaux et des teintures pendant leur préparation. Et ce, quoi qu'en disent les études modernes sur les premiers écrits relatifs à cette technologie (les séries de recettes des papyrus de Stockholm et de Leyde) suggérant que, même à ce stade précoce, la plupart renvoyaient plus à des spéculations abstraites qu'à de véritables expériences de laboratoire [2]. L'idée que l'alchimie soit synonyme de charlatanisme persiste, même chez les historiens de la science qui y ont aussi vu les prémices de la chimie moderne. L'une des attaques les plus amusantes contre l'alchimie, émanant d'un tel historien, est l'essai de George Sarton intitulé « Ancient Alchemy and Abstract Art » ; il y décrit ces deux pratiques comme « une somme d'absurdités à la disponibilité des tentatives les plus irrationnelles [3] ». De nos jours, on serait sans doute tenté de substituer aux artistes abstraits les économistes et d'invoquer le pouvoir occulte des marchés financiers.

Au XIIe siècle, quand l'Occident latin prit connaissance de l'alchimie hellénistique, en grande partie grâce à des traductions de versions arabes, cette pratique ne fut d'abord absolument pas tenue pour suspecte [4]. De fait, la plupart de ses concepts, fondés sur les catégories aristotéliciennes telles que les quatre éléments, n'étaient aucunement hétérodoxes. Dès le Xe siècle, l'évêque saint Bernard d'Hildesheim (qui était également artiste et jouissait d'une certaine réputation en tant qu'alchimiste) avait réalisé deux grands candélabres qui, selon une inscription qui nous est parvenue, n'étaient constitués ni d'or ni d'argent. Pourtant, les analyses modernes ont prouvé qu'ils furent en grande partie réalisés en plaqué argent [5]. L'orgueil technologique des premiers expérimentateurs s'illustre en particulier dans l'*Opus Tertium* de Roger Bacon (XIIIe siècle) où il affirme, de façon péremptoire, que « l'alchimie est opérationnelle et pratique : elle apprend à fabriquer des métaux nobles et des couleurs par l'artifice, et bien d'autres choses de meilleure qualité et plus abondamment que dans la nature [6] ». Bacon fut censuré par l'Église pour ce genre de propos. Sa référence aux couleurs est cruciale puisque l'un des plus anciens exemples de pigment artifi-

ciel fut le vermillon, créé à partir de soufre (le feu) et de mercure (l'eau), deux substances considérées comme des éléments de base de tous les métaux [7]. La fabrication du vermillon nous permet de comprendre pourquoi l'alchimie associa le rouge à l'or [8].

Au cours du XIIIe siècle, l'arrogance des alchimistes face à la nature et leur obsession souvent très intéressée pour les teintures et les métaux les plus précieux accélérèrent à leur encontre les proscriptions de l'Église. En réaction, ils donnèrent une orientation beaucoup plus hermétique à leur art, copiant à la fois le langage métaphorique du christianisme et le vocabulaire spécialisé de l'héraldique pour enrober leurs travaux de mystère. Ils firent passer leurs écrits clandestins pour ceux de personnalités religieuses et scientifiques respectables, comme saint Thomas d'Aquin ou Albert le Grand [9]. Cette spiritualisation de l'alchimie au bas Moyen Âge a fortement intéressé les psychologues contemporains en quête d'archétypes iconographiques, notamment l'école jungienne dont plusieurs publications demeurent le meilleur aperçu de la tradition alchimique tardive [10]. Elle explique également l'attrait de nombreux artistes pour l'alchimie, de Bernard d'Hildesheim au Xe siècle à Marcel Duchamp, Marc Chagall ou Max Beckmann au XXe siècle [11].

Toutefois, l'alchimie a cela de fascinant pour notre propos que ses adeptes manipulaient quotidiennement les matériaux permettant les variations de couleurs essentielles pour mener à bien le Grand Œuvre alchimique, à savoir la fabrication de la pierre philosophale, capable de transformer les métaux ordinaires en or. Dès le XIIIe siècle, il était établi que les utilisateurs de matériaux naturels pouvaient se diviser en deux catégories : ceux qui, tels les peintres ou les sculpteurs, créaient des formes extrinsèques, car ils s'occupaient des qualités subalternes des matériaux, comme la couleur ; et ceux qui, tels les médecins et les agronomes, créaient des formes naturelles « de l'intérieur », en agissant sur les quatre qualités primordiales (chaud, froid, humide, sec) [12]. Mais ce phénomène de transformation pouvait aussi se contrôler par les changements superficiels des matériaux, c'est-à-dire surtout par leurs variations chromatiques. J'ai déjà montré comment, dans la fabrication des vitraux et en teinture, ces variations pouvaient être exploitées pour produire différentes matières colorées au cours d'un seul long processus. Inversement, au XVIIe siècle, le chimiste Robert Boyle, en développant les indicateurs chimiques pour les acides et les alcalines (notre papier réactif, par exemple), s'inspira de l'expérience des techniciens de la couleur en art [13].

Dès le début, la séquence de la couleur fut jugée essentielle à la compréhension du phénomène de transmutation, mais nous ne serons pas surpris de constater qu'une telle séquence ne fut pas simple à établir. La version la plus ancienne, qui apparaît dans des écrits du IIIe ou IVe siècle, attribués au gnostique Zosime, commence par le noir, passe ensuite par le blanc et se poursuit avec le jaune et le violet. Zosime nomme ces différentes étapes : *melanosis* (noircissement), *leukosis* (blanchiment), *xanthosis* (jaunissement) et *iosis* (transformation en violet) [14]. Dans la tradition alchimique latine, on abandonna le jaune, et la dernière étape passa du violet (équivalent du pourpre à l'origine ?) au rouge. La séquence se compliqua davantage et, au XIVᵉ siècle, elle adoptait des teintes supplémentaires et des termes plus indéterminés comme « gris », « arc-en-ciel » ou « plume de paon », pour qualifier la surface chatoyante et irisée du métal chauffé. Ainsi, un traité du XIVᵉ siècle de Siméon de Cologne rapporte que le noir est la putréfaction du métal ordinaire ; il est suivi du rouge mais pas du « rouge pur » car il tire sur le jaune ; puis du vert « qui est son âme » *(anima)* ; puis de la couleur du paon (« sachez que presque toutes les couleurs qui existent aujourd'hui dans le monde et qu'on puisse imaginer surviennent avant le blanc ») ; puis le « blanc pur » où se cache le rouge (mais entre le blanc et le rouge purs se trouve une certaine couleur cendre, qu'on ne saurait négliger) ; et, enfin, le « rouge-roi couronné » *(rex diademate rubeo)* [15]. Nous ne nous interrogerons pas ici sur la validité de ces observations, bien qu'elles aient conservé la même forme jusqu'au développement de la chimie moderne au XVIIIᵉ siècle [16]. Le plus intéressant dans ces couleurs de transmutation c'est non seulement qu'elles forment une suite dynamique capable de nous éclairer sur les relations que les couleurs entretiennent entre elles mais qu'elles sont aussi, de façon particulièrement frappante, intrinsèques au noir et au blanc. Comme l'écrit Siméon de Cologne : « Sachez que le blanc est caché dans la noirceur. »

Cette dynamique des variations chromatiques pouvait aboutir aussi bien à une image de couleur qu'à une séquence naturelle, comme le spectre de l'arc-en-ciel. Déjà au XIIIᵉ siècle, on avançait que cette séquence pouvait se visualiser sous forme de cercle. Albert le Grand écrit que les métaux étant semblables par essence et ne différant que par leur forme, « on peut passer aisément de l'un à l'autre, en suivant un cercle [17] ». Au XVIᵉ siècle, un disciple de Paracelse, le plus grand auteur alchimiste de la Renaissance, conçut ce qui fut sans doute le premier diagramme chromatique, fondé sur un cercle segmenté : l'image de la reine blanche (argentée) de Hieronymus Reusner, « chose imparfaite », sert de prélude à la perfection du roi rouge (doré) :

> Ce qui m'a fait blanc m'a fait rouge. Le blanc et le rouge ont la même racine. Cette chose transforme mille morceaux de vif-argent en un argent des plus purs et des plus clairs […]. Maintenant, très cher, vous avez appris à faire le blanc et il est temps d'en venir au rouge. Mais si vous ne faites pas d'abord le blanc, vous ne pouvez pas faire apparaître ou venir le rouge véritable, car aucune couleur ne peut aller de la première à la troisième sans se révéler au travers de la seconde ; de même, vous ne pouvez pas aller du noir au jaune sans passer exclusivement par le blanc, car le jaune est composé d'une grande quantité de blanc et d'une certaine proportion du noir le plus pur ; ainsi, il faut blanchir ou rendre blanc le noir et transformer le blanc en rouge et vous maîtriserez le processus [18].

Ce mouvement contient l'idée implicite que toutes les couleurs ont la même « racine ». En ce sens, la métaphore la plus puissante est celle de la plume de queue de paon qui, comme l'arc-en-ciel, représente l'ensemble des couleurs. Nous avons vu que les premiers taffetas changeants d'Égypte hellénistique étaient qualifiés de « paons » ; à l'époque paléochrétienne, cet oiseau était fré-

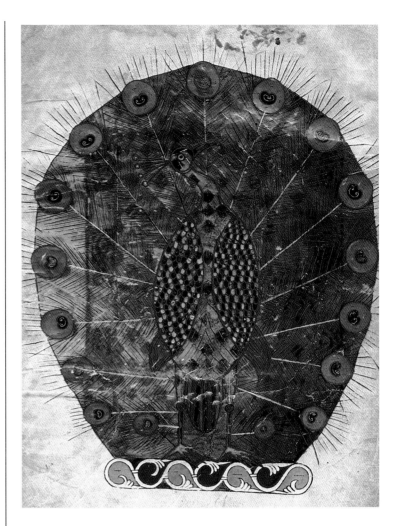

Le paon, symbole d'immortalité, d'après Grégoire le Grand, *Moralia in Job*, copié et enluminé en 945 par le moine espagnol Florentius. (101)

quemment représenté sur les textiles, les sculptures et les mosaïques, car il était symbole d'incorruptibilité physique et d'immortalité, puisqu'il perd mais renouvelle chaque année ses magnifiques plumes. Un auteur byzantin du VIIᵉ siècle a souligné la beauté de ses couleurs variées :

> Comment ne pas s'émerveiller, en voyant le paon, son or tissé de saphir, ses plumes pourpres et vert émeraude, de la composition des couleurs de ses nombreux motifs, qui se mêlent sans se confondre ? […] Encore une fois, d'où vient le beau paon ? Cet oiseau resplendissant est pareil à une étoile, paré d'un plumage pourpre, grâce auquel, fier et l'air arrogant, il va voletant, seul parmi tous les autres oiseaux. En dehors de sa queue, cette pourpre a tressé des motifs, et s'est mélangée en un flot abondant de couleurs [19].

L'un des textes les plus exhaustifs sur la phase « plume de paon » du processus alchimique se trouve dans un cahier d'alchimie de Newton, où il décrit comment il mélangea une mesure *(star regulus)* d'antimoine, préparée avec du fer, de l'argent, du mercure simple et un peu d'or. Par un processus long et compliqué, cela aurait produit un mercure capable de dissoudre tous les métaux, et l'or en particulier.

Je sais ce sur quoi j'écris, car j'ai dans le feu un certain nombre de verres avec de l'or et ce mercure. Ils croissent dans ces verres sous la forme d'un arbre, et à la faveur d'une circulation constante, les arbres se dissolvent de nouveau avec la fermentation pour donner un nouveau mercure. J'ai un récipient de ce type dans le feu avec de l'or ainsi dissout, où l'or visiblement n'a pas été dissout par un agent corrosif en atomes, mais intrinsèquement et extrinsèquement en un mercure aussi vivant et mobile que n'importe quel mercure que l'on peut trouver dans le monde. Car il fait en sorte que l'or commence à gonfler, à être gonflé et à entrer en putréfaction et à pousser des bourgeons et des branches, en changeant de couleurs chaque jour, dont les manifestations me fascinent quotidiennement [20].

Pour les auteurs gnostiques du IIe siècle de notre ère (dont la pensée a grandement nourri la théorie alchimique), la variété des couleurs du paon, issues d'un unique œuf blanc, était un mystère suprême, analogue au pouvoir de Dieu créant de multiples couleurs à partir d'une seule [21]. Rappelons-nous que dans un évangile copte de la même époque, le Christ accomplit le miracle inverse, parvenant à extraire une couleur d'un très grand nombre (*cf.* page 64). La présence en puissance de toutes les couleurs dans le blanc s'illustre sans doute le plus clairement dans l'un des nombreux traités attribués à Albert le Grand, publié au XVIIe siècle dans une très large anthologie de textes alchimiques.

Toutes les couleurs qui peuvent être conçues dans le monde par les hommes y apparaissent et ensuite elles seront fixées et compléteront l'œuvre dans une seule couleur, c'est-à-dire le blanc, et dans celle-là se réunissent toutes les autres. Le blanchiment n'est autre que le commencement et la force, et il ne se transformera plus en d'autres couleurs, hormis le rouge, où se trouve l'objectif final. Le changement vers le gris, cependant, s'observe dans la création du bleu et du rouge et on ne le nomme pas « couleur » [22].

Newton ayant acquis cet ouvrage en 1669, au début de son travail sur la nature des couleurs, on peut suggérer sans faire d'hypothèse fantaisiste qu'il doit à sa grande expérience pratique et théorique de l'alchimie son concept crucial et révolutionnaire, à savoir la présence de l'ensemble des couleurs dans la lumière blanche, indépendamment de la modification de cette lumière par l'obscurité, comme l'avaient soutenu les théories antérieures [23].

Léonard de Vinci et l'alchimie

Dans l'un des premiers romans sur la vie d'artiste, l'écrivain romantique allemand Ludwig Tieck envoie son héros Franz Sternbald à Florence où il rencontre le sculpteur Giovan Francesco Rustici, ami de Léonard de Vinci. Rustici était également alchimiste, et, en parlant avec lui, le jeune Sternbald se demande si tout peut nécessairement être transformé en or dans les mains d'un artiste, pourquoi pas les métaux [24] ? Il faut néanmoins prendre garde à ne pas appliquer à l'époque qu'il décrit la vision hautement romantique de Tieck de la vocation de l'artiste, bien qu'elle y trouve en partie son origine. Il faut aussi se souvenir qu'à la Renaissance, Léonard était l'un des plus cinglants critiques de l'alchimie. Ses attaques découlaient de sa profonde foi en la suprématie de la nature qui :

ne s'intéresse qu'à la production de choses élémentaires […]. En vérité, l'homme est le principal instrument de la nature, car il ne s'occupe que de la production des corps élémentaires dont l'homme extrait un nombre illimité de composés, bien qu'il n'ait pas le pouvoir de créer les corps naturels hormis ceux qui sont semblables à lui-même, c'est-à-dire ses enfants. Et de ceci, les vieux alchimistes me seront témoins, eux qui n'ont réussi ni fortuitement, ni au moyen d'expériences faites de propos délibérés, à créer la moindre chose qui puisse égaler la nature ; leurs productions, à vrai dire, méritent d'être louées sans réserve, pour l'utilité des inventions qu'ils ont mises au service des hommes ; elles le mériteraient plus encore si parmi elles il n'y en avait pas de nocives, tels les poisons et autres choses du même acabit qui détruisent la vie ou l'intellect ; […] mais ces alchimistes ne laissent pas d'être blâmables, en ce qu'au moyen de beaucoup d'expériences, ils s'évertuent à fabriquer non point le plus infime des produits naturels mais le plus excellent de tous, à savoir l'or, lequel est engendré par le soleil, attendu qu'il lui ressemble plus qu'à tout au monde […]. Si néanmoins une avarice insensée t'entraîne à cultiver pareille erreur, que ne vas-tu pas plutôt dans les mines où la nature produit cet or, et ne te fais-tu son disciple ? Elle te guérira complètement de ta démence en te montrant que rien de ce que tu emploies dans ton four ne figure parmi les éléments dont elle se sert pour fabriquer cet or. Car là, point de vif-argent ni de soufre, ni de feu ni de chaleur autre que celle de la nature qui donne vie à notre monde ; et elle te montrera l'or veinant la pierre – le lapis-lazuli bleu, dont la nuance ne s'altère pas sous l'action du feu. Considère attentivement ce filon d'or, et tu verras que ses extrémités se développent continuellement par un lent mouvement, transmutant en or tout ce qu'elles touchent, et observe qu'il y a là-dedans une âme végétative qu'il n'est point en ton pouvoir de produire [25].

Dans ce passage fantaisiste, il importe peu à Léonard de n'avoir jamais vu une veine de lapis-lazuli, ou que « l'or » qu'il y décrit soit en fait de la pyrite de fer, habituellement mêlée à ce minerai.

Ce réquisitoire de Léonard remonterait à 1508 environ, année où il séjourna à Florence chez Rustici, ce qui n'est peut-être pas un hasard. Selon Vasari, ce dernier allait bientôt consacrer une grande part de son temps « à essayer de figer du mercure », c'est-à-dire à pratiquer l'alchimie [26]. Dans les notes de Léonard sur le travail du métal, on trouve une recette pour un « vernis » (patine ?) et la description d'un moule, exprimée en langage alchimique, ce qui pourrait bien marquer son amitié pour le sculpteur. Dans l'une d'entre elles, on lit :

La forme [*sagoma*] sera en Vénus (cuivre), en Jupiter (étain), ou en Saturne (plomb) et souvent rejetée dans le giron de sa mère, et employée avec de l'émeri fin ; elle peut (également) être en Vénus [et, par-dessus, avec un empâtement de Jupiter]. Mais tu essayeras d'abord Vénus et Mercure mélangés avec Jupiter, de telle sorte que Mercure puisse s'échapper ; et pétris-les si serrés que Vénus et Jupiter se fondent en Neptune, aussi finement que possible [27].

Le vocabulaire spécialisé et le style hermétique que Léonard utilise pour ces recettes prouvent qu'il avait accès à des écrits alchimiques. Néanmoins, il ne serait pas réaliste de présumer que les idées alchimiques étaient alors l'apanage des spécialistes. Vasari rapporte, par exemple, que Léonard se rendit à Rome en 1513 pour rencontrer le nouveau pape, Léon X, un Médicis passionné d'alchimie et de sciences occultes, pour qui il créa quelques jeux amusants [28]. Depuis longtemps, les Médicis partageaient cette passion qui remontait, au moins, à Cosme l'Ancien : Marsile Ficin avait traduit pour ce dernier une œuvre attribuée à Hermès Trismégiste, un mage de l'Antiquité, et Cosme fut lui-même l'auteur d'un traité d'alchimie [29]. La vision accueillante de l'Univers céleste de Martin Schaffner nous rappelle de manière enjouée que la notion alchimique des correspondances occultes entre les planètes, les éléments, les humeurs, les couleurs et ainsi de suite, était courante en Europe dans les milieux aristocratiques et même bourgeois, au début du XVIe siècle [30]. Je m'intéresserai maintenant aux diverses manifestations plus générales de cette idée, dans l'œuvre de certains artistes dont on connaît bien les relations avec l'alchimie. Elles ont essentiellement en commun de révéler un intérêt pour l'expérimentation technique et une compréhension du contenu symbolique des notions d'alchimie.

La distinction alchimique des genres chez Jean van Eyck

Le premier écrit sur Jean van Eyck qui nous soit parvenu date de 1456 ; c'est l'œuvre de l'humaniste italien Bartolomeo Fazio, historien et secrétaire d'Alphonse V de Naples. Faisant l'éloge du « plus grand peintre de notre époque », Fazio souligne, de façon relativement prévisible chez un savant, que Van Eyck n'était pas inculte puisqu'il connaissait la géométrie et était « censé avoir fait de nombreuses découvertes sur les propriétés de la couleur transmises depuis l'Antiquité et apprises à la lecture de Pline et d'autres auteurs [31] ». Ce portrait de l'artiste en érudit semble convaincant bien que nous ne sachions presque rien sur les « auteurs » que Van Eyck a pu lire. Toutefois, la collection de manuscrits techniques qu'avait rassemblée le français Jehan le Bègue, en 1431, peut nous donner une idée sur ce qui se savait à l'époque dans les pays du Nord. Certaines recettes d'un manuscrit de 1409, figurant dans cette collection utilisent les noms des planètes pour désigner les métaux, à l'instar de Léonard ; l'auteur de cette compilation a même fourni une légende pour éclairer le néophyte à ce sujet [32].

L'exemple le plus saisissant de la dimension alchimique du symbolisme des couleurs est sans doute le plus célèbre tableau de Van Eyck et probablement le portrait du XVe siècle le plus connu. Représentant un couple et signé de la main de l'artiste en 1434, il est aujourd'hui à la National Gallery de Londres. En 1998, dans le catalogue des primitifs hollandais du musée, Lorne Campbell a efficacement contredit l'idée longtemps établie selon laquelle ce tableau serait un portrait de mariage. Il confirme l'identité de l'homme (le négociant de Lucques, Giovanni di Nicolao Arnolfini, dont la première (?) épouse mourut en 1433) mais ne se prononce cependant pas sur celle de la femme [33]. Pourtant, la première référence connue concernant ce tableau, figurant dans un inventaire de 1516, décrit son sujet ainsi : « Hernoul le Fin et son épouse dans une pièce », identification à mon sens acceptable [34]. Nous voyons un homme et une femme qui viennent d'interrompre leur tête-à-tête pour accueillir deux visiteurs (dont Van Eyck lui-même, semble-t-il), et l'on aperçoit le reflet de ceux-ci dans le miroir. Il me semble que la compréhension du symbolisme de ce tableau doit s'appuyer en tout point sur sa cohérence visuelle, fondée sur un format stable, une certaine solennité et une symétrie de composition. Les deux personnages se tiennent de part et d'autre d'un axe central,

défini dans la partie supérieure du tableau par le miroir circulaire et dans sa partie inférieure par le petit chien. Leurs attributs respectifs sont aussi très clairement agencés de chaque côté. Giovanni di Nicolao reçoit de côté la lumière qui vient de la fenêtre, celle du jardin du Paradis, l'Éden. Par la fenêtre, nous apercevons des orangers et leurs précieux fruits exotiques sur le rebord de la fenêtre et sur le coffre au-dessous [35]. Du côté de Giovanni se trouve aussi une bougie allumée (qui n'est pas, comme on le pensait autrefois, symbole de cérémonie nuptiale) [36].

Du côté de la femme se trouve un symbole domestique : une brosse, peut-être à vêtements, laquelle pend, accrochée à la statuette d'une sainte ornant le dossier de la chaise ; il s'agit probablement de sainte Marthe, patronne des ménages, qui terrassa le dragon à ses pieds à l'aide d'une telle brosse – un aspergillum servant à répandre de l'eau bénite [37]. De fait, l'eau est probablement la clé pour interpréter le rôle de la femme dans ce dialogue domestique, puisque celle-ci est vêtue de vert ; selon la théorie fondamentale des couleurs élaborée par le néerlandais Jehan Courtois (le héraut Sicile), le vert fut créé par la chaleur au sein de la matière, à mi-chemin entre l'humide et le sec. Le vert représente aussi le sacrement du mariage. Le bleu de la robe du dessous, toujours selon Jehan Courtois, incarnait les vertus de l'épouse : la loyauté, l'amitié, la nutrition, l'enfance et signalait aussi un tempérament sanguin. C'est une couleur entre air et eau mais plus proche de l'air que de l'eau [38]. Ainsi, bien qu'elle porte un collier d'or (alluvionnaire ?) et que les socques dont elle s'est déchaussée et le couvre-lit somptueux qui se trouve de son côté soient écarlates, elle porte principalement des couleurs liées à l'humidité.

De son côté, Giovanni di Nicolao, avec son costume sombre, renforce paradoxalement sa proximité avec la lumière chaude. Son chapeau et son pourpoint à motifs noirs arborent la couleur qui, selon Jehan Courtois, convenait à la dignité et à la loyauté des négociants [39]. Sur sa tunique sombre, il porte un tabard (ou heuque) d'un pourpre-cramoisi profond qui, même dans sa forme actuelle assez dégradée, semble briller d'un feu intérieur. Il porte des bas et des chausses pourpre foncé coordonnées. Le pourpre a bien sûr sa signification propre : Courtois l'apparente à « l'abondance de biens », citant la tunique pourpre du Christ, conservée à Argenteuil, qui s'élargissait à mesure qu'il grandissait. S'inspirant en cela d'Isidore de Séville, Courtois fait également du pourpre un symbole de « pureté et [de] lumière », « car la pourpre pousse naturellement dans ces pays du monde que le soleil illumine le plus ». L'étoffe écarlate la plus noble se teint en pourpre et en violet ainsi qu'en rouge, dit-il, et c'est probablement de l'écarlate fine de Gand qu'Arnolfini porte ici, dans sa maison de Bruges, la ville voisine. Elle est entre rouge et noir mais plus proche du rouge et symbolise donc la lumière et la chaleur [40].

La couleur du chapelet d'ambre qui pend au mur, derrière Arnolfini, évoque aussi la chaleur du soleil [41]. Dans une très longue étude sur l'ambre dans son *Histoire naturelle*, (XXXVII, xi, 36-51), à laquelle Fazio fait référence, Pline rapporte que les Grecs l'appelaient *electron*, d'après *Elector*, nom donné au soleil et signifiant « celui qui brille ». Pline poursuit en citant l'opinion d'un auteur grec, Nicias : l'ambre serait créé par l'humidité émanant des rayons du soleil du soir, puis rejeté par l'océan vers l'Ouest, sur les côtes de Germanie. Pline n'en croit rien et souligne avec justesse que l'ambre est constitué de résine de pin durcie. Il retient néanmoins l'association avec le feu, puisque frotter l'ambre fait ressortir son « âme chaude » *(caloris anima)* au pouvoir d'attraction, et qu'il est facilement inflammable. Il rapporte aussi les propos d'un certain Callistrate qui affirmait qu'en l'avalant sous forme de poudre, ou en le portant comme amulette, il servait à guérir les attaques de folie *(lymphationes,* de *lympha* : « eau ») et les problèmes urinaires – probablement par association avec le clair et le jaune. Une certaine variété d'ambre, le *chryselectrum* ou « ambre doré », selon Callistrate, était hautement inflammable mais, porté en amulette ou en collier, il avait le pouvoir de guérir les fièvres. Pulvérisé et mélangé à d'autres substances, y compris le miel et le mastic (une résine bien connue des peintres), il pouvait guérir les affections de l'estomac, de l'oreille et la mauvaise vue. Le meilleur ambre, soutient Pline, est la variété jaune pâle *(fulvus),* transparente sans être rougeoyante : « Un rougeoiement infime est ce que nous admirons dans l'ambre. » Encore meilleur était celui qui ressemblait le plus au vin de Falerne, assez transparent et au doux éclat. Il correspond bien à celui du tableau de Van Eyck où les perles transparentes accrochent et concentrent la lumière de la fenêtre. Cela confirme leur qualité de symbole de chaleur et de lumière.

Ainsi, au XVᵉ siècle, un spectateur des Pays-Bas bien informé pouvait aisément comprendre les polarités de couleurs élémentaires visibles dans ce tableau éminemment symétrique [42].

Les négociants italiens savaient qu'ils ne devaient pas se risquer à pratiquer l'alchimie [43]. Néanmoins, Arnolfini était sans doute au courant de l'existence de la *Pretiosa Margarita Novella* (La nouvelle pierre précieuse) de Pierre Bon de Ferrare, rédigée vers 1330 et rééditée à plusieurs reprises, jusqu'au XVIIᵉ siècle [44]. Un des chapitres de ce traité est consacré aux notions de masculin et de féminin en alchimie et aux pouvoirs générateurs du froid et de l'humide associés au chaud et au sec [45]. Outre Ovide et Virgile, Moïse, David et Salomon y sont cités comme des autorités en matière d'alchimie, tout comme saint Jean l'Évangéliste qui, selon Pierre Bon, compléta les écrits alchimiques inachevés de Platon, car l'alchimie se situe « au-dessus de la nature ; elle est divine ». De fait, l'ouvrage de Bon s'efforce de réconcilier alchimie et christianisme puisque Dieu est le premier alchimiste et que son fils est la pierre philosophale incarnée. Pierre Bon cite l'écrivain perse Al-Razi, dit Rhazès, pour qui le sec et le chaud détruisent le froid et l'humide « par raison divine » [46]. L'identification du Christ à la pierre philosophale et celle du cycle de la Passion au processus du Grand Œuvre, donnent une force nouvelle aux dix scènes qui entourent le miroir du tableau de Van Eyck : de la nuit au jardin de Gethsémani dans la partie inférieure, à la Crucifixion dans la partie supérieure, puis, de nouveau en bas du tableau, à la Résurrection. Le miroir, comme le Grand Œuvre, est un *speculum humanae salvationis* [47].

Il est important de souligner que l'iconographie alchimique du portrait des époux Arnolfini n'est aucunement hétérodoxe ou ésotérique. Elle s'accordait avec la tendance des alchimistes de la fin du Moyen Âge à légitimer l'art en l'assimilant aux systèmes religieux et scientifiques dominants, Van Eyck ayant pu être particulièrement impliqué dans cette recherche alchimique. Son effet le plus frappant dans ce tableau est pourtant moins le recours détaillé à une iconographie alchimique que l'incidence de celle-ci sur les couleurs.

La Chapelle Sixtine et l'alchimie

Dans le portrait des époux Arnolfini, la transcription par Van Eyck des notions d'alchimie restait particulièrement discrète (dans la mesure où une philosophie aussi globale puisse l'être). En revanche, durant la Renaissance italienne, certains artistes ne cachèrent pas leur convoitise des récompenses matérielles que promettait la quête alchimique. Citons ainsi Cosimo Rosselli, peintre florentin au talent médiocre mais appelé à un grand destin. Dans la biographie largement hostile qu'il lui consacra, Vasari rapporte que Rosselli passait son temps à la poursuite de l'alchimie, avec le peu de succès habituel [48]. Toutefois, une autre histoire, qui figure parmi les pages les plus célèbres de l'historiographie italienne, suggère que certains aspects de la conception alchimique de Rosselli subsistèrent, de fait, et lui garantirent une fortune assez trouble.

Vasari décrit la commande de dix scènes de la vie de Moïse et de celle du Christ que le pape Sixte IV passa à Rosselli et à ses assistants (Piero di Cosimo, Ghirlandaio, Botticelli et Le Pérugin) pour les murs de sa nouvelle chapelle vaticane. Rosselli devait initialement peindre trois scènes, mais, en l'absence de Ghirlandaio parti à Florence en 1482, il en entreprit une quatrième, ce qui fit de lui le peintre le plus sollicité du groupe. Le contrat qui nous est parvenu est inhabituel, car il stipule uniquement que les peintures murales devaient être peintes « avec beaucoup de diligence et de vérité, aussi bien que le savoir-faire des peintres et de leurs assistants le permette, et comme il a été commencé » [49]. Aucune mention n'y est faite des matériaux, mais Vasari rapporte que le pape aurait proposé un prix à l'œuvre qu'il aurait jugée la meilleure. Par conséquent,

> Cosimo se sentant faible en invention et en dessin aussi chercha-t-il à masquer ses déficiences en recouvrant toute l'œuvre de très fins bleus d'outremer et d'autres couleurs vives et en rehaussant la composition de beaucoup d'or, jusqu'à éclairer chaque arbre, chaque herbe, chaque étoffe, chaque nuage ; il espérait que le pape, médiocre connaisseur, lui attribuerait le prix.

Lors de l'inauguration de l'œuvre, les autres s'en moquèrent, mais la plaisanterie se retourna finalement contre eux :

> comme Cosimo l'avait pensé, les couleurs éblouirent immédiatement le pape qui ne s'y entendait guère, encore qu'il y trouvât beaucoup de plaisir, et il estima Cosimo plus méritant que les autres. Il lui accorda la palme et ordonna même à tous les autres peintres de recouvrir leurs compositions des bleus les meilleurs et de les garnir de touches d'or, afin qu'elles ressemblassent par leurs couleurs et leur richesse à celles de Cosimo [50].

Il est difficile de prendre cette anecdote cinglante au pied de la lettre, puisque les autres peintres, à l'évidence, ne repeignirent pas leurs scènes, contrairement à ce que Vasari affirme. Par exemple, *L'Appel de saint Pierre et de saint André* de Ghirlandaio présente très peu d'or, mais peut-être ne revint-il pas de Florence pour le terminer. Au Vatican, en tout cas, les riches dorures étaient une sorte de convention décorative : Fra Angelico en utilisa pour ses fresques de la chapelle de Nicolas V dans les années 1440 et, dans les années 1490, elles sont encore plus manifestes dans le relief doré des décors de Pinturicchio pour les appartements Borgia, conçus pour plaire à des profanes en art, comme s'en plaint encore Vasari [51]. Rosselli avait déjà utilisé beaucoup d'or et de couleurs vives pour les deux ou trois figures papales qu'il peignit entre les fenêtres de la Chapelle Sixtine. On a suggéré que Sixte IV en fut tellement satisfait qu'il détourna Rosselli de sa tâche initiale et lui donna la part du lion dans la série principale, au-dessous [52].

L'emploi généreux de pigments précieux, voire de l'or, chez Cosimo Rosselli pour les fresques de la Chapelle Sixtine (v. 1481) fut tourné en dérision. Il pourrait pourtant indiquer son intérêt pour l'alchimie puisqu'au Moyen Âge et à la Renaissance, Moïse (condamnant ici le culte de l'or matériel du Veau d'or) était très largement perçu comme un grand alchimiste. (102)

Les deux sujets de Rosselli (quatre œuvres au total) qui suggèrent clairement l'intervention directe de Sixte IV dans le programme iconographique, avec leurs associations inhabituelles, sont *La Remise des tables de la Loi* et *Le Sermon sur la Montagne*. Ce sont les scènes les plus écrasées par les couleurs extravagantes du peintre [53], en particulier dans la vie de Moïse où, contrairement à l'habitude, le prophète tourne le dos au Veau d'or. Nous avons déjà vu que Moïse était perçu comme un alchimiste, et quelques années avant cette commande, Marsile Ficin avait renforcé cette conception dans *De Christiana Religione* (*De la religion chrétienne*, 1474), soulignant qu'il fallait identifier Moïse à Hermès Trismégiste [54]. Rosselli illustre donc l'aspiration, au bas Moyen Âge, à christianiser le Grand Œuvre, en montrant comment Moïse avait rejeté le culte vernaculaire de l'or matériel et s'était tourné vers l'or spirituel de la Révélation. Son traitement inhabituel de *La Cène* (ou *L'Institution de l'Eucharistie*) confirme cette hypothèse, la table n'étant pas recouverte de nourriture mais d'un simple calice doré. Derrière le Christ sont représentées les scènes de sa Passion. Rosselli voulut renforcer ce message – à tort, s'avéra-t-il – par un usage abondant des pigments les plus précieux.

Le premier compte rendu des nouvelles peintures de la Chapelle Sixtine (l'éloge conventionnel d'un humaniste) évoque simplement des couleurs « douces et appropriées » (*colores* […] *suaves et appositi*), mais ce texte a pu être écrit avant que Rosselli eût terminé sa très extravagante scène du Veau d'or [55]. Quand Michel-Ange vint repeindre la voûte de la chapelle, de 1508 à 1512, adaptant sa tonalité aux fresques du XVe siècle situées au-dessous, le pape Jules II s'attendait à ce qu'il achève son travail en appliquant de l'or et du bleu outremer *a secco*, par-dessus la fresque, selon les canons de la papauté. Condivi, disciple et biographe de Michel-Ange, nous révèle que le maître broya ses propres couleurs pour cette œuvre. Il rapporte aussi une conversation typique entre Michel-Ange et son commanditaire :

On fit quelques retouches d'outre-mer quand le plâtre fut bien sec, et quelques endroits furent dorés à l'or fin afin d'augmenter encore le caractère somptueux de l'ensemble. Jules […] souhaitait que Michel-Ange continue les retouches ; mais Michel-Ange, considérant les ennuis qu'il aurait s'il devait remonter l'échafaudage, répondit que tous ces éventuels ajouts seraient d'un effet nul. « Il faudrait pourtant faire des retouches avec de l'or », répliqua le Pape ; et Michel-Ange, parlant avec cette familiarité dont il usait volontiers avec sa Sainteté, lui dit : « Je ne vois pas là-dedans quels hommes pourraient porter de l'or. » Et le Pape : « Cela va paraître bien pauvre [*povera*]. » « Ceux qui sont peint ici, lui répondit alors Michel-Ange, étaient pauvres eux-mêmes. » Il tourna ainsi la chose en plaisanterie, et tout resta dans l'état où il l'avait laissé.

Condivi ajoute que Michel-Ange reçut 3 000 ducats pour ce travail et qu'il en dépensa seulement 20 ou 25 pour les couleurs [56].

Vasari reprit cette histoire dans la seconde version de sa *Vie de Michel-Ange* (1568), en rappelant l'affaire entre Sixte IV et Rosselli ; à quoi il ajoute que seuls certains arrière-plans (*campi*) et certains drapés ou nuages (*arie*) devaient être retouchés de bleu et d'or [57]. Dans le chapitre précédent, j'ai montré combien Michel-Ange fit attention à obtenir les meilleurs bleus dès le début de son travail. De plus, les restaurations récentes ayant aussi établi l'emploi d'or sur les médaillons en faux bronze, et sur d'autres parties des tympans, il convient donc de nuancer sérieusement le prétendu mépris de Michel-Ange pour ce genre de pratique picturale [58].

Quelles que furent les raisons qui motivèrent le traitement des couleurs par Rosselli dans la Chapelle Sixtine, l'attaque de Vasari à ce sujet voulait démontrer à la postérité l'ignorance des mécènes. À Venise, Ludovico Dolce se servit de cette anecdote pour rabaisser ceux qui croyaient vanter les mérites de Titien en affirmant qu'il « colorait bien » (*tinge bene*) : si tel avait été le cas, nombreuses auraient été les femmes à l'égaler. Le plus grand mérite de la peinture résidait dans la disposition des formes et dans l'imitation de la nature, arts dans lesquels Titien excellait, selon Dolce [59]. À la période baroque, le peintre Pierre de Cortone se servit également du récit de Vasari, dans un débat sur la délectation, pour montrer que le plaisir sensuel de l'œil peut supplanter la lumière de la raison. Plus tard, au XVIIIe siècle, quand la belle manière reprit de l'importance en Italie, on se servit des absurdités de Rosselli pour montrer qu'un travail excessif nuisait à la peinture [60]. En revanche, il ne fut jamais suggéré que le sujet et le style chromatique pouvaient ne faire qu'un.

Cette vision incandescente du Christ de lumière s'inspire vraisemblablement des observations que Grünewald avait pu faire en travaillant les métaux, puisqu'il fabriquait probablement des couleurs. La bordure bleu-vert du nimbe rougeoyant est sans doute la première représentation d'un contraste successif. La tunique vermillon (ce rouge artificiel dont on pensait que les composantes de mercure et de soufre formaient la base de tous les métaux) permet très probablement d'identifier ce Christ comme le « Roi rouge », à savoir la pierre philosophale.

103 MATTHIAS GRÜNEWALD, *La Résurrection*, retable d'Issenheim, v. 1515 (détail).

104

104 MARTIN SCHAFFNER, *L'Univers céleste*, dessus de table en bois, 1533.
105 *La Rose blanche*, d'après H. REUSNER (éd.), *Pandora: Das ist die edelst Gab Gottes*, v. 1550.
106 JEAN VAN EYCK, *Les Époux Arnolfini*, 1434.

Couleur et puissance

Parmi les structures cachées que les philosophes de la Renaissance détectaient dans le monde se trouvaient des hypothèses sur la couleur. Cela est manifeste dans les poèmes de Schaffner sur les correspondances entre les « sept » planètes, arts libéraux, métaux, vertus, et jours de la semaine inscrits sur ce dessus de table conçu pour un orfèvre strasbourgeois (**104**). Ainsi Vénus correspond-elle au vert, à la musique, au cuivre, au vendredi et à l'obéissance. Les couleurs que portent les époux du tableau de Van Eyck (**106**) (du pourpre foncé, du vert) et leurs bijoux montrent qu'ils participent à l'union élémentaire du feu et de l'eau. Le pouvoir de l'alchimie se manifestait en particulier par l'intermédiaire de la couleur : le diagramme de Reusner sur l'avant-dernière phase du Grand Œuvre, la transformation de métaux ordinaires en or (**105**), nous montre la Reine blanche, précédant le Roi rouge, et comporte un demi-cercle fragmenté qui indique la progression alchimique du noir vers le rouge, au travers du blanc.

105

106

Les métaphores spirituelles dans les eaux-fortes

Contrairement à Van Eyck, Rosselli n'était pas un novateur en matière technique, mais il n'était pas rare que les artistes de la Renaissance aient recours aux pratiques et à l'iconographie de l'alchimie lors de leurs expérimentations. Outre la peinture à l'huile qu'on ne saurait aujourd'hui considérer encore comme une invention de la Renaissance, les innovations les plus importantes alors en matière d'expression visuelle furent menées en imprimerie ; la gravure, en particulier, se développa en Allemagne et en Italie au tout début du XVIᵉ siècle. Plus que tout autre, l'artiste qui contribua à libérer le style de la gravure du répertoire artistique italien fut Le Parmesan. À son propos, Vasari rapporte qu'à la fin de sa vie :

> Il délaissait la peinture pour se livrer à l'étude de l'alchimie, pensant s'enrichir en congelant le mercure. [...] Il passait ses journées à manipuler du charbon, du bois, des cornues et autres semblables inepties [...] ses fourneaux consumèrent toutes ses économies. [...] lui si délicat et élégant laissa pousser une barbe hirsute et une longue chevelure en désordre. Il devint méconnaissable ; mélancolique et étrange [61].

Ce n'est sans doute pas un hasard si l'une des gravures du Parmesan, *Femme assise par terre*, représente la Mélancolie, en s'inspirant de la célèbre gravure de Dürer de 1514 ; l'iconographie complexe de cette image est pratiquement une anthologie des idées alchimiques sur la structure de la matière et le rôle du temps [62]. La « noire » mélancolie était le lot de l'alchimiste au début de sa quête, tout comme l'illumination était son but ultime.

Le creuset situé à gauche dans l'œuvre de Dürer est le symbole le plus évident de son contexte alchimique ; de façon analogue, dans un dessin de Giulio Campagnola, un artiste d'Italie du Nord, l'urne posée entre les deux philosophes se réfère au même genre d'idées [63]. Dürer et Campagnola furent parmi les premiers graveurs à utiliser l'acide pour tailler leurs plaques de métal [64]. Campagnola appartenait au cercle érudit du poète Giovanni Aurelio Augurelli, dont le poème alchimique, *Chrysopoeia* (1515), dédié au pape Léon X, fut l'une des œuvres les plus célèbres du genre au XVIᵉ siècle [65]. Sa façon d'aborder l'alchimie est étonnante car, suivant la tradition de la poésie pastorale d'Italie du Nord, Augurelli associe la quête de la Pierre philosophale au paysage d'où proviennent ses matériaux bruts. Au livre III de ce poème, par exemple, il conseille de fabriquer des creusets réfractaires à l'aide d'argile blanche des collines euganéennes [66]. Il traite aussi de la peinture de paysage qui, selon lui, devrait être réalisée à partir des couleurs fournies par ce même paysage ; cette idée l'associe directement à la pratique de Campagnola et de Giorgione [67]. Augurelli accorde une importance relativement nouvelle à l'écriture alchimique, en particulier à la conviction que le monde naturel et ses saisons servent de cadre à l'entreprise de l'alchimiste : le printemps est la saison durant laquelle on doit installer son laboratoire et commencer le Grand Œuvre.

Faut-il également voir une iconographie alchimique dans cette Vierge du Parmesan ? L'enfant Jésus, ici dans son rôle de Roi rouge, tient la rose de même couleur.

107 LE PARMESAN, *La Vierge à la rose*, 1528-1530.

Cette insistance sur la signification cosmique de l'alchimie, exploitant toutes les forces de la nature, nourrit également l'iconographie alchimique du Parmesan. *La Vierge à la rose* est, à première vue, une œuvre d'une telle sensualité qu'on pensa, au XVIIIᵉ siècle, que l'artiste avait d'abord voulu peindre Vénus et Cupidon [68]. Ce tableau fut à l'origine réalisé pour l'Arétin, et c'est dans les célèbres écrits dévotionnels du chroniqueur que se trouvent les conceptions du Christ et de la Vierge qui relient cette œuvre aux récentes interprétations du Grand Œuvre [69]. À propos de ce tableau, il est important de souligner qu'à chaque épisode de la vie du Christ, l'Arétin signale les conséquences cosmiques des événements christiques : après l'Annonciation, Marie est remplie de la lumière du soleil au zénith, telle une lampe brillant dans un vase d'albâtre ; Joseph proclame l'avènement de la « pierre précieuse, annoncée par les Patriarches » sur laquelle était gravée, sans art, l'image d'un roi ; à la naissance du Christ, la glace fond et les déserts du monde se recouvrent d'un vert printanier ; quand le Christ revient, après sept années passées en Égypte, ce vert disparaît également, « le départ du Christ ayant fait venir l'automne ». Pour résumer, « lorsque le Christ naquit, vécu, mourut et ressuscita, le ciel, la terre et les abîmes le ressentirent [70] ». Ainsi, dans l'œuvre du Parmesan, le globe sur lequel s'appuie le Christ évoque directement sa fonction cosmique ; enfin la rose rouge joue aussi un rôle dans cette iconographie : dans le jardin de Gethsémani, le ciel au-dessus du Christ en prière devient si paisible qu'« il ressembla à un bouquet de roses rouges dans un vase en cristal » ; à l'Ascension, l'aube fait tomber « les roses les plus belles, les plus suaves et les plus colorées qu'on cueillît jamais [71] ». Quand le Christ meurt sur la croix :

> Mais voici que la terre tremble, voici que les pierres se fendent, que les vents mugissent, que s'ouvre le voile du Temple. Les montagnes se secouent, le soleil s'obscurcit, l'air transpire, les mers courent, les fleuves s'arrêtent, les lacs se gonflent, les ruisseaux font tempête. Les lauriers et les arbres perdent leur vert, les oiseaux leur vol, les poissons leur nage, les bêtes sauvages leur course, le bétail les herbes, les brebis les eaux ; les éléments se mêlent en masse confuse comme s'ils voulaient retourner à leur état premier.

De même, quand le Christ réapparaît aux apôtres, il est « l'aube de l'aube, le jour du jour et le soleil du soleil [...] [72] ».

Aucune de ces images n'était totalement nouvelle (par exemple, la rose que tient le Christ dans le tableau du Parmesan était depuis longtemps reconnue, dans l'iconographie chrétienne, comme le symbole de la Passion). Cependant, l'importance que le célèbre ouvrage de l'Arétin leur accorde suggère à quel point un large public, en Italie du Nord, était prêt à lire la vie du Christ en termes de mouvements du monde naturel, à savoir en termes empreints d'alchimie. Au XVIᵉ siècle, on alla même jusqu'à donner une interprétation spécifiquement alchimique au *Roman de la rose* [73]. Le magnifique bracelet de corail rouge sang, au poignet du Christ, avait aussi une longue histoire dans la pensée antique et médiévale : c'était une amulette protégeant de tous les maux (l'Enfant Jésus le porte autour du cou dans de nombreuses œuvres du XVᵉ siècle, pour symboliser l'arrêt du sang). Mais ici, sa proximité par rapport au globe évoque un pouvoir plus universel : le contrôle des tempêtes [74].

Le maniérisme du Parmesan et de l'Arétin n'est autre que la reprise d'idées traditionnelles, sous une forme élégante et à la mode de leur époque. D'autres artistes parvinrent à s'aventurer

Ce mystérieux dessin de paysage de Giulio Campagnola, réalisé vers 1510, fait probablement allusion, avec son urne s'apparentant à un creuset, aux matériaux alchimiques disponibles dans la campagne vénitienne. (108)

103 plus avant dans l'expérience alchimique et à en intégrer les procédés, sous une forme nouvelle, dans la visualisation de l'expérience spirituelle. C'est le cas, nous semble-t-il, de la stupéfiante vision du Christ ressuscité du retable d'Issenheim de Grünewald : là, sans doute pour la première fois en peinture, un personnage est représenté comme émanant de la lumière. Bien évidemment, les mouvements de la lumière et de la chaleur avaient été découverts au Moyen Âge et faisaient déjà partie du vocabulaire mystique de Hildegarde de Bingen au XIIᵉ siècle. Par exemple, dans l'une des visions rapportées dans son traité *Scivias*, elle décrit :

> [...] une forme humaine couleur de saphir, qui sans aucune trace d'endurcissement , d'envie, ni d'iniquité, désigne le Fils, engendré du Père, dans sa divinité, avant les temps, puis, dans le temps, incarné dans le monde, selon son humanité ; et elle brûle tout entière d'un feu suave et rougeoyant [...]. Et cette lumière éblouissante envahit tout ce feu rougeoyant, et ce feu rougeoyant envahit toute cette lumière éblouissante, et cette même lumière éblouissante et ce même feu rougeoyant envahissent toute cette forme humaine, formant ainsi une lumière unique ayant une puissance unique [...].

C'est une manifestation du mystère de la coexistence et de la coextension du Père (la lumière sereine), du Fils (l'image couleur saphir) et du Saint-Esprit (le feu rougeoyant) ; mais avec les techniques picturales et visuelles dont elle disposait, Hildegarde ne parvint à représenter ces idées que sous forme de diagrammes [75].

Grünewald était plus chanceux : non seulement maîtrisait-il les savoir-faire de représentation très aboutis d'un peintre de la Renaissance, mais en tant que fabricant de couleurs, il avait incontestablement une expérience considérable du travail du métal et de la chimie. À sa mort, il laissa une quantité remarquable de pigments, notamment des couleurs artificielles, ce qui suggère qu'il se livrait lui-même à leur fabrication. Parmi ces pigments figurait le vermillon si éblouissant utilisé pour la tunique du Christ du retable d'Issenheim, et qui, par ses constituants (le mercure et le soufre), représentait le rouge-roi couronné de la quête alchimique [76]. En matière de religion, les tendances de Grünewald lui permettaient probablement d'admettre avec Luther que :

Le véritable art d'alchimie est en vérité la philosophie tant vantée des anciens sages. L'alchimie me plaît beaucoup, non seulement pour l'utilité qu'on en retire, car elle apprend à fondre, séparer, affiner, et traiter les métaux, à distiller et sublimer les plantes, les racines et tant d'autres corps ; mais aussi pour les allégories et symboles cachés, qui sont fort beaux, en particulier cette figuration du Jugement dernier, et de la résurrection des morts. Voyez comme dans un alambic le feu tire et sépare de la matière ce qui en est le meilleur, l'esprit, la quintessence, la portion vitale qui enferme les élixirs et les vertus, les fait monter vers le haut, se rassembler, se concentrer dans la partie supérieure du chapitre, d'où l'esprit et la quintessence s'écoulent. [...] Dieu en fera autant avec nous à l'aide du Jugement dernier [77].

Dans tous les éléments visionnaires de ce retable, Grünewald a représenté les effets de l'incandescence : dans le nimbe qui entoure le Christ ressuscité, il a peint une lumière rouge si intense qu'elle provoque un contraste successif bleu-vert. Le peintre n'avait pu faire ce type d'observation que dans le fourneau d'un forgeron : cette lumière surnaturelle est en fait très naturelle, mais elle était bien loin de l'expérience commune du public de Grünewald [78].

Cette spiritualisation du travail du métal par Grünewald marque le plus haut point dans l'histoire visuelle de l'alchimie, bien qu'il existe de nombreux textes alchimiques, fort bien illustrés, datant des XVIᵉ et XVIIᵉ siècles [79]. Cependant, à l'époque romantique, un autre grand artiste, lui aussi visionnaire, William Blake, introduisit de nouveau dans le domaine des arts la double notion d'alchimie en tant que processus chimique et quête spirituelle. C'est d'ailleurs lui qui conservait une estampe de la *Mélancolie* de Dürer près de sa table à graver [80]. À la recherche d'une technique d'impression pour publier ses livres de poèmes enluminés, il ne fait nul doute qu'il lut avec soin la littérature alchimique qui, à son époque, était désormais abondante [81]. Dans un de ses premiers livres, *Le Mariage du ciel et de l'enfer* (1793), Blake associe de façon spécifique sa méthode originale de graveur à une quête de purification spirituelle, s'inspirant de la terminologie alchimique traditionnelle : « Mais d'abord la notion selon laquelle l'homme a un corps distinct de son âme doit être effacée ; ce que

110

Il était naturel pour les graveurs de s'intéresser à l'alchimie puisqu'ils utilisaient des métaux et de l'acide. La femme assise sur le sol, dans l'eau-forte du Parmesan, rappelle l'iconographie que choisit Albrecht Dürer pour sa très complexe *Mélancolie* (1514) ; le creuset posé sur le feu et l'arc-en-ciel y indiquent clairement que le travail de l'alchimie faisait partie de ses thèmes. William Blake, dans *Un fantasme mémorable* (1793), utilise le symbole traditionnel de l'alchimie pour décrire les effets de la gravure à l'eau-forte dans son « Imprimerie infernale » et assimile l'action chimique des acides à la purification spirituelle. (109, 110, 111)

je ferai en imprimant selon la méthode infernale, avec des corrosifs qui, en Enfer, sont bienfaisants et guérisseurs, fondant les surfaces apparentes et découvrant l'infini qui était caché [82]. » Blake montra comment y parvenir un peu plus tard dans son « Fantasme mémorable » d'une imprimerie infernale : dans la première pièce, un homme-dragon évacue les ordures par l'entrée de la caverne qui abrite la presse ; dans la deuxième, une vipère décore la caverne d'or, d'argent et de pierres précieuses ; dans la troisième, un aigle au plumage aérien « rendait l'intérieur de la cave infini » ; dans la quatrième, « des Lions de feu flamboyant qui se déchaînaient à la ronde et fondaient les métaux en vivants fluides » ; dans la cinquième évoluent des formes sans nom qui versent du métal dans « l'espace » ; enfin, dans la sixième chambre des hommes rangent ce métal comme des livres dans une bibliothèque. Il semble que la principale source de Blake pour ces images fut Johannes Glauber, alchimiste allemand du XVIIe siècle dont les œuvres complètes avaient été publiées en anglais en 1689. Selon Glauber, le dragon symbolise les éléments corrosifs tels que les sels et le salpêtre, ou encore le soufre. L'aigle et le lion symbolisent également des acides et des sels fixes : « Quels que soient les acides [*sal ammoniac*], soit les serres de l'Aigle ne parviennent pas à faire réagir ses sels fixes [?], soit le lion irascible l'accomplira [83]. » Le serpent doré, paré de bijoux, apparaît aussi dans le *Milton* de Blake en tant que créature des « sombres feux » et peut représenter « l'arc-en-ciel » ou la phase « plume de paon » du Grand Œuvre ; il est vrai que dans certaines sources du XVIIe siècle, il symbolise également le mercure et l'arsenic [84]. Blake décrivait ainsi la corrosion progressive et perfectionnée de ses plaques de métal selon les termes d'une allégorie alchimique traditionnelle.

Dans un autre « Fantasme mémorable » à la fin du livre, Blake nous présente un ange en conversation avec un diable, dont la définition de Dieu irrite d'abord l'ange puis le convainc si bien qu'il se transforme en démon (ce qui n'est pas un mal selon la vision de Blake des liens entre le Ciel et l'Enfer). À l'ange qui accueille les paroles du démon, Blake attribue une apparence fluide très proche de celle que Grünewald avait donnée aux anges de son retable d'Issenheim : « L'Ange, en entendant cela, devint presque bleu ; mais, se maîtrisant, il devint jaune, puis blanc, puis rose et souriant [...]. » À la fin du « fantasme », l'ange « étendit les bras, étreignit la flamme de feu, fut consumé et resurgit en Elie [85] ».

Dans ce chapitre, j'ai voulu démontrer que l'alchimie occidentale était loin d'être un sujet purement ésotérique et que beaucoup de ses notions et une grande partie de son langage dérivaient de la conception alors dominante de la structure et la valeur de la matière. J'ai aussi montré qu'elle prit une teinte spirituelle à la fin du Moyen Âge et que ces deux orientations, technique et spirituelle, s'imbriquèrent à bien des niveaux jusqu'à la période romantique. À cette époque, seul le contenu spirituel de l'art parvint à survivre sous l'assaut des doctrines de la chimie moderne et fut finalement sauvé, au XXe siècle, par la psychologie. La perception de la couleur joua un rôle central dans la présentation des idées alchimiques qui, à leur tour, firent de la couleur un langage du mouvement aboutissant finalement à l'émergence de la musique chromatique du XXe siècle.

9 · La couleur sous contrôle : le règne de Newton

Les couleurs de la lumière · Une obscurité visible · Le problème des gammes chromatiques
Le Traité d'optique de Newton et les usages de la classification · L'espace chromatique, de Newton à Seurat

Que Dieu soit Couleur, Newton nous le fait bien voir
Et nous savons tous que le diable est contour Noir
(William Blake, *To Venetian Artists*)

DANS L'EUROPE DU XVIIᵉ SIÈCLE, l'appréhension de la couleur en tant que phénomène physique connut d'extrêmes bouleversements. Au début du siècle, une encyclopédie scientifique allemande décrivait encore la couleur en des termes essentiellement aristotéliciens et médiévaux : les couleurs « nobles » étaient le blanc, le jaune, le rouge, le pourpre, le vert, le bleu et le noir ; les couleurs « simples » étaient seulement le noir et le banc. Il existait deux sortes de couleurs : les couleurs « véritables » des substances et les couleurs « apparentes » de l'arc-en-ciel et d'autres accidents de lumière. Il y avait toujours deux types de lumière, les *lux* et *lumen* du Moyen Âge [1]. Un siècle plus tard, les choses avaient bien évolué : dans son manuel *Specimen Philosophiae Naturalis* (1703), le médecin danois C. T. Bartholin écrivait que toutes les couleurs étaient également réelles et que le noir et le blanc n'étaient pas des couleurs, puisqu'ils ne résultaient pas du processus de réfraction de la lumière, à l'origine de l'ensemble des couleurs ; enfin, que les couleurs « primaires » étaient le rouge, le jaune et le bleu. D'autre part, les couleurs étaient toutes également irréelles puisqu'elles n'avaient pas d'existence en dehors de l'œil [2]. Ce témoignage est particulièrement intéressant car Bartholin ne connaissait semble-t-il pas le travail de Newton. En effet, avant la publication de son *Traité d'optique* un an après la parution de l'ouvrage de Bartholin, le travail de Newton avait seulement fait l'objet de cours à l'université de Cambridge et d'un certain nombre d'articles publiés dans les *Philosophical Transactions* de la Royal Society, un quart de siècle auparavant.

Une théorie unifiée de la lumière et de la couleur s'était développée très rapidement depuis le début du XVIIᵉ siècle. En 1604, à Prague, le mathématicien et astronome Johannes Kepler avait déjà soutenu que la distinction entre couleurs « apparentes » et « véritables » n'était pas fondée et que toutes les couleurs, hormis le noir et le blanc, étaient transparentes [3]. En 1637, dans son *Dioptrique*, Descartes rejetait la distinction ancienne entre couleurs apparentes et réelles, ainsi qu'entre *lux* et *lumen*. Néanmoins, ces distinctions furent encore respectées par d'autres auteurs jusqu'au milieu du XVIIᵉ siècle [4]. Mersenne en 1634, puis Marci en 1648 et Grimaldi en 1665 avaient avancé et, dans une certaine mesure, démontré l'idée que les couleurs dépendaient non pas de l'interaction entre le blanc et le noir mais de différents degrés de réfraction de la lumière ; ils avaient aussi affirmé que les couleurs étaient, de fait, intrinsèques à la lumière [5]. Pourtant, Isaac Barrow, prédécesseur de Newton à la chaire de Lucasian Professor of Mathematics à l'université de Cambridge, soutenait encore à la fin des années 1660, sans grande certitude il est vrai, que le blanc et le noir étaient à l'origine de toutes les couleurs [6]. Au cours de la même décennie,

Newton se sentit lui aussi contraint de mettre cette idée traditionnelle à l'épreuve. En étudiant des gravures en noir et blanc ou des dessins monochromes, il s'aperçut qu'

aucune couleur ne saurait résulter du mélange du noir et du blanc purs car les œuvres réalisées à l'encre, qu'elles soient colorées ou imprimées, paraîtraient, de loin, coloriées & les bordures des ombres seraient colorées & le noir suie & le blanc d'Espagne produiraient des couleurs qui ne peuvent résulter d'une réflexion plus ou moins importante ou de l'association d'ombre et de lumière [7].

Peu après, un élève hollandais de Rembrandt, Samuel van Hoogstraten, tourna en ridicule la théorie de sir Kenelm Digby, amateur anglais, dont les idées aristotéliciennes sur l'origine des couleurs avaient été renforcées lorsqu'il avait assisté à une série d'expériences au collège jésuite anglais de Liège. Il s'agissait d'observer des surfaces blanches et noires au travers d'un prisme et, à la jonction des tons, des bords colorés semblaient apparaître. Digby, ami et mécène de Van Dyck, avait été assez téméraire pour affirmer que la nature des « couleurs médianes » se devinait à la manière dont les peintres mélangeaient leurs couleurs sur la palette : si le blanc prédominait fortement sur une couleur sombre, il en résultait du rouge et du jaune ; si c'était le contraire, il en résultait des bleus, des violets et des verts bleutés. Hoogstraten trouva cette idée difficilement acceptable et fit remarquer que, sur la palette, seuls le vert, obtenu à partir de jaune et de bleu, et le pourpre, réalisé à partir de rouge et de bleu, étaient les couleurs binaires mélangées, « comme dans l'arc-en-ciel » [8]. Il est concevable que Digby ait pu penser aux méthodes de glacis, très employées par Van Dyck, et qui permettent (comme nous l'avons vu au chapitre 2), d'obtenir du bleu par un glacis de noir sur du blanc. À l'opposé, Hoogstraten faisait allusion à l'une des plus importantes doctrines sur la couleur du XVIIᵉ siècle, suggérée par l'expérience artistique : la réduction possible de l'ensemble des teintes à trois couleurs « primaires ». Au chapitre 2, j'ai montré comment la théorie des primaires affectait celle, plus ancienne, des quatre couleurs, attribuée aux Grecs. Dans ce chapitre, je veux souligner que la triade rouge, jaune, bleu (qui n'était certes pas neuve) devint un principe central dans l'organisation chromatique des peintres, en de nombreuses régions d'Europe dans la première moitié du XVIIᵉ siècle [9]. *La Sainte Famille sur les marches* de Poussin est autant un commentaire sur l'idée des trois couleurs primaires et des trois couleurs secondaires – qui recouvrent l'ensemble du premier plan – qu'une démonstration de la construction perspective [10]. Il se peut que Poussin ait créé les gris subtils et extraordinairement variés des nuages et de l'architecture de l'arrière-plan à partir de ces trois mêmes couleurs de base.

L'intérêt pour cette notion de couleurs primaires apparaît d'abord dans la littérature scientifique : le premier auteur à l'avoir esquissée sous sa forme moderne fut probablement

V. A. Scarmilionius, professeur de médecine théorique à Vienne et médecin de l'empereur Rodolphe II, auquel il dédia son *De Coloribus* (1601). Scarmilionius propose une séquence de cinq couleurs « simples » : blanc, jaune, bleu (*hyacinthinus*), rouge et noir, énumérés dans cet ordre peu habituel. Il donne seulement deux mélanges de couleurs (même si le rouge, le jaune et le bleu étaient, de fait, des « mélanges » de noir et de blanc) : orange ? (*puniceus*) et vert. Scarmilionius tient à distinguer cinq couleurs de base car, comme je le démontrerai au chapitre 13, il veut élaborer une théorie musicale de l'harmonie chromatique et a besoin que les couleurs s'associent aux quintes musicales [11]. Robert Boyle qui, on l'a vu, a grandement subi l'influence des peintres dans la formulation de sa théorie des trois couleurs (*cf.* pages 35-36), fit observer qu'à l'aide des trois primaires, du noir et du blanc, « le peintre talentueux peut produire tous les types de Couleurs qu'il veut et bien plus encore que celles que nous pouvons nommer ». Néanmoins, Boyle poursuit, en soutenant que ce savoir est particulièrement utile au philosophe de la Nature :

> L'emploi mécanique des Couleurs chez les Peintres et les Teinturiers dépend en grande partie de la connaissance des Couleurs qui résultent des Mélanges de Pigments colorés [...] et il est profitable au Naturaliste contemplatif de savoir combien il y a de Couleurs Primitives (si je puis les nommer ainsi) ou Simples et de savoir lesquelles, car cela facilite à la fois la Tâche, confinant son Enquête bien attentive à un petit nombre de Couleurs dont le reste dépend, et l'aide à juger de la nature de couleurs composées particulières, en lui montrant, d'après le Mélange, de quelles Couleurs Simples, & dans quelles Proportions de celles-ci par rapport aux autres, résulte la Couleur particulière en considération [...] [12].

En Angleterre, on n'eut de cesse de souligner les avantages technologiques et commerciaux d'une telle réduction chromatique : le mémoire sur la teinture de William Petty, publié par la Royal Society dans les années 1660, regroupe l'ensemble des différents colorants sous trois rubriques : le rouge, le jaune et le bleu qui, mariés au blanc, sont à l'origine de « toute cette variété qu'on peut voir dans les étoffes teintées [13] ». Quand le peintre allemand Jacob Christoph Le Blon effectua en Angleterre, au début du XVIIIe siècle, *124-127* les premières expériences d'impression en couleurs, il s'efforça d'obtenir cette réduction aux trois couleurs « primitives », fondement économique de sa méthode. Il tira même des échantillons de segmentations chromatiques pour instruire les « curieux » [14]. De fait, certains des nouveaux musées scientifiques, alors en plein essor et à la générosité desquels Le Blon faisait clairement appel, pouvaient déjà disposer d'une section sur les matériaux de la peinture et de la teinture, organisée selon ces catégories primaires [15].

Au XVIIe siècle, le problème des couleurs primaires était évidemment loin d'être résolu et ne le fut pas avant le milieu du XIXe siècle, puisque James Clerk Maxwell les déclarait encore simplement inconcevables. Newton, dans ses premières conférences, avait recouru au paradigme, désormais habituel, des peintres capables d'obtenir toutes les couleurs à partir du rouge, du jaune et du bleu. Cependant, l'idée maîtresse de son travail sur l'optique fut de démontrer que tous les rayons du spectre (y compris le vert, le orange et le violet) comportent une couleur propre et qu'ils ne peuvent donc être perçus comme des mélanges d'autres couleurs. Le nombre de couleurs « simples » ou « primitives » était donc infini [16]. Comme nous le verrons, de nombreux newtoniens du

XVIIIe siècle trouvèrent cette idée assez incompréhensible. Dans les années 1660, Robert Hooke, grand rival de Newton et inventeur du microscope, proposa une conception tout aussi problématique du bleu et de l'écarlate comme seules couleurs primaires, l'écarlate étant parfois « diluée » jusqu'au jaune. Hooke avait découvert qu'en utilisant des prismes creux, remplis de liquides bleu et rouge orangé :

> Toutes les variétés de couleurs imaginables sont créées à partir de différentes gradations de ces deux couleurs, à savoir le jaune et le bleu, ou de leur mélange par la lumière ou l'obscurité, c'est-à-dire le blanc et le noir [17].

Le travail de Hooke encouragea son confrère hollandais Christiaan Huyghens dans l'idée que le jaune et le bleu suffisaient à constituer la lumière blanche [18]. À la même époque, Vermeer, le plus grand *117* expert hollandais des attributs visuels de la lumière, utilisait dans la plupart de ses œuvres le jaune et le bleu comme couleurs dominantes de sa palette si lumineuse ; n'était-ce là qu'une coïncidence remarquable [19] ?

Pourtant, comme Scarmilionius et Hooke l'avaient déjà admis, la palette extrêmement réduite des « primaires » n'était pas d'un grand usage pratique pour les peintres ; en effet, les caractéristiques physiques des pigments, en particulier leur opacité plus ou moins importante, ne permettaient pas d'égaler les couleurs idéales du spectre [20]. Ce prolongement du problème aristotélicien des couleurs de l'arc-en-ciel allait donner, au XIXe siècle, la distinction entre les primaires « soustractives » des pigments et les primaires « additives » de la lumière. Dans le débat du XVIIe siècle sur les couleurs fondamentales, et avant l'allusion qu'y fait Van Hoogstraten dans les années 1670, on s'étonnera que cette notion ne semble pas avoir joué un grand rôle dans le discours pictural sur la couleur, et ce malgré l'intérêt scientifique pour les pratiques picturales. *Junon et Argus* de Rubens, l'une des premières anthologies visuelles des *114* notions chromatiques, fut peint à l'aide d'une palette très peu restreinte. Le peintre semble ne s'être jamais limité de quelconque manière. Pourtant et à juste titre, on a associé cette œuvre à l'*Optique* *183* (1613) de François d'Aguilon, ouvrage très exhaustif sur la couleur que Rubens illustra et qui propose l'un des premières explications claires du nouveau schéma de primaires et de secondaires. Même la palette étrangement restreinte du *Samson et Dalila* de Londres, qui remonte précisément à la période où le peintre collaborait avec d'Aguilon, comporte un certain nombre de rouges et de jaunes. En l'absence presque complète de bleu, les verts vifs et les pourpres éclatants des drapés y étaient mélangés à du noir [21]. Bien que d'Aguilon distingue trois types de mélanges en peinture (les mélanges sur la palette, ceux des glacis et les mélanges optiques par juxtaposition de touches de couleurs pures), il ne fait pas référence à une quatrième méthode, abondamment utilisée par Rubens et par ses élèves : celle du médium translucide. Cette technique, selon les principes de la loi de Rayleigh sur la diffusion des reflets à partir de petites particules, et selon le procédé pictural du veinage, permettait de produire de nouvelles nuances d'une grande subtilité, sur fond clair ou foncé. D'Aguilon pouvait bien fulminer contre les complexités des mélanges picturaux qui outrepassaient le cadre de son traité, et en laisser l'investigation aux artistes eux-mêmes [22].

De même Poussin utilisait-il une palette composée d'une dizaine de pigments. Pourtant sa conception de la couleur semble, à première vue, bien plus schématique que celle de Rubens et sa

Les grands décors plafonnants du baroque romain étaient essentiellement fondés sur la distinction entre des tonalités variées d'ombre et de lumière. Le dôme de l'Assomption de Giovanni Lanfranco (1621-1625, San Andrea della Valle) fut probablement le premier à atteindre cet effet d'ampleur et de continuité spatiale par le ton ; la voûte du Gesù du Baciccio est l'un des exemples d'amplitude spatiale les plus époustouflants (voir aussi 121). La « coupe » imaginaire de la nef du Gesù montre ce que le spectateur croit percevoir du sol. (112, 113).

technique picturale, avec un usage très limité des glacis, était assurément plus franche [23]. Rubens, et probablement Poussin, écrivirent sur la lumière et la couleur mais leurs textes ne furent jamais publiés et ils sont maintenant perdus. Ils ne consistaient peut-être en rien de plus qu'une suite de notes, comme nous l'avons vu chez Ghiberti, Léonard de Vinci ou Pietro Testa. Le *Traité* peu systématique de Léonard, édité au XVIe siècle par Francesco Melzi, fut finalement publié en France en 1651 avec des illustrations de Poussin [24]. Quels que furent les propos de Rubens et de Poussin, le thème désormais à la mode des couleurs primaires ne faisait probablement pas partie de leurs recherches. L'esprit scientifique de l'époque transparaît certainement dans plusieurs débats du XVIIe siècle sur le dessin et la couleur, des écrits de l'amateur Girolamo Mancini, au début du siècle, à ceux du peintre Carlos Maratta, dans les dernières années du siècle. Chez ces deux auteurs, la supériorité du dessin sur la couleur est liée à sa capacité à communiquer l'être ou l'essence d'une figure. Nous approchons déjà de la discrimination que John Locke établit, dans un ouvrage publié à la fin du siècle, entre les attributs primordiaux de la matière, telles les figures, et ses attributs secondaires, comme la couleur [25]. Pourtant, même dans les études exhaustives sur la couleur encouragées en France par l'Académie, la nature et le statut de la couleur sont rarement mis en question. En 1672, on demanda au peintre Blanchard de donner une conférence sur « la disposition des couleurs et de leurs propriétés », mais on ne sait pas exactement si ses propos devaient se rapporter aux pigments et à leur usage en peinture ou à la nature même de la couleur [26]. Même Roger de Piles et les autres partisans de Rubens et des « coloristes » en France soutenaient que très peu de « règles » sur la coloration pouvaient être formulées, ce qui empêchait d'en faire une étude rationnelle [27]. André Félibien, principal porte-parole de la faction poussiniste, déclara que l'investigation scientifique des couleurs était hors de portée pour le peintre, puisque celui-ci s'intéressait uniquement à leurs « effets » [28]. Nous sentons déjà dans cette remarque l'avènement de la période moderne durant laquelle la spécialisation et la professionnalisation dans le domaine des arts et des sciences ont engendré une fragmentation dans l'étude de la couleur qui s'est poursuivie dans des domaines distincts et indépendants.

Une obscurité visible

Si, pour les spécialistes de l'optique, le XVIIe fut par excellence le siècle de la lumière, la couleur étant enfin reléguée à une place secondaire et subalterne, pour les peintres, en revanche, il fut au premier chef celui de l'obscurité. Au début du siècle, Tommaso Campanella, auteur italien utopiste, écrivit que les coutumes décadentes, voire diaboliques, de son époque s'exprimaient dans le goût universel pour les vêtements de couleur noire [29]. Pourtant, nous savons que pour l'aristocratie européenne, le noir faisait partie des couleurs les plus en vogue au cours des deux siècles précédents et que, pendant presque aussi longtemps, cette mode s'était propagée aux classes bourgeoises [30]. Au XVIIᵉ siècle, au sein des classes aisées, le goût pour les vêtements noirs était si courant que des portraitistes comme Frans Hals en Hollande ou Nicolas de Largillière en France furent contraints d'aiguiser à la fois leur regard et leur technique afin de rendre « pas seulement un noir, mais vingt-sept noirs », comme le remarque Van Gogh dans la peinture de Hals [31]. La technique de Largillière pour rendre les soies, les satins et les velours noirs était d'une complexité si méthodique et si structurée qu'il la qualifiait de « couleur géométrale » [32].

Ainsi, le jugement négatif de Campanella sur le noir, tant d'un point de vue moral que religieux, n'était nullement la norme. Dans les années 1650, dans une veine néodionysienne et extatique, Thomas Browne écrit :

> La lumière qui fait voir les choses en rend d'autres invisibles ; n'eût été l'obscurité et l'ombre de la terre, la part la plus noble de la Création serait restée cachée [...] la vie elle-même n'est autre que l'ombre de la mort, et les âmes défuntes ne sont autres que les ombres des vivants [...]. Le Soleil lui-même n'est autre que le sombre *simulacrum* et la lumière n'est autre que l'ombre de Dieu [33].

Ce qui produisait la beauté et le sens des corps célestes chez Browne était, pour l'astronome Johannes Kepler, la condition même de leur connaissance et de leur compréhension. D'où son éloge des ombres créées par les éclipses et par la nuit [34]. Au cours du XVIIᵉ siècle, on accorda à l'obscurité un statut encore plus positif que Léonard n'aurait pu l'envisager : le jésuite Athanase Kircher soutint qu'elle n'était pas simplement privation de lumière, puisqu'elle pouvait provoquer l'aveuglement. Dans une longue analyse du problème, il conclut : « Ainsi la pénombre, l'ombre et l'obscurité [*obscuritas, umbra umbratioque*] ne sont pas des états ordinaires de privation de *lux* ou de *lumen*, mais de véritables entités dites positives [35]. »

L'expression la plus évidente de cette affirmation de l'obscurité est un style pictural, le ténébrisme, dont le créateur fut le Caravage et qui se diffusa à partir de Rome dans toute l'Italie et dans l'Europe entière. Là où les écrivains spiritualistes cherchaient, comme les peintres de la Renaissance, à trouver un équilibre entre clarté et obscurité, celle-ci envahissait maintenant la plupart du tableau. Reynolds, qui étudiait les tableaux des grands maîtres en esquissant des diagrammes de leur distribution de lumière, jugea que Rembrandt n'introduisait qu'un huitième d'obscurité dans ses compositions [36]. Alors que les peintres antérieurs, tel le Tintoret, avaient utilisé des effets nocturnes et de lumière artificielle, les ténébristes utilisaient ces procédés en plein jour, sans autre prétexte que l'étroitesse des pièces et la taille restreinte des fenêtres.

Un des premiers critiques du Caravage, Girolamo Mancini, a bien défini son style et celui de son « école » :

> Cette école a pour particularité d'éclairer [sa peinture] d'une lumière unifiée qui vient, sans reflet, du dessus, comme si elle provenait de l'unique fenêtre d'une chambre aux murs peints en noir. Ainsi, les lumières étant très claires ou les ombres très sombres, elles donnent du relief à la peinture mais d'une façon artificielle à laquelle les maîtres anciens tels Raphaël, Titien, Corrège et les autres n'avaient pas songé aux siècles précédents [37].

Il est étonnant que Mancini perçoive cette lumière comme artificielle car la plupart des premiers critiques du Caravage jugeaient sa couleur beaucoup trop naturelle [38]. Le style pictural du Caravage provient de la lumière théâtrale et du réalisme très travaillé des peintres Savoldo et Moretto de l'école brescane au XVIᵉ siècle. À cette formation s'ajoute un facteur qui a pu renforcer le ténébrisme de l'artiste : le goût pour les ombres dans le cercle de son mécène romain, le cardinal Francesco Maria del Monte. En 1600, le frère du cardinal avait publié un ouvrage sur la perspective soulignant qu'ombres et dessin étaient les principes de base de la peinture [39]. Néanmoins, ce vaste jeu d'ombres avait pour effet de neutraliser les couleurs locales à un degré sans précédent. Giovan Pietro Bellori, premier biographe du Caravage, remarque que le peintre ne s'intéressait pas aux couleurs belles et distinctes, comme le vermillon et les bleus vifs, qu'il atténuait toujours, « affirmant qu'elles étaient le poison des tons [*tinte*] [40] ».

À Rome, les mécènes du Caravage lui demandèrent certainement d'utiliser ces couleurs vives : les contrats de 1597 et de 1599 pour la chapelle Contarelli, qui comprend dans son programme *La Vocation de saint Matthieu*, stipulent l'emploi de l'outremer et d'autres bleus, comme il était d'usage à la Renaissance. Néanmoins, c'était le commanditaire et non le peintre qui devait les fournir, ce qui n'était pas rare à Rome à l'époque [41]. Les peintres étaient sans doute trop heureux de pouvoir s'épargner cette dépense. En effet, dans la chapelle Contarelli pour son retable de *Saint Matthieu*, il semble que le Caravage se soit efforcé de reprendre les ors et les rouges des fresques antérieures réalisées par le Cavalier d'Arpin. On perçoit le contraste saisissant entre l'approche de la couleur du Caravage et celle d'Annibale Carrache (1600-1601), plus classique, dans la chapelle Cesari de Sainte-Marie-du-Peuple, plus petite et légèrement plus tardive, où l'*Assomption de la Vierge*, du second, probablement déjà en place quand le Caravage entama son œuvre, semble appartenir à un univers totalement différent de la *Crucifixion de saint Pierre* et de la *Conversion de saint Paul* (1601). Ce contraste rappelle les schémas chromatiques hétérogènes du Trecento, comme ceux de Santa Croce à Florence, où les vitraux, les fresques et les retables dorés obéissent à un traitement de la couleur différent [42].

Dans d'autres régions d'Italie, l'approche caravagesque de l'ombre, bien que prêtant moins à controverse que son traitement trivial des sujets religieux, continua de froisser les artistes. En 1625, Pietro Accolti, spécialiste florentin de la perspective, mit en garde les élèves de l'Académie de ne pas perdre « l'abondance et la variété des couleurs » dans les rehauts et les ombres fortement contrastés, comme tant d'artistes le faisaient alors. Il plaide en faveur d'un usage, assez albertien, de teintes contrastées pour donner du relief [43]. Quand le ténébrisme se diffusa en Espagne, où il était bien moins facile de se procurer des pigments précieux qu'en Italie, des peintres comme Vélasquez, Ribera et Zurbarán parvinrent à des compositions chromatiques bien plus homogènes, où s'atténuait la transition abrupte entre des lumières aux couleurs vives et des ombres neutres, typiques du Caravage. Ce caravagisme espagnol, à la palette plus limitée, à la technique plus simple et accordant une grande importance aux mélanges sur la palette, est le principal tournant entre un traitement de la couleur où prédominent les matériaux bruts et une approche se souciant pleinement du dessin et du traitement pictural. C'est ce qu'Annibale Carrache décrit en plaisantant par l'expression « bien dessiner et colorer à la boue [44] ».

La couleur est le thème même de ce tableau de Rubens, une allégorie
de la vision. Junon accompagnée de son paon et Iris de son arc-en-ciel
examinent les yeux multiples d'Argos décapité ; elles en ont déjà inséré
quelques-uns dans la queue du paon. Il est possible que Rubens, alors
qu'il travaillait à ce tableau, était déjà en train d'illustrer l'*Optique* de
François d'Aguilon, publié en 1613 (183). Rubens fut lui-même l'auteur
d'un traité sur la lumière et sur la couleur (aujourd'hui perdu).

114 PIERRE PAUL RUBENS, *Junon et Argus*, 1611.

115

L'idée de couleurs primaires

La triade chromatique rouge-jaune-bleu était utilisée au Moyen Âge
(**115**) car elle pouvait être représentée à l'aide des trois pigments les
plus précieux : le vermillon, l'or et l'outremer. Au XVIIᵉ siècle (**116**,
117), elle connût un nouvel élan puisque, avec le blanc et le noir, elle
fut d'une certaine façon considérée comme « primaire ». L'attitude de
Vermeer est sans doute à mettre en relation avec l'idée développée plus
tardivement, au XVIIᵉ siècle, selon laquelle le bleu et le jaune étaient les
couleurs de base de la lumière. L'artiste conservait cependant une
attitude médiévale car il utilisait les matériaux les plus précieux.

115 MAÎTRE DE SAINT FRANÇOIS, *Crucifixion*, Ombrie, XIIIᵉ siècle.
116 NICOLAS POUSSIN, *Sainte Famille sur les marches*, 1648.
117 JAN VERMEER, *L'Atelier du peintre* (détail), v. 1666-1667.

116

117

La palette limitée

Les ténébristes hollandais (peintres des ombres) réduisirent leur palette jusqu'à parvenir quasiment au monochrome. Les peintures de Hals et de Rembrandt sont à l'évidence des portraits, mais même la complexité des représentations de la peau ne les contraignait pas à employer une gamme tonale très étendue. Hals (**118**) s'intéresse davantage aux nuances de noir et de blanc (Van Gogh écrivit qu'il avait créé vingt-sept types de noir), et Rembrandt (**119**), dans cette œuvre tardive, manipule sa palette limitée par des glacis et du veinage (essentiellement composés de noir, de blanc, de jaune et de rouge), créant ainsi une harmonie riche et brillante.

118 FRANS HALS, *Portrait d'un homme*, 1639-1640.
119 REMBRANDT, *La Fiancée juive*, probablement 1666.

118

119

De l'obscurité à la lumière

Le Caravage (**120**) fut l'un des premiers peintres à réduire la source de lumière – ici provenant d'une fenêtre située en hauteur – dans des scènes diurnes. La majeure partie de la scène est ainsi plongée dans l'ombre. Dans la composition de cette voûte, beaucoup plus vaste (**121**), une gamme de tons soigneusement dégradée, allant des âmes des damnés rejetées vers l'extérieur, dans l'obscurité de la partie inférieure, jusqu'aux lettres éclatantes du monogramme du Christ, au centre, produit un extraordinaire effet de continuité spatiale (voir aussi la coupe imaginaire de la voûte du Baciccio, 113).

120 LE CARAVAGE, *La Vocation de saint Matthieu*, 1599-1600.
121 LE BACICCIO, *Le Triomphe du Nom de Jésus*, 1668-1682, voûte du Gesù, Rome.

120

121

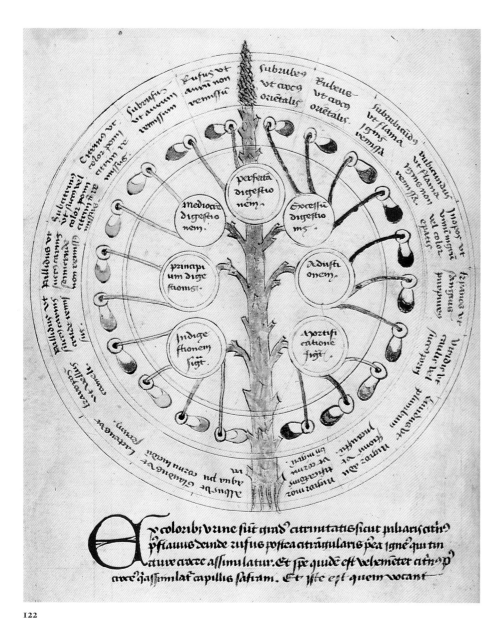

122

La création de cercles chromatiques

L'organisation circulaire des couleurs, utilisée par la plupart des artistes, trouve semble-t-il son origine dans une gamme médiévale conçue pour les médecins afin de diagnostiquer les maladies par l'examen des urines. Dans une gamme du XVᵉ siècle (**122**), les couleurs vont du blanc au noir en passant par une série de jaunes et de rouges. La version circulaire de la gamme prismatique de Newton (134) offre une plus grande cohérence : elle montre les relations qui existent entre des tonalités voisines et fut rapidement adoptée par les peintres. Le cercle chromatique de Claude Boutet (**123**), au XVIIIᵉ siècle, substitue aux bleus de Newton (l'indigo et le bleu) deux rouges (le rouge-feu et le cramoisi). D'autres cercles réduisirent les sept couleurs de Newton au nombre de six : trois « primaires » et trois « secondaires ».

122 Les couleurs de l'urine, dans l'*Hortus Sanitatis* de JEAN DE CUBA, XVᵉ siècle.
123 Cercle chromatique, dans le *Traité de la peinture en mignature*, CLAUDE BOUTET, édition de 1708.

L'impression en couleurs

Trois couleurs suffisent pour produire toutes les autres – c'est l'idée de base de la technique d'impression en couleurs, fondée sur une économie de planches et de procédés. Les mezzotintes imprimées en couleurs de Le Blon (**124-127**) furent probablement les premières à appliquer cette notion, et pour illustrer ce nouveau principe, il imprima des échantillons de segmentations chromatiques. La plupart de l'information est contenue dans la planche bleue (**124**), imprimée la première puis complétée par la séquence rouge (**126**). La planche 127 est une épreuve bicolore. Pourtant, les matériaux de Le Blon étaient loin d'être parfaits et son entreprise échoua car elle nécessitait de nombreuses finitions à la main.

124-127 JACOB CHRISTOPH LE BLON d'après F. H. Rigaud, *Portrait du cardinal de Fleury*, séparations chromatiques, avant 1738.

123

162

124

125

126

127

Le problème des gammes chromatiques

Dans la culture artistique de l'Italie baroque, l'une des nouveautés les plus frappantes fut un intérêt généralisé pour l'identification des styles. Au XVIe siècle, le dessin de Michel-Ange et les couleurs de Titien figuraient parmi les lieux communs de la critique. Au XVIIe siècle, Mancini cherche peut-être pour la première fois à distinguer au moins quatre « écoles » de peinture italienne, ainsi qu'un certain nombre de styles individuels. Au milieu du siècle, pour le peintre romain Pierre de Cortone, la chapelle Contarelli illustre le contraste entre le langage « naturel » des peintures à l'huile du Caravage et les fresques « belles et raffinées », « maniérées et gracieuses » du Cavalier d'Arpin, situées sur la voûte au-dessus [45]. Cette chapelle n'était qu'un exemple parmi d'autres où la nette juxtaposition de lumière, de voûtes à fresques et de toiles sombres sur les murs, démontrait la grande variété de tonalités dont le peintre moderne disposait dorénavant. Un autre site frappant, concernant cette fois un seul peintre, Giovanni Lanfranco, est la chapelle de saint Augustin et saint Guillaume (v. 1616) de l'église San Agostino de Rome où même Bellori note l'obscurité des peintures à l'huile [46]. Pourtant, c'est dans les grands décors plafonnants du baroque romain que la capacité à transmettre en peinture des extrêmes de lumière et d'ombre, fut poussée à sa limite [47]. L'espace s'y ouvre pratiquement depuis le niveau du sol jusqu'aux ciels les plus hauts, qui semblent à une distance infinie. Le premier exemple de ce type est le dôme de Lanfranco pour San Andrea della Valle (1621-1625), puis la voûte du palais Barberini de Pierre de Cortone (1633-1639), celle du Baciccio dans l'église du Gesù dans les années 1670 et enfin celle d'Andrea Pozzo pour Saint Ignace, vingt ans plus tard. La tâche à laquelle le peintre de ces décors plafonnants devait s'atteler était considérable : des esquisses à l'huile du Baciccio pour l'église du Gesù témoignent d'un traitement de l'espace bien plus coloriste que celui réalisé à la fresque en définitive : des anges monochromes s'y fondent dans le ciel [48]. Le peintre dut sacrifier la richesse et la variété chromatiques en faveur d'une gamme de tons aux dégradés plus précis, allant des nuages et des drapés sombres, dans la partie inférieure, sous le cadre doré, jusqu'aux lettres éclatantes du nom de Jésus, dans la partie supérieure. Le décorateur baroque n'introduisit pas seulement des extrêmes d'obscurité et de lumière, mais une gamme soigneusement dégradée pour les relier.

Comme Molière déclara au sujet de la coupole de Pierre Mignard au Val-de-Grâce, à Paris (légèrement antérieure) :

Les distributions, & de l'ombre, & de lumière,
Sur chacun des objets, & sur la masse entière ;
Leur dégradation dans l'espace de l'air,
Par différences de l'obscur & du clair […] [49]

Pour dépeindre le triomphe de la Lumière sur les Ténèbres, Delacroix dut utiliser des couleurs très vives et fortement contrastées : du rouge sur du vert et du jaune sur du violet. Le format du plafond de la salle d'Apollon du Louvre répondait à un décor architectural du XVIIe siècle dont l'un des côtés était mal éclairé. C'est sans doute à cause de ce problème qu'en 1850 il souhaita consulter E. Chevreul, l'expert français en contrastes chromatiques.

128 Eugène Delacroix, *Le Triomphe d'Apollon*, 1850-1851.

Comment ces gammes tonales pouvaient-elles bien être établies ? La théorie aristotélicienne des couleurs supposait que la teinte était, en soi, fonction du mélange de la lumière et de l'obscurité. L'idée que chaque teinte, ou chaque genre de couleur, pouvait être structurée en une série de dégradés clairs ou foncés présentait de grandes difficultés d'organisation et fut donc, en grande partie, abandonnée. Avant la mise au point d'une quelconque technique d'enregistrement et de mesure du degré de réflexion de la lumière par une surface, c'était une notion particulièrement difficile à saisir. Le système chromatique d'Aristote était une gamme linéaire, dont la médiane semble avoir parfois été le rouge et, à d'autres moments, le vert. L'instabilité des termes chromatiques grecs apportait une complication supplémentaire. Ptolémée (Almageste VII, i) rapporte la tentative d'Hipparque (IIe siècle av. J.-C.) qui voulut identifier six degrés de luminosité stellaire mais il ne fournit pas de détails. Par la suite, nous n'avons aucune trace de gammes visuelles jusqu'à l'introduction au IVe ou Ve siècle par Chalcidius, dans le commentaire du *Timée* de Platon, d'une gamme tonale simple de cinq termes : blanc, jaune (*pallidum*), rouge, bleu et noir [50]. Au XIIe siècle, Urso de Salerne, dans un débat sur les couleurs produites par le mélange des éléments (l'air bleu, la terre noire, le feu rouge et l'eau blanche), soutient qu'il existe trop de tons intermédiaires pour en dresser la liste et que, de toute façon, il n'en connaît pas les noms. « Néanmoins, un bon peintre pourrait réellement, en les fabriquant, montrer plutôt que nommer les nombreuses couleurs médianes mélangées à partir des couleurs des éléments [51]. » Si Urso de Salerne avait pu persuader un peintre d'entreprendre cette tâche intéressante, nous aurions peut-être obtenu une gamme d'une certaine complexité, mais rien de tel ne semble avoir vu le jour. L'étude médiévale la plus détaillée au sujet d'une gamme chromatique se trouve dans le *Liber de Sensu et Sensato*, attribué à Roger Bacon. L'auteur y propose une gamme (*gradus*) de vingt à vingt-et-une couleurs. Cependant, selon les différentes autorités que Bacon avait consultées, leur composition était le seul critère d'organisation selon lequel elles pouvaient s'ordonner. En latin, cette gamme s'organisait ainsi : « *Flavus* ou *lividus*, *albus*, *candidus*, *glaucus*, *ceruleus*, *pallidus*, *citrinus*, *puniceus*, *rufus*, *croceus*, *rubeus*, *rubicundus*, *purpureus*, *viridis*, *venetius*, *lividus* [!], *lazulus*, *fuscus*, *niger*. » D'après le long discours qui précède cette gamme, on peut identifier les différents termes comme suit :

1. *flavus* = jaune doré, apparenté au blanc
2. *lividus* = Aristote le dit équivalent de *flavus*, et blanc, mais c'est aussi la couleur du plomb (qui donnait le blanc de céruse), cela peut donc être un gris sombre, comme plus bas (17).
3. *albus* = blanc
4. *candidus* = blanc éclatant
5. *glaucus* (*karopos* en grec) = un jaune contenant du rouge et plus de blanc que de jaune ; la couleur des poils de chameau.
6. *ceruleus* = jaune cire
7. *pallidus* = jaune pâle, selon Avicenne
8. *citrinus* = les médecins disent que ce jaune est rougeâtre dans l'urine ; Avicenne affirme qu'il comprend *igneus* (la couleur feu) et *croceus* (11)
9. *puniceus* = orange ? [dans son *Opus Maius* (VI, xii) Bacon rapporte que c'est l'un des dégradés de *glaucus* (5) dont l'autre est *caerulum* (6)]
10. *rufus* = rouge doré (comme dans le rouge plomb ?)

11. *croceus* = comme celui du crocus oriental et du sang

12. *rubeus (alburgon* en grec) = couleur médiane entre blanc et noir : chaleur modérée et froid dans les substances moyennes

13. *rubicundus* = rouge plus foncé

14. *purpureus (kianos* en grec) = pourpre

15. *viridis* = vert

16. *venetius* = Selon Averroès, c'est une couleur d'ébène entre le bleu (*azurum*) et le noir, mais Isidore de Séville affirme que c'est le *ceruleo* (6) ; il y a donc peut-être deux couleurs portant ce nom.

17. *lividus* = gris plomb

18. *lazulus* (lapis-lazuli) = un noir bleu de bel éclat, ce qui suggère qu'il contient du blanc. Selon certains, c'est un bleu moyen ; si tel était le cas, il se situerait entre *viridis* et *venetius*

19. *fuscus* = couleur foncée (sans qualificatif)

20. *niger* = noir

Cette liste suggère que, malgré tous ses efforts, Bacon eut d'extrêmes difficultés à établir une gamme cohérente. Sans parler des ambiguïtés inhérentes à *glaucus* et *ceruleus*, on voit également que Bacon était particulièrement hésitant quant à la valeur des jaunes et des bleus. Néanmoins, il est tout à fait efficace dans sa tentative d'établir une gamme allant du blanc éclatant (bien qu'ailleurs dans cet essai, au même stade, il ordonne les couleurs ainsi : *candor, albus, flavus*) jusqu'au noir, en passant par le jaune et l'orange, le rouge et le pourpre, le vert et le bleu [52].

Dans son étude des rapports entre lumière et couleur, Bacon est fréquemment influencé par le traité *De l'âme* d'Avicenne ; il est donc étonnant qu'il n'aborde pas l'effort de ce dernier pour surmonter les problèmes spécifiques à l'organisation d'une gamme tonale quand la quantité de lumière reflétée d'une teinte donnée est impossible à vérifier. Avicenne avait compris, avant Alberti, que chaque teinte contenait des espèces de couleurs dissemblables par la clarté et l'obscurité et qu'il existait même une séquence « pure » (c'est-à-dire achromatique) allant du blanc au noir, en passant par le gris. Au XIIe siècle, la traduction latine d'Avicenne isole trois séquences de ce type : la première « pure » passant par le *subpallidum* et le *pallidum*, la deuxième passant par le rouge pâle *(subrubeus)* et le rouge, et la troisième passant par le vert et l'indigo [53]. Au XIIIe siècle, lorsque Vincent de Beauvais intègre ces gammes dans son encyclopédie, le *Speculum Majus*, Albert le Grand les développe légèrement : il rajoute *fuscus* à la gamme achromatique, *croceum, purpureum*, puis *indicum* à la gamme rouge, et *viride clarum* et *intensa viriditas* à la gamme verte [54]. Son contemporain, le commentateur perse Al-Tûsî, remarque que toutes les teintes possèdent leur propre forme de clarté et d'obscurité. Il propose une gamme pour le jaune passant par l'orange, une pour le rouge passant par le pourpre et le violet, et d'autres gammes pour le vert, le bleu et le gris [55]. L'œuvre d'Al-Tûsî était apparemment connue de Théodoric de Freiberg qui, dans *Des couleurs* (v. 1310), introduisit ce schéma sans le développer [56].

Les gammes linéaires de la Renaissance apportent un plus grand raffinement dans l'agencement des valeurs. À la fin du XVe siècle, Marsile Ficin introduit par exemple un rouge foncé *(rubeus plenior)* et un rouge clair *(rubeus clarior)* dans sa gamme. Un siècle plus tard, Cardano propose une gamme de valeurs calibrée avec précision, allant du noir (en 1ère position) au blanc (100e), où *fuscus* se trouve en 20e position, le bleu en 25e, le vert en 62e et le jaune entre la 65e et la 78e position [57]. Ce type de gamme chromatique se concevait encore au XVIIe siècle mais, à cette époque, apparaissent également

Scala Rubedinis.

Gradus ejus.	Grana ceruffæ.	Grana Cinnabaris.	Utriufque proportio minima.
11us.	Satura Rubedo.		
10us.	gr. 40.	gr. X.	C. 4. Ci. gr. I.
9us.	gr. 60.	gr. IX.	C. 6 ⅓ Ci. gr. I.
8us.	gr. 80.	gr. VIII.	C. 10. Ci. gr. I.
7us.	gr. 100.	gr. VII.	C. 14 ½ Ci. gr. I.
6us.	gr. 120.	gr. VI.	C. 20. Ci. gr. I.
5us.	gr. 140.	gr. V.	C. 28. Ci. gr. I.
4us.	gr. 160.	gr. IV.	C. 4. Ci. 1/10 gr.
3us.	gr. 180.	gr. III.	C. 6. Ci. 1/10 gr.
2us.	gr. 200.	gr. II.	C. 10. Ci. 1/10 gr.
1us.	gr. 220.	gr. I.	C. 22. Ci. 1/10 gr.
Simplex albedo, bafis fcalæ.			

Francis Glisson, médecin passionné par la couleur des cheveux, conçut ce qui fut probablement le premier système cohérent de coordination des tonalités et des valeurs. Ses tableaux (1677) indiquent les proportions précises de pigments à utiliser dans chaque mélange. La « gamme de rouge » dresse une liste de mélanges de vermillon et de blanc de céruse allant du blanc pur au rouge saturé, en onzième position. L'« échelle de noir » (ci-dessous) distingue vingt-trois étapes entre le blanc et le noir. (129,130)

Scala Nigredinis.

Gradus ejus.	Grana ceruffæ.	Grana a- tramenti fuliginei.	Utriufque proportio minima.
13us.	Simplex Nigredo.		
22us.	100.	gr. XXII.	C. 4 6/11 F. I.
21us.	150.	gr. XXI.	C. 7 ½ F. I.
20us.	200.	gr. XX.	C. 10. F. I.
19us.	250.	gr. XIX.	C. 13 ⅓ F. I.
18us.	300.	gr. XVIII.	C. 16 ⅔ F. I.
17us.	350.	gr. XVII.	C. 20 6/17 F. I.
16us.	400.	gr. XVI.	C. 25. F. I.
15us.	450.	gr. XV.	C. 30. F. I.
14us.	500.	gr. XIV.	C. 35 5/7 F. I.
13us.	550.	g. XIII.	C. 42 4/11 F. I.
12us.	600.	gr. XII.	C. 5. F. 1/10
11us.	650.	gr. XI.	C. 5 5/11 F. 1/10
10us.	700.	gr. X	C. 7. F. 1/10
9us.	750.	gr. IX.	C. 8 ⅓ F. 1/10
8us.	800.	gr. VIII.	C. 10. F. 1/10
7us.	850.	gr. VII.	C. 12 1/10 F. 1/10
6us.	900.	gr. VI.	C. 15. F. 1/10
5us.	950.	gr. V.	C. 19. F. 1/10
4us.	1000.	gr. IV.	C. 25. F. 1/10
3us.	1050.	gr. III.	C. 35. F. 1/10
2us.	1100.	gr. II.	C. 55. F. 1/10
1us.	1150.	gr. I.	C. 115. F. 1/10
Simplex Albedo, bafis fcalæ.			

les premières tentatives sérieuses pour intégrer les dimensions de teinte et de valeur au sein d'un système chromatique unique [58]. Il semble que le premier système de ce type ait été la sphère chromatique du mathématicien suédois Sigfrid Forsius, conçue en 1611. Forsius propose un cercle quadrichrome composé de rouge, de jaune, de vert et de bleu, auquel s'ajoute le gris, axe central de son solide sphérique. Néanmoins, il n'a pas réellement tenté de construire un système ou de coordonner de façon cohérente ses deux dimensions de ton et de valeur. L'orange, par exemple, aurait dû apparaître entre le rouge et le jaune, à l'équateur, comme dans le cercle chromatique en deux dimensions du mathématicien. Pourtant, dans le diagramme de la sphère, cette couleur apparaît comme la première phase, entre le jaune et le noir [59]. Il semble que ce problème de structuration n'ait pas trouvé de solution avant la seconde

129-130 moitié du XVIIe siècle, quand le médecin anglais Francis Glisson conçut ce qui fut probablement le premier système chromatique cohérent en trois dimensions, l'ancêtre de tous les systèmes modernes. Glisson suggère qu'il pouvait être construit à partir de pigments connus, mais nous ne possédons aucun document attestant de sa réussite. Il accepte les couleurs primaires que sont le rouge, le jaune et le bleu, et sa gamme de gris contient vingt-trois degrés, allant du noir au blanc. Elle devait être élaborée à partir de blanc de céruse et d'encre noire *(atramentum)* ou de noir d'ivoire. Pour sa gamme jaune il utilise l'orpiment, pour la rouge, le vermillon, et pour la bleue l'azurite *(bice)*, l'outremer se révélant trop clair et l'indigo trop pourpre [60]. En ce qui concerne les degrés perceptibles dans la gamme des gris, les évaluations actuelles proposent le chiffre de 200 et les systèmes chromatiques modernes en utilisent dix à vingt [61].

Ces tentatives d'agencement d'un système chromatique cohérent, en particulier une gamme de tons, se retrouvent à l'époque baroque à Rome, dans le cercle de peintres et de lettrés rassemblés autour de Cassiano dal Pozzo. Tous partageaient un intérêt pour les écrits de Léonard de Vinci. Le peintre le plus important de ce groupe était Poussin, mais son principal théoricien était Matteo Zaccolini, artiste de moindre envergure mais qui, vers 1620, avait écrit, sans le publier, le traité d'optique le plus décisif de l'époque à l'intention des artistes [62]. Zaccolini consacra une longue réflexion et de nombreuses expériences à la création de gammes en perspective aérienne. Il conçut d'une part une gamme linéaire des couleurs allant jusqu'au bleu de l'atmosphère – dans l'ordre : le noir, le vert, le « pâle » (jaune-vert), le pourpre *(pavonazzo)*, le « tanné », le rouge, le jaune, le blanc – et, d'autre part, le dégradé de chaque teinte – verte, pourpre, rouge, blonde *(biondo)*, jaune et bleue, ainsi que grise – dans une séquence tonale comprenant huit degrés [63]. Par ce traitement, Zaccolini souhaitait associer les séquences abstraites à des pigments particuliers utilisés par les peintres, apportant des détails sur la fabrication des mélanges. Le « tanné », par exemple, se réalisait à partir de rouge et de noir et s'apparentait à une forme de *pavonazzo* que « les peintres romains appelaient *pavonazzo di sale* » ; ce mélange contenait une grande proportion de rouge sombre mais aucune trace de bleu *(turchino)* ; le plus beau vert s'obtenait par mélange de bleu clair *(biadetto)* et de jaune de Naples *(giallorino)*, ou à l'aide d'outremer et de *giallo santo* et non pas avec de l'ocre et du smalt, car ces pigments se détruisent entre eux [64]. Pour notre propos, l'aspect le plus important du traité de Zaccolini est sans doute son intérêt hérité de Léonard pour les couleurs du monde naturel et la façon dont elles peuvent être interprétées dans les gammes chromatiques du peintre. Le rouge mélangé au gris dit *berettino* ou *ceneritio*, réalisé à partir de blanc et de noir, donne la sorte de violet que l'on observe dans les nuages au lever ou au coucher du soleil. Quand le rouge du ciel vire au bleu, à un certain moment, une couleur mixte apparaît, pareille à des roses séchées ou au *pavonazzo*, et les nuages peuvent soudain passer d'une couleur à une autre [65]. Le peintre scientifique *(il scientifico pittore)* saura comment exploiter un tel phénomène, remarque Zaccolini ; il n'est donc pas étonnant que les résultats les plus concrets de ses théories se retrouvent dans la peinture de paysage. Son insistance sur la différentiation marquée des plans, à l'aide de la couleur, nous rappelle les espaces clairs des paysages de Poussin (le peintre annota abondamment l'œuvre de Zaccolini). Le parallèle le plus frappant se trouve toutefois dans une méthode de travail développée à Rome par un autre peintre

français, Claude Lorrain. Selon Joachim von Sandrart, un de ses premiers compagnons, Le Lorrain

> demeurait dans la campagne afin d'apprendre à reproduire exactement au naturel les feux du jour du lever du soleil et au coucher du soleil les heures crépusculaires du soir. Dès qu'il avait bien observé l'un ou l'autre spectacle en plein air, il déposait sur-le-champ ses tons de coloris, puis les ayant rapportés en hâte à l'atelier, il les appliquait à son ouvrage commencé avec une justesse beaucoup plus réelle que personne n'avait fait avant lui.

Sandrart souligne aussi que Le Lorrain savait moduler la « rudesse » des couleurs par le mélange, pour qu'elles ne ressemblent plus à ce qu'elles étaient, mais plutôt aux couleurs « qu'il avait besoin de représenter [*entbilden*] » ; c'est en « maître de la perspective » qu'il y parvint. Dans un passage ultérieur, Sandrart remarque que Le Lorrain peignait seulement « dans un petit format des choses distantes à partir du second plan et allant se perdre à l'horizon sur le ciel », méthode pour laquelle il lui fallait connaître avec précision le système perspectif que Zaccolini avait codifié [66]. Quelles étaient précisément les méthodes du Lorrain ? Composait-il sa palette à l'extérieur par une série de tons dégradés ? Ou bien organisait-il simplement ces tons sur du carton ou du papier ? Nous savons que le plus scrupuleux de ses disciples du XVIIIe siècle, Claude-Joseph Vernet, utilisait un carnet d'échantillons de couleurs élaborés par ses soins, auxquels il se référait simplement à l'aide de chiffres afin d'accélérer les esquisses qu'il avait l'habitude de réaliser en plein air [67]. Quoi qu'il en soit, à l'origine, les échantillons du Lorrain devaient être disposés sous forme de gammes de couleurs. Une note extraite de l'un des manuscrits de Théodore Turquet de Mayerne, médecin flamand à la cour de Charles Ier d'Angleterre, permettra d'éclaircir quelque peu cette pratique. De Mayerne y rapporte une recette, dont il ne révèle malheureusement pas l'auteur, pour peindre un paysage (*La terre ou pais*) : il devrait être exécuté en commençant par le plan le plus lointain « [en l'esloignement] la plus belle cendrée et blanc, avec tant soit peu de Lacque » ; le plan juste en deçà devait être peint avec des tons de cendre, du bleu et de la laque et un peu de massicot [jaune vif] ; le plan encore plus proche avec des tons de cendre, du jaune ocré et un peu de Schitgeel ; enfin, le premier plan devait être peint de tons de cendre, de Schitgeel et d'un peu de laque [68]. À l'évidence, cette formule conceptuelle était assez éloignée des observations de Claude Lorrain, mais elle montre combien les artistes de l'époque avaient l'habitude de penser l'espace du paysage en termes de dégradés de couleurs bien précis.

Un autre ami du Lorrain, J. H. Bourdon, peintre d'histoire et de paysage, recommanda un procédé semblable dans une conférence prononcée à l'Académie en 1669. Au cours d'une étude des meilleurs moments de la journée pour peindre un paysage (il soutient, comme Le Lorrain, qu'il s'agit du matin et du soir), Bourdon mentionne un crépuscule particulièrement vif où « plus les accidents sont bizarres, plus il est nécessaire d'en prendre notes & comme ils ne sont que momentanés il faut être prompt à les copier tels qu'ils se montrent ». Bourdon poursuit par une explication de la structure colorée de ces effets naturels. Avant l'aube, le ciel devrait contenir peu de nuages,

> et s'il y en a, ils ne seront lumineux que sur leurs bords. Le fond où l'azur du ciel doit aussi tirer un peu sur l'obscur ; observant dans les par-

ties qui seront plus voisines de l'horizon que cet azur prenne un ton plus clair, afin que le ciel fasse mieux la voûte, & parce que c'est de cet endroit que vient la lumière naissante : elle y doit être rassemblée toute entière & le ciel s'y colorer d'un incarnat vermeil, qui s'étende parallèle à l'horizon, formera, jusqu'à une certaine élévation, des bandes alternativement dorées et alternativement argentines qui diminueront de vivacité à proportion qu'elles s'éloigneront d'un point où part la lumière.

De nouveau, Bourdon gâte l'effet de cette observation très spécifique en concluant qu'il se contente simplement de décrire le tableau d'un des frères Bassano [69].

L'application des gammes de couleurs de Zaccolini pouvait seulement se faire dans un milieu artistique croyant aux vertus de l'analyse précise du paysage réalisé en extérieur. Des preuves de plus en plus nombreuses montrent que c'est ainsi que le paysage était traité au XVIIe siècle. Nous découvrons en effet de plus en plus d'exemples d'esquisses à l'huile ou de dessins réalisés en extérieur, à partir de vues romaines, et de comptes rendus sur les instruments nécessaires à leur exécution. Certains indices en Europe du Nord confortent même l'idée que les paysages de grand format étaient probablement réalisés sur le motif [70]. Une telle méthode dépend, naturellement, de la capacité à accorder perceptions et mélanges de peintures. Dans la pratique picturale au XVIIe siècle, ces mélanges devinrent la norme.

Dans l'encyclopédie allemande du XVIIe siècle citée au début de ce chapitre, le traitement de la couleur était déjà inhabituel par son étude assez détaillée – et totalement excentrique – des mélanges de *nobiliores colores*. Les bleus étaient par exemple composés d'une grande proportion de vert et d'un peu de noir, et ce vert était lui-même un mélange de noir avec une plus petite dose de rouge [71]. De même, un grand nombre de traités techniques à l'intention des artistes, comme le *Manuscrit de Padoue* (anonyme, milieu du XVIIe siècle), accordaient une large place aux mélanges, comprenant parfois jusqu'à cinq couleurs [72]. En même temps, pour les peintres il devint courant de préparer le fond de leur tableau avec un ton intermédiaire à partir des restes de couleurs qu'ils avaient pu récupérer en grattant leur palette [73]. Au début du siècle, Le Caravage et Rubens étaient très portés sur les mélanges à la palette, à une époque où s'estompait la méfiance antique vis-à-vis de la « corruption » des couleurs (*cf.* chapitre 2) qui s'était renforcée, au Moyen Âge et à la Renaissance, avec l'utilisation de pigments de valeur [74]. Franciscus Junius, bibliothécaire hollandais du comte d'Arundel et l'historien de l'art antique le plus érudit de la période baroque, cite le terme classique *corruptio* sans aucune connotation dépréciative. Au XVIIe siècle, c'était devenu un terme technique relativement neutre [75]. Le livre de Junius, *La Peinture des Anciens*, malgré sa densité indigeste, était consulté par de nombreux artistes, y compris Rubens et Poussin.

À l'époque, Rembrandt était le peintre le plus apprécié pour sa capacité à « briser » les couleurs en des mélanges compliqués. Sandrart, son disciple, s'enthousiasme encore plus pour son talent que pour celui du Lorrain :

> Il a ouvert les yeux à ceux qui, de façon commune, sont plus teinturiers que peintres en ce sens qu'ils juxtaposent des couleurs puissantes et crues assez franches et dures l'une contre l'autre, de sorte qu'elles n'ont pas de liens avec la nature mais seulement avec les couleurs que l'on trouve dans les boîtes à couleurs, chez les marchands, ou avec les étoffes sorties tout droit des teintureries [...] [76].

Dans la pratique de Rembrandt, on a bien établi le passage de l'emploi d'une palette large, dans les années 1620 et au début des années 1630, contenant de dix à douze pigments (y compris des pigments très coûteux), à l'utilisation, vers 1650, d'environ moitié moins de pigments principalement composés de terres colorantes. Il est également clair qu'une palette tardive comme celle de *la Fiancée juive* ne manque pas d'éclat [77]. Jeune, Rembrandt était même disposé à peindre sur du cuivre doré, technique qu'il partageait avec Vermeer [78]. Toutefois, il est peut-être significatif de l'approche chromatique résolument moderne de Rembrandt que, dans son *Autoportrait avec Saskia* des années 1630, l'emploi jusqu'alors unique de l'outremer se situe dans un mélange de bruns complexe : il ne s'agit probablement que d'un transfert de couleur accidentel à cause d'un pinceau sale [79]. Le style tardif de Rembrandt ne dépend pas entièrement des mélanges sur la palette : un tableau comme *La Fiancée juive* utilise tout l'éventail technique des forts empâtements, des glacis transparents et du veinage semi-opaque ; mais, en substance, on ne saurait douter des propos de Sandrart. Dans La *Ronde de nuit* (1642), le peintre employait déjà sur sa palette des mélanges allant jusqu'à huit pigments pour une même couche, soit la quasi-totalité des pigments utilisés dans l'ensemble du tableau [80].

Cette nouvelle perception des mélanges eut forcément une importante dimension esthétique. Bien que la notion médiévale de l'harmonie des couleurs juxtaposées, formulée par Alberti, fût encore courante en Europe, une nouvelle idée commença à circuler, celle de l'harmonie par le mélange, sur un tableau, de tous les tons réalisés à partir des mêmes matériaux. La technique du clair-obscur de Léonard de Vinci en était une préfiguration mais son origine véritable se trouvait dans la doctrine des couleurs primaires. Le peintre français Jean-Baptiste Jouvenet (1644-1717) était apprécié précisément pour sa capacité à harmoniser les couleurs de façon à ce que, disait-on, « elles sembl[ent] avoir été produites par une seule palette [81] ». Au chapitre suivant, je montrerai les implications extraordinaires de cette idée.

Le *Traité d'optique* de Newton et les usages de la classification

Cette préoccupation artistique pour les mélanges, les ombres et les gammes chromatiques (du blanc au noir) allait à l'encontre de la recherche la plus importante, au XVIIe siècle, en matière de lumière et de couleur, parachevée en 1704 par le *Traité d'optique* d'Isaac Newton. La seule gamme qui y figure est l'échelle prismatique. Newton, dans ses conférences de Cambridge de 1669-1670, en désigne de manière assez exotique les étapes principales (*insigniores*), à savoir : « écarlate, pourpre [*purpureus*], rouge plomb, jaune citron, jaune d'or ou jaune soleil [*heliocryseus*], jaune foncé, vert, vert prairie, vert marin, bleu, indigo et violet. » Il réduisit ces onze étapes de façon significative mais assez tardivement au nombre de sept [82]. La théorie de Newton nie l'existence d'un quelconque ensemble de teintes « primaires », soutenant que tous les rayons de lumière réfractés sont « primaires », « homogènes » ou « simples » et que certains, comme le vert, le violet et même le jaune, peuvent se manifester soit sous forme simple, soit sous forme composée. Cette théorie aurait pu sembler en contradiction avec toutes les expériences technologiques. Pourtant, pendant de nombreuses années et dans toute l'Europe, le *Traité d'optique* ou ses versions vulgarisées firent partie de l'équipement ordinaire du peintre.

L'une des encyclopédies techniques les plus anciennes, le *Lexicon Technicum* de Harris publié peu après la parution du *Traité d'optique*, comporte un article sur la couleur, d'essence newtonienne, ainsi qu'une liste de vingt-et-un pigments « simples » disposés au hasard, entre le blanc et le noir [83]. Cette ambiguïté du terme « simple » selon qu'il se réfère aux couleurs de la lumière ou à celles de la matière – ou plutôt aux deux formes de couleurs de la matière, puisque Newton considérait la lumière comme matérielle – se perçoit dans ce qui fut probablement la première tentative de rationalisation des mélanges de couleurs selon les critères de Newton par le mathématicien Brook Taylor, qui était son collaborateur à Cambridge. Dans une annexe à la nouvelle édition de son traité sur la perspective linéaire, Taylor tente d'appliquer le diagramme des mélanges de Newton et, ce faisant, il découvre non seulement que les couleurs claires supplantent les couleurs foncées, mais également que le résultat des mélanges de pigments est assez imprévisible :

> Si la nature des Couleurs matérielles, utilisées en Peinture, était aussi parfaitement connue que l'on puisse dire exactement quelle Espèce de Couleur, quelle perfection et quel degré de lumière et d'ombre chaque Matériau possède par rapport à sa Quantité, par ces Règles l'on pourrait produire exactement n'importe quelle couleur proposée, en mélangeant ces différents Matériaux dans leurs justes proportions. […] Si les Couleurs étaient réduites en poudres sèches, n'ayant ainsi aucun effet l'une sur l'autre en cas de mélange, ces observations se feraient précisément pendant leurs mélanges. Pourtant, certaines couleurs ne sont pas de telle Nature à produire un effet très différent par le Mélange, ce à quoi l'on s'attendrait par rapport à ces principes. Il est donc possible qu'il existe certains matériaux sombres qui, dilués avec du blanc, pourraient donner des Couleurs plus propres et moins composées que lorsqu'elles étaient solitaires ; de même, certaines Couleurs sont très belles pour les glacis mais plus trop quand elles servent à peindre un Corps […] [84].

Le fossé entre scientifiques et artistes se creusait. Jacob Christoph Le Blon allait bientôt en faire l'expérience : son Picture Office, fondé en Angleterre en 1717, fut la première manufacture de reproductions de tableaux en couleurs. Dans un traité sur l'harmonie, publié en anglais et en français en 1725, Le Blon écrit :

> La peinture peut représenter tous les Objets visibles à l'aide de trois Couleurs, le Jaune, le Rouge et le Bleu, car toutes les autres Couleurs peuvent être composées à partir de ces trois-là, que j'appelle Primitives […]. Et un Mélange de ces trois Couleurs Originales donne un Noir, et toutes les autres couleurs, quelles qu'elles soient comme je l'ai démontré par mon Invention de l'Impression d'images et de Figures dans leurs Couleurs naturelles. Je parle seulement des couleurs Matérielles, ou celles utilisées par les Peintres ; car un Mélange de toutes les Couleurs primitives impalpables, qui ne peuvent être perçues, ne produira pas du Noir, mais au contraire du Blanc ; comme le grand Isaac Newton l'a démontré dans son Traité d'optique [85].

La carrière en dents de scie de Le Blon et de sa manufacture, et l'abandon final, par ses successeurs français, de ce système d'impression en couleurs sont assez révélateurs : l'impression pleines couleurs à l'aide de trois plaques était relativement irréalisable à une époque où n'étaient pas disponibles les pigments ou les encres proches des rouge, jaune et bleu primaires. Le Blon, poursuivant sa carrière en

France, utilisa du bleu de Prusse et une laque jaune foncé mais, pour le rouge, il lui fallut développer un mélange compliqué de laque de garance, de carmin et d'un peu de cinabre (vermillon) naturel. Il fut aussi contraint d'utiliser une quatrième plaque, noire, et de retoucher fréquemment à la main les autres couleurs, ce qui compromit l'économie de l'entreprise dans son ensemble [86]. Dans ce désordre théorique, ce n'est sans doute pas un hasard si, en 1772, l'un des premiers projets d'enseignement de la couleur au sein d'une académie artistique européenne, la nouvelle Académie royale de Vienne, ait à la fois inclus l'étude des principes de mélanges chromatiques et la copie de tableaux, plus traditionnelle [87].

Dans la première moitié du XVIIIe siècle rares étaient ceux qui remarquèrent le caractère problématique des idées de Newton sur la couleur. Le *Traité d'optique* semblait se prêter directement au domaine de l'imagination. Les vers sardoniques de Blake, en exergue à ce chapitre, furent précédés par un siècle d'éloges poétiques. Au chapitre 6, nous avons vu que James Thomson avait attribué à Newton plutôt qu'à Dieu la résolution du mystère de l'arc-en-ciel. Même un auteur pieux comme Scheuchzer tenait à montrer que le « *subtilissimus & accuratissimus* » Newton en avait enfin révélé le secret ; alors que les commentateurs médiévaux avaient interprété les couleurs en référence à l'Alliance ou à la Trinité, on devait percevoir dorénavant la dénaturation de la lumière blanche transformée en couleurs, par réfraction, comme un symbole de la Passion du Christ [88]. Un des premiers plaidoyers anglais en faveur de la peinture de paysage comme démonstration du fonctionnement de la nature utilise comme paradigme les lois de Newton sur la lumière et les couleurs :

> […] les Images qui représentent les Beautés visibles, ou les Effets de la Nature dans le monde visible, par le biais des différentes modifications de Lumière et de Couleurs, conséquence des Lois se rapportant à la Lumière, sont des spécimens de ce que ces Lois réalisent ou peuvent produire [89].

À l'évidence, la clarification de la nature et de l'ordre des couleurs, apportée par Newton, répondait aux plus vives attentes des naturalistes, plutôt qu'à celles des artistes ou des poètes. Richard Waller, membre de la Royal Society, s'était plaint en 1686 de l'absence de norme chromatique à l'usage des philosophes [90]. Là où, dans l'usage scientifique, les couleurs étaient auparavant confinées au diagnostic médical, la communauté savante en avait désormais besoin pour cataloguer l'ensemble de la création ; Waller avait fourni une norme visuelle à l'aide d'échantillons peints. Antérieurement, les naturalistes devaient se fier au vocabulaire aléatoire des couleurs ou, dans le cas du magnifique *Hortus Floridus* de l'artiste hollandais Crispin de Passe, à des instructions presque aussi incertaines pour la réalisation de chaque copie. Cette anthologie multilingue des fleurs de jardins présente des problèmes particuliers, à cause du manque de précision des termes techniques dans les diverses langues utilisées ; le traducteur anglais de Crispin de Passe s'excuse dans une note en fin d'ouvrage :

> Les noms des couleurs divergeant tellement par rapport à la langue originale qu'aucune recherche dans les livres et aucune conversation avec les peintres ou les marchands internationaux, ne sauraient suffisamment signifier la même chose pour un Anglais. […] je les ai toutes traduites, ou la plupart, pour être compris de tout Anglais, sauf une seule couleur que les Hollandais nomment *schÿt-geel*, terme qui, traduit, signifie jaune caca. Dans l'ensemble de l'ouvrage, je l'ai appelé à la place (pour ne pas

134

124-127

63

Les coquillages exigent un système chromatique ordinaire pour leur classification mais peuvent en eux-mêmes offrir des modèles chromatiques permanents. Rembrandt et Boucher les collectionnèrent. Le frontispice de la *Conchyliologie* de Boucher (1780) est une composition très imaginative juxtaposant des coquillages exotiques et des chairs nacrées. L'eau-forte de Rembrandt de 1650 présente son coquillage comme s'il s'agissait d'un spécimen rare provenant d'une *Wunderkammer*. (131, 132)

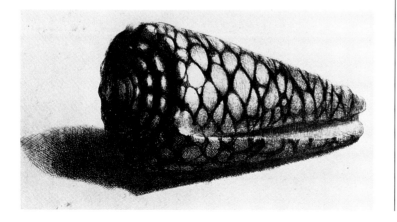

heurter les oreilles sensibles) «jaune triste». C'est ce que les Latins, les Français et les Espagnols nomment Buxus, c'est-à-dire, couleur buis qui est d'un jaune triste ou éteint [91].

Bien qu'il y eût un moment, à la fin du XVIIe siècle, où la couleur en elle-même semblât apporter un éclairage sur les principes de classification végétale, cette hypothèse fut rapidement dépassée par le système binômial de Linné [92]. Ce furent les activités taxinomiques de Linné et de ses successeurs qui donnèrent la plus forte impulsion au développement des systèmes chromatiques des XVIIIe et XIXe siècles. Parfois, ces systèmes furent améliorés par les naturalistes eux-mêmes : la première et la plus ambitieuse tentative pour mettre au point une série complète de normes chromatiques s'adressait aux naturalistes, aux peintres, aux fabricants, aux artistes et aux artisans, dans cet ordre. De fait, les artistes l'attaquèrent car elle portait exclusivement sur les 4 800 couleurs locales, utilisables dans un contexte scientifique [93]. Parmi les nouveaux théoriciens de la couleur, l'un des plus intelligents était Ignaz Schiffermüller, entomologiste viennois qui alla jusqu'à suggérer, en 1771, que puisque les animaux, les plantes et les minéraux étaient désormais classés en systèmes pleinement articulés, il était temps que la couleur soit traitée, de la même façon, comme un système «naturel» [94].

Un tel système était essentiel au vocabulaire descriptif utilisé par les naturalistes, autant qu'il semble l'être, à notre époque, pour certains historiens de l'art [95]. Le peintre William Williams raconte l'histoire touchante d'un vieil illustrateur d'entomologie, qui

> vivant dans un pays éloigné, ne connaissant pas les artistes ou les systèmes rationnels de couleurs […] avait collectionné une multitude de coquillages de couleurs, de toutes les teintes se distinguant sur les ailes de ce bel insecte [le papillon] ; car il ne savait pas qu'à partir de deux teintes il pouvait en créer une troisième. Par cette méthode, il avait accumulé deux grands paniers d'osier, remplis de coquillages, qu'il avait placés à sa droite et à sa gauche et, parfois, il mettait une demi-journée pour trouver une teinte. Quel degré d'excellence aurait-il atteint s'il avait su comment mélanger ses teintes [96] ?

Dans cet exemple, les coquillages colorés ont une fonction de système mais au XVIIIe siècle ils avaient également leur importance esthétique. La magnifique eau-forte de Rembrandt représentant un *Conus Marmoreus* aurait bien été à sa place dans le cadre baroque d'une *Wunderkammer* ; quant au dessin de coquillages également admirable de Boucher, il trouve sa place aussi clairement dans le contexte esthétique du Rococo. S'inspirant de la liste d'objets dressée pour la vente posthume des biens de Boucher, en 1771, ses biographes, les frères Goncourt, évoquent les plaisirs sensuels d'une telle collection :

> À mesure qu'il vieillissait, il appelait à lui ce soleil magique des pierres précieuses qui réchauffait ses yeux et son génie ; il entassait dans son atelier ces pétrifications d'éclairs, les pierres fines, les quartz et les cristaux de roche, les améthystes de Thuringe, les cristaux d'étain, de plomb, de fer, les pyrites et les marcassites. […] Puis, dans ce merveilleux musée des couleurs célestes de la terre, venaient les coquilles avec leurs mille nuances délicates, leurs prismes, leurs reflets changeants, leurs chatoiements d'arc-en-ciel, leur rose tendre et pâle comme une rose noyée, leur vert doux comme l'ombre d'une vague, leur blanc caressé d'un rayon de lune : les tuyaux de mer, les buccins, les pourpres, les tonnes, les volutes, les porcelaines, les huîtres, les pétoncles, les cœurs, les moules, végéta-

132

131

tions de perle, d'émail et de nacre, groupées comme des parures dans les meubles de Boule, dans les cabinets de bois d'amarante, ou répandues sur les tables d'albâtre oriental, à côté des torchères de bois sculpté [97].

L'entomologiste autrichien G. A. Scopoli inventa un système pour mélanger les couleurs. Il consistait en des disques rotatifs d'un type qui, autant que je sache, n'avait pas été utilisé depuis le Moyen Âge, mais qui allait être très largement développé au XIXe siècle. Scopoli ne parvint pas à mélanger les teintes fortement saturées dont il avait besoin pour égaler les couleurs brillantes de ses insectes. Il ne parvint évidemment pas non plus à conserver ses mélanges sur disques sous une forme plus permanente et plus stable [98]. Son travail est une preuve de plus que l'approche empirique des systèmes chromatiques, propre au XVIIIe siècle, ne pouvait réellement permettre de faire progresser la question.

L'espace chromatique, de Newton à Seurat

Le *Traité d'optique* de Newton aurait dû, purement et simplement, écarter la couleur de la place centrale qu'elle occupait dans l'étude de la lumière, mais il n'en fut rien [99]. Au contraire, Newton légua à la postérité, presque par accident, deux idées d'une puissance irréfutable. La première était que les liens entre les couleurs se distinguent mieux par une organisation circulaire ; la seconde, étroitement associée à la première, était la notion de complémentarité.

54 Nous avons vu, par l'exemple d'un tableau des éléments, combien l'esprit médiéval utilisait volontiers de simples diagrammes pour exprimer des idées complexes et que, dans la tradition d'Isidore de Séville, certains de ces diagrammes étaient circulaires [100]. Pourtant, le fait qu'aucun diagramme chromatique ne fût inventé avant le XVe siècle, quand un cercle de vingt nuances fut publié dans un *Traité sur l'urine* (anonyme), signale de nouveau la difficulté que les philosophes avaient à comprendre clairement les liens entre les couleurs. La couleur était évidemment un diagnostic essentiel en

122 urologie et ce cercle chromatique, allant du blanc vers le noir, inclut seulement les couleurs pertinentes pour ce diagnostic. Néanmoins, un cercle plus abstrait lui succéda, publié par l'astro-

1 logue Robert Fludd dans les années 1620 [101]. Dans ce cercle chromatique divisé en sept sections, le noir et le blanc sont adjacents et le vert est la couleur médiane ; il est proche du rouge, également décrit comme une couleur contenant du blanc et du noir, en égale proportion. Pour ces deux systèmes chromatiques, le choix d'une disposition circulaire semble être relativement arbitraire.

134 En revanche, le diagramme des mélanges chromatiques de
185 Newton, même s'il s'inspire clairement de l'organisation des intervalles sonores de Descartes, possède une cohérence interne évidente car il essaie en fait de dérouler l'ensemble du spectre prismatique. Il va du rouge au violet en une séquence continue de nuances dont la position dépend de leur relation intime aux teintes voisines. Malgré certaines modifications des nombres et des zones des nuances qui le composent, cette disposition circulaire est encore aujourd'hui la norme pour la théorie des couleurs en peinture. Le premier signe de sa pérennité se trouve dans le cercle chromatique publié dans un supplément anonyme sur le pastel du

123 *Traité de la peinture en mignature* attribué à Claude Boutet, dans l'édition de La Haye de 1708. Ce traité avait été publié pour la première fois en 1673 et, jusqu'à la fin du XVIIIe siècle, fit l'objet de plus de trente éditions [102]. Newton, pour des raisons que j'évoque-

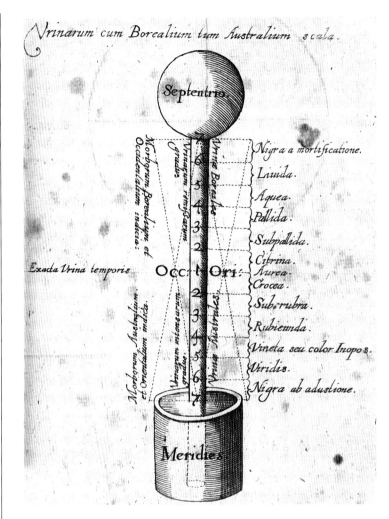

Gamme chromatique de l'urine de Robert Fludd, dans *Medicina Catholica*, 1629. Les couleurs sont graduées entre le nord et le sud, devenus noirs par excès, et avec l'orange (*aurea*, doré) au centre. Fludd ne se contenta pas de concevoir sa propre gamme, il publia de nouveau dans le même ouvrage le cercle médiéval des urines en vingt-et-une couleurs (voir 122). (133).

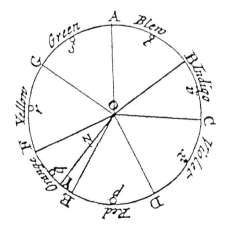

Roue chromatique, Isaac Newton, *Traité d'optique* (1704). Newton organise les couleurs du spectre en tenant compte de leur ordre et de leurs proportions, localisant les composants des mélanges de façon géométrique et permettant ainsi de prévoir les mélanges de couleurs prismatiques. (134)

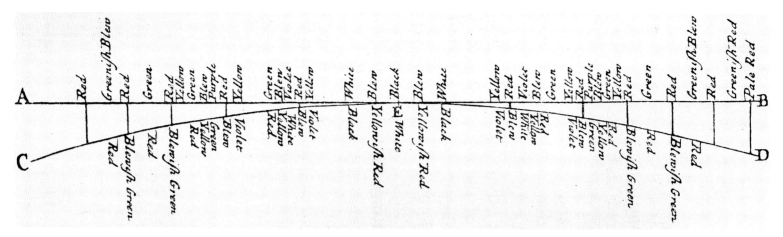

Les « couleurs des lames minces » d'Isaac Newton (*Traité d'optique*, 1704), appelées également « anneaux de Newton », décrivent les couleurs qui apparaissent de chaque côté de deux lames transparentes serrées l'une contre l'autre et illuminées par une lumière réfléchie indirecte. Ces paires de couleurs (énumérées dans le diagramme) furent à l'origine de la notion de couleurs complémentaires, du noir et blanc au centre de la pression jusqu'au vert bleuté et au rouge aux extrémités. (135)

rai au chapitre 13, avait divisé son bleu en deux sections, mais Boutet, plus soucieux de la pratique picturale, établit une telle division dans le rouge. Il savait, comme Le Blon après lui, qu'un rouge « pur » ne pouvait être qu'un mélange de rouge de feu virant au jaune et de cramoisi bleuté. Dans les années 1780, le peintre berlinois Johann Christoph Frisch ajouta encore une asymétrie plus significative en proposant un cercle chromatique divisé en huit sections. Selon lui, l'œil percevait en effet une plus grande distance entre le bleu et le rouge ou le bleu et le jaune, qu'entre le jaune et le rouge. Il suggéra deux étapes, violette et pourpre, entre le bleu et le rouge, et deux autres, vert marin et vert feuillage, entre le bleu et le jaune. C'était probablement la première fois qu'un système chromatique se fondait sur la perception. Il n'eut pas grand écho avant le travail de Wilhelm von Bezold, dans les années 1870, en particulier, ni avant le cercle chromatique de Wilhelm Ostwald, au début du XXe siècle, divisé en vingt-quatre sections [103].

À l'opposé, le cercle symétrique des trois « primaires » et des trois « secondaires » s'ancra profondément dans l'esprit de tous les amateurs de beaux-arts et d'arts décoratifs. Il semblait en effet non seulement incarner les six couleurs cruciales, mais aussi exprimer leur relation complémentaire : le rouge était l'opposé du vert, qui résultait lui-même de deux autres couleurs primaires, le jaune et le bleu, etc. L'importance de ces oppositions polaires était bien enracinée dans la pensée occidentale. Au chapitre 1, nous avons vu que Théophraste ne pouvait accepter la théorie de Démocrite, car il ne voyait, parmi les couleurs, aucun contraire, hormis le noir et le blanc. Pour Léonard de Vinci, le plus beau contraste de couleurs était d'allier des couleurs directement opposées *(retto contrario)*. Néanmoins, il n'avait pas de conception définie sur ce qu'étaient ces couleurs opposées : parfois le bleu contrastait avec le vert et le blanc, le vert avec le violet foncé ou le bleu, le blanc avec le bleu ou le noir, ce qui suggère qu'il n'avait jamais disposé les couleurs sous forme de diagramme [104]. Le point de vue de Newton sur ces couleurs opposées était d'un tout autre ordre : dans un article de

1672, il considère déjà comme opposés le rouge et le bleu, le jaune et le violet, ainsi que le vert et un « pourpre proche de l'écarlate [105] ». Son travail sur les anneaux concentriques de couleurs, générés par deux lames minces de verre serrées l'une contre l'autre, lui montra que, par la lumière réfléchie et indirecte, les mêmes cercles étaient soit blancs et noirs, soit rouges et bleus, soit jaunes et violets, ou encore verts et « d'un composé de rouge et de violet [106] ». Bien que son diagramme des mélanges chromatiques, qui parut pour la première fois dans le *Traité d'optique* de 1704, ne soit pas un cercle complètement symétrique, les couleurs opposées y sont presque à la bonne place. Newton s'était montré insatisfait à l'idée qu'un mélange de blanc comprenne seulement trois couleurs, mais il prétendait être parvenu à mélanger sa « couleur souris » (qu'il considérait comme un « blanc » dans ses mélanges) avec seulement deux couleurs : une dose de rouge plomb pour cinq de vert cuivré [107]. Les « opposés » étaient donc ces paires de couleurs qui se mélangeaient pour donner du blanc.

Il semble que le terme « complémentaire » ait été utilisé pour la première fois en 1794, dans un article du scientifique américain Benjamin Thompson, comte Rumford, dans le contexte des couleurs des ombres (complémentaires à la couleur de la lumière, dont elles proviennent) et de l'harmonie des couleurs. Selon lui, deux couleurs sont harmonieuses si l'une d'entre elles est contrebalancée par le produit des deux autres primaires [108]. Rumford s'est appuyé sur le travail de Robert Waring Darwin sur « les spectres oculaires », à savoir les contrastes successifs que l'on perçoit en regardant de près une tache de couleur particulière pendant un long moment. La rémanence d'une tache semblait être son complément, ce qui apporta à de nombreux analystes de l'harmonie des couleurs, notamment Goethe, la confirmation supplémentaire que l'œil « exige » certaines associations [109]. Ces premières observations de rémanences rétiniennes permettaient de conclure assez justement que la couleur complémentaire du rouge, par exemple, n'est pas le vert mais le bleu-vert. On notera cependant que la disposition circulaire, désormais canonique, et la doctrine des mélanges secondaires ont fait du vert la « complémentaire », presque universellement acceptée, du rouge.

Ces idées finirent par s'infiltrer dans la littérature artistique. L'un des premiers et des plus cohérents systèmes circulaires, *Natural System of Colours* de l'entomologiste Moïse Harris, publié au début des années 1770, avait été dédicacé à Reynolds, avec son accord. La seconde édition, de 1811, fut cette fois dédiée à Benjamin West, successeur de Reynolds à la présidence de la

Royal Academy [110]. En 1803, le savant Isaac Milner fut invité par le paysagiste Humphrey Repton à contribuer, par un essai intitulé « Theory of Colours and Shadows », à un ouvrage sur le jardinage. Milner y déclare que Repton avait l'habitude d'utiliser un petit diagramme pour s'aider lorsqu'il peignait [111]. Ces diagrammes devinrent des articles courants pour les peintres en Angleterre et en France, dans les années 1820, et un chimiste français affirme en toute certitude une trentaine d'années plus tard :

> Le spectre circulaire de six couleurs était connu de Titien, de Giorgione, de Murillo et de Rubens, puisque tous les effets complémentaires et toutes les harmonies qui peuvent s'obtenir par le spectre circulaire se retrouvent éminemment dans leurs œuvres, et l'harmonie peut seulement être connue par ceux qui sont au courant de l'antagonisme [des couleurs] [112].

L'harmonie des couleurs signifiait dorénavant une série de contrastes particuliers, point de vue auquel les expériences d'un autre chimiste français, Eugène Chevreul, conféraient la plus grande autorité. Appelé dans les années 1820 par la manufacture des Gobelins pour améliorer la luminosité des teintures, Chevreul découvrit que leur manque d'éclat ne provenait pas de la qualité des colorants, mais de l'effet subjectif du mélange optique : des fils voisins aux teintes complémentaires, ou presque, étaient mélangés par l'œil en un gris neutre. Après des expériences approfondies, Chevreul, sur les conseils du physicien Ampère, présenta ses découvertes sous forme de lois : « Dans le cas où l'œil voit en même temps deux couleurs contiguës, il les voit les plus dissemblables possibles, quant à leur composition optique et quant à leur hauteur de ton » ; et « l'arrangement complémentaire est supérieur à tout autre dans l'harmonie de contrastes [113] ». De fait, les altérations provoquées par les contrastes de couleur étaient connues d'Aristote et l'analyse qu'en firent ses commentateurs au Moyen Âge avait atteint un degré de sophistication assez élevé. Saint Thomas d'Aquin avait remarqué, par exemple, que le pourpre semblait différent devant du blanc ou du noir, et que le doré était plus beau sur du bleu que sur du blanc, deux effets bien connus des peintres et des teinturiers [114]. Comme nous l'avons vu, Léonard de Vinci se préoccupait également des changements d'apparence que les contrastes provoquaient sur les couleurs. Comme Chevreul, il souhaitait les éliminer pour révéler la nature véritable de son sujet. Chevreul n'a-t-il pas écrit : « Pour imiter fidèlement le modèle, il faut faire autrement qu'on le voit (§ 333). » Ses découvertes, publiées pour la première fois en 1828, et qui firent bientôt l'objet de conférences publiques aux Gobelins et ailleurs, furent très largement rapportées dans la presse artistique au milieu des années 1830 [115]. En 1839, Chevreul les développa dans un grand livre illustré où elles s'appliquaient à une grande variété de sujets, de la peinture aux arts décoratifs, du jardinage aux vêtements. *De la Loi du contraste simultané des couleurs et de l'assortiment des objets colorés* fut traduit en allemand et en anglais et fut sans doute le manuel de chromatisme le plus utilisé au XIXᵉ siècle.

En matière de peinture, les goûts de Chevreul étaient conventionnels : dans son ouvrage, il fait uniquement référence aux grands maîtres des XVIᵉ et XVIIᵉ siècles que sont Titien, L'Albane et Rubens (§ 322) ; parmi ses contemporains, les peintres dont il était le plus proche se situaient entre les partisans alors opposés du classicisme et du romantisme [116]. Une figure importante de ses amis était Horace Vernet, directeur pendant un temps de l'Académie

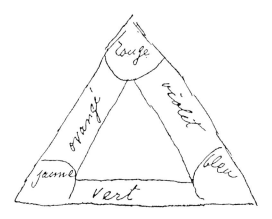

Le triangle chromatique de Delacroix, réalisé vers 1830, était adapté de la gamme chromatique de Mérimée (176), afin de présenter les trois « primaires » (rouge, bleu et jaune) dans les coins, et, entre ceux-là, leurs mélanges « secondaires » (violet, vert et orange). Delacroix ajouta une note (toujours en se fondant sur Mérimée) dans laquelle il affirmait que le mélange d'une couleur primaire et d'une couleur secondaire (par exemple le jaune-violet) donnait un meilleur gris qu'un mélange de noir et de blanc. (136)

française de Rome et spécialiste de la peinture de scènes de bataille. Le peintre avait probablement été attiré par le scientifique qui pensait que les uniformes militaires devaient être confectionnés dans des tons extrêmement contrastés : l'effet subjectif du contraste simultané compensant l'affaiblissement des colorants utilisés, cela leur donnerait un plus long usage (§§ 658 sqq.) [117].

Un peintre dont la relation avec Chevreul reste problématique est Delacroix. Il avait montré, tout jeune, un certain intérêt pour la théorie de la couleur mais son rejet du positivisme de l'époque ne pouvait le faire apprécier d'un scientifique éminemment dogmatique comme Chevreul. En 1852, Delacroix écrivit :

> J'ai en horreur le commun des savants [...]. Les savants ne devraient vivre qu'à la campagne, près de la nature ; ils aiment mieux causer autour des tapis verts des académies, de l'Institut, de ce que tout le monde sait aussi bien qu'eux ; dans les forêts, sur les montagnes, vous observez des lois naturelles, vous ne faites pas un pas sans trouver un sujet d'admiration [118].

Dans un carnet de Delacroix, un triangle chromatique réalisé vers 1834 s'inspire non pas de Chevreul, comme on l'a parfois supposé, mais d'un manuel de peinture à l'huile de Jean-François-Léonor Mérimée, peintre auquel Delacroix fut étroitement lié en 1831 [119]. Delacroix connaissait parfaitement le cercle complémentaire : il en dessina un en marge d'un dessin vers 1839 et, à la fin de sa vie, il semble qu'il en ait gardé une version peinte dans son atelier [120]. C'est à cette époque qu'il souhaita le plus s'informer des principes du contraste ; il fit l'acquisition d'un ensemble de notes prises lors de conférences de Chevreul en 1848 et, vers 1850, il se proposa de rendre visite au chimiste en personne mais il en fut empêché par une maladie [121]. Delacroix jugeait fondamentale l'idée de Chevreul selon laquelle les artistes réalisant des travaux monumentaux, comme les peintures murales et les décors de plafonds, devaient utiliser les forts contrastes de « la peinture en trompe-l'œil ». Dans les années 1840, il avait en effet exécuté de tels projets pour les bibliothèques de la Chambre des députés et du Sénat

136

176

173

	Violet.	Bleu indigo.	Bleu cyanique.	Vert bleu.	Vert.	Jaune vert.	Jaune.
Rouge.	Pourpre.	Rose foncé.	Rose blanchâtre.	Blanc.	Jaune blanchâtre.	Jaune d'or.	Orangé.
Orangé.	Rose foncé.	Rose blanchâtre.	Blanc.	Jaune blanchâtre.	Jaune.	Jaune.	
Jaune.	Rose blanchâtre.	Blanc.	Vert blanchâtre.	Vert blanchâtre.	Jaune vert.		
Jaune vert.	Blanc.	Vert blanchâtre.	Vert blanchâtre.	Vert.			
Vert.	Bleu blanchâtre.	Bleu d'eau.	Vert bleu.				
Vert bleu.	Bleu d'eau.	Bleu d'eau.					
Bleu cyanique.	Bleu indigo.						

Le tableau des mélanges chromatiques d'Auguste Laugel (*L'Optique et les arts*, 1869) présente les couleurs composantes rouge, bleu, jaune, etc., en haut et à gauche, et leurs produits, comme le blanc, aux intersections. Ce schéma avait été conçu par Helmholtz sous forme de disques dont les couleurs s'additionnaient. L'étoile chromatique de Laugel s'inspirait d'un diagramme trouvé dans l'un des carnets de Delacroix ; il soutenait que, bien que rudimentaire (il montre les primaires soustractives et complémentaires de Chevreul), ce schéma était plus pratique pour les peintres que celui de Helmholtz. (137, 138)

et aussi pour l'église Saint-Denis-du-Saint-Sacrement, à Paris [122]. Dans ces œuvres, pour peindre la chair, Delacroix développe un style de modelé à fortes hachures faites de rouges et de verts vifs. Renoir, qui étudia avec attention la technique de Delacroix, assura que c'était le seul contexte où le peintre avait pu avoir besoin de connaître la notion de complémentarité [123]. En 1850, Delacroix se lança dans une nouvelle tâche monumentale, le plafond de la salle d'Apollon, au Louvre, sans doute la raison la plus évidente de son désir de s'entretenir avec Chevreul. En 1851, un critique anglais déclara que cette voûte montrait comment la France « est largement imprégnée des idées de la science moderne », mentionnant le problème d'une peinture située aussi haut par rapport au spectateur. Les couleurs, qui choquèrent un autre critique en 1853, étaient assurément plus vives à l'origine qu'aujourd'hui, d'où le souvenir de Van Gogh, dans les années 1880, d'une voûte consistant simplement en un contraste simultané de jaune et de violet [124]. C'est aussi vers l'époque de l'*Apollon* que l'écrivain Maxime du Camp vit Delacroix produire des effets de coloration compliqués, entrecroisant des écheveaux de laines de couleurs et soutenant que les plus beaux tableaux qu'il ait vus étaient certains tapis persans. Aussi, le peintre était-il désormais mieux informé de la phénoménologie de la lumière du soleil sur les surfaces en plein air [125].

À l'époque, la rencontre de Delacroix avec le critique Charles Blanc eut une immense influence sur sa réputation de grand coloriste. Ce directeur des arts, sous l'éphémère gouvernement socialiste de 1848-1850, allait être l'auteur d'un des plus importants manuels pour artistes de la seconde moitié du siècle [126]. Sa *Grammaire des arts du dessin*, ouvrage de 1867 dont le titre évoque, en soi, le nouveau positivisme, combattait l'idée traditionnelle selon laquelle la couleur, contrairement au dessin, ne pouvait être enseignée. Selon Blanc, Delacroix, « l'un des plus grands coloristes des temps modernes », démontrait clairement la fausseté de ce préjugé. Le peintre comprenait les lois, et même les « règles mathématiques » de la couleur, et ces lois et ces règles étaient pour l'essentiel celles énoncées par Chevreul [127]. Pourtant, Blanc n'était pas un grand admirateur de la couleur en soi : il la voyait comme la partie « féminine » de l'art, passant nécessairement derrière le dessin, qui était lui « masculin ». Il pensait que les sacrifices de Delacroix en faveur de la couleur avaient parfois été trop importants [128]. Selon Blanc, les grands maîtres de la couleur étaient les Orientaux, mais leur supériorité se révélait dans un domaine inférieur : les arts décoratifs. Les hachures rouges et vertes qu'il put observer sur le dôme de la bibliothèque du Palais du Luxembourg, fonctionnaient selon lui comme les mélanges de couleurs d'un châle de cachemire [129]. Il trouva ainsi les principes de Chevreul très abondamment illustrés dans les thèmes orientaux de Delacroix, comme les *Femmes d'Alger* (1834) auquel il consacra une longue analyse. Cependant, comme Lee Johnson l'a démontré, Blanc ne rend compte des données optiques que pour faire valoir le système de Chevreul et il focalise son attention sur les accessoires décoratifs qu'il trouvait dévalorisants pour le grand art [130]. Delacroix, il est vrai, était fasciné par les textiles et les objets orientaux. Pourtant, nous savons également, grâce à une comparaison entre les études préparatoires et les œuvres finales, qu'il était prêt à faire de nombreuses modifications chromatiques à mesure que le travail avançait, et pas toujours dans le sens des principes de Chevreul [131].

La carrière de Chevreul fut très longue mais ses idées sur la couleur ne changèrent guère. Elles furent diffusées sous diverses formes, sans jamais être révisées, et des traités fondés sur ses principes élaborés dans les années 1820 continuèrent d'être publiés en France au moins jusqu'en 1890 [132]. Pourtant, l'étude des couleurs avait connu de grands changements, au milieu du siècle, suite à l'analyse plus précise des processus de la vision qui mettait en doute, dans son ensemble, la notion de couleurs primaires et celle du cercle chromatique, qui en découlait. On note alors un regain d'intérêt pour le travail de Thomas Young, qui soutenait au début du siècle que les récepteurs chromatiques de l'œil étaient sensibles à la lumière rouge, bleue et verte. Hermann von Helmholtz, en Allemagne, et James Clerk Maxwell, en Angleterre, montrèrent tous deux que la lumière blanche pouvait être reconstituée simplement à partir d'un mélange de lumière jaune et bleue. Le système cohérent de Newton se compliquait ainsi de nouveau par la

128

distinction formelle à faire entre mélanges additifs et soustractifs [133]. Chevreul fit appel à l'expérience des peintres et d'autres artistes contre les doctrines de Helmholtz et de ses disciples en France, qu'il trouvait totalement erronées [134]. Néanmoins, la publication en 1867 d'une traduction du grand ouvrage de Helmholtz, *Handbuch der physiologischen Optik (Optique Physiologique)*, fut suivie par une avalanche de manuels grand public, destinés à faire entrer ces doctrines dans le domaine de la pratique artistique. Le premier ouvrage de ce type, *L'Optique et les arts* d'Auguste Laugel, parut seulement deux ans plus tard [135]. Dès 1857, Jules Jamin, physicien et critique amateur, avait soutenu dans la veine du XVIIᵉ siècle, que puisque le peintre, contrairement au scientifique, se souciait exclusivement des effets, et que les pouvoirs de la nature étaient supérieurs à ceux de l'art, le « réalisme » vanté alors par l'école française de paysage était à un certain degré utopique [136]. À l'époque, avec l'essor de l'impressionnisme, toute une série de manuels pour artistes, s'inspirant de Helmholtz, proclamaient que les nouvelles vérités découvertes sur l'optique étaient en effet illustrées en peinture. Ainsi, Edmond Duranty, un critique qui avait lu *La Lumière*, ouvrage de 1874 d'Armand Guillemin influencé par Helmholtz, sentit « pour la première fois que les peintres avaient compris et reproduit, ou tenté de reproduire, ces phénomènes [137] ». Une étude sensiblement plus tardive que l'écrivain J. K. Huysmans utilise dans son interprétation de l'impressionnisme – *L'Esthétique* d'Eugène Véron, publié en 1878 – présente les découvertes de Helmholtz sur les mélanges sous la forme du tableau de Laugel. Il explique bien cependant que celui-ci ne pouvait être utilisé que dans le cadre du contraste optique :

> L'utilité de cette théorie pour les peintres est bien moins dans la facilité qu'elle semblerait vouloir donner de composer des couleurs, puisque en fait les poudres qu'elles emploient s'y prêtent mal, que dans l'explication des effets qui résultent d'un rapprochement de ton. Toutes les fois qu'on juxtapose des couleurs complémentaires, elles s'exaltent réciproquement [138].

L'exploitation, à bon escient, de ces découvertes aurait exigé l'usage d'une technique totalement nouvelle ; dans son interprétation des impressionnistes, Véron met l'accent sur leur « observation directe et leur sincérité à toute épreuve », plutôt que sur leur analyse théorique, en raison du « principe de la décoloration des teintes en plein soleil [139] ».

Ainsi, les fondements théoriques étaient bien préparés lorsque Seurat, qui se qualifiait lui-même d'« impressionniste-luministe », présenta à la dernière exposition impressionniste, en 1886, *Un dimanche à la Grande Jatte*. C'était selon lui le premier exemple de « chromo-luminarisme » ou de « peinture optique » [140]. Cette grande toile était en cours depuis deux ans, mais durant l'hiver 1885-1886 Seurat en avait considérablement retravaillé la surface. Il y ajouta une texture de points et de touches plus ou moins uniformes qui en firent, selon l'expression employée par Meyer Schapiro, le premier tableau délibérément « homogène », puisque c'est celui qui fait d'une théorie optique la justification d'une technique [141]. Le changement sans doute le plus substantiel dans l'organisation chromatique de l'ensemble de la toile est le glissement de la notion conventionnelle des contrastes à la mode de Chevreul, vers une conception plus subtile, due à Helmholtz. L'esquisse représentant le couple à droite au premier plan du tableau, datée de 1884, crée une série de contrastes complémen-

taires où la jupe rouge de la femme se détache dans l'herbe verte [142]. À un autre moment, probablement en 1885, Seurat décida de modifier la couleur de cette jupe en un bleu pourpre, comme il le fit sur une petite esquisse à l'huile [143]. En effet, selon le schéma de Helmholtz, que Seurat connut probablement grâce au traité d'Ogden Rood, *Modern Chromatics* (1879), ou – ce qui est plus déterminant – par ses entretiens avec le savant Charles Henry (rencontré en octobre 1885), le bleu-pourpre profond et le vert foncé sont complémentaires [144]. Un ajout, plus significatif à ce tableau fut sa bordure peinte, dont la couleur change selon la nuance de la zone du tableau qu'elle côtoie [145]. Cette méthode très cérébrale est un bon indice des idées que Seurat avait alors sur la couleur. À l'évidence, il pensait parfois, comme sur le bord droit du tableau et en bas, au centre, que le bleu formait un contraste approprié avec l'orange (un couple de couleurs établi par Chevreul) et, quelquefois, qu'un vif rouge-pourpre était complémentaire du vert foncé, comme Helmholtz et Rood avaient tenté de le démontrer. Ces points de vue opposés sur le contraste sont également perceptibles dans un paysage plus petit, *Le Bec du Hoc*, commencé en 1885 en Normandie. À cette époque, sa touche expressive était encore très apparente, mais il y appliqua des retouches en points réguliers et une bordure colorée, probablement au cours de l'année 1886. Dans ce tableau, un bleu-rouge de la bordure contraste avec le bleu-vert de la mer, et un bleu-orange avec le bleu très pâle du ciel, mais le contraste avec l'herbe vert pâle est pratiquement rouge [146].

L'attitude de Seurat à l'égard de la théorie était éclectique, pour le moins, et cet éclectisme se reflète dans la liste substantielle de ses premières lectures, qu'il envoya au critique Félix Fénéon en 1890 [147]. Cette liste comporte le dernier manuel de Rood dans sa version française de 1881, bien que Seurat ne précise pas s'il l'a lu mais seulement qu'on lui en a parlé. Cette liste comprend également la *Grammaire* de Charles Blanc, qui pourrait, de fait, être la source directe de la longue note de Seurat sur le contraste de valeur d'après Chevreul (qu'il intitula *Réflexions sur la peinture*). Elle pourrait aussi lui avoir inspiré l'idée, assez contraire à Rood, selon laquelle la lumière du soleil est orange [148]. Comme nous l'avons vu plus haut, Blanc avait surtout présenté Delacroix comme le coloriste savant par excellence ; Seurat prend note des couleurs de certaines esquisses orientales de Delacroix en 1881 et conclut qu'elles présentent « l'application la plus stricte des principes scientifiques vus au travers d'une personnalité [149] ». C'est peut-être également à cette époque que Seurat recopie certains passages du *Journal* de Delacroix consignant les contrastes de couleur dans la nature :

> Je vois de ma fenêtre l'ombre des gens qui passent au soleil sur le sable qui est sur le port ; le sable de ce terrain est violet par lui-même, mais doré par le soleil, l'ombre de ces personnages est si violette que le terrain devient jaune. […] Y aurait-il témérité à dire qu'en plein air, et surtout dans l'effet que j'ai sous les yeux, le reflet doit être produit par ce terrain qui est doré, étant éclairé par le soleil, c'est-à-dire jaune, et par le ciel qui est bleu, et que ces deux tons produisent nécessairement un ton vert. […] Voilà des documents dont un savant serait peut-être fier ; je le suis davantage d'avoir fait des tableaux d'une bonne couleur, avant de m'être rendu compte de ces lois [150].

La formation initiale et les goûts de jeunesse de Seurat étaient faits pour le porter vers des ambitions scientifiques. Une série d'articles sur la vision publiés en 1880 par le peintre et esthéticien David Sutter comporte l'instruction suivante, en face de laquelle Seurat

137-138

137

178

139

plaça une croix : « Il fallait donc trouver une formule claire et précise des règles de l'harmonie des lignes, de la lumière et des couleurs et donner la raison scientifique de ces règles. […] Dans les arts tout doit être voulu [151]. » Voilà essentiellement le credo esthétique que Seurat transmit à un ami à la fin de sa vie. Toutefois, être un peintre scientifique, et plus précisément, un coloriste scientifique, n'était pas chose aisée. Tout au long de sa brève carrière, Seurat continua d'utiliser le schéma des contrastes de Chevreul, schéma dépassé mais plus facilement mémorisable (rouge contre vert, bleu contre orange, jaune contre violet) que Sutter publia dans ses articles en s'inspirant non pas de Chevreul, mais de Goethe [152]. Seurat était peu enclin à développer ses principes, laissant cela à son ami Fénéon dont le compte rendu « roodien » sur *Un dimanche à la Grande Jatte* orienta toutes les interprétations ultérieures de la technique néo-impressionniste. Fénéon était pourtant très sceptique, dès 1888, sur l'apport scientifique à cette méthode [153]. L'ex-impressionniste Camille Pissarro, dans une lettre de novembre 1886 au marchand Paul Durand-Ruel, désignait généreusement Seurat comme le premier peintre « à avoir eu l'idée d'étudier en profondeur et d'appliquer la théorie scientifique ». On est en droit de croire qu'il était lui-même plutôt mieux informé sur la littérature scientifique que son mentor. Car on oublie souvent que dans l'étude qu'il consacra à l'histoire de sa propre œuvre, Seurat met en avant un tableau de Pissarro (aujourd'hui non identifié), exposé dans une galerie privée dès 1886. Ce tableau était « divisé et pur », ce qui veut dire qu'il possédait, selon Seurat, les caractéristiques essentielles de la division néo-impressionniste de la lumière en ses constituants colorés [154]. Dans sa lettre à Durand-Ruel, Pissarro fait référence assez justement au rôle crucial joué par Maxwell et par Rood dans la mesure des constituants exacts des couleurs complémentaires. Environ à la même époque, Pissarro était en contact avec Louis Hayet, un autre peintre qui s'essayait à la construction de cercles chromatiques divisés de 40 à 120 sections. Hayet présenta cinq cercles à Pissarro, dont un seul semble avoir subsisté : le plus simple de 40 sections [155]. C'était une tentative pour contenir en un format semblable aux cercles de Chevreul, en 40 sections, l'information dérivée de l'espace chromatique de Rood, bien plus complexe. On peut le comparer au petit diagramme dessiné par Seurat en 1887, où il essaie en vain d'intégrer le schéma des complémentaires de Chevreul en six parties dans le cercle chromatique en huit parties de Charles Henry, s'inspirant des

contrastes complémentaires de Helmholtz. Si le schéma de ce dernier représentait la vérité au sujet des couleurs des lumières, Seurat partageait probablement avec Laugel l'idée que, dans la pratique, le diagramme « grossier » de Delacroix, inspiré de notes prises vers 1839, était bien plus utile [156]. Même Pissarro mettait encore Chevreul en tête des scientifiques ayant permis aux peintres d'être sûrs de leur compréhension de la lumière [157].

Des études récentes sur la technique de Seurat ont eu tendance à minimiser le jugement traditionnel selon lequel il serait un artiste scientifique avant tout [158]. Elles n'ont en tout cas pas démontré que ses nouvelles méthodes avaient créé un contexte optique d'une telle complexité qu'aucun peintre ne pouvait en aborder les problématiques sans perdre sa liberté d'artiste : c'est l'une des raisons pour lesquelles Pissarro tourna bien vite le dos à la technique néo-impressionniste [159]. Seurat voulait créer de forts contrastes dans de vastes zones tonales, mais il souhaitait aussi augmenter la luminosité à l'aide de mélanges optiques, eux-mêmes incompatibles avec un contraste fort, qui dépend de contours nets. Dans *Un dimanche à la Grande Jatte*, nous voyons comment il tenta de raffermir ses contours en diminuant la taille de ses points sur les bords des formes, les rendant ainsi plus facilement diffus à une distance d'observation constante. Cette fusion optique était problématique en soi, les différentes nuances fusionnant à des distances diverses [160]. Contrairement à Pissarro, qui s'intéressait vivement aux mélanges optiques, Seurat semble avoir porté peu d'intérêt à la question : il peignit son grand tableau dans un espace très confiné où des évaluations empiriques de la sorte auraient été relativement impossibles [161].

Newton avait apparemment mis de l'ordre dans le chaos chromatique et avait permis aux peintres d'en faire un sujet aussi communicable que le dessin. Pourtant, comme l'affirme de façon assez catégorique le savant viennois Ernst Brücke, dans un manuel à l'usage des artistes qui eut une certaine influence en France, il était hors de question qu'un peintre pût se tenir totalement informé à la manière de Léonard de Vinci à la Renaissance, étant donnés les bouleversements de la science optique au XIXe siècle [162]. Ainsi, loin de marquer les prémices d'une esthétique scientifique, l'intérêt que les néo-impressionnistes manifestèrent pour l'optique en signala la fin. Cela contribua aussi à introduire ce dédain pour les méthodes et les découvertes des sciences naturelles qui, au XXe siècle, eut des conséquences importantes sur l'étude de la couleur en peinture.

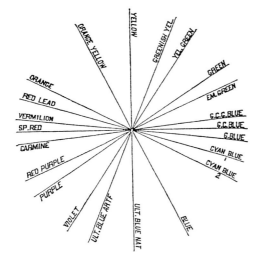

Le diagramme des contrastes d'Ogden Rood (*Modern Chromatics*, 1879) montre seulement les contrastes complémentaires établis par des techniques de mélange de pigments spécifiques à l'aide de disques, d'où son apparence asymétrique et son utilité pour les peintres. Nous savons que Seurat possédait une copie de la version française de cet ouvrage, datant de 1881. (139)

10 · La palette, « mère de toutes les couleurs »

*La palette comme système · La palette bien tempérée
Les palettes de Delacroix · La palette, emblème de la peinture*

La palette doit être appréciée pour les joies qu'elle procure [...] elle est elle-même une « œuvre », et souvent plus belle que n'importe quelle œuvre. (Wassily Kandinsky, 1913)[1]

L'UN DES DOMAINES les plus négligés de l'histoire de l'art est celui des outils de l'artiste. Bien que les historiens des sciences commencent désormais à mesurer l'effet fondamental que la conception et les limites des technologies disponibles ont eu sur le développement des concepts scientifiques[2], les signes d'une prise de conscience similaire concernant les techniques artistiques sont encore rares. En effet, à quelques exceptions près, l'étude des outils est demeurée l'apanage d'individus persuadés que le bon savoir-faire s'était perdu et qu'il fallait le retrouver[3]. Or, la palette est l'un des instruments les plus importants dans l'histoire des concepts picturaux et il est assez aisé d'en retracer le développement dans les tableaux montrant l'artiste au travail[4]. Les méthodes de sa préparation ont aussi une histoire non négligeable, qui nous mène de l'objet lui-même à la notion de « palette » pour signifier la tonalité d'ensemble d'une peinture. C'est cette histoire que je souhaite ici esquisser.

L'usage de la palette, en tant que petite surface portative sur laquelle on peut disposer et mélanger les couleurs, n'est pas clairement attesté dans l'Antiquité ni au Moyen Âge, pour des raisons sans doute étroitement liées au rejet très ancien de l'idée même de mélange (*cf.* chapitre 2)[5]. La plupart des représentations médiévales d'artistes au travail laissent voir un large éventail de pigments dans des récipients peu profonds (coquilles, soucoupes...) ; une encyclopédie anglaise du XIVᵉ siècle en montre cinq ou six, et dix ou onze sont visibles dans un manuscrit flamand de la fin du XVᵉ siècle illustrant un épisode de la vie du peintre grec Zeuxis[6]. En Europe, les représentations les plus anciennes de palette figurent dans le *Livre des femmes nobles et renommées (De Claris Mulieribus)* de Boccace, dont deux manuscrits de la cour de Bourgogne (XVᵉ siècle) sont aujourd'hui conservés à Paris. On y voit, aux mains de femmes peintres, des palettes relativement petites et en forme de raquettes, avec quelques couleurs disposées en leur centre, de telle sorte qu'il est peu probable qu'on y ait fait de grands mélanges[7]. Bien qu'il soit impossible d'identifier avec certitude le médium utilisé par les peintres à partir d'illustrations fantaisistes du début du XVᵉ siècle, il pourrait cependant s'agir d'huile car c'est assurément sa qualité de liant (permettant de fabriquer une pâte ferme et durablement souple) qui rendit possible une manipulation facile des couleurs sur la palette. Quoi qu'il en soit, la description de palette sans doute la plus ancienne, dans les écrits des ducs de Bourgogne, à la fin des années 1460, affirme clairement qu'elle servait pour la peinture à l'huile : « Planchettes de bois où [les peintres] placent leurs couleurs à l'huile et les tiennent en main[8]. » Il n'y est toujours pas fait référence au mélange. Après les dames de Bourgogne, les plus anciennes représentations de palettes apparaissent toutes autour de 1500 dans des œuvres d'artistes du Nord et montrent de petites surfaces portant les quelques pigments utilisés pour peindre séparément chaque section de l'image, sans aucun indice de mélange entre les maigres quantités de peinture[9].

Parmi ces représentations d'artistes au travail, l'une des plus intéressantes est le panneau de *Saint Luc peignant la Vierge* du peintre suisse Niklaus Manuel Deutsch, élément d'un polyptyque aujourd'hui dispersé. La Vierge est représentée de façon traditionnelle en manteau bleu à l'aide d'une petite palette comportant du blanc, différents bleus et un brun-rouge qui couvrent une bonne moitié de la surface. Mais, à l'arrière-plan, on distingue l'assistant du peintre en train de préparer une palette bien plus variée, avec un grand nombre de pigments alignés le long du bord et probablement prévus pour réaliser un tableau très différent. Cette disposition de palette, les bords occupés par de nombreuses couleurs et une grande zone laissée vide au centre, est le signe d'une pratique intensive du mélange. Effectivement, l'analyse du tableau de Niklaus Manuel Deutsch a révélé qu'il avait effectué de nombreux mélanges dans un médium complexe à base d'huile et peut-être d'une émulsion. Il utilisa une gamme de plus de vingt pigments, ce qui pourrait correspondre à la palette de l'arrière-plan[10]. On retrouve un dispositif similaire dans une peinture flamande représentant saint Luc (v. 1520) : sur la palette du saint, huit couleurs au total sont disposées en deux rangées parallèles le long du bord, la plus claire (le blanc) près du pouce et la plus sombre (le bleu) à l'extrémité opposée[11]. Ces images suggèrent que la pratique du mélange s'est développée très rapidement dans la peinture à l'huile au début du XVIᵉ siècle ; il devenait donc important d'organiser la palette d'une manière tout à fait neuve et régulière[12].

Même si la majorité des exemples anciens de palette que nous connaissons provient de l'Europe du Nord, Vasari nous fournit cependant une image mémorable, celle du peintre florentin Lorenzo di Credi. Cet élève de Verrocchio, membre de son atelier tout comme Léonard de Vinci (dont il imita le style à ses débuts), nous intéresse au premier chef pour sa technique extraordinairement minutieuse et cohérente. Vasari décrit les préparations de Lorenzo di Credi, qui distillait ses huiles et broyait très finement ses couleurs, et la façon dont « il préparait sur ses palettes des mélanges de couleurs en grand nombre, disposant ton après ton du plus clair au plus foncé avec un ordre et une minutie exagérés [*con troppo e veramente soverchio ordine*]. Il arrivait parfois à poser sur sa palette vingt-cinq ou trente couleurs et se servait pour chacune d'un pinceau spécial[13] ». On souhaiterait vivement savoir ce qu'était cet *ordine*, et comment le peintre y parvenait. Mais assurément, cette disposition était l'ancêtre des palettes tonales de couleurs prémélangées, nuancées de manière obsessionnelle, que l'on rencontre si fréquemment aux XVIIIᵉ et XIXᵉ siècles. Vasari désapprouvait un tel perfectionnisme dans l'organisation chromatique ; d'ailleurs, parmi les représentations de palette datant du XVIᵉ siècle qui nous sont parvenues, aucune n'atteint ce degré de rigueur, ni en Italie, ni en Europe du Nord. Le seul principe commun semble être la disposition du blanc et du noir, placés aussi loin que possible l'un de l'autre [14]. Ce n'est que dans les années 1580 qu'un traité technique du nord de l'Italie faisait remarquer que la palette est avant tout une surface où diluer les couleurs avec de l'huile, et que les mélanges chromatiques « sont faits petit à petit, à mesure qu'on travaille, puisqu'alors le peintre voile, plutôt qu'il ne recouvre, les détails de l'image qu'il a déjà bien exécutés [15] ». Ainsi l'auteur, G. B. Armenini, affirme-t-il clairement que les mélanges se font par glacis sur le tableau et non sur la palette avant application.

Nous avons vu dans les chapitres précédents de quelle façon, vers 1600, s'était manifesté un intérêt pour les systèmes chromatiques fondés sur la notion de couleurs primaires et de leurs mélanges, et comment les artistes en subirent l'influence. Cet intérêt modifia profondément l'approche et le rôle de la palette. Mais les usages techniques, on le sait, sont conservateurs et il n'y a, autant que je sache, que peu de preuves de nouvelles dispositions avant les années 1620. L'une des premières traces d'évolution apparaît dans la palette tendue à saint Luc dans un des pendentifs réalisés par le Dominiquin pour la coupole de San Andrea della Valle à Rome. On y voit un alignement de couleurs le long du bord de la palette, avec le blanc près du pouce, puis un rouge vif, un jaune vif et des couleurs sombres, dont un brun-jaune et un marron. Nous savons en outre par un voyageur anglais, Richard Symonds, que vers 1650 Giovanni Angelo Canini, élève du Dominiquin, disposait sa palette en deux rangées : la première avec des pigments purs en commençant par le blanc, l'ocre jaune, le vermillon et ainsi de suite jusqu'au noir de charbon (mais sans bleu), et la seconde avec des mélanges combinant parfois jusqu'à trois pigments. Canini parlait, de manière révélatrice, de « mettre sa palette en ordre » et il faisait, pour son époque, un usage remarquable des mélanges. Symonds décrit comment il peignit dans *Antoine et Cléopâtre* une berge de rivière « qui était colorée d'un vert triste ; il prit une masse de *terra verde* et la mélangea en trempant son pinceau dans toutes les *scuri* [teintes sombres] comme la *terra rossa*, la laque, la *terra d'ombra*, un peu de noir ; mais le vert triste prédominait dans la coloration ». Observant avec attention, dans un autre tableau de Canini, des nuages réalisés avec six pigments, Symonds trouve qu'ils font « un si charmant salmigondis [*mistigaglia*] » [16].

Rubens pratiquait davantage la juxtaposition de touches de pigments purs et les glacis. Dans *L'Éducation de Marie de Médicis* peinte dans les années 1620, et bien que la future reine de France ait été instruite dans l'art de peindre, Rubens lui donne une palette encore petite, avec une grosse quantité de blanc au centre [17]. À la même époque, Rembrandt semble avoir utilisé des palettes distinctes pour chacune des parties de son tableau intitulé *L'Artiste dans son atelier*, autoportrait datant probablement de 1629 et conservé à Boston. On y voit la petite palette traditionnelle, mais aussi une plus grande accrochée au mur [18]. Pourtant, vers la même date, le portrait que fait de lui Gerrit Dou le représente au travail avec une palette ovale, plus grande, sur laquelle sont disposées les couleurs en ordre tonal, le long du bord [19]. Rembrandt conserva cet ordre tout sa vie durant, ainsi que le suggère son émouvant autoportrait de 1660, aujourd'hui exposé au Louvre. Ses élèves l'adoptèrent aussi, comme Aert de Gelder dans l'auto-

portrait où il est en train de peindre une vieille femme. L'un des problèmes soulevés par ces palettes est la position incertaine du rouge dans la gamme tonale. Rembrandt, par exemple, le trouvait plus brillant que l'ocre jaune, puisqu'il le plaçait à côté du blanc. De Gelder le situe aussi après le jaune et de nombreux artistes le mettent à côté des pigments vifs, et précieux, tels que l'outremer, c'est-à-dire à l'écart de la séquence principale et généralement en bien moindre quantité [20].

Vers 1630, la disposition et l'utilisation de la palette devinrent des sujets de débat totalement nouveaux dans les cercles de peintres. Turquet de Mayerne mentionne au moins deux palettes, sans nommer de praticien : l'une présente neuf pigments, du blanc aux noirs d'ivoire et de suie, le vermillon voisinant avec le blanc ; l'autre douze couleurs selon le même ordre, en ajoutant hors séquence, après le noir, un brun, des cendres (d'outremer ?) et du jaune à base de plomb tout au bout. Mayerne fait remarquer que « la première fonction de la palette est la disposition des couleurs, la seconde leur tempérance à l'huile, et la troisième *alliance et meslange* » − ce qui constitue la définition la plus complète que nous ayons rencontrée jusqu'ici. Il considérait nettement la disposition comme un principe, car dans une note ultérieure concernant une palette préparée pour un portrait, il précise qu'il est essentiel de placer les couleurs claires en haut (c'est-à-dire près du pouce) et les couleurs sombres en bas [21]. Un postulat s'imposait de plus en plus largement : la palette devait être préparée une fois pour toutes, et pour l'ensemble du tableau. Un traité anglais du début des années 1630 affirme qu'elle doit comporter « une petite quantité de chaque couleur qu'on va utiliser », et poursuit en énumérant pas moins de quatorze teintes [22]. Il devenait évident aussi qu'elle devait être employée désormais comme un instrument pour mélanger. Pierre Le Brun, auteur d'un traité écrit à Paris en 1635, la qualifie de « mère de toutes les couleurs, car à partir du mélange des trois ou quatre couleurs principales, le pinceau va créer et, pour ainsi dire, faire éclore toutes sortes de couleurs ». Il poursuit en décrivant une palette destinée à peindre la chair, comprenant dix pigments, dont des bleus et des verts, et qui devait être préparée pour le peintre par son « garçon » [23]. La pratique, devenue courante depuis la Renaissance, de laisser à un assistant la préparation de la palette eut pour corollaire une plus grande régularité et un strict respect de l'ordre des couleurs afin que cela devienne une habitude. Pierre Le Brun affirme aussi que le blanc doit être placé au centre de la palette : c'est la disposition que nous avons vue chez Rubens. Elle n'était plus rare dans la première moitié du XVIIᵉ siècle, comme le prouve la palette de Judith Leyster dans son autoportrait (v. 1635) − palette pourtant très atypique par ailleurs [24]. Ce qui frappe le plus dans cette nouvelle organisation de la palette, rationnelle et tonale, c'est que les variations y sont autant locales que personnelles.

Dans son traité *Les Premiers Éléments de la peinture pratique*, Roger de Piles est peut-être le premier à accorder une grande attention à la palette en tant que telle. Publiés en 1684 sous son nom mais écrits en collaboration avec le peintre J.-B. Corneille, qui les avait aussi illustrés, les *Éléments*, comme le suggérait le titre, étaient destinés aux débutants, mais comprenaient des instructions très détaillées sur la peinture à l'huile, la fresque et les miniatures. Roger de Piles affirme qu'il y a huit couleurs « capitales » desquelles peuvent être tirées toutes les autres par mélange. Son diagramme pour expliquer l'ordre suivant lequel elles sont « presque toujours » placées présente la séquence désormais convention-

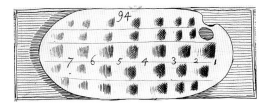

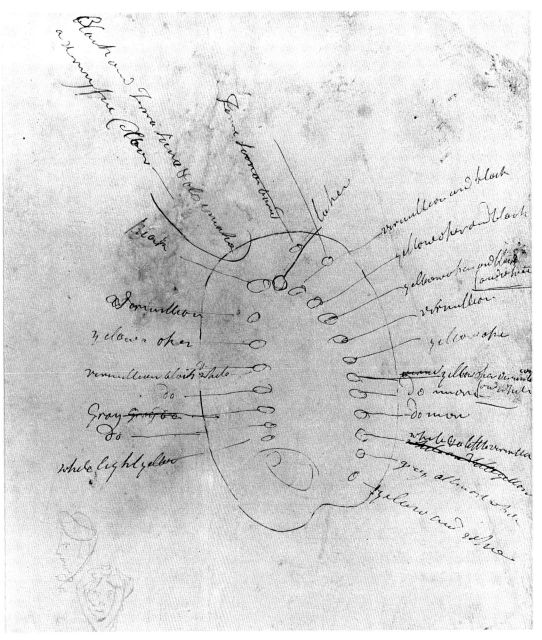

Les palettes nous en disent long sur les conceptions chromatiques des peintres. Deux spécimens anglais du XVIIIᵉ siècle présentent des approches différentes. La palette de Hogarth (*L'Analyse de la beauté*, 1753) ne laisse aucune place pour les mélanges. Du noir, du blanc et cinq « teintes florales » (rouge, jaune, bleu, vert et pourpre) sont disposées au rang 4 selon la séquence du spectre en partant du haut ; chaque teinte est dégradée en sept valeurs, de l'ombre à la lumière (voir aussi 143-144). Le dessin que fit George Romney de sa palette révèle une disposition tonale de vingt-deux couleurs, dont beaucoup sont mélangées à l'avance. L'artiste était surtout un portraitiste, et sa palette reflète probablement la nécessité d'être fidèle aux carnations. (140, 141)

nelle, avec l'ocre-jaune à côté du blanc. Une seule curiosité s'y repère : la position de la laque jaune (« stil de grain ») comme couleur médiane, entre la laque et la terre verte [25]. Un autre diagramme expose la palette préparée pour peindre la chair. Roger de Piles précise que les demi-teintes pour la tête sont obtenues par trois valeurs d'un mélange de vert, comportant plus ou moins de blanc ; les tons ombrés sont préparés en deux valeurs, seul le plus sombre étant mêlé de noir. Ces tons ne sont pas mélangés pendant l'application de la peinture, mais préparés à l'avance et disposés sur toute la palette selon deux rangées tonales, l'ensemble comptant dix tons de plus en plus foncés à mesure qu'ils sont distants du pouce. On peut cependant les nuancer en les mélangeant davantage, selon les besoins du tableau en cours, mais on doit s'en tenir au minimum de changement ; les modèles à suivre pour le traitement des « teintes virginales » sont Véronèse et Rubens [26].

Un autre manuel français, à peine plus tardif et dû à l'amateur Bernard Dupuy du Grez, accorde aussi beaucoup d'importance aux mélanges. Il cite un ami peintre qui préparait d'abord ses tein-

tes au couteau sur la palette, puis continuait à les mélanger à la brosse au moment de peindre. Voilà une des premières références au couteau, que Rembrandt utilisait beaucoup comme instrument de peinture. Les palettes sophistiquées avec des tons mélangés à l'avance devinrent très courantes dans le dernier quart du XVIIᵉ siècle, et la tendance devait se poursuivre pendant deux cents ans. Peter Lely, par exemple, préparait dans les années 1670 jusqu'à quarante teintes sur sa palette à portrait ; son rival en Angleterre, Gerard Soest, disposait trois ou quatre tons pour chacune de ses couleurs principales [27]. Cette prolifération, tant des pigments « primaires » que des tons mêlés, s'accrut tout au long du XVIIIᵉ siècle. Dans une conférence de l'Académie, en 1752, le peintre animalier J.-B. Oudry suggère d'utiliser toutes les couleurs disponibles et, pour chacune d'elles, de préparer à l'avance cinq ou six tons clairs et autant que possible de demi-teintes, pour éviter de les « fatiguer » en les mélangeant au pinceau. On devait disposer les tons préparés à l'avance selon une séquence tonale, « afin de mieux évaluer le ton de chacune [des gradations] et le comparer à celui des

158

autres [28] ». Nous nous approchons des grandes palettes à deux rangées de tons pré-mélangés qu'utilisait Jacques-Louis David lorsqu'il enseignait [29].

La palette bien tempérée

L'individualisme croissant des artistes du XVIIIe siècle conduisit à des dispositions de palettes peu orthodoxes, notamment de la part d'autodidactes. Celle qu'utilisait Gainsborough dans sa jeunesse a été révélée par un autoportrait découvert assez récemment [30]. Quant au paysagiste gallois Richard Wilson, qui avait travaillé dans les années 1750 avec une palette de neuf pigments et mélanges en tout et pour tout, il adopta vingt ans plus tard, à la fin de sa vie, une gamme bien plus excentrique de huit ou neuf pigments complétés par une douzaine de teintes pré-mélangées [31]. La valeur commerciale de certains styles de disposition n'échappa guère longtemps aux auteurs de manuels : J.-C. Le Blon, par exemple, publia en 1725 dans son *Coloritto* des illustrations, coloriées à la main, reproduisant la complexité remarquable de certaines palettes de portraitistes. Cet individualisme s'accompagne d'une curiosité nouvelle pour les palettes des artistes célèbres : cela est manifeste dans le croquis que fait Paul Sandby de la palette de Wilson, ou encore dans le remarquable diagramme que fait le portraitiste George Romney de sa propre palette, à la disposition inhabituelle, avec tous les mélanges disposés en cercle le long du bord [32]. Cette curiosité devait perdurer jusqu'au XXe siècle : le geste de Sandby ne fait que préfigurer ces anthologies de palettes apparues dans les manuels techniques du XIXe siècle et qui furent encore plus prisées au siècle suivant [33].

141

De toutes les palettes du XVIIIe siècle, la plus originale est sans doute celle de William Hogarth. Certes, dans un autoportrait du début de sa carrière, il se représente tenant une palette pour peindre la chair, qui comporte du blanc, du vermillon et leurs mélanges [34]. Mais dans les années 1750, lorsqu'il élabore son traité *L'Analyse de la beauté*, il conçoit un système bien plus ambitieux, fondé sur l'analyse des relations chromatiques. En partant du texte de Léonard de Vinci sur l'arc-en-ciel (*cf.* page 108), Hogarth envisage de maintenir la vigueur des teintes primaires en examinant la façon dont les couleurs adjacentes, dans l'arc-en-ciel, se mêlent sans perdre leur identité. Selon lui, le peintre « au moyen d'un certain ordre dans la disposition des couleurs de sa palette, forme sur le champ l'espèce de teinte qu'il désire [35] ». Ce que doit être cet ordre, il l'explique dans son commentaire de la deuxième planche de son livre, où la palette idéale occupe le centre de la bordure supérieure. Les cinq couleurs « originelles » de la peinture sont, outre le blanc et le noir, le rouge, le jaune, le bleu, le vert et le violet ; Hogarth les dispose verticalement au n°4 de son diagramme, dans l'ordre du spectre en partant du haut. Il appelle « teintes florales » (*bloom tints*) cette catégorie médiane des couleurs les plus brillantes ; les peintres les appelaient aussi « teintes virginales ». Vers la gauche de la palette, chacune de ces nuances progresse vers le blanc, aux n°s 5, 6 et 7 ; vers la droite, les n°s 3, 2 et 1 « sombrent dans le noir sous une faible lumière ou à une certaine distance de l'œil ». Hogarth poursuit en montrant comment utiliser toutes les couleurs de cette palette : par exemple, celles du rang 7 serviront à peindre un buste en marbre avec « une carnation fort blanche, transparente et nacrée comme la perle [36] ». Sa principale préoccupation était de conserver la clarté et la pureté de ses teintes, comme il les admirait chez Rubens ; c'est

140

pourquoi il ne laisse dans sa disposition aucun espace libre pour des mélanges ni pour le blanc ou le noir purs. C'était une palette pratiquement impossible à utiliser. Dans l'autoportrait réalisé quelques années après, même s'il se montre avec une palette dont la disposition est toujours calquée sur le spectre, Hogarth commence sa séquence avec du blanc, ajoute un rouge (cramoisi ?) supplémentaire et laisse un bel espace pour travailler des teintes pendant qu'il peint.

143

Je ne connais qu'un artiste assez intrépide pour suivre Hogarth à la lettre : le peintre d'histoire américain John Trumbull. Celui-ci s'est représenté à l'âge de 21 ans avec un exemplaire de *L'Analyse de la beauté* de Hogarth et une palette inspirée de la démonstration due à ce dernier. Mais même Trumbull simplifia considérablement le schéma hogarthien : le maître anglais ayant employé des termes si péjoratifs pour la moitié sombre de la gamme, l'Américain commença la sienne avec les teintes saturées et les dégrada en une série de six valeurs jusqu'au blanc [37]. En fin de compte, l'autoportrait de Trumbull s'avère simplement un morceau de bravoure juvénile ; plus tard dans sa carrière, il se peint lui-même tenant en main des palettes bien plus conventionnelles, organisées de manière tonale [38].

144

Le développement de cette pratique consistant à disposer un ensemble de teintes mélangées à l'avance et à limiter les possibilités de mélanges au cours de la peinture, allait de fait imposer une grille (plus ou moins nuancée) sur la perception du motif. Alors que Le Lorrain mélangeait ses tons en plein air avant de les rapporter à l'atelier pour peindre son tableau, un peintre du XVIIIe siècle comme J.-B. Desportes, aussi peu conventionnel soit-il, emportait « une palette chargée » durant ses expéditions dans la campagne – et il faut comprendre « chargée » dans tous les sens du terme [39]. Or, on pensait depuis longtemps que la coloration d'un tableau pouvait refléter davantage le goût du peintre que le caractère de son sujet [40]. Dans sa conférence de 1752, Oudry évoque le souvenir de son maître Nicolas de Largillière, qui aimait observer les artistes flamands à l'œuvre. Il pouvait ainsi voir comment les relations des teintes sur la palette affectaient les relations chromatiques dans le sujet qu'ils étaient en train de peindre : « Ce qu'il n'avait pas moins admiré, […] c'était cette belle harmonie qu'il voyait toujours dans toute la gradation de ces teintes, et qui semblait répondre d'avance de celle qui se trouverait dans le tableau [41]. »

À la fin du XVIIe siècle, l'expression « fait de la même palette » permettait de qualifier un tableau dont l'union générale des tons aboutissait à une agréable harmonie d'ensemble [42]. Au XVIIIe siècle, en revanche, l'expression prit une signification péjorative pour désigner une œuvre qui trahissait la disposition des matériaux bruts de façon trop manifeste. Ainsi, le portraitiste anglais John Hoppner brocarde son rival Romney, dont les peintures révèlent si bien la palette qu'on pourrait « facilement en remonter la piste jusqu'au

Les peintres dans leur atelier devinrent un sujet de représentation à partir de la fin du Moyen Âge. Au XVIe siècle, ce saint Luc à l'œuvre utilise une palette petite et restreinte en couleurs pour peindre le manteau bleu de la Vierge et il ne semble pas effectuer beaucoup de mélanges. À l'arrière-plan, en revanche, un assistant prépare un assortiment bien plus varié, allant du blanc au noir ; c'est peut-être la palette effectivement utilisée par Niklaus Manuel pour peindre ce tableau, où l'on a pu identifier une large gamme de pigments mélangés.

142 NIKLAUS MANUEL DEUTSCH, *Saint Luc peignant la Vierge*, 1515.

La palette personnelle

143

144

143 WILLIAM HOGARTH, *Autoportrait à la muse comique*, v. 1758 (détail).
144 JOHN TRUMBULL, palette préparée selon les préceptes de Hogarth, détail d'un *Autoportrait*, 1777.

Au cours du XVIIIe siècle, la disposition d'une palette commença à devenir aussi personnelle que le style. Dans son traité *L'Analyse de la beauté*, Hogarth propose une palette complexe, conforme au spectre pour l'essentiel (140), mais il ne semble en avoir utilisé lui-même qu'une version très simplifiée **(143)**. Peut-être le seul peintre à prendre ses recommandations au sérieux, le jeune américain John Trumbull montre, dans un de ses premiers autoportraits, une palette elle aussi réduite, posée sur son exemplaire de Hogarth **(144)**.

145 AERT DE GELDER, *Autoportrait en Zeuxis*, 1685 (détail).

De Gelder, élève de Rembrandt, se présente sous l'apparence du peintre grec Zeuxis, qui serait mort de rire face à une de ses peintures, un portrait de vieille femme, laquelle pose ici en Vénus incongrue. Pourtant, sa palette est d'un type classique de la fin du XVIIe siècle : elle est disposée en séquences tonales, avec le blanc près du pouce, du jaune, du rouge et du brun, avant le noir. Un large espace libre est laissé libre pour des mélanges.

145

De tous les impressionnistes, Pissarro fut probablement celui qui se passionna le plus pour la théorie chromatique ; il rejoignit plus tard les néo-impressionnistes sous l'égide de Seurat. Dans une démonstration pratique pleine d'esprit, il prouve qu'un paysage tout sauf schématique peut sortir d'une palette de six couleurs vives : blanc, jaune, rouge, pourpre, bleu et vert. Comme celle de Seurat (148), cette palette est de type « plein air », c'est-à-dire conçue pour être rangée dans une boîte de couleurs portative.

146 CAMILLE PISSARRO, *Palette avec paysage*, v. 1878.

marchand de couleurs [43] ». C'était là un nouveau virage dans le débat de la Renaissance entre la fidélité à la nature et la fidélité aux matériaux. Une chose est certaine : vers 1750, l'idée de palette comme un simple instrument parmi d'autres avait cédé le pas à l'idée d'une gamme particulière de couleurs caractérisant une peinture, ou même toute l'œuvre d'un peintre donné. Dès la fin du siècle, beaucoup de paysagistes anglais considéraient que le caractère d'un tableau dépendait directement de l'organisation de la palette [44]. À l'époque romantique, un groupe d'artistes qui se réunissaient dans la maison du critique William Hazlitt, probablement vers 1815, débattit de la question suivante :

> Un certain assortiment de couleurs disposé sur la palette d'un peintre n'influence-t-il pas le style de son art ? – c'est si vrai que cela revient à se demander si n'importe quel artiste ne peindrait pas dans le même style, la même gamme de couleurs et les mêmes spécificités, avec une palette donnée – disons, par exemple, celle de Titien, de Rubens ou de Rembrandt – et si un peintre, avec la palette préparée à la mode de l'un d'eux, ne peindrait pas précisément dans le style de Titien, de Rubens ou de Rembrandt.

David Wilkie, peintre de genre écossais, répondait, pour son compte, par l'affirmative pourvu que la palette de Titien ait été préparée « avec les couleurs primitives *spéciales* et *propres* [à Titien], bien disposées selon les gradations de teintes et leurs variantes ». Hazlitt et Haydon n'étaient pas d'accord, ni le narrateur de cette controverse, un artiste aujourd'hui oublié, le peintre d'histoire William Bewick. Ce dernier rappela une autre anecdote, dans laquelle Van Dyck, en visite chez Frans Hals, prit la palette de son hôte pour peindre un portrait – mais le réalisa tout à fait dans son propre style [45]. Quant à Wilkie, qui avait bâti sa réputation grâce à ses versions modernisées de Teniers, il allait bientôt devenir un interprète subtil de Titien, de Rubens et de Murillo. Un autre critique anglais de cette époque, Richard Payne Knight, soutint l'idée que la couleur n'était pas un facteur déterminant du style, ni le vecteur principal du sens de l'œuvre. Il faisait observer que « personne […] n'a jamais pris plaisir à écouter une déclamation poétique dans une langue qu'il n'entend pas, ni à contempler les matériaux d'un tableau étalés sur la palette [46] ». Combien cette assertion était fausse, les développements esthétiques du romantisme puis du symbolisme le prouveraient un peu plus tard.

On discerne une nouvelle dimension dans la façon d'appréhender la palette, comme élément décisif dans la réalisation des peintures, avec le parallèle invoqué de plus en plus souvent entre ses fonctions et celles d'un instrument de musique. Dans les années 1820, un peintre suisse présentait déjà dans son manuel les gradations chromatiques sur la palette par analogie avec les notes jouées sur le clavier d'un piano. De fait, la gamme de trente-six mélanges obtenus à partir des neuf teintes de base, proposée dans cet ouvrage, nous rappelle les progrès technologiques réalisés dans la facture des pianos à l'époque romantique, sans parler des nouvelles orchestrations d'un Berlioz ou d'un Wagner. « Accorder » la palette se comprenait comme accorder un instrument : « Accorder un ton chromatique et l'amener à s'harmoniser avec un autre, juste convoqué pour comparaison, doit être pour le peintre une opération aussi rapide que pour le musicien qui accorde son instrument par comparaison avec un autre – voir une opération plus rapide, si le peintre est bien entraîné [47]. » Plus on avance dans le XIXᵉ siècle, plus le rôle instrumental de la palette fut déterminé par les riches sonori-

tés des mélanges, aux nuances complexes et subtiles. En ces temps d'idolâtrie wagnérienne, ce fut l'art d'un fervent wagnérien, Henri Fantin-Latour, qui parut offrir en France un raffinement tonal jusque-là inimaginable. En 1882 pourtant, Odilon Redon, symboliste amoureux du noir, écrivait à propos de Fantin-Latour que sa gestion du ton n'était pas non plus sans défaut : « Sa palette qui est la vraie, l'unique palette, est un parfait clavier qui donne tous les degrés des couleurs prises en soi, admirables pour peindre l'éclat des fleurs, les brillantes étoffes, incomplètes sans doute quand il faudra lui demander ce *gris* fondamental qui différencie les maîtres, les exprime, et qui est l'âme de toute couleur [48]. » Whistler, ami de Fantin-Latour, entreprit de répondre à l'objection d'Odilon Redon et fut impressionné, lui aussi, par l'analogie avec la musique, ce qui est peu surprenant pour l'auteur d'un *Arrangement en noir : portrait de Señor Pablo de Sarasate* (1884). Whistler, qui trouvait une affinité plus grande entre la palette et le violon qu'entre celle-ci et le piano, affirma à un élève, à la fin des années 1890 : « Parce qu'elle est l'instrument sur lequel le peintre joue son harmonie, elle doit toujours rester belle, comme le violon d'un grand musicien qui en prend soin avec tendresse et le conserve à la digne hauteur de sa musique. » Whistler passait habituellement une heure à préparer ses mélanges, qu'il étalait sur sa palette en deux gammes, du rouge au noir et du bleu au jaune [49]. Ce n'est pas Whistler pourtant, mais un de ses contemporains anglais, le peintre G. A. Storey, qui écrivit le texte le plus détaillé sur le maniement d'une palette bien tempérée. Il arrangeait ses dix-neuf couleurs « comme les touches d'un piano, ou du moins pour offrir la possibilité d'obtenir de parfaites gammes chromatiques par mélange. […] Quand les couleurs sont disposées dans un ordre immuable et rationnel, […] on les trouve d'autant plus facilement ; et avec un peu d'entraînement, l'artiste finit par savoir en jouer, comme un musicien joue d'un instrument, puisqu'il connaît bien la manière et l'endroit où trouver les éléments de ses combinaisons ». En peintre de genre, Storey développe son thème : « J'en joue de la manière suivante. Si je veux un bleu, […] je prends du bleu d'Anvers et du blanc : c'est trop cru. Je prends un peu de noir : ça n'est pas assez pourpre. Je prends un peu de laque, et ainsi de suite. Une couleur en contrebalance une autre ou la modifie ; et bien que le nombre de teintes ou de nuances différentes d'une couleur soit infini, cette méthode d'assemblage est la chose la plus facile au monde. Nous avons seulement besoin de bien connaître nos couleurs sur le clavier – de savoir exactement ce qu'elles peuvent faire – alors, fabriquer une couleur revient presque à jouer un accord en musique [50]. »

Les palettes de Delacroix

Sans aucun doute, le grand virtuose de la palette au XIXᵉ siècle est Delacroix. C'est à lui que Fantin-Latour et Whistler rendent hommage tous les deux, dans le portrait de groupe peint par le premier en 1864. D'ailleurs, on a parfois dit que Fantin-Latour avait lui-même adopté la palette de Delacroix. Celle-ci ou plutôt celles-ci – car Delacroix avait de multiples palettes – furent probablement les plus connues de l'époque. Non sans paradoxe chez un artiste pour qui la musicalité était l'un des attributs majeurs de la peinture, Delacroix ne comparait pas sa palette à un instrument mais aux armes d'un guerrier, et « dans [sa] vue seule […] le peintre puise la confiance et l'audace [51] ». Il comptait à bon droit gagner en confiance grâce à ses palettes, car il reprit et amplifia

Vue de l'atelier de Delacroix en 1853, avec quelques-unes des palettes aux dispositions complexes qu'il exposait au milieu de ses peintures. (147)

147 l'ancienne pratique consistant à changer leur disposition en fonction du caractère du sujet. Dès le début des années 1840, au plus tard, chaque peinture de Delacroix eut sa « palette » spéciale : après l'avoir méditée longuement, elle lui rendait l'exécution picturale assez simple et rapide. Cette approche de l'organisation chromatique était plus particulièrement associée aux grands programmes décoratifs : dans ce cadre, l'assistant de l'atelier avait besoin de recevoir des instructions détaillées pour exécuter les compositions en couleurs [52]. Une note manuscrite de Delacroix, datant de 1844, à propos du décor de la bibliothèque du Palais Bourbon, suggère la manière dont il établissait et mémorisait ses palettes : il fallait disposer les uns à côté des autres des tons en contraste, voire complémentaires, préparés à la même valeur, et les grouper par numéro avec tous les autres tons de valeur similaire [53]. Cette disposition tonale assez complexe peut encore s'observer sur les palettes chargées qui ont été conservées dans l'atelier de Delacroix à Paris, même si la détérioration des pigments rend aujourd'hui difficile au profane la lecture de ces regroupements logiques. L'un de ses assistants, Andrieu, a détaillé de façon plus précise leur mise en place :

> Delacroix, avant de commencer ses grandes peintures décoratives, passait des semaines entières à combiner sur sa palette des rapports de tons qu'il reportait sur des bouts de toile épinglés au mur de son atelier. De chacun de ces tons il notait soigneusement la composition et le but (reflet, ombre, demi-teinte et lumière, nom de la figure, et sentiment exprimé, pleine pâte et glacis, etc.) [54].

Ces collections de bandes de toile peintes et numérotées circulèrent rapidement. Celles qui servirent, par exemple, à *La Justice de Trajan* (1840) et au *Christ au jardin des oliviers* étaient connues d'un large cercle d'artistes dans les années 1850. Notons que le second tableau est sans doute la version de 1827, ce qui indique que Delacroix travaillait déjà de cette façon à une date remarquablement précoce [55]. Beaucoup de ces bandes furent conservées par Andrieu après la mort de son maître, puis mises en vente et acquises par Degas. Mais ce dernier, apparemment, ne put utiliser que les plus simples, car certaines comptaient plus de cinquante tons [56].

Ces séries tonales numérotées, que Delacroix réalisa à chacune de ses grandes compositions, constituaient pour l'artiste une extraordinaire bibliothèque de références. Elles sont un indice révélateur de son approche essentiellement conceptuelle du travail de coloriste. Une autre pratique, révélée par Charles Blanc, en témoigne également : Delacroix se servait d'échantillons choisis dans son énorme collection de rubans à cacheter les lettres. Il en avait rassemblé de toutes les teintes et toutes les valeurs possibles, comme les coquillages collectionnés par cet entomologiste anglais évoqué au chapitre précédent. Delacroix appliquait ces rubans sur sa toile selon une séquence tonale, afin de juger leur effet en prenant du recul. Ces « palettes » et cette collection de rubans, plus que tout, confirment le bien-fondé du jugement de Charles Blanc sur Delacroix : il possédait « les règles mathématiques de la couleur ». C'était pourtant des règles que le peintre avait construites essentiellement pour son usage personnel, en se servant de ses propres yeux [57].

La palette, emblème de la peinture

Delacroix, tout comme Whistler, aimait ses palettes : Andrieu raconte que, durant la maladie qui devait emporter son maître, celui-ci l'envoya en chercher une pour travailler quelques mélanges – et le disciple sut que son maître était mort lorsqu'il trouva les couleurs séchées[58]. Les dispositions, d'une complexité inouïe, de ces palettes démontrent en elles-mêmes que l'instrument était devenu un objet plus personnel encore qu'il ne l'avait été au XVIIIᵉ siècle. Comme les années 1620, en effet, la décennie 1860 marque un tournant, car la disposition tonale en cours depuis deux siècles et demi cessa d'être considérée comme une norme. Il n'est pas facile de dater la disparition de cette norme, mais en 1847, le manuel de Thénot n'y voit déjà plus rien de contraignant[59]. L'un des symptômes les plus nets en est l'hommage à Chardin de Philippe Rousseau, *Chardin et ses modèles* (1867) : la palette qui y est représentée laisse voir du rouge près du pouce, puis du bleu et du blanc, enfin du jaune et des bruns. La différence est grande avec la palette tonale tout à fait orthodoxe que Chardin avait coutume d'utiliser, telle que nous pouvons la voir fréquemment insérée dans ses natures-mortes, les *Attributs de l'art*[60].

Quelle qu'en ait pu être la raison, à partir des années 1850, en France comme ailleurs, l'idée que la palette devait s'organiser en rangées tonales perdit de son attrait. Des peintres aussi dissemblables que Gustave Courbet et Alfred Stevens, artiste belge plus académique, se représentèrent en négligé de peintre, pour ainsi dire, munis de palettes sans aucun principe d'organisation identifiable[61]. Il en va de même pour Gustave Moreau, James Ensor, Edward Burne-Jones, John Singer Sargent et Lovis Corinth, pour ne citer que des artistes formés dans la seconde moitié du XIXᵉ siècle[62]. Sargent et Corinth furent tous les deux fortement marqués par les impressionnistes ; or, ceux-ci furent, sans surprise, les premiers à contester et de manière virulente l'idée d'un ordre chromatique régi par les tons. Le portrait de Monet au travail, peint par Sargent dans les années 1880, montre une palette joliment confuse ; mais, dès les années 1860, la disposition de Monet n'avait déjà plus grand chose de traditionnel, comme on peut le voir dans son *Coin d'atelier* (1861)[63]. À peu près à la même époque, d'autres artistes dans la mouvance impressionniste tels que Bazille et Guillaumin se servaient aussi de dispositions personnelles[64]. Une dizaine d'années plus tard, Camille Pissarro, qui était de tempérament plus scientifique, donna une plaisante démonstration des pouvoirs générateurs de ce qu'il appelait les « six couleurs d'arc-en-ciel », en en faisant naître un paysage à même la palette[65]. Voilà, à coup sûr, la palette en « mère de toutes les couleurs » !

La disposition de Pissarro, sans noir, était une sorte de compromis entre l'échelle tonale et le spectre, de même que Hogarth, nous l'avons vu, s'était efforcé de proposer une alternative à la palette tonale par le biais de l'arc-en-ciel. La palette « primaire » ou « spectrale » fut, tout au long du XIXᵉ siècle, l'une des variantes les plus communes du schéma tonal traditionnel. Dans un autoportrait de 1815 environ, aujourd'hui à Berlin, le peintre allemand Wilhelm von Schadow, membre du groupe des nazaréens, se représente avec une palette « primaire » en rouge, jaune et bleu, par ordre de luminosité décroissante, jusqu'au noir[66]. L'Américain Charles Willson Peale, emboîtant peut-être le pas à Trumbull, se servait dans les années 1820 d'une gamme également réduite, dans un ordre proche du spectre[67]. Paillot de Montabert, élève de David, affirmait dans son monumental traité de 1829 que les trois couleurs « génératrices » étaient, en théorie, suffisantes et que seuls les marchands de couleurs malhonnêtes poussaient les artistes ignorants à acheter d'inutiles pigments. Puisqu'il était encore impossible de se procurer des primaires absolument « pures », chacune des trois couleurs devait être achetée ou mélangée en quatre valeurs[68]. Un peintre et théoricien

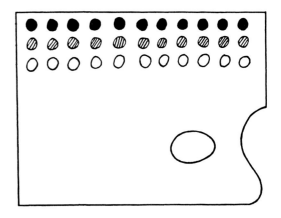

La palette utilisée par Seurat peu de temps avant sa mort (1891) est préparée avec une rangée de onze teintes pures, disposées en séquence spectrale du jaune au vert ; une autre rangée des mêmes teintes mélangées à du blanc ; et une dernière rangée de blanc pur, devant servir à d'autres mélanges. (148)

allemand de la fin des années 1840 proposa une palette « prismatique » élargie de façon extraordinaire : elle se divisait en séquences « chaude » et « froide », et s'organisait encore du blanc au noir en vingt-trois degrés[69]. Même les plus célèbres palettes « spectrales », celles de Signac et de Seurat dans les années 1880, opéraient un compromis entre les notions de séquence spectrale et de séquence tonale : elles présentaient onze pigments, du jaune près du pouce au vert à l'autre extrémité, avec des pointes de blanc distinctes au-dessous de chaque teinte pour y faire des mélanges[70]. On repère plusieurs anomalies dans cette palette ; Fénéon a beau décrire sa disposition comme étant « dans l'ordre du prisme », de toute évidence tel n'est pas le cas. De même Signac, qui prétend avoir initié Seurat en la matière en 1884, se souvient à la fin de sa vie que la séquence utilisée dans sa jeunesse se déployait « du jaune au jaune […] dans l'ordre ou la gradation du prisme[71] ». Toujours est-il que ce n'était pas l'unique palette spectrale qui soit disponible à l'époque. Par une ironie de l'histoire, la plus simple fut publiée en 1891 par un adversaire déclaré de l'impressionnisme et de la théorie scientifique, J.-G. Vibert, peintre des « divertissements ecclésiastiques » et partisan à l'École des Beaux-Arts des techniques les plus traditionnelles[72]. La palette spectrale de Vibert comporte treize teintes pour correspondre au plus près au spectre, de même que Signac et Seurat en utilisaient onze ou douze. On est donc bien loin de la palette restreinte propre aux impressionnistes jusqu'à la fin de leur carrière[73].

La palette spectrale n'était pas, à l'époque moderne, la seule disposition plus ou moins organisée. Le peintre nabi Paul Sérusier croyait à l'incompatibilité du chaud et du froid dans une même composition ; il conçut donc un système de palettes distinctes pour chaque tonalité. Ce souci ne s'arrêtait pas à la peinture : le marchand Ambroise Vollard se souvint d'avoir croisé le peintre dans une rue parisienne et de l'avoir entendu dire : « Voyez-vous cette femme en tenue violette devant nous ? Quand je vous ai vu à côté d'elle, dans votre manteau de couleur brique, vous n'avez pas idée combien ces deux couleurs hurlaient d'être juxtaposées. Cela m'a réellement rendu malade[74]. » À partir de 1908 environ, Sérusier recommandait aux peintres d'utiliser deux palettes séparées mais, quelques années plus tard, il tenta d'en combiner la disposition sur une surface unique : les couleurs chaudes culminant dans le jaune et placées à l'écart des couleurs froides, dont la valeur la plus haute était un blanc tirant vers le bleu clair. Ces distinctions le rendirent quasiment obsessionnel : il avait, par exemple, renoncé au jaune de Naples parce qu'il pensait que certains fabricants l'obtenaient en mélangeant de l'ocre jaune avec du blanc – lequel ne pouvait appartenir qu'à la gamme froide [75].

Malgré l'intensité de son investissement théorique, Sérusier n'avait pas les capacités pratiques pour manier les couleurs. En revanche, le plus grand coloriste du XXe siècle, Henri Matisse, possédait quant à lui un sens de l'ordre hautement développé. « Mettre de l'ordre entre les couleurs, c'est mettre de l'ordre dans ses idées », affirmat-il en 1925 dans un entretien [76]. Pour Matisse, l'ordre ne pouvait s'établir que sur la toile durant l'exécution de l'œuvre ; les nombreuses palettes qu'il laissa autour de lui, et qu'il représentait dans ses toiles et ses dessins, défient l'analyse – sans parler des explications données à la presse. En effet, ces palettes diffèrent profondément les unes des autres et ne semblent pas avoir de principes d'organisation communs [77]. Certaines de celles qui ont été conservées ne portent que de légères touches de couleur : à l'instar de ses œuvres, Matisse les a peut-être improvisées au cours de son travail.

La préparation de la palette tendait à devenir aussi importante que la peinture même. Deux contemporains de Matisse, Paul Klee et Wassily Kandinsky, s'étaient déjà rendu compte que ce qui se produit dans la boîte de peinture ou sur la palette a plus d'impact sur l'œuvre d'art que ce qui se produit dans la nature, au cœur du sujet affiché. En 1910, dans une note de son journal, Klee qualifie de « découverte révolutionnaire » la prise de conscience de sa relation à sa boîte de couleurs : « Je dois pouvoir un jour improviser

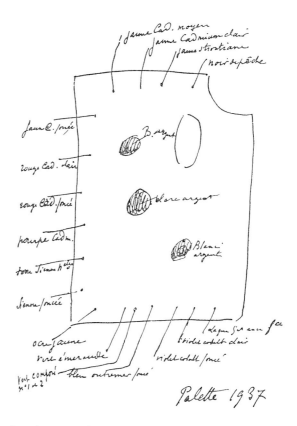

Palette 1937

Cette palette de Matisse datant de 1937 montre 17 couleurs disposées selon une séquence semble-t-il arbitraire allant du noir de pêche près du pouce à la laque de garance à l'autre extrémité. La gamme contient plusieurs jaunes et rouges de cadmium, un pourpre de cadmium, un jaune citron, des ocres jaunes et brunes, deux violets de cobalt, un bleu outremer foncé, un vert émeraude et deux verts composés. Au centre, sont disposées de grosses quantités de blanc. (150)

des fantaisies sur le piano chromatique des pots d'aquarelle alignés [78]. » Et vers 1912, dans le premier manifeste fondateur de l'art non-figuratif, Kandinsky écrit :

> Lorsqu'on laisse les yeux courir sur une palette couverte de couleurs, un double effet se produit :
> 1. Il se fait un effet *purement physique*, c'est-à-dire l'œil lui-même est charmé par la beauté et par d'autres propriétés de la couleur. Le spectateur ressent une impression d'apaisement, de joie, comme un gastronome qui mange une friandise. Ou bien l'œil est excité comme le palais par un mets épicé. Il peut également être calmé ou rafraîchi comme le doigt qui touche de la glace. Ce sont là, en tout cas, des sensations physiques qui, en tant que telles, ne peuvent être que de courte durée. Elles sont superficielles et s'effacent rapidement, sitôt que l'âme demeure fermée. [...]
> 2. Dans le cas d'un développement plus complet, cet effet élémentaire en provoque un plus profond qui entraîne une émotion de l'âme. Dans ce cas, on atteint le deuxième résultat primordial de la contemplation de la couleur, qui provoque une vibration de l'âme. Et la première force, physique, élémentaire, devient maintenant la voie par laquelle la couleur atteint l'âme [79].

La palette produisant à elle seule des effets aussi puissants, quel rôle restait à la peinture dans l'articulation des couleurs ?

Cette compréhension nouvelle, expressionniste, de la couleur avait eu pour déclencheur principal l'art et les écrits de Van Gogh.

Cramoisi

ROUGE   **1** impaire

Rouge-orange

ORANGE   **2** paire

Jaune-orange

JAUNE   **3** impaire

Jaune-vert   +   point fixe

VERT   **4** paire

Bleu-vert

BLEU   **5** impaire

Bleu outremer

OUTREMER   **6** paire

Violet

Le diagramme de J.-G. Vibert (*La Science de la peinture*, 1891) divise la palette spectrale en 37 degrés représentés par des lignes, le centre étant marqué d'une croix. Les primaires sont identifiées par un chiffre impair, les secondaires par un chiffre pair ; on trouve la complémentaire d'une couleur en additionnant ou en soustrayant 3 à son chiffre : la complémentaire du jaune (3) est l'outremer (6). (149)

Ses lettres à son frère Théo ne furent pas publiées *in extenso* en allemand avant 1914, mais certaines étaient parues dans des anthologies bien plus tôt. Au cours de sa longue formation en autodidacte, Van Gogh s'était vite trouvé confronté au problème de faire correspondre à ses perceptions – aux couleurs de ses sujets – les pigments qu'il avait à sa disposition. Il se demanda : « Ne puis-je pas en déduire qu'un peintre fait bien s'il part des couleurs qui sont sur sa palette, au lieu de partir de celles de la nature ? » (lettre 429). Il avait commencé à peindre avec la disposition tonale du XVIII° siècle, désormais très académique ; mais sa découverte de l'impressionnisme à Paris en 1886 avait semé la confusion dans cet ordre-là. Il fut conduit à réorganiser ses compositions chromatiques selon une structure globalement fondée sur les teintes complémentaires [80] ; nous y reviendrons de plus près au prochain chapitre. À Paris, Van Gogh découvrit aussi l'importance de la palette pour comprendre la personnalité de l'artiste. Certes, l'idée de collectionner des palettes ayant appartenu à des maîtres admirés avait germé en Angleterre dans les années 1820. Mais c'est Delacroix qui fut probablement le premier à se servir de la palette d'un maître ancien à des fins d'étude. On lui avait offert une palette prétendument utilisée par Van Dyck ; dans les années 1840, il en utilisa les constituants, dont « les bruns Vandyke » [*sic*], pour ébaucher ses propres compositions murales [81]. La manière presque ostentatoire avec laquelle Delacroix exposait ses dispositions personnelles de palettes dans son atelier, au milieu de ses tableaux, semble avoir lancé la mode de montrer ces instruments lors d'expositions publiques. L'une d'elles fut montrée en 1885 à l'accrochage d'un galeriste, et une autre en 1887 dans une exposition collective, avec quelques palettes d'artistes modernes. Quand, l'année suivante, le Louvre ouvrit une nouvelle salle d'art moderne français, des palettes furent encore placées en vitrine et attirèrent l'attention des journalistes, puisque « sur chacune d'elles, on reconnaît la manière de peindre de l'artiste [82] ». Vibert fait état, dans les années 1890, d'une collection privée de palettes qui « montraient encore tous les tons improvisés pendant la peinture et, sur beaucoup d'entre elles, l'artiste avait peint un petit peu selon sa propre méthode ». Cette collection, disait Vibert, avait sa place au Louvre et serait une grande leçon pour les générations futures [83]. On ne sait pas exactement ce qu'il en advint mais, après le tournant du siècle, on vit à Paris plusieurs expositions consacrées uniquement à des palettes : Bernheim-Jeune en montra une centaine en 1908 et, en 1911, une vente de 123 palettes fut organisée par la galerie Georges Petit – on peut penser raisonnablement qu'il s'agissait là de la collection évoquée par Vibert. De nos jours, nous avons l'habitude de voir des palettes dans les salles de peinture : elles sont devenues des éléments obligés des expositions temporaires comme des collections permanentes ; mais je crois que rares sont les visiteurs à les regarder autrement que comme de simples instruments.

152
151

147

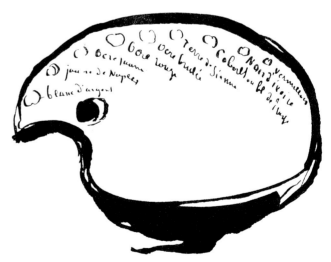

Sur le dessin que Van Gogh fit de sa palette en 1882, 9 couleurs sont disposées de manière tonale et assez conventionnelle du blanc près du pouce au vermillon, situé de façon inhabituelle après le noir. L'artiste la qualifie de « palette pratique de couleurs saines. On peut y ajouter du bleu d'outremer, du carmin ou autre chose en cas de nécessité absolue ». L'*Autoportrait* de 1888 montre une palette à la disposition arbitraire, non linéaire, composée pour l'essentiel d'orange, de rouge, de bleu et de vert, révélant l'influence de l'impressionnisme. (151, 152)

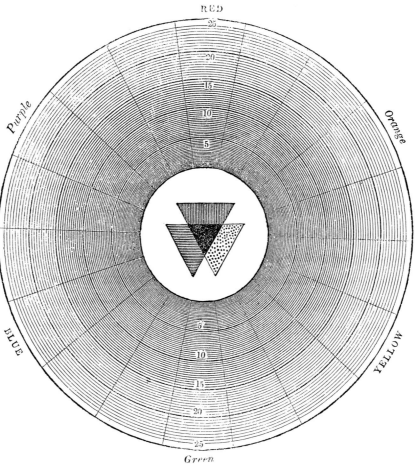

RED

Purple

Orange

BLUE

YELLOW

Green

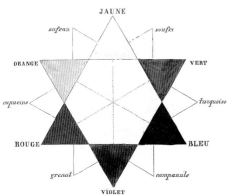

JAUNE

safran   soufre

ORANGE   VERT

capucine   turquoise

ROUGE   BLEU

grenat   campanule

VIOLET

Les théoriciens de la couleur des XVIIIe et XIXe siècles préféraient les formes géométriques, tels les cercles et les étoiles, qui soulignent les oppositions de polarité. Le cercle chromatique de Moïse Harris (*Prismatic Colours*, v. 1776, ci-dessus) est l'une des premières dispositions entièrement symétriques ; le noircissement des teintes vers le centre suggère aussi un solide. Les étoiles de Charles Blanc (1867, à gauche) et de Jules-Claude Ziegler (1850, à droite) retiennent l'attention par le choix de termes exotiques empruntés au vocabulaire des fleurs et des colorants végétaux pour désigner les couleurs tertiaires. (153-155)

JAUNE.

Soufre.   Cadmium.

VERT.   ORANGÉ.

BLANC

Cœruleum.   Capucine.

NOIR

BLEU.   ROUGE.

Indigo.   Grenat.

VIOLET.

IDEALES

Liebe

Mann Männl: Leidenschaft.   Weib Weibl: Leidenschaft.

R

O   V

G   B

Gr

REALES

Philip Otto Runge (1809, ci-dessus) se sert de l'étoile dans une veine plus mystique pour suggérer le contraste entre le monde idéal de l'amour, rouge, et le monde réel, vert. Les passions masculines sont représentées par la moitié chaude du cercle (jaune et orange), les passions féminines par la moitié froide (bleu et violet). (156)

11 · Les couleurs de l'esprit : l'héritage de Goethe

La couleur comme perception · L'influence de Goethe · La moralité de la couleur
« Peindre, c'est enregistrer ses sensations colorées » · De Matisse à l'abstraction

NEWTON, DANS SON *Optique,* avait cherché à refonder objectivement et quantitativement l'étude de la lumière et de la couleur. Lors de l'expérience servant à déterminer les constituants chromatiques du spectre, il avait eu recours aux services d'un « assistant, dont l'acuité oculaire était supérieure à la [sienne] dans la distinction des couleurs [1] ». Peu importe que cet « assistant » ait été ou non une figure de rhétorique, son rôle était de confirmer que, d'un certain point de vue, l'analyse du spectre ne dépendait pas de l'observateur, à savoir Newton. Celui-ci avait soigneusement évité de se compromettre dans des observations chromatiques impossibles à soumettre à la loi des nombres, « comme lorsque par le pouvoir de l'imagination nous voyons des couleurs en songe, ou qu'un frénétique voit devant lui ce qui n'y est point ; ou lorsque nous voyons du feu en recevant un coup sur l'œil, ou que pressant le coin de nos yeux et regardant du côté opposé, nous voyons des couleurs semblables à ces lunules en forme d'yeux qui tapissent la queue du paon [2] ».

Nous avons vu au chapitre 9 combien la croyance de Newton en un ordre chromatique quantifiable influa sur l'étude de la couleur dans l'art jusqu'au XIXe siècle. Nous verrons dans le dernier chapitre que sa théorie reparut de façon plus fugitive chez les artistes constructivistes du XXe siècle. Mais Newton n'avait pas pris en compte un autre aspect chromatique, la couleur en tant que phénomène subjectif ; après lui, c'est ce qui attira de plus en plus l'attention des savants impliqués dans l'étude moderne de la vision des couleurs. Or, aux XVIIe et XVIIIe siècles, comme dans l'Antiquité classique, les scientifiques reconnaissaient que ces phénomènes avaient été identifiés et explorés d'abord par les peintres et les teinturiers [3].

En 1815, le mathématicien Pietro Petrini écrivit un traité sur les couleurs « accidentelles », c'est-à-dire les couleurs subjectives induites par des processus psychologiques, moins extrêmes que ceux décrits par Newton. Il avançait que Léonard de Vinci avait été le premier à remarquer les ombres bleues, « complémentaires », visibles au lever comme au coucher du soleil [4]. Il poursuivait en détaillant l'effet des juxtapositions chromatiques :

La réaction réciproque de couleurs disposées l'une à côté de l'autre, si bien que leur aspect change de façon plus ou moins remarquable, est connue des peintres depuis longtemps et nommée par eux *contraste.* Ils remarquent, par exemple, qu'une tache très légèrement bleuâtre [*turchineggiante*] vire au bleu délicat [*azzurro*] si elle est entourée d'une frange de violet-rouge. Et il n'est aucune nuance qui ne puisse acquérir une coloration très délicate et très vive à la fois, de la même teinte, en étant placée sur un fond de sa complémentaire. [...] Une carte orangée sur un fond rouge semblera presque jaune ; sur un fond jaune, elle semblera presque rouge. Si on la place sur un fond vert, elle semblera d'un rouge plus foncé, et sur un fond violet, elle prendra un ton jaune citron ou soufré. Mais sur un fond indigo ou pourpre, elle reprendra sa propre teinte, à savoir celle qu'elle présente sur un fond blanc, mais assurément plus intense que dans ce dernier cas [5].

Dans les années 1820, ces observations allaient être multipliées et codifiées par Chevreul en une « loi du contraste simultané ». Petrini n'avait pas tort de suggérer qu'elles étaient depuis longtemps monnaie courante dans les ateliers : elles participaient de cette approche empirique de la couleur qui gagna de l'importance en Hollande à la fin du XVIIe siècle et qui fut très prisée en France. L'un des premiers peintres à plaider en faveur d'une démarche purement perceptive dans la composition chromatique fut l'artiste flamand Gérard de Lairesse. Son *Grand Livre des peintres (Het Groot Schilderboek,* 1707) fut parmi les traités les plus traduits et les plus étudiés du XVIIIe siècle. Lairesse considérait que l'harmonisation chromatique en peinture, contrairement aux proportions et même à la perspective atmosphérique, relevait du « pur hasard ». Il décrivait le recours au hasard dans des notes sur la division d'un tableau en trois masses colorées (lumière, demi-teinte et ombre) qu'il disposait sur sa palette :

Après quoi je prenais quelques cartes que je barbouillais avec l'une de ces couleurs rompues. Lorsque ces cartes étaient sèches, je les disposais de différentes manières, les unes à côté des autres, jusqu'à ce que mon œil et mon jugement fussent satisfaits de leur accord. Quelquefois même, quand cela ne me réussissait point, je mêlais ces cartes ensemble, et j'en prenais quelques-unes au hasard, dont je suivais la disposition lorsqu'elle me convenait [6].

Voilà un procédé d'une abstraction encore plus radicale que celui de Delacroix, jaugeant l'effet chromatique de ses rubans à cacheter.

Dans un ouvrage tout aussi populaire, Roger de Piles démontra qu'en peinture deux facteurs déterminent la couleur : la justesse dans la perception des tons et l'habileté à leur donner l'importance requise. On atteint la première en comparant sans cesse les couleurs du motif à celles de la palette. La seconde s'acquiert par l'étude des effets chromatiques dus à la juxtaposition et à la disposition spatiale, où intervient la perspective atmosphérique [7]. Cette méthode de comparaison permanente entre la palette et la nature est recommandée par le portraitiste français Largillière ; son disciple Oudry raconte comment ce dernier lui apprit à peindre un bouquet de fleurs blanches en plaçant autour plusieurs objets également blancs. Oudry lui-même évoque, dans une conférence à l'Académie en 1749, une nature morte au vase d'argent, qui annonce son remarquable *Canard blanc* de 1753. Il fallait entourer le vase de lin, de papier, de satin ou de porcelaine afin que « les différents blancs vous permettent de définir le ton de blanc précis dont vous avez besoin pour rendre votre vase d'argent, puisque vous reconnaîtrez par comparaison que les couleurs de l'un de ces objects blancs ne seront jamais celles des autres [8] ».

158

On cherchait désormais avec passion à distinguer des nuances, qui avaient fait désespérer Boèce du caractère objectif de la couleur. Cette étude exigeante des gammes et des relations chromatiques trouvait un terrain on ne peut plus favorable dans la nature morte, le genre pictural le plus abstrait. Un jeune contemporain d'Oudry, Chardin, y excella particulièrement grâce, disait-on, à la distance qu'il conservait par rapport à ses sujets ; ainsi n'était-il plus troublé par les détails et pouvait-il se concentrer sur la forme et la couleur en elles-mêmes [9]. Cette obsession des valeurs tonales de zones contiguës eut aussi une incidence sur la peinture de paysage en France. Le paysagiste majeur du XVIIIe siècle, Claude Joseph Vernet, qui milita parmi les premiers en faveur de l'esquisse à l'huile sur le motif, affirmait dans un court traité datant des années 1760 ou 1770 que « si vous voulez réellement voir la couleur des choses, vous devez toujours les comparer entre elles », citant pour exemple les gammes infinies de verts des feuillages et des prairies [10].

Cette attention extrême des peintres aux nuances et aux variations d'effets chromatiques dans la nature et dans l'art les amena, sans surprise, à faire des découvertes qui ne furent reconnues et codifiées par la science optique qu'ultérieurement. L'une des plus frappantes est l'effet de Purkinje : au crépuscule, la vision assurée de jour par les cônes (vision photopique) bascule sur les bâtonnets (vision scotopique), ce qui produit un changement de perception de l'intensité des zones bleues et rouges du spectre. L'effet tient son nom du savant tchèque, spécialiste de physiologie, qui le décrivit précisément en 1825, Jan Evangelista Purkinje [11]. Mais ce phénomène avait déjà été constaté en 1685 dans un atelier par le mathématicien Philippe de La Hire, qui avait reçu une formation de peintre dans la tradition de son père :

> La lumière qui éclaire les couleurs les change considérablement ; le bleu paroît vert à la chandelle, et le jaune y paroît blanc ; le bleu paroît blanc à une foible lumière du jour, comme au commencement de la nuit. Les peintres connoissent des couleurs dont l'éclat est beaucoup plus grand à la lumière de la chandelle qu'au jour ; au contraire il y en a plusieurs, quoique très vives au jour, qui perdent entièrement leur beauté à la chandelle. [...] Les cendres qu'on appelle ou vertes ou bleues paroissent à la chandelle d'un fort beau bleu. Les rouges qui tiennent de la lacque paroissent très vifs à la chandelle, et les autres comme la mine et le vermillon paroissent ternes [12].

Au début du XIXe siècle, le crépuscule était devenu en Angleterre « l'heure du peintre », car il permettait d'étudier la distribution des ombres et des lumières sans être distrait par les couleurs. Pourtant, de nombreux artistes lui reconnaissaient un inconvénient, celui d'altérer les relations entre tons chauds et tons froids. Un élève de Reynolds, James Northcote, note que « les rouges semblent plus sombres qu'à la lumière du jour, et même presque noirs, tandis que les bleus clairs virent au blanc, ou s'en rapprochent ». Dans une conférence de 1818, Turner semble faire allusion au même effet quand il décrit le rouge comme « le premier rayon lumineux et le premier à manifester une réduction de lumière [13] ». Non sans ironie, c'est le déclin de la peinture tonale au XIXe siècle qui rendit obsolète « l'heure du peintre » – à tel point que l'Américain Ogden Rood, théoricien de la couleur et lui-même peintre amateur, put attribuer à Purkinje la primeur de la découverte du phénomène, négligeant ainsi l'expérience traditionnellement faite par les artistes. Matisse également, alors qu'il peignait *La Danse* vers 1910, fut stupéfait de voir ses rouges et ses bleus puissants se

mettre à vibrer au crépuscule : c'était un effet de seuil, qu'il ne sut pas identifier comme tel [14].

Les contrastes chromatiques et l'effet de Purkinje étaient des preuves manifestes de l'instabilité de la perception des couleurs. Vers la fin du XVIIIe siècle, un autre phénomène propre à la psychologie de la couleur commença à intéresser les savants : la constance de couleur, à savoir la régulation opérée par le cerveau pour maintenir une perception chromatique constante dans des conditions d'éclairage variables. L'analyse de référence se trouve dans une note de 1789, due au mathématicien français Gaspard Monge, qui avait déjà identifié le phénomène quelques années plus tôt lorsqu'il enseignait à l'École royale du Génie [15]. À la même époque, un Vénitien, l'architecte et théoricien Francesco Milizia, décrivait l'effet dans le domaine de la peinture : l'écarlate paraît toujours écarlate, soulignait Milizia, qu'il soit vu en plein soleil, à la lumière du jour, à la lumière artificielle, ou bien à travers un médium plus ou moins dense et étendu. Mais alors que Monge considérait la constance comme une fonction de notre perception des surfaces, Milizia ne l'interpréta pas comme résultant d'un ajustement psychologique, mais comme le reflet de l'impuissance du langage à rendre toutes les nuances chromatiques telles qu'on les perçoit [16]. Monge lui-même s'était longtemps penché sur les problèmes picturaux, notamment sur la perspective atmosphérique, dont Léonard de Vinci était selon lui le maître incontesté [17]. Ainsi, dans les éditions suivantes de sa *Géométrie descriptive*, il étudia certains aspects des ombres colorées et du contraste chromatique dans leur incidence sur la peinture, tout en rappelant ses remarques antérieures sur la constance [18]. Ses découvertes furent appliquées au domaine artistique surtout par son élève L. L. Vallée, auteur d'un *Traité de la science du dessin* (1821). Cet ouvrage comprend un texte très actualisé sur le contraste et les complémentaires ainsi que des indications pour parer l'insuffisance des pigments à rendre les effets de lumière naturelle dans toute leur puissance [19]. La constance chromatique mettait en valeur la couleur locale, c'est-à-dire la couleur d'une surface donnée, éclairée par une lumière blanche. Cette notion fut de plus en plus contestée durant le XIXe siècle par des peintres comme Delacroix, qui attiraient l'attention sur les changements induits par le contexte et par l'éclairage [20]. Mais au début du siècle, la primauté de la couleur locale fut défendue en France par le rival de Delacroix, Ingres ; celui-ci affirmait que les Anciens avaient eu raison de séparer leurs figures et qu'on pouvait y parvenir en rehaussant les contrastes chromatiques :

> Les parties essentielles du coloris ne sont pas dans l'ensemble des masses claires ou noires du tableau ; elles sont plutôt dans la distinction particulière du ton de chaque objet. Par exemple, mettre un beau et brillant linge blanc sur un corps brun, olivâtre, et surtout faire discerner une couleur blonde d'une couleur froide, une couleur d'accident de celle des figures colorées par leurs teintes locales [21].

Croire en la couleur locale, c'est croire en la substantialité de la couleur. En réalisant *Antiochus et Stratonice*, Ingres s'appuyait sur la nouvelle compréhension de la polychromie grecque, développée par son ami l'architecte Hittorff (*cf.* chapitre 1) [22]. Mais c'est précisément cet accent mis sur la matérialité de la couleur qui attira les sarcasmes de Delacroix. Dans une conversation avec George Sand, ce dernier explique qu'Ingres confond couleur et coloriage : [10]

Les impératifs de l'observation

La discipline de la nature morte offrait des occasions particulièrement intéressantes de manipuler la couleur. Elle prit une importance majeure en France, au XVIIIe siècle, avec la notion-clé d'observation ; c'était aussi une sorte d'« édition savante » des faits observés. Chardin peignait ses sujets de loin, afin de perdre les détails et de révéler, par un rendu pictural de larges touches, leur caractère « essentiel » dans les domaines de la forme et de la couleur (**157**). La vision d'Oudry était plus nettement ciblée ; il développa une technique précise de comparaison visuelle qui finit, notamment dans ce splendide arrangement de blancs, par faire de ce genre pictural une pure démonstration des pouvoirs de la perception (**158**).

157

158

157 Jean Siméon Chardin, *Vase de fleurs*, v. 1760-1763.
158 Jean-Baptiste Oudry, *Le Canard blanc*, 1753.

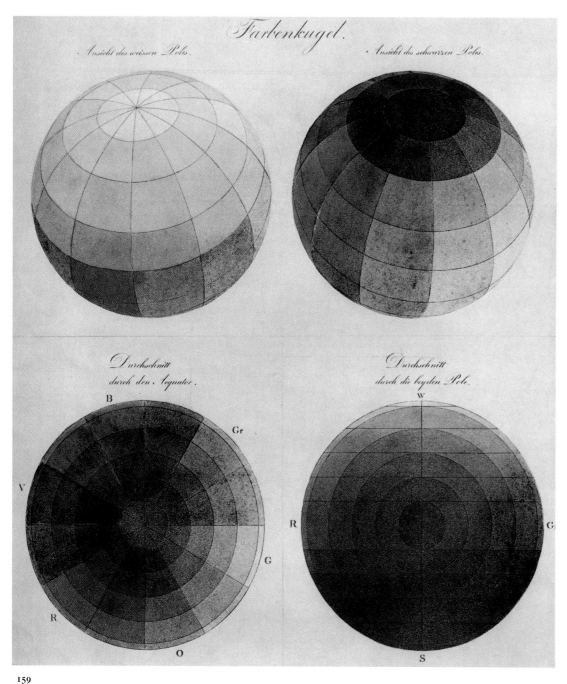

Farbenkugel.

Ansicht des weissen Pols. Ansicht des schwarzen Pols.

Durchschnitt durch den Aequator. Durchschnitt durch die beyden Pole.

159

Les sphères de couleurs

159 Philipp Otto Runge, *Sphère de couleur*, 1810.
160 Friedrich Schiller et Johann Wolfgang von Goethe, *La Rose des tempéraments*, 1799.
161 J. M. W. Turner, *Cercle chromatique n° 2*, v. 1825.
162 Philipp Otto Runge, *Le Petit « Matin »*, 1808.

160

161

Les artistes romantiques cherchèrent à tirer des couleurs de nouvelles significations selon leurs positions dans l'espace. La sphère de Runge est l'une des premières tentatives d'un peintre pour coordonner les teintes et les valeurs dans un ensemble cohérent (**159**). Il se servit d'une série de trois primaires – rouge, jaune et bleu – organisée selon un système complémentaire autour de l'équateur. Dans l'ouvrage où s'insère le diagramme, Runge ne s'aventure guère au-delà des données visibles, mais il partageait au fond avec ses contemporains, les poètes Schiller et Goethe, une croyance dans les connotations morales des couleurs. Ces derniers reliaient en effet les polarités chromatiques aux quatre tempéraments traditionnels : optimiste, mélancolique, flegmatique et bilieux (**160**). De telles préoccupations théoriques trouvaient à s'épancher dans la série des « Heures du Jour » où la couleur pouvait s'employer comme un schéma. Dans *Le Matin* de Runge, le rouge est la couleur dominante de l'aube de la vie, avec un nouveau-né christique, Vénus sortant des eaux et le lys rouge s'élevant dans les bordures (**162**). Turner voyait aussi un sens universel dans les trois primaires (**161**). Il partit du diagramme complémentaire de Moïse Harris (153), mais il subordonna les primaires à la lumière – le jaune, dont il ferait plus tard la note dominante de son allégorie de la création de la lumière hors des ténèbres (169).

Les couleurs de la passion

163

Dans sa vision du café à Arles, Van Gogh réalise son essai le plus ambitieux pour suggérer un état émotionnel au moyen de la couleur. « J'ai cherché à exprimer avec le rouge et le vert les terribles passions humaines, écrit-il à Théo. La salle est rouge sang et jaune sourd, un billard vert au milieu, quatre lampes jaune citron à rayonnement orangé et vert. C'est partout un combat et un contraste entre les verts et les rouges les plus différents [...]. »

163 Vincent van Gogh, *Le Café la nuit*, 1888.

164

166

165

La querelle entre Gauguin et Van Gogh explosa notamment à cause de la répugnance du premier pour les contrastes polarisés, particulièrement recherchés par le second. Gauguin en vint à travailler de préférence avec de « mystérieux » tons voisins et des résonnances subtiles : des verts bleuâtres, des rouges pourprés et des jaunes orangés (**164**). Le même rejet des contrastes chromatiques violents caractérise les derniers tableaux des deux artistes du XIXᵉ siècle les plus intéressés par la perception, Monet et Cézanne (**165**, **166**). Ils utilisaient la palette éclatante de l'impressionnisme, mais eurent tendance à unifier leurs compositions en concentrant chacune d'elles sur un segment particulier du cercle chromatique et en travaillant dans une gamme nuancée de tons chauds et froids.

164 Paul Gauguin, *La Perte du pucelage*, 1890-1891.
165 Paul Cézanne, *La Route tournante*, v. 1902-1906.
166 Claude Monet, *Peupliers (Bords de l'Epte)*, 1891.

La réactivité de l'œil

L'extraordinaire aplat rouge dans *L'Atelier rouge* de Matisse pourrait tenir sa force du vert intense du jardin ensoleillé de l'artiste à Issy-les-Moulineaux qui aurait stimulé sa « vision » en rouge des murs gris de son atelier (**167**). Bien plus tard, à Vence, Matisse fit l'expérience d'une image consécutive rouge, produite par la lumière se déversant à travers ses vitraux bleus et verts (**168**). La couleur de Matisse est merveilleusement harmonieuse car, comme l'a observé Goethe, l'œil compense le stimulus puissant d'une seule couleur en créant sa complémentaire en image consécutive – ce qui complète le cercle chromatique.

167 HENRI MATISSE, *L'Atelier rouge*, 1911.
168 HENRI MATISSE, chapelle du Rosaire, Vence, 1948-1951.

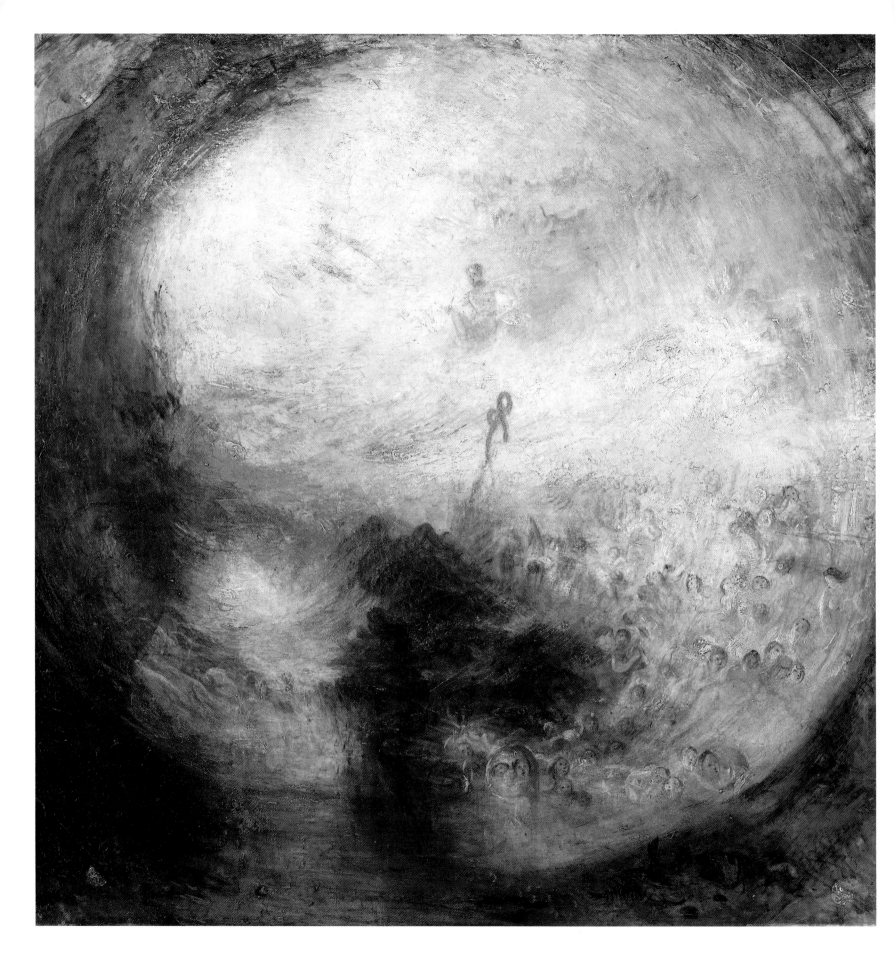

Il a étudié avec une précision très délicate les plus petits effets du jour sur les marbres, les dorures, les étoffes ; il n'a oublié qu'une chose, les reflets. Ah bien oui, les reflets ! Il n'a jamais entendu parler de ça. Il ne se doute pas que tout est reflet dans la nature et que toute la couleur est un échange de reflets. Il a semé sur tous les objets qu'il a fait poser devant lui des petits compartiments de soleil qu'on dirait saisis au daguerréotype, et il n'y a ni soleil, ni lumière, ni air dans tout cela. [...] Il a mis du rouge sur un manteau, du lilas sur un coussin, du vert par ici, du bleu par là : un rouge éclatant, un vert printanier, un bleu céleste. [...] mille coquetteries d'ornementation très amusantes, mais qui n'amènent rien du tout dans la production de la couleur. Les tons livides et ternes d'un vieux mur de Rembrandt sont bien autrement riches que cette prodigalité de tons éclatants plaqués sur des objets qu'il ne viendra jamais à bout de relier les uns aux autres par leurs reflets nécessaires, et qui restent crus, isolés, froids, criards [23].

Cette analyse n'est pas sans justesse, mais elle repose sur une interprétation très partiale de la couleur. Ingres et Delacroix finirent par représenter les deux pôles de la querelle entre le dessin et la couleur, dans son avatar du XIXᵉ siècle – alors qu'ils étaient l'un et l'autre de suprêmes coloristes. Si, avec eux, s'affirment deux principes chromatiques antagonistes, ce sont bien, sans conteste, deux principes et chacun d'eux était sanctionné par une expérience chromatique dont la validité dépassait largement le domaine de l'art.

L'empirisme dominant des pratiques de la couleur au XIXᵉ siècle peut être illustré par un exemple plus connu, la notion de mélange optique. Celle-ci était comprise, nous l'avons vu, depuis l'Antiquité, mais ce fut le néo-impressionnisme qui lui donna ses lettres de noblesse « scientifiques ». En effet, on utilisait depuis longtemps des tons rompus de couleurs contrastées, en points ou en hachures, afin d'améliorer la visibilité à distance, par exemple dans les grands programmes décoratifs réalisés à la fresque ou à la détrempe pour les décors de théâtre, mais aussi, paradoxalement, dans les plus petites des miniatures [24]. C'est la tradition de la fresque qui conserva bien vivante jusqu'au XIXᵉ siècle l'idée du mélange optique : un élève d'Ingres, Victor Mottez, l'étudia en 1858 dans son édition du *Livre de l'art* de Cennino Cennini. Il démontre que l'éclat et la douceur des fresques de Pinturicchio dans la bibliothèque Piccolomini à Sienne provenaient de son usage des hachures et du « pointillisme » [25]. Mais ces pratiques, outre leur parfait empirisme, restaient aussi très localisées. Les néo-impressionnistes,

Allégorie de la lumière, le tableau de Turner illustrant le matin après le Déluge fut exposé avec cette citation :

L'arche tenait solidement sur Ararat ; le soleil de retour
Exhalait les bulles humides de la terre, et imitant la lumière,
Réfléchissait ses formes perdues, chacune à l'instar du prisme
Présage de l'Espoir, éphémère comme la mouche estivale,
Qui s'élève, voltige, se développe et meurt.

Dans le traitement original qu'il donne de l'histoire de Noé, peut-être influencé par les plafonds peints baroques (*cf.* 121), Turner remplace l'arc-en-ciel de l'Alliance par une bulle irisée qui est, d'après la citation, encore plus éphémère. De fait, ce tableau lumineux a pour thème général un certain pessimisme.

169 J. M. W. TURNER, *Lumière et couleur (la théorie de Goethe) – le matin après le Déluge – Moïse écrivant le livre de la Genèse*, 1843.

en s'appuyant sur le concept scientifique du mélange des lumières, plutôt que celui des pigments, adaptèrent cette tradition pour construire toute la surface de leurs tableaux. Conçues pour être vues de près tout autant que de loin, leurs œuvres avaient une structure plus ou moins homogène de points ou de carrés de couleur, lesquels attiraient l'œil sur leur fonction par leur étrangeté et leur évidence manifestes.

L'influence de Goethe

C'est la lecture de l'ouvrage de Goethe, *La Théorie des couleurs (Farbenlehre)* durant ses études de médecine qui encouragea Purkinje à analyser les éléments subjectifs de la vision : cette monumentale enquête en trois parties parue en 1810 [26] attira l'attention des savants et du grand public plus qu'aucune autre publication sur une série de phénomènes chromatiques, dans leurs aspects physiques et psychologiques. La popularité du livre tout au long du XIXᵉ et jusqu'au début du XXᵉ siècle s'explique notamment par la réputation internationale de l'auteur en tant que poète et penseur, mais également par la virulence de ses attaques contre Newton (Goethe consacre l'intégralité de sa seconde partie à critiquer *L'Optique* de Newton), mais surtout par sa conviction que l'œil est un outil suffisant pour étudier la couleur. Car Goethe oriente ses lecteurs vers de nombreux phénomènes chromatiques dont ils peuvent faire l'expérience par eux-mêmes dans leur univers familier. D'un côté, Newton s'était retiré dans son obscur cabinet de Trinity College, à Cambridge, où les rayons solaires ne pouvaient pénétrer que par des fentes minuscules, afin de former sur un écran un spectre que seul son « assistant » savait distinguer. De l'autre côté, Goethe fondait ses déductions sur des expériences lui permettant d'examiner les jonctions de zones sombres et lumineuses à travers un prisme, et d'observer les franges colorées. L'« écran » de Goethe était sa propre rétine. Il arrivait aux conclusions suivantes : la lumière est homogène ; elle produit une couleur seulement par l'interférence de l'obscurité ; enfin, les deux teintes extrêmes de la gamme tonale, le jaune et le bleu, interagissent selon un mystérieux processus (qu'il appelle « augmentation » – *Steigerung*), pour former la troisième couleur principale, le rouge ; cette dernière étant la plus noble, Goethe la nomme *Purpur* (pourpre).

La méthode expérimentale de Goethe était, bien sûr, tout à fait traditionnelle. Des expériences au prisme avaient été menées par Thomas Harriot dès 1590, et publiées au milieu du XVIIᵉ siècle par Kenelm Digby à Paris et par G.-B. Hodierna en Sicile [27] ; elles étaient connues de Newton dans les années 1660. Il est révélateur que Goethe ait aussi eu recours à une expérience domestique, sans prétention, pour illustrer les franges colorées :

Lorsqu'on s'avance vers une fenêtre dont la croisée se détache sur un ciel gris, qu'on fixe des yeux la barre horizontale, puis qu'on commence à pencher un peu la tête en avant, en clignant des yeux et en levant le regard, on découvre bientôt sur le bois, en bas, une belle frange jaune-rouge, et en haut, au-dessus du bois, une belle frange bleu clair. Plus le gris du ciel est sombre et uniforme, plus la chambre est dans la pénombre et par conséquent l'œil le plus calme, et plus le phénomène sera intense ; encore qu'il puisse être remarqué aussi en plein jour par un observateur attentif [28].

Goethe illustre de la même façon les images consécutives complémentaires dans son récit d'une expérience très prosaïque :

Un soir, me trouvant dans une auberge, je regardai quelque temps une servante de taille harmonieuse, au teint blanc éblouissant, aux cheveux noirs, et vêtue d'un corselet écarlate. Elle était entrée dans ma chambre, et je la fixais à une certaine distance et dans la pénombre. Dès qu'elle fut sortie, je distinguai sur le mur blanc en face de moi, un visage noir entouré d'une auréole claire, et les vêtements de la silhouette nettement dessinée étaient d'un beau vert marin.

Le secret de cette expérience réside, bien sûr, dans l'observation prolongée de la silhouette d'une jolie fille [29].

Il n'y a pas lieu d'étudier ici en détail les différences entre les analyses sur la couleur de Newton et celles de Goethe [30]. Il suffit de signaler qu'à la fin de sa vie, Goethe en vint à regretter sa polémique excessive avec le savant anglais ; et, tout en persistant à juger son propre travail sur la couleur comme son œuvre majeure, il était prêt à renoncer à la seconde partie dans toute réédition de sa *Théorie* [31]. Quoi qu'il en soit, après 1800, il fit très peu d'ajouts de principe à cette recherche et manifesta une indifférence étonnante à l'égard des dernières avancées de la science chromatique. Il ignora même les travaux de Thomas Young sur la vision des couleurs et la théorie ondulatoire de la lumière, qui l'auraient pourtant aidé à renforcer sa position contre Newton [32]. Quant aux physiciens, ils trouvaient peu d'inspiration dans la théorie goethéenne, affirmant avec raison que son compte rendu de la production des couleurs pouvait s'expliquer dans le droit fil de Newton. Mais il avait le mérite de mettre en avant certains phénomènes physiques qui allaient être explorés plus complètement dans le cours du siècle, comme le rôle d'un milieu trouble dans la dispersion lumineuse. Selon son habitude, Goethe illustre ce qu'il appelle ce « phénomène primordial » *(Urphänomen)* de la production de couleurs par changement de lumière, avec des exemples domestiques. L'un des plus simples est celui de la fumée « qui nous paraît jaune ou rougeâtre sur un fond clair, mais bleue sur un fond sombre ». Mais jamais il n'analyse la question cruciale de la taille des particules au sein du médium, laquelle, encore une fois, avait bien été étudiée par Young [33].

On comprend mieux que la *Théorie des couleurs* ait pu largement contribuer au développement scientifique de la physiologie de la perception, dans les années 1820 avec Purkinje et Johannes Müller (le professeur de Helmholtz), jusqu'à Ewald Hering dans les années 1870. Assurément, les deux premiers n'ont pas ménagé leurs marques de reconnaissance envers le poète [34]. Goethe insistait sur la structure polarisée propre, d'une part, à la formation des couleurs par l'action croisée de la lumière et de l'obscurité, d'autre part à leur réception par l'œil ; cette idée fit de son système l'ancêtre de la théorie de Hering sur les couleurs en opposition. C'est encore cette idée qui rendit son schéma plus séduisant que celui de Newton aux yeux des philosophes romantiques, comme Schelling, Schopenhauer et Hegel. Schelling avait fréquenté Goethe bien avant la publication de l'édition complète de la *Théorie*, et il adopta plusieurs idées du poète, dont la polarité, dans sa *Philosophie de l'art* (1802-1803) [35]. Schopenhauer, dans son traité *Sur la vision des couleurs* (*Über das Sehn und die Farben,* 1816), tenta de formaliser la théorie goethéenne en un système subjectif bien plus rigoureux ; son argument, qui allait être profitable à Hering au bout du compte, était que la rétine même se trouve stimulée par les pôles complémentaires, rouge et vert, orange et bleu, jaune et violet [36]. Hegel, enfin, soutint les vues de Goethe contre Newton dans son *Encyclopédie*

(Enzyklopädie, 1817) et dans des conférences ultérieures. Son disciple L. D. von Henning donna en 1822, à Berlin, des conférences – sans doute les premières en milieu universitaire – sur le livre de Goethe, avec du matériel prêté par le poète en personne [37]. Tous ces penseurs, cependant, étaient surtout attirés par la logique structurelle des idées de Goethe, et n'avaient guère d'intérêt pour les dispositifs expérimentaux ou même l'expérience humaine ; à ce sujet, ils dépendaient du témoignage des peintres.

Même les savants opposés à Goethe avançaient que sa théorie, aussi improbable soit-elle dans le cadre des sciences physiques et de l'optique, rendait de grands services aux peintres. Cela constitue d'ailleurs un indice précoce du fossé grandissant entre la théorie chromatique à valeur générale et celle destinée aux artistes. Il est certain que la curiosité de Goethe pour la couleur avait été aiguillonnée par les expériences artistiques qu'il avait accomplies jeune homme, durant son Grand Tour dans les années 1780. Ses conversations avec les peintres à cette occasion lui fournirent une matière importante pour sa *Théorie*. Dans la « Confession de l'auteur » qu'il ajouta à la troisième partie du livre, la partie historique, il raconte par exemple comment il avait demandé à Angelika Kauffmann de peindre une image « à l'ancienne mode florentine », c'est-à-dire en préparant un fond de grisaille sur lequel elle appliquerait des glacis colorés. Voilà l'expérience sur laquelle repose cette conception traditionnelle exprimée dans la *Théorie* : « Distinguer le clair-obscur de tout phénomène coloré est possible et nécessaire. L'artiste résoudra plus rapidement l'énigme que pose l'exécution s'il considère tout d'abord le clair-obscur indépendamment des couleurs, et étudie le phénomène dans toute son ampleur [38]. Il se peut que l'artiste suisse ait aussi aidé Goethe à formuler certaines de ses approches de la couleur, radicalement nouvelles, comme la primauté des tons opposés jaune et bleu. En effet, c'était là une idée défendue par l'un des premiers admirateurs d'Angelika Kauffmann, le journaliste anti-newtonien et plus tard révolutionnaire, Jean-Paul Marat, dont elle avait été proche en Angleterre dans les années 1760 [39]. Un autre artiste suisse, Heinrich Meyer, devint pour de nombreuses années le conseiller de Goethe en matière artistique ; il fut chargé par lui de vérifier ses propositions chromatiques dès le début de ses recherches [40]. Meyer orienta Goethe pour son étude de la couleur dans le paysage, élément décisif de la construction de la *Théorie*. Car le poète avait beau s'adonner à la peinture avec enthousiasme, il était sans cesse tourmenté par les difficultés techniques, n'ayant jamais atteint le savoir-faire nécessaire pour représenter les effets qu'il désirait tant étudier [41]. Dans un essai inédit sur l'œil, Goethe va jusqu'à faire de la peinture l'arbitre de la vérité : « La peinture est plus vraie pour l'œil que la réalité elle-même. Elle présente à l'homme ce qu'il aimerait voir ou devrait voir, et non ce qu'il voit d'ordinaire [42]. »

Les interrogations sont nombreuses sur le rôle dévolu à la peinture dans la conception des couleurs de Goethe. En premier lieu, il semble avoir été étonnamment réticent à introduire sa théorie de la couleur dans les programmes de formation artistique auxquels il prit part. Dans la revue qu'il anima à la fin des années 1790, *Propyläen,* il propose de fait un débat sur la meilleure manière d'instruire les peintres dans ce domaine, mais il n'en publia jamais rien, si ce n'est quelques indications sur les couleurs chaudes et froides dans un article sur un système de dessin en France [43]. Dans un texte sur l'enseignement artistique rédigé par Meyer et revu par Goethe, la seule proposition théorique qu'on puisse lire consiste à prôner le travail des académies en couleurs d'après le modèle vivant, plutôt que de simples études au crayon. À l'École de dessin de Weimar, du temps de Goethe, n'était enseignée qu'une « méthode simple de coloration » [44]. Quand les concours de Weimar pour le prix de peinture et de dessin, financés par Goethe dans l'espoir de relever le niveau de l'art allemand, furent finalement abandonnés en 1806, il pensa qu'il devrait introduire la couleur dans une prochaine compétition, mais rien de tel ne vit le jour [45].

Quant aux artistes, ils ne montrèrent d'abord que peu d'intérêt pour les idées de Goethe sur la couleur. Certes, la *Théorie* se vendit bien à Rome en 1811, l'année où s'y installa une nouvelle génération d'artistes allemands, les nazaréens, qui étaient obnubilés par le symbolisme chromatique. Mais un seul membre du groupe, un compagnon tardif, semble avoir vraiment étudié l'ouvrage : J. D. Passavant, plus connu comme historien de l'art ; nous ne savons pas, d'ailleurs, s'il le mit en application dans son travail [46]. L'un des premiers artistes allemands à éditer sa propre théorie chromatique après la publication du livre de Goethe, le peintre munichois Matthias Klotz, tenait beaucoup à se démarquer des idées du poète ; il affirmait que ce dernier lui en avait emprunté quelques-unes sans l'avouer [47]. Ce n'est qu'après la mort de Goethe que l'on rencontre une théorie de la couleur à destination des artistes qui soit largement dérivée de son traité, dans l'ouvrage d'un homme de théâtre de Weimar, Friedrich Beuther ; encore Goethe n'y est-il qu'à peine mentionné [48]. En Allemagne, dans les années 1840, son livre avait une piètre réputation parmi les artistes, et même si cette défaveur prit fin vers le milieu du siècle, il semble qu'on continua à le négliger dans les manuels de peinture longtemps après cette date [49].

Seuls deux artistes, au début du XIXᵉ siècle, furent réellement influencés par la théorie de Goethe. Ce sont Runge et Turner. Runge avait pris connaissance des idées du poète sur la couleur dès 1800 environ, quand il concourut pour le Prix de Weimar. Il rencontra Goethe en 1803 et, depuis cette date jusqu'à sa mort prématurée en 1810, ils furent en contact très régulièrement. Comme Goethe, Runge souhaitait que les fonctions de la couleur soient illustrées par la peinture : son projet le plus important, resté inachevé à sa mort, consistait en une série des quatre Heures du Jour, un ensemble de compositions allégoriques qui articuleraient l'univers chromatique. Seules les deux premières, *Le Matin* et *Le Jour*, furent commencées en couleurs ; mais leur iconographie étant sans cesse révisée par l'artiste, leur signification précise reste assez obscure. En parallèle à ces allégories, Runge avait commencé vers 1807 un livre, *La Sphère des couleurs (Farben-Kugel)*, qu'il publia en 1810. Les tableaux et le livre offrent deux versions opposées de l'engagement de Runge vis-à-vis de la couleur : les premiers montrent un sentiment presque mystique de la couleur, comme puissance naturelle, manifestant les vérités divines par sa division en tons élémentaires, le bleu (le Père), le rouge (le Fils) et le jaune (le Saint-Esprit) [50]. Le livre donne de manière sèche et sommaire une « figure mathématique », selon l'expression de Runge, conçue pour expliquer les relations réciproques des couleurs et favoriser la compréhension de l'harmonie chromatique [51]. La référence aux mathématiques montre d'emblée un écart entre l'approche de Runge et celle de Goethe. Même si le poète publia dans sa *Théorie* un extrait d'un brouillon de Runge, accompagné d'une note signalant leur accord global, cela ne fut possible que parce que Runge n'avait abordé aucun des points les plus problématiques de

ses idées [52]. Il n'y toucha pas plus dans la version définitive de son travail, en 1810, conservant une certaine distance par rapport aux concepts de Goethe car, affirmait-il, ils ne pouvaient guère lui être utiles [53].

Runge était un expérimentateur infatigable : il réalisa de nombreux mélanges avec un disque, et en conclut que cela produisait des résultats très différents de ceux de la palette. Pour lui, la peinture pouvait se rapprocher au plus près des mélanges obtenus par le disque avec l'usage des glacis semi-transparents [54].

Sa contribution la plus originale à la théorie de la couleur se trouve être dans le domaine de la transparence : ce sujet, devenu crucial dans sa pratique picturale, est copieusement traité dans la lettre publiée par Goethe. Il explique à un ami que la dernière, grande version du *Matin* devait être peinte en grisaille (comme l'étude de Kauffmann pour Goethe), puis colorée avec des glacis [55]. Cet ami, le peintre autrichien F. A. von Klinkowström, avait réalisé une copie de la *Nativité (La Nuit)* du Corrège, pour démontrer comment les Maîtres anciens utilisaient le glacis afin d'obtenir la plus subtile harmonie chromatique. Cette copie, entrée en possession de Runge, lui devint très précieuse : il demanda qu'on l'éclairât vivement et qu'on la plaçât près de son lit, pour la contempler durant son agonie [56]. Avec les *Heures du Jour*, il fit aussi des essais techniques de glacis colorés transparents appliqués sur un fond d'or – on croyait à cette époque que c'était une méthode caractéristique du Corrège [57]. Même s'il était capable de fabriquer du bleu en additionnant le noir de blanc, sa curiosité pour la transparence ne l'incita pas à explorer le medium trouble si cher à Goethe. Si sa sphère, le premier solide chromatique à coordonner le cercle des complémentaires avec les deux pôles de lumière et d'obscurité, devint dans le courant du siècle très influente dans le développement des systèmes d'organisation chromatique, c'est précisément parce qu'elle ne prêtait pas à controverse [58]. La brève carrière de Runge est un nouvel exemple de la division entre les enjeux scientifiques et l'expression artistique, division qui s'accentua durant l'époque romantique, malgré les efforts de certains savants pour réunir les deux voies, à l'instar de Henrich Steffens qui avait fourni une étude sur « Le sens des couleurs dans la Nature » pour *La Sphère des couleurs* de Runge. Le peintre était tout à fait conscient de cette division : il écrivit à son frère Gustav qu'il devait oublier la « figure mathématique » de son traité, quand il était en train de peindre, « car ce sont deux mondes différents qui se croisent en moi [59] ».

Turner, quant à lui, avait toujours été intéressé par les relations entre lumière et couleur. Vers 1820, comme Runge, il avait tenté de faire entrer le schéma des trois primaires, rouge, jaune et bleu, dans les heures du jour ; mais il sentait pourtant, encore comme Runge, qu'il fallait jouer avec plusieurs solutions alternatives, parmi lesquelles le rouge de l'aurore et du crépuscule, et le « matin jaune [60] ». Les approches de la couleur inspirées d'Aristote et s'opposant à Newton étaient aussi courantes en Angleterre à cette époque, qu'en France et en Allemagne : l'intuition de Turner, comme celles de Runge et de Goethe, le poussait à souligner les polarités de lumière et d'obscurité et à disposer la gamme chromatique selon un ordre tonal. La façon dont il adapte le cercle des complémentaires de Moïse Harris, pour illustrer ses conférences à la Royal Academy dans les années 1820, révèle une obsession à démontrer que la lumière et l'obscurité sont les pôles primaires de l'expérience chromatique : « Couler le jaune jusqu'à ce qu'il s'illumine en rouge et bleu, et alors, ces deux-là seulement : lumière et ombre, jour et nuit, ou la gradation lumière-ombre [61]. » Ainsi, quand Turner finit par lire au début des années 1840 la traduction par Eastlake de la *Théorie* de Goethe, il s'y intéressa fortement. Un passage qui le frappa particulièrement est celui du tableau des polarités ; le poète avait tenté d'y montrer comment la couleur, contrairement à la lumière, était « toujours spécifique, caractéristique et significative » :

Positif	*Négatif*
Jaune	Bleu
Action	Négation
Lumière	Ombre
Éclat	Obscurité
Force	Faiblesse
Chaleur	Froideur
Proximité	Distance
Répulsion	Attraction
Affinité avec les acides	Affinité avec les alcalins

En marge de ce tableau, Turner nota dans son exemplaire : « Lumière et Ombre » [62].

Depuis le milieu des années 1830, Turner avait exposé ses tableaux par paires, selon des dominantes contrastées, chaud/froid ou lumière/ombre. En 1843, de manière prévisible, il se servit du système de Goethe dans deux peintures illustrant des épisodes du Déluge : la première, *Ombre et obscurité − le soir du Déluge*, montre les dernières familles insoumises, ternies par la « négation » et la « faiblesse », sur le point d'être balayées par le Déluge, dans un paysage menaçant, bleu et sombre. Son pendant, *Lumière et couleur (la théorie de Goethe) − le lendemain du Déluge − Moïse rédige le livre de la Genèse*, fournit le versant positif de la polarité : son espace jaune dominant est rempli d'action, d'éclat et de force ; un tourbillon de figures tournoie autour de Moïse, qui est suspendu comme l'un des anges adorant le Nom du Christ dans le *Gesù* de Baciccio (que Turner a bien pu étudier durant l'une de ses visites à Rome). Enfin, le titre de ce tableau attire précisément l'attention du spectateur sur le livre de Goethe.

Comme souvent chez Turner, les relations entre sa peinture et les idées du poète ne sont pas simples ; assurément, Turner n'y adhérait-il pas dans sa totalité. Le recours à son nom pour la seconde toile seulement pourrait suggérer que, selon Turner, Goethe n'avait pas accordé assez d'attention à l'ombre. En effet, en face du paragraphe 744 de sa *Théorie*, où le poète définit l'obscurité de façon simple et traditionnelle comme l'absence de lumière, le peintre a noté : « Rien sur les ombres ou l'ombre en tant qu'ombre au plan pictural ou optique. » Il jugeait également « absurde » l'argument de Goethe sur la production du rouge, par « augmentation » du jaune et du bleu, si bien qu'il n'était, pas plus que Runge, un adepte du poète [63]. L'usage que fait Turner des polarités de Goethe révèle qu'il tenait à la notion de force morale de la couleur ; c'est un aspect auquel Goethe consacra une section importante à la fin de son ouvrage, et qui allait s'avérer la composante la plus durable de ses recherches.

La moralité de la couleur

Il n'y a guère de doute que le courant romantique a revivifié le symbolisme des couleurs. J'ai montré au chapitre 5 comment l'ultime système médiéval de correspondances chromatiques avec les jours de la semaine avait trouvé un écho dans les années 1820 chez le prince allemand Hermann Pückler-Muskau, voyageur et amateur de jardins [64]. Un ensemble tout aussi arbitraire, celui des couleurs représentant des valeurs morales, publié par Lairesse à la fin de l'âge baroque, fut réintroduit dans l'Angleterre romantique par le dernier éditeur de Lairesse [65]. Pourtant, il apparut chez les peintres une nouvelle inflexion dans la recherche d'une moralité de la couleur, davantage psychologique. Les jeunes nazaréens Franz Pforr et Friedrich Overbeck racontent qu'à Vienne, juste avant leur départ pour Rome en 1810, ils avaient découvert qu'ils pouvaient se servir dans leurs travaux de l'observation selon laquelle les gens choisissent naturellement les couleurs de leurs vêtements en accord avec leur caractère [66]. Turner, qui cherchait, nous l'avons vu, la suite « naturelle » des couleurs primaires correspondant aux heures du jour, écarta les équivalences de Lairesse avec cette justification : « Il faut les négliger avec ceux qui les formulent en saillies emblématiques et allusions typiques [67]. » Un collaborateur de Turner, le paysagiste Augustus Wall Callcott, rejeta les symboles conventionnels de manière plus vigoureuse encore. Il écrit dans un essai inédit sur la couleur :

> Une espèce d'association était faite jadis entre les couleurs et l'expression ; et des couleurs particulières servaient de [mot illisible] des passions et des sentiments. On s'en est maintenant débarrassé comme des futilités absurdes ; des choses qui n'ont aucune relation réelle et qui ne peuvent soutenir les suppositions de l'imagination ne peuvent par un lien naturel spécifique rencontrer l'estime […]. Les pouvoirs de la couleur sur les sentiments sont très faibles et c'est seulement en association avec les circonstances uniques de la figure et les effets particuliers de la nature que je ressens, à ce moment-là, une quelconque influence de leur part [68].

Pourtant, même Humbert de Superville, à la recherche dans les religions antiques d'un système « naturel » des couleurs, et qui attribuait à Aristote le schéma héraldique des couleurs des planètes établi à la fin du Moyen Âge, affirmait dans les années 1820 que la signification des couleurs faisait l'objet d'un consensus universel et que les femmes étaient particulièrement aptes à réagir à leurs connotations morales [69]. Or de Superville connaissait la *Théorie des couleurs* de Goethe, où la conclusion de la « partie didactique » offre à la théorie morale des couleurs sa formulation la plus influente [70].

Dès la fin des années 1790, Goethe avait élaboré avec son ami le poète et dramaturge Friedrich Schiller (lui aussi membre des Amateurs d'art de Weimar) un système de correspondances fondé en partie sur les associations quadripartites de l'Antiquité et du Moyen Âge : les quatre éléments, les quatre humeurs, les quatre points cardinaux, les quatre saisons, les quatre heures du jour, les quatre âges de l'homme, les quatre phases de la lune, etc. Dans ce jeu de salon sophistiqué, qui fut publié dans la *Rose du tempérament*, le rouge correspondait, non sans surprise, à l'air, à minuit, au nord, à l'hiver et au grand âge, ainsi qu'à la mélancolie, à la raison, à l'humour et au jugement, à l'idéal et à l'unité [71]. Goethe souligne que, dans ce jeu, Schiller tenait le rôle du génie organisateur. Cette approche assez fossilisée des valeurs chromatiques semble s'inscrire dans le sillage des idées conventionnelles, et désormais néoclassiques, de Schiller quant à la supériorité de la ligne sur la couleur pour traduire la « vérité » [72]. Cependant, il apparaît clairement qu'à ces polarités traditionnelles avaient été ajoutées les complémentaires, récemment découvertes : le vert, l'opposé du pourpre, équiva-

169

160

lait par exemple au tempérament sanguin, à la sensualité et à la mémoire. Dans la *Théorie*, Goethe est en mesure d'établir une distinction entre la couleur « symbolique », « qui coïncide entièrement avec la nature », et la « couleur allégorique », où « le sens du signe doit d'abord nous être communiqué avant que nous sachions ce qu'il signifie » (§ 916-917). Une telle distinction repose sur la croyance que l'effet des couleurs sur l'esprit et les sentiments opère directement et non pas seulement par médiation [73]. C'était une idée puissante qui allait s'avérer cruciale pour le développement de l'abstraction allemande, encore qu'au XIXe siècle elle semble avoir trouvé un public encore plus réceptif en France.

La théorie de Goethe eut peu de partisans en France dans les premières années ; mais l'opposition à Newton ainsi que la croyance en un pouvoir émotionnel de la couleur avaient été très virulentes durant les Lumières, et elles perdurèrent jusqu'au romantisme [74]. Vers le milieu du siècle, les idées de Goethe sur la couleur avaient été absorbées dans la littérature artistique française : dans la *Grammaire des arts du dessin* de Charles Blanc, le nom du poète est lié à celui de Delacroix, en raison de leur curiosité commune pour les images consécutives complémentaires [75]. Blanc s'efforça aussi de démontrer dans un autre ouvrage que Delacroix avait été très intéressé par les « harmonies morales » de la couleur [76].

Les livres de Charles Blanc furent peut-être les textes sur la couleur les plus influents en France dans la seconde moitié du XIXe siècle, car ils furent attentivement lus par une nouvelle génération d'artistes, dont le travail était nourri par cette approche des « harmonies morales » de la couleur. Parmi eux, figurent Vincent van Gogh et Paul Gauguin : leur amitié orageuse des années 1887 et 1888 donna naissance à un important débat sur la nature des relations chromatiques, mais aussi à un ensemble impressionnant de tableaux qui pesèrent directement sur ce débat. Van Gogh, comme Runge, était un autodidacte d'une curiosité insatiable pour les procédés picturaux, et très mal à l'aise avec les pratiques de son temps. De même que Runge avait été captivé par l'article de Forestier sur les nouvelles méthodes d'enseignement de l'art à Paris, publié dans les *Propyläen* de Goethe en 1800 [77], de même Van Gogh fut très impressionné en 1884 par sa lecture du texte de Blanc sur Delacroix, dans *Les Artistes de mon temps*, que lui avait prêté son ami Anton van Rappard, lui-même peintre. Dans une lettre à son frère Théo, il écrit peu de temps après, toujours comme Runge, que son expérience de la couleur est intimement mêlée à son expérience du monde en général :

> Les *lois* de la couleur sont indiciblement magnifiques, et justement parce qu'elles ne sont pas le fait du hasard. De même que l'on ne croit plus aujourd'hui à des miracles spontanés, à un dieu qui fait, capricieusement, despotiquement des coq-à-l'âne, mais où l'on commence à respecter la nature, à l'admirer davantage, à croire en elle. Ainsi, et pour les mêmes raisons, je trouve qu'on doit, non pas abandonner, en art, les vieilles idées de « génie inné », d'« inspiration », etc., mais les examiner à fond, une bonne fois, les vérifier, les modifier considérablement [78].

Van Rappard joua un rôle important dans le programme que s'était fixé Van Gogh pour se former par la lecture et par l'observation. C'est probablement ce compatriote qui lui fit connaître dès 1881 un manuel dont l'influence sur sa compréhension de la couleur se ferait sentir tout au long de sa brève carrière de peintre. Le *Traité d'aquarelle* d'A. T. Cassagne (1875) n'était pas qu'un simple manuel technique : il présentait un large échantillon de questions picturales théoriques et bon nombre de citations copieuses empruntées à des artistes du début du XIXe siècle – l'ensemble devait fortement impressionner un débutant. Selon Cassagne, le noir est la seule couleur fondamentale dans la nature, puisqu'elle entre dans les trois autres primaires pour former une variété infinie de gris – ces gris qui constituaient un élément important de la palette de Van Gogh en Hollande, et qu'il cherchait toujours à cerner en Arles [79]. C'est peut-être une indication de Cassagne qui l'incita à méditer en 1884 sur la composition d'une série de quatre saisons articulées en paires contrastées de complémentaires : le printemps en vert et rose, l'automne en jaune et violet, l'hiver en noir et blanc et l'été en orange et bleu [80].

La complémentarité resta peut-être le principe chromatique le plus cher à Van Gogh, tout au long de sa carrière ; il se trouva renforcé par la lecture de la *Grammaire* de Blanc, qu'il s'était achetée après avoir apprécié *Les Artistes.* Blanc fait une présentation métaphorique des couleurs complémentaires, en alliées victorieuses quand elles sont juxtaposées pures, et en ennemies mortelles quand elles sont mélangées. Cette dynamique de paires chromatiques fascina particulièrement Van Gogh [81]. Installé à Arles en 1888, il l'introduisit dans son *Café la nuit*, sur lequel il écrit ceci à Théo en septembre (*Correspondance générale* n° 533) :

> J'ai cherché à exprimer avec le rouge et le vert les terribles passions humaines. La salle est rouge sang et jaune sourd, un billard vert au milieu, 4 lampes jaune citron à rayonnement orangé et vert. C'est partout un combat et une antithèse des verts et des rouges les plus différents, dans les personnages de voyous dormeurs petits, dans la salle vide et triste, du violet et du bleu. Le rouge sang et le vert jaune du billard [par] exemple contrastent avec le petit vert tendre Louis XV du comptoir, où il y a un bouquet rose.

Dans une autre lettre (n° 534), il met davantage l'accent sur les chocs entre les différents verts et jaunes de soufre du tableau. Savoir précisément ce qui rendait une couleur expressive restait pour lui une question épineuse. Cette incertitude fut encore accentuée par sa rencontre avec Gauguin à la fin de sa visite à Paris en 1886-1887.

Gauguin était également un peintre autodidacte et, comme Van Gogh et Seurat, il avait lu la *Grammaire* de Blanc au début des années 1880 [82]. Encore comme Van Gogh, il avait réalisé des essais avec la technique pointilliste de Seurat, à Paris en 1886 [83]. Ainsi était-il déjà une sorte d'expert dans les approches les plus modernes de la couleur. Sa *Nature morte à la tête de cheval*, qui comprend une poupée japonaise et des éventails, montre qu'il admirait les objets d'art japonais (sur lesquels Blanc était élogieux). Or, Van Gogh allait en devenir passionné durant sa période parisienne. Sans doute devinrent-ils des amis intimes lors de sa visite [84] ; ils partageaient la même curiosité pour les principes orientaux de l'harmonie chromatique, sujet qu'ils ont probablement vivement débattu. Durant l'hiver 1885-1886, Gauguin avait fait circuler la traduction d'un fragment provenant, prétendait-il, d'un traité turc du XVIIIe siècle, qui comprenait plusieurs préceptes sur la couleur :

> Qui vous dit que l'on doit chercher l'opposition de couleur ? Quoi de plus doux à l'artiste que de faire discerner dans un bouquet de roses la teinte de chacune ? [...] Cherchez l'harmonie, et non l'opposition ; l'accord, et non le heurt. C'est l'œil de l'ignorance qui assigne une couleur fixe et immuable à chaque objet [...] [85].

En 1886, Van Gogh travaillait sur une longue série de compositions florales, comprenant des roses ; il espérait précisément y révéler « des oppositions de bleu avec l'orange, de rouge avec le vert, de jaune avec le violet, cherchant les tons rompus et neutres pour harmoniser la brutalité des extrêmes, essayant de rendre des couleurs intenses et non une harmonie en gris » (*Correspondance* n°459a). Cette insistance sur les complémentaires, même avec un effort pour les tempérer, Gauguin allait plus tard la critiquer amèrement dans son travail[86]. Il fut peut-être le témoin à Paris d'un exemple tout à fait surprenant de cette recherche : *Japonaiserie, Pruniers en fleurs*, l'adaptation faite par Van Gogh de l'estampe d'Hiroshige, *Un jardin de pruniers du quartier de Kameido*. Dans cette toile, les verts tendres et les roses saumon de l'original ont été renforcés en verts et rouges vifs, complémentaires, les blancs changés en jaunes et les rares bleus diffusés et soutenus par un cadre orange vif, totalement inventé[87]. Cette transformation avait dû particulièrement impressionner Gauguin, comme le suggère sa reprise du procédé un an plus tard dans *La Vision du sermon (La lutte de Jacob avec l'ange)* ; il en a décrit la palette hautement contrastée dans une lettre à Van Gogh[88]. De manière temporaire, et pour un sujet exceptionnellement dramatique, Gauguin adoptait ici les tonalités criardes qu'il avait, comme Blanc, évoquées en termes militaires dans ses *Notes synthétiques*, vers 1884[89].

Van Gogh, de son côté, sut bien tirer parti des tonalités plus subtiles de Gauguin : il y eut recours pour les différents « gris » de l'autoportrait qu'il présenta à son ami en 1888[90]. Il en usa aussi pour le « portrait » du fauteuil de Gauguin, en contraste avec le tableau de sa propre chaise rustique, toute jaune dans sa chambre rouge et bleue. Pour plusieurs toiles peintes en Arles, et notamment pour *Les Alyscamps*, il adopta une palette de tons rompus en résonance, ainsi que les contours épais pratiqués par Gauguin et son cercle à Pont-Aven[91]. Depuis longtemps déjà, il avait conscience de la variété des options offertes à un peintre souhaitant travailler selon les « lois » de la couleur. Dans l'une de ses nombreuses lettres didactiques à Théo, datant de 1885 (*Correspondance* n° 428), il dresse une liste des contrastes de tons complémentaires, des contrastes de tons apparentés et des contrastes de valeurs, tout comme Adolf Hoelzel et Johannes Itten allaient le faire quarante ans plus tard. Van Gogh conclut, lui, en faveur de la primauté des complémentaires. Depuis ses années en Hollande, il avait exploré dans sa peinture tous ces principes d'organisation chromatique ; l'apport de Gauguin fut d'ouvrir ses yeux à de nouvelles couleurs et à de nouvelles combinaisons.

De ses lectures sur les procédés de Delacroix, Van Gogh conserva à l'esprit un passage qui évoquait dans la palette du maître « une nuance d'innommable violacée ». Le graveur Félix Bracquemond, qui lui avait fourni ce fragment[92], était particulièrement préoccupé par les noms de couleurs : avec le développement des colorants et des pigments synthétiques et celui du marché de la mode, ils lui semblaient devenir incontrôlables. Nous utilisons encore certains de ces nouveaux noms, comme le magenta, un cramoisi d'aniline baptisé d'après la bataille de Magenta de 1859. Mais deux noms, jugés éphémères par Bracquemond, la couleur « cuisse de nymphe émue », qui pourrait être n'importe quel ton entre le rose et le lilas, ou même un jaune, ainsi que la couleur « Bismarck », un brun cuir, ont disparu sans laisser de trace[93]. Si, comme Bracquemond l'espérait, la couleur et les valeurs devaient constituer un langage, doté d'une grammaire

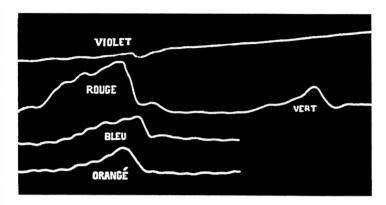

Les lignes du graphique traduisent les contractions musculaires de la main et de l'avant-bras sous l'influence de diverses lumières colorées, qui peuvent être ressenties aussi les yeux fermés, selon Charles Féré (*Sensation et mouvement*, 1887). La lumière violette a l'effet le plus faible, la rouge le plus fort. (170)

propre[94], comment cela serait-il possible sans noms ? C'est précisément le fossé entre la perception et le langage qui intriguait Van Gogh, et qui allait devenir un aspect important de l'esthétique symboliste de la couleur chez Gauguin – fossé qui donna un léger avantage aux peintres sur les poètes symbolistes[95].

Au début des années 1880, Gauguin employait un vocabulaire chromatique très banal et limité (rouge, jaune, bleu, vert), quand il annotait ses ébauches, par exemple[96]. Dans sa correspondance avec Van Gogh, en 1888, il se servit du lexique d'atelier : vermillon, vert émeraude, ocre, outremer, chrome 2, etc. Van Gogh quant à lui mélange des termes généraux et des termes techniques, en proportions variables selon qu'il écrit à son frère Théo ou qu'il converse avec d'autres artistes, ou qu'il écrit pour lui-même sur ses dessins[97]. L'un des diagrammes chromatiques qui attira l'attention de Gauguin durant sa formation est l'étoile chromatique reprise par Blanc, à partir de la version de J.-C. Ziegler, disciple d'Ingres, *154-155* dans ses *Études céramiques*. Dans cette étoile, les couleurs primaires et secondaires sont dénommées de manière usuelle, mais les tertiaires sont bien moins susceptibles d'être normalisées ; aussi Ziegler leur attribue-t-il des noms assez personnels tels que « soufre », « turquoise », « grenat » et « capucine », à côté des termes techniques d'indigo et de cadmium (jaune orangé), auxquels Blanc substitue « campanule » et « safran »[98]. Ces dénominations changeantes des tertiaires, sans parler de leurs dérivés « indéfinissables », ont dû particulièrement séduire Gauguin, car il emploie abondamment ces nuances dans ses toiles des années 1890, comme *La Perte du pucelage* et *Manao Tupapau* (1892), dans lesquelles la couleur devient le principal vecteur du mystère : *164*

> La couleur étant en elle-même énigmatique dans les sensations qu'elle donne (en note : les expériences médicales faites pour soigner la folie au moyen des couleurs), on ne peut logiquement l'employer qu'énigmatiquement, toutes les fois que l'on s'en sert, non pour dessiner, mais pour donner des sensations musicales qui découlent d'elle-même, de sa propre nature, de sa force intérieure, mystérieuse, énigmatique[99].

Les couleurs sans nom n'étaient pas seulement mystérieuses, mais pouvaient parler directement aux sentiments, sans associations. Dans ces remarques, Gauguin semble se référer aux travaux du physiologiste français Charles Féré, qui mit au point dans les années 1880 une série de tests et de soins pour les hystériques, en les exposant à toutes sortes de lumières colorées. Son programme fut appelé « chromothérapie » et connut un certain succès dans la décennie suivante, surtout en Allemagne [100]. On découvrit en général que la lumière rouge avait un effet plutôt excitant et la lumière bleue un effet calmant ; de telles conclusions n'étaient pas étrangères à des lecteurs de la *Théorie* de Goethe, qui était fréquemment invoquée dans les recherches allemandes de cette branche de la médecine [101].

Le regain d'intérêt pour le romantisme, associé à cette nouvelle curiosité pour les effets psychologiques immédiats des couleurs, remit la *Théorie* de Goethe au premier plan durant la Belle Époque, en raison de ses idées fondées sur la psycho-physiologie. Désormais, des artistes se réclamaient de Goethe ; un critique avait déjà affirmé dans les années 1890 que « le naturalisme, le plein-airisme, le symbolisme, mais aussi les impressionnistes, les pointillistes, et tous les –ismes et les –istes qu'on pourrait inventer, peuvent en appeler à Goethe » [102]. La réappropriation la plus profonde de ses principes se fit après 1900, dans les cercles d'artistes allemands qui devaient se faire connaître sous le nom d'expressionnistes. L'un des premiers, le peintre de Dresde Ernst Ludwig Kirchner, membre fondateur du groupe Die Brücke, avait expérimenté le style néo-impressionniste vers 1906, étudié Helmholtz, Rood et, assez étonnamment, Newton ; mais il avait fini par découvrir la *Théorie* de Goethe, et la jugea la plus adaptée à ses centres d'intérêt. Son explication des effets de l'image consécutive démontrait qu'il suffisait dans un tableau de peindre des stimuli fortement colorés, et non leurs résultats à la manière illusionniste du XIXᵉ siècle [103]. La peinture expressionniste allemande, comme la poésie du même mouvement, libéra la couleur de son rôle traditionnel d'identificateur des objets ; en ce sens, elle était orientée par les mêmes préoccupations que la psychologie expérimentale, qui tentait, avec peine, d'isoler totalement les effets chromatiques des associations [104]. Paradoxalement, l'un des rares savants à soutenir, dans ces années-là, les aspects physiques de la *Théorie* de Goethe, Arnold Brass, avait attaqué les « ciels verts », les « prés violets » et les « rivières jaunes » de ce type d'art moderne [105]. Depuis Munich, Brass devait avoir en tête le peintre qui y résidait, Vassily Kandinsky. Celui-ci semble avoir connu l'ouvrage de Goethe assez tardivement, après avoir publié la première édition de son manifeste *Du spirituel dans l'art* (1912), où l'expressionnisme trouva sa théorie chromatique la plus absolue, exprimée dans un style classique. À cette époque, Kandinsky eut principalement accès à Goethe par l'entremise du théosophe Rudolf Steiner [106] ; ainsi, les récentes études ont-elles souligné les éléments occultes et spiritualistes de sa théorie, largement influencés par Steiner. Certes, Kandinsky visait des fins spirituelles, mais la taxinomie des manifestations visibles de cette spiritualité était en grande partie redevable au débat contemporain sur la psychologie.

Dans son livre, Kandinsky introduisit précisément le sujet qui occupait les psychologues, celui des effets psychologiques des couleurs, à l'exclusion des associations. Après un passage sur les divers types de synesthésie (la sollicitation simultanée de plusieurs sens par un même stimulus), il poursuit en ces termes :

> Quiconque a entendu parler de la chromothérapie connaît l'action de la lumière colorée sur le corps. On a tenté à plusieurs reprises d'utiliser cette propriété de la couleur et de l'appliquer pour certaines mala-

dies nerveuses, en remarquant que la lumière rouge a un effet tonifiant, excitant pour le cœur, que la bleue, par contre, peut entraîner une paralysie temporaire. S'il est possible d'observer une réaction de ce genre sur des animaux ou même des plantes, ce qui est le cas, l'explication par l'association tombe. Ces faits n'en démontrent pas moins que la couleur recèle une force peu étudiée, mais énorme, capable d'influencer tout le corps humain, en tant qu'organisme physique [107].

La référence au rouge et au bleu s'appuie sur un ouvrage de chromothérapie, dû à Arthur Osborne Eaves, *Die Kräfte der Farben* (1906). Dans son exemplaire, Kandinsky souligna en marge les effets contrastés du bleu et du rouge avec les symboles des forces centripètes et centrifuges, qu'il allait utiliser pour caractériser le bleu et le jaune dans le tableau n°1 de l'édition ultérieure de *Du spirituel dans l'art* [108]. Il s'était déjà familiarisé avec certaines recherches des chromothérapeutes, dans plusieurs publications allemandes et françaises remontant à 1901 [109]. Son propre système chromatique, avec ses polarités arrangées par paires (noir et blanc, bleu et jaune, rouge et vert, enfin orange et violet), sans dépendre d'un système antérieur, se rattache au schéma circulaire des « couleurs opposées » proposé par le physiologiste viennois Ewald Hering [110]. Quant à la progression que donne Kandinsky entre les pôles jaune et bleu, le contraste « primaire », elle se rapproche du travail du psychologue Wilhelm Wundt. Ce dernier décrit comment la transition psychologique du jaune au bleu, ou de la vivacité au repos, peut s'opérer par deux chemins : un premier, régulier, à travers le vert, et un second, très irrégulier, à travers le rouge, le pourpre et le violet [111]. C'était une manière de concevoir la dynamique des couleurs proche des conceptions de Kandinsky : c'est probablement parce qu'il était bien informé de cette tradition dans la psychologie expérimentale allemande, qu'il inséra une note sur le fait que ses conclusions dépendaient de « l'expérience empirique et spirituelle » et non d'aucune « science positive » [112].

La conception de la couleur comme un phénomène polarisé instable n'était pas propre à Kandinsky, dans le cercle du Blaue Reiter (le Cavalier Bleu) dont il fut le co-fondateur en 1911. Quelques années plus tôt, le peintre Franz Marc, co-éditeur avec Kandinsky de l'almanach *Der Blaue Reiter*, avait débattu de la question du cercle chromatique avec un troisième artiste qui se joignit au groupe, August Macke. Marc écrit :

> Le *bleu* est le principe *masculin*, aiguisé et spirituel, le jaune est le principe *féminin*, doux, joyeux et sensuel, le rouge est le principe *matériel*, brutal et lourd ; c'est toujours la couleur à laquelle les deux autres doivent résister pour la surmonter. Si, par exemple, tu mélanges le bleu sérieux et spirituel avec du rouge, tu endeuilles le bleu jusqu'à un niveau insupportable ; alors le jaune réconciliateur, la couleur complémentaire du violet, sera indispensable (la femme comme consolatrice, non comme amante !). Si tu mélanges le rouge avec du jaune, tu donnes au jaune féminin, passif, une sensualité, une puissance de Mégère ; le bleu froid, spirituel – l'homme – lui sera indispensable aussi, et assurément le bleu se pose immédiatement et automatiquement à côté de l'orange ; les couleurs s'aiment. Bleu et orange, un accord totalement festif. Mais si tu mélanges le bleu et le jaune en vert, tu ravives le rouge, le matériel, la « terre » ; mais moi, en tant que peintre, je sens là toujours une différence : avec le vert, tu n'apaises jamais le rouge éternellement matériel, brutal […]. Le bleu (le ciel) et le jaune (le soleil) doivent toujours revenir à l'aide du vert, pour *soumettre le matériel*. Puis,

TABLEAU I

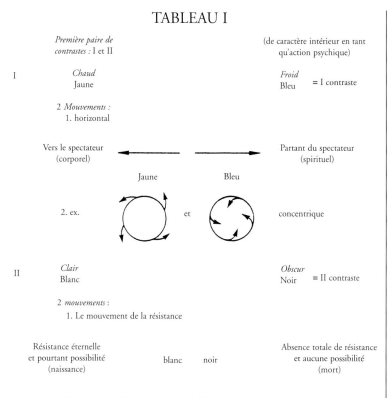

Wassily Kandinsky, premier et troisième diagrammes chromatiques de *Du spirituel dans l'art*, 1912. Kandinsky avait surtout une conception dynamique de la couleur ; avec le troisième diagramme, il chercha une disposition polarisée du noir et du blanc, du vert et du rouge, de l'orange et du violet, chacun naissant « d'une modification du rouge par le jaune ou le bleu », et ainsi de suite. (171, 172)

TABLEAU III

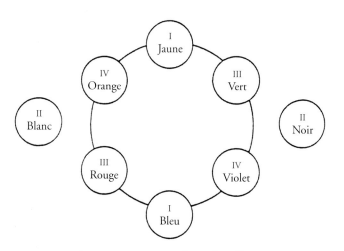

Les contrastes comme un cercle entre deux pôles =
La vie des couleurs simples entre la naissance et la mort.

(Les chiffres romains indiquent les paires de contrastes.)

encore un point […] le bleu et le jaune ne sont pas à équidistance du rouge. Malgré toutes les analyses spectrales, je ne peux me défaire de ma croyance de peintre que le jaune (la femme) est plus proche du rouge terrestre que le bleu, le principe masculin [113].

On imagine facilement comment Franz Marc en est venu à concevoir l'idée du Cavalier Bleu, le dompteur spirituel de l'un de ses chevaux, rouge ou jaune [114].

Cette attribution de genres aux couleurs avait eu son pendant dans une étude de Runge, même si l'interprétation qu'en fait Marc va à l'encontre de ce dernier. Runge voyait les couleurs froides du cercle rattachées à la féminité, et les couleurs chaudes aux « passions » masculines, le rouge enfin à l'amour [115]. Il est possible que Marc ait été directement influencé par le système de Runge, car l'artiste romantique était revenu sur le devant de la scène dans l'Allemagne de Guillaume II, grâce à l'Exposition du Centenaire (*Jahrhundertsausstellung*) sur l'art allemand de 1775 à 1875, qui s'était tenue à Berlin en 1906. Le commissaire de cette grande exposition était Hugo von Tschudi, qui fut renvoyé du Musée de Berlin peu de temps après, en raison de sa sympathie pour les mouvements d'art moderne, surtout français ; il s'installa alors à Munich, où il devint un intime du groupe de Marc et de Kandinsky – qui dédièrent l'*Almanach* à sa mémoire. Dans le catalogue de l'Exposition du Centenaire, Tschudi rédigea un texte sur Runge en des termes tout à fait aptes à le recommander à ses nouveaux amis : « C'est un mystique, et il écrit une théorie scientifique de la couleur ; chaque fleur, chaque couleur possède un sens symbolique pour lui, et il conçoit la tâche de la peinture comme la représentation de l'air, de la lumière et du mouvement de la vie ; il parle d'un nouvel art, et [pourtant] il peint avec les moyens et les attitudes des Maîtres anciens [116]. » Quelle que soit la source des idées de Marc, elles étaient totalement dans l'air du temps, et on les retrouve aussi dans les publications de la psychologie expérimentale [117].

Parmi les approches de la couleur des membres du Blaue Reiter, très rares sont celles dont on ne trouve pas un écho dans la littérature technique de la psychologie expérimentale de cette époque. Beaucoup d'entre elles sont présentées dans une unique série d'entretiens, conduits par G. J. von Allesch ; ces entretiens réalisés avec des professionnels, dont des historiens d'art et des peintres, avant la Première Guerre mondiale, ne furent publiés qu'en 1925 [118]. Le but de Von Allesch était d'identifier des schémas de préférences chromatiques, ce qu'il était manifestement incapable d'obtenir. Durant son expérience, il rassembla les témoignages les plus détaillés sur les réponses mentales et sensitives d'individus, représentant un large éventail d'âges, de nationalités et de professions. Cela devrait réfréner les commentateurs contemporains qui jugent excentriques ou absolument personnelles les visions du Blaue Reiter [119]. L'un des postulats développés par cette école de psychologie était précisément qu'au niveau de l'appréhension sensuelle, le plaisir procuré par une couleur brillante et saturée est commun à toutes les époques et à tous les peuples, et que seuls les niveaux supérieurs d'appréciation esthétique résultent de l'acculturation. C'est exactement la façon dont fut promue la forme dans la vaste collection d'artefacts, provenant de nombreuses civilisations, présentée dans les illustrations de l'*Almanach* du Blaue Reiter [120]. Si la reproduction en quadrichromie avait été un procédé bon marché en 1912, les éditeurs auraient bien pu offrir les mêmes observations sur la couleur ; quoi qu'il en soit, ils insérèrent seulement quelques-unes de leurs propres gravures sur bois en couleurs dans l'édition de luxe.

À en juger par sa courte autobiographie, *Réminiscences* (1914), Kandinsky avait une synesthésie naturelle. Évoquant sa première boîte de couleurs d'adolescent, il écrit : « Il me semblait parfois que ma brosse, tout en mettant en pièces avec une volonté inexorable cet être vivant qu'est la couleur, produisait dans l'action un son musical. Parfois, je pouvais entendre le sifflement des couleurs comme elles se mélangeaient [121]. » La synesthésie était aussi l'un des domaines les plus explorés de la psychologie expérimentale dans ces années-là. Quand nous aborderons la couleur par la musique (chapitre 13), nous verrons que dans la relation entre les couleurs et les sons musicaux, les réponses de Kandinsky suivaient le sillage d'une longue tradition, alors renouvelée de manière systématique. Cette variété très commune de synesthésie, appelée « audition colorée », intéressa plus que jamais les psychologues : en 1890, le Congrès international de la Psychologie physiologique mit en place une commission pour l'étudier ; dès 1892, environ cinq cents cas étaient répertoriés [122]. Kandinsky se sera documenté sur le phénomène grâce aux articles de Scheffler et de Gérôme-Maësse ; il prit des notes sur une étude peu probante de Freudenberg qui traitait de sa manifestation la plus répandue, l'identification des couleurs à des sons vocaliques. A. W. von Schlegel en avait proposé une version précoce à l'époque romantique, mais l'idée avait pris une nouvelle impulsion dans les années 1870 avec le poème de Rimbaud, « Voyelles » (qui commence ainsi : « A noir, E blanc, I rouge, U vert, O bleu : voyelles ») [123]. Certains pensaient que le russe, la langue maternelle de Kandinsky, était particulièrement riche en sons synesthétiques [124]. Assurément, l'audition colorée avait une vigueur étonnante dans l'art et la littérature russes [125]. Pourtant, Kandinsky semble avoir écarté cet aspect du phénomène jusqu'à l'époque où il devint enseignant au Bauhaus, dans les années 1920 [126]. Une fois encore, il fut pris dans le courant dominant de la psychologie chromatique expérimentale.

« Peindre, c'est enregistrer ses sensations colorées »

Goethe avait affronté les problèmes de la psychologie de la perception à différents niveaux, sans négliger la question fondamentale pour le peintre de ce que nous voyons précisément. Dans un passage remarquable de l'introduction à la *Théorie des couleurs*, il exprima cette interrogation d'une manière qui devait résonner aussi longtemps que la représentation serait au cœur de la peinture :

Nous affirmerons maintenant, bien que la chose puisse paraître quelque peu extraordinaire, que l'œil ne voit aucune forme – le clair, l'obscur et la couleur constituant ensemble ce qui pour l'organe distingue un objet de l'autre, et les parties de l'objet entre elles. Ainsi édifions-nous, avec ces trois éléments [la lumière, l'ombre et la couleur], le monde visible et rendons du même coup la peinture possible, laquelle est capable de produire sur la toile un monde visible beaucoup plus parfait que le monde réel [127].

C'était en quelque sorte un simple retour à l'idéalisme néo-médiéval de Berkeley au début du XVIIIe siècle [128], mais son application stricte à la peinture était nouvelle. Goethe n'était pas un peintre : l'ensemble de son œuvre graphique se résume presque entièrement à des dessins à l'aquarelle, et il n'aborda jamais les problèmes de la peinture d'après nature. Cependant, comme la peinture

du XIXe siècle, notamment en France, prit un tour plus empirique et positiviste dans les années 1860 et 1870, l'idée de Goethe devint un enjeu décisif. Ce furent les impressionnistes bien sûr qui semblèrent être les premiers à peindre simplement ce qu'ils voyaient, et parurent distinguer seulement ce que Goethe avait suggéré. Mais qu'avait-il suggéré au juste ? Monet, le plus radical des impressionnistes, présente, même vers la fin de sa carrière, une conception étonnamment simple de l'expérience visuelle du peintre :

« Quand vous sortez pour peindre, essayez d'oublier les objets que vous avez devant vous, un arbre, une maison, un champ, ou toute autre chose. Pensez simplement, il y a ici un petit carré de bleu, là un ovale de rose, là une bande de jaune, et peignez-les tels qu'ils vous apparaissent, selon leur couleur et leur forme exactement, jusqu'à ce qu'ils vous donnent l'impression naïve de la scène que vous avez sous les yeux. » Il disait aussi qu'il aurait voulu être né aveugle et avoir recouvré la vue soudainement, de telle sorte qu'il aurait pu commencer à peindre de cette manière, sans savoir ce qu'étaient les objets qu'il voyait devant lui [129].

Cette croyance aux vertus de la naïveté était un retour à l'enseignement de Ruskin, dans les années 1850, en particulier à ses *Éléments du dessin* qui jouirent d'une très grande réputation en France à la fin du siècle [130]. Dans un passage remarquable de son essai légèrement antérieur, intitulé *Pré-raphaélisme*, Ruskin avait opposé les approches antithétiques du paysage selon John Everett Millais et selon Turner : le premier, doué d'une vue perçante et soucieux de fixer chaque détail de ce qu'il voyait, au moment où il le voyait, était par conséquent attaché aux éléments les plus stables de la scène ; le second, presbyte, désirait ardemment rendre les effets de lumière et d'atmosphère les plus fugaces – il dépendait donc grandement de sa mémoire et de son imagination [131]. Mais l'enjeu du paysage impressionniste était double : à la fois restitution des effets transitoires de la lumière, comme Turner, et réalisation sur le motif, comme Millais. On peut attribuer pour une grande part l'extraordinaire nouveauté du travail de la touche et de la couleur dans le paysage impressionniste à ces deux exigences difficilement conciliables. Nous apprenons par sa volumineuse correspondance que Monet réfléchissait étonnamment peu à ces questions : la peinture de paysage consistait surtout pour lui à dépasser la faiblesse relative de ses matériaux picturaux et les caprices du temps. Vers 1890, il développa une méthode de travail en série sur une suite de tableaux, réduisant la durée à sept minutes par toile dans le cas des *Peupliers*, et multipliant les supports jusqu'à quatorze toiles par séance dans le cas des *Cathédrales de Rouen* [132]. Il n'y a pas de raison de penser qu'il ne croyait pas à la rhétorique du « naturel » et de « l'objectivité » selon lesquels il lançait ces travaux, même s'ils furent jugés trop décoratifs pour être « naturels », et même s'ils étaient de plus en plus souvent achevés en atelier [133]. Monet ne se souciait pas du tout de la nature problématique de sa propre subjectivité, ni de l'effet sur ses yeux et ses perceptions de l'observation prolongée du motif. En revanche, c'était bien la préoccupation de la psychologie physiologique contemporaine, dans la tradition de Helmholtz, qui n'était pas sans rapport avec la science de Goethe et dont les idées furent prédominantes dans l'esthétique positiviste française des années 1870 et 1880 (*cf.* chapitre 9).

Le cas de Cézanne est différent. Il nous faut chercher de son côté l'illustration complète et la plus aboutie, dans la peinture, des approches de la couleur et de la perception telles que les portaient la physiologie et la philosophie françaises contemporaines. Dans

166

une conférence de 1855, Helmholtz avait affirmé : « Nous ne percevons jamais les objets du monde extérieur directement. Au contraire, nous percevons seulement les effets de ces objets sur nos systèmes nerveux, et il en a toujours été ainsi dès le début de notre vie [134]. » Dans les années 1860, il développa ce qu'il appelait la Théorie empirique de la vision : il voulait dire que la perception visuelle ne résultait pas d'une appréhension immédiate, fondée sur l'intuition ou des capacités innées, mais consistait plutôt en un processus d'apprentissage par l'expérience [135]. Voilà certainement le débat sous-jacent à cette remarque sans prétention de Cézanne, dans une lettre à Émile Bernard, datant de 1905 : « L'optique, se développant chez nous par l'étude, nous apprend à voir [136]. » Cézanne n'était pas, semble-t-il, un grand lecteur de théorie, même si la notion de théorie le séduisit de plus en plus vers la fin de sa vie [137]. Si nous pouvons accorder du crédit au souvenir de son ami Joachim Gasquet, ils discutèrent une fois des idées de Kant sur la subjectivité et il se peut que cela soit en rapport avec le débat d'Helmholtz avec les kantiens sur la nature de la perception et l'organisation de la pensée [138].

Le plus populaire représentant de la physiologie d'Helmholtz en France fut sans conteste le brillant Hippolyte Taine. Son panorama des théories modernes de la pensée, *De l'intelligence* (1870), fut réédité une dizaine de fois du vivant de Cézanne. Il est vraisemblable que le peintre ait entendu parler des idées de Taine par son ami intime, Émile Zola, qui affirmait l'avoir lu dès les années 1860 et avoir adopté son attitude positiviste sur le monde [139]. Taine, comme Helmholtz, s'appuyait largement sur son expérience de la peinture, notamment dans son étude sur le rôle de la mémoire, où il cite la célèbre école d'entraînement mnémotechnique d'Horace Lecoq de Boisbaudran, qui développait la perception des couleurs au moyen de tableaux de nuances colorées d'une complexité croissante [140]. Taine adopta une position plus radicale que Helmholtz sur le rôle de la pensée dans la formation d'une batterie objective de couleurs : « Toutes nos sensations de couleur sont ainsi projetées hors de notre corps et revêtent les objets plus ou moins distants, meubles, murs, maisons, arbres, ciel et le reste. C'est pourquoi, quand ensuite nous réfléchissons sur elles, nous cessons de nous les attribuer ; elles se sont aliénées, détachées de nous, jusqu'à nous paraître étrangères à nous [141]. » Il mentionne plus loin le cas, désormais bien connu depuis Ruskin et Monet, d'une femme ayant recouvré la vue et ne voyant d'abord que des taches.

> Les peintres coloristes connaissent bien cet état [...], leur talent consiste à voir leur modèle comme une *tache* dont le seul élément est la couleur plus ou moins diversifiée, assourdie, vivifiée et mélangée. Jusqu'ici, nulle idée de la distance ou de la position des objets, sauf lorsqu'une induction tirée du toucher les situe tout contre l'œil [142].

À partir des années 1880, Cézanne développa un vocabulaire pictural de taches presque régulières, dont il couvrait plus ou moins sa toile. Il explique à Émile Bernard : « Lire la nature, c'est la voir sous le voile de l'interprétation par taches colorées se succédant selon une loi d'harmonie. Ces grandes teintes s'analysent ainsi par les modulations. Peindre, c'est enregistrer ses sensations colorées [143]. » Si l'on examine un paysage tardif, vaste et lumineux comme *La route qui tourne* (v. 1900), il nous sera certainement difficile d'identifier la fonction de ces taches subtilement modulées « se succédant selon une loi d'harmonie ». Car, à l'exception de quelques pignons, toits et troncs d'arbre, elles n'apportent pas de révélation évidente. En particulier, ces taches ne semblent offrir aucun point focal de façon à constituer une scène autour de plusieurs points saillants, comme on pourrait l'attendre. Et pourtant, elles produisent un incontestable effet de profondeur. Dans une lettre à Émile Bernard, datant de l'époque du tableau, Cézanne associe les rouges et les jaunes à la lumière, les bleus à l'air – mais, dans cette toile, ils semblent tous davantage faire fonction de couleurs locales [144]. Un certain nombre de peintres et de critiques nous assurent qu'il est possible, avec de la patience et de la persévérance, d'adopter la manière cézannienne de regarder le monde. Roger Fry, Ernst Strauss et Lawrence Gowing, par exemple, ont interprété son œuvre dans des commentaires ou des toiles, mais ils renoncèrent à définir cette modulation chromatique particulière qui donne une telle luminosité à ses derniers tableaux [145]. Cette sophistication du regard a dû consister à fixer une zone restreinte de la scène (ce que Cézanne appelle « le point culminant »), afin d'identifier ses caractéristiques de ton et de couleur, indépendamment du contexte. Après avoir enregistré ses qualités précises, le peintre s'occupait d'un autre point, qui pouvait être à une distance considérable du premier, de telle sorte qu'avec le temps sa toile ou sa feuille présentait plusieurs zones de travail distinctes. L'avancement de sa peinture dépendait alors de sa capacité à joindre ces zones en un tout cohérent [146]. C'était l'antithèse du procédé courant des impressionnistes, consistant à couvrir d'emblée autant de surface que possible [147].

Grâce à de nombreuses toiles ou feuilles d'aquarelle à peine commencées, et grâce à un texte d'Émile Bernard à propos du travail de Cézanne sur une aquarelle de 1904, nous savons comment il entamait un sujet en partant des points les plus sombres ou des jonctions de surfaces [148]. Mais nous avons beaucoup moins d'informations sur la manière dont il l'achevait. Bien sûr, la notion même d'achèvement, comme ses critiques le reconnurent vite, ne conservait pas sa pertinence avec la méthode de Cézanne [149]. Il avait, après tout, une fortune personnelle et fut, jusqu'à ses dernières années, peu soucieux de vendre ses œuvres. Bien que son traitement impérieux du motif soit évident à sa façon de l'organiser avant même de commencer à peindre [150], ses tableaux en vinrent à représenter moins une déclaration sur un motif que des notations de ses réactions à ce motif, sur une certaine durée. Son marchand, Ambroise Vollard, qui affirmait avoir enduré 115 séances de pose pour son portrait, eut évidemment tout le loisir d'observer les procédures méticuleuses de Cézanne : celui-ci nettoyait soigneusement ses multiples brosses souples, une à une après chaque application de peinture, elle-même posée en glacis très liquides comme de l'aquarelle, couche après couche. Pour ce tableau, le peintre réserva deux ou trois petites zones de toile au niveau des mains, espérant identifier plus tard le ton précis qu'il faudrait pour les compléter ; si jamais il avait la désinvolture de terminer le portrait avec une nuance inappropriée, il serait obligé de reprendre tout le tableau « en partant de cet endroit [151] ».

Puisque Cézanne commençait par établir ses noirs et par élaborer son échelle, il devait très vite rencontrer l'obstacle inhérent à la peinture figurative, l'inadéquation entre l'échelle de lumière du tableau et celle de la nature. Cette inadéquation avait même été quantifiée par Helmholtz [152]. La détermination de Cézanne à rendre les valeurs par des couleurs – à « moduler » plutôt qu'à modeler – dut lui compliquer encore la tâche. Il fixait son échelle de mélanges sur la palette avant d'entamer son travail et ne faisait aucun mélange durant l'exécution. Cela devait, en soi, imposer dès le début une certaine cohérence conceptuelle au rendu de ses perceptions [153]. Mais Émile Bernard, à qui l'on doit la plupart de ces renseignements, ne dit pas avec précision ce qu'était l'échelle de Cézanne, ni s'il employait, par exemple, des couleurs mélangées, et en quelles proportions. Grâce à d'autres passages de ses souvenirs, nous apprenons que Cézanne a résisté aux suggestions d'un impressionniste comme Pissarro, et à celles d'un symboliste comme Bernard lui-même, l'incitant à réduire sa palette. En 1904, selon Bernard, Cézanne utilisait 19 pigments disposés en une séquence strictement tonale [154]. Ses toiles aussi révèlent qu'à cette date, contrairement aux années 1870, il s'efforçait d'éviter tout mélange ; ainsi n'est-il pas surprenant que, même avec du blanc et cinq jaunes, Cézanne soit resté démuni dans la partie supérieure de son échelle et ait été contraint de laisser vierge son papier ou sa toile. Ces zones sans peinture constituant les lumières les plus hautes, il nous est possible de lire comme un tout achevé ces nombreuses toiles tardives.

Il est certain que cette nécessité d'abandonner les tableaux à différents stades de leur exécution devint pour Cézanne la source d'une grande anxiété. Dans une lettre à Émile Bernard d'octobre 1905, il écrit : « Or vieux, 70 ans environ – les sensations colorantes, qui donnent la lumière sont chez moi cause d'abstractions qui ne me permettent pas de couvrir ma toile, ni de poursuivre la délimitation des objets quand les points de contact sont ténus, délicats, d'où il ressort que mon image ou tableau soit incomplète. » Une année plus tard, il écrit à son fils : « Je te dirai que je deviens, comme peintre, plus lucide devant la nature, mais que chez moi, la réalisation de mes sensations est toujours très pénible. Je ne puis arriver à l'intensité qui se développe à mes sens, je n'ai pas cette magnifique richesse de coloration qui anime la nature [155]. » En tentant de répondre pendant toute une vie à la question psycho-physiologique « à quoi ressemblent nos perceptions ? », Cézanne ressentit non seulement de l'anxiété, mais aussi les tensions visuelles qui donnent tant de vitalité à ses dernières œuvres.

De Matisse à l'abstraction

Avant la Première Guerre mondiale, c'est la figure de Cézanne qui dégage la plus grande aura dans le milieu artistique français. Parmi ses jeunes admirateurs, Henri Matisse fut peut-être le plus à même d'explorer les implications du dernier style de Cézanne et d'expliquer cette enquête en termes clairs. Matisse avait été l'élève de Gustave Moreau qui, tout en étant professeur à l'École des Beaux-Arts, adopta une vision originale de la couleur, plus proche de celle de Van Gogh et de Gauguin que de la tradition académique française [156]. Mais, comme il l'admettait lui-même, Matisse avait « une bonne moitié de scientifique » ; rappelons-nous qu'il prit l'habitude, plus tard dans sa carrière, de travailler en blouse blanche [157]. Il lut le livre de Signac, *D'Eugène Delacroix au néo-impressionnisme*, dès sa parution, en 1898 ou 1899 ; mais il utilisait alors la technique pointilliste d'une façon imprécise, comme pour suggérer que l'expérience était purement livresque et qu'il n'avait pas encore examiné une seule œuvre des néo-impressionnistes [158]. Cinq ans plus tard, dans le Sud de la France, Matisse fréquenta Signac et un autre champion de ce procédé, H.-E. Cross. Il minimisa plus tard son

intérêt pour la couleur « scientifique » du groupe, contestant les contraintes engendrées par l'obsession de Signac pour les complémentaires ; selon Matisse, la seule manière de les établir était d'étudier les tableaux des grands coloristes [159]. Pourtant, certains signes nous indiquent qu'à cette date Matisse lui-même tendait à devenir doctrinaire. Son œuvre néo-impressionniste la plus importante, *Luxe, calme et volupté* (1904-1905), comprend un ensemble de contrastes complémentaires (vert et vermillon, jaune et violet) bien plus prononcés que ceux de Cross ou de Signac dans leurs toiles contemporaines. Ceux-ci étaient plus enclins à juxtaposer des tons apparentés, susceptibles de se fondre en une vibration optique. Maurice Denis baptisa le tableau de Matisse « le diagramme d'une théorie ». Matisse lui-même reconnut qu'il avait ressenti le besoin de renforcer les contrastes davantage que Cross ne l'avait recommandé ; il avait assurément la réputation, en 1905 parmi les Fauves, d'observer un plus strict respect de la théorie [160]. Quand il ouvrit en 1908 son école d'art à Paris, les théories de Chevreul, d'Helmholtz et de Rood entraient selon un de ses élèves dans les sujets abordés. La certitude de Matisse que le rouge, le vert et le bleu suffisaient pour « créer l'équivalent du spectre », suggère une lecture très scrupuleuse du livre de Rood, *La Théorie scientifique des couleurs*, mais pas assez approfondie pour qu'il soit informé de l'effet de Purkinje [161]. Pourtant, cette année fut aussi marquée pour Matisse par un virage d'une théorie chromatique plus ou moins conceptuelle à une autre purement perceptive, ce qui induisit en conséquence un recours croissant à des teintes plates.

Les *Notes d'un peintres* de Matisse (1908) proposent la théorie chromatique sans doute la plus sophistiquée jamais écrite par un artiste du XXᵉ siècle :

Si sur une toile blanche, je disperse des sensations de bleu, de vert, de rouge, à mesure que j'ajoute des touches, chacune de celles que j'ai posées antérieurement perd de son importance. J'ai à peindre un intérieur : j'ai devant moi une armoire, elle me donne une sensation de rouge bien vivant, et je pose un rouge qui me satisfait. Un rapport s'établit de ce rouge au blanc de la toile. Que je pose à côté un vert, que je rende le parquet par un jaune, et il y aura encore, entre ce vert ou ce jaune et le blanc de la toile des rapports qui me satisferont. Mais ces différents tons se diminuent mutuellement. Il faut que les signes divers que j'emploie soient équilibrés de telle sorte qu'ils ne se détruisent pas les uns les autres. Pour cela, je dois mettre de l'ordre dans mes idées : la relation entre les tons s'établira de telle sorte qu'elle les soutiendra au lieu de les abattre. Une nouvelle combinaison de couleurs succédera à la première et donnera la totalité de ma représentation. Je suis obligé de transposer, et c'est pour cela qu'on se figure que mon tableau a totalement changé lorsque, après des modifications successives, le rouge y a remplacé le vert comme dominante. Il ne m'est pas possible de copier servilement la nature, que je suis forcé d'interpréter et de soumettre à l'esprit du tableau [162].

Matisse substituait à l'esclavage cézannien de la couleur à la nature un asservissement de la couleur au tableau. Il suivait les impératifs de Van Gogh en 1888, qui sentait, tout en jugeant ses couleurs « arbitraires », qu'elles « suivaient leur propre accord » [163]. Dans un entretien sur la couleur paru vers la fin de sa vie, Matisse émet une idée similaire, qui renforce le sentiment intime qu'il avait de ne plus rien contrôler : « J'utilise les couleurs les plus simples. Je ne les transforme pas moi-même, ce sont les rapports qui s'en chargent [164]. »

L'approche chromatique de Matisse, formulée de manière inédite en 1908, n'avait pas de cohérence totale : juste après le passage cité ci-dessus, il affirme qu'il doit avoir dès le début « une vision nette de l'ensemble ». Encore un peu plus loin, il dit que la fonction principale de la couleur est de servir l'expression. Mais d'après la suite de ses œuvres majeures créées jusqu'à la Grande Guerre, il apparaît clairement que son approche perceptive, empirique, était prédominante. De nombreuses toiles, en particulier sa *Nature morte en rouge vénitien* (1908), *L'Atelier du peintre* (1909-1910) et *Zorah sur la terrasse* (1912), montrent des signes de repeints très importants. L'exemple sans doute le plus frappant en est l'*Harmonie en rouge* qui fut commencée telle une harmonie en vert, comme nous le savons désormais par une précoce photographie en couleurs [165]. Quant aux deux grandes toiles de *La Danse* et de *La Musique* de 1910, la première fut l'apogée de plusieurs versions ; Matisse la peignit avec assurance et sans hésitation. La seconde, en revanche, porte les marques de revirements substantiels. Matisse commença précisément à cette époque à conserver des traces photographiques des métamorphoses de ses œuvres [166]. Or, à partir de 1911, on repère avec plus d'évidence un traitement plus fin, proche de l'aquarelle, ne laissant pas d'opportunité aux repentirs ; cela montre à quel point Matisse avait développé sa capacité de visualisation. Pourtant, même à cette date, et *a fortiori* à la fin de sa vie quand l'usage des papiers découpés rendit caduque la fidélité à une première idée, les preuves de changements radicaux dans la composition et la couleur constituent un trait récurrent de son œuvre. Ces changements tenaient un rôle si important dans sa méthode que dès le milieu des années 1910, il avait amélioré un outil spécial pour gratter les premières couches de peinture, afin de travailler plus vite et d'éviter de surcharger la toile avec des empâtements [167].

167 L'un des résultats les plus fascinants de ce parti-pris radical de la perception et des transformations qu'il induisit fut *L'Atelier en rouge* (1911). Ce tableau a encore une surface exceptionnellement fraîche et lumineuse. Pourtant, il avait aussi été autre à l'origine, un intérieur gris-bleu correspondant davantage à l'atelier blanc de Matisse, tel qu'il était en réalité. On peut encore discerner à l'œil nu ce gris-bleu très puissant autour de la partie haute de l'horloge et sous la fine couche de peinture du côté gauche. Un débat s'est ouvert à propos de ce qui força Matisse à transformer son atelier avec un rouge éblouissant : on a même suggéré qu'il y avait été incité, de façon purement perceptive, par l'image consécutive de la verdure de son jardin, un jour de forte chaleur [168]. De fait, Matisse répondit un jour de 1912 à un visiteur qui l'interrogeait à ce sujet qu'ils devraient faire un tour au jardin [169]. Son extraordinaire sensibilité à ce type d'effet psychologique est aussi attestée par le récit qu'il fit d'une expérience dans la chapelle de Vence, qu'il avait

168 décorée de dessins et de vitraux autour de 1950. Se souvenant du soleil filtrant à travers les motifs de feuillage des fenêtres, Matisse expliqua à un journaliste :

> Cet effet de couleurs a de la force. Tant de force que, avec certains éclairages, il semble se matérialiser. Me trouvant une fois dans la chapelle, j'ai perçu sur le sol un rouge d'une telle matérialité que j'ai eu le sentiment que la couleur n'était pas l'effet de la lumière qui tombait de la fenêtre, mais qu'elle était liée à un matériau. Une circonstance renforçait cette impression : sur le sol, devant moi, il y avait du sable, disposé en un petit tas sur lequel ce rouge s'était posé. Cela faisait l'effet d'une poudre d'un rouge magnifique, comme je n'en avais

jamais encore rencontré de toute ma vie. Je me penchais, je mis ma main dans le sable, j'en remontais une pleine poignée jusqu'à mes yeux, et le fis couler à travers mes doigts : une substance grise. Mais, ce rouge, je ne l'ai pas oublié, et je voudrais un jour parvenir à le porter sur ma toile [170].

Le plus surprenant dans cette histoire, c'est que les vitraux de la chapelle de Vence ne sont qu'en jaune, vert et bleu ; il n'y a pas de rouge. Matisse a dû faire l'expérience d'une image consécutive en négatif.

Matisse avait pris l'habitude de commencer ses tableaux à partir des fleurs de son jardin ; à Issy-les-Moulineaux, où se trouvait son atelier en 1911, ces fleurs offraient de nombreux rouges [171]. Il raconta au peintre futuriste Gino Severini comment l'expérience intense d'une seule tache bleue, par exemple, pouvait envahir l'ensemble d'un tableau. Il se peut que cela se soit produit pour *L'Atelier en rouge*, le plus brillant des fruits nés de son parti-pris perceptif [172].

Dans ses *Notes d'un peintre*, Matisse explique qu'un « artiste doit se rendre compte, quand il raisonne, que son tableau est factice ; mais quand il peint, il doit avoir ce sentiment qu'il a copié la nature [173] ». Il avait toujours besoin du stimulus d'une présence vivante, qu'elle soit humaine, animale ou végétale. Pourtant son approche picturale devint une source d'inspiration pour les peintres non-figuratifs qui cherchaient, autour de 1910, un *modus operandi* et un raisonnement systématique. Kandinsky a peut-être rencontré Matisse à Paris ; en tout cas, il a lu ses *Notes* à leur parution en allemand en 1909 [174]. Cette lecture se ressent dans l'un des rares passages où Kandinsky n'écrit pas de manière générale sur l'art et sur la vie, mais sur son propre travail. Dans un texte sur sa grande et tumultueuse *Composition VI*, qui s'appuie sur une idée du Déluge, le peintre explique comment l'œuvre atteignit sa forme ultime, après la pose du motif principal :

> Ensuite il fallut considérer chacune des parties par opposition aux autres, travail infiniment délicat, agréable [mais] très fatigant. Comme je me tourmentais, autrefois, lorsque je jugeais telle partie fautive, et que je cherchais à l'améliorer ! L'expérience des années m'apprit que parfois la faute ne réside pas du tout là où on la cherche. Il arrive souvent que l'on améliore le coin inférieur gauche parce qu'on change quelque chose au coin supérieur droit. Lorsque le plateau gauche de la balance penche trop, c'est qu'il faut charger un peu plus celui de droite – celui de gauche se relève alors de lui-même. Les recherches menées avec acharnement […] les retouches minimes du dessin et de la couleur, à un endroit précis, et qui font vibrer l'ensemble du tableau – ce Vivant infini, ce Sensible incommensurable du tableau bien peint – tel est le troisième moment beau et torturant de la peinture [175].

Kandinsky décrivait là un drame psychologique se jouant sur la toile, encore lourd des symboles latents de sa première phase d'abstraction. Mais ses moyens pour traduire ce drame n'étaient guère organisés à l'avance. Il avait commencé par faire un grand nombre d'esquisses au crayon et à l'huile, comme il convenait pour un sujet d'une telle complexité narrative ; pourtant, même lorsqu'il s'était décidé pour une composition, l'acte de peindre progressait par une série d'ajustements psychologiques, qui caractérisaient le nouvel art de procéder. Nous verrons, dans le dernier chapitre, comment de nombreux peintres abstraits du XXᵉ siècle ont développé ce sens du processus. Voilà peut-être la contribution la plus durable de la théorie psychologique de la couleur à la pratique picturale.

192

12 · La substance de la couleur

Les secrets vénitiens · Technologie et idéologie · L'impact des couleurs synthétiques
Le Temps peintre · La couleur comme matériau de construction

Outre les dispositions reçues sous l'influence du monde et du lieu qui l'entourent, l'artiste cède aussi, dans une certaine mesure, aux exigeants pouvoirs de la matière qu'il emploie : crayon, charbon, pastel, pâte huileuse, noirs d'estampe, marbre, bronze, terre ou bois, tous ces produits sont des agents qui l'accompagnent, collaborent avec lui, et disent aussi quelque chose dans la fiction qu'il va fournir. La matière révèle des secrets, elle a du génie ; c'est par elle que l'oracle parlera. (Odilon Redon, 1913 [1])

À Londres, vers la fin des années 1790, la Royal Academy fut secouée par un scandale qui affecta gravement la réputation de ses principaux membres en termes de savoir et de compétence technique. Une jeune femme, Ann Jemima Provis, annonça avoir retrouvé dans les papiers d'un ancêtre ayant voyagé en Italie un vieux manuscrit qui fournissait exactement les méthodes des peintres vénitiens du XVIe siècle. Dans les années 1780, après avoir exposé des miniatures à l'Académie, elle fut présentée à son président Benjamin West sur la recommandation d'un académicien peintre de miniatures, Richard Cosway. Elle encouragea West à faire l'essai de ce qu'on appellerait ensuite le « procédé » ou le « Secret vénitien ». Le procédé avait trois particularités saillantes : la première était un fond d'une grande qualité d'absorption, prenant presque toute l'huile des couleurs ; il était normalement de couleur sombre, parfois même noir, comme on le voit dans la brillante satire du « Secret » réalisée par James Gillray. La seconde particularité consistait à employer une huile de lin pure, si raffinée que sa consistance ressemblait à celle de l'eau. La troisième était l'usage d'une soi-disant « ombre de Titien », mélange de laque cramoisie, d'indigo (ou bleu de Hongrie, ou de Prusse, ou encore bleu d'Anvers) avec du noir d'ivoire. Ce mélange servait à dessiner la composition en clair-obscur (le procédé considéré en France comme caractéristique de Titien) sur laquelle seraient appliquées en glacis les plus vives couleurs. Il fallait ensuite laisser la peinture sécher complètement, avant de la vernir [2]. Le père d'Ann Jemina Provis pensa un temps que ce « Secret » valait bien un millier de livres sterling ; il fut vendu finalement pour dix guinées à divers académiciens, sous forme de démonstrations, pour l'essentiel, avec quelques détails complémentaires de mois en mois. Ses résultats, entre autres des peintures de West, furent montrés à l'exposition de 1797 de la Royal Academy, sans grand succès [3]. Edmond Malone, l'éditeur des *Œuvres* de Reynolds, avait, dans la première édition en 1797, accueilli le « Secret » comme une technique que ce dernier, premier président de la Royal Academy, aurait dû avoir la chance d'expérimenter de son vivant ; mais, dès la seconde, en 1798, il l'écarta comme étant sans intérêt [4]. Gillray a immortalisé la sinistre affaire dans une gravure où l'on voit Reynolds, avec des lunettes et un cornet acoustique, sortir de sa tombe : en effet, les tentatives de Reynolds pour percer le mystère de la technique vénitienne ainsi

que le délabrement de ses tableaux, en partie dû à ces expériences imprudentes, avaient nourri le désir des académiciens de découvrir le secret des Vénitiens. Mais en fin de compte, le « procédé » d'Ann Jemina Provis se révéla tout aussi précaire [5].

Cet épisode n'empêcha pas la quête des secrets vénitiens de perdurer en Angleterre. Considérant que le fond sombre et absorbant était un élément majeur du procédé, deux autres expérimentateurs, Timothy Sheldrake et Sebastian Grandi, attirèrent l'attention sur leurs œuvres en l'employant ; mais, différence significative, ils choisirent le lieu moins fermé de la Society of Arts, qui s'occupait de tester les matériaux artistiques depuis plusieurs décennies [6]. C'est un autre élément du secret, le médium utilisé par les maîtres vénitiens, que le peintre irlandais Solomon Williams prétendit avoir découvert : sa trouvaille connut aussi une vogue éphémère parmi les académiciens (dont Farington), jusqu'à ce que son inefficacité soit prouvée [7]. Encore en 1815, une autre jeune femme, une certaine Miss Cleaver, entra en scène avec un nouveau « procédé vénitien », employant cette fois-ci des crayons de cire. Richard Westhall, qui avait soutenu les Provis, essaya la nouvelle recette et peignit selon ses instructions un *Cupidon et Psyché* qu'il exposa, en 1822, à la Royal Academy. Le mécène et amateur George Beaumont demanda à son ami Constable de le tester aussi. Constable ne l'apprécia pas et, très vite, Cleaver et son « secret » sombrèrent dans l'oubli [8].

Durant le scandale de l'année 1797, le paysagiste Paul Sandby, l'un des principaux adversaires de Provis, se souvint que Cosway avait trouvé un ouvrage italien, « publié à Venise à l'époque de Titien », où « tout le procédé était clairement expliqué [9] ». Cet ouvrage était probablement l'un des très rares traités techniques du XVIe siècle, celui de G. B. Armenini intitulé *Des vrais préceptes de la peinture (De' veri precetti della pittura)* et publié à Ravenne en 1587 pour la première fois mais dont la seconde édition était parue à Venise en 1678. Le livre d'Armenini est un exemple du type de traités anciens qui exercèrent une séduction croissante sur les artistes de l'époque romantique. Quand il fut imprimé pour la troisième fois, en 1820, son éditeur, Stefano Ticozzi, ne manqua pas de signaler l'importance toute particulière des préceptes et des méthodes de coloris décrits par les Maîtres anciens (les « secrets » qu'Armenini avait révélés), dans un âge obsédé par l'idée de *disegno* – Ticozzi voulait évidemment parler de l'Italie néoclassique [10]. Dans la première moitié du XIXe siècle, on déploya des efforts remarquables pour fournir des textes authentiques décrivant les techniques des Maîtres anciens, et aussi des Maîtres antérieurs à la Renaissance dont on commençait tout juste à regarder les œuvres sérieusement. Le *Traité des divers arts* du moine Théophile venait d'être publié simultanément en Allemagne et en Angleterre en 1781, mais plus à titre de curiosité littéraire que de manuel pratique. En revanche, *Le Livre de l'art* de Cennino Cennini, d'abord

George Field dans son laboratoire, vers 1843. Le « métrochrome » (que l'on peut voir à gauche, sur la table) contient des triangles de verre remplis de liquides rouge, jaune et bleu, conçus pour mesurer la puissance des couleurs. (173)

publié en Italie en 1821, fut bientôt étudié par Blake et Haydon en Angleterre et, finalement, par Ingres en France [11]. Il annonçait un flot de documents techniques anciens, qui prit de l'ampleur en Angleterre dans les années 1840. En effet, les controverses sur le médium à employer dans la décoration du nouveau Parlement suscitèrent la parution de deux études très importantes comprenant des sources originales ou se fondant sur elles : *Materials for a History of Oil Painting* (Matériaux pour une histoire de la peinture à l'huile) écrit par Charles Eastlake entre 1847 et 1869 et les *Original Treatises on the Arts of Painting* (Traités originaux sur les arts du peintre) rassemblés et traduits en 1849 par Mary Merrifield, qui avait déjà traduit Cennini en anglais en 1844. Les méthodes des temps parfois fort reculés allaient désormais être étudiées grâce à des documents authentiques, mais le problème soulevé par la vogue des faux « secrets » demeurait : comment faire pour se procurer les matériaux qui semblaient avoir garanti la réputation durable des Maîtres anciens ?

Le métier de fabriquant et de marchand de couleurs avait gagné en importance au XVIe siècle. Au siècle suivant, en Hollande, des archives mentionnent les premières boutiques vendant des pigments purs ou préparés, ainsi que du matériel de peinture et même, dans certains cas, des tableaux [12]. Ces marchands se multiplièrent et se développèrent dans toute l'Europe au XVIIIe siècle, mais jusqu'à une date étonnamment tardive, plusieurs peintres préparaient encore eux-mêmes leurs pigments purs. Le manuel de Bouvier, datant des années 1820, présuppose que ses lecteurs (en Suisse) allaient broyer eux-mêmes leurs couleurs. Dans une lettre

datant de 1885, Van Gogh livre une remarque anodine qui nous apprend que lui aussi achetait encore des pigments naturels et les faisait broyer à Neunen ou les broyait lui-même [13]. Mais ce sont des cas exceptionnels, en marge des grands centres artistiques. Au XIXe siècle, la plupart des artistes achetaient leurs matériaux prêts à l'emploi, même s'ils pouvaient aussi les faire préparer sur commande, comme Delacroix par Madame Haro (car il aimait utiliser des couleurs extrêmement liquides [14]). Avec le développement au cours du siècle de la production industrielle des peintures, un peintre comme Van Gogh était obligé de courir les boutiques parisiennes pour trouver la qualité qu'il cherchait à un prix abordable pour son frère ; en réalité le marchand de couleurs Julien Tanguy, dit le Père Tanguy, qu'il a immortalisé dans une série de portraits, n'était pas son fournisseur préféré, car Van Gogh tendait de plus en plus à faire ses achats chez son rival, Tasset et L'Hôte [15]. Apprendre que les portraits de Tanguy ont en fait été peints avec des couleurs de chez Tasset serait délicieusement ironique ! Mais on ne sait pas exactement quand Van Gogh commença à fréquenter ce marchand moins cher, qui est mentionné pour la première fois dans des lettres d'Arles, après son départ de Paris. Quoi qu'il en soit, il utilisa des couleurs de ces deux fournisseurs jusqu'à la fin de sa vie.

Les manuels techniques consacrèrent une place croissante à l'évaluation des qualités et des défauts des pigments, puisqu'on jugeait peu probable que les artistes soient en mesure de tester eux-mêmes leurs matériaux [16]. À Londres, un professeur de chimie fut recruté à la Royal Academy en 1871, et à Paris – où Louis Pasteur avait donné quelques conférences à l'École des Beaux-Arts dans les années 1860 –, un technicien des couleurs fut régulièrement de service dans les décennies 1880 et 1890 ; mais ce n'est qu'au tournant du XXe siècle qu'un laboratoire fut installé dans l'École pour tester les couleurs commercialisées [17]. Avec la production industrielle des couleurs, se développèrent aussi les pigments synthétiques et par voie de conséquence des programmes de recherche et d'innovation qui ne pouvaient que s'amplifier en proportion de la demande massive créée par l'explosion du nombre d'artistes amateurs et professionnels au XIXe siècle. L'origine de cette expansion est parfaitement illustrée par la carrière de deux éminents théoriciens et fabricants de couleurs, Léonor Mérimée en France et George Field en Angleterrre.

Technologie et idéologie

Né en 1757, Mérimée avait été formé à la peinture d'abord par un artiste de style baroque, Doyen, puis par un précurseur du néoclassicisme, Vincent. Dans les années 1790, il avait produit une assez bonne impression pour recevoir une bourse et s'installer au Louvre avec d'autres élèves privilégiés. Mais il fut contraint, après son mariage en 1802, de donner des cours et il renonça complètement à la peinture après 1815 [18]. Comme Reynolds et les partisans du Secret vénitien, Mérimée jugeait que l'on pouvait remédier à la décadence de la technique moderne en étudiant les méthodes des Maîtres anciens. Mais à la différence de ses confrères anglais, il ne voyait pas tant le salut dans la peinture vénitienne du XVIe siècle que dans l'art des primitifs flamands. Comme il l'écrit au début de son plus important ouvrage, *De la peinture à l'huile* (1830) :

Les tableaux de *Hubert* et *Jean Van Eyck*, et ceux de quelques peintres de la même époque, sont beaucoup mieux conservés que la plupart des peintures du siècle dernier. Les procédés d'après lesquels ils ont été exécutés, transmis seulement par tradition, ne nous sont pas parvenus sans altération ; et il est permis de croire que ces tableaux, dont les couleurs après trois siècles nous étonnent par leur éclat, n'ont pas été peints comme ceux que nous voyons sensiblement altérés après un petit nombre d'années [19].

Durant les années 1790, à titre privé d'abord, puis au sein de l'École Polytechnique, Mérimée entreprit de découvrir à force d'expériences le médium utilisé par les primitifs flamands – et cela même avant que le goût pour cet art ne soit ravivé par l'entrée au Louvre des œuvres saisies en Hollande par les armées napoléoniennes. Mérimée tira la conclusion que leur secret résidait dans le mélange du vernis (une résine dissoute) avec le médium à l'huile [20]. L'originalité de son manuel de 1830 reposait sur la présentation – en vis-à-vis – de ses expériences personnelles, des recettes attribuées aux Maîtres anciens (remontant au Moyen Âge, avec le moine Théophile), du témoignage de peintres contemporains, comme Pierre-Paul Prud'hon (qui aurait employé à la fin de sa vie le vernis de copal du moine Théophile, sans doute sur les conseils de Mérimée [21]) et, surtout, des contributions de savants chimistes qui avaient été chargés, sous l'Empire, de répondre aux attentes des peintres. Mérimée raconte que le chimiste Louis-Jacques Thénard reçut la mission du ministre de l'Intérieur Chaptal (lui-même chimiste) de trouver un substitut bon marché à l'outremer, et qu'il y parvint en synthétisant du bleu de cobalt en 1802 [22]. À cette époque, Chaptal demanda aussi à Mérimée de réaliser des expériences sur les couleurs, ce qui suggère que ses talents de chimiste étaient déjà reconnus ; mais la seule couleur qui lui valut une certaine réputation fut une laque de garance brillante, appelée « carmin de garance », renommée en France dans les années 1820 [23].

Le traité de Mérimée avait une autre caractéristique originale : il introduisait une théorie de l'harmonie, fondée sur les complémentaires et recourant à un cercle chromatique de six teintes, lequel devait être, selon Mérimée, copié et étudié par tout étudiant en art. Ses idées étaient moins radicales que celles de Chevreul : il s'opposait à l'idée que l'on puisse utiliser harmonieusement les complémentaires à haut degré de saturation, affirmant que seul le clair-obscur devait réguler le contraste des teintes [24]. Pourtant la réputation théorique de Mérimée dût être aussi grande que sa réputation de chimiste, car vers 1812 il collabora avec un spécialiste du textile, Gaspard Grégoire, pour commenter un échantillonnage chromatique de 1351 items ; il lui fournit un diagramme de complémentaires très proche de son propre cercle de 1830 [25]. Grégoire choisit pour rouge primaire un carmin, qu'il décrit comme la plus belle couleur puisqu'elle est médiane entre le jaune et le bleu ; il pourrait bien s'agir du carmin de garance développé par Mérimée [26]. Quelques années après, Mérimée fut aussi amené à fournir une échelle chromatique à l'ouvrage de botanique de C. F. Brisseau de Mirbel : il conçut pour lui un cercle divisé en douze sections, élaboré, précisa-t-il, à l'aide des tableaux de Grégoire [27]. Rien ne pourrait mieux démontrer la collaboration étroite entre artistes, techniciens et naturalistes que la carrière de Mérimée.

Pourtant son ouvrage sur la peinture à l'huile ne semble pas avoir été particulièrement bien reçu par les peintres. L'artiste néoclassique François-Xavier Fabre, ami de Mérimée, reconnut qu'il pouvait être utile à des débutants, mais qu'il serait sans effets sur sa propre pratique [28]. Seul Delacroix le mentionne, d'après mes recherches (cf. page 173) ; or, Mérimée pensait, dans les années 1820, que l'œuvre de ce dernier allait « diriger notre école vers le coloris », mais que son piètre dessin faisait de lui un modèle dangereux [29]. Le livre fut traduit en anglais en 1839, mais il semble avoir été totalement oublié en France après la mort de Mérimée en 1836.

Après la chute de l'Empire, Mérimée fut envoyé à Londres pour étudier l'industrie anglaise des couleurs – ce qui expliquerait le grand nombre d'exemples anglais cités dans son ouvrage. Il se lia d'amitié entre autres avec l'élève et biographe de Reynolds, James Northcote. Dans *De la peinture à l'huile*, Reynolds est présenté, de manière assez surprenante, comme « le plus grand coloriste de son temps », pour avoir découvert les méthodes de Titien, de Rubens et de Rembrandt. Pourtant Mérimée n'approuvait pas l'anglomania perceptible dans l'art français des années 1820, notamment l'effet de Constable sur les romantiques [30]. Or on sait qu'il a nourri une vive curiosité pour le paysage anglais et qu'il a connu l'œuvre de Constable dès 1817, en arrivant à Londres ; il serait donc amusant de découvrir qu'il était le paysagiste français ayant rendu visite à Constable au cours des années 1820 pour apprendre sa méthode picturale. Mais il y eut un autre visiteur : George Field (né en 1777), un fabriquant de couleurs qui partageait les centres d'intérêt de Mérimée à plus d'un titre, et qui devint ami intime de Constable [31].

Field publia de nombreux ouvrages abordant toutes sortes de sujets outre les couleurs ; ses pigments très appréciés et ses contacts étroits avec la communauté artistique anglaise, au tournant du XIXe siècle, en font peut-être le parfait homologue anglais de Mérimée. Il s'en distingue pourtant par les points suivants : il mena son travail sans bénéficier du soutien de l'État et, bien qu'il ait déclaré avoir étudié avec les chimistes Davy et Faraday, ses rapports avec les principaux savants de son temps semblent avoir été très superficiels [32].

Sans avoir étudié les beaux-arts, Field devint peintre amateur et restaurateur de tableaux. Il avait décidé d'emblée de devenir ingénieur et il entreprit, dans les années 1790, un projet alors tout à fait traditionnel en Angleterre : cultiver et traiter la garance pour obtenir industriellement la teinture rouge qui était alors le moins fragile des rouges utilisés en textile. Vers 1800, Field avait réorienté son attention vers le problème des matériaux picturaux et produisait du pigment de laque de garance à Londres. Sa compréhension des attentes des peintres fut à coup sûr affinée par sa forte implication dans une société artistique, la British School, qui fut active de 1802 à 1804. Celle-ci exposa au moins un tableau de Solomon Williams, qui avait employé le « procédé vénitien », ainsi que les œuvres de nombreux artistes qui s'inquiétaient des faiblesses techniques de l'art anglais. La technologie des pigments amena Field à la théorie chromatique et vice versa ; en effet, il était soucieux de développer en particulier les pigments illustrant l'harmonie qu'il voyait à l'œuvre dans la nature. Comme beaucoup de spécialistes des couleurs à cette époque, Field n'était pas favorable à Newton et croyait que les couleurs trouvaient leur origine dans le noir et le blanc :

Si l'autorité de Newton fait défaut ici, il nous reste la Nature et la Raison comme soutiens, et elles sont l'autorité de Dieu. Car si l'on pouvait réellement analyser les Couleurs à partir de la lumière ou du blanc, alors par une synthèse des Couleurs inhérentes ou transitoires, le Blanc ou la Lumière pourraient être recomposés ; mais, tandis que le Noir peut être élaboré avec le mélange adéquat de couleurs primitives, pures, profondes [...], il n'est pas possible de composer du blanc avec quelque mélange de couleurs que ce soit [33].

La référence à Dieu est ici cruciale car, à l'instar de Runge, Field travaillait à une théorie universelle des triades dans la nature. La Sainte Trinité en était le suprême exemple et la triade des couleurs primaires la plus visible de ses manifestations terrestres. Il avait ouvert une usine de couleurs près de Bristol en 1808, où il avait rencontré le fondateur de la Harmonic Society de Bath, le docteur Henry Harington. Ce dernier venait de publier une brochure remarquable : *SYMBOLON TRISAGION, ou l'analogie géométrique de la doctrine catholique de la triunité, en consonance avec la raison et la compréhension humaines ; démontrée par les types et illustrée par la triunité naturelle et invisible de certains sons simultanés* (1806). La publication comprenait une contribution du révérend William Jones, qui avait demandé dans une lettre à Harington ceci :

> Pouvons-nous penser que ce soit un effet du hasard qu'il y ait cette merveilleuse coïncidence trinitaire dans l'optique, comme dans les sons, et même plus adéquate si cela est possible ? Quand nous réfractons la lumière pure dans un prisme, elle se manifeste à l'œil sous la forme des trois couleurs primaires simples, le rouge, le jaune et le bleu ; chacune d'entre elles est si distincte, que nous pouvons poser notre doigt dessus, une par une, et dire « celle-ci n'est pas celle-là, et celle-là n'est pas la troisième » ; et nous disons en vérité pour chacune qu'elle est en soi la lumière ; mais quand elles sont jointes, les mêmes qui étaient trois ne sont qu'une sans distinction, la gloire est égale, la majesté co-éternelle [34].

Cette croyance structura toute la carrière d'ingénieur de Field. Dans une note très ultérieure ajoutée à son ouvrage *Chromatics* (*Chromatique*, 1808), il alla jusqu'à se persuader que les couleurs primaires étaient étroitement liées aux principaux minéraux, ou terres : « Ainsi, l'*Alumine* paraît être la base naturelle des *Rouges*, le *Silex* celle des *Bleus* et la *Chaux* celle des *Jaunes* [35]. » Field n'était pas l'inventeur d'une telle concordance spécifique des couleurs avec les minéraux : elle était apparue à la fin du XVIIIe siècle, dans un manuel de peintre bien plus banal, dû à Constant de Massoul. L'auteur montrait que les minéraux (fer, cuivre, or, etc.) étaient capables de produire chacun toute une gamme de teintes, sans esprit de système, ni encore moins de schéma d'une triade stricte, comme celui auquel Field consacra sa carrière de penseur [36]. Certes, Field fut en mesure de développer une large gamme de pigments, y compris des couleurs tertiaires (la citrine, la rouille et l'olive), si bien qu'il avait élaboré et fabriqué lui-même toutes les couleurs de son *Échelle définitive* ; il réalisa parfois des pigments spécifiques pour des clients particuliers, comme l'Extrait de Vermillon produit spécialement pour Thomas Lawrence [37]. Mais Field concentra son attention sur ses teintes primaires, ses garances, son jaune citron et son outremer — qu'il persista à vouloir obtenir en raffinant du lapis-lazuli, malgré la concurrence d'un nouveau produit synthétique français élaboré dans les années 1820. Cette obsession avait un fondement non pas commercial mais idéologique.

La question des couleurs primaires au XIXe siècle touche différents domaines. Si l'on devait fonder un système d'harmonie sur la relation des primaires à leurs complémentaires, il importait de déterminer quels étaient les pigments « primaires » et d'arriver à les fabriquer pour un emploi artistique. Le premier à tenter de construire une théorie de l'harmonie sur les couleurs primaires fut probablement Louis-Bertrand Castel dans les années 1720 : il avait choisi le bleu de Prusse ou indigo synthétique, qui venait d'être mis au point, une laque rouge de qualité, qu'il ne définit pas, et pour

jaune la terre d'ombre, qui est d'ordinaire plutôt brune [38]. Le problème étant devenu complexe, Field se trouvait face à quantité d'autres solutions, dont aucune n'était satisfaisante. L'économie de l'estampe en couleurs, à ses débuts, avait aussi exigé les primaires les plus pures pour obtenir une gamme complète de couleurs à partir de trois planches seulement. Le Blon, pionnier en la matière, avait utilisé le bleu de Prusse, la plus sombre des laques jaunes et un mélange de laque, de carmin et de vermillon pour approcher au plus près le rouge du spectre (*cf.* page 169) [39]. L'ingénieur Robert Dossie, décrivant au milieu du XVIIIe siècle les méthodes de Le Blon, signalait le défaut persistant des encres disponibles, qui devaient être pures, brillantes et transparentes. Selon lui, le bleu de Prusse pouvait faire un très bon bleu, mais les meilleurs laques, si l'on réussissait à se les procurer, n'atteignaient pas le même niveau de pureté ; enfin, le seul jaune acceptable était la couleur végétale rose brun, qui n'était ni assez brillante ni assez puissante pour équilibrer les deux autres [40]. Vers la fin du XVIIIe siècle, c'est un ingénieur allemand qui affronta cette difficulté pratique : A. L. Pfannenschmidt. Il publia un manuel sur le mélange des trois couleurs primaires et produisit une série de pigments élaborée grâce à une longue recherche de teintes de référence. Il soulignait qu'un même marchand pouvait diffuser, à différentes époques, des nuances diverses sous la même étiquette, citant pour exemple le vermillon, qui virait souvent de façon prononcée au jaune [41]. Son rouge de référence semble avoir été un carmin, « la plus belle des couleurs rouges », son jaune de la gomme-gutte et son bleu de l'outremer naturel [42].

Pfannenschmidt avait tout d'abord essayé de produire ses séries de teintes avec leurs déclinaisons de valeurs claires et foncées, mais il abandonna vite ce projet. En 1792, il fournissait par lots douze couleurs de référence : bleu, jaune, rouge, vert, couleur de feu (orange ?), violet, noir mêlé, brun-jaune, rouge jaunâtre, brun, blanc et noir sans mélange. Ces tons étaient référencés dans un diagramme triangulaire comprenant leurs mélanges intermédiaires – au total 64 nuances. Il vendait aussi un lot de dix pigments d'aquarelle, élaborés de façon à ce que chacun ait la même intensité [43]. Dans la tradition empirique du XVIIIe siècle, il eut recours à une technique de mesure entièrement visuelle : il jugeait la pureté de ses primaires par des mélanges binaires où ne devait apparaître aucune trace de brun ni de noir ; la proportion des ingrédients était arrêtée quand il n'y avait plus de prépondérance d'un composant sur l'autre. Les résultats de ces jugements optiques le conduisirent à peser les composants, ce qui lui fournit les valeurs chiffrées inscrites dans son triangle [44].

Son encombrant système et ses couleurs ne semblent pas avoir eu un grand impact sur la réflexion chromatique au XIXe siècle.

La relation quasi mystique au coloris des « Maîtres anciens » fut tournée en ridicule quand une jeune artiste en miniatures, Ann Jemima Provis, annonça avoir découvert un manuscrit « remontant à Titien » qui révélait les secrets de son art. Elle est représentée en train de les mettre en pratique, dans la partie supérieure de cette estampe satirique de Gillray. Elle vendit le « Secret vénitien » au président de la Royal Academy, West (qu'on voit s'esquiver en bas à droite), et à de nombreux académiciens renommés, dont plusieurs sont portraiturés ici. Mais l'escroquerie fut vite dévoilée. Un « expert » plus ancien de la technique vénitienne, Joshua Reynolds, est dessiné sortant de sa tombe, avec un cornet acoustique.

174 JAMES GILLRAY, *Titianus redivivus* [Titien ressuscité], 1797.

Pigments et théorie

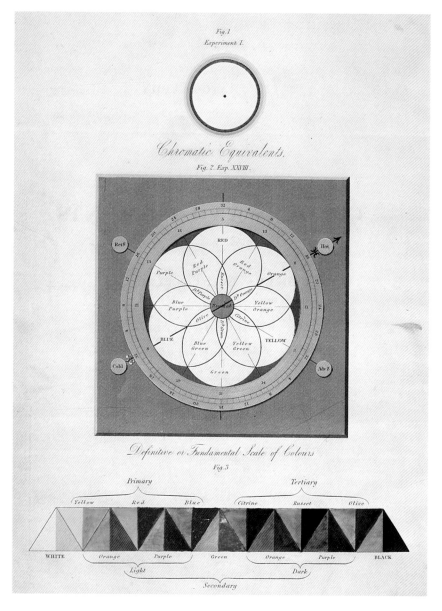

175 George Field, frontispice de sa *Chromatography ; or a Treatise on Colours and Pigments, and of their Powers in Painting*, 1835.
176 Léonor Mérimée, échelle chromatique tirée de *De la peinture à l'huile*, 1830.
177 William Holman Hunt, *Valentin sauvant Sylvia de Protéus*, 1850-1851.

175

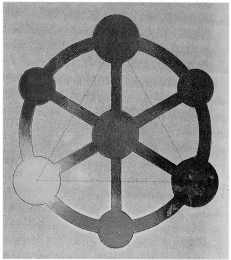

Les théories chromatiques se multiplièrent au XIXᵉ siècle. Mérimée montre avec son cercle que les couleurs complémentaires se mélangent en gris harmonieux (**176**) ; Le diagramme de Field illustre les proportions harmoniques des couleurs dans la lumière, ainsi que la dynamique du chaud et du froid (**175**) ; son échelle linéaire révèle qu'il avait aussi une conception traditionnelle des valeurs entre le noir et le blanc. Il mit au point des primaires « pures » pour traduire concrètement ses idées. Ce sont les propriétés de ses pigments, leur éclat et leur stabilité, plutôt que sa théorie, qui intéressèrent des peintres comme Holman Hunt (**177**) et contribuèrent à rendre les couleurs des préraphaélites étonnamment brillantes.

Seurat fut le premier peintre à se référer à des principes optiques pour
étayer sa technique et, bien sûr, à élaborer une technique à partir de sa théorie.
L'application en petits points crée une vibration visuelle fondée sur le caractère
incomplet du mélange optique tandis que la bordure de son grand tableau apporte à la
scène des contrastes « complémentaires » savamment calculés. Seurat essayait de travailler
avec des couleurs pures et très peu mélangées mais, comme William Holman Hunt
(177), il utilisait parfois des pigments qui se sont fanés ou assombris ; contrairement à
Hunt, il ne prit aucune mesure particulière pour s'assurer qu'ils resteraient stables.
Les grains brunâtres qui criblent la pelouse claire n'étaient pas voulus par l'artiste :
ils s'expliquent par le brunissement irréversible d'un pigment de synthèse alors
récemment inventé, le jaune de zinc.

178 GEORGES SEURAT, *Un dimanche après-midi à l'île de la Grande Jatte*, 1884-1886 (détail).

On n'en trouve, à ma connaissance, que peu de références dans les écrits postérieurs, sauf chez le savant français J.-B. Lamarck. Celui-ci s'efforça, dans les années 1790, d'accompagner par une échelle numérique des couleurs et de leurs mélanges sa théorie farfelue d'une genèse des couleurs par l'action d'un « feu fixé » dans toute matière. Comme Pfannenschmidt, Lamarck justifiait ses mélanges par des pesées, mais il rencontra dans cette mise au point de nombreux obstacles techniques, qu'il n'était pas prêt à affronter : il avoue ne pas avoir l'habileté pratique nécessaire pour mener les expériences, mais « tout artiste qui est disposé à en prendre la peine, saura facilement les conduire à une fructueuse conclusion ». Il suggère comme primaires l'outremer (bien que son coût élevé fasse du bleu de Prusse une bonne alternative), le carmin, qui est le plus proche du rouge « naturel », et la gomme-gutte qui, sans être aussi proche du jaune spectral que l'orpiment, peut au moins se mélanger sans risque à du blanc de céruse [45]. Le problème de l'étalonnage que Pfannenschmidt avait tenté de résoudre occupa en vain de nombreux ingénieurs jusqu'aux années 1920, quand Wilhelm Ostwald collabora avec les industriels allemands de la peinture pour produire des lots de teintes soigneusement calibrées, avec leurs nuances, lesquelles pouvaient être utilisées, affirmait-on, pour fonder sur une base mathématique un système rationnel d'harmonie.

De nombreux théoriciens de la couleur définirent leurs primaires avec précision. L'entomologiste Moïse Harris s'était servi du vermillon, du jaune royal (l'orpiment artificiel) et de l'outremer ; le peintre et spécialiste de conchyliologie James Sowerby choisit la gomme-gutte, le carmin et le bleu de Prusse ; quant à Field, il opta dans ses premiers diagrammes pour l'outremer, la garance et le jaune indien, une couleur végétale [46]. En France, les tableaux de Grégoire utilisent la gomme-gutte, le carmin et l'indigo. Encore à la fin des années 1820, pourtant, Paillot de Montabert affirmait que les fabricants de couleurs, ignorants du principe des trois primaires, inondaient le marché avec quantité de pigments superflus, tandis que les chimistes n'avaient pas encore défini des teintes pures de référence. Selon Paillot de Montabert, l'indigo était la seule « primaire » susceptible, jusque-là, de rester pure dans ses valeurs les plus claires et les plus foncées, tandis que les jaunes et les rouges disponibles ne donnaient pas de valeurs foncées acceptables. Si aucune primaire ne pouvait remplir sa fonction sur toute l'échelle des valeurs, il fallait fabriquer quatre niveaux pour chaque teinte avec des ingrédients différents [47]. Au cours des années 1850, les travaux de James Clerk Maxwell sur la nature des couleurs de la lumière rendirent caduque cette notion d'une suite spécifique de « primaires », puisque pour reconstituer la lumière blanche il suffisait de trois couleurs coordonnées, à intervalles suffisamment distants sur le spectre. Néanmoins, durant la première moitié du siècle, beaucoup de réflexions et d'expériences avaient été mises à profit pour essayer de produire des couleurs industrielles équivalentes aux primaires pures du spectre.

Les efforts déployés par Field ne portèrent leurs fruits que dans une certaine limite. Afin de définir ses primaires et leurs relations harmoniques, il avait conçu un instrument de mesure chromatique, le « chromomètre » (plus tard rebaptisé « métrochrome »), qui fonctionnait selon le principe de l'absorption de la lumière par des filtres colorés. Cet instrument lui permit de définir ce qu'il appela des « équivalents chromatiques » : les proportions de chaque primaire devaient constituer un équilibre harmonieux des trois dans la lumière blanche, comme il était prescrit dans le cercle chromatique réalisé pour la *Chromatographie* de 1835. Au bout d'une longue et patiente recherche, il aboutit au ratio de trois mesures de jaune, pour cinq de rouge et huit de bleu. Les teintures primaires utilisées dans les filtres liquides de son ultime version du « métrochrome » étaient du sulfate de cuivre, de la garance liquide et du safran (ou curcuma). Les « équivalents chromatiques » de Field attirèrent l'attention des décorateurs dans les années 1840 et 1850, en particulier celle d'Owen Jones. Il les employa dans sa peinture expérimentale d'une section de l'intérieur du Crystal Palace, pour la grande Exposition de 1851, et de nouveau quelques années plus tard dans son splendide album de modèles, *La Grammaire de l'ornement (Grammar of Ornament)*. Mais les travaux de Maxwell et de Helmholtz, ainsi que les améliorations de la mesure chromatique fondées sur l'analyse précise du spectre, révélèrent que les ratios de Field étaient assez arbitraires, si bien qu'ils ne furent plus cités après cette époque [48].

Les brillantes teintes primaires fabriquées par Field, pour des motifs surtout théoriques, n'avaient paradoxalement pas sa préférence. Son goût s'était formé au tournant du siècle, avec les couleurs douces des premiers paysagistes du romantisme anglais, comme celles de Richard Wilson dont les tableaux formaient le noyau de sa propre collection de peintures. Field avait élaboré une série de teintes tertiaires sans mélange, parce qu'elles étaient pour lui, à certains égards, les couleurs les plus importantes. « Un œil chaste, écrit-il dans sa première publication sur la théorie chromatique, reçoit une plus grande satisfaction de l'harmonie des tertiaires, dans lesquelles les primitives sont plus intimement combinées, et pour la même raison un œil juste exige une concurrence des trois primitives dans chaque harmonie. » Pourtant, il avait affirmé dans une note antérieure, restée inédite, que « c'est [...] une règle, en laquelle coïncident à égalité la Chimie et la Science Chromatique, que l'*Artiste devrait employer ses couleurs aussi pures et sans mélange que possible* ». C'est pourquoi il était essentiel de proposer des pigments purs pour l'ensemble des douze teintes du cercle chromatique [49].

Les teintes pures de Field connurent un réel succès et reçurent la bénédiction de Merrifield, dans son édition de 1844 du *Livre de l'art* de Cennino Cennini. Elle y affirme en note que les expériences de l'ingénieur ont, pour l'essentiel, justifié l'idée de Cennini des douze « meilleurs » pigments du point de vue de la stabilité, et elle oriente ses lecteurs vers l'étude de la *Chromatographie* [50]. Ce sont ces couleurs extraordinairement pures et transparentes qui permirent, vers 1850, aux préraphaélites de couvrir avec les plus fins glacis leurs toiles enduites de blanc de céruse, et d'obtenir des teintes d'un éclat sans précédent [51].

L'impact des couleurs synthétiques

Mérimée et Field firent un accueil réservé aux nouveaux pigments synthétiques (notamment des jaunes, des bleus et des verts), élaborés dans les premières années du XIXe siècle. Mais aucun des deux ne vécut assez longtemps pour assister à la révolution des teintures de synthèse dans les années 1850 et 1860. La synthèse du mauve de goudron de houille par William Perkin en 1856 et celle du rouge d'alizarine artificielle par Graebe & Lieberman en 1868 ne sont que deux exemples des découvertes chimiques qui aboutirent, dans la seconde moitié du siècle, à la mise sur le marché d'une quantité de teintures et de pigments nouveaux. Les manuels d'artistes consacrèrent alors de plus en plus d'attention à la stabilité de ces nouvelles substances. Dans la publication de ses cours de technique picturale donnés vers 1890 à l'École des Beaux-Arts de Paris, le peintre de genre J.-G. Vibert aborde longuement les problèmes de stabilité. Selon lui, l'invention de l'aniline synthétique fut une catastrophe pour la peinture : il suggère la mise en place par la Société des Artistes Français d'une commission de contrôle de qualité et la création d'un laboratoire au sein même de l'École des Beaux-Arts [52]. Un critique d'art contemporain, Adrien Recouvreur, jugeait lui aussi la situation problématique : « Les couleurs ne se sont jamais altérées autant qu'aujourd'hui. Le dessin est de plus en plus la probité de l'art [une citation d'Ingres] car, si nous ne réagissons pas contre le laisser-aller ambiant, ce sera la dernière caractéristique de l'art [53]. » Recouvreur affirmait que l'un des rares remèdes à l'instabilité des couleurs modernes était d'utiliser un bon vernis pour faire tampon entre chaque pigment et les isoler de l'atmosphère. De fait, Vibert élabora une gamme de vernis de qualité, transparents et à séchage rapide, qui furent fabriqués et vendus par Lefranc et Cie [54]. L'instabilité était le revers de la médaille d'une liberté nouvelle offerte par des pigments brillants, dont la gamme couvrait des zones du spectre (comme le jaune, le vert et le violet) autrefois piètrement rendues par les matériaux traditionnels. On pourrait même imaginer que ces nouvelles couleurs ont conditionné l'aspiration des impressionnistes à peindre la lumière en soi.

En effet, depuis le Moyen Âge et jusqu'à la fin du XIXe siècle, le sentiment général était que, face à la nature, l'art conservait un handicap désespérant à cause des limites de ses matériaux. Au XIIe siècle, le philosophe Averroès développa l'argument suivant : puisque les couleurs de l'art [colores et tincture [...] ratio extrinseca] sont en nombre fini, et que les couleurs de la nature [in ratione intrinseca] sont elles infinies, de nombreuses couleurs ne peuvent être réalisées par l'art (la teinture, dans ce cas précis). C'était mettre en cause la possibilité même d'imiter la nature, laquelle anima tant les recherches de Léonard de Vinci, de Runge ou de Monet [55]. Mais à mesure que s'épanouit, au XVIIe siècle, l'idée de reproduire les apparences sur la toile, on perçut de plus en plus clairement où résidaient les limites des pigments. Dans sa conférence de l'Académie des Beaux-Arts, en 1669, J. H. Bourdon affirme que le peintre ne devrait jamais essayer de peindre un paysage au soleil de midi, puisque les pigments ne peuvent absolument pas rendre justice à cet effet de lumière et que le soleil lui-même devrait toujours être caché [56]. Une mise en garde similaire fut prononcée à l'Académie, dans la décennie suivante, par les poussinistes comme par les rubinistes [57]. Le développement des travaux picturaux au XVIIIe siècle, l'usage croissant des instruments d'optique comme la camera obscura (qui permit des comparaisons plus fines entre l'image réelle et l'image peinte) ainsi qu'une plus grande sophistication de la perception chez les artistes conduisirent certains à affirmer qu'à l'instar de l'échelle musicale, en peinture, les valeurs absolues importaient moins que les rapports proportionnels, et que les défauts des matériaux pouvaient être compensés par « l'habileté et le traitement » [58]. Cette attitude commençait à prévaloir au XIXe siècle, particulièrement en France avant l'apparition de l'impressionnisme.

Gaspard Monge, dans sa Géométrie descriptive (citée par Charles Blanc, cf. chapitre 11), explique qu'en peinture, seule l'exagération des effets lumineux peut compenser la faiblesse des moyens pictu-raux et apporter une vérité des impressions subjectives, à défaut des conditions objectives de lumière [59]. Dans un article de 1857 sur l'optique et la peinture, Jules Jamin développe l'idée que les peintres ne peuvent éviter les compromis parce que leur perception des différences est limitée en précision et que leurs matériaux sont déficients. Jamin s'était intéressé au « photomètre » qui offrait aux peintres, comme la camera obscura du XVIIIe siècle, une lecture « objective » de la scène, à l'aune de laquelle ils pouvaient mesurer leur rendu. Les résultats de ses expériences avaient montré l'importance pour l'artiste de peindre dans une tonalité inférieure à celle de la nature, « et d'affaiblir en proportion toute la clarté de la nature [60] ». Tout en admirant la fidélité au motif des artistes modernes comme Descamps, Jamin soutenait que les peintres « réalistes » devaient renoncer à reproduire la nature et se préoccuper davantage de spiritualité [61]. La formulation la plus décisive de ce dilemme figure sans conteste dans une conférence de Helmholtz, donnée à la même époque, sur « la relation de l'optique à la peinture ». Il y étudie longuement la divergence entre la lumière naturelle et la lumière de l'art, pour conclure :

> J'ai décrit comme une traduction la représentation que le peintre doit rendre des lumières et des couleurs de son objet, et j'ai insisté sur le fait qu'en règle générale, elle ne peut en donner une copie véridique dans tous les détails. L'échelle de clarté altérée, que doit employer l'artiste dans bien des cas, s'y oppose. Ce ne sont pas les couleurs des objets, mais l'impression qu'ils produisent ou produiraient, qu'il faut imiter, afin de susciter une conception aussi distincte et vive que possible de ces objets [62].

Comme l'étude de Cézanne nous l'a suggéré, peindre l'impression des objets est en tout point aussi difficile que peindre les « objets » eux-mêmes. Mais on pouvait bien escompter que les nouvelles couleurs intenses de leurs palettes permettraient aux peintres de réaliser efficacement les constrastes picturaux rehaussés attendus par ces auteurs et beaucoup d'autres à la même époque. Un critique affirma dans les années 1880 que les peintres s'y activaient précisément, mais il n'appréciait pas le résultat :

> [Le peintre] donnera aux objets, non la couleur qu'ils reflètent en réalité, mais celle qu'ils auraient pour un œil ébloui. Il devra aviver les rouges, les jaunes, les verts, éteindre les bleus et les violets. [...] Ces considérations présentent peut-être un certain intérêt au point de vue de la nouvelle école de plein air. Ses promoteurs ne paraissent pas avoir tenu suffisamment compte de ce qu'avec une intensité de lumière croissante toutes les couleurs simples se rapprochent du blanc ou du jaune blanchâtre. Ils ont cru enrichir de tons nouveaux la gamme de leurs teintes ; le plein air, le grand soleil surtout ne font que l'appauvrir. Les vrais coloristes en ont usé tout autrement ; c'est dans le clair-obscur, au contraire, que les Titien et les Rembrandt ont cherché et trouvé leurs plus beaux effets [63].

Comme Cézanne l'avait découvert, c'est le haut de l'échelle des valeurs qui posait les plus grandes difficultés aux peintres de plein air. Dès les années 1840, Field avait souligné les effets révolutionnaires de ses pigments plus clairs : selon lui, les matériaux inférieurs des Maîtres anciens signifiaient que « leur clé de coloris était nécessairement plus basse, et les contraignait à harmoniser bien en dessous de la nature [64] ». Comment les impressionnistes et les post-impressionnistes utilisèrent-ils leurs nouveaux médiums pour relever le défi ?

Les progrès dans l'ingénierie de la conservation ont rendu possible une analyse quasi certaine de la composition de nombreux tableaux du XIX⁰ siècle [65]. Nous savons désormais que les impressionnistes étaient particulièrement soucieux de la stabilité de leurs pigments : Monet déclarait à la fin de sa vie qu'il avait abandonné les jaunes de chrome relativement instables pour les récents jaunes de cadmium, dont on repère un emploi de plus en plus important dans son œuvre après 1870 [66]. Les jaunes de cadmium avaient été mis au point dans les années 1840 et, sur la palette de Monet, les seuls pigments plus récents sont le violet et le vert émeraude à base de cobalt, qui étaient apparus sur le marché une décennie plus tard. Pourtant, il continua pendant de nombreuses années à utiliser aussi des violets mélangés. Renoir était de tous les impressionnistes le plus traditionaliste, et l'un des rares à employer la technique ancienne (et lente) du glacis. Mais il se servit aussi de jaune et de vert de chrome dans les années 1870, et l'un des rouges des *Régates sur la Seine* (v. 1879) contient probablement un colorant synthétique [67]. Dans les années 1890, la palette de Renoir comprend de plus en plus de couleurs de terre, de laques traditionnelles et, en particulier, du jaune d'antimoine de plomb appelé jaune de Naples, l'un des plus anciens pigments de synthèse qui connaissait alors un regain de faveur dans la version améliorée qu'en produisait Lefranc. Renoir s'y est sans doute intéressé parce qu'on l'avait identifié au jaune artificiel décrit par Cennini sous le nom de *giallorino* [68]. Renoir acquit la traduction de Cennini par Victor Mottez (1858) probablement à la fin des années 1890. En 1910, dans le brouillon d'une lettre à Henri Mottez, son fils, Renoir notait à propos des peintres du temps de Cennini : « Leur couleur a traversé les siècles sans être atteinte. […] C'est à cause de leur métier merveilleux qu'après plusieurs siècles nous pouvons jouir des œuvres des peintres du passé. » Dans la lettre publiée l'année suivante avec la nouvelle édition, tout en reconnaissant que les circonstances n'étaient plus les mêmes pour les artistes du XIX⁰ siècle, Renoir pensait que les vraies méthodes des anciens perduraient : « Si les Grecs avaient laissé un traité de peinture, croyez bien qu'il serait identique à celui de Cennini. Toute la peinture, depuis celle de Pompéi […] jusqu'à celle de Corot, en passant par Poussin, semble être sortie de la même palette [69]. » Le classicisme de plus en plus affirmé du style de Renoir est bien connu ; à la fin de sa vie, il essaya même de pratiquer la fresque, mais sans grand succès [70]. Vers 1904, Matisse tenta de le convaincre d'échanger son vermillon traditionnel pour un rouge de cadmium, qui aurait eu une plus grande stabilité tout en conservant l'esprit du médium ; mais Renoir refusa même d'utiliser l'échantillon apporté par Matisse, arguant qu'il ne voulait pas changer ses habitudes [71].

Tous les pigments nouveaux employés par les impressionnistes ont été identifiés dans plusieurs tableaux de l'une des plus grandes collections d'art allemand du XIX⁰ siècle, celle de la Schack-Galerie de Munich. Pourtant, aucun des artistes qui y sont représentés ne s'intéressait aux méthodes de plein air des impressionnistes : il n'y a donc pas de lien intrinsèque entre ces matériaux et un style pictural particulier [72]. En revanche, les impressionnistes firent un usage ostensible des jaunes, verts et violets vifs pour reproduire leurs sensations au grand air. Les peintres et les théoriciens français qui montraient le plus de prudence à l'égard des nouveaux matériaux n'ignoraient pas eux-mêmes les puissants effets de la couleur en extérieur. Georges Meusnier (alias Karl Robert) expliquait à ses lecteurs :

Une illustration de J.-G. Vibert pour sa nouvelle satirique « The Delights of Art » (*The Century Magazine*, 1896), dans laquelle un rayon de soleil discute avec le rideau des mérites du tableau « éclatiste » du cardinal. (179)

Un mur blanc en plein soleil n'est jamais blanc : il est blanc rosé, blanc jaunâtre, blanc verdâtre, selon les reflets qu'il reçoit ; il en est de même pour tous les tons, à tel point que, dans les études de certains maîtres, vous verrez des verts éclairés de premier plan rendus par des bleus purs ou des roses tendres faits de blanc et de cobalt ou de blanc et de laque [73].

De façon similaire, Vibert reprocha aux impressionnistes, les « éclatistes », de peindre « seulement avec des couleurs intenses et sans ombrer aucun des tons [74] ». Dans sa *Science de la peinture*, il propose pourtant l'image brillante d'un cardinal se promenant dans son jardin :

Suivons un cardinal, habillé de rouge, qui se promène dans ses jardins. Il change de couleur à tout instant, selon qu'il reçoit les rayons aveuglants du soleil, les reflets blancs d'un nuage, ou qu'il s'enfonce dans la pénombre d'une allée couverte. Suivant qu'il se détache sur le vert intense des pelouses ensoleillées, sur le vert sombre des cyprès, sur la surface argentée d'un lac ou sur l'azur du ciel, il change encore. Il change toujours, pâlissant devant un massif de géraniums et rougissant devant le marbre des statues ; il s'assombrit à mesure que le jour baisse, jusqu'à devenir d'un pourpre obscur, et c'est vêtu de noir, comme un simple prêtre, qu'il rentre en son palais aux dernières lueurs du crépuscule [75].

C'est moins leur vision que leur interprétation très personnelle de cette vision qui distingua les impressionnistes des peintres académiques.

Le Temps peintre

165 Parmi les derniers peintres français de plein air, Cézanne resta probablement le plus fidèle à la circonspection des impressionnistes vis-à-vis des matériaux. De fait, il avait travaillé en relation étroite avec Pissarro dans les années 1870. À aucun moment de sa carrière, il ne semble avoir utilisé de nouveaux pigments de synthèse, si ce n'est du vert émeraude [76]. Quand il découvrit la palette restreinte d'Émile Bernard en 1904, il fut stupéfait : « Vous peignez avec cela seulement ? [...] Où est donc votre jaune de Naples ? Où est votre noir de pêche ? Où, votre terre de Sienne, votre bleu de cobalt, votre laque brûlée ? [...] Il est impossible de peindre sans ces couleurs [77]. » Comme Renoir, Cézanne employait des glacis transparents, choisissait des couleurs de terre et tout cela ne répondait pas simplement au vœu de rendre le paysage brillant et pourtant terreux de la Provence, cela dérivait plutôt, comme chez Renoir encore, du besoin de garder le contact avec l'art des musées.

On ne peut guère trouver de relation aux matériaux plus différente que celle de Van Gogh. La moitié des pigments de Cézanne étaient connus pour leur stabilité ; dans l'autre moitié, seul le jaune de chrome avait mauvaise réputation à cet égard à la fin du XIXe siècle, et on le remplaçait souvent par du jaune de cadmium. En revanche, lorsqu'en 1888 Van Gogh envoie d'Arles à son frère Théo une longue commande de peintures, il énumère une dizaine des plus brillants pigments disponibles, dont quatre figurent parmi les moins stables du marché : un vert malachite (probablement un acéto-arséniate de cuivre), un vert de cinnabre (un mélange de jaune de chrome et de bleu de Prusse), une laque géranium (une couleur d'aniline) et un plomb orangé (un orange de chrome ?) [78]. Il avait pleinement conscience des risques liés à ces matériaux ; dans la lettre à Théo suivante, il écrit : « Toutes les couleurs que l'impressionnisme a mises à la mode sont changeantes, raison de plus de les employer hardiment trop crues, le temps ne les adoucira que trop. » Et le temps a effectivement œuvré sur ses derniers tableaux, mais pas tout à fait comme il l'avait anticipé [79].

178 Van Gogh entendait peut-être par « impressionnistes » les néo-impressionnistes avec lesquels il fut en étroite relation à Paris en 1886-1887. En effet, Seurat avait employé des pigments instables dans certains tableaux comme *La Grande Jatte* et avait constaté, dès 1887, qu'ils se détérioraient [80]. Le principal coupable semble avoir été un jaune de zinc (un chromate de zinc) qui s'était assombri. Les textes contemporains mentionnent à peine ce pigment ; il fut peut-être très peu employé en France après son introduction vers 1847 [81]. Le choix qu'en fit Seurat peut s'expliquer comme une première étape de sa quête d'un bon jaune de mélange, quête implicitement évoquée dans une remarque de Pissarro à son fils, en 1887, sur le fait que Seurat et Signac devaient connaître les résultats (très peu satisfaisants) des mélanges du jaune de cadmium avec du vert émeraude, « encore plus sombres que le mélange au jaune de chrome [82] ». Assurément, les néo-impressionnistes étaient soucieux de trouver, en

correspondance avec les couleurs du spectre, les pigments les plus brillants sur le marché ; mais ils avaient du mal à y parvenir. La palette « spectrale » que Signac affirme avoir adoptée au début des années 1880 (*cf.* page 187) comprenait des jaunes de cadmium stables, mais aussi du vert émeraude et un bleu céruléen, une nouvelle variété de stannate de cobalt produite après 1860. On le considère aujourd'hui comme un pigment stable, mais dans la France de la fin du XIXe siècle, où il était vendu sous l'appellation de « bleu céleste », il avait la réputation de perdre son éclat [83]. Dès 1886, les critiques avaient remarqué l'effet grisâtre résultant de la technique de points des néo-impressionnistes, mais l'effet s'accrut encore après 1900, dans un climat d'insatisfaction croissante, avec le retour au style originel de Seurat et l'emploi de plus grosses touches colorées. Ce défaut découlait en partie d'une mauvaise interprétation théorique, négligeant le fait que le mélange optique des complémentaires pouvait produire du gris [84]. Mais tout ceci pourrait être aussi le résultat d'expériences menées avec des pigments aux propriétés mal connues et dont on n'avait simplement pas testé la stabilité.

Lorsque Van Gogh affirme avec une certitude étonnante que le temps allait adoucir ses tableaux, il reprend une notion très ancienne de l'histoire de l'art, tout en lui donnant une coloration tout à fait contemporaine. C'est l'une des questions les plus épineuses de la science moderne de la conservation que de savoir jusqu'où certains artistes acceptaient de collaborer avec le temps. En effet, les estimations des restaurateurs sur ce point déterminent le degré auquel ils souhaitent ramener une œuvre à sa condition « d'origine ». Au début du XIXe siècle, certains peintres devançaient l'action du temps en atténuant eux-mêmes leurs tableaux ; auparavant, les preuves d'une telle pratique sont extrêmement peu concluantes [85]. On sait par contre qu'un siècle environ après l'essor de la peinture à l'huile en Italie, on commença à valoriser le jaunissement et le brunissement des peintures (liés en grande partie à l'emploi des vernis) comme constituants de leur effet esthétique. On pensait par exemple que Van Dyck avait essayé d'imiter les chairs aux tons jaunis des tableaux adoucis de Titien [86]. Les collectionneurs ne concevaient les peintures des Maîtres anciens qu'en tons fondus : en 1657, Léopold de Médicis renvoya un Véronèse à son marchand, à cause de sa « fraîcheur excessive » [87]. Mais le peintre eut désormais pour tâche d'anticiper et de compenser les effets du vieillissement. Certains artistes du XVIIe siècle peignirent en tons plus légers qu'ils ne l'avaient prévu à cause de leur perception des effets du temps ; cela devint même un lieu commun de la critique au XVIIIe siècle, dans un climat davantage sensible aux perceptions [88]. Pourtant, ce ne fut aucunement une aspiration universelle : dès l'époque romantique, certains éprouvèrent l'envie de rajeunir d'anciens tableaux, puisque à Dresde le peintre Ferdinand Hartmann s'y opposa, avec le soutien de Goethe et de son conseiller Heinrich Meyer [89]. Dans la confusion émergeait au moins une certitude : la grande faiblesse picturale du temps était son manque de discrimination. Les peintres savaient en effet depuis des siècles que les pigments ne vieillissaient pas de manière uniforme. Comme le dit Hogarth, dans *L'Analyse de la Beauté*, « le temps nuit à l'harmonie des couleurs, les rembrunit et détruit même par degrés les tableaux qu'on conserve avec le plus de soin [90] ». La détérioration des tableaux de Van Gogh et de Seurat est très localisée et il nous est presque impossible aujourd'hui de reconstruire l'équilibre chromatique de certaines de leurs compositions. Néanmoins, comme dans le cas des toiles « inachevées » de Cézanne, des générations de spectateurs ont appris à les regarder comme « complètes ».

La couleur comme matériau de construction

La teinte et la valeur ne sont bien sûr pas les seules propriétés des pigments picturaux. L'impressionnisme, tout comme les mouvements qui le précédèrent et ceux qui lui succédèrent, nous a rendu sensibles aux qualités de texture de la surface : la toile rêche, les peintures peu malléables et l'énergie des coups de pinceau, chaque chose y participe. La texture, qui comprend aussi les variations de matité ou de brillance, est presque autant susceptible de vieillir que la teinte. Un rentoilage ou même un accrochage prolongé peuvent lisser un solide empâtement de manière très gênante, car un tel lissage escamote les traces de l'engagement de l'artiste avec ses matériaux. Même si au début de sa carrière, Delacroix préférait utiliser des couleurs étonnamment liquides, il goûta en mûrissant le plaisir de manier une pâte épaisse ; vers la fin de sa vie, il trouvait même que la manipulation physique des pigments était comparable au façonnage de l'argile par le sculpteur[91]. L'approche physique des matériaux par Delacroix se transmit aux impressionnistes, qui y ajoutèrent la croyance au caractère sculptural de l'objet perçu. Cela est tout à fait palpable dans les tableaux de Cézanne des années 1870, et encore plus vivement illustré par Alfred Sisley, qui conserva jusqu'à la fin de sa vie l'immédiateté du premier style impressionniste. Sisley écrivit qu'il appréciait une grande variation de surface dans un même tableau « parce que quand le soleil fait paraître plus douces certaines parties du paysage, il fait saillir les autres en relief. Ces effets de lumière, qui possèdent une expression presque matérielle dans la nature, doivent être rendus de façon matérielle sur la toile[92] ».

C'est surtout en Russie, au début du XXᵉ siècle, que la texture *(faktura)*, dans sa relation au médium et au traitement, acquit le statut d'une catégorie esthétique indépendante. Le critique d'art Nikolaï Taraboukine développa l'idée dans un essai intitulé « Vers une théorie de la peinture », écrit juste après la Première Guerre mondiale : « Les couleurs [matérielles] ont en elles-mêmes une valeur esthétique autonome, qui ne s'épuise pas dans la couleur. Elles ont un potentiel esthétique déterminé, qui est un élément de la somme du coloris. [...] Il est évident qu'un même objet artistique nous affecte différemment suivant qu'il est peint à l'huile, à l'aquarelle ou à la détrempe. » Taraboukine comparait le médium au timbre d'un instrument de musique, qui est déterminé par le matériau dans lequel il est fabriqué. Selon lui, les artistes modernes (il devait entendre les impressionnistes et les post-impressionnistes, tout comme les peintres russes tels que Mikhaïl Larionov, dont le traitement pictural leur devait tant) attirent l'attention sur les substances de leur tableaux, « qui ne sont plus l'élément inférieur qu'elles étaient pour les maîtres du passé[93] ». Dans les mouvements modernes liés au constructivisme, la couleur fut considérée comme un « matériau » au même pouvoir de construction que les autres[94]. On verra au chapitre 14 comment cette approche est venue remplir le vide laissé par le reflux de la théorie des couleurs en peinture, après la Seconde Guerre mondiale. Pour l'instant, je souhaite explorer la comparaison intéressante de Taraboukine entre les effets de la couleur et ceux du timbre musical, et cela va nous emmener dans les zones les plus abstraites de ce qui lie notre conception de la couleur à notre expérience du monde visible.

180

146, 166

Les tableaux « blanc sur blanc » de Kasimir Malevitch (1917-1918) explorent d'une part le pouvoir du blanc à suggérer l'infini et, d'autre part, la texture *(faktura)*, une obsession majeure des peintres russes de cette époque. (180)

Paul Véronèse, *Les Noces de Cana* (détail), 1563. À Venise, règne du *colore*, la
virtuosité des peintres était souvent comparée à celle des musiciens. Ceux
que Véronèse représente ici ne sont autres que ses amis peintres : Titien à la
viole de gambe, Tintoret et Véronèse lui-même à la viole, le frère de
Véronèse à la *lira da braccio* et probablement Jacopo Bassano à la flûte. (181)

13 · Le son de la couleur

La gamme chromatique grecque · Les harmonies chromatiques au Moyen Âge et à la Renaissance · La musique chromatique d'Arcimboldo · Musique et couleur au XVIIe siècle · Le clavecin oculaire de Castel · Les romantiques Sonorité et rythme · La couleur en mouvement

L'EXPÉRIENCE DE LA COULEUR en Occident a toujours été étroitement mêlée à celle de la musique. En Grèce antique, un type de gamme musicale *(genos)* conçu au IVe siècle par Archytas de Tarente, ami de Platon, était qualifié de « chromatique ». Il se divisait en demi-tons et l'on considérait qu'il « colorait » simplement les deux gammes qui l'encadraient : la gamme diatonique (divisée en tons complets) et la gamme enharmonique (divisée en quarts de tons) [1]. Certains théoriciens grecs considéraient la « couleur » *(chrōia)* comme une qualité du son en soi, avec la hauteur d'une note et la durée ; cette notion se rapprochait sans doute de ce que nous appelons aujourd'hui le « timbre » [2]. Ce qui impressionnait le plus les Grecs était, semble-t-il, la capacité de la couleur, comme du son, à s'articuler en une suite de gradations régulières dont les différences pouvaient se percevoir de façon tout aussi constante. Pour Aristote et son École, il semble qu'il y ait eu une corrélation entre le clair et le sombre et les sons nets et assourdis ou même les tons hauts et bas [3]. Dès l'époque de Platon, qui le désapprouvait d'ailleurs, le jargon musical avait intégré la notion de mélodie « colorée ». Inversement, dans le domaine des arts visuels, les termes « tons » et « harmonie » s'intégrèrent rapidement au vocabulaire critique de la couleur [4].

Dans une société où la musique était largement considérée comme dotée d'un important pouvoir moral, on prêtait à la gamme chromatique un caractère distinct assez différent de ceux des gammes diatonique et enharmonique. Ses tons plus rapprochés semblaient lui conférer une qualité de mouvement particulière, une fluidité qui s'opposait à la gamme diatonique, plus affirmée et plus catégorique. Elle véhiculait les connotations morales de douceur et de tristesse ; elle était, selon Ptolémée, plus « mathématique » et plus « domestique » que la gamme diatonique qui, elle, était qualifiée de « théologique » et de « politique » ; elle avait même le pouvoir de transformer les hommes en lâches [5]. Le Moyen Âge chrétien considérait l'un des trois types de gammes chromatiques comme suave et licencieux. Clément d'Alexandrie, auteur paléochrétien, écrivait à la fin du IIe siècle :

[Il faut] repousser le plus loin possible, pour épargner notre santé morale, les harmonies réellement voluptueuses, qui par les inflexions des sonorités corrompent et mènent à la mollesse et la bouffonnerie ; d'autre part, les mélodies rudes et toniques sont écartées par la pétulance de l'ivresse. Qu'on laisse donc les harmonies chromatiques aux excès sans pudeur des buveurs de vin et à la musique couronnée de fleurs des prostituées [6].

Ainsi, dans ses premières associations avec la musique, tout comme dans ses connotations scientifiques, il semble que la couleur ait montré ses capacités à exprimer la variabilité et l'instabilité du monde de tous les jours.

Selon la plupart des récits, la gamme chromatique fut développée plus tard que la gamme diatonique et peut-être même que la gamme enharmonique. Incontestablement, il semble que le caractère plus nuancé de ses accords la rendait plus difficile à jouer. Dans l'histoire de la musique de cordes grecque, on dit que Lysandre de Sicyon, cithariste de la fin du VIe siècle, introduisit un style plus coloré *(chromata enchroa)* avant même qu'Archytas de Tarente ne développât sa gamme. Dans le traité antique le plus exhaustif sur la musique, Quintilien, écrivant probablement au IIe ou au IIIe siècle de notre ère, soutient que la sophistication technique de la gamme chromatique la rendait uniquement accessible aux musiciens bien exercés [7]. Nous sommes confrontés à une situation où un style archaïque, plus direct et plus masculin, s'amplifie au contact d'un style nouveau, plus compliqué et plus doux. Ce schéma est parallèle au développement des arts figuratifs, de la période archaïque à la période hellénistique, à cela près qu'en musique ces styles coexistèrent et semblent avoir eu une importance fonctionnelle plutôt que purement chronologique.

Pour certains des Péripatéticiens, il fallait distinguer la couleur de la musique, car elle ne possédait pas de pouvoir moral (Aristote, *Problèmes* XIX, 27, 29). Le pouvoir affectif de la musique dépendait de son caractère temporel et de son importance dans la mesure où elle fournissait l'imitation la plus exhaustive de l'activité humaine. Dans un passage où il indique que le statut des différents arts faisait déjà débat dans l'Antiquité tardive, Quintilien souligne que la peinture et les autres arts visuels, fondés essentiellement sur le signe, parvenaient seulement à transmettre un « infime fragment » de la vie dans son ensemble, tandis que la musique avait un effet direct à la fois sur le corps et sur l'âme, par ses rythmes qui imitaient ceux du corps ; par la poésie qui l'accompagnait et qui imitait la pensée et l'action humaines ; et enfin par la danse, qui donnait à cette pratique une forme visuelle [8].

Plus important encore, les intervalles numériques et les proportions réussissaient à indiquer la structure de l'âme et même de l'univers au sens large. Sur ce point, Quintilien se montrait généreux envers les peintres qui, pensait-il, avaient tout autant recours à des systèmes proportionnels :

C'est avec des nombres [que la peinture] recherche les proportions des corps et les mélanges de couleurs, et c'est grâce aux nombres qu'elle crée la beauté dans les tableaux. On peut voir que c'est grâce aux nombres qu'elle est une imitation de la nature première : de même que c'est bien un rapport qui, intervenant dans les corps naturels, a créé une beauté, c'est un rapport semblable que les peintres recherchent aussi dans les dimensions des figures qui sont propres à exprimer les genres de vie et les caractères [9].

L'analogie entre le son et la couleur semble avoir profondément fasciné les Grecs car les deux pouvaient s'organiser selon des gammes graduées plus ou moins régulièrement ; même les termes techniques comme *tonos* et *harmoge*, rapportés par Pline l'Ancien (XXXV, xi, 29), faisaient probablement référence à divers types d'arrangements en gammes [10]. Pourtant, le son se prête beaucoup mieux que la couleur à un traitement mathématique : plus d'une dizaine de traités musicaux grecs nous sont parvenus mais nous n'en disposons que d'un seul sur la couleur, le *Peri Chromaton* péripatéticien, qui ne comporte aucun récit sur les « proportions » des couleurs entre elles. Platon avait tourné en dérision toute tentative pour découvrir les proportions des couleurs dans les mélanges (*cf.* chapitre 1) car seul Dieu pouvait sonder ce mystère (*Timée,* 67d-68d). Aristote, qui estimait possible de quantifier les couleurs, ne put pousser ses suppositions bien loin : dans son discours sur la production de couleurs par le mélange de particules de blanc et de noir (*Petits traités d'histoire naturellle,* 439b), il soutient :

> Il est donc possible de supposer ainsi l'existence d'un grand nombre de couleurs à côté du blanc et du noir, que la proportion multiplie [...] ; les parties qui n'ont en général aucun rapport numérique par excès et par défaut sont incommensurables, et, en cela, il en est comme pour les accords des sons. Les couleurs exprimées en nombres proportionnels, tout comme les accords des sons, sont, semble-t-il, les couleurs les plus agréables, par exemple le pourpre, l'écarlate et certaines couleurs analogues en petit nombre pour cette raison que les accords sont peu nombreux ; mais les autres couleurs ne sont pas exprimables en nombres, ou bien toutes les couleurs le sont [...]. (Trad. Cl. Mondésert)

L'hésitation d'Aristote est évidente car pour que le blanc forme l'octave (les trois principaux accords reconnus par les premiers théoriciens grecs), nous ne savons pas dans quel ordre il plaça les couleurs entre la quinte et la quarte [11].

Dans le mythe d'Er de Platon (*République,* livre X), qui est probablement un des premiers textes rapportant une expérience synesthétique entre la couleur et la musique (une image en mouvement du système solaire où les huit orbites en révolution sont colorés et s'accompagnent des huit tons *(tonoi)* que chantent les sirènes pour créer une harmonie unique), aucune des couleurs citées n'est pure [12]. Il était bien plus difficile de parvenir à des consonances visuelles que de produire des consonances sonores. La seule autre tentative grecque concernant une description détaillée de ce type d'expérience synesthétique est probablement la vision de Timarque, dans les *Moralia* de Plutarque, où toute comparaison directe est évitée.

Il revint donc aux siècles suivants de trouver un moyen d'illustrer ce lien que la théorie antique avait proposé mais que la pratique n'avait pas réussi à concrétiser. On peut affirmer sans trop se tromper que cette tâche ne fut jamais véritablement menée à bonne fin.

Les harmonies chromatiques au Moyen Age et à la Renaissance

Le double handicap de la « couleur » en musique (le fait qu'elle produisait un son lénifiant et que sa capacité de proportionnalité demeurait incomprise) se transmit au Moyen Âge, à la Renaissance et, de fait, à toutes les périodes où la musique antique, malgré son aspect ardu, persistait encore comme un idéal tenace. Un théoricien de la fin du XIᵉ siècle, Rodolphe de Saint-Trond,

chercha à introduire un système de notes représentatif des modes *(tropoi)* du plain-chant, selon certaines couleurs : ainsi, le mode dorien devait s'écrire en rouge, le phrygien en vert, le lydien en jaune et le myxolydien en pourpre [13]. Ce système, créé simplement dans un souci de clarté, n'eut que très peu d'écho, même dans les propres manuscrits de Rodolphe de Saint-Trond. Quand, à la fin du XVᵉ siècle, Franchino Gaffurio, théoricien milanais, réintroduisit l'idée des couleurs des modes grecs, il les associa aux tempéraments ou humeurs liés à chacun de ces modes depuis l'Antiquité. Le dorien, soutenait-il, était un mode flegmatique, que les peintres représentaient à l'aide d'une couleur « cristalline », le phrygien, un mode maussade représenté en orange *(igneo colore),* le lydien était un mode joyeux, rendu par du rouge sanguin et les peintres exprimaient le myxolydien par un mélange de couleurs indéfini [14]. Bien que Gaffurio fût proche des peintres, y compris de Léonard de Vinci, et même si l'on retrouve ses idées dans la théorie musicale italienne du XVIᵉ siècle, ces correspondances chromatiques morales lui étaient propres et ne semblent avoir eu aucun effet sur les théories ou pratiques ultérieures.

L'idée aristotélicienne de la proportionnalité des couleurs dans une gamme allant du noir au blanc, répétée tout au long du Moyen Âge et jusqu'à la Renaissance, fut beaucoup plus porteuse. Pourtant, l'identification des deux couleurs « harmoniques » ne pouvait pas se maintenir car le rouge le plus précieux de l'Antiquité, le pourpre d'Aristote, avait dorénavant laissé place à son équivalent moderne, l'écarlate *(coccineus)* [15]. On trouve l'une des rares tentatives d'application médicale de la théorie d'Aristote dans le *Speculum doctrinale* de Vincent de Beauvais qui avance que malgré le grand nombre de couleurs, seules sept parviennent à incarner les proportions et donc à disposer d'une apparence agréable. Il ne les nomme pas mais signale qu'un rose composé d'une grande proportion de blanc et d'un peu de rouge et qu'un vert atténué avec quelques touches de jaune sont aussi plaisants à l'œil qu'une quinte ou qu'une quarte le sont à l'oreille. Le rose forme ainsi la consonance d'une quinte par rapport à l'octave de blanc et le vert clair celle de la quarte [16]. Ce type d'exploration des gammes de couleurs harmoniques impliqua l'élaboration plus complexe de ces gammes caractéristiques du XIIIᵉ siècle (cf. pages 165-166), mais la confusion manifeste sur l'ordre précis des couleurs rendit quasiment impossible leur transcription en termes musicaux.

Le prestige qui entoure la théorie musicale fut assuré, au Moyen Âge, par son intégration dans le Quadrivium des arts libéraux enseigné dans les universités [17]. La couleur ne bénéficia pas d'un tel privilège car elle ne constituait même pas une des branches de l'optique mathématique ; nous avons aussi vu combien on résista à la quantification de la couleur jusqu'à l'époque de Newton. Vers 1300, Manuel Bryennius, théoricien byzantin avait affirmé que seule l'ouïe, parmi tous les sens, était capable d'en quantifier les sensations [18]. À la Renaissance, quand se raviva le débat entre arts rivaux pour accéder à la distinction d'art libéral, les peintres trouvèrent peu de soutien dans l'aspect coloriste de leur pratique et firent appel, en grande partie, au système nouvellement élaboré de la perspective linéaire. Cette attitude est d'autant plus surprenante que ce *paragone,* d'abord essentiellement développé à Milan dans le cénacle de Léonard de Vinci et de Gaffurio, avait presque certainement trouvé son origine dans l'intérêt renouvelé pour *La Musique* de Quintilien qui, comme nous l'avons vu, avait souligné l'existence d'une proportionnalité dans les mélanges chromatiques du peintre ainsi que dans le dessin de la figure humaine [19]. Dans sa défense de la peinture contre les revendications de la musique et de la poésie, on aurait pu s'attendre à ce que Léonard s'inspire de cette argumentation mais, comme Luca Pacioli, son ami mathématicien, il s'aidait essentiellement des raisonnements mathématiques associés à l'anatomie et à la perspective [20]. Sa lecture de Boèce lui aura aussi rappelé qu'il ne suffit pas au musicien de créer des consonances ou au coloriste de posséder une compréhension purement intuitive de la couleur et de la forme : ils doivent aussi, comme l'avait remarqué ce philosophe, être capables d'établir un récit rationnel de ces phénomènes [21]. En ce qui concerne le peintre coloriste, c'était chose beaucoup plus facile à dire qu'à faire.

Peut-être est-ce parce qu'il resta fidèle à l'idée d'une peinture fondée sur la géométrie que Léonard ne traita jamais l'harmonie chromatique selon un principe aristotélicien. Suivant la définition des *Catégories* d'Aristote (VI, 4b-5a), ou probablement la version que Boèce attribue à Pythagore (*De la musique* II, iii), Léonard concevait la géométrie comme la science de la quantité continue, là où commence la peinture : le point se transforme en ligne, qui se transforme en plan qui, à son tour, devient un solide tridimensionnel [22]. Pourtant, comme l'avait soutenu Ptolémée dans un passage de ses *Harmoniques* sur l'arc-en-ciel (parvenu à Léonard via Boèce, *cf.* pages 108-109), l'harmonie musicale dépendait des proportions, c'est-à-dire d'une quantité arithmétique discontinue. Ainsi, les transitions continues des couleurs de l'arc-en-ciel ne pouvaient lui servir de modèle. Si Léonard parvenait à penser en terme d'harmonie chromatique, il ne pouvait le faire que selon le sens grec antique d'« ajustement » plutôt que selon le sens moderne de concordance agréable des « sons » [23]. Des objets discrets pouvaient être disposés proportionnellement, autrement dit harmonieusement, dans un espace continu [24]. En ce qui concerne la couleur, seuls les dégradés de *sfumato* de Léonard pouvaient exprimer les quantités continues de la géométrie ; cela ne pouvait guère peser sur l'agencement harmonieux des couleurs tel que l'Italie du Quattrocento l'entendait. Il n'est donc sans doute pas étonnant que la virtuosité de Léonard, en tant que musicien, s'exerçât essentiellement dans le domaine de la *lira da braccio*, un instrument à corde et archet disposant de deux cordes de bourdon continu. Rien d'étonnant non plus à ce que sa contribution au répertoire des instruments à vent fût l'invention d'une flûte *glissando* dont il comparait le son à la modulation continue de la voix humaine. Selon Léonard, il existait un *sfumato* aussi bien sonore que visuel [25]. Ce dilemme est une indication supplémentaire de la confusion qui persista jusqu'à ce que l'on parvienne à coordonner des gammes de nuances et de valeurs dans un espace chromatique tridimensionnel.

À la Renaissance, les développements théoriques en matière d'harmonie musicale la rapprochèrent du domaine des mélanges chromatiques, qui dépendait de l'expansion de la peinture à l'huile au XVIe siècle. L'élision de la « consonance » et de l'« harmonie » au bas Moyen Âge que Gaffurio exprime sur le frontispice de son *De harmonia* avec les termes « *Harmonia est discordia concors* », se développa vers 1500 pour se concentrer sur l'accord en trois notes, moyenne harmonique de Boèce, 3:4:6, où la proportion des trois parties l'une par rapport à l'autre est égale à la proportion des extrêmes. À la fin du XVe siècle, le théoricien vénitien Gioseffo Zarlino soutenait que le triomphe du contrepoint moderne était d'avoir amplifié le tétracorde antique en quatre tons (1+2+3+4=10) –

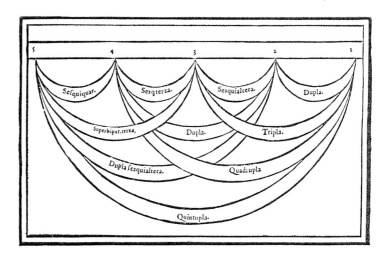

Gioseffo Zarlino, tableau des proportions harmoniques (*Istitutioni Harmoniche*, 1573). (182)

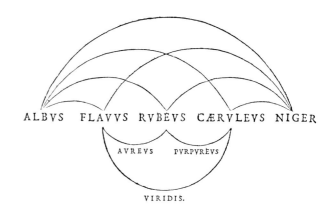

François d'Aguilon, gamme chromatique (*Opticorum Libri Sex*, 1613). D'Aguilon introduisit dans le domaine de la couleur le diagramme pythagoricien des consonances musicales tel qu'il apparaissait dans les textes théoriques depuis l'Antiquité. Il avait pour intention de démontrer les liens entre les couleurs plutôt que de suggérer des harmonies. (183)

dont les proportions donnaient à l'octave, à la quarte et à la quinte – en s'aidant de concordances provenant des six premiers nombres, qui ajoutaient les tierces majeures et mineures (5:4 ; 6:5) et la sixte majeure (5:3) [26]. Cela ramenait immédiatement la consonance musicale en relation potentielle avec la nouvelle gamme de couleurs primaires et secondaires. Ce n'est sûrement pas une coïncidence si le premier diagramme chromatique moderne, qui indique les liens entre les trois couleurs primaires et les trois couleurs secondaires, ainsi que les dérivés du noir et du blanc, se fondèrent sur les types de diagrammes de consonances musicales (très anciens, il faut l'admettre) publiés dans *Istitutioni Harmoniche* de Zarlino. De même, à la fin du XVIe siècle, il semble qu'il fut possible pour la première fois de démontrer la concordance visuelle des couleurs sur un instrument de musique : le premier exemple de musique chromatique en tant qu'art synesthétique. Jusqu'au XXe siècle, il allait mettre à l'épreuve l'ingéniosité de nombreux techniciens et la patience de leurs publics.

18

182

La musique chromatique d'Arcimboldo

L'empirisme croissant de la théorie musicale au XVIe siècle, que l'on remarque, en particulier, à l'attention plus soutenue aux problèmes d'accordage, s'accompagnait d'un changement dans le lien tel qu'il était perçu entre la musique et la peinture. La couleur était de plus en plus associée à la qualité du son et les peintres étaient de plus en plus comparés à des musiciens, par leur capacité en tant qu'interprètes à créer cette qualité. Dans son *Dialogo di Pittura* de 1548, Paolo Pino fonde ses revendications quant au statut d'art libéral de la peinture sur le lien qu'elle entretient avec le Quadrivium, mais il soutient plus loin que l'invention *(disegno)* était sa principale raison pour accéder à ce statut et que cette invention, comme la composition musicale, devait se manifester par l'interprétation : « En dépit du fait que certains affirment que faire *[operar]* est un acte mécanique étant donnée la diversité des couleurs et des contours [dessinés par] le pinceau, tout comme le musicien qui élève la voix et déploie les mains pour manier divers instruments, néanmoins nous sommes tous libéraux grâce à cette même perfection [dans l'interprétation] [27]. »

À la fin du XVIe siècle, Federico Barocci déclarait qu'en élaborant les compositions chromatiques de ses peintures à l'aide de petites esquisses, il recherchait une *concordia ed unione* de la couleur, s'accompagnant d'une harmonie de forme, et l'ensemble était analogue à la façon dont les chanteurs enchantaient l'oreille. Il déclara à son mécène, le duc Guidobaldo di Montefeltro, qui le rencontra alors qu'il était occupé à peindre, qu'il « harmonisait cette musique » [28]. Ces attitudes faisaient effectivement partie de l'*ambiente* vénitienne ; Véronèse les avait exprimées en incluant des portraits de certains de ses amis peintres représentés sous les traits de musiciens dans ses grandes *Noces de Cana* : il avait ainsi attribué la viole de gambe à Titien, connu aussi pour toucher quelque peu au clavier ; des violes à lui-même et au Tintoret, qui fabriquait ses propres instruments, et une petite *lira da braccio* à son frère, Benedetto Caliari. Il semblerait que le flûtiste soit Jacopo Bassano [29].

L'interprétation et l'intérêt pour les gammes se rejoignirent, probablement pour la première fois, dans les expériences du peintre milanais Giuseppe Arcimboldo, qui travaillait à la cour de l'empereur Rodolphe II à Prague, vers la fin du XVIe siècle. Selon l'auteur Gregorio Comanini, qui était apparemment un membre actif de la vie musicale à Milan quand Arcimboldo y retourna à la fin des années 1580 [30], il avait développé à Prague une gamme de valeurs, allant du blanc au noir, jusqu'à la double octave des sons musicaux du système de Pythagore. Il avait aussi étendu ses recherches à la gamme des nuances et persuadé un musicien de la cour de Rodolphe II, Mauro Cremonèse, de déterminer, sur son *gravicembalo* (un instrument à clavier utilisé pour l'accompagnement) les consonances établies par le peintre « avec les couleurs sur une feuille de papier [31] ». Le fait qu'Arcimboldo ait commencé par une gamme grise de quinze valeurs nous rappelle qu'il fut élevé à Milan, peu de temps après la mort de Léonard [32]. C'est dans cette ville que Girolamo Cardano avait publié sa série de gammes chromatiques, y compris une gamme calibrée pour la luminosité *(cf.* chapitre 9) [33]. Comme Zarlino, et contrairement à certains théoriciens antiques, Arcimboldo assimilait l'obscurité au son aigu. Il élabora probablement sa gamme du blanc vers le noir en mélangeant des quantités calibrées de noir à du blanc selon les proportions suivantes : 4/3 pour la quarte ; 3/2 pour la quinte ; 2/1 pour l'octave ; 9/8 pour le

ton complet ; 3/1 pour la douzième et 4/1 pour la double octave. Comanini soutenait que le peintre était même capable de surpasser Pythagore dans sa capacité à diviser le ton complet en deux demi-tons presque égaux [34]. Cependant, si nous passons de la gamme des valeurs à celle des nuances, le récit de Comanini est extraordinairement difficile à interpréter. Il déclare en effet que l'assombrissement graduel du blanc dans la gamme de gris « le réduisant jusqu'à l'acuité » se percevait également dans les autres couleurs :

> Utilisant du blanc pour la partie la plus basse du *cantus firmus* [canto] et du vert, et du bleu pour les parties les plus hautes, puisque de ces couleurs l'une suit et assombrit l'autre, car le blanc s'assombrit avec du jaune, et le jaune avec du vert, et le vert avec du bleu, et le bleu, avec du *morello* et le *morello* avec du *tané* ; tout comme la basse est suivie par le ténor, le ténor par l'alto et l'alto par le chant supérieur [canto].

Il semble que Comanini envisage un motet de cinq voix mâles dans lequel chaque ligne vocale se caractérise par une nuance, allant du blanc pour le *basso profondo* ou *cantus firmus* et se terminant par un marron foncé *(tané)*, pour le *falsetto superius*, chacune de ces voix étant capable de couvrir une double octave, comme dans la gamme de gris pythagoricienne. Arcimboldo tâtonnait apparemment vers une conception tridimensionnelle de l'espace chromatique mais ni lui ni Comanini, son commentateur, n'en soupçonnaient les implications. Plus étonnante est l'absence de rouge dans ce projet puisque, comme nous l'avons vu, le rouge est un élément très important de la gamme chromatique aristotélicienne qui sous-tend le travail d'Arcimboldo [35].

Mauro Cremonèse cherchait apparemment à illustrer l'ordre harmonique de la gamme sur son *gravicembalo*, ce qui a conduit au moins un commentateur moderne à suggérer qu'Arcimboldo apportait une sorte de notation chromatique codée, dans la tradition de Rodolphe de Saint-Trond [36]. D'autres ont vu dans ces recherches les germes de l'expérience synesthétique des « pianos chromatiques », bien que rien dans le récit de Comanini ne suggère qu'Arcimboldo écrivît des « compositions » quelconques ou que l'élaboration de ses consonances chromatiques sur le clavier fût agréable à l'œil. À l'évidence, le peintre n'avait à l'époque aucun moyen d'évaluer les proportions de noir et de blanc contenues dans les nuances intermédiaires. De plus, sa méthode aristotélicienne représentait encore un obstacle à un rapprochement pratique de la notion de consonances musicales et d'harmonies chromatiques.

Il est probablement plus utile de concevoir le travail d'Arcimboldo comme faisant partie intégrante de ce courant intellectuel, dominant à la cour de Rodolphe II, qui tentait d'identifier l'origine des correspondances de l'harmonie universelle et de les expliquer. Ses tableaux les plus connus présentent des analogies entre les éléments ou les saisons et les tempéraments humains, sous forme de têtes étranges élaborées à partir d'éléments tels que le feu, l'eau, les fleurs, les légumes ou les fruits [37]. Après le départ d'Arcimboldo en 1587, d'autres membres de cette cour manifestèrent un intérêt pour les gammes chromatiques musicales. L'Italien Vidus Antonius Scarmilionus, originaire de Foligno et professeur de médecine à l'université de Vienne, soutenait, au sujet de l'analogie des cinq consonances simples des premières théories pythagoriciennes (l'octave, la douzième, la double octave, la quinte, la quarte), que les couleurs simples devaient également être au nombre de cinq : le noir, le blanc, le jaune *(flavus)*, le bleu *(hyacinthinus)* et le rouge. L'alchimiste et gemmologue Anselme de Boodt, médecin à la cour

181

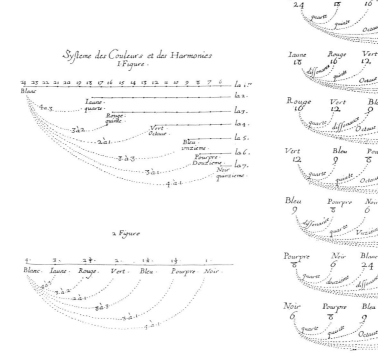

Marin Cureau de la Chambre, tableau de l'harmonie musicale des couleurs (*Nouvelles Observations et Conjectures sur l'Iris*, 1650). Cureau présente une gamme aristotélicienne en cinq tons, allant du noir au blanc, numérotés afin que les proportions harmoniques puissent être établies selon des lignes musicales. Il attribue ainsi au blanc la valeur 24 et au noir la valeur 6 ; l'intervalle entre le jaune (n°18) et le blanc forme une quarte, celui avec le rouge (n°16) une quinte, celui avec le vert (n°12) une octave etc. L'intervalle entre le noir et le blanc (n°6) forme une quinzième ou double octave. (184)

de Rodolphe, adopta également cette gamme de couleurs principales en cinq degrés [38]. Peu avant de rejoindre la cour impériale à Prague en 1600, le mathématicien Johannes Kepler, travaillant pour une autre cour habsbourgeoise à Graz, conçut une gamme tonale de nuances allant du clair au foncé. Elle se percevait dans les séquences des couleurs du ciel à l'aube et au crépuscule et se mesurait probablement, à l'instar des notes de musique que l'on identifiait par leurs proportions géométriques, à partir des « voix » infinies du continuum sonore. Anticipant Newton, Kepler maintenait même que les couleurs de l'arc-en-ciel pouvaient dépendre des angles de réfraction et être ainsi quantifiées de façon musicale [39]. Pourtant, il ne fut pas plus capable que ses prédécesseurs de s'affranchir de l'idée aristotélicienne selon laquelle les valeurs s'organisent en une gamme linéaire allant du clair au foncé ; Kepler ne put donc pas intégrer l'idée de spectre chromatique dans une séquence de valeurs.

Arcimboldo eut le courage d'essayer d'illustrer son analogie entre couleur et musique en la faisant jouer sur un clavier. Cette tentative s'accordait parfaitement à celles des musiciens de son époque qui souhaitaient inventer des instruments capables de jouer des gammes différenciées de façon de plus en plus subtile. Parmi ces musiciens se trouvaient des peintres comme le Dominiquin, connu pour avoir conçu des instruments à clavier capables de jouer des quarts de tons enharmoniques [40]. De façon assez caractéristique, ce peintre affirmait que ces expériences participaient de son désir de faire revivre la musique antique et d'associer les modes doriens, lydiens et phrygiens dans une gamme unique [41]. Toutefois, si la palette de couleurs chair en deux rangées de quinze nuances, utilisée par son élève Canini, reposait sur sa pratique personnelle, l'intérêt du Dominiquin pour les gammes musicale et chromatique allait de pair. En tant qu'associé de Matteo Zaccolini, on aurait pu

s'attendre à ce que ce peintre réfléchisse à ces liens car Zaccolini avait attribué un chiffre aux couleurs de sa gamme de huit nuances, selon leur effet spatial, et comparé la puissance du blanc et du jaune à celle des accords musicaux les plus puissants [42]. Parmi les maîtres du Dominiquin, Augustin Carrache s'était particulièrement consacré aux instruments à cordes : il serait plaisant d'imaginer que le peintre de paysage jouant du luth et tenant une palette élaborée, dans un tableau attribué à Paul Bril, constitue la preuve d'un contexte qui fut favorable à l'association des gammes musicale et chromatique, un contexte au sein duquel le Dominiquin fut probablement éduqué [43]. Ainsi, au début du XVIIe siècle, la quête picturale de gammes tonales de plus en plus nuancées (étudiée au chapitre 9) revêtait une importante dimension musicale.

188

Musique et couleur au XVIIe siècle

Le schéma des couleurs simples et mélangées de François d'Aguilon, bien que fondé sur un diagramme antique des consonances au sein de la gamme musicale, n'indiquait en lui-même aucun lien d'harmonie entre les nuances. De toute façon, le système harmonique aristotélicien ne pouvait pas être illustré ainsi, puisqu'il faisait référence non pas à l'assortiment des couleurs mais à l'attrait des nuances individuelles, émanant des mélanges proportionnels de noir et de blanc à partir desquels elles étaient constituées. Les développements de l'optique au XVIIe siècle, qui suggérait que la lumière était un mouvement de particules de matière et que les couleurs dépendaient de la vélocité variable de celui-ci, semblent avoir modifié et renforcé les fondements de l'analogie couleur-musique. Néanmoins, la persistance de la gamme chromatique aristotélicienne faisait qu'il était encore difficile de séparer les notions de mélanges de clarté et

183

231

d'obscurité et de mélanges de nuances entre elles. Dans la gamme de d'Aguilon, le pourpre en tant que mélange de rouge et de bleu venait avant le bleu dans la progression du clair vers le foncé. En revanche, dans les autres gammes chromatiques de la période, notamment celle de Marin Cureau de la Chambre, le pourpre était considéré comme un ton plus foncé que le bleu et était placé près du noir [44]. Le mathématicien français Marin Mersenne entreprit la tentative la plus élaborée pour relier les couleurs aux consonances musicales en identifiant les couleurs « simples » (« nuances ») aux gammes musicales grecques : le vert à la diatonique, le jaune à la chromatique et le rouge à l'enharmonique. Parmi chacune de ces gammes ou « nuances », la gamme tonale ou de demi-tons correspondait à la gamme des « couleurs », ou valeurs de ces couleurs simples. Cependant, Mersenne considérait également que le mélange de couleurs à travers ces diverses « nuances » était facteur d'harmonie, de telle façon que, par exemple, le mélange de bleu et de jaune, « les deux couleurs primaires du peintre », produisaient du vert, le ton intermédiaire le plus agréable (le *mese* grec) [45]. Les rouges parfaitement consonants d'Aristote étaient désormais rejoints par le vert, cette couleur préférée du bas Moyen Âge, dont la relation particulièrement harmonieuse avec le rouge allait bientôt être interprétée en terme de contraste complémentaire.

Grâce aux gammes chromatiques étendues et plus cohérentes du baroque, il fut possible de concevoir des correspondances plus complètes avec les gammes musicales. En 1650, Cureau de la Chambre parvint non seulement à élaborer les consonances dans une double octave allant du blanc au noir, mais aussi à numéroter les nuances le long de cette gamme, de telle façon que les associations de couleurs fussent perçues comme entretenant des relations harmoniques. Ainsi, le rouge au numéro 16 était dissonant avec le bleu situé au numéro 9 et le jaune situé au 18 mais formait une octave avec le pourpre au 8 et une quarte avec le vert au 12. Félibien évoque cet exemple de Cureau dans ses conférences sur la peinture à l'Académie dans les années 1680 [46]. Même avant cette date, dans *De Arte Graphica* (1667), Du Fresnoy avait déjà renvoyé les réflexions sur le chromatisme du discours musical à celui de la couleur dans l'art [47].

Ce fut à Newton, à la fin du siècle, que revint le soin de libérer la gamme chromatique du schéma tonal aristotélicien. Il développa la quantification des couleurs de Kepler et de Descartes selon la séquence spectrale, afin que celle-ci puisse être mise en relation, de façon plus convaincante, avec la gamme musicale quantifiée. Newton s'intéressait fortement à la théorie musicale depuis les années 1660 (vers 1700, il collabora avec Brook Taylor et le compositeur J. C. Pepusch à un traité sur le sujet [48]). Déjà lors de ses conférences de Cambridge de 1669, Newton avait soutenu une division « musicale » du spectre de la lumière blanche

> non seulement parce qu'elle s'accorde très bien avec ce phénomène, mais aussi probablement parce qu'elle suppose quelque chose au sujet des harmonies chromatiques […] sans doute analogue aux concordances de sons. Elle semblera même plus probable si l'on note l'affinité entre le pourpre et le rouge extrêmes, finalités des couleurs pareilles aux extrémités de l'octave (que l'on peut, d'une certaine manière, considérer comme des unissons) [49].

Pourtant, comme nous l'avons vu au chapitre 6, la division du spectre en zones distinctes posa à Newton autant de problèmes que l'articulation de la gamme aristotélicienne. Sa première divi-

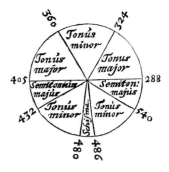

René Descartes, cercle de tons majeurs et mineurs (*Compendium Musicae*, 1650). Ce diagramme musical évoque la forme de la roue chromatique de Newton (voir ill. 134). (185)

sion en onze sections (*cf.* page 168) se réduisit rapidement à cinq couleurs « plus proéminentes » ; elle s'élargit ensuite, en 1672, à l'orange (*citrius*) et à l'indigo – pour rendre les parties « plus élégamment proportionnées les unes par rapport aux autres » – et son extrémité bleue fut changée du « pourpre » au « violet » [50]. L'introduction de l'indigo, une forme de bleu, était particulièrement problématique et pouvait seulement se justifier par la nécessité de rendre les sept sons de l'octave, bien que Newton tînt beaucoup à affirmer que « l'ami » qui avait marqué ces divisions pour lui n'était pas au courant de ses idées au préalable [51]. Quand il réfléchit aux détails de l'harmonie chromatique, Newton eut cette fois recours à l'autorité des peintres. Dans un brouillon rédigé pour une section non publiée du *Traité d'optique*, écrit probablement dans les années 1690, il déclare :

> le vert ne s'accorde ni avec le bleu ni avec le jaune car il est distant d'eux et une note ou un ton au-dessus & en dessous. L'orange, pour la même raison, ne s'accorde pas non plus avec le jaune ou le rouge : mais l'orange s'accorde mieux avec un Indigo bleu qu'avec une autre couleur car ce sont des quintes. Et donc les Peintres pour rehausser l'Or l'utilisent sur ce bleu. Ainsi le Rouge s'accorde bien avec un ciel coloré en bleu car ils forment des quintes et le jaune avec le Violet car ce sont aussi des quintes. Mais cette harmonie et discorde des couleurs ne se remarque pas autant que dans le domaine du son car dans deux sons concordants ne se mélangent aucun son dissonant alors que dans deux couleurs concordantes il y a un grand mélange, chaque couleur étant composée de beaucoup d'autres [52].

Cependant, Newton avait mis du temps à formuler ces exemples détaillés d'harmonie chromatique : dans sa lettre de 1675 à la Royal Society il avait émis l'idée que le « doré » (c'est-à-dire l'orange, l'*aureus* latin) s'accordait avec le bleu plutôt qu'avec le « bleu indigo » du brouillon ultérieur ou qu'avec l'« Indigo » de la version du *Traité d'optique* publiée en 1704 (livre III, partie I, question 14). Sa conception de la gamme musicale n'était pas non plus constante : dans les conférences de 1669, il utilise une gamme dorienne de cinq tons et de deux demi-tons allant du sol au sol et, dans le *Traité d'optique*, une gamme allant du ré au ré, fondées toutes deux sur le système médiéval des modes et n'ayant pas été affectées par les développements modernes [53]. De fait, le célèbre cercle chromatique de Newton était une adaptation du diagramme de l'octave diatonique tempéré publié par Descartes dans son

185 *Compendium Musicae*, lequel avait été écrit en 1618 et était déjà passé de mode lors de sa publication [54]. Néanmoins, malgré ces faiblesses, les propositions de Newton fournirent un compte rendu meilleur et plus détaillé sur l'analogie entre les sensations sonores et visuelles. La grande influence du *Traité d'optique* fait de cette analogie un champ d'investigation toujours légitime et potentiellement prolifique [55].

Le clavecin oculaire de Castel

Newton avait affirmé assez clairement sa croyance en l'analogie entre l'échelle diatonique et le spectre, mais c'est seulement dans ses « Queries » (*Traité d'optique*, livre III), de nature plus spéculative, qu'il se risque à suggérer que les harmonies perçues du son et de la couleur, étant toutes deux des phénomènes vibratoires, pourraient être reliées [56]. Cette hypothèse fit pourtant resurgir la croyance antique en une harmonie universelle et les empiristes du XVIII⁰ siè-cle ne furent pas longs à tenter d'illustrer cette idée sous la forme pratique qu'Arcimboldo et Mauro Cremonèse avaient esquissée [57]. La première et la plus célèbre tentative en ce sens fut celle d'un Français, le jésuite Louis-Bertrand Castel qui, dans les années 1720, commença à travailler à l'élaboration d'un « clavecin oculaire » interprétant des séquences chromatiques à la manière d'un clavier traditionnel. Castel avait fait une critique assez froide de la traduc-tion de Coste du *Traité d'optique* de Newton ; pourtant il est clair que, quel que fût l'élan que ce *Traité* put donner à ses recherches et bien qu'il affirmât que Newton l'avait aidé personnellement, à la fin des années 1720, sa première dette allait à la *Musurgia Universalis* (1650) de Kircher, son confrère jésuite [58]. Le problème était, évi-demment, que la gamme de deux octaves en treize sections de Kircher, allant du blanc au noir, était difficilement compatible avec le schéma spectral en sept tonalités de Newton. L'amitié de Castel pour le compositeur et théoricien Jean-Philippe Rameau ajoutait une complication supplémentaire. Rameau, dans son *Traité de l'har-monie réduite à ses principes naturels* (1722), dont Castel fit également la critique, amplifia la théorie sexpartite de Zarlino, faisant référence aux sons harmoniques, que Joseph Sauveur, pionnier de l'acous-tique, avait récemment mis en évidence : chaque hauteur de son comprenait trois sons « naturels » et fondamentaux pour l'harmonie (la quinte et les tierces majeure et mineure). Ces trois consonances étaient primaires et donnaient lieu à trois consonances « secondai-res » : la quarte et les sixtes mineure et majeure [59].

Rameau encouragea Castel à entreprendre ses expériences sur le clavier oculaire. Vers 1730, Castel utilisa une gamme de treize notes allant du do (bleu) au si (violet), étroitement liées aux six consonances primaires et secondaires de Rameau [60]. Dans les années 1720, Castel avait soutenu, à la manière de Newton, que tout comme le blanc contenait toutes les couleurs, « le son » com-prenait tous les sons. À présent il affirmait que le noir était, de tou-tes les couleurs, la couleur « fondamentale », tout comme Rameau avait affirmé que la note de basse était, dans le système tempéré, le son fondamental. Pour renforcer cette opinion, Castel indiquait que les teinturiers employaient le pastel bleu comme base pour leurs noirs et que l'imprimeur Le Blon amorçait son processus tri-

124-127 chromatique en imprimant la planche bleue [61]. Les douze tons de Castel pouvaient chacun être modifiés par du clair ou du foncé, en douze degrés, donnant un total de 144 nuances qu'il comparait à un orgue couvrant 12 octaves de la gamme chromatique [62]. Si son contemporain, Rameau, avait contribué au fondement des

Dessin pour instrument de « Musique Oculaire », 1769. Cet appareil simple et portatif de G. G. Guyot entraînait un tambour dont l'intérieur était constitué d'une lanterne et de papier transparent. Les ouvertures permettaient aux papiers illuminés d'être perçus à une échelle équivalent à une octave. Cet instrument, s'il ne fut jamais construit, constitue au XVIII⁰ siècle le seul équiva-lent pratique de la tentative de « clavecin oculaire » de Castel. (186)

notions d'harmonie musicale de Castel, les idées de celui-ci sur l'harmonie chromatique étaient influencées par Félibien et surtout par Roger de Piles, dont la perception de la dissonance du bleu outremer et du vermillon, illustrée par les tableaux de Titien et de Véronèse, lui semblait particulièrement convaincante [63].

Le débat demeura en grande partie au niveau théorique. Dans les années 1720, Castel eut recours à un facteur d'instruments du nom de Rondet. Il semble que leur prototype, utilisant des mor-ceaux de papier coloré sur le coffre du clavecin, fut mis en fonc-tionnement en 1730. Dans les dix ans qui suivirent, il s'aida d'un charpentier-menuisier nommé Touronde, mais le récit à ce sujet est si vague (écrit par un ami du compositeur allemand G. P. Telemann et publié par ce dernier en 1739) que nous pou-

PANHARMONICON

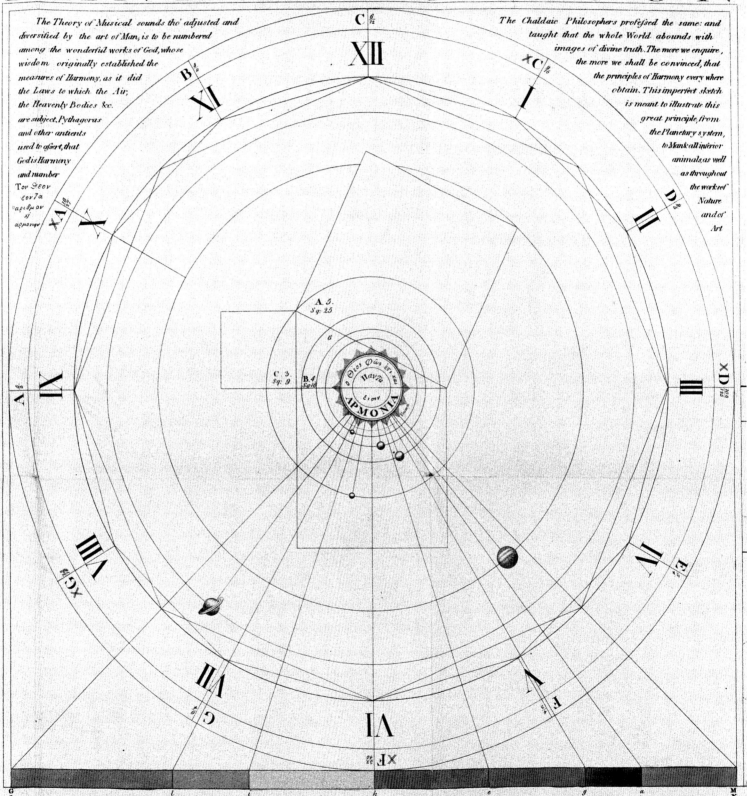

The Theory of Musical sounds tho' adjusted and diversified by the art of Man, is to be numbered among the wonderful works of God, whose wisdom originally established the measures of Harmony, as it did the Laws to which the Air, the Heavenly Bodies &c. are subject. Pythagoras and other antients used to assert, that God is Harmony and number Τον Θεον εον7α ςαριθμον ςι αρμονιαν

The Chaldaic Philosophers professed the same: and taught that the whole World abounds with images of divine truth. The more we enquire, the more we shall be convinced, that the principles of Harmony every where obtain. This imperfect sketch is meant to illustrate this great principle, from the Planetary system, to Man & all inferior animals as well as throughout the works of Nature and of Art

ο Θεος Φως ετι και
Παν7α
Ε1σιν
ΑΡΜΟΝΙΑ

According to Sir Isaac Newton's wonderful discovery, a ray of light passing through a prism (suppose from M to G) the line M G will be divided in the same proportions as a musical Chord by the spaces M a, a g, g e, e k, h i, i l, and l G, the respective colours of the ray. If G M be supposed continued as a direct line, and extended to X, & i X be equal to G M and the whole line considered as a musical Chord, G M will be minor Octave to the fundamental G X. Then GX (considered as a continued line) l X, i X, k X, e X, g X, a X, will be in proportion to one another as, 1, ⅞, ⅘, ¾, ⅔, ⅗, ⁹⁄₁₆ and ½, and so represent the Chords of the Key & a tone, a 3ᵈ minor a 4ᵗʰ a 5ᵗʰ a 6ᵗʰ major, a 7ᵗʰ & an 8ᵗʰ in that Key: & the intervals M a, a g, g e, e k, k i, i l, l G are the spaces which the respective colours occupy; viz. Violet, Indigo, Blue, Green, Yellow, Orange, Red.

Sir Isaac Newton also, by the same profound sagacity, discovered another truth equally wonderful and curious with the former, which is, that if we suppose musical Chords extended from the Sun to each Planet, in order that these Chords might become unison, it will be requisite to increase, or to diminish their tension in the same proportion as would be necessary to render the gravity of the Planets equal. So that, thus far at least, the celebrated harmony of the Spheres is proved and established, by philosophical principles, and absolute demonstration.

This great and exalted genius also demonstrated what the celebrated Kepler discovered, that the squares of the periodic Times, and the cubes of the mean distances of the Planets, are to each other in a ratio compounded of the direct ratio of their quantity of matter, and the inverse ratio of their magnitudes.

vons supposer que cela n'aboutit à rien de concret. L'informateur de Telemann affirme qu'ils utilisaient des cordes, des câbles et des clefs de bois pour exposer une boîte de couleurs, ou un compartiment, une image, ou une lanterne aux couleurs vives et que l'instrument n'était que « presque » fini [64]. Un modèle utilisant cent bougies, sans doute exposé en 1754 et 1755, était aussi apparemment loin d'être parfait. Il semble que la représentation prévue à Londres en 1757 (année de la mort de Castel), au Great Concert Room de Soho Square, n'eut pas lieu [65]. Elle devait se faire sur un instrument beaucoup plus grand, muni de 500 lampes situées derrière 60 filtres de verre de couleur, chacun de 6,4 cm de diamètre. Les obstacles techniques que ne cessa de rencontrer pendant près de vingt-cinq ans le clavecin oculaire de Castel présageaient fortement ce qui allait venir. Bien que la littérature philosophique du XVIIIᵉ siècle en Europe en parlât amplement, le seul résultat concret des expériences de Castel fut un jeu divertissant illustrant la *186* « Musique oculaire » que G. G. Guyot édita en 1769. Guyot prit comme point de départ *L'Optique des couleurs* de Castel mais rejeta ses gammes analogiques et ne se risqua pas à prescrire sa propre gamme pour remplir les cinq espaces de couleurs qui devaient être exposés et illuminés dans cet instrument ressemblant à une table à lanterne [66]. Quand l'idée de Castel fut de nouveau reprise, au XIXᵉ siècle, par le physiologue belge J. A. F. Plateau, ce fut pour faire référence à un instrument montrant des couleurs en mouvement, fondé non pas sur le principe de la correspondance musicale mais sur les phénomènes psychologiques de la persistance rétinienne [67].

Les romantiques

À mesure que les options dans l'étude de la théorie chromatique et musicale augmentèrent, il devint de moins en moins probable de trouver un consensus fondé sur une analogie étroite entre les gammes musicales et chromatiques. À la fin du XVIIIᵉ siècle, un peintre d'histoire peu connu, l'Anglais Giles Hussey, élabora l'un des systèmes les plus exhaustifs en la matière. Il prit comme point de départ la perception géométrique de la figure humaine pour arriver à une gamme newtonienne de correspondances entre musique et couleur en trois octaves, allant du la (rouge) au la bémol (violet). Ce système servit de base au grand diagramme d'harmonie universelle de son biographe Francis Webb : le *187* *Panharmonicon* [68]. Hussey considérait que la musique bénéficiait d'un statut privilégié par rapport à la peinture ; cette idée, bien que tardive, est suggérée par son dessin intitulé *Prospérité de la Musique avec la Décadence de la Peinture*, qui appartenait en 1773 à la collection de son plus important mécène, Matthew Duane [69]. Un système un peu plus récent, fondé sur la triade rouge (mi), jaune (do), bleu (sol), fut élaboré par Field et publié pour la première fois en 1820 – mais, comme à son habitude, Field l'amplifia et le retravailla pour de nombreuses publications ultérieures [70]. Il fut grandement influencé par les tentatives romantiques pour dissocier la musique de l'imitation et pour la mettre en relation directe avec la sensation. Il maintient qu'« il est manifeste que les couleurs possèdent une science aussi distincte de toute forme d'association figurative ou formelle [...] que [la science] des sons musicaux avec le lan-

Dans le *Panharmonicon* de Francis Webb (1814), le spectre de Newton, sous le cercle harmonique, est la clé des proportions d'harmonies visuelle et auditive de tout l'univers. (187)

gage figuratif de la poésie [71] ». Néanmoins, quand Field chercha à associer le pouvoir expressif des formes musicales aux différents types de gamme chromatique, dans un ouvrage ultérieur, il n'y parvint qu'en faisant référence à la tradition grecque des gammes chromatiques et enharmoniques [72].

Hussey et Field recherchaient des critères objectifs, mais ce qui distingue l'analogie couleur-musique à la période romantique c'est non seulement une plus grande subjectivité mais aussi l'idée que les différents styles de traitements de la couleur en peinture pouvaient être mis en relation avec les différents styles d'interprétation musicale. La subjectivité des groupements de couleurs harmoniques revêtait dorénavant un statut objectif : l'investigation de couleurs « accidentelles », dans la seconde moitié du XVIIIᵉ siècle, impliquait qu'il existait désormais un équivalent optique aux sons harmoniques de Rameau ou aux « sons résultants » de Giuseppe Tartini (un troisième son, plus bas, audible quand deux sons plus forts sont émis), ce qui peut offrir une base psychologique pour l'harmonisation harmonique des couleurs [73]. Le développement de ces séquences « accidentelles » donna un nouvel élan à l'idée que la couleur, comme la musique, pouvait incarner l'idée de mouvement [74]. L'une des plus séduisantes évocations visuelles de cette idée de mouvement chromatique se trouve dans un pamphlet rédigé en 1844 par D. D. Jameson, auteur par ailleurs méconnu. Dans celui-ci, les élégantes gravures sur bois reproduisent des compositions de papier de couleur qui devaient servir à une sorte de notation pour les mélodies populaires qui constituaient le répertoire de « couleur chromatique » de Jameson. Elles devaient être interprétées par un clavier de piano coloré qui actionnait des volets placés devant une dizaine de flacons contenant des liquides de différentes couleurs agencés selon un ordre prismatique. Les lampes devaient éclairer les bouteilles dans une salle plongée dans le noir et tapissée d'étain : « Chaque note déclenche une vive couleur dans la salle obscure qui est réfléchie par ses côtés ; et la durée et l'étendue de cette couleur sont plus ou moins longues selon la mélodie et la place de la note qu'elles représentent et accompagnent [75]. » La théorie de Jameson, relativement complexe, s'inspire librement de sources variées : il associe les tableaux de couleurs positives et négatives de Goethe (*cf.* page 204), qu'il relie, selon son humeur, aux équivalences chromatiques du rouge-5, jaune-3 et bleu-4 de Field par exemple qui représentent la proportion de ces couleurs contenue dans la lumière blanche et aussi les trois consonances majeures contenues en musique dans l'octave. Jameson avance que la recherche de l'époque avait démontré que le silence était le produit des sons simultanés des « trois notes primaires », « tout comme l'obscurité s'élimine par l'interférence d'ondulations de lumière [76] ». Il est peu probable que l'instrument de Jameson fût construit mais il soutient que la « mélodie ocularisée » des agencements de papiers collés et donc de ses reproductions xylographiques parvenait, bien qu'« à un très bas niveau », « sauf, de fait, à un œil averti », à reproduire les mêmes sensations que celles que produisait l'interprétation de la musique chromatique. Nous pouvons imaginer, à plus grande échelle, que leur présence s'apparentait quelque peu à celle d'une peinture tardive de Nicolas de Staël.

Au XIXᵉ siècle, la comparaison entre la palette du peintre et le clavier devint un lieu commun (voir chapitre 10) [77]. Jeune homme, Delacroix avait copié le groupe de peintres musiciens des *Fêtes de Cana* de Véronèse, dont nous avons déjà parlé [78]. C'est probable- *181* ment dans sa théorie de l'art que fut formulé pour la première fois le concept moderne du peintre comme interprète. Se faisant l'écho de A. R. Mengs, peintre allemand du XVIIIᵉ siècle qui réalisa sa dernière œuvre, *L'Annonciation*, en sifflant l'air d'une sonate de Corelli afin qu'elle s'imprègne du style de ce compositeur, Delacroix, selon un ami, sifflait ou chantait toujours une des célèbres *arias* de Rossini quand il était devant son chevalet[79]. Il considérait la pratique quotidienne des gammes qu'il attribuait (injustement) au violoniste virtuose Paganini comme particulièrement adaptée aux peintres[80]. En conversant avec Chopin, autre interprète célèbre, il élabora l'idée que le lien entre les notes musicales, « la logique de leur succession » et ce qu'il appelait leur « reflet sonore », était précisément parallèle aux reflets des couleurs dans la nature et en peinture. Ce lien sonore dépendait, bien sûr, du style des instruments à corde ou à clavier[81]. Nous entrons dans une période où les peintres étaient non seulement amis des compositeurs mais où, comme Ingres, Matisse ou Klee, ils pouvaient se reposer sur leur grande expérience de l'interprétation musicale pour éclairer leur propre pratique de plasticiens.

Ce fut Vincent van Gogh, disciple le plus dévoué de Delacroix, qui introduisit le plus intensément dans l'ère symboliste cette obsession pratique pour la sonorité de la couleur. En Hollande en 1885, il avait pris des leçons de piano afin d'approfondir sa connaissance des nuances de tons chromatiques. Son vieux professeur le renvoya « voyant que Van Gogh comparait continuellement les notes de piano au bleu prussien, au vert foncé, à l'ocre foncé, etc., jusqu'au jaune brillant cadmium, si bien que le brave homme pensa qu'il avait affaire à un fou[82] ». Nous apprécierons mieux la profonde frustration qui s'empara du professeur et de son élève en nous souvenant qu'en musique, Wagner était la principale source d'inspiration de Van Gogh[83]. Même si l'obsession pour la nature de ce dernier faisait qu'il avait des réticences à être perçu comme un « musicien des couleurs », la conception active qu'il avait de son rôle de peintre coïncide en plusieurs points avec le domaine de l'interprétation musicale. En 1888, il écrivit à sa sœur qu'il voulait que l'action de peindre ait un public à l'instar d'un concert de violon ou de piano. L'année suivante, il soutint à Théo que ses versions colorées des dessins de Millet et de Delacroix, réalisées dans l'asile de Saint-Rémy à partir des reproductions monochromes, devaient être perçues comme des interprétations : « Et puis j'improvise de la couleur là-dessus […]. Aussi alors mon pinceau va entre mes doigts comme serait un archet sur le violon et absolument pour mon plaisir. » (CL w. 4, 607)

Sonorité et rythme

Depuis les expériences de Castel au XVIIIᵉ siècle, les critiques maintenaient que l'intention de créer une musique chromatique reposait sur une fausse analogie. À l'époque, Jean-Jacques Rousseau, le plus influent d'entre eux, avait remarqué dans son *Essai sur l'origine des langues* (1764) que les sons, contrairement aux couleurs, ne pouvaient pas être identifiés individuellement[84]. Au XIXᵉ siècle, avec la précision accrue des différentes formes d'électromagnétisme, il devint évident que les caractéristiques des vibrations audibles et visibles étaient relativement distinctes et en particulier que la bande du spectre visible était bien plus étroite que celle des fréquences audibles du son. Un des premiers textes d'esthétique à établir clairement ces distinctions, *Vorschule der Ästhetik* de G. T. Fechner (1876), introduit également le débat sur un type d'association psychologique

entre couleur et son qui allait devenir une question centrale chez les musiciens de la couleur à la fin du siècle : le phénomène synesthétique de « l'audition colorée »[85]. Celle-ci était généralement perçue dans le discours oral (*cf.* chapitre 2) mais elle avait toujours été considérée par les adeptes de la synesthésie comme étant une fonction de la musique. Vers 1900, la littérature de plus en plus vaste à ce sujet convoqua de nombreux exemples musicaux. Dans sa *Théorie des couleurs*, Goethe attire l'attention sur un pamphlet sur l'harmonie chromatique de J. L. Hoffmann dans lequel la préparation de la palette était comparée à l'accord des instruments de l'orchestre et ces mêmes instruments aux couleurs individuelles. Ainsi, le jaune évoquait les clarinettes, le rouge vif les trompettes, le cramoisi les flûtes, l'outremer les violes et les violons, etc.[86] Hoffmann était connu des chercheurs qui s'intéressaient à l'audition colorée même si la masse de nouvelles études n'allait pas toujours dans le sens de ses schémas d'équivalence[87]. Une association s'avéra remarquablement durable, celle entre le rouge écarlate et la trompette, qui avait été intégrée bien avant dans la littérature psychologique par Locke avec son exemple de l'aveugle conduit à utiliser cette analogie. Schoenberg y fit allusion dans la section des cuivres du *Gesammtkunstwerk Die Glückliche Hand* (1910-1913) où l'éclairage rouge pendant les fanfares de cuivres se transforme en jaune au son aigu de la trompette[88]. De même, l'évocation du bleu par le son de la flûte commença à être remarqué à la période romantique et gagna en puissance à partir des années 1870 quand il reçut un soutien expérimental[89]. Ainsi Kandinsky s'inspirait-il d'un important bagage critique quand il déclara, en 1912 : « Musicalement, le bleu clair s'apparente à la flûte, le foncé au violoncelle, s'il fonce encore à la sonorité somptueuse de la contrebasse ; dans ses tons les plus profonds, les plus majestueux, le bleu est comparable aux sons graves d'un orgue[90]. »

Avec l'influence de la psychologie à la fin du XIXᵉ siècle, l'analogie entre couleur et sonorité musicale s'orienta vers les qualités plus mystérieuses du timbre. Ce changement fut facilité dans les pays germanophones où le terme pour « timbre » est précisément *Klang-Farbe* (« couleur sonore »)[91]. On peut y voir un parallèle avec l'insistance croissante, depuis Berlioz et Wagner, sur la richesse de la « couleur » orchestrale qui se manifeste nettement dans la *Klangfarbenmelodie* des *Six Pièces pour orchestre* (1909) de Webern, élève de Schoenberg et chroniqueur de l'*Almanach* du Blaue Reiter. Cette association est probablement plus immédiatement perceptible pour les interprètes d'instruments à cordes, et ce n'est sans doute pas un hasard si Kandinsky était violoncelliste et que pour lui le bleu foncé de son instrument était la couleur la plus intime et la plus spirituelle[92]. De même, Matisse, qui était violoniste, reprochait aux œuvres néo-impressionnistes non seulement leur caractère mécanique, mais aussi leur surface « agitée », leur « seule vitalité tactile comparable au "vibrato" du violon ou de la voix »[93].

Des développements en matière d'orchestration accompagnèrent ces nouvelles attitudes vis-à-vis de l'harmonie musicale qui portaient essentiellement sur ce que l'on appelait « l'émancipation de la dissonance ». Dans le cercle munichois du Blaue Reiter, la notion de dissonance chez Schoenberg était souvent mise en relation avec les couleurs de la peinture. Franz Marc, co-éditeur de l'*Almanach* auquel Schoenberg contribuait également, soutenait que l'on pouvait associer l'atonalité du compositeur à celle de Kandinsky : l'indépendance de chaque note était comme les taches discrètes entourées du blanc de la toile dans la peinture de

Dans ce portrait attribué à Bril, couleur, musique et paysage sont
incontestablement mis en relation. Vers 1600, l'idée selon laquelle les gammes
sonores et les gammes chromatiques (représentées par la palette récemment
utilisée) avaient une certaine affinité devint un thème artistique courant (voir 181).
Sur son chevalet le paysage aux touches vigoureuses évoque la même virtuosité
que celle du joueur de luth.

188 Attribué à Paul Bril (1554–1626), *Peintre jouant du luth.*

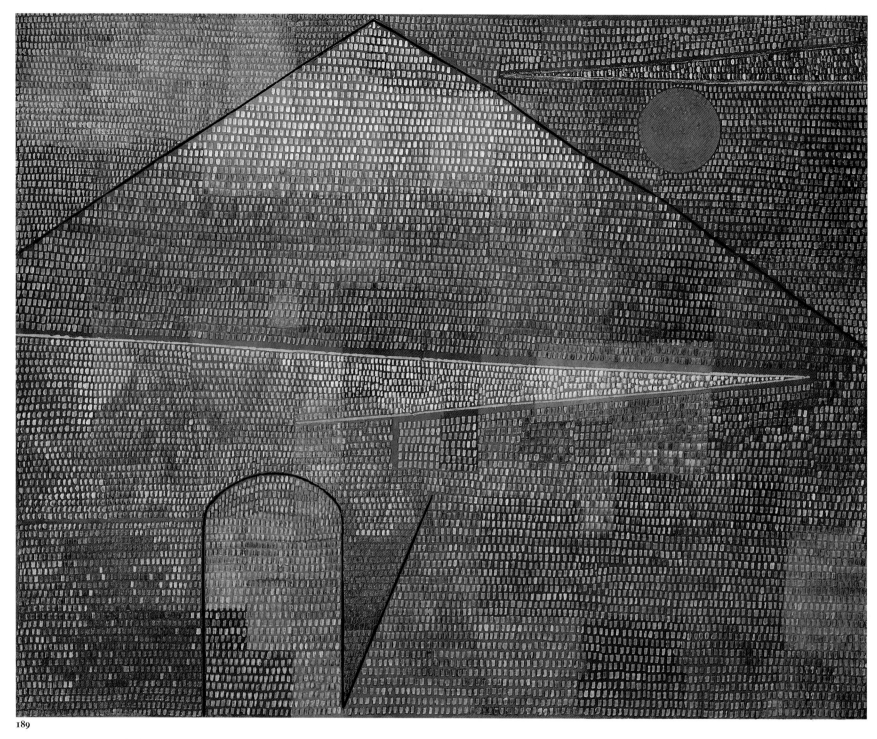

189

Au XXᵉ siècle, les artistes perçurent les affinités entre couleur et musique de très diverses façons. Vers 1913, Kandinsky (**192**) peignit un certain nombre de tableaux complexes aux proportions presque symphoniques ; selon lui, les formes et les couleurs évoquaient chez les spectateurs des vibrations proches des différents timbres des instruments d'un orchestre – son propre instrument était le violoncelle qu'il « percevait » comme bleu foncé. Dans cette composition vaste et majestueuse (**189**), Klee rendit pour sa part hommage aux principes structuraux du contrepoint baroque, qu'il explora également lorsqu'il fut enseignant au Bauhaus (**190**). C'est le piano staccato du nouveau jazz américain qui stimula Mondrian dans sa dernière œuvre importante réalisée à New York et restée inachevée (**191**).

Structure et résonnance

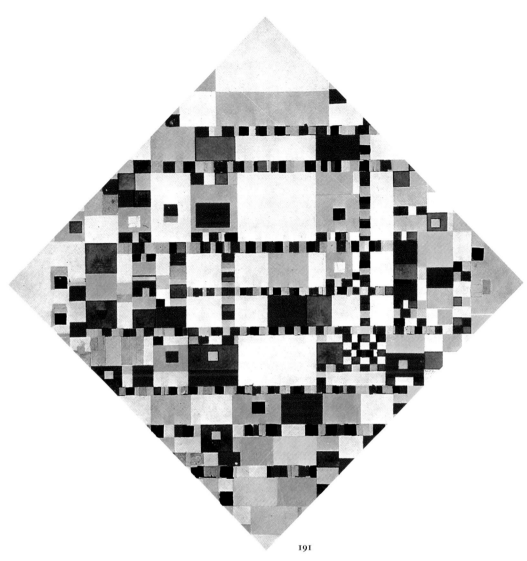

191

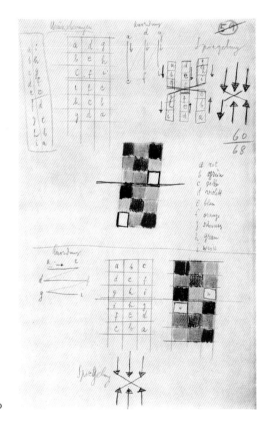

190

192

189 Paul Klee, *Ad Parnassum*, 1932.
190 Paul Klee, *Exercices de grilles colorées inversées par le miroir*, probablement vers 1922.
191 Piet Mondrian, *Victory Boogie-Woogie*, 1943-1944.
192 Wassily Kandinsky, *Composition VI*, 1913.

Kandinsky. Marc se préoccupait aussi constamment dans sa peinture du refus de Schoenberg de reconnaître les catégories de consonance et de dissonance, ce qui lui permit de surmonter l'ordre prismatique des couleurs complémentaires et de les placer à des distances aléatoires les unes par rapport aux autres [94]. Marc nous rapporte que Kandinsky était plus prudent mais qu'il espérait pouvoir compléter les vieilles harmonies de couleurs pures par des dissonances « sales » semblables à celles de Schoenberg [95]. Déjà, dans la première lettre de Kandinsky à Schoenberg en janvier 1911, le peintre soutenait que les dissonances d'alors seraient les consonances de demain. Dans *Du spirituel dans l'art*, publié à la fin de cette même année, Kandinsky prenait fermement parti pour une vision non-hiérarchique des tonalités, tant musicales que chromatiques :

> Nous pouvons facilement conclure qu'une harmonisation, sur la base de la couleur isolée, convient aussi peu que possible à notre époque. Nous pouvons être réceptifs, peut-être avec envie, avec une sympathie triste, aux œuvres de Mozart. Elles sont pour nous une pause bienfaisante dans le tumulte de notre vie intérieure, une image consolante, un espoir, mais nous les entendons tout de même comme des résonances d'une période différente, révolue, qui au fond nous est étrangère. Lutte des sons, équilibre perdu, « principes » qui tombent, roulements de tambours inattendus, grandes questions, recherches apparemment sans but, impulsions apparemment déchirées et nostalgie, chaînes et liens rompus, en renouant plusieurs en un seul, contrastes et contradictions – voilà notre harmonie [96].

C'est sensiblement à la même époque que les notions de « lois » de l'harmonie chromatique ou d'impératifs de consonances musicales cessèrent d'être d'un intérêt esthétique vraiment fondamental. Ces deux idées continuèrent cependant d'être promues par des concepteurs de systèmes d'organisation chromatique comme le chimiste allemand Wilhelm Ostwald ou le peintre américain Albert H. Munsell [97].

Étant donné le jugement de Kandinsky sur Mozart en 1911, il est au préalable assez étonnant que le peintre utilise une analogie propre au XVIIIe siècle pour évoquer le besoin qu'avaient les coloristes modernes d'une sorte de grammaire. Dans l'ensemble de ses publications de la période Blaue Reiter, il répète la remarque de Goethe qu'une « théorie approuvée et bien établie », comme la basse continue (*Generalbass*) en musique, était aussi requise en peinture, ce qui devint l'une des devises esthétiques du groupe [98]. Cette observation constante est d'autant plus curieuse que Schoenberg, dans son *Harmonielehre* de 1911 (texte que Kandinsky connaissait très bien), avait déclaré que la basse continue était désormais totalement passée de mode [99]. Pourtant, ces remarques reflètent une admiration très générale pour les principes du XVIIIe siècle chez les artistes en quête de structure picturale mais aussi la difficulté qu'avaient les plasticiens du début du XXe siècle à comprendre la nature des développements artistiques récents dans d'autres domaines que le leur. L'idée de l'importance d'une *Generalbass* que l'on trouve

d'abord chez Kandinsky s'étendit à d'autres artistes d'avant-garde avides de nouvelles structures. En 1918, Viking Eggeling, pionnier suédois du cinéma abstrait, crée *Matériel pour une basse continue de la peinture* ; en 1923 Theo van Doesburg, principal membre de De Stijl, décrit également ses formes rectangulaires élémentaires comme une *Basse continue de la peinture*, ce qui est de nouveau assez étonnant puisque, dans le texte qui les accompagne, l'artiste exprime son hostilité envers le baroque [100]. L'indication la plus surprenante de cette ambiguïté entourant la nouvelle esthétique musicale chez les plasticiens est sans doute le respect presque universel de l'avant-garde pour Jean-Sébastien Bach.

La grande réputation de ce compositeur n'est pas véritablement propre à la fin du XIXe siècle : Mendelssohn avait interprété sa *Passion selon Mathieu* en 1829 et la Société Bach de Leipzig, responsable de la publication de ses œuvres complètes, avait été créée en 1850. Cependant, il est indéniable que l'intérêt pour Bach s'accrut considérablement chez les compositeurs et les critiques vers la fin du XIXe siècle. Parmi les compositeurs du début du XXe siècle qui revendiquaient une affinité particulière avec lui, Schoenberg et Busoni étaient particulièrement proches des peintres les plus innovants [101]. Ce qui fascinait autant les compositeurs que les peintres, c'était la structure à la fois fermée et flexible de la fugue de Bach : il fut à la mode de comparer à la fugue la peinture aux sujets peu ostensibles et aux préoccupations marquées pour la structure. L'œuvre de Delaunay (*cf.* chapitre 14) fut décrite en ces termes par Marc (« des fugues au son pur ») et par Klee qui remarque, dans une critique de 1912, que l'une de ses peintures sur vitrail était « aussi éloignée d'un tapis que d'une fugue de Bach » [102]. Les disciples américains de Delaunay à Paris, les synchromistes, soulignèrent la musicalité de certaines de leurs compositions et l'un d'eux, Morgan Russell, un compositeur amateur, travaillait parfois avec une partition de Beethoven devant lui [103]. L'intérêt formel de Russell provient principalement de son étude de la sculpture de Michel-Ange. Toutefois, Russell et son ami Stanton Macdonald-Wright appréhendaient la couleur avec le même état d'esprit ouvert. Il soutient, en 1913, que

> l'humanité n'a, jusqu'à présent, jamais tenté de satisfaire son besoin de haute exaltation spirituelle seulement dans le domaine de la musique. Seuls les tons ont su nous saisir et nous transporter vers les plus hautes sphères. Chaque fois que l'homme a eu des désirs d'ivresse céleste, il s'est tourné vers la musique. Pourtant, la couleur est tout aussi capable que la musique de nous donner les plus fortes extases et les plus grandes joies [104].

Russell utilise les termes de « tonique », de « dominant » et de « contrepoint » pour décrire ses principes de construction chromatique. Sa *Synchromie en quatre parties n°7* reflète clairement une forme fugale et *Creavit Deus Hominem* annonce également sa structure en contrepoint [105].

À Paris, Russell et Macdonald-Wright avaient suivi les cours de Percyval Tudor-Hart, un artiste canadien qui avait développé une théorie psychologique de la couleur d'une certaine complexité. Il déclarait que la hauteur de ton équivalait à la luminosité et le timbre ou « ton » à la nuance, mais qu'en même temps, les douze notes de la gamme chromatique équivalaient à ces « couleurs chromatiques » où le do représentait le rouge et le la le bleu-violet [106]. La confusion que durent susciter ces idées si incompatibles et sans doute à l'origine du rejet postérieur de Russell pour « tous les

193

Cette composition chromatique de Morgan Russell se fonde sur des principes baroques de structure musicale et sur les structures formelles de la sculpture de Michel-Ange.

193 MORGAN RUSSELL, *Creavit Deus Hominem (Synchromie n°3 : contrepoint chromatique)*, 1913.

Théo van Doesburg, *Ragtime (Composition en gris)*, 1918. (194)

systèmes compliqués et les tromperies théoriques [de Tudor-Hart] [107] ». Cependant, la tentative d'associer l'interprétation traditionnelle de l'analogie couleur-musique, fondée sur des principes mathématiques, à la nouvelle inflexion donnée à la qualité du son eut aussi des répercussions sur les théories et pratiques beaucoup plus vastes de Paul Klee.

L'intérêt de Klee pour la musique l'aida à la fois à élaborer ses tableaux et à développer son enseignement. Il n'était pas en principe hostile à la musique moderne mais il sentait que si la peinture devait rattraper les développements de la théorie musicale contemporaine, il fallait commencer par le baroque, puisque « la musique avait déjà entrevu et résolu la question de l'abstraction au XVIIIe siècle, mais la musique programmatique du XIXe siècle a ensuite de nouveau créé la confusion. La peinture est seulement maintenant en train de l'intégrer [108] ». Pourtant, Klee avait une idée

fondamentalement moderne de la couleur en tant que qualité qui, contrairement à la ligne et au clair-obscur, ne pouvait pas être quantifiée. Lors d'une tentative précoce pour élaborer une gamme de valeurs des tonalités, il remarqua que la structure des valeurs *(Schattenbild)* était rationnelle mais que la structure des couleurs ne l'était pas ; elles pouvaient donc difficilement se concilier (*Journal*, 1910, n°879). Ainsi, la série de peintures aux séquences tonales dégradées, réalisée en 1921 (y compris *Fruit suspendu* et *Fugue en rouge*) qui a pu avoir été suscitée, au Bauhaus, par la fréquentation de Lyonel Feininger (lequel composait à l'époque des fugues très XVIIIe siècle), se limite en général à des séquences en une seule tonalité. Dans ses conférences au Bauhaus, il consacre bien plus de temps à l'élément quantifiable de la valeur qu'au ton [109]. Cependant, Klee tenta d'analyser le ton en terme de « poids », octroyant une plus grande importance psychologique aux couleurs primaires qu'aux couleurs secondaires et tertiaires, et aux complémentaires par rapport aux contrastes. Il appliqua l'inversion et la rétrogradation de la fugue aux tons ainsi qu'aux valeurs dans ses compositions fondées sur le « carré magique ». La couleur s'adaptait moins que la ligne et le dégradé tonal au traitement quasiment en diagramme de la majorité des œuvres antérieures de Klee. Il fallut attendre ses formats plus larges, dans les années 1930, avec des œuvres comme *Ad Parnassum* (s'inspirant du traité sur le contrepoint de J. J. Fux, *Gradus ad Parnassum*, de 1725) ou sa *Nouvelle harmonie* dodécaphonique, pour que les sonorités chromatiques se fassent sentir en tant que principes dominants de son organisation picturale et génératrices d'ambiances [110].

Parmi les admirateurs de Bach à l'époque, l'artiste suisse Johannes Itten fut probablement le seul capable d'utiliser son expérience musicale pour construire une théorie chromatique cohérente. Il y parvint grâce à une heureuse rencontre, en 1919, avec le compositeur dodécaphonique Josef Matthias Hauer à Vienne. Itten opposait déjà ce qu'il considérait comme la structure mélodique linéaire de Bach et Maître Francke, peintre du gothique tardif, et le contenu harmonique de Schoenberg et de Van Gogh : « Dans le linéaire, on peut clairement représenter sous forme d'ordre horizontal le mouvement temporel des rythmes respiratoires. Avec le coloré ou l'harmonique (musicale), on représente l'ordre des rythmes respiratoires comme de la musique simultanée ou verticale [...]. L'[ordre] linéaire se détermine bien plus précisément qu'un [ordre] coloré, même en musique [111]. » La rencontre avec Hauer, qui venait juste de publier son *Über die Klangfarbe (L'Essence du musical*, 1918) donna à Itten l'occasion de poursuivre ses études avec beaucoup plus de précision et tous deux amorcèrent pour plusieurs années un échange d'idées intensif. Hauer fournit au peintre un cercle chromatique de douze notes situées à égale distance, divisé en couleurs chaudes pour la quinte et froides pour les quartes [112]. Le système chromatique publié par Itten en 1921 était aussi dodécaphonique mais il s'organisait selon un ordre spectral et cherchait à coordonner douze tons situés à égale distance selon une échelle de valeurs de sept degrés qu'il reliait à l'intellect tandis que la « couleur-son » exprimait les émotions [113]. De même, comme Klee, Itten développa la grille de couleurs dans un format flexible pour établir les harmonies chromatiques qui, comme il le disait à ses étudiants à partir des années 1920, devaient refléter les types de personnalités des musiciens qui les composaient [114].

Le jazz fut l'un des styles de musique moderne qui exercèrent une grande influence sur le style chromatique de plusieurs peintres

220

190

189

d'avant-garde. Arrivé en Europe via l'Amérique autour de la Première Guerre mondiale, il fut vite récupéré par le mouvement De Stijl, en particulier par Mondrian, qui publia un essai important intitulé « Le Jazz et le néo-plasticisme » en 1927. Le bagage théosophique de Mondrian et sa quête spirituelle permanente ne lui permettaient pas de concevoir le jazz moderne comme quelque chose de plus qu'une étape superficielle et transitoire vers la société nouvelle. Il saisissait néanmoins que « le passage de l'art à la vie se perçoit de façon très claire dans le jazz et le néo-plasticisme » et il était depuis longtemps un fervent adepte de la danse moderne [115]. Dès 1915 aux Pays-Bas, on l'avait vu « droit comme un bambou, la tête penchée en arrière, exécutant des pas stylisés » et on peut imaginer qu'il fut le modèle de Van Doesburg pour *Ragtime (Composition en gris)*, son tableau syncopé en forme de grille réalisé quelques années plus tard [116]. Dans les années 1920, Mondrian peignit plusieurs compositions dédiées au fox-trot et développa l'idée selon laquelle le rythme était l'aspect unificateur de la vie et de l'art, tant pour les arts visuels qu'en musique, et que sa manifestation la plus caractéristique était le jazz bar où les rythmes répétitifs de la machine ou de la nature étaient modifiés selon des besoins plus humains [117]. Le fox-trot se fondait, naturellement, sur une formation en quartet dont les solistes étaient le saxophone et la trompette qui contribuaient à lui donner un caractère essentiellement linéaire. Quand Mondrian s'installa à New York, en 1940, la version dominante du jazz était le boogie-woogie – un style fondé sur le piano, utilisant souvent deux instruments dont les riffs en staccatos et les montées et descentes de clavier donnent un caractère pétillant et fragmenté – que Mondrian, abandonnant ses lignes noires, reprend dans les grilles coloristes de ses dernières œuvres. Encore une fois, un style pictural inspiré par la musique était développé non pas sur une base systématique mais en réponse à une expérience auditive.

La couleur en mouvement

L'intérêt de Mondrian pour le rythme était opportun car ce fut parmi ses contemporains que sembla s'accomplir la volonté de Castel de parvenir à des formations chromatiques mobiles et rythmées. C'était en grande partie une question de technologie et, comme on pouvait l'espérer, les premières avancées eurent lieu dans le domaine de l'éclairage théâtral. Dès les années 1780, la lampe à pétrole améliorée d'Argand permit aux artistes de la scène, comme P. J. de Loutherbourg à Londres, de contrôler comme jamais auparavant le niveau d'éclairage de la scène et d'introduire des effets de mouvements subtils [118]. Le développement vers 1820 de l'éclairage au gaz et de la lampe au calcium qui en découla, augmenta l'éventail des possibilités à disposition de l'artiste. Dans les années 1840, le scientifique anglais Charles Babbage conçut un ballet comprenant une scène en grande partie abstraite éclairée par quatre projecteurs diffusant des lumières mobiles rouge, jaune, bleu et pourpre se superposant pour donner un effet arc-en-ciel sur les costumes blancs des danseurs [119]. Le risque d'incendie en empêcha la représentation mais ce danger diminua considérablement avec le développement de l'éclairage électrique dans les années 1870 qui permettait d'envisager des compositions à une échelle sans précédent. Un des premiers organistes chromatiques, le peintre américain Bainbridge Bishop, écrit en 1893 :

> L'invention de la lumière électrique rend possible l'utilisation de l'harmonie chromatique pour accompagner les orgues d'église et de musique sacrée. Cela peut se faire à grande échelle. Le narthex d'une église dans son ensemble, derrière et au-dessus de l'orgue, pourrait être agencé comme une tablette ou un seuil sur lequel les harmonies chromatiques seraient présentées. De beaux effets pourraient être produits en associant la statuaire à des rideaux de gaze qui, lorsque la musique commence à carillonner aux incantations de l'adoration, s'illumineraient puis s'éteindraient avec des lumières colorées aux tons délicatement fondus […] [120].

Au tournant du siècle, les capacités techniques de l'éclairage électrique de la scène permirent d'introduire des couleurs en mouvement dans l'intrigue, comme l'envisagea Kandinsky dans ses trois pièces scéniques de 1909, *Le Son jaune*, *Le Son vert* et *Noir et blanc*. Le scénographe suisse Adolphe Appia projeta également de le faire pour une représentation du *Parsifal* de Wagner trois ans plus tard [121]. Aucun de ces projets ne fut réalisé mais, à New York en 1915, eut lieu la représentation en musique et en couleurs du *Prométhée* d'Alexandre Scriabine qui devait s'apparenter quelque peu aux œuvres du clavecin oculaire de Castel, un siècle auparavant.

L'*Opus 60* de Scriabine fut la première et dernière tentative de l'artiste pour introduire un accompagnement chromatique à sa musique bien qu'il préparât, au moment de sa mort en 1915, une œuvre beaucoup plus vaste, *Mysterium*, qui devait inclure des odeurs ainsi qu'un éclairage coloré. En 1906, il avait été en contact avec le mouvement théosophique de Bruxelles, en particulier avec le peintre symboliste Jean Delville, mais sa gamme chromatique en douze tons aux connotations morales et spirituelles n'avait pas grand-chose à voir avec celle que la Société théosophique internationale avait publiée dans *Thought Forms* (1901) de Besant et Leadbeater. Les bleus de Scriabine – mi, do bémol et sol bémol –, qui avaient pour connotation le rêve, la contemplation et la créativité, sont assez proches de la « dévotion à un noble idéal » ou du « pur sentiment religieux » des théosophistes. Néanmoins, son joyeux jaune (ré) est difficilement comparable à leur « intellect le plus élevé » et son violet ou pourpre (ré bémol), « volonté de forme créative », est difficile à rapprocher de leur « amour de l'humanité » [122]. Toutefois, à la fin de leur ouvrage, Besant et Leadbeater introduisent trois exemples de formes-pensées musicales, perçues par un voyant lors de récitals sur un orgue d'église des *Romances sans paroles n°9* de Mendelssohn, du chœur de soldats du *Faust* de Gounod et de l'ouverture des *Maîtres chanteurs* de Wagner. Le récital de Mendelssohn produisit une composition très linéaire dans les trois couleurs primaires ; celui de Gounod une formation beaucoup plus grande et plus complexe en forme de spectre irradiant vers l'extérieur comme une sorte de globe en expansion ; mais celui de Wagner fut perçu comme « une vaste construction en forme de cloche d'au moins neuf cents pieds de haut » :

> La ressemblance qui existe entre cette forme-pensée et un amoncellement de montagnes est presque parfaite ; elle est encore soulignée par les masses houleuses de nuées qui courent entre les pics et donnent à l'ensemble sa perspective. […] Le résultat bien net est que chaque pic montagneux a sa propre teinte brillante […] ; l'éclat splendide de couleur vive, brillant de la gloire de sa propre lumière vivante, étend son rayonnement resplendissant sur toute la contrée environnante. Pourtant pour chacune de ces masses colorées d'autres couleurs passent, rapides, semblables à celles qui se voient sur le métal en fusion. Les scintillements de ces merveilleux édifices de l'astral dépassent toutes les descriptions que les mots physiques pourraient en faire [123].

Prométhée.

8

Lento. Brumeux. ♩ = 60.   più lento   a tempo   avec mystere

A. Scriabine, Op. 60.

Luce.

Flauto Piccolo

Flauti I.II.

Flauto III.

Il se pourrait que cette description très chargée ait agi à la façon d'un stimulus pour Scriabine dont le mi bémol (humanité) et le si (luxure ou passion) incluaient une « lueur d'acier » sur leurs roses chair [124].

D'une certaine manière, Scriabine était un synesthète et s'était découvert ce talent lors d'un concert en compagnie de Rimsky-Korsakov – ils étaient tombés d'accord sur la couleur jaune d'une œuvre en ré majeur [125]. Son idée première de l'accompagnement chromatique de sa symphonie *Prométhée* était extrêmement ambitieuse : il voulait inonder la totalité de l'auditorium de lumières colorées et, à un moment, il devança Kandinsky en proposant qu'un danseur mimât les changements de couleur par des gestes appropriés [126]. Cependant, quand cette symphonie fut jouée, l'élément coloré s'avéra bien plus modeste. Le clavier chromatique utilisé lors de la première à Moscou en 1911 ne fonctionna pas et nous ne savons rien d'autre à son sujet. Les concerts suivants en Russie, en Allemagne et en Angleterre ne comprenaient pas d'instrument chromatique même si Henry Wood à Londres avait espéré qu'A. W. Rimington, le principal organiste chromatique anglais, pourrait y remédier [127]. La première représentation complète eut donc lieu au Carnegie Hall à New York en 1915. Le clavier chromatique fut fourni par un artisan inconnu travaillant pour les Electrical Testing Laboratories de New York et qui utilisa des lampes au tungstène sous vide ou à gaz, élaborées pour l'occasion par General Electric. Les lumières étaient projetées sur une série de voiles de tulle ou de gaze plus ou moins translucides tendus sur une structure en forme de boîte de deux mètres et demi sur trois située au-dessus de l'orchestre. La partition de Scriabine nécessitait deux éclairages simultanés, l'un pour suivre l'orchestre son après son et l'autre pour souligner la tonalité générale des parties de la symphonie. Ils pouvaient durer pendant plusieurs mesures, d'où la nécessité d'utiliser un écran à plusieurs couches où, comme le rapporte un critique,

196

L'orgue chromatique *(luce)* figure dans la partie supérieure (ici tronquée) de la partition de la symphonie de Scriabine, *Prométhée*. Les couleurs de l'orgue étaient projetées sur un écran situé au-dessus de l'orchestre, comme on peut le voir sur cette illustration du concert inaugural de New York, en 1915. (195, 196)

il en résultait [...] que l'observateur voyait une lumière d'un certain ton sur les gazes situées à l'arrière, et une lumière d'un autre ton sur celles situées devant, les premières étant visibles au travers des secondes. Le résultat final était une belle combinaison de tons pas tout à fait identiques dans chaque partie de l'écran, et à l'apparence variable comme la soie changeante d'un vêtement sous une forte lumière [128].

Un autre critique new-yorkais trouva difficile de relier la forme de la partition chromatique à celle de la musique : « Au milieu de ce qui semblait être une phrase, les lumières changeaient une demi-douzaine de fois. Il n'y avait pas de variation d'intensité à mesure que la musique devenait plus emphatique ; à l'apogée, il y avait la même variété agréable de jaunes, d'oranges, de violets, de pourpres et d'émeraudes qu'au début [129]. »

La conception de Scriabine, et peut-être même son interprétation, trouva un écho dans *Le Son jaune*, opéra publié par Kandinsky qui, comme *Prométhée*, commence et finit par du bleu [130]. Il ne fut pas joué avant les années 1960 mais, même avant sa publication par le Blaue Reiter, il eut une influence sur l'éclairage de la scène 3 de *Die Glückliche Hand*. Celle-ci comporte en effet un crescendo de lumières allant d'un rouge terne au jaune, en passant par le vert sale, le violet, le bleu gris et le rouge sang [131]. L'œuvre de Schoenberg dut aussi attendre quelques années pour être produite mais les décors de la première représentation, à l'opéra Kroll de Berlin, étaient signés Oskar Schlemmer qui, influencé par Scriabine et le scénario du *Son jaune* de Kandinky, travaillait depuis longtemps à des ballets dans lesquels intervenaient des jeux de sons et de lumières élaborés [132]. Kandinsky lui-même put en définitive voir une de ses compositions scéniques abstraites : sa version de *Tableaux d'une exposition* de Moussorgski, produite à Dassau en 1928 [133]. La technologie, en l'occurrence des lampes à filaments de fort voltage, était enfin parvenue à rattraper l'esthétique.

De fait, Schoenberg espérait, dès 1913, que sa pièce pourrait être présentée sous la forme artistique la plus novatrice, le cinématographe, et que Kandinsky serait l'un des peintres invités à réaliser les décors et à coloriser à la main l'émulsion cinématographique sous sa direction. Cependant, le compositeur pensait également que la faiblesse relative de cette coloration pourrait nécessiter le recours à des lumières supplémentaires inondant l'auditorium [134]. À cette époque le cinéma abstrait n'en était qu'à ses prémices mais, comme les partitions chromatiques de Scriabine, cette forme artistique se développait également dans l'ombre de la théosophie et de Wagner. Les frères italiens Arnaldo Ginna et Bruno Corra, dont les expériences avec des films abstraits peints à la main remontaient à 1911 ou 1912, avaient suivi des conférences sur la théosophie à Bologne et à Florence et lu une grande partie des écrits sur la question, y compris Rudolph Steiner, Besant, Leadbeater et Édouard Schuré qui avait décrit Wagner comme étant le dernier de ses « Grands initiés » [135]. À l'instar de Scriabine et de Schoenberg, Ginna et Corra avaient imaginé inonder le public de lumières pendant leurs « drames chromatiques » sans paroles, mais après des expériences décevantes avec un clavier chromatique de vingt-huit touches, ils s'orientèrent vers le cinéma [136]. L'une des premières œuvres de Corra fut une version chromatique du *Chant du printemps* de Mendelssohn. D'autres pièces devaient être accompagnées d'extraits de Chopin, même si Corra composa aussi ses propres partitions. Ces frères se rendirent compte que le cinéma leur permettrait d'utiliser un éclairage beaucoup plus fort mais aussi de mélanger optiquement les couleurs grâce à l'effet de la persistance visuelle. Nous ne savons pas si certains de leurs films furent projetés en public mais une de leurs courtes pièces de démonstration évoque un style proche de celui de l'œuvre du cinéaste Oskar Fischinger, dans les années 1930 :

> [Elle était] composée de sept couleurs, les sept couleurs du spectre solaire sous la forme de petits cubes agencés initialement sur une ligne horizontale au bas de l'écran contre un fond noir. Elles bougent par petits à-coups, se regroupent, se percutent, se fracassent et se reforment, diminuent et s'agrandissent, forment des colonnes et des lignes, s'interpénètrent et se déforment, etc. [137]

Les difficultés techniques entravèrent autant le travail des premiers cinéastes que celui des scénographes et des organistes chromatiques. L'émulsion cinématographique était particulièrement instable : Fischinger dut travailler en noir et blanc pendant les années 1920 jusqu'à la création d'une pellicule couleur fiable, le Gasparcolor, au début de la décennie suivante, quand il put aussi coordonner la bande son. Pour ses premières œuvres son seul collaborateur possible était le Hongrois Alexandre László, probablement le joueur de clavier chromatique le plus connu au cours des années 1920 [138]. László vint à la musique chromatique par le biais de sa formation musicale, utilisant les services de plasticiens comme Fischinger ou le peintre Matthias Holl pour réaliser ses compositions. Il adopta la théorie de la couleur que venait de publier Oswald et semble avoir été au courant du travail de Feininger et de Klee. Comme eux, il n'avait pas d'idée arrêtée sur le lien entre des sons particuliers et des couleurs spécifiques qu'il considérait plutôt comme une question subjective [139]. Comme il était habituel à l'époque, son œuvre suscita un grand intérêt chez les psychologues expérimentaux qui travaillaient sur la synesthésie, mais elle disparut vite du répertoire des concerts [140]. Comme pour Ginna et Corra et pour Fischinger (autre admirateur de Bach), il y avait une certaine absence de lien entre le répertoire moderne des formes visuelles de László et le style baroque et romantique de la musique utilisée qui aboutissait, au mieux, à une sorte de technique de divertissement hybride [141].

Les années 1920 et 1930 furent la grande période de la musique chromatique qui se manifesta dans une variété de formes déconcertante, dont la plupart ont aujourd'hui disparu sans laisser de trace [142]. Dans la majorité de ces expériences, l'analogie entre les caractéristiques physiques de la lumière et celles du son cessa de jouer un quelconque rôle déterminant [143]. Dans certaines manifestations, comme les *Jeux de lumières colorées* que développèrent Ludwig Hirschfeld-Mack et Kurt Schwerdtfeger au Bauhaus en 1922, le stimulus semble avoir été purement formel [144]. Toutefois, dans la plupart des cas, les énormes difficultés techniques et financières et l'indifférence tout aussi importante du public vis-à-vis de cette forme artistique firent qu'elle dut son soutien à la seule conviction spirituelle selon laquelle elle donnait, dans un certain sens, un accès privilégié au divin [145].

Les deux représentants les plus mystiques de cet art mais aussi ceux qui connurent le plus de succès travaillaient aux États-Unis. Mary Hallock Greenewalt commença une carrière de pianiste mais, passionnée par l'éclairage théâtral, elle commença à s'intéresser à la musique chromatique vers 1906 et donna son premier concert à Philadelphie en 1911. Elle fit une grande tournée l'année suivante et il semble qu'elle ait joué régulièrement jusqu'à la

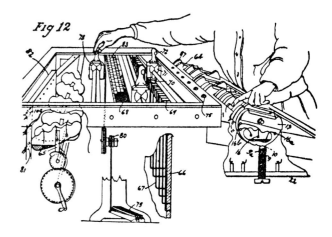

Dessin de Mary Hallock Greenewalt pour « Une console jouant sur les couleurs de la lumière », 1927 ; elle comportait des touches simulant « la lumière stellaire » et « le clair de lune ». (197)

fin des années 1930 sur des instruments de plus en plus sophistiqués, dont l'un obtint une médaille d'or à l'Exposition de Philadelphie de 1926. La musicienne jouait parfois dans des églises et, comme elle le précisa lors d'une convention de l'Illuminating Engineers' Society en 1918, la musique chromatique est « un art qui joue allègrement sur la moelle épinière de l'être humain, lui rappelant le Saint-Esprit et la pureté absolue du Beau [146] ». Greenewalt ne croyait pas en une analogie étroite entre couleur et musique mais, comme Bainbridge Bishop et Rimington, elle se sentait stimulée par son expérience de la nature. Elle composait souvent des accompagnements chromatiques pour des morceaux contenant de fortes associations programmatiques, comme le premier mouvement de la *Sonate au clair de lune* de Beethoven ou *Et la lune descend sur le temple qui fut* de Debussy (*Images*, 2ᵉ Livre, 1907). La console qu'elle fit breveter en 1927 comportait une touche « clair de lune » parmi les différentes variétés préétablies de lumière naturelle [147].

Thomas Wilfred, un chanteur populaire américano-danois avait fait des expériences sur la lumière et la couleur durant son adolescence à Copenhague mais ce ne fut qu'à son arrivée à New York en 1916 qu'il travailla sérieusement à un instrument de grande échelle. Il fut influencé par Claude Bragdon, architecte visionnaire et théoricien de la quatrième dimension qui construisit le premier studio de Wilfred à Long Island et avec lequel il créa une association, The Prometheans, pour développer cette nouvelle forme artistique [148]. Bragdon avait déjà construit son propre orgue chromatique et avait donné des concerts en 1915 et 1916. Néanmoins, Wilfred développa son « Clavilux » selon un principe différent et son premier modèle fut prêt dès 1921 [149]. Les écrits de Bragdon représentaient probablement le fondement intellectuel qui soustendait la pratique de Wilfred : Bragdon y rejette l'analogie physique entre la lumière et le son, mettant l'accent sur l'autonomie créatrice du médium et il oriente l'attention sur la représentation de l'espace quadridimensionnel :

> La couleur sans forme est une âme sans corps ; pourtant, le corps de la lumière doit être dépourvu de toute notion de matérialité. Les formes quadridimensionnelles sont aussi immatérielles que tout ce que

197

l'on saurait imaginer et elles peuvent servir à la séparation utile des couleurs entre elles, comme le font les plombs dans les vitraux des cathédrales : rien de plus beau n'a jamais été conçu [150].

Quand Wilfred conçut son *Art Institute of Light*, vers 1930, il lui donna naturellement la forme d'une église. Il écrit dans un essai de 1947 que son écran était comme « une grande fenêtre s'ouvrant sur l'infini, et le spectateur imagine qu'il est témoin d'un drame rayonnant dans la profondeur de l'espace [151] ».

Le premier « Clavilux » ne donnait apparemment pas une impression d'espace en profondeur mais plutôt celle d'une surface bidimensionnelle [152]. Pourtant, le développement des nouveaux modèles fut si rapide au début des années 1920 que, lorsqu'en 1925 ses œuvres furent jouées aux Expositions des Arts décoratifs de Paris et à Londres, Wilfred parvint par son style à rendre compte de la quatrième dimension de l'espace-temps que Bragdon avait recherchée avec tant de persévérance. Ses concerts londoniens au mois de mai de la même année comportaient la mise en contraste, très influencée par Bragdon, de deux compositions, *The Factory* et *The Ocean*, « mises en scène quadridimensionnelles pour une pièce fantastique ». À cette occasion, certains aspects de son travail rappelèrent à un spectateur les dernières œuvres de Turner : « Par une certaine magie, il semblait s'atténuer ou briller, s'éloigner ou s'avancer [153]. » Sheldon Cheney, l'un des critiques les plus admiratifs de l'œuvre de Wilfred, déclara au sujet d'une représentation sur un « Clavilux » modèle C qui eut lieu dans le studio de Long Island : « On avait ce sentiment de détachement, d'extase, qui caractérise seulement les expériences religieuses ou esthétiques les plus solennelles. » Il suggéra que c'était « probablement [...] le début de la forme artistique la plus rayonnante, la plus spirituelle et la plus haute [154] ».

L'élément de rituel présent dans cette démonstration distante et silencieuse (étant donné que Wilfred n'utilisait pas d'accompagnement musical) devait être primordial. Pourtant, vers la fin de sa vie, Wilfred admit avec une certaine irritation que la majorité des « mondains » trouvaient son travail « monotone et inintéressant » [155]. Ceux qui assistèrent à la représentation de ce qu'il considérait comme son chef-d'œuvre, *Lumia Suite, Op. 158* (1963-1964), joué dans un sous-sol pratiquement vide du MoMA de New York, ne le contrediront pas. Cependant, ils admettront probablement que Wilfred avait tenté le sort avec ses œuvres monumentales des années 1940 et 1950 : *Vertical Sequence n° II*, de 1941, durait deux jours, douze heures et cinquante-neuf minutes, et son œuvre étrangement intitulée *Nocturne (Op. 148)* de 1958 dura cinq ans, trois cent cinquante-neuf jours, dix-neuf heures, vingt minutes et quarante-huit secondes. Ces œuvres relevaient certainement plus de l'arrogance que de la spiritualité.

La musique chromatique fut toujours sur le point de devenir la forme artistique la plus importante du XXᵉ siècle sans jamais pour autant y parvenir. En 1923, Willard Huntington Wright (frère de Macdonald-Wright) écrivit que c'était « le développement logique de toutes les recherches modernes sur l'art de la couleur [156] ». Pourtant, il fallut attendre la fin des années 1920 pour que l'on commence à prêter attention à la question cruciale de savoir comment le spectateur percevait et répondait aux formes abstraites à mouvement rythmique [157]. Si la physique du son n'est pas précisément semblable à celle de la lumière, leurs effets psychologiques respectifs ont peut-être encore moins de choses en commun. À tous les niveaux, des shows lumineux de la période disco aux films abstraits à but thérapeutique, les expériences dans le domaine de la musique chromatique se poursuivent encore aujourd'hui [158]. Cependant, après quasiment un siècle de développement, il serait sage de se remémorer une prophétie datée de 1958 :

Le jour viendra où [...] dans une ambiance semi-obscure, des couleurs aux variétés multiples seront projetées sur un écran exprimant le contenu de la musique et lui correspondant. Ainsi le rêve de Scriabine, l'unité de la couleur et du son, se réalisera-t-il ; et grâce à cette réalisation, les spectateurs du futur connaîtront les effets thérapeutiques et stimulants de cette association très puissante [159].

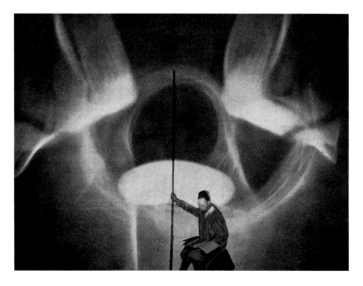

Thomas Wilfred répétant une composition. (198)

14 · La couleur sans théorie : le rôle de l'abstraction

La grammaire de la couleur · De Stijl · La couleur au Bauhaus · L'empirisme en France et en Italie
L'empirisme comme théorie · Les matériaux de l'abstraction

VERS LA FIN DU XIXᵉ SIÈCLE, la couleur était devenue une des préoccupations majeures, voire, en certains endroits, la préoccupation *centrale* des peintres européens et de leur public. La peinture de plein air des impressionnistes ainsi que celle, en atelier, des symbolistes, tel le peintre suisse Arnold Böcklin, semblaient attester que l'art moderne pouvait être caractérisé par une recherche d'effets colorés de plus en plus puissants. « Où que nous tournions nos regards, écrit le critique Waldemar von Seidlitz en 1900, un effort décisif vers la plénitude de la couleur se dessine partout en Europe à la fin du XIXᵉ siècle [1]. »Dans un article de 1901 sur la psychologie de la couleur qui attira particulièrement l'attention de Kandinsky, un autre critique allemand, Karl Scheffler, écrivit que « notre époque, qui, plus qu'aucune autre dépend de son passé pour ses formes, a créé un genre de peinture où la couleur est indépendante [2] ». De fait, la couleur était devenue le fer-de-lance de l'art non figuratif ; elle semblait ouvrir une ère de liberté visuelle sans précédent et, bien que nous ayons vu à travers l'œuvre de Matisse que cette liberté consistait plutôt en une soumission à une autre sorte de limitation créative, une foi en l'autonomie de la couleur animait les artistes et les plasticiens dans de nombreux domaines des arts visuels. Comment cette croyance s'était-elle si largement répandue ?

Seurat avait déjà annoncé que la relation de la couleur au dessin, telle qu'elle était traditionnellement conçue, n'était plus pertinente : « Si, scientifiquement, avec l'expérience de l'art, j'ai été capable de découvrir les lois de la couleur picturale, ne puis-je pas non plus découvrir un système, également logique, scientifique ou pictural, qui me permettra d'harmoniser les lignes de ma peinture ainsi que les couleurs [3] ? » Seurat était à l'évidence sous l'influence de Charles Blanc qui, dans sa *Grammaire*, avait expliqué que les « lois fixées » de la couleur pouvaient s'enseigner comme la musique et que la « grammaire » du dessin coexistait déjà avec une « grammaire de la couleur », une notion populaire en ce XIXᵉ siècle finissant [4]. Par conséquent, la couleur devint le paradigme de la loi visuelle, pouvant aussi être considérée comme un langage doté de ses propres structures grammaticales : Chevreul fut l'un des premiers à formuler l'idée selon laquelle la couleur constituait un langage universel [5]. À l'époque de la Première Guerre mondiale, cette notion était devenue si courante que Kandinsky la traite à part égale avec la forme dans *Du spirituel dans l'art* [6]. Aux systèmes chromatiques plutôt rudimentaires du XIXᵉ siècle s'ajoutaient alors les schémas plus nuancés et étendus d'Ostwald en Allemagne et de Munsell aux États-Unis, qui tous deux se fondaient sur de nouvelles techniques d'expérimentation psychologique pour distinguer les couleurs, revendiquant ainsi une certaine capacité à représenter les relations colorées « universelles ». Toutefois, la complexité même de ces systèmes d'échelle colorée les plaça hors de portée de nombreux artistes du début du XXᵉ siècle, les aidant même, à terme, à s'affranchir de toute théorie.

Ostwald vint à la couleur tardivement, à la fin d'une carrière brillante de chimiste et physicien (il reçut le Prix Nobel en 1909). Amateur enthousiaste de peinture, il commença à fréquenter vers 1900 un groupe de peintres de Munich, dont le portraitiste Franz Lenbach faisait partie. Ce groupe s'inquiétait de l'instabilité des pigments utilisés par les artistes et fut certainement ravi d'accueillir dans son cercle un chimiste qui produisait lui-même ses propres matériaux picturaux [7]. L'expérience d'Ostwald fut résumée dans un manuel paru en 1904, les *Malerbriefe (Lettres à un peintre)*, qui exhortait à une approche expérimentale de la technique picturale. Il semble que les artistes aient réservé au manuel un accueil plutôt tiède, mis à part le jeune Klee, qui le désigne à sa future femme comme « un ouvrage scientifique remarquable qui aborde tous les problèmes techniques » [8]. C'est une rencontre à Harvard en 1905 avec Albert Munsell, qui avait débuté sa carrière en tant que peintre à Paris, qui incita le chimiste à se tourner de manière définitive vers la théorie de la couleur, travail qu'il considéra, à l'instar de Goethe, comme l'œuvre la plus réussie de sa vie [9].

Munsell avait publié, peu de temps auparavant, son premier ouvrage, *A Colour Notation* (1905), construit autour d'un cercle de dix couleurs et d'un dispositif sphérique emprunté à Runge ; mais, selon Ostwald, il était incapable de rendre compte de ses principes scientifiques de manière adéquate, s'en remettant toujours à la notion de « sensation artistique ». Ostwald passa les décennies suivantes à tenter de palier ces défauts, caractéristiques des systèmes essentiellement empiriques plus anciens, en appliquant de nouvelles méthodes de mesure de la couleur et une approche mathématique de la psychologie de la couleur. En 1912, il rejoignit le comité de la couleur de la Deutsche Werkbund, l'association d'architecture et de création dont l'objectif était d'introduire une certaine standardisation dans le design industriel allemand. À partir de cette époque, son attention se focalisa sur les problèmes de la couleur, ce qui s'accompagna d'une avalanche de publications, lesquelles ont dominé la littérature sur le sujet à travers l'Europe. À l'exposition de la « Werkbund » de Cologne de 1912, Ostwald créa un *Farbschau* (« spectacle de la couleur ») composé de peintures et de teintures industrielles, dont il espérait qu'il démontrerait la nécessité d'une étude fondamentale et systématique des principes de la couleur ; c'est ce à quoi il s'employa dès son premier manuel, *Die Farbenfibel (The Colour Primer*, 1916) [10]. Patriote, il remplaça, au cœur de la Grande Guerre, les termes français *orange* et *violet* par les termes botaniques allemands *kress* et *veil*. Se réclamant aussi du socialisme, il considérait l'art comme un produit fondamentalement social, l'ère de l'individualisme devant dorénavant laisser place à celle de l'organisation [11]. Lorsque les œuvres d'art semblaient offenser les lois de l'harmonie chromatique qu'il avait découvertes, il n'hésitait pas à les « corriger ». Bien qu'il pensât que les Japonais avaient depuis longtemps un sens inné des « normes esthétiques », qu'ils appliquaient dans l'architecture et l'ameublement, il trouvait que certaines de leurs gravures en couleurs, reposant uniquement sur des études empiriques, ne correspondaient pas à ses standards de coloration harmonieuse. Il prépara des versions améliorées, qui, assurait-il à ses lecteurs, faisaient plus « japonaises » aux yeux des connaisseurs que les originaux [12]. Ce traitement cavalier, au nom de la science, d'œuvres très admirées conféra à Ostwald une certaine notoriété dans le monde de l'art contemporain, particulièrement au Bauhaus où régnait une atmosphère esthétique confuse dans les années 1920. Il se trouve que sa première influence fut ressentie non en Allemagne mais en Hollande, où ses idées furent reprises immédiatement par le groupe De Stijl, avec un impact tout particulier sur un des premiers peintres non figuratifs de ce mouvement, Piet Mondrian.

De Stijl

Vers 1917, lorsque la revue du groupe De Stijl commença à paraître, Mondrian était déjà connu comme un peintre puissant et versatile. Durant les vingt années précédentes, il était passé d'une peinture de paysage tonale, dans la tradition de l'école de la Haye, au cubisme, via l'impressionnisme, le fauvisme et une version tardive du divisionnisme, démontrant un goût constant pour une plus grande simplicité en matière de couleur et de construction, ainsi qu'une préférence pour les compositions symétriques. Durant cette évolution, il prit connaissance de nombreuses théories sur la couleur. Sa manière pointilliste avait peu de choses à voir avec celle de Seurat, puisque les paysages de dunes de 1909, qui en sont le support principal, utilisent des unités colorées très larges et séparées, dans un but décoratif et sans volonté d'atteindre une quelconque fusion visuelle ou la reconstruction de la lumière à travers l'usage du contraste. On pourrait dire qu'elles ressemblent à des détails agrandis des scènes de plage du peintre symboliste Jan Toorop dont Mondrian était proche à cette époque. Comme il l'écrit à un critique : « Je crois qu'à notre époque il est absolument nécessaire d'employer les couleurs pures, posées les unes à côté des autres, d'une manière pointilliste ou bien diffuse [13]. » Dans un discours inaugural de la première exposition de la Moderne Kunstkring à Amsterdam en 1911, Toorop appelait de ses vœux un style pur aux consonances spirituelles, usant de lignes verticales ou horizontales, droites ou « ondulant tranquillement », et accompagné de « couleurs complémentaires et contrastées [14] ». L'idée que se faisait Mondrian de la complémentarité était très souple : dans un carnet datant de 1914 environ, il mentionnait le rouge (externe) et le vert (interne) comme des opposés dans le cadre de réflexions sur l'antagonisme entre matérialité féminine et spiritualité masculine [15]. Toutefois, il considéra plus tard le jaune et le bleu comme étant également opposés au rouge, l'un « allant vers l'intérieur » et l'autre « vers l'extérieur » [16]. Plus tard encore, il semble avoir pensé que le bleu était l'opposition la plus fondamentale au rouge, idée qui se faisait déjà sentir dans *Nuage rouge*, *Arbre rouge* et *Moulin rouge* (1907-1911) [17].

L'intérêt de Toorop pour la théosophie et le fait que Mondrian ait rejoint la Société néerlandaise de théosophie en 1909 sont deux éléments encore plus éclairants. L'idée que les couleurs véhiculent un contenu spirituel trouve ses racines dans la théosophie, notamment grâce aux chartes chromatiques contenues dans les ouvrages *Thought Forms* (*Les Formes-pensées*, 1901) et *Man Visible and Invisible* (1902) de Besant et de Leadbeater, traduits en néerlandais respecti-

vement en 1905 et 1903. Le rouge y était considéré comme représentant la fierté, l'avarice, la colère ou la sensualité, selon son degré de pureté ; le bleu représentait la spiritualité la plus élevée, la dévotion envers un idéal supérieur, ou le sentiment religieux pur ; le jaune l'intelligence supérieure et le vert la compassion, l'adaptabilité et, dans ses versions les plus ternes, l'égoïsme. Ces valeurs furent représentées par Mondrian dans *Évolution* (1910-1911), un triptyque montrant l'éveil, en trois étapes, d'une femme à la lumière spirituelle. Sur la gauche, la femme, dont l'abondante chevelure suggère qu'elle est encore proche de la nature, est peinte dans un bleu verdâtre, signifiant, d'après la charte théosophique, « un sentiment religieux teinté de peur ». Les fleurs qui encadrent son visage sont de l'ocre-rouge terni de la colère ou de la sensualité ; en leur centre se trouve le noir de la malice. Dans la deuxième étape, sur le panneau droit, son corps est passé à une teinte bleu violacé, peut-être le pourpre de « la dévotion mêlée d'affection » ; ses cheveux sont mieux contenus et les fleurs se sont transformées en étoiles à six branches, exhibant un dégradé chromatique partant d'un blanc pur au centre, passant par un jaune clair puis par un jaune intense (« intelligence puissante ») pour aboutir à un bleu-vert assez pâle. Les étoiles jaunes sont une preuve de la « tentative pour atteindre une conception intellectuelle d'ordre cosmique [18] ». Lors de l'étape finale, correspondant à la pièce centrale surélevée du triptyque, l'initiée a ouvert les yeux, qui, tel son corps, sont d'un bleu intense ; sa chevelure est un assemblage de triangles lumineux et les fleurs sont maintenant des triangles blancs inscrits dans des cercles de même couleur, se détachant sur un fond jaune intense : elle est alors comparable à Théocléa, prêtresse de Delphes, dans *Les Grands Initiés* (1889) d'Édouard Schuré, un des textes théosophiques favoris de Mondrian. En présence de Pythagore,

> elle se transformait à vue d'œil sous la pensée et sous la volonté du maître comme sous une lente incantation. Debout au milieu des vieillards étonnés, elle dénouait sa chevelure noire et l'écartait de sa tête, comme si elle y sentait courir du feu [19].

Évolution est la peinture la plus explicitement théosophique de Mondrian. C'est aussi celle où le peintre sembla considérer pour la dernière fois les femmes capables de spiritualité : dans ses réflexions ultérieures, le féminin est essentiellement tragique, sensuel, un élément naturel dans l'ordre du monde que le masculin doit contrebalancer par son activité intellectuelle et spirituelle. Mais le rouge caractéristique de la femme joua un rôle majeur dans plusieurs peintures de 1921 puis de 1930.

Mondrian fut vite déçu par les « couleurs astrales » de la théosophie parce qu'elles n'étaient pas « réelles » [20], bien que Schuré lui offrît une disposition plus pratique que celle de Besant et de Leadbeater. Tout comme les alchimistes du bas Moyen Âge qui se référaient aux mythes chrétiens pour légitimer leurs conceptions, les théosophes du XIXe siècle se tournèrent vers les sciences naturelles afin de confirmer leur propre conception de la matière et ils y trouvaient souvent ce qu'ils cherchaient. Au début du XIXe siècle, le chimiste industriel Karl Ludwig von Reichenbach, par exemple, avait mené des expériences avec des sujets sensibles – essentiellement des femmes – capables de voir les forces magnétiques dans l'obscurité absolue, des forces qui se manifestaient par des lumières rouges, jaunes, bleues, ondulant parfois selon un mouvement vibratoire [21]. Le rouge, le jaune et le bleu étaient, bien sûr, toujours considérés comme le dispositif de couleurs primaires le plus communément

Couleur primaire

200

199

La théorie chromatique commença à adopter
le ton impératif de l'idéologie chez certains des
premiers modernistes. Pourtant, même chez les
artistes du groupe néerlandais De Stijl,
particulièrement intéressés par les couleurs
« primaires » vers 1920, il n'y avait aucun
consensus quant à leur identité. Rietveld (**199**)
opta pour le rouge, le jaune et le bleu, pensant
que cette triade était le fondement de la vision
chromatique ; Mondrian (**201**), sous l'influence
d'Ostwald (**205**), ressentit la nécessité d'utiliser le
vert, qu'il mélangeait de temps en temps avec du
jaune, tandis que Vantongerloo, dans ce triptyque
(**200**), choisit d'utiliser une série chromatique très
semblable au schéma newtonien.

199 GERRIT RIETVELT, *Chaise bleue et rouge*, vers 1923,
(version peinte).
200 GEORGES VANTONGERLOO, *Triptiech* (*Triptyque*), 1921.
201 PIET MONDRIAN, *Composition C*, 1920.

201

202

La couleur comme système

202 Illustration du « *film de couleur* » dans *L'Interaction des couleurs* de Josef Albers, 1963 (XVII- 1).
203 « Couleurs en avant et en retrait » d'Emily C. Noyes Vanderpoel, dans *Color Problems. A practical manual…*, 1902.
204 Le Triangle de Goethe, par Barry Schactman et Rackstraw Downes, d'après Carry van Biema, publié dans l'ouvrage de Josef Albers, *L'Interaction des couleurs*, 1963 (XXIV – 1).
205 Willhelm Ostwald, *Section à travers le solide chromatique,* dans l'ouvrage de Josef Albers, *L'Interaction des couleurs*, éd. all., 1973 (XXIV – 2).
206 Josef Albers, *Homage to the Square (Hommage au carré)*, 1950.

203

Le solide chromatique d'Ostwald (**205**) fut l'un des premiers diagrammes à mettre en avant la qualité matérielle et renouvelable des unités colorées, suggérant par là même qu'elles pouvaient être copiées et utilisées notamment par les peintres. Ostwald découpait les unités dans du papier de couleur, une méthode expérimentale reprise par Josef Albers, qui publia des reproductions sérigraphiées de compositions en papier découpé pour la plupart réalisées par ses étudiants.

204

L'une de ces reproductions (**202**) concerne le *film-color* (un terme adopté par D. Katz dans *The World of Colour* qui signifie transparence), alors que l'autre (**204**), un triangle, incarne l'accord chromatique expressif qu'Albers attribue à Goethe (**221**). L'importante série de peintures d'Albers intitulée *Homage to the Square (Hommage au carré)* (**206**) eut pour base des exercices d'école, mais sa portée va bien au-delà d'une simple illustration de manuel (**203**) en ce qu'elle crée des dynamiques chromatiques par le biais d'articulations spatiales.

205

208

Décoration et expression

Les premiers peintres abstraits se préoccupèrent d'améliorer davantage les qualités expressives des couleurs que leurs qualités décoratives. Cependant, les expériences de Balla sur la dynamique du contraste chromatique furent menées dans le cadre d'une commande de décoration intérieure (**207**). Les œuvres d'arts appliqués de Sonia Delaunay, tel le dessus-de-lit créé pour son fils (**209**), exercèrent une influence décisive sur ses toiles ainsi que sur celles de son mari Robert Delaunay qualifiées de « simultanées » du fait de l'importance fonda-mentale des contrastes chromatiques simul-tanés. En revanche, la série des *Disques* de Robert Delaunay de 1913 (**208**) utilise des formes descriptives telles que le soleil et la lune, ce qui montre qu'à ce stade, il s'inté-ressait encore à la force expressive du sujet, sans s'en remettre totalement à la couleur.

207 Giacomo Balla, *Interpénétrations iridescentes n°13*, 1912.
208 Robert Delaunay, *Soleil, Lune, Simultané I*, 1913.
209 Sonia Delaunay, Dessus-de-lit en patchwork, 1911.

209

La matérialité de la couleur

210 HELEN FRANKENTHALER, *Mountain and Sea (Montagne et mer)*, 1952.
211 MORRIS LOUIS, *Golden Age (L'Âge d'or)*, 1959.
212 MARK ROTHKO, *Orange, Yellow, Orange (Orange, jaune, orange)*, 1969.

La préoccupation principale des peintres américains des années 1950 fut l'exploration de nouvelles possibilités techniques. Helen Frankenthaler utilisait de fines couches de peinture à l'huile sur du coutil de coton non apprêté (**210**), ce qui incita Morris Louis (**211**) et Kenneth Noland (**213**) à rechercher des couleurs acryliques mieux adaptées à cette technique transparente employée sur grand format. Rothko (**212**) fit une expérience semblable, avec différents niveaux de transparence, à l'aide de mélanges surprenants d'huile, de solvants et de tempera à l'œuf, ce qui provoqua parfois une détérioration rapide de ses peintures.

212

213

213 Kenneth Noland, *2-1964*
214 Gene Davis, *Limelight/Sounds of Grass*, 1960

La forme de la couleur

Noland et Davis suivirent les traces d'Albers et cherchèrent une forme « neutre » leur permettant de laisser libre cours à la couleur. Ils sentirent qu'ils avaient atteint leur objectif en utilisant le motif de la rayure dans leurs peintures, un type d'abstraction courant pendant les années 1960. Néanmoins, la répétition régulière de ce motif et ses contours très délimités affectent inévitablement notre perception des couleurs, par contrastes simultanés et successifs ; cet ultime style de peinture coloriste nous montre que, tout comme par le passé, la couleur est indissociable de la forme.

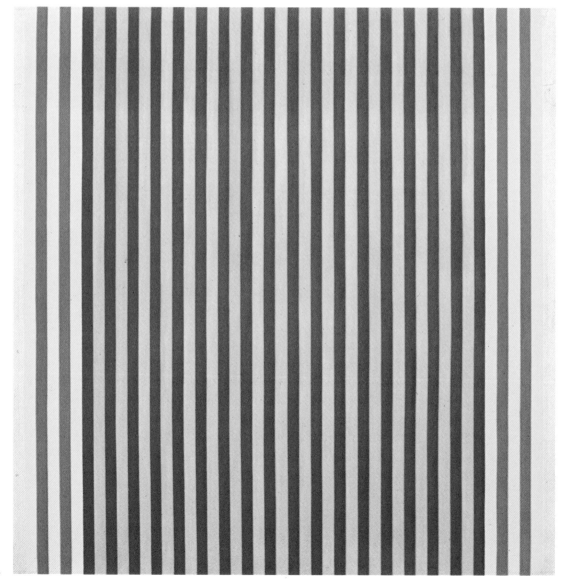

214

accepté ; Mondrian en fit, sous une forme très atténuée, le fondement de nombreuses compositions cubistes de 1914, initiées et quelques fois réalisées à Paris, notamment *Composition ovale*.

Son intérêt pour ce dispositif fut renforcé quand, de retour en Hollande durant la Grande Guerre, il travailla dans le village de Laren près d'Amsterdam et rencontra un ancien théosophe, M. H. J. Schoenmakers, ainsi que le peintre Bart van der Leck. Schoenmakers, ancien prêtre, était le chantre d'un mouvement qu'il avait dénommé « christosophie ». Il avait déjà publié *Mensch en Natuur : een mystische levensbeschouwing* (*L'homme et la nature : contemplation mystique*), où l'on pouvait trouver un tableau de mouvements cosmiques présentant l'homme comme architectural et vertical et la femme comme horizontale et musicale [22]. Il était alors engagé dans la rédaction d'un ouvrage, *Het nieuwe Wereldbeeld* (*Le Nouveau Monde de l'image*, 1915) qui cherchait à réconcilier le positivisme et le mysticisme d'une manière particulièrement agréable à l'esprit de Mondrian. Dans ce livre, l'auteur affirmait que le rouge, le bleu et le jaune étaient les seules couleurs, puisque toutes les autres en étaient dérivées. Le jaune était le mouvement vertical du rayon de lumière lui-même : en expansion, il se dirige vers le spectateur, aspirant à être le point central du mouvement spatial. Le bleu en était la couleur opposée, douce, souple et en retrait, horizontale comme le firmament. Le rouge était la couleur unifiant les deux précédentes, d'une manière « interne », contrairement à leur mélange classique, qui produit le vert. Le rouge pur représentait le mouvement radial de la vie, des arts visuels et du volume : il ne se projetait pas en avant mais oscillait (comme le *Nuage rouge* de Mondrian de 1907) devant la surface horizontale du bleu. La joie de la couleur représentait celle de l'humanité aspirant aux choses supérieures, une lumière contenant toutes les couleurs [23]. Bien que Schoenmaeckers fît allusion aux idées « plutôt vagues » de Goethe, sa dette envers elles est évidente. Mondrian, qui cite le *Le Nouveau Monde de l'image* de Schoenmaeckers dans son propre pamphlet de 1920, « Die Nieuwe Beelding in de Schilderkunst » (« Le néo-plasticisme en peinture »), souligne aussi l'idée de Goethe selon laquelle « la couleur est une lumière trouble [24] ».

> Se réduire à la couleur primaire conduit à une internationalisation visuelle du matériau, à une manifestation plus pure de la lumière. La matière, la corporalité (par ses surfaces), fait que nous percevons comme naturelle la lumière incolore du soleil. La couleur apparaît alors grâce à la lumière et par la surface et la matière. Ainsi, la couleur naturelle est intériorité (lumière) dans sa manifestation la plus extériorisée. Réduire la couleur naturelle à une couleur primaire transforme de nouveau la manifestation la plus extériorisée de la couleur en son expression la plus intériorisée. Si, parmi les trois couleurs primaires, le jaune et le bleu sont les plus intériorisées, le rouge (l'union du bleu et du jaune – voir Dr H. [sic] Schoenmaeckers, *Het nieuwe wereldbeeld* [*La Nouvelle Image du monde*] – est plus extériorisée ; une peinture seulement jaune et bleue serait donc plus intériorisée qu'une composition utilisant les trois couleurs primaires.

Mondrian, à l'aune de son expérience théosophique antérieure, modifie ici la conception goethéenne du rouge en tant que couleur suprême. Plus tard, il rompit ses relations avec Schoenmaeckers et, peu après, déclara que le promoteur néerlandais du christosophisme était bien moins important pour lui que madame Blavatsky, fondatrice de la Société de théosophie [25].

En 1916, la conviction de Mondrian quant à la primauté du rouge, du jaune et du bleu fut renforcée par sa rencontre avec Van der Leck qui, formé aux arts appliqués, pensait qu'il s'agissait des couleurs exprimant la lumière [26]. Plus tôt cette année-là, Van der Leck avait commencé à réduire sa palette aux trois couleurs primaires saturées, auxquelles il avait ajouté le noir et le blanc ; sous l'influence des peintures « plus et moins » de Mondrian de 1915, il décomposait les figures en groupes de lignes colorées et les appelait simplement « compositions » [27]. Mondrian et Van der Leck étaient très proches à cette époque, mais le fait que l'aîné n'adoptât pas immédiatement les vues de son cadet concernant les couleurs primaires « pures » est très probablement dû à l'introduction, en Hollande et dans son cercle en particulier, d'une autre conception frappante sur la couleur primaire, celle de Wilhelm Ostwald.

Il semble que l'ouvrage d'Ostwald, *Die Farbenfibel*, fut porté à la connaissance du cercle de De Stijl par le peintre et designer hongrois Vilmos Huszár. Celui-ci en fit une critique positive dans la revue *De Stijl* en août 1918, avançant qu'une manière objective de vérifier les impressions colorées subjectives avait enfin été découverte et qu'il existait dorénavant une géométrie de la couleur comparable à la géométrie du dessin formel [28]. Dans cet article, Huszár publia une version néerlandaise du cercle chromatique d'Ostwald d'une centaine de teintes mais il n'est pas certain qu'il provienne d'une édition néerlandaise : son propre exemplaire était la seconde édition allemande datant de 1917. Il est assez peu probable qu'Huszár ait eu accès à l'ouvrage d'Ostwald avant la fin de cette année-là : une lettre de septembre, rendant compte d'une théorie simple comprenant trois couleurs primaires et deux secondaires, ne montre aucun signe de son influence [29]. Néanmoins, un certain nombre de travaux de 1918, dont il ne subsiste actuellement que des photographies, suggère que le peintre avait découvert à cette époque les idées du théoricien allemand, et se souciait de mettre ses idées en pratique. Deux compositions avec panneaux de couleur portent des titres incluant des termes qui dérivent d'Ostwald ; ce sont *3 Klank + = 3K met Zwart* (accord chromatique à trois tons + = 3 tons avec du noir) et *4 Klank* (accord chromatique à 4 tons). La copie du cercle chromatique d'Huszár publiée dans *Die Farbenfibel* est munie d'un triangle équilatéral amovible improvisé par lui, lui permettant d'assembler en triades les nuances « harmonieuses » [30]. L'*Accord chromatique à 4 tons* aurait pu lui donner la possibilité d'inclure quatre couleurs primaires. En effet, Ostwald était un disciple d'Ewald Hering et ménageait une place inhabituelle au vert dans son système, bien qu'il soit assez difficile de l'apprécier dans son cercle très simplifié de 1916 [31]. Plus remarquable encore fut l'expérimentation menée par Huszár sur le gris, puisque la contribution la plus importante d'Ostwald à la théorie de la couleur fut son affirmation du gris comme couleur et de la teneur grise de l'ensemble des couleurs, garantissant leur juxtaposition harmonieuse. En 1918, Huszár peignit une composition uniquement faite de panneaux gris [32]. À en juger par les photographies, une des peintures perdues de 1918 semble avoir été composée de petits rectangles de couleur appliqués sur la surface du tableau, assez comparables aux rectangles de papier coloré qu'Ostwald appliquait à ses diagrammes [33]. Même si la technique n'était peut-être pas la même, il semble clair que l'émergence d'un nouveau type de peinture, reposant sur l'usage novateur et systématique de panneaux de couleur, fut rendu possible par la publication d'une théorie chromatique, à l'attention des artistes, d'une subtilité inédite.

215

La grille (empruntée à la psychologie expérimentale) éveilla grandement l'intérêt des artistes non figuratifs autour de 1920 ; la *Composition* de Vilmos Huszár, datant de 1918, est une des premières fondées sur ce principe. On ne connaît cette peinture que par cette photographie en noir et blanc, mais elle semble composée de rectangles découpés et collés sur un support, technique qu'Ostwald utilisa pour préparer ses échelles chromatiques (voir 205). (215)

Ostwald devint en quelque sorte une figure culte pour De Stijl : la revue annonça ses nouvelles publications et promit d'en faire la critique[34]. Cette promesse ne fut pas honorée, bien qu'en 1920 la revue republiât un article sur les harmonies chromatiques dans lequel Ostwald annonçait qu'il avait construit un orgue chromatique[35]. Mais quelle influence eurent ses idées sur Piet Mondrian, le peintre le plus important du groupe De Stijl ? Comme toujours, c'est une question complexe.

Manifestement, la maîtrise chromatique de Mondrian en 1917 et 1918 révèle des rapports frappants avec la doctrine d'Ostwald. Mondrian mélangeait une grande quantité de blanc avec ses trois couleurs « primaires » dans ses premières toiles en aplats de couleur, dans le but de les unifier tonalement et, semble-t-il, de les lier le plus intimement possible au plan du tableau. Ces peintures étaient très proches des expériences de Huszár à l'époque, dans l'utilisation de larges rectangles et, surtout, dans leur assymétrie relativement inédite pour Mondrian[36]. Pourtant les deux artistes ne semblent pas avoir été en contact direct avant juin 1918, lorsque Huszár rendit visite à Mondrian, qui fut surpris de voir à quel point leurs approches étaient similaires[37]. En 1918, Mondrian avait commencé une série de peintures en gris, notamment *Losange avec lignes grises*, et il continua d'utiliser le gris comme « couleur » jusqu'au milieu des années 1920, en introduisant de nouvelles valeurs dans ses premières compositions néo-plastiques. Dans son entre-

tien sur la couleur publié dans *De Stijl* en 1918, il considérait, de façon assez excentrique, que le gris faisait partie intégrante de son dispositif basique de six couleurs, puisque « comme le jaune, le rouge ou le bleu peuvent être mélangés avec le blanc et rester des couleurs *basiques*, ainsi se comporte le noir » – une conception qui ravivait, mais ne résolvait en rien, le problème ancien des couleurs non chromatiques[38]. Son argument en faveur de primaires très désaturées ne doit rien à Ostwald : défendant ces couleurs très pâles contre les critiques de Van Doesburg début 1919, Mondrian affirma qu'elles étaient proches de la nature car l'époque n'était pas mûre pour l'affirmation des couleurs primaires : « J'utilise pour l'instant ces couleurs atténuées selon l'air du temps, m'adaptant aux choses environnantes de notre quotidien et au monde ; cela ne signifie pas que je ne préférerais pas une couleur pure[39]. »

Il n'est pas tout à fait certain que Mondrian ait eu une connaissance approfondie du travail d'Ostwald ; il n'avait pas lu la critique d'Huszár en septembre 1918, bien que le Hongrois ait assuré au Néerlandais que sa peinture s'accordait avec les principes d'Ostwald. Mondrian dit à Van Doesburg qu'il le lirait « un jour » mais, bien que nous sachions qu'il débattit des idées d'harmonie d'Ostwald avec le peintre et sculpteur Georges Vantongerloo à Paris en 1920, son niveau précis de connaissance n'est absolument pas connu[40]. Deux toiles de 1919, *Composition : damier, couleurs claires* et *Composition : damier, couleurs sombres*, suggèrent pourtant une grande influence du théoricien. Chaque peinture présente une grille de 256 carrés peints, avec une disposition irrégulière de couleurs : dans la première sont disposées des couleurs primaires pâles ainsi que plusieurs gris ; dans la seconde, du bleu, un rouge bleuté et un orange chaud que Mondrian appelle, dans les années 1920, « vieil or »[41]. La grille régulière était une figure qui avait été introduite dans le répertoire « Gestalt » en 1900 par le psychologue berlinois Friedrich Schumann[42]. Elle trahit un intérêt certain pour les systèmes et nous pourrions aisément imaginer que Mondrian a choisi ses valeurs dans les parties les plus hautes et les plus basses du solide chromatique en forme de cône d'Ostwald.

La meilleure preuve de la nécessité ressentie par Mondrian de s'accorder avec les idées d'Ostwald circulant parmi les membres de De Stijl est sans doute son attitude vis-à-vis du vert. Comme Kandinsky, Mondrian abominait le vert en raison de sa relation indissoluble avec la nature. Il existe de nombreuses anecdotes concernant ses manœuvres pour éviter de regarder à travers une fenêtre et d'apercevoir les champs ou les arbres[43]. Pourtant, dans beaucoup de peintures de cette époque, il utilisait un jaune-vert très distinct, voire un vert pomme comme troisième couleur primaire, comme s'il désirait, d'une certaine façon, concilier le jaune primaire d'Ostwald *et* le vert. Nous avons vu que depuis l'Antiquité le jaune et le vert n'avaient jamais été clairement distingués ; les techniques psychologiques en vogue à l'époque de Mondrian avaient en outre révélé des confusions d'interprétation très nettes concernant cette zone du spectre[44]. La théorie de Mondrian sur les couleurs primaires était aussi souple que celle concernant les opposées : à une date aussi tardive que 1919, il décrivait encore une peinture en losange (aujourd'hui perdue) comme « ocre et gris »[45]. Ce n'est que dans les années 1920 qu'il chercha à obtenir un rouge catégoriquement « pur » et découvrit, comme de nombreux peintres avant lui, qu'il ne pourrait y arriver qu'à condition de déposer un glacis de pigments bleutés tels que le carmin sur un rouge orangé, comme le vermillon[46].

201

205

201

Bien que l'idée des couleurs primaires fût très importante pour le groupe De Stijl, il n'existait pas de consensus entre ses membres quant à la signification de ce terme. Nous avons vu que Mondrian et Van der Leck considéraient que les couleurs primaires étaient au nombre de trois et que, d'une certaine manière, elles étaient constituantes de la lumière. Nous avons aussi vu qu'à la lecture d'Ostwald, Huszár fit évoluer sa théorie chromatique de trois couleurs à une infinité. Van Doesburg nota dans la marge de son exemplaire de *Die Farbenfibel* que les quatre couleurs d'Ostwald n'étaient que « foutaise », puisqu'il n'existait que trois primaires, trois secondaires et trois « non-couleurs ». En dépit du schéma plus limité, sans couleurs secondaires, qu'il présenta dans l'ouvrage du Bauhaus, *Grundbegriffe der neuen gestaltenden Kunst* (*Principes de l'art néo-plastique*, 1925), il continua d'utiliser les neuf couleurs, tant dans sa peinture que dans sa production d'art décoratif, et ce jusqu'à sa mort en 1931[47]. Le membre du groupe qui définit mieux que quiconque sa philosophie fut l'architecte et créateur de mobilier Gerrit Rietveld, qui créa l'objet culte de cette philosophie : la Chaise bleue et rouge. Issu d'une tradition d'artisanat et de création de meubles, il était peu doctrinaire en matière de couleur. Sa série de meubles peints commença avec des éléments destinés à des jardins d'enfants et la version peinte de couleurs primaires de sa chaise (datée encore parfois des premières années de De Stijl) ne semble pas avoir été conçue avant l'époque où il travailla à la Schröder House d'Utrecht, c'est-à-dire en 1923 ou 1924[48]. Par ailleurs, la position de Rietveld sur le caractère fondamental des trois couleurs primaires (rouge, jaune et bleu) était fondée sur l'idée totalement erronée que les trois types de récepteurs de la rétine réagissaient respectivement à chacune de ces couleurs[49]. Elles représentaient ainsi pour lui la structure même de la vision chromatique.

La plus extravagante des théories chromatiques du groupe De Stijl fut celle de Vantongerloo, à propos duquel Mondrian écrivit à Van Doesburg, en septembre 1920 :

> Il a inventé un système complet fondé sur l'éternité, ou plutôt sur l'unité des sept couleurs et des sept tons !!! Comme tu le sais, il les utilise toutes les sept, pour l'amour de Dieu, comme l'arc-en-ciel. Avec son intelligence belge, il a créé un système opérant, qui, comme je le vois, trouve son origine dans la nature. Il n'a pas la moindre idée quant à la différence entre *la manière de la nature* et *la manière de l'art* […].[50]

À l'époque de ses premiers contacts avec De Stijl, vers 1918, Vantongerloo avait adopté une palette canonique de trois couleurs primaires[51]. Néanmoins, au cours de l'année 1920, il avait développé une théorie néo-newtonienne sur l'harmonie (dont la description du pourpre du *Triptyque* comme un « indigo-violet » est symptomatique) qui requérait la gamme complète des tons prismatiques. Il semble avoir cru que l'harmonie pourrait être atteinte en mélangeant des tons et des proportions des couleurs prismatiques pour obtenir un gris neutre sur un disque tournant ; c'est cela qui l'amena à rejeter le système non empirique d'Ostwald établissant la teneur grise de ses tons[52]. Dans un article de 1920, Vantongerloo explicita sa théorie du « spectre de l'absolu » de la lumière comme une étape dans son spectre unifié des phénomènes vibratoires, à travers le son, la chaleur, la lumière et les « rayons chimiques ». Le rouge y est le premier jalon du spectre des couleurs, venant juste après la chaleur, dont les vibrations avaient une fréquence inférieure. Ensuite vient le bleu, puis le jaune, puis l'indigo violacé, l'orange, le vert bleuté, le bleu-indigo, le violet, le vert et l'indigo, « les sept [*sic*] couleurs de l'arc-en-ciel ». « La connaissance scientifique de la couleur, dit Vantongerloo, permet à l'artiste de révéler les idées de l'art par le moyen d'un pur plasticisme tout à fait différent du plasticisme précédent » et elle lui permet de rester dans le domaine chromatique, sans introduire une quelconque notion issue de la « nature »[53]. Vantongerloo défend une conception certainement non newtonienne d'un espace coloré tridimensionnel, car il avance que l'artiste peut travailler avec une échelle d'une seule couleur, telle que celle allant du rouge au violet[54]. Dans un essai plus tardif, il livre une description de sa toile *Composition en indigo-violet* (1921) dans laquelle les plans de couleurs sont équilibrés mathématiquement afin de former une unité[55]. En guise de conclusion à son manifeste de 1920, il admet, désarmé : « Je ne connais pas la philosophie et je suis totalement ignorant en sciences mais je sais bien que l'art est le produit de deux processus, dont l'un est philosophique (la spéculation) et l'autre est scientifique (l'empirisme)[56]. » Pourtant il était suffisamment féru de mathématiques pour remplir sept pages d'équations assez absconses, semble-t-il, pour épuiser les réserves de la plupart de ses lecteurs peintres[57]. Elles nous rappellent qu'à la même époque exactement, les très nombreuses conférences sur la lumière et la couleur que donnait un ancien ami de Seurat, Charles Henry, alors directeur du Laboratoire de physiologie des sensations à la Sorbonne, étaient présentées par le mouvement de Le Corbusier, L'Esprit Nouveau, à un lectorat de peintres et d'architectes[58]. Il est évident que nombre d'artistes de cette époque de technologie triomphante étaient censés assimiler et utiliser un dispositif sans précédent de données chromatiques composé de termes mathématiques, et que peu d'entre eux en étaient véritablement capables.

Mondrian, dans sa manière utopiste, fut moins perturbé par sa rencontre avec les idées de Vantongerloo au début des années 1920 qu'il ne le fut, comme nous l'avons vu, plus tard. Il écrit à Van Doesburg : « Je trouve son usage du pourpre et des sept couleurs un peu prématuré : peut-être, plus tard, il sera possible de l'appliquer. En théorie, c'est défendable, c'est d'ailleurs là qu'il est le meilleur[59]. » En revanche, les inconstances dans l'attitude de Vantongerloo le rendaient perplexe : si l'harmonie reposait sur l'équilibre des sept couleurs du spectre, comment se faisait-il que Vantongerloo se refusât à les utiliser *toutes* dans *l'ensemble* de ses peintures ? Dans une esquisse annotée pour *Triptiek*, par exemple, la couleur désormais appelée jaunâtre était qualifié d'« orange »[60]. Nous savons de manière très précise que la croyance en une universalité fondée sur la standardisation et sa technologie n'était encore qu'une aspiration dans le cercle de ces premiers constructivistes, comme parmi les membres du Blaue Reiter. Et comme l'écrivait Huszár dans son article sur Ostwald : « Rien n'est plus subjectif que la réaction à la couleur, qui dépend de la nature de l'individu[61]. »

La couleur au Bauhaus

Comme on pouvait s'y attendre, le travail d'Ostwald joua un rôle encore plus important dans le contexte de la culture chromatique de l'Allemagne moderniste. Sa position-clé au sein du Werkbund et ses nombreuses publications à l'époque de la guerre lui conférèrent une grande notoriété ; dans le cadre des conférences de la Werkbund à Stuttgart il organisa en septembre 1919 les premières journées d'études sur la couleur, toujours d'actualité. À cette occasion prit place un virulent débat entre Ostwald et ses disciples et le groupe d'artistes de Stuttgart menés par l'artiste et professeur Adolf Hoelzel, un des premiers peintres non figuratifs allemands. Dans une conférence prononcée au sein de ce colloque, Hoelzel affirmait qu'il utilisait pas moins de quinze théories chromatiques dans son enseignement, dont celles de Chevreul, Helmholtz, Von Bezold, Rood, Brücke et Ostwald lui-même, les retravaillant toutes sur le plan théorique et pratique, pour le bénéfice des artistes. Les recommandations d'Ostwald quant à la nécessité d'éclaircir les couleurs primaires avec du blanc, par exemple, pouvaient être tout à fait souhaitables dans le cadre de la gouache ou du pastel, mais pas, comme l'avait montré Rubens, dans celui de la peinture à l'huile ou à l'œuf. De l'avis de Hoelzel, Goethe était le guide le plus exhaustif, puisque son système se fonde sur la polarité, tout comme son propre système qui présente sept types de contrastes, dont la complémentarité est l'élément essentiel si l'on veut atteindre l'harmonie. Bien que son schéma s'appuie à la fois sur Von Bezold et Ostwald, Hoeltzel affirme que l'œil est l'arbitre final et que art et science ne pourront jamais être des partenaires égaux en matière d'étude de la couleur. La conférence d'Ostwald à l'occasion de la journée d'études avait elle-même montré, selon Hoeltzel, que le contexte et la luminosité jouaient un rôle décisif que son système ne prenait pas en compte[62]. Plus tard, dans un essai analysant la controverse, Hoelzel soutint que l'instabilité des valeurs chromatiques dans diverses situations concrètes, modifiée par l'activité de l'œil, est une des raisons pour lesquelles l'art des enfants et celui des peuples primitifs semblent souvent bien plus originaux et harmonieux que les harmonies calculées par les scientifiques[63]. Un groupe d'artistes et d'historiens de l'art gravitant autour de Hoelzel fit circuler une pétition auprès de tous les ministres de l'Éducation en Allemagne afin de faire interdire l'usage de la théorie d'Ostwald, ce qui fut le cas en Prusse[64].

Les notions subjectives de Hoelzel n'auraient certainement pas exercé une grande influence hors de son cercle immédiat, dans le milieu étendu des études chromatiques, si nombre de ses étudiants n'étaient pas devenus professeurs ou élèves au Bauhaus, la nouvelle école de design et d'architecture inaugurée à Weimar au printemps 1919. Le Bauhaus était le résultat de la fusion de la Hochschule für bildende Kunst (Académie des Arts) de Weimar et de la Kunstgewerbeschule (École d'Arts Appliqués), cette dernière ayant été pendant longtemps dirigée par le peintre, architecte et décorateur d'intérieur belge Henry van de Velde. Van de Velde, qui dans les années 1880-1890 s'était fait remarquer en tant que peintre néo-impressionniste de bonne tenue, avait développé à Weimar ce qu'il appelait la « discipline de fer de la création rationnelle » qui émanait des lois artistiques incluant les conceptions chromatiques exposées par Chevreul, Rood, Maxwell et Charles Henry[65]. Il organisa le programme de la *Kunstgewerbeschule* en « ateliers et laboratoires », confiant l'enseignement de la théorie chromatique et de l'ornement, de façon assez caractéristique, à une assistante. Nous ne savons pas si la théorie chromatique était enseignée à l'Académie de Weimar sous la direction du peintre Fritz Mackesen ; du moins, à l'instar de Charles Blanc, Hoelzel ne faisait-il pas de distinction entre les théories appliquées aux beaux-arts ou aux arts décoratifs[66]. Son élève, Johannes Itten, introduisit

cette conception au Bauhaus et en devint l'un des premiers professeurs durant l'été 1919.

L'architecte Walter Gropius, fondateur du Bauhaus et son premier directeur, avait rencontré Itten à Vienne. Ce dernier, après avoir quitté la Hochschule de Stuttgart, avait ouvert sa propre école durant la guerre. Itten est aujourd'hui considéré, à juste titre semble-t-il, comme ayant été un mystique et le principal représentant de la phase « expressionniste » du jeune Bauhaus, qui céda la place à une orientation constructiviste après son départ en 1923. Mais ce serait sous-estimer ses efforts pour découvrir (dans le sillage de Hoelzel) le vocabulaire formel fondamental de l'art, particulièrement la grammaire de la couleur, efforts qui firent penser à Gropius qu'il était en fait l'« artiste radical » dont l'institution avait justement besoin[67]. La croyance profonde d'Itten en l'harmonie des contrastes dérivait directement du système des sept contrastes de la théorie de Hoelzel, mais il marqua en plus un intérêt particulier pour la sphère chromatique de Runge, sur laquelle reposait sa propre étoile de couleur à douze branches[68]. Le regain d'intérêt que connut la théorie de Runge au sein du Bauhaus est aussi dû au peintre, sculpteur et décorateur de théâtre Oskar Schlemmer, ancien élève de Hoelzel, ainsi qu'à Klee, tous deux ayant rejoint l'équipe en 1920[69]. Il est intéressant de remarquer qu'Itten et Klee étaient hostiles au nouveau système chromatique d'Ostwald[70].

Gropius était soucieux de recruter autant de fortes personnalités de l'avant-garde artistique que d'artistes qui avaient fait la preuve de leurs compétences en tant qu'enseignants : en plus d'Itten, deux de ses premiers collègues, le peintre Georg Muche et Klee lui-même, avaient travaillé brièvement pendant la guerre à l'École de Berlin. Celle-ci était dirigée par Herwarth Walden, le propriétaire de la galerie Sturm et de sa revue, principale tribune de l'expressionnisme allemand à cette époque[71]. En dépit ou peut-être à cause de l'importance des différentes individualités du Bauhaus, il reste toutefois difficile de distinguer ce qui était précisément enseigné, et à qui, dans cette nouvelle institution. Il semble que la fonction principale d'Itten était de concevoir le cours préliminaire *(Vorlehre)*, création la plus originale et qui exerça l'influence la plus forte parmi les innovations du Bauhaus ; cet enseignement devint obligatoire pour tous les étudiants, quelle que fût leur spécialisation d'atelier. Bien qu'elle portât le sceau des cours d'Itten à Vienne et de l'enseignement de Hoelzel, la *Vorlehre* semble avoir subi des évolutions au cours de l'année 1920 : ceci fut mentionné pour la première fois en octobre de cette année-là lors d'une réunion entre étudiants et professeurs et le cours apparaît comme obligatoire dans un prospectus de janvier 1921[72]. En revanche, il est seulement décrit comme un cours sur la forme et les matériaux ; la théorie physique et chimique de la couleur, « en relation avec les méthodes rationalisées de la peinture », apparaît uniquement sous la rubrique « sujets d'enseignement supplémentaires »[73]. Itten semble avoir été principalement occupé par l'étude des matériaux et par le dessin alors que Hirschfeld-Mack, premier diplômé du Bauhaus et ancien élève de Hoelzel (*cf.* chapitre 13), s'occupait de la couleur. L'intérêt de Hirschfeld-Mack portait essentiellement sur la gamme chromatique et sur le contraste, utilisant, entre autres, les exercices incluant des papiers découpés qui eurent beaucoup d'importance dans les méthodes d'enseignement de Josef Albers[74]. Il est cependant difficile de distinguer ce qui provient uniquement de la *Vorlehre* : une des démonstrations sur la coordination chromatique de Hirschfeld-Mack, datée de 1922, fut

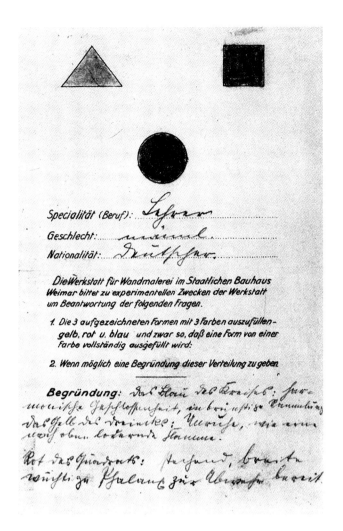

Questionnaire complété pour l'atelier de peinture murale au Bauhaus, 1923. Alfred Arndt, un étudiant, explique qu'il a choisi un triangle jaune pour sa nature flamboyante, un carré rouge pour son caractère défensif, solide et pourtant agressif et un cercle bleu pour sa qualité intensément refermée et introspective. (216)

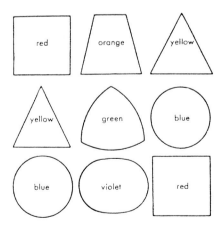

Itten, ancien professeur du Bauhaus, établit une corrélation entre le carré, le rouge et la matière ; le triangle, le jaune et la pensée ; le cercle, le bleu transparent et l'esprit en éternel mouvement. Les couleurs secondaires sont représentées par le trapézoïde pour l'orange, par le triangle sphérique pour le vert, par l'ellipse pour le violet. (217)

apparemment enseignée par Kandinsky dans son *Farbseminar* pour les étudiants plus avancés[75]. Une fois la *Vorlehre* validée, les étudiants du Bauhaus rejoignaient les divers ateliers, où Itten était « maître de forme » dans les domaines de la sculpture, du métal, de la peinture murale, de la menuiserie, du verre et du tissage[76].

Il existe une incertitude semblable quant aux cours sur la couleur de Paul Klee. Sa première série de conférences intitulée « Beiträge zur bildnerische Formlehre » (contributions à la théorie de la forme picturale) fut donnée au cours de l'hiver 1921-1922 et ne comporte aucun propos sur la couleur. Une série de conférences plus longue, en 1922-1923, comprenait deux conférences traitant principalement de la dynamique des couleurs et faisant brièvement référence aux théories de Goethe, Runge, Delacroix et Kandinsky. Klee était alors maître de forme pour l'atelier de verrerie (et probablement parfois pour l'atelier de reliure) mais la seule référence dans ces conférences à la principale activité du Bauhaus concerne l'architecture intérieure. Il y revendique l'usage de couleurs complémentaires dans des tonalités différentes afin d'obtenir une « totalité » dans les pièces successives. Cette idée est étonnamment proche de la décoration que Goethe avait réalisée pour sa maison de Weimar dont les pièces successives sont peintes selon un principe de contraste complémentaire[77]. À Dessau, où le Bauhaus déménagea en 1925, Klee enseigna ces principes chromatiques dans son Cours d'introduction (*Grundlehre*). Il semble que ce cours fût distinct de la *Vorlehre* et qu'à partir de 1928 au moins, il était dispensé au sein de l'atelier de tissage où Klee exerçait les fonctions de maître de forme[78]. À Dessau, Klee et Kandinsky purent enfin introduire un programme de cours de peinture imaginative, une initiative allant à contre-courant de la philosophie originale du Bauhaus. C'est probablement dans ce contexte qu'ils purent donner libre cours à leurs idées sur la couleur.

Kandinsky fut sans doute le professeur du Bauhaus le plus constamment impliqué dans l'enseignement de la couleur. Il était arrivé à l'école en 1922 en ayant déjà élaboré un programme de cours détaillé pour l'Institut de culture artistique de Moscou (Inkhuk), réformé après la révolution de 1917. Ce programme accordait une place primordiale à la couleur qui devait, selon Kandinsky, être étudiée dans le cadre de la physique, de la physiologie, de la médecine (l'ophtalmologie, la chromothérapie, la psychiatrie) ainsi que des « sciences occultes où l'on peut trouver de nombreux conseils valables dans le contexte des expériences hypersensorielles »[79]. La référence à l'occulte fut abandonnée au sein du Bauhaus et la compréhension assez floue qu'avait Kandinsky de la physique de la couleur – évidente quand il confond mélanges additif et soustractif dans le programme de Moscou – fut grandement améliorée. Il développa son « cours et séminaire sur la couleur » dans le cadre de l'atelier de peinture murale qu'il dirigea dès son arrivée en 1922, succédant à Schlemmer. La couleur, en tant que substance physico-chimique et effet psychologique, y était le seul « matériau » mis au centre de la pratique, comme il l'expose dans un protocole datant de 1924[80]. Dans un essai paru dans le catalogue de l'exposition du Bauhaus en 1923, Kandinsky explique que la couleur doit être considérée à l'aune de la physique, de la chimie, de la physiologie et de la psychologie[81]. Comme nous l'avons vu, ce fut ce dernier aspect qui influença le plus Kandinsky dans son étude de la couleur pendant sa période munichoise, avant la guerre. Ce fut aussi sa contribution la plus originale à ce sujet au Bauhaus.

Kandinsky avait, déjà à Moscou, repris le principe du questionnaire créé par les psychologues expérimentaux ; en 1920, il avait

	MONTAG	DIENSTAG	MITTWOCH	DONNERSTAG	FREITAG	SAMSTAG
8-9						
9-10	GESTALTUNGS STUDIEN MOHOLY REITHAUS		WERKARBEIT ALBERS REITHAUS			GESTALTUNGS STUDIEN MOHOLY REITHAUS
10-11						
11-12						
12-1		GESTALTUNGSLEHRE FORM·KLEE·AKTSAAL			GESTALTUNGSLEHRE FARBE·KANDINSKY	

STUNDENPLAN FÜR VORLEHRE — VORMITTAG

L'emploi du temps du Cours préliminaire au Bauhaus (vers 1924) montre que le cours sur la couleur de Kandinsky avait lieu une heure par semaine, le vendredi, de midi à treize heures. (218)

publié pour l'Inkhuk une liste de vingt-huit questions visant à découvrir les « racines d'une loi générale », dont beaucoup concernaient les réactions à la couleur : « Quelle couleur correspond le mieux au chant d'un canari, au meuglement d'une vache, au sifflement du vent, à un claquement, à un homme, au talent ; à une tempête, au dégoût, etc. ? Pouvez-vous exprimer à travers la couleur vos sentiments vis-à-vis de la science ou de la vie, etc. [82] ? » Cette liste comprenait aussi une question sur les couleurs et les formes « basiques » ; ce fut la seule à subsister dans le questionnaire du Bauhaus de 1923, moins long mais distribué à un bien plus grand nombre de gens. À Munich, Kandinsky avait ressenti que le jaune était une couleur aiguë et angulaire, que le bleu était profond et centripète et que le rouge, potentiellement chaud ou tiède, résidait quelque part au milieu [83]. Ces éléments furent codifés dans une illustration de l'édition russe de *Du spirituel dans l'art* (1914), et aboutirent à une équation entre le rouge et le carré, entre le bleu et le cercle et entre le jaune et le triangle ; cette équation eut une profonde influence sur la recherche russe à propos de la coordination formecouleur après la Révolution [84]. Mais elle eut aussi un impact en Allemagne : c'est peut-être à la suite de sa lecture de l'ouvrage de Kandinsky qu'Itten développa en effet son propre système d'équivalences [85]. Celui-ci fit clairement partie intégrante de son enseignement : en 1922 l'un de ses élèves, Peter Keler, confectionna un berceau pour le fils d'Itten, peint selon ces correspondances. Étant donné qu'Itten quitta le Bauhaus en pleine disgrâce, sa personnalité étant empreinte d'une irrationalité jugée dangereuse pour l'institution, il n'est pas étonnant que Kandinsky ait tenté de rétablir sa théorie sur la base d'expériences scientifiques. Hirschfeld-Mack rappelle qu'un million de cartes fut envoyé « à une section représentative de la communauté » et qu'« une majorité écrasante » choisit ces équivalences, considérées dès lors comme des normes [86]. Avec une certaine incurie, les résultats ne furent jamais publiés. Liubov Popova ayant attribué le rouge à son cercle et le bleu à son carré, le Bauhaus connaissait certaines divergences de points de vue [87]. Lors d'un débat entre les étudiants et les professeurs, Klee remarqua non sans cynisme que le jaune d'œuf, au moins, était circulaire [88]. Schlemmer exprima aussi son désaccord à son ami et ancien disciple d'Hoelzel, Otto Mayer-Amden :

Le consensus […] fut le suivant : le cercle bleu, le carré rouge, le triangle jaune. Tous les experts s'accordent sur le triangle jaune, mais pas sur les autres. Je n'ai pas bien compris l'explication de Kandinsky, mais ça ressemble à peu près à ça : le cercle est cosmique, absorbant, féminin, doux ; le carré est actif, masculin. J'affirme un avis contraire : une surface circulaire et rouge (une balle) apparaît positive (activement) dans la nature : le soleil rouge, la pomme rouge (orange), la surface du vin rouge

dans un verre. Le carré n'apparaît jamais dans la nature ; il est abstrait […] ou métaphysique, concept pour lequel le bleu est la couleur la plus appropriée […] Et quand les avis « neutres », libres d'idées préconçues décident que rouge = cercle et bleu = carré, je me demande simplement : pourquoi est-ce que je peins mes cercles en rouge ? Devrais-je sacrifier mon instinct à une explication rationnelle [89] ?

Toutefois, le schéma de Kandinsky fut incorporé non seulement à la scénographie et au catalogue de l'exposition du Bauhaus de 1923 mais aussi à son ouvrage publié du temps du Bauhaus, *Punkt und Linie zu Fläche* (*Point et ligne sur plan*, 1926) [90]. Dans ces circonstances, il fut particulièrement effronté de la part de Schlemmer d'ajouter dans son collage intitulé *Point-ligne-surface (Kandinsky)* et offert à Gropius en guise de cadeau de départ la légende « le cercle est éternellement rouge » [91]. Selon l'architecte marxiste Hannes Meyer, qui prit la succession de Gropius à la tête du Bauhaus, ces réflexions sur la couleur et la forme étaient symptomatiques du manque de sérieux de l'école, même durant la période de Dessau ; il ne s'agissait tout au plus pour lui que d'un jeu, autre exemple de la façon dont l'art étouffait la vie [92].

Nous ne pouvons pas savoir avec certitude quels étudiants ont pu bénéficier des enseignements de Kandinsky sur la couleur. À la suite du départ d'Itten, il semble qu'il ait pris en charge la partie dévolue à la couleur dans la *Vorlehre* : un emploi du temps de 1923 et 1924 montre qu'il ne l'enseignait qu'une heure par semaine, dans un cours ouvert à tous les étudiants, y compris à ceux qui étaient déjà en atelier [93]. À Dessau, sous la direction de Moholy-Nagy et d'Albers, il semble que la couleur ait totalement disparu du contenu de la *Vorlehre* [94]. Néanmoins, Kandinsky dispensa certainement un cours obligatoire très exhaustif, incluant les théories chromatiques et celles sur les formes colorées, auprès des étudiants durant leur premier semestre [95]. De plus, c'est à Dessau qu'il commença à introduire le débat déterminant sur Ostwald.

À Weimar, bien que Gropius – figure phare du Werkbund depuis l'avant-guerre – fit une brève référence au système de gamme chromatique d'Ostwald, et à celui de Runge, dans le catalogue de l'exposition de 1923 (où ils étaient vraisemblablement présentés côte à côte dans le foyer de l'école [96]), son travail ne fut pas véritablement pris en compte. Kandinsky, par exemple, continua d'utiliser le cercle de six couleurs complémentaires en faveur chez la plupart de ses collègues [97]. Néanmoins, la présence d'Ostwald à Dessau se fit de plus en plus prégnante ; invité en tant que conférencier en 1927, ses interventions fournirent un cadre de réflexion à de vifs débats au sein du cours sur la couleur de Kandinsky [98]. En 1928, on articula la promotion du système d'Ostwald autour du fait qu'il servait de fondement à l'enseignement du chromatisme dans le cours de typographie dirigé par Joost Schmidt. Une version de son cercle en vingt-quatre parties était accrochée sur un mur de l'atelier de peinture murale quand Hinnerk Scheper se trouvait à sa tête[99]. Même Klee menait des recherches sur l'arrangement ostwaldien autour de 1930[100]. En 1931, le chimiste devint membre du Cercle des amis du Bauhaus[101]. Après la fermeture de l'école de Dessau en 1932, l'institution qui lui succéda et qui ouvrit brièvement à Berlin sous la direction de Mies van der Rohe accorda une grande attention à la couleur, en particulier à sa chimie et à sa psychologie et même peut-être à sa « psycho-technologie », Kandinsky étant encore professeur de « création artistique » et de « peinture libre ». Cependant, nous n'en connaissons pas les détails[102].

Cet aperçu de l'intérêt que le Bauhaus porta à la couleur est loin d'être exhaustif. En particulier, j'ai omis certaines des manifestations marginales des idées du Bauhaus sur la couleur telles que les événements théâtraux montés par Schlemmer, Kurt Schmidt, Moholy-Nagy et Kandinsky, ou les activités à Weimar de Gertrud Grunow, qui arriva en 1921 à l'invitation d'Itten pour enseigner une forme d'eurythmie fondée sur les lois unifiées de la couleur et du son. Un de ses élèves témoigna :

> L'étudiant devait rester les bras en croix, fermer les yeux et se concentrer sur une couleur du spectre. « Ne pensez pas à cette couleur, sentez-la, soyez-lui perméable, éliminez tout le reste. Quand vous l'avez, passez à la couleur suivante. » Mademoiselle Grunow affirmait pouvoir sentir si l'étudiant avait fait ou non l'expérience de la couleur. « Ce n'est pas cela, s'écriait-elle, refaites-le encore. » Il y en avait qui la croyaient, comme sans doute elle y croyait, mais la plupart d'entre nous étions sceptiques[103].

J'ai tenté de montrer que ce scepticisme ne touchait pas seulement ce type d'activités excentriques, mais qu'il concernait aussi les enseignements centraux de l'institution.

Durant l'histoire courte et sinueuse du Bauhaus, à aucun moment n'émergea – ou peut-être seulement au moment de sa fermeture – une vision cohérente de la nature et du fonctionnement de la couleur parmi les professeurs. La plupart des étudiants durent repartir avec une idée très confuse de sa signification. Seul Kandinsky, dans le cadre de ses recherches sur la psychologie de la perception, semblait préparé à faire usage des développements les plus récents dans le domaine de la recherche sur les gammes chromatiques, mais il resta tout de même profondément éclectique dans le choix de ses sources. Pour ses collègues, l'étude systématique de la couleur semblait s'être arrêtée au milieu du XIXe siècle, avant les complications introduites par la science de Helmholtz et de Maxwell. Ce manque de cohérence et cet éclectisme furent lourds de conséquences après la fermeture du Bauhaus. Aux États-Unis, cela renforça la résistance à la théorie, comme chez Josef Albers, un des anciens étudiants et professeurs du Bauhaus qui survécut le plus longtemps et qui tenta de remplacer la théorie par un véritable empirisme.

L'empirisme en France et en Italie

Dans son autobiographie, Ostwald décrit la manière dont sa compréhension de l'harmonie chromatique a émergé pendant la préparation de planches pour le *Farbenatlas* (*Atlas de la couleur*) de 1918 : il trouva soudain que les couleurs complémentaires d'égale valeur étaient belles en elles-mêmes, alors qu'il considérait jusque-là que

l'harmonie résultait du seul équilibre des valeurs tonales[104]. Même le mathématicien se révélait donc être un empiriste ; de fait, depuis Chevreul et sa « méthode *a posteriori* », l'empirisme était devenu une composante importante de la théorie chromatique à travers l'Europe du XIXe siècle. Il était appelé à le devenir encore plus auprès des artistes du XXe siècle, l'approche scientifique de la couleur exerçant auprès d'eux une séduction de moins en moins forte car elle mettait de plus en plus l'accent sur la standardisation et la quantification. L'un des manuels du début du XXe siècle les plus complets destinés aux artistes fut les *Principi scientifici del divisionismo* (*Les principes scientifiques du divisionnisme*, 1906), qui, contrairement à ce que son titre indique, représentait une tentative de la part d'un artiste de reprendre la main sur les scientifiques[105]. Dans cette théorie du divisionnisme, version italienne du néo-impressionnisme français, Previati fait excessivement appel à Rood et Brücke, qui sont pratiquement les autorités les plus récentes citées dans l'ouvrage, plus de trente ans après la première publication de leurs écrits. Le peintre sentait, et c'était prévisible, que les scientifiques avaient sous-estimé le rôle des ombres dans la peinture. Il fait aussi une distinction intéressante entre les effets du contraste *successif*, résultat du balayage continu de l'œil sur une scène, et les effets du contraste *simultané*, qui sont aussi puissants dans l'art que dans la nature[106].

Cette seconde conclusion représente une avancée radicale par rapport à l'attitude du XIXe siècle ; le premier artiste à la considérer sérieusement fut Giacomo Balla, qui adopta le divisionnisme vers 1910-1912 ; son *Lampadaire*, qui doit dater de 1912, fut le point de départ d'une série d'études chromatiques en vue d'un projet de décoration à Düsseldorf entre 1912 et 1914[107]. Une trentaine d'études de ces « Interpénétrations iridescentes » à l'aquarelle ou à l'huile nous sont parvenues. Elles montrent, comme l'écrit Balla à sa famille depuis l'Allemagne, le résultat « d'une infinité d'essais et de nouveaux essais » : une méthode empirique qui eut pour résultat une étonnante série de motifs géométriques aux contours très découpés et d'un dynamisme optique sans précédent[108]. Bien que certaines d'entre elles fussent peintes à l'huile sur support de toile et exposées en 1913, Balla ne les avait pas conçues comme des tableaux indépendants ; elles n'exercèrent que peu d'influence sur son style ultérieur de peintre de chevalet, ou même sur ses dessins abstraits conçus pour les décors du ballet de Stravinsky *Feux d'artifice*, monté par Diaghilev à Rome en 1917. Leur force optique – due à la juxtaposition de formes répétées aux contours bien découpés dans des tons contrastés, notamment les complémentaires « modernes » que sont le jaune et le bleu[109] – ne sera développée ultérieurement que par les artistes de l'Op Art dans les années 1960.

Les *Principi* de Previati furent publiés en français en 1910[110]. Ils furent remarqués peu de temps après par Delaunay, qui, dans un essai sur la lumière deux ans plus tard, utilise le terme « divisionniste » plutôt que le terme français plus courant de « néo-impressionniste », ou « pointilliste »[111]. Le goût de Delaunay pour la fenêtre, motif permettant l'exploration des effets de lumière et de transparence, dut être inspiré, tout comme chez Balla, par l'ouvrage de Previati. Au sein d'une série de quelque vingt-deux *Fenêtres* peintes entre 1911 et 1913, on peut discerner une évolution dans sa manière : partant d'un style en touches de couleurs vives d'un divisionnisme discipliné (*Fenêtre sur la ville n°3*), Delaunay passe à des plans colorés plus largement modulés et pour ainsi dire cubistes, parfois aux contours juxtaposés bien marqués et jouant de l'effacement relatif de certaines zones par des

207

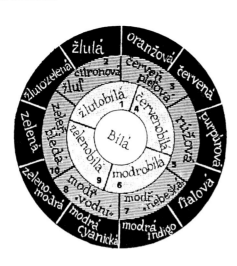

LÉGENDE
1 blanc chaud
2 jaune citron
3 rose chair
4 rose clair
5 rose
6 blanc froid
7 bleu clair
8 bleu de mer
9 blanc-vert
10 vert clair

Le peintre tchèque Frantisek Kupka réalisa cette version de la roue chromatique de Newton vers 1910. Il organise l'orange, le rouge, le pourpre, l'indigo, le bleu, le vert-bleu, le vert, le jaune-vert et le jaune, dans le sens des aiguilles d'une montre, depuis la partie supérieure du périmètre, et leurs modifications encerclent le centre blanc. Son intérêt pour la théorie chromatique l'amena à ouvrir la voie de l'émancipation de la couleur de tout rôle descriptif et fut peut-être une source d'inspiration pour des développements similaires chez Robert Delaunay (208). Kupka peignit ensuite une série de toiles intitulée « Disques de Newton » (aujourd'hui conservée à Paris et à Philadelphie). (219)

couches translucides apposées sur un fond clair ou sur d'autres couleurs [112]. Le chromatisme dominant repose sur des contrastes de jaune orangé, de pourpre et de bleu-vert, combinaisons inhabituelles qui suggèrent la connaissance du cercle de Rood [113]. Fin 1912 début 1913, Delaunay était pourtant réticent face à la proposition de Franz Marc d'adopter une démarche de travail plus scientifique :

> Je suis fou des formes des couleurs mais je ne cherche pas leur explication scolaire [...]. Toutes les sciences finies n'ont rien à voir avec mon métier vers la lumière. Ma seule science, c'est le choix des impressions que la lumière dans l'univers fournit à ma conscience d'artisan, que j'essaie de grouper, [en] donnant un Ordre, un Art, une Vie représentative adéquate [114].

La recherche d'aplanissement qu'entreprit Delaunay sur ses taches colorées ainsi que le renforcement de leur contraste ont pu être inspirés par Sonia Delaunay, sa femme d'origine russe. Formée dans le milieu fauviste, celle-ci était dotée d'un sens aigu du comportement des couleurs vives, plus important que celui de son mari qui avait été éduqué dans les traditions plus tardives du néo-impressionnisme [115]. En 1911, Sonia Delaunay avait réalisé pour leur bébé une couverture en patchwork traitée comme un collage. Ce fut le premier d'une série de collages en papier ou autres matériaux utilisant des juxtapositions nettes d'aplats de couleurs unies. On peut relier les violets, les jaunes et les verts ternes de cette œuvre textile à la palette utilisée ultérieurement par Robert dans ses *Fenêtres*, mais c'est le patchwork qui est l'élément le plus important, car il revient dans les collages plus tardifs de 1912 et 1913 [116]. Sonia affirma que ce dessus-de-lit fut le début d'une série d'expériences de « conception cubiste » avec d'autres

objets d'arts appliqués et des toiles [117]. Elle maintint pourtant toujours que sa démarche était plus intuitive et que c'était son mari le « scientifique » : « J'avais une vie plus animale », rappelle-t-elle en 1978. « Il pensait beaucoup ; tandis que moi, j'étais toujours en train de peindre. Nous nous accordions par beaucoup de côtés, mais il y avait une différence fondamentale. Il avait une attitude plus scientifique que moi vis-à-vis de la peinture, parce qu'il cherchait la justification des théories [118]. » Mais il s'agissait là clairement que d'une différence de degré et le concept de simultanéité *(Simultané)*, que Sonia et Robert utilisaient tous deux en 1912-1913 pour qualifier leur style – concept remontant, bien sûr, au « contraste simultané » de Chevreul, auquel Previati donna une inflexion plus fonctionnelle dans sa pratique de la peinture de chevalet –, se fondait essentiellement sur l'expérimentation. Dans le travail de Robert, l'exemple le plus flagrant est véritablement *Disque*, une peinture généralement datée de 1912, au début de la série des *Formes circulaires*, mais qu'il faudrait certainement dater de 1913, à la fin de la série [119]. *Disque* est, en fait, l'incarnation la plus radicale de la conception du mouvement chromatique que Robert développa pendant l'été 1913. À cette époque, il affirmait que les contrastes entre complémentaires produisaient des mouvements lents et que les « dissonances » (c'est-à-dire les couleurs proches sur le cercle diagrammatique) engendraient des mouvements rapides [120]. Nous pourrions donc imaginer que dans *Disque* le mouvement centrifuge radial du centre bleu rougeâtre est lent en haut à droite, et plus rapide en haut à gauche, et que les mouvements concentriques sont parfois lents (bleu-orange) et parfois rapides (bleu-vert). Dans une description complète de son travail, écrite plus de vingt ans après, Delaunay décrit néanmoins le rouge et le bleu comme « extra-rapides », de telle sorte qu'il n'est pas aisé de définir quel schéma de complémentaires il avait en tête. Il ne peut être question de Rood ou de Chevreul ; en effet, comme le montrent les nombreux repentirs opérés sur certaines parties de la toile, *Disque* était loin d'être une conception systématique *a priori* [121].

Bien que son abstraction ait fait de *Disque* le précurseur de la peinture « optique », il ne semble pas avoir été pensé comme une œuvre autonome jusqu'à ce que Delaunay ne l'expose en 1922. Une version fut présentée à l'Herbstsalon de Berlin à l'automne 1913, en tant que toile de fond d'une sculpture peinte, aujourd'hui détruite ; une composition tout à fait similaire fut placée parmi les disques dans un tableau de grand format, *Hommage à Blériot*, exposé l'année suivante [122]. En 1912 et 1913, Delaunay refusait de cautionner les peintres allemands tels que Paul Klee, qui interprétaient ses peintures comme abstraites : il considérait son travail comme étant ancré dans la nature, fait manifeste si l'on considère les distinctions « figuratives » faites entre le soleil et la lune dans la série des *Disques* de 1913 [123]. L'évocation de l'énergie intense du soleil par l'emploi de formes déchiquetées et fragmentées et l'introduction d'une forme hélicoïdale dynamique, appelée à être développée par Delaunay dans ses œuvres non figuratives des années 1920, suggèrent qu'il n'était pas encore capable de représenter ou même de concevoir le mouvement en terme de couleur « pure ». Qu'il l'ait fait relève du mythe, un mythe alimenté par ses propres commentaires ultérieurs et qui a continué de structurer la compréhension des peintures coloristes non figuratives jusqu'à aujourd'hui.

L'empirisme comme théorie

Les démarches empiriques et l'imprécision ou la confusion théorique chez Balla et Delaunay furent développées d'une manière plus ambitieuse encore par Josef Albers, grâce auquel l'empirisme devint lui-même une théorie. Albers avait intégré le Bauhaus en tant qu'étudiant en 1920 ; en 1922, il travaillait comme apprenti dans le nouvel atelier de peinture sur verre dont Paul Klee était le maître de forme ; peu après, il commença à enseigner l'étude pratique des matériaux pour la *Vorlehre*, qu'il co-dirigea en tant que professeur avec Moholy-Nagy au moment du déménagement du Bauhaus à Dessau en 1925. Il y demeura jusqu'à sa fermeture définitive en 1933. Nous avons vu que la couleur joua un rôle limité dans l'enseignement d'Albers au Bauhaus, bien qu'il en fit un usage original dans ses assemblages de verre plaqué et sablé à Weimar et à Dessau [124]. Il semble qu'Albers n'ait commencé à faire des recherches systématiques sur les propriétés de la couleur qu'à son arrivée aux États-Unis en 1933, pour enseigner au Black Mountain College en Caroline du Nord. Son travail à Black Mountain fut le point de départ de sa plus longue série d'expériences chromatiques, *206* *Hommage au carré*, qui commença en 1950 et ne s'acheva qu'à sa mort, en 1976. Cette série, à son tour, allait stimuler et donner forme à sa plus importante publication, *Interaction of Color* *202, 204* (*L'Interaction des couleurs*, publiée en 1963). Cet ouvrage est le livre d'art moderne le plus déterminant et le plus beau sur la couleur.

L'approche d'Albers concernant la couleur reposait sur les diverses conceptions auxquelles il avait été initié au cours des ans. Son goût pour le papier découpé, « un matériel homogène [qui] nous permet de revenir très précisément à la même teinte ou à la même nuance encore et encore », rappelle les exercices de collage pratiqués dans son école d'art de Bottrup en Allemagne avant la Première Guerre mondiale, ainsi que les méthodes de Hirschfeld-Mack au Bauhaus [125]. La notion d'accord chromatique expressif – fondée sur les divers assemblages de nuances de triangle coloré en *221* neuf parties, le premier de ses systèmes et théories qu'Albers *204* appelait le « Triangle de Goethe » – provient d'Hoelzel, via l'enseignement de Hirschfeld-Mack [126]. Mais ce sont les textes traitant de psychologie, introduits par Kandinsky dans ses cours au Bauhaus de Dessau, qui furent plus importants que tout. Ils incluaient, par exemple, le problème de l'extrême relativité des sensations colorées et de l'échec de l'esprit à porter des jugements corrects sur la couleur, ainsi que celui de la phénoménologie de la transparence, qui influença de plus en plus le travail chromatique d'Albers dans les années 1930 et finit par jouer un rôle très important dans son livre [127].

Albers affirmait que c'était le sentiment profond qu'il avait de l'inadéquation de la théorie d'Ostwald vis-à-vis de l'artiste qui le conduisit à s'engager intensément dans le domaine de la couleur au Black Mountain College, au point que nous pourrions penser qu'il était déterminé à la remplacer [128]. Malgré cela, il garda ses distances avec la théorie, écrivant, au début de *L'Interaction des couleurs* : « Cet ouvrage n'obéit par conséquent pas à la conception universitaire de "la théorie et de la pratique". Il inverse cet ordre et situe la pratique avant la théorie, laquelle après tout est la conclusion de la pratique [129]. » Cette conception était très proche de la tradition de « l'apprentissage par la pratique », profondément enracinée dans la théorie américaine de l'éducation depuis la contribution de Liberty Tadd, dans les années 1900 [130]. L'approche

Dans son ouvrage *L'Interaction des couleurs* (1963), Albers reproduit *Fruit suspendu*, une aquarelle de Paul Klee de 1921 pour illustrer la loi de Weber-Fechner qui énonce que chaque étape de la perception doit être le résultat d'une progression géométrique (1, 2, 4, 8…), plutôt que d'une progression arithmétique (1, 2, 3, 4…) (220)

anti-théorique avait aussi été importée dans le contexte de l'avant-garde américaine par Albert Stieglitz, qui, en 1929, avait inauguré sa nouvelle galerie de New York, An American Place, avec une sorte d'anti-manifeste :

> *Pas* d'article de presse officiel ; *pas* de cocktail ; *pas* d'invitation spéciale ; *pas* de publicité ; *pas* d'institution ; *pas* de -ismes ; *pas* de théories ; *pas* de jeux ; *rien* n'est demandé aux visiteurs ; *rien d'autre* sur ces murs que ce que vous *y voyez* […] [131]

Ce type de négation devint une sorte de litanie pour les modernistes américains après la Seconde Guerre mondiale. Albers occupait une place de premier ordre parmi eux. Dans une interview de 1950 concernant son *Hommage au carré*, il se défendait d'utiliser « aucune blouse, aucune lucarne, aucun studio, aucune palette, aucun chevalet, aucun pinceau, aucun médium, aucune toile, aucune variation de texture ou de *matière* [en français dans le texte], aucune écriture personnelle, aucune stylisation, aucun tour de passe-passe, aucun clignement d'œil. Je veux rendre mon travail aussi neutre que possible [132] ». Par cette aspiration à la neutralité, qui devait avoir une grande influence, Albers montre très clairement à quel point sa structure conceptuelle ne participait en rien au pouvoir de ses peintures.

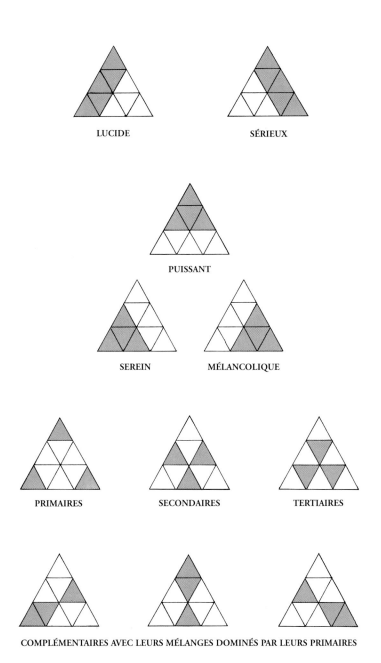

LUCIDE

SÉRIEUX

PUISSANT

SEREIN

MÉLANCOLIQUE

PRIMAIRES

SECONDAIRES

TERTIAIRES

COMPLÉMENTAIRES AVEC LEURS MÉLANGES DOMINÉS PAR LEURS PRIMAIRES

Les « Combinaisons chromatiques expressives » de Josef Albers (*L'Interaction des couleurs*, 1963) divisaient le « Triangle de Goethe » (204) en huit triangles plus petits, qui pouvaient être regroupés régulièrement de façons différentes pour démontrer les accords chromatiques « expressifs ». (221)

Tant dans son compte rendu de la théorie de Goethe que dans celui de la loi de Weber-Fechner – selon laquelle une progression arithmétique dans les perceptions requiert une progression géométrique dans les stimuli – qu'il illustra avec une des aquarelles les plus célèbres de Klee de 1921, Albers trahissait un certain manque de familiarité avec les textes théoriques [133]. N'avait-il pas avoué lors d'un entretien : « Je n'ai que faire d'être un scientifique, j'explore toutes les possibilités [134]. » Albers semble surtout avoir cru que les démonstrations de la dynamique des couleurs, tant dans ses peintures que dans *L'Interaction des couleurs*, fonctionnaient indépendamment de la forme. C'est d'autant plus surprenant qu'il utilisait des couleurs douces dans ses tableaux des années 1930 et 1940, peu semblables aux contrastes très tranchés de ses travaux ultérieurs. Il devait connaître les effets chromatiques puissants des grands formats aux contours peu marqués de Mark Rothko et de Morris Louis, par exemple, dans les années 1950 et au début des années 1960. *212, 211*

220

Vers 1950, la couleur était devenue « autonomique » selon le terme d'Albers [135]. Il énonce cette idée, dans le contexte d'*Hommage au carré* : « Pour moi, la couleur est le moyen de mon idiome. C'est automatique. Je ne rends pas "hommage au carré". C'est seulement le plat dans lequel je sers ma folie de la couleur [136]. » Le carré est neutre et tout particulièrement statique : il ne possède pas de mouvement propre, jusqu'à ce que la couleur lui insuffle la vie [137]. Si nous comparons le format des carrés encastrés dans l'*Hommage* avec un diagramme carré de « couleurs en avant et en retrait », nous voyons toutefois que le peintre a mis en place un schéma de mouvement très asymétrique en rassemblant les carrés les uns à côté des autres, en bas le long du cadre. Il créa même parfois aussi un sentiment d'éloignement perspectif en « biseautant les coins » [138]. En 1948, l'architecte Buckminster Fuller observa la classe d'Albers à Black Mountain s'exercer aux « carrés encastrés dans d'autres carrés » et reconnut que « la largeur variable des bandes était proportionnelle à la capacité de juxtaposition d'une couleur donnée quelconque qui permet de produire des effets harmoniques scientifiquement prévisibles que l'on peut ressentir intuitivement ». Pourtant, Albers semble avoir voulu exclure toute prévisibilité, toute hypothèse, dans la description du fonctionnement de cette puissante *Gestalt* où tout reposait sur des tests empiriques [139]. *206* *203*

En cela, il fut suivi par l'un de ses plus brillants élèves de Black Mountain, Kenneth Noland, qui devint, au début des années 1960, l'un des premiers membres du groupe washingtonien des peintres du Color-Field. Noland chercha à prendre une certaine distance avec Albers, qu'il trouvait « trop scientifique », mais il fut très influencé par les conceptions chromatiques du maître allemand [140]. Tout comme Albers, qui revendiquait déjà dans les années 1940 que c'était « l'acte performatif – la façon dont il est fait » qui donnait de l'épaisseur à l'art, Noland mettait l'accent sur le processus : lui et son ami Morris Louis, au début des années 1950, « voulaient que l'apparence soit le résultat du processus de sa fabrication [141] ». Il espérait décharger les toiles de tout ce qui n'était pas couleur : « Pas de dessins, pas de systèmes, pas de modules », affirma-t-il en 1968, alors que la peinture « systématique » néo-constructiviste et le minimalisme prenaient leur essor, « pas de toiles structurées. Et par-dessus tout, pas de conscience des choses [*thingness*], pas de conscience des objets [*objectiveness*]. L'important est de mettre la couleur sur la surface la plus fine possible, une surface découpée dans les airs comme par un rasoir. Ce ne sont là que couleur et surface. C'est tout [142] ». Comme Albers, Noland pensait que la couleur pouvait être libérée de la *213*

211

forme. En 1966 il expliqua : « Une fois les considérations structurales évacuées, je pus me concentrer sur la couleur. Je désirais être libre d'exercer l'arbitraire de la couleur » et, un peu plus tard, « la structure est un élément qu'il faut respecter fondamentalement, mais s'engager avec elle vous cantonne dans le bourbier de ce qu'on peut qualifier simplement de préoccupations cubistes. Dans les meilleures peintures coloristes, la structure n'est jamais évidente, et ne se revendique nulle part [143] ». Cependant, les losanges, les chevrons et, par dessus tout, les rayures très affirmés de Noland des années 1950 et 1960, démentaient l'idée de cette étonnante renonciation albersienne à la forme. Les rayures, qui dans les années 1960 jouaient un rôle comparable aux motifs d'échiquier des peintres abstraits des années 1920, furent utilisées par les artistes de l'Op Art et du Color-Field sous des formes très diverses, mais aucun d'entre eux ne pouvait ignorer le pouvoir optique immense généré par l'amoncellement de ces bandes. Albers, après tout, l'avait démontré, dans nombre d'exercices figurant dans *L'Interaction des couleurs*, bien qu'il défendît « l'absence de forme » du motif ; Noland fit de même en expliquant pourquoi il préférait les formats horizontaux à ceux, verticaux, de Morris Louis et d'autres artistes [144].

Un autre peintre de Washington, Gene Davis, qui reprit à son compte les rayures à la fin des années 1950 et au début des années 1960, sentait qu'elles fournissaient « une simple matrice retenant la couleur, en ne distrayant pas l'œil avec des divagations formelles » [145]. À l'instar de Noland, Davis se méfiait de ce qu'il considérait comme le système constructif d'Albers, affirmant que la peinture devait grandir empiriquement sous l'œil et la main du peintre :

> Je pense rarement à la couleur. Vous pourriez penser que je la considère comme allant de soi. Les théories chromatiques m'ennuient, je le crains. En fait, quelquefois, je ne fais qu'utiliser la couleur dont je dispose le plus, et ensuite je fais confiance à mon instinct pour me sortir de ce mauvais pas. Je prévois ma couleur seulement pour les cinq prochaines rayures et souvent, je change d'avis avant d'avoir atteint la troisième. J'aime à penser que je suis comme une espèce de musicien de jazz qui ne sait pas lire la musique mais qui joue à l'oreille. Je « peins à l'œil ». [146]

Les matériaux de l'abstraction

L'empirisme ne fut pas le seul moyen employé par les peintres coloristes pour chercher à déjouer les complexités et les contradictions des théories chromatiques modernes. Une des marques distinctives de l'art d'Albers est son attention méticuleuse à la technique : vers la fin des années 1940, dans la série des *Variations* ainsi que dans *Hommage au carré* pendant les décennies suivantes, il prit l'habitude d'enregistrer derrière chaque support utilisé l'identité précise des pigments employés ainsi que les principes de la construction formelle de l'œuvre [147]. Il en vint à considérer tout mélange comme une destruction de la couleur et de la lumière ; il utilisait la couleur sortant directement du tube, et, quelquefois, comme dans son dernier *Hommage* de 1976, il attendait de trouver la même couleur, non seulement du même fabricant, mais aussi du même bain [148].

Nous avons vu au chapitre 12 que ce fut essentiellement en Russie, juste après la Première Guerre mondiale, que la texture de surface *(faktura)* fut considérée comme un élément esthétique essentiel en peinture [149]. La *faktura* était perçue comme le résultat d'une approche résolument moderne. Comme l'écrit Taraboukine

Frank Stella au travail. L'utilisation de matériaux et de méthodes de peinture en bâtiment renforce le caractère impersonnel et la nature industrielle de l'approche de Stella. (222)

dans un traité rédigé entre 1916 et 1923 : « Nous avons vu à propos de la couleur que le peintre contemporain se signale par la vénération toute spéciale qu'il porte au matériau, au point que même en travaillant avec des couleurs il nous donne à travers elles le sentiment de la matière en tant que telle, parallèlement à l'effet produit par les impressions colorées [150]. »

La réforme des institutions artistiques à Moscou en 1918 comprenait un plan établissant non seulement un atelier expérimental sur la couleur mais aussi une usine de manufacture de peintures qui lui était associée [151]. Cette attention portée aux matériaux picturaux était encore très vivante au Bauhaus, qui dispensait des cours de chimie autant que de physique et de physiologie de la couleur. Les artistes du Bauhaus, notamment Klee, firent un usage très imaginatif de nombreux types de pigments dans leur peintures. Après la fermeture définitive de l'école pendant la période nazie, quand il lui fut interdit d'exposer et de vendre ses œuvres, Oskar Schlemmer gagna sa vie uniquement en testant les produits pour le compte d'un fabricant de peinture [152].

Aux États-Unis, pendant et après la Seconde Guerre mondiale, les œuvres très denses et à grande échelle des expressionnistes abstraits encouragèrent les recherches à partir de matériaux bon marché issus de l'industrie ; là aussi, l'utilisation de tels matériaux prenait une valeur esthétique nouvelle [153]. Mark Rothko avait travaillé comme peintre-décorateur de théâtre et il semble bien que ce fut cette expérience qui nourrit son goût pour les pigments brillants mais hautement instables, qui se sont avérés désastreux dans les toiles grand format telles que celles de la série peinte à l'université d'Harvard en 1961 [154]. Ce fut pourtant le pouvoir colorant des peintures plastiques et acryliques utilisées par un groupe de peintres de Washington dans les années 1950 qui contribua à donner aux matériaux en tant que tels une place cruciale dans la compréhension de la peinture elle-même. Helen Frankenthaler fut probablement la première à utiliser une peinture à l'huile pour étudiants très diluée, ou de la peinture laquée appliquée en taches sur du coutil de coton non apprêté ; c'est à son contact que Noland et Morris Louis adoptèrent et développèrent leur technique dès le début des années 1950 [155]. Durant cette décennie, Louis rencontra le fabricant de peinture new-yorkais Leonard Bocour qui, en réponse aux demandes croissantes des artistes, avait développé des peintures moins chères et produites en masse. Depuis 1956, Bocour avait mis sur le marché une émulsion de polymères acryliques qui fut rapidement adoptée par les peintres de Washington ; il est tentant de croire que les fines couches de peinture diluée qu'aimait à réaliser Louis n'étaient pas étrangères au fait qu'il utilisait surtout des fonds de cuve mis gracieusement à sa disposition par le fabricant. Ce dont on est sûr c'est qu'il déclara à Bocour qu'« une partie de [sa] thèse est que les matériaux influencent la forme [156]». Enfin, Bocour, qui était fier d'avoir introduit de « gros tubes pour de grosses peintures » dans les années 1940, produisait de l'acrylique en bidons de plusieurs litres pour Louis et Noland [157].

Pendant la période de l'après-guerre en Europe, les vertus de la peinture en elle-même furent réévaluées de manière encore plus radicale grâce au travail du peintre et artiste de performance Yves Klein. Celui-ci fit créer spécialement pour lui un bleu synthétique, sous le nom d'IKB (International Klein Blue), qu'il utilisait sous forme de poudre sèche, additionnée d'une résine spéciale faisant office de liant, le rhodopas M 60 A, afin de « protéger chaque grain de pigment de toute altération ». La texture extraordinairement douce et veloutée de la surface des bleus monochromes de Klein ainsi que leur petite taille et leur aspect iconique selon les critères américains, nous donnent le sentiment d'« absolu spirituel » auquel l'artiste aspirait [158]. Il est évident que cet accent mis sur les matériaux n'était aucunement lié à une croyance en leur autonomie absolue. Son ami Arman (Armand Fernandez) alla plus loin sur le chemin du matérialisme pur, réalisant en 1965 une œuvre intitulée *La Vie dans la ville pour les yeux* [159], composée de tubes de peinture en train de gicler, pris en sandwich entre deux feuilles de plexiglas.

Dans le contexte de la peinture minimaliste new-yorkaise des années 1960, c'est Frank Stella qui plus qu'aucun autre plaça les matériaux picturaux sur un piédestal esthétique. Durant ses années d'études, Stella avait travaillé comme peintre en bâtiment ; cela l'incita non seulement à utiliser, à l'instar des peintres expressionnistes abstraits quelque temps auparavant, des peintures industrielles mais à les utiliser aussi de manière industrielle. Dans plusieurs séries de toiles de cette décennie, Stella mit un point d'honneur à pratiquer l'application régulière de peinture commerciale, et dans certaines, il utilisait de la peinture à l'aluminium ou d'autres peintures émaillées. Dans une interview de 1964, il affirme :

Les outils de l'artiste ou les pinceaux du peintre traditionnel et peut-être même la peinture à l'huile disparaissent très rapidement. Nous utilisons principalement de la peinture commerciale, et nous avons tendance à adopter des pinceaux plus larges. […] Je ne voulais pas faire de varia-

tions ; je ne voulais pas marquer une trajectoire. Je cherchais à sortir la peinture du bidon pour l'appliquer sur la toile. J'ai connu un type qui se moquait de ma peinture, mais il n'aimait pas non plus les expressionnistes abstraits. Il disait qu'ils seraient de bons peintres s'ils réussissaient à garder la peinture telle qu'elle sortait du bidon. Et c'est ce que j'ai essayé de faire. J'ai essayé de garder une peinture d'aussi bonne qualité que celle qui était dans la boîte. [160]

Stella avait étudié la peinture et l'histoire de l'art à l'université de Princeton, où certains cours portaient sur les systèmes chromatiques [161]. Mais il resta toujours très impliqué dans la tradition empiriste américaine, assez peu versée dans la pensée discursive. « Penser à la couleur de façon abstraite, remarquait-il, ne m'a jamais fait de bien [162]. » Dans une série de conférences données à l'université d'Harvard en 1983, il rejeta toutefois son insistance sur la « matérialité » en faveur de l'héritage du « baroque » de Picasso, d'une plus grande complexité spatiale, qui s'accordait mieux avec ses constructions tridimensionnelles flamboyantes de l'époque :

Cependant, Picasso […] s'est rendu compte du danger que ferait courir la matérialité. Le risque de voir l'espace atmosphérique étouffé, dans l'art abstrait ouvert et neuf, sous la masse de son seul véritable ingrédient : la couleur. Picasso a donc craint, déjà, de voir l'abstraction ne donner, au lieu de peinture pure, que de la couleur pure – celle que l'on trouve dans le commerce aussi bien que sur les murs des musées [163].

Il n'est pourtant pas difficile d'imaginer pourquoi l'art minimaliste, avec son abolition de la hiérarchie et des relations de composition en général, se servait très peu des systèmes chromatiques modernes, qui ont toujours été intrinsèquement fondés sur la notion de relations. Il est moins facile de comprendre pourquoi les branches les plus technologiques et les plus expérimentales de la peinture chromatique moderne se sont si peu intéressées aux recherches récentes, ou de saisir comment elles ont été si promptes à adopter les semi-vérités de la science populaire du XIXe siècle et de l'ère moderne [164]. Même le peintre suisse Richard Paul Lohse, l'un des peintres les plus coloristes de l'art systématique dans les années 1960, ne manifesta pas d'intérêt particulier pour l'exploration des dimensions de la couleur autrement que d'une manière mathématique et topographique. Comme d'autres minimalistes, s'inscrivant dans la tradition constructiviste russe, Richard Paul Lohse cherchait à trouver une place pour l'art dans une conception utopique de la société ; contrairement aux constructivistes, ses conceptions esthétiques étaient exclusivement issues de sa lecture de l'histoire du modernisme. La couleur et la forme étaient perçues comme encore plus autonomes que dans les années de l'entre-deux-guerres [165]. Pourtant, on ne saurait s'attendre à mieux, du fait de la fragmentation du cadre académique et des pratiques culturelles de la fin du XXe siècle. Il n'est pas plus étonnant qu'un éminent scientifique de la couleur, W. D. Wright, ait reconnu seulement vers la fin d'une longue carrière menée autour de l'exploration des distinctions chromatiques et de leur mesures, que le noir possède une valeur psychologique positive, et qu'il n'est pas perçu seulement comme une absence de lumière [166]. Nos efforts pour comprendre la nature tant physique que psychologique de la couleur et la manière dont on peut l'utiliser pour donner forme à notre environnement chromatique ont été le sujet central de cet ouvrage. À ce jour, nos recherches sont loin d'être arrivées à leur terme et sont appelées à se poursuivre.

REMERCIEMENTS

Une liste de remerciements est toujours difficile à écrire, surtout si, comme pour le présent livre, le thème vous a occupé durant toute une carrière. La quasi-totalité de mes amis et de mes connaissances ont été sondés pour recueillir leur avis ou leurs conseils sur la question de la couleur ; je n'ai pas tout pris en compte, mais beaucoup de ces témoignages ont travaillé d'eux-mêmes, comme une levure, dans la confection de cette étude, si bien que je me sens incapable d'identifier l'origine de nombreuses idées. Ces remerciements constituent donc une sorte de responsabilité collective et je suis très heureux qu'il en soit ainsi. Les premières phases de cette recherche furent accélérées à Londres par des échanges avec Bob Ratcliff et Stephen Rees-Jones au Courtauld Institute et surtout avec Ann Rees-Mogg à la Chelsea School of Art. C'est Paolo Vivante qui m'orienta le premier sur la dimension philologique de la couleur, et Robin Cormack m'a fait progresser dans cette voie. J.-B. Trapp, Richard Gordon, David Cast, John Onians et Jean-Michel Massing m'ont grandement aidé pour le domaine antique ; Nigel Morgan, Sandy Heslop, Michael Camille et John Mitchell ont fait de même pour les sources médiévales. David Chadd m'a fourni, presque par inadvertance, l'argument musical du chapitre 13, quelle qu'en soit la vraisemblance ; Alex Potts m'a encouragé, comme toujours, à réfléchir sur des questions plus complexes. John Mollon et Philippe Lanthony m'ont introduit à la littérature de la physiologie et Ann Massing m'a fourni certaines sources techniques déterminantes. J'ai été autorisé généreusement à consulter d'importantes sources manuscrites par Jon Whiteley, Ian McClure et Peter Staples ; de nombreux chercheurs m'ont envoyé leurs publications : Maria Rzepinska, Thomas Lersch, Lorenz Dittmann, Heinz Matile, Alan Lee, Georges Roque et Janis Bell. Des suggestions cruciales m'ont été faites par Bob Herbert, Robin Middleton, Stefan et Anna Muthesius, Paul Hills, Tim Hunter, Philip Conisbee, David Charlton, Charlotte Klonk, Oliver Logan, Anna Rowland et Carol McKay. Douglas Druick m'a fourni une large documentation sur *Un dimanche après-midi à l'île de la Grande Jatte* de Seurat. Paul Joannides m'a répondu sur de nombreuses interrogations érudites.

Ma dette est grande envers ces personnes, mais elle est plus grande encore à l'égard des nombreuses bibliothèques qui n'ont cessé de servir la recherche avec constance. Il va sans dire que ce livre n'aurait pas été possible sans un accès aux collections spécialisées comme la Faber Birren Collection de Yale, la Colour Reference Library du Royal College of Art de Londres, la Wellcome Medical Library et la bibliothèque du Hamilton Kerr Institute ; bien sûr, cela est encore plus vrai des grandes bibliothèques généralistes comme la British Library et la Library of Congress, les bibliothèques de l'université de Cambridge et de l'Institut Warburg, et de plus petites comme celles de l'université d'East Anglia, de la National Gallery de Washington, la bibliothèque de ma propre faculté d'Architecture et d'Histoire de l'art à Cambridge. Cela semble évident, mais il importe de le rappeler de nos jours.

Le chapitre 2 fut publié à l'origine sous une forme légèrement différente dans *The Journal of the Warburg and Courtauld Institutes*, vol. 44, 1981 ; l'essentiel du chapitre 4 dans *Art History*, vol. 5, 1982, et dans *Akten des XXV Internationalen Kongresses für Kunstgeschichte*, vol. 6, 6, 1986. Ils sont reproduits ici avec la permission des éditeurs respectifs. J'ai en partie rédigé le chapitre 12 lorsque j'étais Visiting Fellow au Yale Center for British Art ; je n'aurais pu terminer le chapitre 14 sans un bref séjour à Washington, en qualité de Paul Mellon Senior Visiting Fellow au Center for Advanced Study in the Visual Arts, où j'ai profité de l'aide de Milton Brown. Ces deux institutions généreuses ont toute ma reconnaissance.

Enfin, ma famille a su, avec une grande patience, encourager et nourrir ma passion.

J. G.

Les traductrices souhaitent également remercier pour leur relecture les membres de l'INHA, et en particulier Philippe Sénéchal sans qui ce projet n'aurait pu voir le jour, ainsi que les éditrices attentives de Thames & Hudson à Paris : Hélène Borraz, Anne Levine et Anne Maizeret. Enfin, pour leur aide et trouvailles documentaires des plus pointues, nos remerciements les plus chaleureux vont à Sylvaine Joy, Claude Schvalberg et Guillaume Béchard.

Les Éditions Thames & Hudson, Paris, souhaitent remercier la Fondation de France et l'INHA pour leur précieux soutien ainsi qu'Anne Maizeret et Julia Bouyeure pour leur aide inestimable.

NOTES

Introduction

1 John Piper (1903-1992), peintre et graveur anglais qui fit partie des premiers peintres abstraits britanniques. Il devint célèbre avec sa participation au « War artist scheme » durant la Seconde Guerre mondiale. Inspiré par l'architecture dévastée, il a peint de nombreuses églises anglaises en ruine ; il produisit également des cartons de vitraux et des décors de théâtre pour la scène londonienne ; il a publié plusieurs écrits sur l'art et fondé la revue d'art *Axis*.
2 Berenson 1949, p. 127 ; trad. fr. 1955, p. 193. Sur son attaque la plus virulente contre la couleur comme valeur de l'art, Berenson 1950, pp. 74-79. Il fut cependant l'un des premiers historiens d'art à approuver l'usage des reproductions en couleurs, v. 1920 ; voir Berenson 1965 [*Selected Letters*], p. 90.
3 Voir surtout la préface de Berenson à Thompson 1936 et Berenson 1950, pp. 49-58. Pour une critique de cette position, voir Camesasca 1966, p. 389 sqq. et ici chap. 12 *infra*.
4 Sur sa préférence initiale pour la valeur (clair-obscur) plutôt que la teinte, voir Ruskin 1843, 2ᵉ partie, section 1, chap. V ; section 2, chap. II, § 20. Sur son ouverture à la valeur spirituelle de la couleur, voir Ruskin 1853, chap. V, § 30-36. Le développement a été commenté par Hewison 1976, p. 197 sqq., qui a souligné l'influence de Locke.
5 Sur la primauté finale de la forme, voir Ruskin 1856, 4ᵉ partie, chap. III, § 24. Sur le Working Men's College, voir Burne-Jones 1912, pp. 191-192.
6 Wittgenstein 1977, III, 52. Il mentionne un cercle chromatique en II, p. 80, et fait souvent allusion à Goethe. Même un wittgensteinien remarquablement cultivé comme Johnathan Westphal (1991) fait plusieurs déductions douteuses à propos des « faits » chromatiques.
7 Voir surtout Reynolds 1852, II, p. 335. Une enquête de psychologie sur 25 étudiants américains en 1926 semblait montrer que le vert et le bleu étaient perçus comme beaucoup plus « chauds » que le rouge ou le violet (Morgensen and English, 1926, pp. 427-428). Une étude plus récente démontre que l'association des couleurs avec des températures est un fait d'acculturation (Marks 1978, pp. 218 sqq.).
8 Stokes 1937 [*Colour and Form*], p. 149.
9 Pour une présentation rapide de cette école, voir Gage 1990, pp. 520-523.
10 *Ibid.*, pp. 518-541.
11 Birren 1965 ; Brusatin 1983 ; Dittmann 1987 ; Rzepińska 1984.
12 Halbertsma 1949 ; Pastore 1971 ; Lindberg 1976.
13 Berenson 1950, p. 75.

I L'héritage antique

1 Sur la difficulté d'interpréter la polychromie de la frise du Parthénon, *cf.* Jenkins & Middleton 1988, surtout p. 204 sq. Voir aussi Richter 1944, suppl. pp. 321-323.
2 Sur la conviction des Italiens de la Renaissance que la blancheur de l'architecture et de la sculpture antiques était fondamentale, *cf.* Cagiano di Azevedo 1954, surtout pp. 153 sqq. La réflexion prit une plus grande ampleur au XVIIIᵉ siècle, avec Winckelmann (1882, xxvii). Sur la résistance continue à l'idée de sculpture polychrome à l'époque romantique, *cf.* Flaxman 1838, pp. 185-189 ; David d'Angers 1958, I, pp. 182-183 et 347, II, p. 32 ; Ruskin, II, 1846, Pt III, sect II, chap. iv, § 9.
3 Gell 1817-1819, p. 160. La polychromie du temple ionique de l'Ilyssus à Athènes avait été remarquée dès le milieu du XVIIIᵉ siècle par Stuart et Revett, I, 1762, p. 10 et pl. VIII, ill. 3. Voir aussi Barry 1809, pp. 537-538. Le développement de cette découverte de la polychromie de l'art grec, surtout après Winckelmann, a été étudié par Reuterswärd (1960, chap. 1) et surtout par Van Zanten 1976.
4 Voir surtout Eastlake 1848, pp. 63-64, 79-80, 114.
5 Newton, 1862, II, i, pp. 185 et 238. Il jugea les sculptures du Mausolée moins « éthiques » que celles de Phidias (p. 237).
6 *Ingres* 1967-1968, n° 25. Sur Hittorff, *cf.* Van Zanten 1976, pp. 29 sqq. ; Billot 1982 ; Middleton 1985, pp. 55 sqq.
7 Semper 1834 et Van Zanten 1976, pp. 52 sqq. et 162 sqq. ; Grisebach 1924, p. 164 et ill. 98. Pour une reconstitution du Parthénon dans toute sa polychromie, voir la toile de Leo von Klenze *Saint Paul prêchant sur l'Acropole* (1846), Hederer 1964, p. 175, et Van Zanten, *ibid.*, pp. 170 sqq.
8 La *Venus* avec son baldaquin *in situ* est reproduite dans Matthews 1911, en face de la p. 230. Sur Gibson et Hittorff, voir Cooper 1971, p. 91, notes 14 & 17 ; Darby 1981, pp. 37-53.
9 Gladstone 1858, III, p. 488 (approfondi dans Gladstone 1877, pp. 366 sqq.). Il reconnaît p. 495 que les vestiges de pigments antiques témoignent d'une autre histoire : « L'explication en est, je suppose, que ceux qui durent recourir à la couleur n'attendirent pas l'élaboration d'une philosophie, mais intégrèrent au fur et à mesure dans leur matériel toutes les substances dont ils apprirent l'existence et qui leur semblaient produire des résultats satisfaisants pour l'œil, voire des améliorations. »
10 Voir surtout Schultz 1904, pp. 187-188. Pour une présentation moderne de la question, voir Grosman 1988.
11 Hochegger 1884, surtout pp. 38 sqq. Son approche interdisciplinaire reste l'exception dans cette branche de l'analyse chromatique. Pour une application récente de cette science à l'art égyptien, voir Baines 1985, pp. 282-297. Voir aussi Shultz 1904, p. 80 sq. et p. 108 ; Platnauer 1921, pp. 155 sqq. et 162 ; André 1949, p. 12 et Osborne 1968, p. 274.
12 Kranz 1912, p. 126.
13 Freeman 1966, ill. 22-23 ; Beare 1906, pp. 14 sqq.
14 Un récent éditeur d'Empédocle a proposé d'interpréter ici, chez le philosophe, cette idée de mélange comme la juxtaposition stricte des couleurs (M.R. Wright 1981, p. 180). Voir aussi *supra* p. 30.
15 Freeman 1966, ill. 22-23.
16 Ætius, *Placita* I, 15.3 (Iᵉʳ ou IIᵉ siècle) in Diels 1879, p. 313 ; Stobæus (Vᵉ s.) 1792, pp. 362sqq. Sur l'*ōchron*, voir Schultz 1904, p. 73.
17 Stratton 1917, pp. 132 sqq. (avec le texte *in extenso* de Théophraste *Sur la sensation*).
18 *Ibid.* La note 183 suppose qu'il y a une lacune dans le manuscrit à cet endroit et suggère que la référence au soufre provient d'un autre mélange. Siegel (1959, p. 153) n'a cependant aucune difficulté à appliquer les recettes de Démocrite et les juge tout à fait réalistes. De même Van Hoorn 1972, p. 55 et note 41.
19 Stratton 1917, note 187. Cela semble peu vraisemblable, car même si Aristote rend compte au IVᵉ siècle des images persistantes, il ne sait pas identifier leurs couleurs correctement (*Sur les rêves*, 459b).
20 Stratton 1917, p. 82. Dans ses *Catégories* (VIII, 10b), Aristote démontre qu'à la différence du noir et du blanc, le rouge *(purron)* et le jaune *(ōchron)* n'ont pas de contraires.
21 J'ai suivi l'édition de Bruno (1977, pp. 89 sqq.) pour l'interprétation de ce passage délicat. Trad. fr. L. Robin, 1950, Pléiade, t. II, p. 493.
22 *Cf.* Charlton 1970, p. 45, pour l'usage flottant que fait Aristote des termes *leukos* et *melas*. Voir aussi Platnauer 1921, p. 153 sq. ; Bruno 1977, p. 91 sq.
23 Philon 173, in Annas & Barnes 1985, p. 38 sq. ; aussi p. 31 sq. et p. 42. Diogène Laërce (*Vies des philosophes* VII, 52) rapporte que les stoïciens pensaient que seuls le noir et le blanc pouvaient être réellement objets de perception.
24 Freeman 1966, pp. 92-98.
25 Les preuves sont rassemblées par Schuhl (1952). Keuls (1978, p. 69) montre que cet élément traditionnel est peu probable. La familiarité d'Aristote avec des peintres a été soulignée par Bertrand (1983, pp. 145 sqq.).
26 Voir *Anonymous Prolegomena to Platonic Philosophy*, 1962, XIII, n° 13-15, pp. 6-7.
27 Le lexique byzantin, la Souda, attribue un livre sur les *graphikes* et le *skematon* au peintre Protogène, de la fin du IVᵉ siècle ; la supposition de Reinach (1985, n° 497) que *skematon* renvoie à la couleur est peu probable, même si l'emploi par Platon du mot *skematon*, « figure de la danse », pour définir la couleur *(chroa)* dans le *Ménon* (76 d), suggère que les deux termes étaient liés (*cf.* F. A. Wright 1919, p. 31). Voir aussi Gaiser 1965, p. 180 sq. Sur *skema*, Pollitt 1974, p. 64.
28 Pour les connotations plus formelles de « symmetria », voir Pollitt 1974, pp. 14 sqq.
29 Cicéron, *Tusculanes*, IV, 31-32 *(aum coloris quadam suavitate)* ; Plotin, note 30 ci-dessous.
30 Plotin, *Ennéades*, I, 6.1 ; voir aussi V, 8.4 et VI, 7.33 sur la « beauté intellectuelle ».
31 Valère-Maxime in Pollitt 1965, p. 173 ; la phrase en latin se trouve dans Reinach 1985, n° 355. Sur *splendor*, Pollitt 1974, pp. 227 sqq. Les autres références littéraires à Euphranor ont été réunies par Reinach 1985, n° 351-357.
32 Stratton 1917, pp. 132 sqq.
33 Heaton 1910, p. 209 ; Duell & Gettens 1940, p. 94. Pour une introduction générale, voir Borelli 1950, pp. 55 sqq.
34 Swindler 1929, pp. 420 sq. ; Augusti 1967, pp. 36 sq. Sur la sous-couche verte pour la teinte chair, à Pompéi, voir Seibt 1885, p. 16.
35 L'étude de référence est celle de Willamowitz-Möllendorf 1900, pp. 1-52.
36 Sénèque, *Controversiae*, IV, iii.3, cité par Baldwin 1924, pp. 98 sqq.
37 Sur les « couleurs » de la rhétorique et la fausseté, voir Trimpi 1973, pp. 25 sqq.
38 Pollitt 1974, pp. 52 sqq.
39 Philostrate, *Vie d'Apollonius de Tyane*, II, 22, trad. A. Chassang (1862). La vision de Philostrate dérive d'Aristote selon Bermelin (1933, surtout p. 160 sqq. et 179). Sur le goût des monochromes dans la peinture hellénistique, voir Bruno 1985, pp. 42 sqq. Pour d'autres débats de l'Antiquité tardive sur la couleur comme adjuvant à l'imitation, voir Lucien, *Images*, 7 (Reinach 1985, n° 54) et Dion Chrysostome, *Discours* 12.
40 Reuterswärd 1960, pp. 60 sqq.
41 Kuels 1978, pp. 102 sqq.
42 Pollitt 1974 (éd. complète), pp. 151 sqq., pour la citation de Lucien, *Zeuxis*, 5.
43 Preusser, von Graeve et Wolters 1981, pp. 23 sqq.
44 Augusti 1967, pp. 123 sqq. ; Von Blanckenhagen & Alexander 1962, p. 63. Les mélanges sont un bleu-gris à partir de terre verte, blanc de chaux et noir ainsi qu'un marron à partir d'oxyde de fer, blanc de chaux et noir ; les deux couleurs sont mélangées avant application. Sur les problèmes de mélange, voir pp. 30-32 *supra*.
45 Burford 1972, pp. 136-137. Voir aussi le texte de Pausanias sur l'intérieur du temple de Zeus à Olympie (V, xi, 1-10).
46 Swift 1951, pp. 127-128 et le compte rendu de K. Lehmann dans *Art Bulletin*, XXXVI, 1954, p. 71.

47 Swift 1951, pp. 72-74 ; Friedländer 1964, pp. 330-339 ; Gnoli 1971, p. 5 sqq. Gnoli donne plusieurs planches magnifiques des marbres colorés utilisés dans l'Antiquité.
48 L'Orange & Nordhagen 1964, p. 35 ; Phillips 1960, p. 244 ; Salzmann 1982, p. 43.
49 André 1949, pp. 12, 25 sqq., 399. Il n'y a pas de corrélation directe entre la variété des termes de couleurs et celle des pigments (*cf.* Augusti 1967, pp. 123 sqq.), même si les proportions sont grosso modo équivalentes. Les rouges constituent de loin le plus grand groupe, de mots comme de pigments ; il n'est pas anodin que la liste d'Homère comporte deux rouges, *eruthros* et *phoinikous* (rouge pourpré).
50 Rist 1972, p. 63 ; Hahm 1978, pp. 75 sqq.
51 W. Klinkert, « Bemerkungen zur Technik der Pompejanischen Wand-Dekorationen » (1957) in Curtius 1960, pp. 439 sqq. ; Von Blankenhagen & Alexander 1962, p. 63.
52 Fuhrmann 1931, p. 110.
53 *Hist. Nat.* XXXV, xxxvi, 97 (trad. Sonnier, p. 370). Voir Pollitt (1974, p. 245-246) pour le texte de ce passage délicat. Sur le contenu, *cf.* p. 30 *supra.*
54 Sur la thèse d'un Apelle exclusivement peintre sur bois, et sur la peinture murale sur panneaux en Grèce, voir Robertson 1975, I, pp. 244, 494 et II, p. 659, note 152.
55 *Dix Livres d'architecture*, VI, 7. Pour d'autres références, Beccatti 1951, p. 29.
56 Alexandre d'Aphrodisias, un auteur du IIIe siècle de notre ère, appelle blanc « la couleur par excellence et la plus subtile de toutes » (Gätje 1967, pp. 371-373), mais je n'ai trouvé aucun autre partisan de cette préférence.
57 Alcman, *Parthénées* (fr. iD, 64 f), trad. Bowra 1961, p. 44 sq. Sur le grec mycénien, voir Gallavotti 1957, pp. 12 sq. ; et en général Reinhold 1970, pp. 9 sq.
58 Reinhold *ibid.* p. 8.
59 Avery 1940, surtout pp. 76 sq. ; Lopez 1945, p. 10 ; Reinhold *ibid.* p. 63.
60 Stratton 1917, pp. 136-137.
61 Voir article « Colore » in *Enciclopedia dell'arte* [...] *orientale* 1959, pp. 770 sq. ; König 1927, p. 141.
62 Ménandre, fr. 667 K[2], cité par Collard 1970, p. 34. Sur l'histoire du taffetas changeant, voir pp. 60-61 *supra.*
63 Jensen (1963, p. 109) estime que 12 000 coquillages rendent seulement 1,5 g de teinture.
64 Reinhold 1970, p. 30, citant Plutarque *Vie d'Alexandre*, 36, et Diodore de Sicile, XVII, 70.
65 Avery 1940, p. 79.
66 Blümner 1912, I, p. 242 ; Jensen 1963, pp. 110 sq. ; surtout « Färbung » in Pauly-Wissowa 1894-1978, suppl. III, 1918, col. 465-466. La préparation de l'indigo à partir de la guède était à peine moins désagréable et c'était un désastre pour l'économie médiévale ; mais jamais l'indigo n'atteignit le statut de la pourpre (Thompson 1936, pp. 136 sqq.). Sur les changements chromatiques durant la teinture d'indigo, *cf.* Leggett 1944, pp. 19 sq.
67 *Le Livre du Préfet*, 1970, p. 245.
68 Lehman 1945, p. 11.
69 Neuburger 1969, pp. 186 sqq.
70 Sur les édits, Reinhold 1970, p. 63 et surtout Hunger 1965, pp. 84 sq. À la fin du IXe siècle, le *Livre du Préfet* interdit aux teinturiers en soierie de produire des teintures pourpres, auxquelles il se réfère par le simple mot de *vlattia* (teintures) et par les noms des vêtements, comme *scaramaggia* (tuniques).
71 Schmidt 1842, p. 102 ; pp. 106 sq. Il donne aussi une liste exhaustive des étoffes antiques de pourpre, d'une variété stupéfiante. Obermiller (1931, p. 422) suggère que le prix devait être le seul guide, en raison de la multitude de belles imitations.
72 *Cf.* surtout André 1949, pp. 88-104 ; Quintilien, *L'Institution oratoire*, XI, 1.31. Beaucoup d'auteurs modernes classent encore la pourpre parmi les rouges : *cf.* König, 1927, p. 126 ; Gipper 1964, p. 63.
73 Wunderlich 1925, et le compte rendu par S. Eitrem, in *Gnomon*, II, 1926, pp. 95-102 ; Cumont 1949, pp. 33-45 ; Delcourt 1965, pp. 13-30 ; Gerschel 1966, pp. 608-610 et pp. 624 sqq.
74 Reuterswärd 1960, pp. 56 sqq., 198 sqq. ; trois passages de Pausanias (II, 2.5, VII, 26.4 ; VIII, 39.6) au sujet des statues de Dionysos, font certainement allusion au vin.
75 Tertullien (*Sur l'idolâtrie*, XVIII) évoque la grande réputation de l'or chez les Égyptiens et les Babyloniens. Voir Wunderlich 1925, p. 41, sur l'interchangeabilité de l'or et du rouge ; voir André 1949, p. 138, sur la préférence des Romains pour un jaune cuivré.
76 Bultmann 1948, p. 4. Voir aussi Bremer 1973, p. 1974
77 Bierwaltes 1957, p. 13.
78 *Ibid.* pp. 14-19. Sur les gemmes de l'Antiquité et la Renaissance, Kris 1929, I, pp. 20 sq. Sur la lumière concentrée dans les pierres, Pline, XXXVII, xi, 37.
79 Brendel 1944, surtout pp. 18 sq.
80 Lewy 1956, surtout pp. 192 sq. et 399 sqq.
81 Dodds 1971, pp. 298 sq.
82 Bierwaltes 1961, pp. 334-362 ; Dodds *ibid.* et pp. 285 sqq.
83 Ptolémée, *Optique*, II, 107 ; Galien *De l'utilité des parties du corps humain*, X, 3 ; Kléomèdes in Schultz 1904, p. 117. Voir aussi Proclus, au Ve siècle : « Nous ne devons pas rechercher le bien à la manière du savoir [...] mais en nous abandonnant à la lumière divine et en fermant nos yeux. » (*Théologie platonicienne*, I, 5)
84 Mathew (1963, p. 20) nie que Plotin ait été bien connu au Moyen Âge. Proclus a parfois été considéré comme son transmetteur, mais pas avant le XIe siècle (Proclus, *Elements of Theology*, éd. E. R. Dodds, 2e éd. 1963, xxx). Un cas extrême de l'influence de Plotin se trouve dans Grabar 1946, pp. 15 sqq. Voir aussi Pollitt 1974, pp. 57 sq. Sur le concept byzantin majeur de la relation de l'image à son archétype, Plotin apporte des vues contradictoires (IV, 3.11 ; VI, 4.10) et il a peut-être conçu pour l'art un statut plus élevé qu'il n'eût été acceptable ensuite (V, 8.1). De même, sa préférence des images plutôt que des énoncés (V, 8.5) ne fut pas très suivie dans la pratique médiévale, qui se caractérise à chaque période, mais surtout aux plus reculées, par un usage notable du mot écrit en même temps que de l'image. Voir chapitre 3 ci-dessous.
85 Gage 1978, note 28.
86 *Ibid.* note 29.
87 *Ibid.* note 30. Edgeworth (1979, pp. 281-291) a essayé de détacher la pourpre de ses connotations d'éclat ; mais il s'appuie sur des sources réduites à une sélection bien trop étroite, bien qu'il soit en droit, certes, de suggérer que le rouge suffirait amplement dans ces contextes. Isidore, *Étymologies*, XVIII, xix ; Raban Maur, *De Universo*, XXI, xxi, in *Patrologia Latina*, CXI, col. 579 ; pour des exemples plus tardifs, Meier 1977, p. 201.
88 Gage 1978, note 31 ; Dodwell 1982, pp. 145-149. L'identification faite par Dodwell (et approuvée par Owen-Crocker 1986, p. 135) de *purpura* avec le taffetas de soie irisée pose des difficultés (voir pp. 60 sq. *supra*). Owen-Crocker montre que la traduction anglaise de *purpura* était *godweb* (« bon tissu » ou « tissu de Dieu »). Sur la *purpura* rouge, grise *(subnigra)* et blanche au XIIIe siècle, voir Hildesheim, *Mittelalterliche Schatzverzeichnisse*, 1967, pp. 40 sq.
89 Selon le *Protévangile de Jacques* (10.1-2), la Vierge reçoit un écheveau de pourpre et un écheveau d'écarlate à filer pour le voile du Temple ; voir J. Lafontaine-Dosogne, « Iconography of the cycle of the Life of the Virgin », in Underwood 1967-1975, IV, pp. 183-184. Sur un exemple moderne de confusion entre pourpre *(ozus)* et écarlate *(coccinus)* dans un contexte plus officiel, voir Pseudo-Kodinus 1966, p. 146.

2 La fortune d'Apelle

1 Le commentaire le plus riche se trouve dans Pline 1978, où sont compilés un grand nombre de documents d'autres auteurs antiques.
2 Pour les sources littéraires, *cf.* Reinach 1985, n° 400-486. L'examen le plus complet de la carrière d'Apelle est celui de Lepik-Kopaczynska 1963.
3 Pour les interprétations récentes de ces deux histoires : Gombrich 1962, p. 51-55 ; Mahon 1962, pp. 463 sq. ; Plesters 1962, pp. 453 sqq. ; Gombrich 1963, pp. 90 sqq. ; Kurz 1963, surtout p. 94 ; Van der Waal 1967 ; Gombrich 1976, surtout pp. 15-16.
4 Ces deux explications ont été suggérées par des savants plus anciens. Pour le lien entre les éléments et les quatre couleurs, *cf.* Seibt 1885, p. 31 ; Berger 1975, p. 54. La fonction du noir comme un bleu a été remarquée dès le XVIIe siècle par Félibien (1981, p. 14) et au XVIIIe siècle par Lambert, 1772, p. 16 ; Requeno 1787, I, p. 25 ; H. Meyer, « Hypothetische Geschichte des Kolorits » in Goethe 1957, p. 59 ; enfin Berger *loc. cit.* Pour l'équivalence en grec entre noir et bleu, *cf.* Schultz 1904, p. 36 ; Schefold 1963, p. 5.
5 Signalé par Keuls 1975, p. 15.
6 La preuve est commentée par Bruno (1977, p. 57).
7 Stratton 1917, pp. 132 sqq. *chlōron* est le terme crucial dans ce contexte : les emplois antérieurs semblent attester qu'il n'avait pas spécialement un contenu chromatique, mais plutôt les connotations de « pâle », « brillant », « frais », « humide » (Handschur 1970, pp. 150 sqq. ; Irwin 1974, pp. 31 sq.). Dürbeck l'a traduit par « jaune » dans ce passage, alors que les termes attribués à Empédocle pour désigner le jaune sont *ōchron* (Ætius) et *pyrrochrous* (Galien). Le premier emploi non équivoque de *chlōron* pour dire « jaune » se trouve chez ce quasi contemporain d'Apelle, le médecin Hippocrate (Dürbeck 1977, pp. 37, 50 sqq., 108 sqq., 113).
8 Gottschalk 1964, p. 85.
9 L'étude la plus complète est celle de Lepik-Kopaczynska 1963, pp. 36 sqq. La différence de couleur de peau est particulièrement frappante dans la fresque d'Herculanum, *Thésée victorieux*, considérée comme une copie très fidèle d'un original grec du IVe siècle, par Scheibler 1978, pp. 299 sqq. Cette convention a survécu jusqu'à Cézanne au moins, voir son tableau *L'Enlèvement ou le viol* (v. 1867), dans la collection Keynes (Cambridge, R.-U.).
10 Hippocrate, *La Nature de l'homme*, iv sqq. Sur la blancheur de la lymphe, vii. Pour une étude d'ensemble des humeurs dans l'Antiquité, *cf.* Evans 1969, pp. 17 sqq.
11 Galien 1562, pp. 8 sqq.
12 Foerster 1893, I, pp. 74-75. Un manuscrit fr. du XIVe siècle traitant de physiognomie (Jordan 1911, p. 685), et qui adopte le schéma hippocratique des quatre humeurs et couleurs, fait correspondre la mélancolie non avec le noir mais avec le jaune *(luteus)*. L'*Isagoge* d'Hunain Ibn Ishâq, ouvrage galiénique du IXe siècle, dénombre quatre couleurs de cheveux et 5 teints de peau malade, dont un gris *(glaucus)* dérivant de la mélancolie (Grant 1974, p. 707).
13 Stout 1932, p. 86 (4 pigments) ; Ramer 1979, p. 5 (6 pigments) ; Hart 1980, p. 22 (5 pigments).
14 Sur l'histoire de ces pigments, Forbes 1964-1972, III, pp. 224 sqq. ; Filippakis, Perdikatsis et Paradellis 1976, pp. 143 sqq. ; Profi, Weier et Filippakis 1976, pp. 34 sqq. ; Cameron, Jones et Philippakis 1977, pp. 157-160 ; Profi, Perdikatsis et Filippakis 1977, pp. 107 sqq. ; Fuchs 1982, pp. 196 sqq.
15 Profi, Weier et Filippakis 1974, pp. 105-112 ; Filippakis, Perdikatsis et Assimenos 1979, pp. 54 sqq. Sur Kizilbel et Karaburun, Mellink 1971, pp. 247-248 ; sur la Tombe du Plongeur, Napoli 1970, pp. 103 sqq. et surtout pl. 3, 30, 37. Sur Lefkadia et Kazanlak, Bruno 1977, chap. 9 et pl. 5b, 6, 10, 11, 13a.
16 Par ex. la *pelike* n° 1718 du Musée national d'Athènes (v. 330 av. J.-C.), qui montre une palette de rouge, noir, blanc, bleu et feuille d'or. Pour les liens avec Apelle, *cf.* Pollitt 1972, p. 159.
17 Mingazzini 1961, surtout p. 15. Sur la « mosaïque d'Alexandre », qu'on a jugée un reflet de la palette tétrachrome et du style d'Apelle depuis sa découverte en 1832, voir Fuhrmann 1931, pp. 203 sqq. ; Rumpf 1962, pp. 240 sq. Fuhrmann repère une pierre verte dans le costume d'Alexandre et il y en a beaucoup d'autres dans la végétation, les rochers et les drapés du fond à gauche. Bruno (1977, p. 75) rejette la présence du vert mais le débat est peut-être seulement sémantique, puisqu'il reconnaît (pp. 76-77) que l'original en peinture a dû utiliser des mélanges, surtout à base de bleu.
18 Cook 1977, pp. 197-198. Dans ce livre, Cook fait une brève allusion au *chiton* « bleu pâle », mais dans son rapport complet (dont il m'a gentiment prêté un tapuscrit) il le décrit « gris-bleu », ce qui est effectivement le cas.
19 Cicéron, *Brutus* 70. Vitruve, *Les Dix Livres sur l'architecture* VII, v, 7-8. Sénèque, *Lettres* LXXXVI, 6f ; CXIV, 9 ; CXV, 9. Varron, *De Rustica,* III, 2 : 3-4. Pétrone, *Satiricon*, II, 88, 119. L'étude la plus complète est dans Jücker 1950, pp. 143, 155 sqq. ; voir aussi Bruno 1977, pp. 68 sqq.
20 Pour l'examen complet des *colores floridi et austeri*, Pollitt 1974, s.v. *austerus*. Tout en étudiant la théorie des quatre couleurs dans ce contexte, Pollitt ne semble pas repérer l'incohérence de Pline.
21 Tobias Mayer, cité par Bertrand 1893,

p. 139. Pour une étude plus large de la théorie des quatre couleurs à l'aune des primaires, *cf.* Rood 1879 et Veckenstedt 1888, pp. 29 sqq. La possibilité de nombreux mélanges est implicite dans les thèses de Kopaczynska (1963) et Bruno (1977).

22 M. R. Wright (1981, pp. 179 sqq.) soutient que « mélanger » ici signifier juxtaposer les couleurs. Bollack (1969, II, i, pp. 122 sqq.) signale que le contexte de ce passage révèle un mélange antérieur à l'acte de peindre, et que la formule *« harmonei meixante »* n'a que la connotation d'« intimement entremêlé ». Sur l'absence de mélanges dans la peinture archaïque, voir Walter-Karydi 1986, pp. 26 sqq.

23 Plutarque, *Quæstiones conviviales*, 725c ; voir aussi *De E à Delphes (Dialogues pythiques)*, 393c et Platon, *Philèbe* 51-53. La notion de mélange comme mort ou disparition remonte au moins à Empédocle et Anaxagore (Solmsen 1960, p. 372).

24 Ici aussi (*cf.* note 22), l'analogie est celle des lettres côte à côte dans un mot, si bien que l'idée d'un mélange plus intime ne semble pas être dans l'esprit de Platon. Forbes (1964-1972, III, p. 222) note que certains roses sont faits de rouge et de blanc. Sur le terme désignant la peinture de la chair, *cf.* Keuls 1978, p. 68.

25 Théophraste, *De Lapidibus*, 51 ; voir aussi Pline, *Hist. Nat.*, XXXV, xiii, 31.

26 Wolfson 1970, I, pp. 374 sqq. ; Todd 1976, surtout pp. 59 sqq. Sur le débat à la fin du Moyen Âge occidental, *cf.* Maier 1952, pp. 4 sqq.

27 *Sur le mélange*, 214, *in* Todd 1976, pp. 110-111. Le terme pour mélange est ici *krasis*. Todd (p. 184) pense que l'attribution de l'idée à Démocrite est une invention d'Alexandre.

28 Des hachures pour ombrer étaient déjà repérées à Herculanum par Bellicard et Cochin dans leurs *Observations sur les antiquités de la ville d'Herculaneum* (1754) et à Pompéi par le peintre nazaréen Peter von Cornelius, qui les décrit comme des « tapis usés » (Berger 1975, p. 69). La preuve littéraire du « mélange optique » est discutée par Keuls (1975, pp. 10 sqq. et 1978, pp. 70 sqq., 78 sq.).

29 Sur le glacis égyptien, *cf.* Forbes 1964-1972, III, pp. 229, 247 ; et dans la peinture grecque à l'encaustique, *cf.* Schmid 1926, pp. 86 sq. Pour les références littéraires, Borelli 1950, pp. 55 sqq.

30 Voir surtout le portrait de jeune homme n° 326 de la collection Sainsbury, University of East Anglia (Hawara, fin du Ier siècle) et un autre du British Museum, NG 1265 (*cf.* Shore 1972, pl. 5).

31 *Onomasticon* VII, pp. 128-129. Pour une tr. all., Berger 1917, pp. 182 sqq. Berger souligne (pp. 195-196) que l'étude très incomplète de Pollux n'est pas celle d'un professionnel.

32 Shore 1972, pl. 8 (NG 2912) ; voir aussi pl. 16 (NG 3139).

33 *Hist. Nat.* XXI, xlix, 85 ; XXXV, xxxi, 49. Scheibler (1974, pp. 92 sqq.) suggère aussi que la palette des peintres à l'encaustique était beaucoup plus brillante que celle des peintres tétrachromes. Sur l'usage des glacis dans l'encaustique, *cf.* Berger 1975, pp. 206 sqq. ; Schmid 1926, pp. 86 sq.

34 Loumyer 1914, pp. 147 sqq. ; Weitzmann 1976, n° B1, B2, B3, B5, B9, B10, B16, B17.

35 *Sur l'âme et la résurrection, Patrologie grecque*, 857-866, XLVI, 73b sqq.

36 Les preuves de l'utilisation de la palette par les peintres antiques ont été réunies par Bümmer 1912, IV, 1879, pp. 459 sqq. et contestées par Berger 1975, pp. 173 sqq. Celui-ci a démontré de façon convaincante qu'il n'y avait pas de motifs probants pour supposer un tel usage. Keuls (1978, p. 61, note 10) remarque l'absence de mot pour dire la palette en grec comme en latin. Sur les boîtes de peinture des Égyptiens, où ils mélangeaient leurs couleurs à l'avance, avec des brosses différentes pour chaque teinte, *cf.* Forbes 1964-1972, III, pp. 244 sq.

37 Bruno 1977, pp. 89 sqq. La première traduction latine de ce passage du *Timée*, par Marsile Ficin, donne une interprétation similaire des termes, distinguant *niger* de *nigredo* et caractérisant *xanthos* par jaune *(flavus)* : Platon, *Opera Omnia*, Venise, 1581, p. 415.

38 Aulu-Gelle, *Nuits attiques*, II, xxvi. Dürbeck (1977, pp. 38 sqq.) est le seul à commenter ce passage ; il a traduit *viridis* par « jaune » pour arranger le sens.

39 Sur *flavus* pour *xanthos* et *fulvus* pour *pyrros*, voir la traduction de Platon par Ficin (*cf.* note 37 *supra*) ; et Keuls 1975, p. 15. Aristote, cependant, donne le blanc comme produit d'un mélange de rouge et de vert.

40 « Cinabre » est le terme d'usage pour le sulfate de mercure (HgS) rouge, mais Alexandre pense sans doute au *vermiculum* ou *kermes*, produit à partir de l'insecte séché *coccus illicis* (*cf.* Pline, XXXIII, iii, 7 ; XXXV, xxxii, 50). Le sang de dragon est une résine rougeâtre, provenant d'une variété de palmier, qui était considérée dans l'Antiquité comme le fruit du duel entre un éléphant et un dragon (Pline, XXXIII, iii, 7). Sur ces pigments, *cf. De Arte Illuminandi* 1975, s.v. *Sanguis draconis*.

41 *Chrysocolla* est en fait un simple carbonate de cuivre ($CuCO_3$).

42 Le texte grec est donné par Hayduck 1899, p. 161 ; pour la traduction latine de Guillaume de Moerbeke (1260), *cf.* Smet 1968, pp. 252-254. Heinrich Bate de Mecheln, qui isole cette version d'Alexandre dans son encyclopédie du XIVe siècle (1960, pp. 126-127, 129-130), apporte ces précisions importantes : *halurgus* = « violaceus », *cyanus* = « fuscus » (noir) et l'ocre = « vitellinus » (jaune d'œuf).

43 Les analyses les plus complètes sont dues à Cast (1981) et Massing (1990).

44 Hind 1938-1949, V, n° 29. Hind donne le maximum d'informations (pp. 107 sqq.) sur le mystérieux Rosex (de Rubeis, Rosa). La figure d'Apelle semble dérivée du philosophe de Filippino Lippi, dans son *Triomphe de saint Thomas d'Aquin* à Santa Maria sopra Minerva, Rome (Scharf 1950, ill. 76), ce qui nous permet de situer cette estampe entre 1507, date où la présence de Rosex est prouvée, et 1515, quand nous perdons sa trace.

45 Sur la colonne brisée symbolisant la *fortezza* dans le répertoire de Mantegna, dont Rosex a tiré de nombreux symboles graphiques, *cf.* Wind 1969, vol. 2, pp. 18-19. Voir aussi la formule de Fabio Segni, dans ses épigrammes sur la *Calomnie* de Botticelli (début du XVIe siècle) : « Terrarum reges parva tabula monet » (Vasari 1962-1966, I-1962, p. 204).

46 Ghiberti 1947, p. 24.

47 Voir *Geometria* dans les séries *Tarocchi* (Hind 1938-1949, pl. 343) et la tablette au pied de l'astrologue dans l'*Acerba* de Cecco d'Ascoli, Venise, 1524 (*Gazette des Beaux-Arts*, VIe série, XXVII, 1945, p. 209).

48 Nahm 1964, p. 59.

49 Pacioli 1889, pp. 84-85. Pacioli attribue la formule à Platon, se fondant sur le *Timée* 55c.

50 Cornford 1937, pp. 51, 70.

51 Pacioli 1889, pp. 96 sq. *Cf. Timée* 49c : Platon démontre que l'eau parcourt tout un cycle descendant et ascendant. Son contemporain Timée de Locres (101c) propose un schéma de quatre couleurs fondamentales : noir, blanc, rouge *(phoinikoun)* et brillant *(lampron)*, mais il ne les relie pas aux éléments.

52 Un influent auteur arabe du Xe siècle, Alfarabi, soutient aussi que les éléments sont incolores en soi, mais qu'ils manifestent une couleur quand ils sont mélangés (Dieterici 1892, p. 139). Voir en outre l'analyse détaillée d'un auteur du sud de l'Italie au XIIe siècle, Marius (1976, pp. 58 sqq., surtout p. 63) : les Anciens « ne faisaient jamais référence à la couleur » quand ils examinaient les éléments. Cette conception fut avancée à nouveau, vers 1200, par Daniel de Morley (1917, pp. 11-12).

53 Seznec 1953, p. 47. Marius (1976, p. 63) cite une conception de son époque : la terre est le noir, l'eau le blanc, l'air le jaune et le feu le rouge. Un traité français du XVe siècle, *Lumen Luminum de Coloribus*, avance les quatre mêmes couleurs comme « principales », mais sans référence aux éléments (cité par Thompson, 1934-1935, p. 468). Guillaume d'Auvergne, qui écrit dans les années 1220, propose ces équivalents (1674, I, p. 32) : air-bleu, feu-rouge, eau-pourpre (puisque la pourpre provient d'une créature de la mer) et terre-gris *(bissus)*. Dans le plus démonstratif des textes médiévaux sur la relation entre éléments et couleurs, Théodoric de Freiberg (1304-1310) propose : feu-rouge, air-jaune, eau-vert et terre-bleu (1914, pp. 82-83).

54 Alberti 1972, p. 46. Bien qu'il se réfère ailleurs (p. 86) aux peintres aux quatre couleurs, il ne rattache pas leurs couleurs aux éléments. Dans sa propre version italienne, Alberti souligne que la teinte cendre est une sorte de gris *(bigio)*. La tentative de Gavel (1979, pp. 49-51) de l'interpréter comme un jaune n'est pas convaincante : un bon jaune terrestre est disponible avec *ochria* (*cf.* Cennini 1971, p. xlv). Voir Marius (1976, p. 58) pour une terre équivalant à noir, blanc, rouge ou jaune. S. Y. Edgerton (1969, pp. 123 sqq.) glisse sur des différences importantes entre les conceptions antiques et celles d'Alberti. Voir p. 119 *supra*.

55 Pedretti 1965, p. 56. Le vert et le jaune étaient souvent confondus depuis l'Antiquité.

56 Uccelli 1940, p. 1.

57 Alberti 1966, p. 741.

58 Pour un tableau de ces équivalences, *cf.* Tertullien 1961, p. lxxxiv sqq. Sur Corippus, une étude sérieuse par A. Cameron se trouve dans Corippus 1976, pp. 144-146.

59 *Cf.* Gage 1978, pp. 105 sqq.

60 Un exemple byzantin du Xe siècle est étudié par Mango (1963, pp. 65-66). Un exemple germanique d'env. 1500 est donné par Huth (1967, p. 69). Enfin Panofsky (1969, p. 223) donne plusieurs autres exemples médiévaux et Renaissance.

61 Pacioli 1889, p. 33 ; Speziali 1953, pp. 302-303.

62 Wuttke 1967, p. 322 ; aussi Dürer 1956-1969, I-1956, pp. 255, 290.

63 Dürer *ibid.* II-1966, pp. 99-100 ; aussi pp. 109, 113 (1512), 135 (1523) ; III-1969, p. 438 (1527-1528).

64 Förster 1887, pp. 93-94. *Erasmi Epistolæ* 1906-1958, III-1913, n° 809 ; voir aussi son *Apologia* pour l'édition de 1518-1519, p. 82. Sur la *Calomnie* de Dürer, *cf.* Massing 1990.

65 *Erasmi Epistolæ* 1906-1958, n° 1398 (1523), n° 1536, n° 1558 (1525).

66 Dürer 1956-1969, I-1956, p. 297. Le commentaire le plus complet de ce texte est celui de Panofsky (1951).

67 Dürer 1956-1969, I-1956, p. 289 ; II-1966, pp. 393-394 (*cf.* pp. 94 sqq.). La note de Dürer ne constitue bien sûr pas le chapitre sur la couleur tout entier, comme le soutient Hofmann (1971, p. 17). Kuspit (1973, pp. 188-189) montre que cette note et des remarques afférantes, rapportées par Mélanchton, font partie des arguments linguistiques en faveur du style simple. *Cf.* Dittmann 1987, p. 119, pour la façon dont Dürer, dans la pratique, néglige ses propres principes.

68 *Erasmi Epistolæ* 1906-1958, III-1913, pp. 503-504 ; IV-1926, pp. 16-17 ; et lettre n° 1544.

69 Ridolfi 1914, I, p. 107.

70 *Cf.* l'analyse technique du *Portrait de jeune homme* de Berlin, par H. Ruhemann, in Richter 1937, p. 126 ; il y repère seulement du noir, du blanc, du rouge et du marron. Dans sa Pala de Castelfranco, Giorgione utilise quatre rouges, trois jaunes, de l'outremer, trois verts, du noir et du blanc ; mais aucun des échantillons n'a été prelevé dans une zone chair (Lazzarini *et al.*, 1978, pp. 46-47). Gioseffi (1979, p. 95) avance une comparaison surprenante entre la palette « tétrachrome » de Giorgione et le problème mathématique des quatre couleurs.

71 Ridolfi 1914, I, pp. 154, 209. Un restaurateur du XIXe siècle, Palmaroli, a pensé que Titien employait l'outremer comme sous-couche pour la chair (*cf.* Kurz 1963, p. 94). On en a repéré dans les ombres de la chair d'Ariane du *Bacchus et Ariane* (Lucas et Plesters 1978, p. 40). Le plus attentif des analystes modernes de la peinture de la chair par les Vénitiens, Grunewald (1912, pp. 133 sqq.), n'a pas trouvé de bleu dans la pratique de Titien. Il souligne le goût du peintre pour le jaune dans la chair : il y a plusieurs jaunes sur le dos de l'homme présentant son tribut dans le tableau *La Trahison* (Dresde) et sur le poignet de Diane dans *La Mort d'Actéon* (Londres), on voit un jaune brillant qui semble le même que celui du feuillage des arbres environnants.

72 *Cf.* Boschini 1674, p. 27. Crowe et Cavalcaselle (1881, II, p. 125) ont transformé cette histoire en un dicton : « d'après une tradition bien conservée… » Boschini avait fondé son information sur le témoignage d'un élève de Titien, Palma Giovane, qui est reconnu par la majorité des savants modernes (Kennedy 1964, pp. 167-168 ; Panofsky 1969, pp. 16-18). Grunewald (1912, p. 202) associe ce trait à la peinture de la chair dans ses œuvres tardives, mais les deux tableaux cités en note 71 sont tardifs et le jaune ne fait pas partie de cette triade supposée de Titien.

73 Kennedy 1964, p. 162 ; Wethey 1969-1975, III, n° 39. Voir le titre de chevalier accordé à Titien par Charles Quint en 1533 (Wethey *ibid.* II-1971, p. 7) et la lettre du 27 sept. 1559 de Titien à Philippe II (Tietze-Conrat 1944, p. 120).

74 Sur l'intégration de Titien à l'Academia

Pellegrina, qui comptait parmi ses membres Doni et Dolce, autour de 1552, voir Grendler 1969, p. 58.

75 Aretino 1957-1960, I, pp. 156, 242-243 ; II, pp. 192, 198, 200, 221. Sur les emprunts à Pline de l'Arétin, voir Beccatti 1946, pp. 1-7 ; sur l'aide qu'il apporta à Titien pour rédiger ses lettres, voir Ridolfi 1914, p. 208.

76 A propos des couleurs, voir Doni 1549, p. 7r ; à propos de la peinture de la chair, 9v, 14v ; à propos d'Apelle (et Titien), 37v sqq.

77 Roskill 1968, pp. 152-153. Roskill lie aussi cela avec le vernis noir d'Apelle (p. 299), auquel il est fait référence sous le terme *bruno* dans une lettre de G. B. Adriani à Vasari en 1568. Sur Apelle, *cf.* Roskill pp. 104-107, 138-139, 148-149, 150-151, 156-157, 174-175.

78 Thylesius *Libellus de Coloribus* (1528), in Goethe 1957, p. 118. Voir Dolce 1565, p. 17r, où étonnamment il insiste sur le fait que les peintres n'utilisent que le blanc de Milo. Il se réfère au livre de Thylesius en 6v.

79 Thylesius in Goethe 1957, p. 111 ; Dolce 1565, 7r. Dolce fait aussi référence à Titien en 51v et 64r.

80 Il n'y a aucune mention de la théorie des quatre couleurs chez Pino (1548), même si ce dernier qui était peintre s'intéressait à la technique, admirait Titien et rapporte plusieurs anecdotes sur Apelle. La théorie n'est pas vraiment plus étudiée par Lodovico Domenichi, dans sa traduction commentée de Pline (Venise, 1561), alors qu'il fait plusieurs rapprochements avec des artistes contemporains, dont Titien (2e éd. 1573, pp. 1087, 1110). Sur Domenichini, qui fut proche de Doni dans les années 1540, voir Grendler 1969, pp. 52 sqq. et 66 sqq.

81 Borenius 1923, pp. 12 sqq. ; Montjosieu 1649, Pt III, pp. 59 sqq.

82 Ridolfi 1914, p. 107. Pour une interprétation plus récente de la peinture de la chair par Rubens, selon un mélange optique de quelques couleurs simples et brillantes, voir Gage 1969, pp. 62-63 ; Sonnenburg et Preusser 1979, III, n.p.

83 Pour des visions modernes de l'arbitraire de la série des primaires, voir Gloye 1957-1958, pp. 128 sqq. ; Frodl-Kraft 1977-1978, pp. 102 sqq.

84 Aulu-Gelle, *Nuits attiques*, II, xxvi. Mais voir p. 26 *supra*, sur la pourpre comme rouge et sur le goût antique pour l'or à reflets rouges. Un auteur du Ve siècle av. J.-C., Ion de Chios, rapporte une histoire à propos de la « pourpre » qui suggère que les Grecs étaient parfaitement conscients du décalage entre la perception et la terminologie des couleurs (Russell et Winterbottom 1972, pp. 4-5).

85 Voir la liste de treize couleurs dans un manuscrit du XIIe siècle de la *Mappae Clavicula* (Roosen-Runge 1967, I, pp. 185 sqq.). Une version un peu développée à quinze couleurs se trouve dans le *Liber de Coloribus*, manuscrit français du XIVe siècle (Thompson 1926, p. 288). Un manuscrit portugais du XVe, le *Livro de como se fazan as Côres* énumère dix couleurs principales, dont la plupart sont des noms de pigments (1928-1929 et 1930, resp. p. 130 et p. 80). M. F. Edgerton (1963, p. 194) signale que le mot *color* dans un manuscrit allemand du XVe siècle, *Tractatus de Coloribus*, se réfère d'ordinaire plutôt à un agent colorant qu'à un concept. Il existe une exception à cette règle générale dans des gloses du XIIIe siècle à *Eraclius*, où sont recensées plusieurs variétés de noir et de blanc, puis les intermédiaires *rubeus, viridis, croceus, purpureus, prasinus, azur* et *indicus* ; seul le dernier terme est clairement un pigment, même si la liste comprend deux bleus et deux verts (Merrifield 1849, I, pp. 244-245).

86 *De Arte Illuminandi* 1975, pp. 36 sqq. [*L'Art d'Enluminure* 1890] Puisque l'attribution à Pline d'une théorie des trois couleurs est évidemment une erreur, certains éditeurs plus récents ont corrigé *Pliniam* en *physicam*.

87 Cennini 1971, p. xxxvi, 35. Ces pigments ont été étudiés en détail par Bensi (1978-1979, pp. 37-85). La division entre couleurs « naturelles » et « artificielles » provient de l'Antiquité : pour Vitruve (VII, vii), les couleurs « naturelles » sont l'ocre-jaune *(sil)*, l'ocre-rouge, le minium, le blanc, le vert et le jaune (orpiment). Faventinus qui a fait un abrégé de l'œuvre de Vitruve (v. 300 ap. J.-C.) omet le *sil*, mais ajoute les bleus *chrysocolla, armenium* et *indicum* (Plommer 1973, pp. 74 sqq.). Sur l'intérêt pour Faventinus au Moyen Âge, à propos de pigments, voir Gransden 1957, p. 370. Pour Michelangelo Biondo, les couleurs « naturelles » étaient le bleu, le rouge, le jaune et le vert, outre le noir et le blanc (1549, 21r).

88 Par ex. Mario Equicola, *Libro di natura d'amore* (1525) in Barocchi 1971-1977, II-1973, p. 2153 ; F. P. Morato, *Del significato dei colori* (1535) in *ibid.* p. 2176 ; enfin Borghini 1584, p. 230.

89 Parkhurst 1973, surtout p. 425.

90 J'ai trouvé le premier emploi sans ambiguïté de *ceruleus* ou *caeruleus* pour jaune dans l'inventaire illustré de Matthieu Paris, *The Jewels of St. Albans* (1257, British Library, Cotton Nero DI, f.146) : « gemmam oblongam coloris cerulei, videlicet topazium » se rapporte à une pierre peinte en jaune. L'édition de Luard (Paris VI, 1882, p. 383) lit *caerulei*. La *Summa Philosophiae* (1265-1275) attribuée à Robert Kilwardby parle de « color caeruleus et maxime scintillans, qualis est topasius Chrysopassus itemque Chrysolitus » (c.-à-d. des pierres jaunes ; McKeon 1948, pp. 10 sqq. ; le texte se trouve dans Grosseteste 1912, p. 631). Sur la topaze comme une pierre jaune, voir Marbode de Rennes 1977, pp. 50-51. Pline (XXXV, xxii, 39) et Isidore de Séville (XVI, ix, 10) évoquent un gisement d'ocre sur l'île de Topazios, ce qui pourrait être à l'origine de l'idée. Young (1964, p. 43) note que Virgile qualifie de *caeruleus* le Tibre qui est souvent jaune. Théodoric de Freiberg (1914, p. 60) propose « caeruleus seu citrinus, quem Xancton vocant », à partir du grec *xanthos*. Les *Glossaria Abstrusa & Abolita* du VIIIe siècle donnent *caeruleus* et *ciruleus* comme *viridis, glaucus vel niger (Glossaria Latina* 1926-1931, III-1926, pp. 20, 110-111 ; *Mittellateinisches Wörterbuch*, s.v. *caeruleus). Glaucus*, d'ordinaire traduit par « gris », pouvait aussi signifier jaune (voir Bacon 1897-1900, II, p. 197 ; 1937, pp. 70 sqq. ; MacLean 1966, p. 40). Théodoric de Freiberg donne « citrinus sive glaucus » (p. 44), comme la collection de lapidaires du XVe siècle à Prague (Rose 1875, p. 345).

91 E. Barbaro 1534, p. 378. Dans la IIe partie (p. 465), où il étudie les peintres tétrachromes, Barbaro n'est plus certain que *sil* puisse désigner un bleu en même temps qu'un ocre jaune. Sur sa méthode empirique d'édition des textes de Pline, voir Branca 1963, pp. 193 sqq.

92 Vitruve 1521, cxxv, avec un renvoi à VI, xiv, où est décrite une imitation du *sil attique* par infusion de violettes ; cependant la couleur obtenue, appelée *sillacetus* à la fin du Moyen Âge, était un jaune (*cf.* Merrifield 1849, I, pp. 36, 251). Thylesius in Goethe 1957, p. 118. Philander prend note de la conception de Barbaro, mais préfère considérer le *sil* comme « coloris purpurei violacei (qui et ianthinus dicitur) » (1544, p. 232). Le protecteur de Véronèse, Daniele Barbaro, adopte un point de vue englobant : le *sil* serait une variété d'ocre, « ma di colore alquanto diverso, o che pendesse all'azzurro, o al purpureo, & violino » (D. Barbaro, 1629, p. 323).

93 Barocchi 1971-1977, I, pp. 632-633. C'est en partie à la demande de Borghini que G. B. Adriani fournit à Vasari un résumé de l'histoire de la peinture grecque, pour la seconde édition des *Vite*, où sont mentionnés la compétition avec Protogène, le vernis noir *(bruno)*, mais pas les quatre couleurs (Vasari 1878-1885, I-1878, pp. 15 sqq.).

94 Grégoire 1576, pp. 563 sqq. *Cf.* l'index : « Coloribus quattuor omnes alios misceri ». Dans un autre passage (p. 242), Grégoire présente le noir et le blanc comme les couleurs principales et propose une échelle de cinq intermédiaires : *albus, glaucus, puniceus, ruber, purpureus, viridis, niger.* Scaliger (1601, p. 1047) intègre le *sil* parmi les bleus.

95 Montjosieu 1649, pp. 59-60. À la place, il interprète les « lignes » comme les trois degrés d'une échelle tonale, correspondant au rehaut, au demi-ton *(splendor)* où la teinte est la plus claire, et à l'ombre. Cette solution est proche de celle de Gombrich (1976), qui a résolu habilement le problème de la quatrième couleur, en y voyant le bleu du fond. C'est probablement l'exemple de Montjosieu qui a conduit Carlo Dati (qui le cite dans son livre de 1667, p. 169) à consulter Ciro Ferri sur la nature de la ligne d'Apelle ; mais Ferri penchait pour la théorie des « contours » (Minto 1953, p. 116).

96 Ces mélanges sont retenus par Vossius (1650, pp. 74-75), mais critiqués par Schefferus (1669, pp. 161-162) ; voir Ellenius 1960, pp. 181 sqq. Schiffermüller (1772, pp. 38-39) les prend en exemples pour démontrer que même des lettrés peuvent se tromper s'ils ne font pas d'expériences pratiques ni ne consultent les artistes.

97 Scarmilionius (1601, p. 122) soutient cependant que certaines couleurs ne peuvent être obtenues en mélangeant ces primaires. Boodt 1609, I, viii, p. 8 (*cf.* Parkhurst 1971, pp. 3-4). Scarmilionius, qui était professeur de théorie médicale à Vienne, dédia son traité à Rodolphe II, dont l'un des médecins était Boodt ; la conception des primaires de ce dernier a pu influer sur celle de Scarmilionius. Un autre théoricien étudié par Parkhurst (1973, pp. 242 sqq.) est Louis Savot (1609), mais je n'ai pu repérer chez lui la moindre triade chromatique. Savot propose une théorie des quatre couleurs fondée sur Pline (Index, 6r sqq. ; *cf.* 13v, 17v sqq.) où il interprète comme un bleu le *sil* et invoque « l'expérience quotidienne » des artisans et des peintres en particulier. Tous ces auteurs étudiaient la médecine ; la couleur avait une grande importance dans l'analyse médicale de l'urine, comme un critère de diagnostic. Le traité péripatétique *Sur les couleurs* ainsi que les textes de Thylesius étaient souvent joints en appendice aux éditions du *De Urinis* de J. Actuarius (par ex. Paris 1548, p. 259).

98 Boulenger 1627, p. 106 ; *cf.* pp. 10, 14, à propos du texte de Pline sur les quatre couleurs, reproduit tel quel. Un contemporain fait preuve de la même imprécision : Pierre Le Brun, *Recueil des essais des merveilles de la peinture* (1635) in Merrifield 1849, II, pp. 771-773.

99 Van Mander (1916, pp. 302 sqq.) considère clairement le *sil* comme un jaune, puisqu'il félicite les peintres modernes d'avoir quatre jaunes, quand les anciens n'en avaient qu'un. Voir aussi Schiffermüller 1772, pp. 36, 38.

100 Cureau de la Chambre 1650, pp. 159-160. La référence à la foudre renvoie au tableau d'Apelle représentant Alexandre le Grand tenant un éclair, et sans doute à la peinture de la foudre elle-même, deux éléments rapportés par Pline (XXXV, xxxvi, § 92, 96).

101 Sandrart 1675, p. 86. La version latine (1683, p. 69) comporte une section supplémentaire sur la peinture antique, avec une référence aux quatre couleurs d'Apelle, mais sans commentaire.

102 De Piles 1699, pp. 131, 257-258. Plus tard, il soutiendra que les quatre couleurs ne pouvaient être qu'une sous-couche, complétée par des tons plus légers, « aériens » (1708, p. 352).

103 Pline 1725, p. 44.

104 Hagedorn 1775, II, p. 201 (éd. all. 1762).

105 *Ibid.*, pp. 202-203. Soucieux de préserver l'histoire de Pline, Hagedorn souligne aussi que cela ne vaut que pour la peinture de la chair, puisqu'il y des preuves solides dans Pline (XXXIII, iv, 11) et à Herculanum que les anciens employaient du bleu (pp. 201, 204).

106 Förster 1887, pp. 35 sqq., 45-46, 48-49.

107 Reproduction couleur in *Apollo*, LXXVI, 1962, p. 397.

108 Trevisani, en couleurs in *Connoisseur*, CXCIII 1976, p. 209. La version conservée à Montréal est reproduite dans Morassi 1955, pl. II. L'absence de bleu est typique des palettes du XVIIIe siècle servant à peintre la chair ; pourtant Webb (1760, note 80) met en doute l'authenticité de l'histoire de Pline, parce que les quatre couleurs mentionnées ne permettent pas de créer « a perfect carnation ».

109 Voir Pline, XXXV, xxxvi, 73. Sur le modèle « tiepolesque » d'Oeser, *cf.* Morassi 1962, pp. 13, 42 et ill. 233.

110 Voir *De David à Delacroix*, 1974/1975, n° 37, pl. 147, daté v. 1814.

111 Le tableau pourrait être *Alexandre cédant Campaspe* du Salon de 1817, *cf.* pl. 18 *supra*.

112 Le tableau se trouvait en 1981 dans la collection Wildenstein, à Londres.

113 Paillot de Montabert 1829, II, pp. 245-246, et VII, pp. 367-368 ; Ziegler 1852, p. 15. On ne sait pas clairement si Ingres s'intéressait autant à la couleur d'Apelle qu'à sa ligne (*Ingres* 1947, I, p. 57) : dans son *Apothéose d'Homère* (1827, Louvre) Apelle, portant son habituel manteau bleu, tient une palette dont on ne voit que le dos ; dans une aquarelle conservée à Lille, son manteau est rose et sa palette est présentée de face au spectateur, mais ne porte aucune couleur. Dans les années 1820, le théoricien anglais Charles Hayter fit l'hypothèse que les anciens utilisaient les trois primaires plus le

noir (Hayter 1826, pp. 14-15).
114 Chevreul 1854, § 342. Dans les années 1820, B. R. Haydon démontrait à Thomas Phillips que l'éventail de la palette tétrachrome pouvait être étendu par contrastes, en « gérant » le noir comme un bleu (Haydon 1926, I, p. 395). Phillips resta dubitatif sur la capacité des 4 couleurs à produire toute la gamme chromatique, mieux que les primaires modernes (Phillips 1833, pp. 352-353).
115 Northcote 1818, I, p. 40.
116 Reynolds 1852, II, pp. 328-329.
117 Eastlake 1847-1869, II, pp. 255-256.
118 Reynolds 1852, II, p. 337 ; *cf.* p. 328.
119 *Ibid.*, p. 337, et p. 339 sur la prééminence de ce système. Du Fresnoy (1667, vers 339-340) caractérisait cette *corruptio colorum* comme typiquement vénitienne. Sur les glacis de Reynolds, voir H. Buttery *in* Hudson 1958, pp. 248 sqq.
120 Blake 1956, p. 612 *(Descriptive Catalogue).*
121 Bindman 1977, pp. 125 sqq.
122 Bentley 1969, p. 468 ; sur le dessin, voir Butlin 1981, n° 753.
123 Blake 1956, pp. 617 et 590, où il qualifie Apelle et Protogène de peintres « à fresque ». Blake 1973, p. 32 : « le cercle de Giotto et la ligne d'Apelle n'étaient pas les œuvres de dessinateurs soûlés au vin. »
124 Bindman 1977, pp. 136 sqq. Sur les commentaires en marge, voir Blake 1956, surtout pp. 791 sqq.
125 Gilchrist 1942, p. 60. Sur *Enoch*, voir Bindman 1978, n° 413 et sur la technique et la datation, voir Essick 1980, pp. 161-163. La palette de Blake, conservée au Victoria & Albert Museum de Londres, est en mauvais état pour apporter la moindre révélation sur l'ordre des couleurs.
126 C. Lenormant, *Gérard, peintre d'histoire*, 2e éd. 1847, p. 55, cité par Rubin 1975, pp. 787-789.

3 Lueurs orientales

1 Mango 1972, p. 72.
2 Le caractère profane de nombreuses *ekphraseis* byzantines a été souligné par Macrides et Magdalino (1988, p. 51). Chorikios fait pourtant référence à l'iconographie des scènes symboliques dans d'autres passages de son texte.
3 Mango 1972, pp. 69-70. Traduction française (partielle) par E. Bertrand, in *Revue biblique* (XL, 1931, p. 25)
4 Trad. Fayant/Chuvin 1997, pp. 101-103.
5 Gnoli 1971, pp. 25 sqq. Le regain d'intérêt pour la collecte d'exemples de marbres colorés est un aspect du *revival* de la polychromie au XIXe siècle, que j'ai décrit au chap. 1 (*cf.* Mielsch 1985, pp. 9-11).
6 Abel 1931, surtout pp. 6, 8 sqq. ; Downey 1959, col. 938 sqq.
7 Abel 1931, pp. 12 sq.
8 *Ibid.*, p. 26, note 1.
9 Sur cette iconographie, *cf.* Maguire 1987.
10 Mango 1972, p. 63.
11 Salzmann 1982, surtout pp. 59 sqq.
12 Sur ce pavement, *cf.* Tomasevic 1973, pp. 37 sqq ; sur le thème, *cf.* Maguire 1987, pp. 36 sqq.
13 Sur Tivoli, *cf.* Lugli 1928, pp. 168 sqq. ; sur Sainte-Constance, Stern 1958, pp. 59 sqq.
14 Lugli 1928, p. 172 et ill. 14.
15 Pour *vitris*, *cf.* Pline, XXXVI, lxiv, 189 ; Stace, *Silves*, I, 5, v. 42-43 ; Sénèque, *Lettres*, LXXXVI, p. 6 sq. Pour *musivum*, *cf.* Svennung 1941, pp. 175 sqq. ; Calabi-Limentani 1958, p. 14 ; A. Walde, *Lateinisches Etymolgisches Wörterbuch*, II, s.v. *museum*. L'usage grec dérive du latin et n'est pas antérieur au VIe siècle de notre ère (P. Chantraine, *Dictionnaire étymologique de la langue grecque*, III, 1974, s.v. *mousa*. Lavagne (1983, pp. 262 sqq.) souligne le lien entre le goût oriental pour les pierres précieuses et l'intérêt pour le verre chez Marcus Aemilius Scaurus, à qui la nouvelle mode était attribuée.
16 Perler 1953 ; L'Orange & Nordhagen 1965, p. 74 (pl. 39). Pour la mosaïque dorée d'un pavement à Antioche, *cf.* Levi 1947, I, pp. 63 sqq. ; Dyggve 1962, p. 220 ; dans un oratoire paléochrétien sur la Via Augusta à Aquiléa, *cf.* Fiorentini Roncuzzi 1971, I, p. 54. L'*ekphrasis* du IXe siècle d'une église de Constantinople condamne l'usage de l'or dans les pavements, comme étant d'un « luxe excessif », mais sans citer d'exemples postérieurs à Homère (Frolow 1945, p. 46). Voir aussi Brenk 1971, pp. 18-25.
17 Vopel 1899, pp. 3, 18 sq.
18 Stern 1958, p. 188.
19 *Ibid.* p. 163 : la tourelle semble avoir été un rajout. Voir aussi pp. 206 sqq. Pour les rehauts d'or à Sainte-Pudentienne, *cf.* Kitzinger 1963, pp. 108 sq. Oakeshott (1967, p. 64) suggère que les tesselles métalliques à Sainte-Constance ont pu être ajoutées durant les vastes restaurations de 1836-1843 ; mais Sterne (1958, pp. 193 sq.) démontre à l'aide d'un dessin du XVIe siècle qu'au moins l'une des voûtes a dû être restaurée globalement selon son état originel.
20 Torp 1963 (bonnes reproductions couleur) surtout pp. 46 sqq. ; Pelakanidis 1963, pp. 34-36. Pour la datation, *cf.* Kleinbauer 1972, p. 27, et Speiser 1984, pp. 130 sq.
21 Pour Saint-Victor, *cf.* Bovini 1970, pp. 146 sqq. ; pour Sainte-Irène, *cf.* George 1912.
22 Pour une étude générale de ces mosaïques, *cf.* Demus 1949.
23 Joly 1965, pp. 51-73. Mais une petite mosaïque de fontaine provenant de Baïes (IIe siècle de notre ère ?, Fitzwilliam Mus., Cambridge) révèle une pose bien plus lâche et des tesselles plus irrégulières.
24 Première moitié du Ve siècle. De bonnes planches couleur in Zovatto 1968. Sur la technique, *cf.* Deichmann II, 1974, p. 70. Ses observations sur la taille des tesselles dans les mosaïques des lunettes du Bon Pasteur et de Saint-Laurent ne sont pas convaincantes ni celles de Nordhagen (1983, p. 83, note 32) sur la pose plane « à l'italienne », par opposition à la pose byzantine.
25 Forsyth & Weitzmann 1965, pl. CXXIV-CXXVIII ; Cormack 1969, p. 30 ; Hawkins 1968, p. 155 et ill. 11.
26 George 1912, pp. 51 sqq. On trouve d'autres exemples de ratissage convoqués par les auteurs : dans le halo du symbole de Saint-Luc à Saint-Apollinaire in Classe à Ravenne (Bovini 1954, p. 10 ; L'Orange & Nordhagen 1965, p. 62) et dans la petite croix sur l'arc triomphal, à Hosios David à Thessalonique (Frolow 1951, p. 205) ; mais ces cas de ratissage ne semblent pas avoir pour but d'accentuer la lumière, à moins que l'éclairage moderne trop uniforme n'empêche cet effet.
27 Underwood & Hawkins 1961, p. 194. Il me semble que la pose à Hosios Loukas et à Daphni en Grèce soit aussi flochée. Sur les mosaïques de Néa Moni, *cf.* Mouriki 1985, surtout p. 98.
28 Reali 1858, pp. 12 sqq. ; Muraro 1961.
29 Bruneau 1972, p. 245.
30 Oakeshott 1967, p. 57, lég. des pl. 17, 18.
31 Comme in Fiorentini Rocuzzi 1971, p. 13. Sur la *Bataille d'Alexandre*, *cf.* Fuhrmann 1931 ; sur les petits panneaux du musée de Naples, *cf.* Bieber et Rodenwaldt 1911, surtout pp. 17 sq. Une opinion contraire est défendue par Nordhagen (1965, pp. 165-166), pour qui la technique « romaine » est « un pâle dérivé de l'antique mosaïque illusionniste ». On peut soutenir que cette technique se rattache fortement aux peintures murales assez « impressionnistes » des catacombes.
32 Voir les exemples cités in Gage 1978, pp. 114-115.
33 Ptolémée, *Optique*, II, 95-96, « Et nous voyons [...] comment, à cause de la distance ou de la vitesse du mouvement, la vision dans chacun de ces [cas] n'est plus assez forte pour percevoir et interpréter les parties séparément ». Alexandre d'Aphrodisias (IIIe siècle) a étudié le cas du mélange optique par la distance, dans son commentaire (Alexandre d'Aphrodisias 1901, pp. 53-57) sur un passage d'Aristote (*Petits Traités d'histoire naturelle*, 440a, 16-30).
34 Demus (1949, pp. 383 sqq.) a écrit sur l'emploi de toutes petites tesselles pour les détails à partir de la fin du Ve siècle (à Saint-Vital à Ravenne, par exemple) ; pour lui, cette technique « ressemble beaucoup au pointillisme du XIXe siècle. Comme la peinture illusionniste en général, ce procédé de mosaïque était conçu pour un spectateur à distance. Observés d'assez loin, les points de couleur ont l'apparence de formes modelées. [...] L'évolution du IVe au VIIIe siècle pourrait être rapprochée des développements stylistiques dans la peinture française de Monet à Seurat. » Pour une critique de ce passage, *cf.* Gage 1978, pp. 112 sqq.
35 L'Orange & Nordhagen 1965, p. 57. Les tesselles de la rotonde de Saint-Georges ont une taille moyenne de 5 cm^2 et celles de Sainte-Praxède de 0,67 cm^2 (*Dictionnaire d'archéologie chrétienne et liturgie*, 1935, col. 70)
36 Ptolémée II, 10 sqq. ; Schultz 1904, p. 103.
37 Cela est frappant dans les mosaïques de la nef de Sainte-Marie-Majeure, dans la chapelle Saint-Zénon de Sainte-Praxède à Rome et dans la chapelle Saint-Aquilin de l'église Saint-Laurent à Milan, mais aussi dans le cycle narratif de Saint-Apollinaire-le-Neuf à Ravenne. On trouve un autre exemple dans les têtes de Dionysos et d'une ménade sur un pavement plus ancien provenant d'Utique (v. 400) au British Museum (n° 54g, k).
38 Voir surtout les mosaïques du XIIIe siècle de Parigoritissa à Arta (bonnes planches couleur in Orlandos 1963) ; Underwood 1967-1975, II, pl. 33, 34, 45, 69, 70.
39 Winfield 1968, p. 128 ; J. Plesters, in Talbot-Rice 1968, p. 229.
40 Bovini 1954, p. 7 ; Forsyth & Weitzmann 1965, p. 16 ; George 1912, p. 47 ; Mango & Hawkins 1965, p. 125.
41 Le traité du moine Théophile (XIIe siècle) préconise le verre blanc comme base de mosaïque dorée (1961, p. 46). À Sainte-Marie-Majeure, les tesselles d'or ont des bases de diverses couleurs : verdâtre, marron, jaunâtre, rose ou bien transparente (Astorri 1934, p. 56). Je remercie E. Hawkins de m'avoir expliqué qu'il n'a trouvé aucun exemple de base en verre rouge en dehors de l'Italie. Certaines tesselles d'or du musée de Pula en Istrie (Croatie) ont une base de verre vert, comme d'autres à Ravenne, à Aix-la Chapelle et à Germigny-des-Prés (d'après des mosaïques de Ravenne) : *cf.* del Medico 1943, pp. 98-99. Des lits de pose rouges ont été trouvés, par exemple, dans une mosaïque du IXe siècle à Chypre (Megaw & Hawkins 1977, pp. 132 sqq.) et dans une autre légèrement antérieure à Sainte-Sophie, à Istanbul ; d'autres plus tardives sont posées sur des lits jaunes. Cette différence pourrait s'expliquer par les fonctions de la sous-couche : le rouge servait à modifier l'apparence finale de la mosaïque, tandis que le jaune donnait simplement au peintre un repère général pour sa composition chromatique. Sur l'emploi, assez proche, du fond rouge pour la feuille d'or dans les enluminures, à partir du VIIIe siècle, *cf* S. M. Alexander 1964, pp. 42 sqq. Une base de soie rouge était utilisée pour certains fils d'or du Moyen Âge (G. M. Crowfoot, in Battiscome 1956, p. 433), même si la base jaune était aussi répandue (Falke 1921, p. 26).
42 Lettre 20, trad. Maraval (1990) V, p. 261.
43 Photius 1958, p. 140.
44 Stratton 1917, pp. 71 sq. « Les passages [de l'œil] sont arrangés alternativement d'eau et de feu : par les passages de feu, nous percevons les objets blancs ; par les passages d'eau, les choses noires ; dans chacun de ces cas, [les objets] s'adaptent aux bons [passages]. » Sur Empédocle et Platon (*Timée*, 67c), *cf.* Kranz 1912, p. 126.
45 Photius 1958, p. 294. Haas (1907, pp. 354-362) donne un bon résumé de ces théories, y compris les conceptions éclectiques du paléo-christianisme. Paul le Silentiaire soutenait un jugement contraire à Photius : la vision dépendait selon lui des rayons émanant des objets vus (Mango, 1972, pp. 86-87).
46 Photius 1958, p. 187. Mango renvoie curieusement ce passage à la *Métaphysique* d'Aristote (985b). La source de Photius est certainement Alexandre d'Aphrodisias, *Sur le mélange* (214), in Todd 1976, pp. 110-111.
47 Voir Pauly-Wissowa 1894-1978, IX, col. 2549 sqq. Sur le *Myriobiblion*, Photius 1959-1977, t. II, 1960, pp. 149-159.
48 Photius 1958, p. 185.
49 Sur le réemploi des matériaux, *cf.* del Medico 1943, p. 85 ; Mango 1972, p. 132 ; Frolow 1951, p. 202 ; Mouriki 1985, p. 103. Sur les changements de médium, *cf.* Frolow 1951, p. 184. Sur la hiérarchie des matériaux, *cf.* Underwood 1967-1975, I, pp. 179 sq. Sur la substitution des matériaux, *cf.* Bovini 1954, p. 105, et 1957, p. 24 ; Cormack 1969, p. 40 ; Cormack & Hawkins 1977, p. 218 ; Mouriki 1985, pp. 101 sq. ; Belting, Mango & Mouriki 1978, p. 89 ; Megaw & Hawkins 1977, pp. 132 sqq.
50 Sur Stace et Sénèque, *cf.* note 15. Koldewey 1884, pp. 39 sq. ; Karageorghis 1969, pl. 175-176 ; Bovini 1954, p. 16.
51 Références note 15.
52 Méthode d'Olympe, *Le Banquet*, trad. Debidour, 1958.
53 De Bruyne 1957, pp. 356, 360 ; Maier 1964, p. 11.
54 Khatchatrian 1962.
55 Cyril d'Alexandrie, cité par Dölger 1918, pp. 3-4 (trad. fr. : *Catéchèses mystagogiques*, Paris, 2004
56 Sciaretta 1966, pp. 29 sq. (bien que Khatchatrian (1962, p. 63) ait suggéré qu'il y avait à l'origine deux entrées à Albenga, sur le

flanc est du bâtiment, de part et d'autre de l'abside aux mosaïques). De Bruyne (1957, p. 360) signale qu'il faut lire le monogramme de la voûte en regardant vers l'Ouest.

57 Bovini (1957, pp. 17-18) signale une mosaïque de coupole dans le temple de Diane à Baïes, et dans d'autres temples païens.

58 L'Orange & Nordhagen 1965, p. 45 et pl. VII.

59 Le meilleur catalogue de ces décorations est celui de Waetzoldt (1964).

60 *Cf.* surtout Dölger 1925, pp. 198 sqq.

61 En ce sens, la caractérisation que fait Kitzinger d'un « magnifique ciel vespéral » dans Saint-Pancrace semble peu plausible (1977, p. 42). L'exemple de Porec comprend le plus spectaculaire de ces cieux d'aurore, mais il résulte peut-être d'une restauration de la fin du XIXe siècle (Conti 1988, pp. 302-303).

62 Capizzi 1964, pp. 191 sqq. et 128 sqq. pour les hymnes byzantins faisant allusion au *Pantokrator* en termes de lumière.

63 Æthelwulf 1967, p. 51, l. 639.

64 À propos de l'exposition sur l'autel, *cf.* Sauer 1924, pp. 177 sqq. ; Henderson 1987, p. 126. Sur les processions, *cf.* Tschan II, 1951, p. 76 ; Steenbock 1965, pp. 52 sqq.

65 L'inventaire Bamberg de 1127 mentionne « sex tabulos ad imponendos libros auro et gemmis ornati » (*Mittelalterliche Schatzverzeichnisse* I, 1967, p. 17).

66 Kendrick *et al.* 1960, II, p. 10. Voir aussi Eddius 1927, p. 37 ; Symeonis Monachus 1882-1885, I, pp. 67-68.

67 Jean Damascène, cité par Kantorowicz 1963, pp. 141 sqq. Constantin de Rhodes, cité par Runciman 1975, p. 87. Cette interprétation de la Vierge ouvrant le Paradis était intégrée au cérémonial de la cour byzantine au Xe siècle. Dans la liturgie de Noël, des chantres de la procession impériale, stationnés près de l'horloge de Sainte-Sophie, répétaient ce couplet : « la Vierge, à Béthléem, a rouvert le Paradis, qui était en Eden » (Constantin VII, 1935-1940, I, p. 31).

68 Andreescu (1976, pp. 258 sqq.) date la mosaïque de l'abside de la fin du XIIe siècle, environ un siècle après celles du mur ouest ; mais elle postule qu'une fresque plus ancienne dans l'abside a pu présenter la même iconographie.

69 Sur ce remarquable programme iconographique, *cf.* Maksimovic 1964, pp. 247 sqq. ; voir aussi la note 61 *supra*.

70 Grabar 1955, pp. 305 sqq. ; Sacopoulo 1975.

71 *Metallis*, souvent traduit par « émaux », désigne la mosaïque en verre. Mais Goldschmidt (1940, p. 137) remarque que *metallum* vient du grec *metallon*, « carrière (de marbre) ». L'expression *vitrei metalli* dans un poème du VIe siècle, par Corippus (I, 99), devrait se comprendre dans le même sens, plutôt que « métaux transparents » comme le propose un traducteur (Corippus 1976, pp. 89 et note 133). Puisqu'il y avait souvent un mélange de marbre et de verre même dans les mosaïques romaines, il semble plus judicieux de s'en tenir au terme générique de « mosaïque » pour traduire *metallis*. À Saints-Côme-et-Damien, il y a très peu d'or.

72 Barbet de Jouy, 1857, p. 27. Les *tituli* romains ont été catalogués par E. Diehl 1963. Sur les *tituli* du VIe siècle à Porec, *cf.* Maksimovic 1964, pp. 247-248 ; sur l'inscription similaire datant du XIIIe siècle, visible sur les mosaïques du ciboire, *cf.* Demus 1945, pp. 238 sqq. On trouve des exemples byzantins in l'*Anthologie grecque*, 1969, I, pp. 1-18.

73 D'après l'italien (Bovini 1964a, pp. 180 sq.). L'inscription est désormais quasiment effacée, mais elle a été conservée dans une copie du XVe siècle du *Liber Pontificalis Ecclesiae Ravennatis* (IXe siècle).

74 Mango 1972, p. 59 ; Palmer 1988, p. 132. Voir aussi L'Orange 1974-1975, pp. 191-202.

75 Michelis 1963, pp. 221 sqq. ; Kähler 1967, pp. 30 sqq. ; Mainstone 1988, pp. 124-126.

76 Demus 1960, note 87 et p. 207. Sur de telles obstructions de fenêtres à Sainte-Marie-Majeure (Rome), *cf.* Karpp 1966, p. 10 ; sur la chapelle Palatine (Palerme), *cf.* Beck 1970, p. 151.

77 Demus 1949, p. 110.

78 Sur les transennes, *cf.* Schöne 1979, pp. 46 sqq. Un catalogue des specimens conservés figure in Günter 1968, pp. 80 sqq. Sur le verre, *cf.* Schöne, *ibid.*, pp. 53-54 ; Günter, *ibid.*, p. 83 ; Megaw 1963, pp. 349-367 ; Mango 1962, p. 43.

79 Mango 1972, p. 74. Cela reflète le Kontakion, pour la seconde inauguration de Sainte-Sophie à Noël 562 (Palmer 1988, p. 141).

80 Saint Jérôme, *Contra Vigilantium*, in Desrez, 1838, p. 413 ; Dölger 1925, pp. 107 sqq.

81 Dölger 1936, pp. 10 sqq.

82 Égérie, trad. Diaz y Diaz Manuel, 1982, pp. 239-241.

83 Underwood 1967-1975, I, p. 15 ; voir aussi le récit de Metochites lui-même, in I. Sevcenko, « Theodore Metochites, the Chora and the intellectual trends of his times », in Underwood, IV, pp. 66-67 : il met simplement en avant le sentiment de communauté.

84 *Cf.* Constantin VII, 1935-1940, I, pp. 5, 12.

85 Paul le Silentiaire, trad. Fayant & Chuvin, 1997, p. 119.

86 Khitrovo 1889, pp. 91-92, 118, 264. Sur les 180 lampes, chandeliers et candélabres présentés par Constantin à la basilique du Latran à Rome, *cf.* le *Liber Pontificalis*, in Davis-Weyer 1971, p. 12. Sur les 27 lampes allumées dans une petite chapelle domestique d'Afrique du Nord au IIe siècle, *cf.* Dix 1945, pp. 24-25. Au musée de Sfax, en Tunisie, est exposé un panneau de mosaïque du VIe siècle provenant du baptistère de La Skhirra : il représente quatre croix serties de gemmes, portant deux lampes chacune. A. Grabar a étudié quelques-unes des rares lampes de verre conservées de l'époque byzantine (1971, pp. 107 sqq.).

87 Sur cette conception, voir surtout Mango 1972, xiv-xv ; Mango 1963, pp. 64 sqq. ; Maguire 1974, pp. 128 sqq. Sur la période antérieure, *cf.* Wallace-Hadrill 1968, pp. 97-98.

88 Michelis 1952, surtout pp. 39 sqq. ; *ibid.*, 1955 ; Mathew 1963, chap. 1, 3 ; Lazarev 1967, pp. 24-25. Rüth (1977, p. 757) prolonge la lecture symbolique de l'art byzantin tardif en remontant à son histoire plus ancienne. James & Webb (1991, pp. 1-17) ont tenté de réconcilier ces deux écoles en renvoyant au contexte rhétorique de l'*ekphrasis*.

89 Meyerdorff 1964, p. 127 ; C. Diehl 1910, p. 305.

90 Anastos 1955, p. 179. Sur la base « réaliste » des icônes, voir aussi P. J. Alexander 1958, p. 199.

91 Khitrowo 1889, p. 90.

92 Denys de Fourna 1974 ; sur Ulpien, *cf.* Mango 1972, pp. 214-215.

93 Mango 1972, p. 237 ; il donne aussi un exemple du XIVe siècle p. 249. Voir aussi Pausanias, *Périégèse*, livre II, 477, le passage où Onatas, fils de Mikon, à qui les Phigaliens avaient demandé une statue de Déméter, trouve une copie ou une peinture d'une ancienne idole en bois, « et trouva surtout [...] grâce à une vision dans son sommeil, quelle statue en bronze réaliser pour les Phigaliens ». Sur l'adoption par les chrétiens d'attitudes païennes envers les idoles, *cf.* P. J. Alexander 1958, chap. II.

94 Rosenthal 1975, p. 44. Sur la question du portrait, *cf.* Spatharakis 1976. Un texte d'Athanase d'Alexandrie (IVe siècle), soulignant l'importance de portraits reconnaissables de l'empereur, a été reproduit par Bryer et Herrin (1977, p. 181, n° 10). Voir aussi le décret du Septième Concile Œcuménique, cité par Sahas (1986, p. 101).

95 Grégoire de Nysse, *Commentaire sur le Cantique des Cantiques*, I, 1, in Devailly & Bouchet 1992, p. 49. Voir aussi Jean Chrysostome, in Mango 1972, pp. 47-48.

96 Sur le Concile de 754, *cf.* Anastos 1955, p. 179 ; Photius 1958, p. 290. Sur Jean Damascène, *Patrologie grecque*, XCIV, col. 1361D et Mathew 1963, p. 118. Manassès est cité par Maguire (1974, pp. 127-128). Le prototype de ce schéma pourrait être dans le *Politique* de Platon (277b-c).

97 Lange 1969, p. 235.

98 Dauphin (1978, pp. 404 sqq.) note l'usage décoratif (c'est-à-dire non réaliste) de la couleur dans les animaux des pavements de mosaïque byzantins à « rouleau habité ».

99 *Carmen de se ipso et de Episcopis*, in *Patrologie grecque*, XXXVIII, col. 1220 ; Galavaris 1969.

100 Underwood 1959, p. 239 ; Kostof 1965, pp. 102-103 ; Lazarev 1966, p. 69.

101 Sur Sainte-Marie-Majeure, *cf.* Astorri 1934, p. 59.

102 Frolow 1951, p. 303.

103 Mango 1972, p. 203 ; voir aussi Mesaritès, *ibid.*, p. 232. Des admirateurs plus tardifs de la figure du Christ Pantocrator se sont surtout étonnés du décalage entre sa taille réelle et sa taille apparente ; *cf.* Nicéphore Grégoras, *ibid.* p. 249 ; Clavijo 1928, p. 74.

104 Bultmann 1821, p. 251. Voir aussi le sermon de Léon VI (IXe siècle), in Mango 1972, pp. 203, 205, et surtout Frolow 1945, p. 46.

105 Eusèbe de Césarée, *Histoire de l'Église*, 1676, III, xxxvi.

106 Paulin, *Carmen* XXVII, vers 387-388 (Goldschmidt 1940, pp. 52 sqq., 96, 136) ; Venance Fortunat, *Opera poetica* III, vii, in *Monumenta Germania Historica* VI, i, 1881, p. 57 ; Giselmanus / Gislemar Vita Droctovei, in *MGH Scriptores Rerum Merovingianum* III, éd. Krusch, 1896, p. 541. Voir aussi Sidoine Apollinaire, à propos d'une église lyonnaise dédiée en 469 ou 470, Lettres II, 10, in Davis-Weyer 1971, p. 55 : « À l'intérieur brille la lumière, et les dorures du plafond à caissons charment les rayons du soleil, également dorés. Toute la basilique resplendit de marbres divers ; le sol, les voûtes et les baies sont tout décorés de figures aux couleurs les plus variées et une mosaïque verte comme une prairie en fleurs révèle son dessin de tesselles de saphir serpentant sur un fond de verre verdoyant. »

107 Sur la comparaison avec les cieux, *cf.* Mango 1972, pp. 26, 58, 63, 83, 86, 197-198, 219, 229. Voir aussi le *titulus* du milieu du VIIe siècle, dans Santo Stefano Rotondo à Rome (cité par Bovini 1964b, pp. 105-106) ; l'*Histoire de l'Église* de Nicéphore Kallisti Xanthopoulos (XIVe siècle), in Richter 1897, p. 368, n° 980 ; Beck 1970, p. 122, et pour le plafond de la chapelle Palatine en général, Ettinghausen 1962, pp. 44 sqq.

108 Richter 1897, p. 368, n° 980 ; d'autres exemples in Mango 1972, pp. 101-102, 197, 205 ; in Mango & Parker 1960, pp. 239-240, 243. Pour la traditionnelle description des douze dalles de marbre vert de Proconèse à l'entrée du sanctuaire de Saint-Marc à Venise, voir Günter 1968, p. 38. La pétrification de la mer (une idée qui pourrait dériver de Stace, IV, ii) est analogue à l'idée de glace qu'on trouve dans une romance du XIe siècle, *Digines Akrites* (Mango 1972, p. 216), et celle de la mer vitrifiée dans un poème contemporain d'Alfano da Salerno, sur le Mont Cassino (Acocella 1963, v. 150). On trouve un exemple occidental plus tardif dans le *Carmen* 134 (autrefois 196) de Baudry de Bourgeuil, sur les appartemennts de la comtesse Adèle : son pavement de mosaïque y est décrit comme une « mer de verre » *(vitreum Mare)* et paraît à l'œil en mouvement comme la mer (Baudry de Bourgeuil, 1979, p. 168, l. 728 sqq.). Pour un rapprochement avec des mosaïques représentant l'océan, *cf.* Barral y Altet 1987, pp. 41-54. La comparaison avec les tissus n'était pas rare, *cf.* Mango 1972, pp. 104, 194, 216 ; Mésaritès 1957, p. 890. Sur l'inspiration textile des motifs de la voûte du « mausolée » de Galla Placidia, *cf.* Kitzinger 1977, p. 54.

109 Athenaeus XII, 542D, cité par Roberson 1965, pp. 84-85 ; Horace, *Épîtres*, I, 10, 19 sqq. ; Stace, II, ii ; L'*Anthologie grecque,* 1969, I, pp. 10, 60-62 (sur les murs) ; Prudence, *Les Couronnes du martyre*, in Davis-Weyer 1971, p. 14 (mosaïques sous voûtes). Pour la période byzantine, Mango 1972, pp. 37, 76, 164, 209 ; Runciman 1975, p. 96 ; Frolow 1945, p. 54 ; Zovatto 1963, p. 47 ; Davis-Weyer 1971, p. 138.

110 Par exemple, Mango 1972, p. 205 ; Jean le Géomètre (Xe siècle), *Carmen* 96, dans la *Patrologie grecque*, CVI, col. 943 sqq. ; Maguire 1987, surtout p. 37 pour une *ekphrasis* d'Avitus, datant du VIe siècle.

111 Sur la mosaïque d'Aquilée, Zovattto 1963, pp. 63 sqq. ; sur le motif de vagues, *ibid.*, pp. 141, 161 sqq. ; Stern 1957, p. 387, ill. 4 (Salona) ; Barral y Altet 1985, pp. 24 sqq., 45 sqq., 79 sqq.

112 Mango & Parker 1960, pp. 239 sqq.

113 Mango 1972, p. 219.

114 Mango & Parker 1960, p. 237.

115 Mango 1972, p. 75 ; voir aussi Photius sur l'Église de la Vierge de Pharos : « il semble que tout soit mis en mouvement extatique et que l'église entière tourne sur elle-même. Car le spectateur, tournoyant dans tous les sens et toujours en émoi – c'est l'expérience produite par la variété du spectacle de tous côtés – s'imagine que son état personnel est projeté dans l'objet » (*ibid.*, p. 185). Ces deux passages ont été étudiés par Wulff 1929-1930, pp. 536-539. Voir aussi Frolow 1951, p. 206 et Michelis 1964, p. 259. L'idée fut reprise en Occident par le moine Théophile (1961, pp. 61-63).

116 Psellos 1928, vol. 2, CLXXXVII, p. 63.

117 Sur les programmes iconographiques du XIe au XIIIe siècle, *cf.* Lafontaine-Dosogne

1979, I, pp. 287-329. Lazarev (1966, p. 32) a calculé qu'à Sainte-Sophie de Kiev, le spectateur doit circuler d'Ouest en Est et tourner sous la coupole trois fois de suite dans le sens des aiguilles d'une montre, pour lire les fresques dans l'ordre.
118 Prandi (1952, pp. 291-292) est l'un des rares historiens d'art à avoir remarqué cela.
119 *Cf.* l'étude de Smith 1983, pp. 154 sqq.
120 Sur l'opposition à l'or dans la peinture, *cf.* Alberti 1972, pp. 92-93. Dans un autre ouvrage, il reconnaît que l'effet de la mosaïque provient de l'irrégularité des reflets en surface (1966, VI, x, p. 509).
121 P. Reuterswärd, « What color is Divine Light ? », in Hess & Ashberry 1969, pp. 109 sqq.
122 Sur l'*Annonciation* comprenant l'Enfant Jésus, *cf.* I. Rogan, communication inédite du XVe Congrès International Byzantin, Athènes, 1976 ; sur l'icône du mont Sinaï avec la colombe, *cf.* Weitzmann 1971, pp. 169-170.
123 Voir, par exemple, le nimbe du Christ dans les peintures de la crypte à Prousa, en Grèce (X[e] ou XIe siècle) ; dans l'*Anastasis* de l'église de Sainte-Barbara à Soganli, Cappadoce (début du XIe siècle) ; une mosaïque de la Transfiguration du XIIe ou XIIIe siècle (au Louvre) ; et ces peintures murales du XIVe siècle dans l'église du Hodegetria à Mistra ; la scène de la Dormition, réalisée par Cavallini dans les mosaïques de Santa Maria in Trastevere (1291). Voir aussi pp 74-75 *supra*, pour les vitraux.
124 Khitrowo, 1889, pp. 79-80. L'apparition de cette lumière était encore incluse dans les vêpres du Vendredi Saint vers 1400 (*cf. ibid.*, p. 174), et elle fut remarquée aussi tard que durant la Seconde Guerre mondiale (S. Runciman, *A Traveller's Alphabet*, 1991, p. 206), où elle entrait dans la célébration des mâtines du Samedi Saint.
125 Brehier 1945, pp. 19-28.
126 Pour d'autres exemples, *cf.* Gage 1978, p. 125, note 40.
127 Mesaritès 1957, p. 872. L'auteur fait référence aux Psaumes 97, 2 ; à Marc 9:7 et Luc 9:34.
128 Aalen 1951, surtout pp. 81, 319 ; Hempel 1960, pp. 355-358, 367-368 ; Scholem 1974, surtout pp. 5, 23-24.
129 Koch 1956-1957.
130 Pseudo-Denys 1995, pp. 143, 330 ; *cf.* Puech 1938 ; Ivanka 1959, col. 350-358.
131 Voir aussi le manuscrit du XIVe siècle (Paris) reproduit par Reuterswärd in Hess & Ashbery 1969, p. 114.
132 Pseudo-Denys 1987, p. 137. D'autres rapprochements entre lui et le mont Sinaï, in Gage 1978, p. 111.
133 McGuckin 1986, pp. 157-158.
134 Les textes sont dans la *Patrologie grecque*, XII, col. 1070.
135 Reiter 1962, pp. 77 sqq.
136 La liste se trouve dans une *Vie de Ptolémée* de la bibliothèque de Photius (1959-1977, VII, 1974, p. 128-129) et copiée dans le *Lexikon* de la Souda (1935, III, s.v. opsis, p. 602) mais sans l'attribution à Ptolémée. Les couleurs correspondent peut-être à celles « quidem splendidos » dont Ptolémée dit qu'elles sont vues « simpliciter » (1956, IX, p. 4). Ce sont le noir, le blanc, l'orangé *(xanthos)*, phaion, le jaune *(ochron)*, le rouge *(eruthros)*, le bleu *(kuanos)*, le pourpre *(halurgos)*, le *lampron* et le brun foncé *(orphninon)*. L'étude la plus fournie de ces termes est celle de Mugler 1964. Le premier livre perdu de l'*Optique* de Ptolémée a été abordé par Lejeune (1948, pp. 19-20). Voir aussi Smith 1988, pp. 189 sqq.
137 Sur *kuaneos, porphurios* et *oinoros* (couleur de vin) dans leur rapport au noir, *cf.* Blümner 1891, p. 188. Blümner cite également le commentaire de Servius sur la troisième *Géorgique* de Virgile, à propos de la distinction entre *candidus* et *albus*.
138 Souda 1935, IV, s.v. *phaion*, pp. 709-710.
139 Haeberlein (1939, pp. 78 sqq.) a tenté de repérer un tel symbolisme. La relation antique entre les couleurs et les éléments persistait : *cf.* Kirschbaum 1940, pp. 209-248. L'une des rares explications contemporaines d'un symbolisme chromatique, dans un texte du IXe siècle sur les mosaïques de Saint-Apollinaire-le-Neuf à Ravenne, ne qualifie pas les couleurs que nous voyons maintenant ; pourtant cette section (celle des Rois Mages) fut insérée à l'instigation de l'écrivain, l'Évêque Agnello (Mango 1972, p. 108). Les changements résultent peut-être de restaurations, bien que cela n'ait pas été spécifié dans l'étude des ajouts d'Agnello (Bovini 1966, pp. 65 sqq.). Sur les couleurs des Rois Mages, *cf.* MacNally 1970, pp. 667-687.
140 Braun 1907, pp. 729 sqq. Lubeck (1912, pp. 802-803) donne des preuves d'un usage constant du noir, du blanc et du rouge dans l'Église orientale, mais il mentionne aussi l'utilisation du rouge comme couleur de deuil. Pour un panorama documenté et exhaustif des usages liturgiques, *cf.* « Farbe (Liturgisch) », in *Reallexikon zur deutschen Kunst-Geschichte*, VII, 1981, col. 54-139.
141 Demus 1949, pp. 140, 145 ; Forlati 1949, p. 86 ; Frolow 1951, p. 204 ; Kitzinger 1960, p. 130, note 106 ; Mango & Hawkins 1965, p. 117 ; Young 1976, pp. 269-278 ; Kitzinger 1977, pp. 71-72 ; Lavagne 1977-1978, pp. 431-444 ; C. Balnelle & J.-P. Darmon, « L'Artisan mosaïste dans l'Antiquité tardive : réflexions à partir des signatures », in Barral y Altet 1986, pp. 235-245 ; X. Barral y Altet, « Commanditaires, mosaïstes et exécution spécialisée de la mosaïque de pavement au Moyen Âge », *ibid.*, pp. 255-262.
142 Scheller 1963. Scheller ne donne d'indications de couleurs qu'aux pp. 4, 6 et 20 ; Denys de Fourna (1974, pp. 38-40) n'en donne que très peu. Les instructions écrites aux peintres, dans le manuscrit du IVe siècle des *Fragments de Quedlinburg Itala*, ne mentionne aucune couleur (Davis-Weyer 1971, pp. 24-25). Sur les manuscrits médiévaux comportant des indications sur les couleurs à employer, tantôt en termes de pigments, tantôt en termes de catégories abstraites, *cf.* Gousset & Stirnemann 1990, pp. 189-198 ; Speciale 1990, pp. 339-350. Sur les manuscrits pris comme modèles, *cf.* E. Kitzinger, « The role of miniature painting in mural decoration », in Weitzmann *et al.* 1975, surtout p. 109 sur la *Genèse* « Cotton » ; la couleur en a été récemment reconstituée in Wenzel 1987, pp. 79-100. Sur les mosaïques, voir aussi Bruneau 1984.
143 Pour plus de détails sur les couleurs de saint Pierre, *cf.* Gage 1978, p. 108. Rüth (1977, p. 798) voit en saint Pierre l'une des rares figures dont l'iconographie chromatique est plus ou moins stable, mais il signale aussi que Joseph est à l'occasion vêtu de manière similaire, avec la même physionomie. À coup sûr, les traits du visage étaient toujours des indices plus importants que la couleur pour reconnaître les Apôtres : Mango 1972, p. 42, et Davis-Weyer 1971, pp. 78-79.
144 Schultz 1904, p. 103 ; Bieber & Rodenwaldt 1911, p. 2.
145 Urso de Salerne 1976, p. 110.
146 Serjeant 1972, pp. 142-143.
147 Tachau 1988, p. 96, note 34 (*cf.* p. 327, note 36, p. 329, note 43).
148 Par exemple, l'inventaire de 1338, n° 207, 208, 227, 239, avec l'expression *qui colorem mutat et cangiacolore* (Alessandri & Penacchi 1914, pp. 86-87). Donald King m'a gentiment indiqué que dans la liste d'un courtier pisan de 1323 figurent des *tartarini dicti cangia colore* ; les deux expressions révèlent une provenance d'Asie centrale et suggèrent la nouveauté du terme.
149 Théophile 1961, pp. 5-6, 14-15. Il est concevable que le Moine Théophile ait pensé à des rangées tonales modelant les formes dans la mosaïque ; dans le modelé le plus complexe du XIIIe siècle, les colonnes de la scène de prières pour le rapatriement du corps de saint Marc dans la cathédrale Saint-Marc de Venise, on ne peut compter que quatre niveaux (Demus 1984, ill. 9, 10). Le maximum qu'on ait pu découvrir est de cinq niveaux (Winfield 1968, pp. 136 sqq. Voir aussi Denys de Fourna 1974, p. 8) ; les citations d'Héraclius in Merrifield (1849, I, chap. LVI, pp. 250-257) donnent des combinaisons de blanc, rouge et bleu ; brun-noir et bleu-vert (*vergaut*) ; au chap. LVIII, il y a une combinaison en rouge-vert, mais les triades peuvent être vues comme un même famille chromatique.
150 Pour les mosaïques, *cf.* Logvin 1971, pl. 58 ; pour les émaux, Gauthier 1972, n° 45-46, 48, 88, 90. Pour un ex. tardif, datant de 1436, *cf.* Müntz & Frothingham 1883, p. 65.
151 D. Winfield (in Talbot-Rice 1968, pp. 196-197) en repère sur un Apôtre dans la scène de l'incrédulité de saint Thomas à Trébizonde, mais le seul Apôtre dans ces couleurs présente des tons rompus.
152 Sur le *proplasmus* ou fond noir, *cf.* Underwood 1967-1975, I, pp. 304 sqq. ; Winfield 1968, pp. 100 sqq.
153 Galien *De l'utilité des parties du corps humain*, X, 3.
154 Basile, in Wallace-Hadrill 1968, p. 50 ; Baudry 1979, n° 196.
155 Sur les pierres vertes, *cf.* Théophraste 1965, p. 65 ; Pline, XXXVII, xvi ; Pseudo-Aristote 1912, pp. 134, 151.
156 Martinelli 1969, pp. 51 sqq. Von Falke (1921, p. 9) rattache pourtant les *segmenta* du panneau de Théodora aux étoffes grecques du Ve siècle, plutôt qu'à la Perse. Voir également le *tzitzakion*, un manteau impérial importé à Byzance au VIIIe siècle par la fille du Khan de Khazarès, qui épousa Constantin V. Son nom dérive probablement du terme turc *tschitschek*, « fleur » (Ebersolt 1923, p. 52). Voir aussi Kondakoff 1924, pp. 7-49. *Le Traité des offices* du XIVe siècle signale par endroits que des vêtements particuliers sont d'origine perse ou assyrienne (Pseudo-Kodinus 1966, pp. 181-182, 218-219).
157 Sabbe 1935, pp. 760-761, 813 sqq., 820 sqq., 1283.
158 Ibn Jobaïr 1949-1965, III (1953), p. 391.
159 Mango 1972, p. 10.
160 Eusèbe, cité par MacMullen 1964, pp. 438 sqq. Il y étudie toute la question des goûts barbares de l'armée romaine.
161 Ebersolt 1923, pp. 38-39, 125, 143.
162 Carandini 1961-1962, pp. 9 sqq. Pour une illustration couleur de *segmentum*, *cf.* Lemberg & Schmedding 1973, pl. I ; *cf.* pl. II, la tenture égyptienne de la fin du IVe siècle, montrant des figures dont les tuniques sont brodées de panneaux. Une étude des mosaïques de Piazza Armerina milite pour une fabrication en Afrique du Nord (Wilson 1983, p. 44).
163 Delvoye 1969, pp. 126-127.
164 Égérie, trad. Diaz y Diaz Manuel, 1982, 25.8, p. 253.
165 De Waal 1888, pp. 315, 318.
166 Nicéphore Grégoras, *Antirrheticus*, in A. Grabar 1957, pp. 177-179.
167 Trad. Danielou 1975, p. 94.
168 Flavius Josèphe, *Antiquités judaïques*, III, 183 ; Philon d'Alexandrie, *Vie de Moïse*, II, 88. Un autre auteur byzantin, Cosmas Indicopleustès, renvoie aussi en général au lien symbolique avec les éléments, mais il ajoute que les couleurs étaient très belles (*Topographie chrétienne*, II, 1970, V, pp. 35, 62-63).
169 Schapiro 1977, p. 12 ; Battiscombe 1956, pp. 107 sqq. La vivacité du texte est d'autant plus remarquable que Reginald ne fut pas un témoin direct de l'événement, qu'il décrivit 70 ans après. On ne trouve rien de tel dans le texte anonyme plus ancien, sur l'ouverture du tombeau, écrit après 1122 (Battiscombe *ibid.*, pp. 99-107). Les vêtements ne se sont pas conservés, puisqu'ils furent retirés et utilisés dans la cathédrale, où Reginald a pu, bien sûr, les voir (*ibid.*, p. 111).
170 *Cf.* surtout les commentaires du VIe siècle sur les *Météorologiques* d'Aristote, cités et traduits par Schultz 1904, p. 103.
171 Schapiro 1977, p. 35. Voir aussi Mentré 1983, n.p. La dette de Picasso à l'égard de ce style espagnol est évidente au plan formel comme au plan chromatique, dans sa *Crucifixion* de 1930. Schapiro évoque la curiosité qu'y porte Léger au début des années 1940 (1979, p. 326). Itten a repris deux pages de l'*Apocalypse de Saint-Sever de Paris*, provenant de ce groupe de manuscrits, pour illustrer son *Art of Color*, 1961.
172 Voir surtout Werckmeister 1965, pp. 933-967, et A. Grabar dans la discussion (*ibid.*, pp. 977 sqq.). Au moins l'un des manuscrits comporte des annotations en arabe (Madrid, *Archivos Historicos Nacionales* 1097B ; *cf.* Mundo & Sanchez Mariana 1976, n° 11). Un compte rendu critique en a été donné par Klein (1976, pp. 287 sqq.)
173 Isidore 1960, pp. 15-17 ; Evans 1980, surtout pp. 42 sqq. Mentré (1984, p. 192) a rapproché le caractère non illusionniste des enluminures du Beatus de la conception par Isidore de la peinture comme fiction (*fictura : Étym.* XIX, xvi).
174 Klein a identifié une douzaine de « couleurs primaires » (*Hauptfarben*) et six couleurs « de base » : blanc, jaune, sépia, minium, bleu, vert (1976, pp. 238 sqq.). Pour des illustrations couleur de quelques manuscrits, *cf.* Mundo & Sanchez Mariana 1976 ; Williams 1977.
175 Baudri 1979, p. 9 (*Carmen* I, v. 95 sqq.).
176 Wackernagel 1872, I, pp. 188-189.
177 Pastoureau 1983, [1989]. Pour un examen plus prudent des sources anciennes, Volbehr 1906, pp. 355-365.
178 Mariale (1502) cité par Meier 1977, pp. 195-196.
179 Henderson 1987, pp. 19 sqq. (surtout sur l'orpiment du *Livre de Durrow*), pp. 106 sqq.
180 Schapiro 1979, p. 323.

181 Sur la carrière de Beatus, Williams 1977, p. 27 ; Beatus 1930, p. 377. Un auteur parisien du XIIe siècle, André de Saint-Victor, détaille dans un commentaire sur Isaïe (16-18) les significations des péchés écarlates et de la laine pure en termes de pigments et de colorants ; il souligne que la laine et les tissus souples étaient teints avec du *coccinus*, tandis que le papier et les substances raides l'étaient avec du *vermiculum* (cité par Smalley 1952, pp. 389-390). Il me semble y avoir une certaine confusion lexicale, car *coccus* et *vermiculum* étaient d'ordinaire synonymes.
182 *Évangile de Philippe* 1963, III, 24/30, pp. 28 sq. L'éditeur, Till, considère que le texte est une traduction du grec, datant du IVe siècle. Le nombre de 72 est étonnant, car les termes chromatiques en copte étaient aussi limités que dans les autres langues antiques. (Till 1959, pp. 331-342)
183 O. Grabar 1964, pp. 70, 82-88. Pour des illustrations couleur, *cf.* Ettinghausen 1962, pp. 18-27.
184 Rosenthal 1975, pp. 73, 265-266.
185 *Cf.* la description, datant du Xe siècle, du palais Ghumdan au Yémen, in O. Grabar 1973, p. 79. Le texte d'Ibn Jobaïr sur la Martorana de Palerme explique que les « feux étincelants » des verrières dorées « ravissent la vue et seraient capables de jeter les âmes dans un trouble dont nous prions Dieu de nous prémunir » (1949-1965, III (1953), pp. 390-391).
186 Nicholson 1914, pp. 50 sqq. ; Menendez y Pelayo 1910, pp. 83-90. Sur la tradition de Plotin, *cf.* Fakhry 1970, pp. 33-39.
187 Jacques d'Édesse 1935, pp. 130 sqq.
188 Avicenne 1956, II, p. 78. Le commentateur perse d'Avicenne, Nasir al-Dîn al-Tûsi (XIIIe siècle), augmenta le nombre de teintes pour inclure le jaune et le bleu, mais retint la progression tonale pour chacune d'elles (Wiedemann 1908, pp. 88-89).
189 Voir surtout Bauer 1911. Il n'existe toujours pas d'édition moderne de l'*Optique* d'Alhazen, mais on trouve une excellente traduction anglaise (1989). Un commentateur du XIIIe siècle, Kamal al-Dîn al-Farasi, s'est bien intéressé à la saturation variable des couleurs, se demandant, par exemple, pourquoi le bleu pur et le rouge pourpre semblent les couleurs les plus fortes dans l'arc-en-ciel (Winter 1954, pp. 207-208).
190 Fischer 1965, surtout pp. 233 sqq.
191 Sur les céramiques irisées, *cf.* Scanlon 1968, pp. 188-195 ; Caiger-Smith 1985, surtout pp. 24, 59 ; sur les soieries monochromes, *cf.* Müller-Christensen 1960, pp. 37 sqq.

4 L'esthétique de Saint-Denis

1 Panofsky 1979, pp. 46-47 ; éd. fr. in Suger, 1996, p. 117. La mosaïque fut ôtée en 1771. Verdier [v. 1974], p. 708, n° 39 suggère qu'il pouvait s'agir d'un relief en stuc incrusté de mosaïques de type carolingien.
2 Sur le voyage de Suger en Italie jusqu'à la ville de Bitonto, au sud du pays, *cf.* S. McK. Crosby, « Abbot Suger's program for his new Abbey Church », in Verdon et Front (éds) 1984, pp.193 sqq.
3 Goldschmidt 1940, p. 44.
4 Panofsky 1979, pp. 50-51 ; éd. fr. in Suger, *ibid.*, p. 121. Les *Épîtres* de saint Paulin, un manuscrit du IXe ou Xe siècle détaillant ses campagnes de constructions, se trouvait dans la bibliothèque de l'abbaye de Cluny du temps de Suger (Delisle 1884, p. 345) ; il est maintenant à la BnF, nouv. Acquis, MS Lat 1443. Sur l'amitié entre Suger et l'abbé de Cluny, *cf.* Pierre le Vénérable 1967, I, pp. 272-273 (qui avait une bonne connaissance des écrits de Paulin : *ibid.*, pp. 288 sq.) et Oursel 1958/1959, pp. 54-55. Il existe certaines similitudes entre les idées et la langue de Suger et de Paulin, dont leur goût pour le symbole de la Trinité dans l'arrangement des portes et du cérémonial religieux. (Goldschmidt 1940, p. 44 ; Panofsky 1979, pp. 44-46, 154-155).
5 Panofsky 1979, p. 101.
6 Johnson 1964, p. 10, avance le chiffre de 1 à 5 lumens par pied-carré à l'intérieur de la cathédrale mais de 8 000 à 9 000 pour l'extérieur ; Sowers 1966, p. 220, a corrigé ces chiffres : selon lui, pour la période de sept. à oct. il y aurait eu 200 à 800 candélabres à l'extérieur, 3 à l'intérieur pour la verrière occidentale et 200 pour le ciel.
7 Lillich 1970, pp. 26 sqq.
8 *Roman de Perceforest* 1951, II, pp. 316 sq., 256-257. À la fin du XIIe siècle, l'élargissement courant des verrières afin d'accueillir des vitraux plus foncés tout en retenant les anciens niveaux de couleurs rend cette sensation d'obscurcissement implicite (Grodecki 1949, pp. 9, 10, note 20).
9 More 1551, II, ix.
10 Johann Matthesius, *Sarepta oder Bergpostill* (1562), in Oidtmann 1929, p. 467 ; voir aussi Vasari I, 1962, pp. 152 sq.
11 Antoine de Pise 1976, p. 25. Sur Sienne, Milanesi 1854-1856, II, pp. 197-198.
12 Par exemple Grodecki 1977, pp. 12 sqq. ; *ibid.*, 1986, pp. 343, 353. Sur le développement français de la notion d'« obscurité » au Moyen Âge, Voss 1972, pp. 28-33. L'interprétation de Grodecki prête à polémique car il souhaitait répondre aux artistes français et à l'opinion publique qui pensaient que la restauration des vitraux de Chartres était trop claire, affaiblissant en particulier l'effet de leurs bleus (*cf. Revue de l'art*, 1976, XXXI, pp. 6 sqq.) ; voir aussi Grinnell 1946, pp. 182 sqq. ; Schöne 1979, pp. 38 sqq. ; von Simson 1988, chap. 2 ; F. Deuchler, « Gothic Glass », in Hess et Ashbery 1969, pp. 34 sqq. ; pour une étude générale exhaustive, Nieto Alcaide 1978.
13 Pour un résumé sur la tradition hexamérale, G. F. Vescovini, *Seudi su la prospettiva medievale,* 1965, pp. 16 sq. ; au sujet de la distinction entre *lux* et *lumen*, Schmid 1975, pp. 9 sqq. Sur le fait que même un scientifique comme Bacon au XIIIe siècle ne se sente pas obligé d'utiliser ces termes avec cohérence, Lindberg 1983 pp. 356-367.
14 *Patrologia Latina*, CXXII, col. 128.
15 *Cf.* l'inscription qui figure sur le socle : LUCIS ON'VIRTUTIS OPUS DOCTRINA REFULGENS (Oman 1958, p. 1) traduite par « Porterle cierge est la tâche du juste, dans la lumière se trouvent les enseignements de l'Église, dont le message rachète l'homme des ténèbres du vice » (N. Stratford, in *English Romanesque Art, 1066-1200*, 1984, n° 247) et par « Ce llux lumineux, cette œuvre de vertu éclairée de lumière divine nous instruit pour que l'homme s'écarte du vice. » (V. Sydenham, *Burlington Magazine,* CXXVI, 1984, p. 504).
16 Boèce 1906, pp. 313, 346-347 ; A. Smith 1983, pp. 154 sqq. (Avicenne et Alhazen) ; Gätje 1967, pp. 294-295 (Averroès).
17 Pour des gammes de couleurs antérieures, *cf. supra* pp. 165-166 ; voir aussi Avicenne 1956, III, pp. 1-4 ; Grosseteste *De Iride*, in Grosseteste 1912, p. 77 ; Bacon 1897-1900, II, p. 19 ; Albert le Grand, *De Sensu* II, ii, in Hudeczek 1944, p. 130.
18 Pl. coul. in Grodecki 1977, p. 73, ill. 58.
19 Panofsky 1979, p. 21 ; Suger, *ibid.,* p. 147
20 *Ibid.*, pp. 72-75.
21 S. McK. Crosby, in *ibid.*, p. 239 ; Conant 1975, pp. 727 sqq., ill. 4, 6.
22 Grodecki 1976, pp. 25-28. Grodecki donne une estimation de 52 à 54 verrières. Il suggère p. 27 que certains fragments des bordures (*cf.* pp. 130-131) proviennent peut-être des verrières occidentales.
23 Grodecki 1976, p. 27, soutient que les propos de Suger peuvent difficilement inclure le transept (en début de construction à l'époque où il écrivit *De administratio*) ou la nef qui allait être démolie. Le plan, in Formigé 1960, pp. 66-67, ill. 49, présente 20 verrières dans la nef. Le nombre précis de fenêtres de l'église carolingienne est inconnu mais une description de l'an 799 avance le chiffre de 101 ouvertures, très proche de celui de l'église de Suger (Bischoff 1984, pp. 215 sq.). Brown et Cothren 1986, p. 36, note 150, suggèrent que Suger ne dit pas expressément avoir orné l'ensemble de l'église de vitraux et que, dans la pratique, il n'aurait pu parer qu'un nombre de fenêtres beaucoup plus restreint ; mais Kidson 1987, p. 10, note qu'il en installa au moins 30 dans le chœur.
24 Sur les propos de Suger au sujet du coût, Panofsky 1979, pp. 52-53. À Londres au milieu du XIVe siècle, le verre bleu coûtait quatre à six fois plus cher que le verre blanc et environ un tiers de plus que le verre rouge (Brayley et Britton 1836, pp. 176-180 ; Salzman 1926-1927). La seule valeur de vitrail que je connaisse est celle de la verrière principale de Soissons qui était de 30 livres parisiennes v. 1220 (Grodecki 1953, p. 175). Si tel est le coût du vitrail à l'arbre de Jessé (dont les fragments se trouvaient à Berlin) cette verrière était environ deux fois plus grande que le vitrail du même thème à Saint-Denis. En prenant en compte l'inflation en France au XIIe siècle (Duby 1971, p. 363, donne un taux d'inflation multiplié de 10 à 20 fois pour les produits agricoles entre la première croisade et le milieu du XIIIe siècle), nous arrivons au chiffre remarquablement bas de 2 livres parisiennes pour chacune des baies principales de Saint-Denis.
25 Sur les grisailles de Saint-Denis, Grodecki 1976, pp. 122 sqq. ; à propos des grisailles des cisterciens, Zakin 1974, pp. 17 sqq. ; M. Lillich, « Monastic stained glass : patronage and style », in Verdon et Front 1984, p. 218.
26 Théophile 1961, II, xxi ; pl. coul. in Grodecki 1977, p. 51 ; sur la tradition des fonds blancs dans l'Est de la France, Grodecki 1949, p. 12.
27 Panofsky 1979, p. 19. Lillich, in Verdon et Front 1984, pp. 222 sqq., s'est vigoureusement opposé à cette opinion. L'intérêt de Suger pour la théologie dionysienne a été mis en doute par Grodecki 1986, p. 221 et de façon plus radicale par Kidson 1987, pp. 5 sqq. Par contre, sa subordination au vocabulaire dionysien de Hughes et de Richard de Saint-Victor a été établie par G. A. Zinn, « Suger, Theology and the Pseudo-Dionysian tradition », in Gerson 1986, p. 36 ; *cf.* l'*Expositio* de Hughes de Saint-Victor in *Hierarchiam Caelestem* II, in *Patrologia Latina*, CLXXV col. 967, 977, de Bruyne 1946, II, pp. 215 sq. et Weisweiler 1952. Il m'a été impossible de vérifier l'existence de l'amitié entre Hughes et Suger affirmée par von Simson (1988, p. 120) mais leur affinité de pensée a été étudiée par Rudolph 1990 qui, par contre, ne soutient pas l'approche dionysienne. Pour Guillaume de Saint-Thierry, *Aenigma Fidei, Patrologica Latina*, CLXXX, col. 422 sq. et *Dictionnaire de spiritualité*, p. 1953, s.v. « Denis l'Aréopagite », col. 335 sqq.
28 Sur ce programme iconographique, von Simson 1988, pp. 120-122 ; surtout Grodecki 1961a, pp. 19 sqq. ; Hoffmann 1968, p. 63 ; Esmeijer 1978, pp. 14-15.
29 *Hiérarchie céleste* II. J'ai utilisé la version d'Érigène dans la collection synoptique des textes latins du Pseudo-Denys 1950, II, col. 742 sqq.
30 *Cf.* surtout Panofsky 1944, pp. 95 sqq.
31 Érigène 1968-1981, I (1968), pp. 194 sq. et, en général, Bierwaltes 1977, pp. 127 sqq. Les emprunts de Suger ont été remarqués par von Simson 1988, note 125.
32 Érigène 1968-1981, II (1972), pp. 186 sqq.
33 Le *Liber Pontificalis* 1886-1957, chap. 98, fait référence à l'œuvre de Léon II à Saint-Jean-de-Latran v. l'an 800 : « *simul et fenestras de absida ex vitro diversis coloribus conclusit atque decoravit* » (« en même temps il décora les fenêtres de l'abside par des vitraux de diverses couleurs »). Dans cette note, il ajoute que les réparations des autres baies de la basilique se faisaient à l'aide de marbre translucide et non pas de verre *(ex metallo cyprino)*. La même source (106) décrit l'œuvre de Benoît III un demi-siècle plus tard dans l'abside de Santa Maria in Trastevere : « *Fenestras vero vitreis coloribus ornavit et pictura musivi decoravit* » (« Il [l'] orna de vitraux et la para de mosaïques décorées »). Le premier emploi de cette méthode est attesté en Syrie au milieu du VIIIe siècle (Frodl-Kraft 1970, p. 20). En Angleterre, les vitraux colorés que des fouilles à Monkwearmouth et à Jarrow ont mis au jour imitaient parfois le marbre strié translucide (Cramp 1968, p. 16 ; 1970, pp. 327 sqq.). En France, la première abside ornée de vitraux est celle de Saint-Nicolas à Caen (Héliot 1968, pp. 89 sqq.) réalisée entre 1083 et 1093, mais une source de la même époque env. indique qu'Hoel, évêque du Mans avait également paré le chœur de sa cathédrale de vitraux (Grodecki 1961b, p. 60). De même, à Poitiers au XIIe s., l'installation des vitraux commença par le bas de la nef (Grodecki 1951, p. 538). Pour plus de détails sur la signification spirituelle du vitrail dans les absides paléochrétiennes, P. Reuterswärd, « Windows of Divine Light », in Rosand 1984, pp. 77-84 ; sur le programme iconographique des mosaïques et peintures absidiales, Ihm 1960. À la période carolingienne, Raban Maure vit dans le terme « abside » un dérivé de « lumière » : « Absida graeco sermone latine interpretatur lucida ; eo quod lumine accepto per arcum resplendeat » (« Abside en grec signifie "lucide" en latin : ce qui resplendit en recevant un arc de lumière » *(De Universe* XIV, xxiii, in *Patrologia Latina*, CIX col. 403) ; cette étymologie vient d'*apsis* = arc-en-ciel (Aristote *Météorologiques*, II, 2.3).
34 *Cf.* surtout Mortet 1911, pp. 85, 94.
35 Brown et Cothren 1986, p. 3.
36 Guillaume de Saint-Denis, *Vita Sugerii* II, in Lecoy de la Marche 1867, pp. 391 sq. Pour le contexte, Glaser 965, p. 268. Dans un panégyrique plus tardif du XIIe siècle,

Radulphus Phisicus parle longuement des pierres mais ne fait aucune référence au verre (1962, pp. 763 sqq.).
37 *Cf.* Oidtmann 1929, p. 47 ; Lehmann-Brockhaus 1955-1960, II, n° 4616.
38 Martène et Durand 1717, col. 1584.
39 Bettembourg 1977, pp. 8-9 ; Bouchon *et al.* 1979, p. 9. Sur les traces de cobalt dans les vitraux de Saint-Denis, Crosby *et al.* 1981, p. 81. Sur la provenance du cobalt au Moyen Âge, Rumpf 1965, pp. 17 sqq. ; Bezborodov 1975, pp. 64 sq.
40 Théophile 1961, livre II, xii. Sur le verre romain coloré au cobalt, Geilmann 1962, pp. 186 sq., qui mentionne également la présence de cobalt dans les mosaïques de verre de Ravenne, source de butins en Europe du Nord d'un type également mentionné ici par Théophile (*cf.* del Medico 1943, pp. 85, 97).
41 Sur le verre bleu mis au jour à Constantinople, *cf.* Megaw 1963, p. 362, qui le relie aux *saphiri graeci* cités par Théophile (II, xix). Pour une époque ultérieure et une probable origine occidentale, Lafond 1968, pp. 234 sqq. D. B. Harden 1969, p. 98, et Frodl-Kraft 1970, pp. 14-16, ont émis l'hypothèse de l'origine byzantine de la technologie occidentale du verre. Dans le *Pèlerinage de Charlemagne*, un poème épique en ancien français, les vitraux du roi Hugon dans le palais de Constantinople étaient *brasme ultramanin*, ce qui signifie sans doute en pierre ou en verre de couleur bleue, mais ce poème date peut-être de l'extrême fin du XIIIe siècle (Faviti 1965, p. 124).
42 Grodecki 1961c, p. 184 ; 1986, p. 155 sq. ; Crosby 1966, p. 28 ; Crosby *et al.* 1981, pp. 67, 84, 86 et n° 15, 16 ; Stratford 1984, p. 215.
43 Mortet 1911, p. 139.
44 La perception du verre en tant que pierre ou que métal remonte à l'Égypte ancienne (Trowbridge 1928, pp. 19 sqq. ; Ganzenmüller 1956, p. 131) et fut transmise en Occident par Isidore de Séville (*Étymologies* XVI, xvi) et par le *Secreta Secretorum* d'Al-Razi (Rhazès), auteur de la fin du IXe siècle qui estimait ce matériau autant que les véritables pierres précieuses (1912, p. 87). Des auteurs scientifiques comme celui de *Mappae Clavicula*, au IXe siècle, supposaient que le verre était une pierre (1974, p. 116). *Cf.* les comparaisons formelles établies par Engels 1937, p. 57, et Johnson 1964, pp. 57 sqq. ; voir aussi le fragment de Saint-Pierre de Chartres illustré dans *Franse Kerkramen* 1973-1974, n° 4.
45 Théophile 1961, II, xxviii ; Oidtmann 1929, p. 36 ; Grodecki 1977, pp. 35, 350.
46 Panofsky 1979, p. 65. Verdier v. 1974, p. 701, a fort justement associé ce passage au Pseudo-Denys 1950, *Hiérarchie céleste* XV, vii, 336c.
47 Viard 1927, p. 257. Un des récits les plus extravagants au sujet de l'escarboucle se trouve dans le *Pèlerinage de Charlemagne* (II. pp. 441 sq.) ; sur son contexte byzantin, Schlauch 1932, pp. 500 sqq.
48 Bède le Vénérable, *Explanatio Apocalypsis* II, 21, in *Patrologia Latina*, XCIII, col. 97-98. Bonnet 1968 , p. 10, n'a pas trouvé de source antérieure au lapidaire de Bède.
49 Théophile 1961, III, lxi. Sextus Amarcius 1969, pp. 183 sqq. ; sur cette tradition exégétique voir aussi *ibid.*, p. 29. Manitius fait remonter ces poèmes aux alentours de 1100-1120 et remarque (p. 33) que ce passage sur les pierres fut copié au XIIIe siècle. Si Sextus est bien la source de Théophile, cela nous permet de confirmer la date de rédaction de l'*Essai sur divers arts* sur laquelle les chercheurs semblent s'accorder (Hanke 1962, pp. 71 sqq. ; L. White 964, pp. 227 sqq. ; van Engen 1980, 161).
50 Montesquiou-Fezensac 1973, p. 108.
51 Il semble que l'exemple le plus ancien se trouve à Sainte-Marie-Majeure (Brenk 1975 ; voir aussi Matthiae 1967, ill. 89, 101-102, 136, 145, 177, 196, 228, 229, 338-339. Sur Saint-Vital, C.-O. Nordström 1953, pp. 23-25 ; K. R. Brown 1979, p. 57. Sur Saint-Apollinaire in Classe, Deichmann 1958, pl. XII-XIV. Pour un arrangement similaire dans le travail du métal byzantin, Hahnloser 1965-1971, tav. I, II, et II, n° 72 et tav. LX). Théophile (1961, II, xxviii) signale la continuité du succès de cette association en Occident ; sur des manuscrits occidentaux, Grabar et Nordenfalk 1957, p. 155 ; de Hamel 1986, pl. 36.
52 Dans un poème allemand du XIIe siècle sur la Jérusalem céleste qui semble être le seul récit précis sur la répartition de ces pierres (in Schroeder 1972, I, pp. 96-111), le *jaspis* est réservé aux fondations tandis que le *saphirus*, le *smaragdus*, le *calcedonius* et le *sardonix* sont consacrés aux murs (*cf.* Lichtenberg 1931, pp. 14 sqq.).
53 Evans 1922, pp. 212-213. Certains commentateurs pensent que « Damigeron » est un auteur tardif de la fin du VIe siècle ap. J-C.
54 Isidore de Séville (*Étymologies* XVI, ix), suivant en cela Pline l'Ancien (XXXIII, xxi, 68) déclare que le *saphirus* n'a jamais été une pierre transparente et fait référence à son caractère pourpre, comme dans le lapidaire paléochrétien d'Épiphane (in *Patrologia Graeca*, XLIII, col. 297).
55 *Cf.* les feutres que Charlemagne fit envoyer à Haroun al-Rachid (*Monumenta Germaniae Historica Scriptores Rerum Germanicarum* 1960, p. 63).
56 Bède le Vénérable, *Patrologia Latina*, n° 48 ; Hughes de Saint-Victor, *ibid.*, CLXXVI, col. 820 sq.
57 Le récit le plus ancien sur cette pierre, qui remonte au Ve siècle ap. J.-C. (Solinus 1958, pp. 135 sq.), concerne sa variante bleue, mais un texte de Costa Ben Luca de la fin du IXe siècle en décrit les trois types ; cette version fut reprise par Marbode (1977, pp. 17 sq.). Par contre, Herrad Von Landsberg décrit le *iacinthos* comme une pierre bleue (Lipinsky 1962, p. 146 ; l'ouvrage de Lipinsky contient aussi des sources importantes sur les lapidaires du XVe siècle).
58 Théophile 1961, II, xii. Dodwell le traduit par « white » mais dans ce cas *album* devrait signifier « incolore » comme dans II, vi, xv, xvii. L'emploi de *saphirus*, dans le contexte des tesselles de mosaïques se retrouve dès le IXe siècle dans une description de Sedulius de Liège (Traube III, 1896, p. 198).
59 Théophile 1961, II, xxviii ; aussi *Mappae Clavicula* 1974, pp. 67, 88.
60 Sur le récit le plus ancien, Hubert 1949, pp. 72-73. Le texte du XIIIe siècle fait déjà référence aux « saphirs » (Viard 1927, p. 257) ; Montesquiou-Fezensac 1973, pp. 90 sqq., 285 sqq. Voir aussi Albert le Grand 1907, pp. 41, 97 sq., 115 sq.
61 Martindale 1972, surtout chap. IV, pp. 80-81.
62 Berksmann 1967, pp. 14 sqq., 42.
63 Wenzel 1949, pp. 54 sq. Sur l'association des peintres et des maîtres verriers au sein des même guildes à la fin du Moyen Âge, Cahn 1979, p. 11. *Ad faciendum emallum*, traité anglais du début du XIVe siècle, suggère que les joailliers ne connaissaient plus les recettes des peintres verriers (1846, p. 172).
64 P. Lillich, « European Stained Glass around 1300 : the introduction of silver stain » in Liskar 1986, pp. 45-60.
65 Morgan 1983, pp. 35 sq. Le texte latin le plus accessible se trouve dans Lehmann-Brockhaus 1955-1960, I (1955), n° 2372.
66 F. Nordström 1955, surtout p. 268, a suggéré le lien avec Grosseteste mais il n'a pas eu beaucoup d'influence. Eastwood 1966, pp. 313 sqq., a étudié la théorie de Grosseteste. Le Jugement dernier dans la rosace nord, v. 1200-1235, comporte un Christ juge assis sur un arc jaune et pourpre (Morgan 1983, H.I.).
67 Sur Thomas Gallo, de Bruyne 1946, III, Pseudo-Denys 1950, I, pp. 673 sqq. et surtout 683 ; Albert le Grand 1972 ; Thomas d'Aquin 1950 ; Engelbert 1925. Lillich, in Verdon et Front 1984, pp. 225 sq., a suggéré que la réputation d'hérétique lancée à l'encontre de Jean Scot Érigène au XIIIe siècle pouvait expliquer la disparition de la théologie négative dionysienne jusqu'à la Renaissance ; sa référence (p. 250, note 84) à un manuscrit du milieu du XIIIe siècle (Londres, Lambeth Palace) comportant des versions parallèles de Scot Érigène, de Sarrazin et de Gallo affaiblit cependant son argumentation.
68 Albert le Grand 1972, p. 189
69 Pseudo-Denys 1950, *Hiérarchie céleste* XV, vii. Pour *chlôron*, *cf.* chap. 2, note 7.
70 Herrad Von (Landsberg) Hohenbourg, 1979, I, p. 89.
71 Hildegarde de Bingen, *Le Livre des subtilités* IV, *Patrologia Latina*, CXCVII, col. 1247 sqq.
72 Vincent de Beauvais 1624, XI, chap. cvi. Il cite en particulier le saphir.
73 Th. de Cantimpré 1973, pp. 355, 359 ; aussi Arnolde de Saxe 1905, p. 70.
74 Albert le Grand 1967, pp. 61 et 77. Sur l'association de l'escarboucle et de l'or, Ganzenmüller 1956, pp. 85 sqq. et pour la réputation de cette pierre dans la littérature médiévale, Ziolkowski 1961, pp. 313 sqq. ; A. R. Harden 1960, pp. 59 sqq. Sur l'identification du grenat à l'escarboucle au Moyen Âge et sur leur grande valeur, Arrhenius 1985, pp. 23 sqq. *De Proprietatibus Rerum* (v. 1230), le traité très lu de Barthélémi l'Anglais, suggère que le saphir est la mère de l'escarboucle (XVI, chap. 86). À la fin du XIIIe siècle, on les appelait les « gemmes des gemmes », Studer et Evans 1924, pp. 120, 126.
75 Albert le Grand 1967, pp. 54 sqq.
76 *Cf.* M. Meiss, in Gilbert 1970, pp. 49 sqq. Pour les propos de Bacon sur la transparence (*Opus Maius* Pt IV, dist. iv, chap. i), Hills 1987, p. 66.
77 Grosseteste 1912, p. 202 ; Albert le Grand 1968, pp. 108, 123 ; Bacon 1897-1900, II, pp. 409, 412, 456, 510, 519 ; Pecham 1970, pp. 89, 559 ; Bartholomé de Bononia 1932, pp. 373 sq.
78 Sur l'importance de la transparence dans l'art du vitrail, Schöne 1979, n.39.
79 Guillaume d'Auvergne 1674, Supplementum 207 ; Théodoric de Freiberg, in Wallace 1959, pp. 370 sq. Pour le verre couleur rubis, Johnson 1964, pp. 53-57. Gauthier 1981, pp. 35, 38, remarque le statut spécial de l'émail *rouge clair* à l'époque.
80 Sur la taille du béryl indien, Pline XXXVII, xx, 76-77, suivi par Isidore de Séville, *Étymologies*, XVI, vi. Pour la taille à la scie d'autres pierres, Théophile 1961, II, xcv. Le Victoria and Albert Museum de Londres possède un collier romain avec des améthystes à facettes (1852-1863) et des colliers vikings des IXe et Xe siècles avec des cornalines aux facettes délicates se trouvent dans les musées des Antiquités nationales d'Helsinski et de Stockholm ainsi qu'au musée universitaire des Antiquités nationales à Oslo.
81 Au milieu du XIIIe siècle, Bacon avait remarqué que les diamants n'étaient pas polis au sang de chèvre, comme l'avait indiqué Pline (XXXVII, xv, 55-61), mais taillés avec des fragments de la même pierre (Pt VI, i, II, 1897, 168 ; III, 1900, 180). Un inventaire français de 1322 fait référence à une émeraude « taillée à manière de dyament » (Falk 1975, p. 52), ce qui suggère que le facettage était déjà pratique courante. Sur l'étude de la réfraction au Moyen Âge, Grant 1974, pp. 420 sqq. ; Eastwood 1967, pp. 406 sqq. ; Lindberg 1968-1969, pp. 24 sqq.
82 Dans le lapidaire byzantin de Psellos du XIe siècle (1980, p. 77), le diamant est déjà considéré comme la plus importante des pierres, mais jusqu'au début du XVe siècle à Venise, les rubis étaient deux fois plus précieux que les diamants à facettes et ce fut encore le cas pendant quelques siècles (Sirat 1968, pp. 1075-1076). Toutefois, pour des valeurs de diamants plus élevées au début du XVIe siècle, voir aussi Heyd 1936, pp. 655 sq. Sur le problème d'identification des diamants dans la littérature lapidaire ancienne, Barb 1969, pp. 66-82.
83 Pour la littérature allemande et française Weise 1939, pp. 477 sqq. ; Lydgate 1891, II, pp. 46 sqq.
84 Lightbown 1978, pp. 64, 78 sqq. ; Gauthier 1981.
85 Thompson 1936, pp. 144 sq. et surtout *De Arte Illuminandi* 1975, p. 193. Sur l'art de la fresque, Tintori et Meiss 1962, pp. 90, 133. Sur le vocabulaire du vernissage, Ploss 1960, p. 73, note 14, p. 321, note 57.
86 On note cette curiosité pour les prix chez les couches populaires dans un roman comme *Éec et Énide* de Chrétien de Troyes, II. pp. 1578 sqq., où il est dit qu'une robe *vert porpre* a été ornée de plus de 200 marques d'or frappé ; mais, comme le démontre l'un des derniers éditeurs du texte, ce chiffre varie d'un manuscrit à l'autre et dans l'un d'eux il n'est plus que d'1/2 marque (1987, p. 314) ! Suger n'allait pas jusqu'à étiqueter ses objets mais la pratique n'était pas rare à l'époque. (Schlosser 1896, p. 297 ; Krempel 1971, p. 24 ; Gowen 1976, p. 168).
87 Sur le rôle social de l'orfèvre au Moyen Âge, Claussen 1978, pp. 47 sqq.
88 *De administratio* XXXIII ; Ovide, *Les Métamorphoses* II, 5. Sur l'emploi fréquent de cette citation chez Suger, Panofsky 1979, p. 164. Pour d'autres exemples anciens, Schlauch 1932, p. 513 ; Söhring 1900, p. 502 ; Frisch 1971, p. 39.
89 Alessio 1965, pp. 83, 156 sqq. ; Sternagel 1966, p. 121 ; Ovitt 1983, pp. 89-105 ; pour une étude approfondie, Whitney 1990.
90 Les ouvrages suivants contiennent deux exemples architecturaux relatifs au dessin plutôt qu'aux matériaux, Mortet 1911, pp. 166

Lemberg et Stolleis 1981, p. 17. Sur cette association de couleurs dans la peinture sur bois et les vitaux de la fin du gothique, Frodl-Kraft 1977-1978, surtout p. 114 ; E. FrodlKraft, « Farbendualitäten, Gegenfarben, Grundfarben in der gotischen Malerei », in Hering-Mitgau *et al.* 1980, surtout p. 294.

97 Melis 1, 1962, p. 570.

98 Sur *glaucus* et *ceruleus*, voir p. 35, note 90 *supra*. Pour *bloi*, Weise 1878, p. 288. La couleur mixte de la topaze lui confère une double interprétation : le bleu pour le ciel et l'or pour la divinité (Bach 1934, vv. 4389 sqq.). Malgré la mention de ces deux couleurs dans la tradition d'Isidore de Séville, seule la couleur dorée fut nommée (Marbode 1977, pp. 50 sq.). Sextus Amarcius (XIIe siècle) écrit que la topaze est blanche, rouge et verte et qu'elle symbolise donc l'unité des vertus théologales chez saint Paul (1969, pp. 183 sqq.). Sur *blao* en haut allemand ancien, König 1927, p. 150. Pour les langues slaves, Herne 1954, p. 71 ; McNeill 1972, p. 21. Il semble qu'un manuscrit français de la fin du Moyen Âge sur la physionomie emploie le terme *bloi* dans les deux sens : jaune pour la peau et bleu pour les yeux, tous deux symboles de courage (Jordan 1911, pp. 702 sq.). Un chercheur qui travaillait sur la terminologie des couleurs en grec a découvert que *karopos* signifiait sans doute « ambre » et « bleu clair » tout en trouvant cela peu probable (Maxwell-Stuart 1981, p. 219). Frodl-Kraft 1977-1978, p. 99, a vu dans les vitraux de la Sainte-Chapelle achevés à Paris en 1248 une tonalité bleu-jaune ; la force de cet exemple réside dans la nature ambiguë des armoiries bleu-jaune des rois de France (lys d'or sur champ azur).

99 Gage 1978, p. 507.

100 Forbes 1964-1972, IV (1964), p. 110.

101 Pastoureau 1986, pp. 90 sq.

102 Pastoureau 1982, p. 133, a remis en cause l'idée ancienne qui voulait que les graveurs de sceaux eussent recours aux hachures pour indiquer les couleurs ; des lettres majuscules furent parfois utilisées au XVIe siècle pour en donner l'indication (Seyler 1889, pp. 591 sqq.).

103 *Pompa funebris optimi potenties principis Alberti Pii archiducis & c. veris imaginibus expressa a Jac. Francquart,* Bruxelles, 1623, pl. XXIX-L.

104 Vulson de la Colombière 1639. Ce système fut utilisé pour la première fois en Allemagne en 1643 (Seyler 1889, p. 591) et le *Wappenbuch* (1655) de Siebmacher en fait l'éloge. Pour l'Angleterre, *cf.* Evelyn 1906, p. 127.

105 Humbert de Superville 1827, pp. 8-22. Sur le contexte, Stafford 1972, pp. 311-335.

106 Souriau 1895, p. 859. L'esthétique du dynamisme de Souriau a été étudiée par Roque 1990, pp. 15-18.

6 Détisser l'arc-en-ciel

1 Priestley 1772, II, p. 588.

2 Boyer 1959 ; Nussenzveig 1977, p. 116-127 ; *Regenbogen* 1977, pp. 175-252.

3 Priestley 1772, I, p. 50.

4 Raehlmann 1902, pp. 11-12 ; Westphal 1910, pp. 182-206 ; Boigey 1923, pp. 18-19 ; Dimmick & Hubbard 1939, pp. 242-254 ; Beare 1963, pp. 248-256.

5 W. Preyer, *Die Seele des Kindes*, 2e éd., 1884, p. 16, in Waetzoldt 1909, p. 355. Les couleurs étaient : rouge, jaune, vert et bleu, soit les mêmes que la série proposée au XIVe siècle par Théodoric de Freiberg (Boyer 1959, p. 113), sauf que Théodoric préfère le violet au bleu. Sur la prééminence de deux couleurs, *cf.* Beare 1963, p. 250, ill. 1 et le *Stjórn* norvégien : « Bien que l'arc-en-ciel semble contenir six couleurs, deux d'entre elles [le rouge et le vert foncé] sont dominantes » (cité par Dronke 1972, p. 71). Voir aussi la note dans un exemplaire en couleurs du *Fasciculus Temporum* de Rolewinck (Strasbourg, 1493) : l'arc comporte deux couleurs principales, même si certains parlent de 4 ou 6 (cité par Rösch 1960, pp. 422-423).

6 Sur le bouddhisme en Afghanistan, *cf.* B. Rowland Jr., « Studies in the Buddhist art of Bamiyan : the Bodhisattva of Group E », in Baratha Iyer 1947, pp. 46 sqq. Sur les cultures indiennes d'Amérique latine, *cf.* Lévi-Strauss 1970, pp. 246 sqq. L'Art Gallery de Perth (Australie) abrite une collection de peintures aborigènes sur barque, illustrant le mythe (Nord-Arnhemland) des sœurs Wannelak et du serpent-arc-en-ciel. Sur l'histoire moderne des parhélies et des gloires, *cf.* Greenler 1980. L'histoire des confusions des couleurs stellaires a été étudiée par Boll (1918) et par Malin & Murlin (1984), pp. 1-24, 88-90.

7 Menzel 1842, p. 259.

8 Dürbeck 1977, pp. 42 sqq. ; Isidore de Séville 1960, pp. 284-285 ; Ovide, *Métamorphoses*, VI, 65-67, cité par Sénèque, *Questions naturelles*, I, 3.4 ; Virgile, *Aenéide*, IV, 700 et V, 88.

9 Sur Aëtius, *cf.* O. Gilbert 1907, pp. 609-610 ; Ammien Marcellin, *Histoire* XX, 27. Ammien donne sur ses séries étonnantes un commentaire étonnamment rationnel.

10 Rosenthal 1972, p. 45 ; ill. coul. in Eggenberger 1973, p. 34.

11 Sur la mosaïque de Pergame, *cf.* Merckev 1967, pp. 81-82 ; pour une restitution en couleurs, Kawerau & Wiegand 1930, pl. VIII.

12 Sur Grégoire-le-Grand, *cf. Patrologie latine* 1844-1855, LXXVI (1854), col. 67-68 ; Hugues de Saint-Victor, dans le quatrième livre de son encyclopédie *De Bestiis et aliis rebus*, propose les mêmes couleurs mais dans l'ordre inverse, ce que Grégoire ne précisait pas (*ibid.*, CLXXVII, col. 149). Pour la Renaissance, voir ci-dessous.

13 Boyer 1959, pp. 48-49 ; Stornajolo 1908, p. 41, pl. 39 ; Cornelius à Lapide 1865, I, p. 134 ; Picinello 1697, p. 96.

14 Manuscrit de Claudius B. IV (British Lib. Cotton), folio 16v, in Henderson 1962, p. 189, ill. 35b ; saint Jérôme, in *Patrologie latine* 1844-1855, XXV (1845), col. 31. L'idée fut reprise au XVIe siècle par Dolce (1565, folio 6v). Une formule chromatique très rare dans les représentations d'arc-en-ciel est la version littéraire de l'arc quadrichrome, souvent rattaché aux quatre éléments, humeurs et saisons (plusieurs exemples in Wackernagel 1872, I, pp. 146-147 ; Hellmann 1904, pp. 39-40, 87 ; Maclean 1965, pp. 144-145, 213 sqq. ; M.-T. Vorcin, « L'arc-en-ciel au XIIIe siècle », in CUERMA 1988, pp. 231-234). Comme on l'a vu au chap. 2, il n'y avait pas unanimité au Moyen Âge sur ces couleurs élémentaires.

15 Dante, *Purgatoire*, XXIX, v. 76-78 ; *Paradis*, XII, v. 10-12 ; Austin (1929, pp. 316-317) cite le commentaire de Landino (XVe siècle) selon qui Dante pensait en réalité à 4 couleurs, le rouge, la sanguine, le vert et le blanc ; Boyer 1959, pp. 108-109, et p. 62 pour une théorie grecque des 7 couleurs, attribuée à Ptolémée.

16 Manuscrit de Claudius B. IV (British Lib. Cotton), folios 2 & 4v. Voir aussi Meyer 1961, p. 83.

17 Weixlgärtner 1962, pp. 95-96 ; Behling 1968, pp. 11-20. Pour un prototype peut-être plus terrestre de la gloire d'Issenheim, *cf.* p. 152 ci-dessus.

18 Weixlgärtner 1962, pp. 95-97.

19 Weixlgärtner attribue ces manques à un effet abrasif des nettoyages et restaurations répétés.

20 Weixlgärtner 1962, p. 20 ; Thiel 1933, pp. 168-169.

21 *Patrologie latine* 1844-1855, XXV (1845), col. 31. Voir aussi un émail de Limoges du XIIe siècle (Musée de Cluny), où le trône en arc-en-ciel est fait de deux valeurs de bleu, alors que d'autres couleurs sont aussi utilisées dans le motif.

22 *Cf.* les exemples de Rogier van der Weyden, *Le Jugement dernier* (Beaune) ; Stefan Lochner, *Le Jugement dernier* (Cologne, Wallraf-Richartz Museum) ; Jérôme Bosch, *Triptyque du Jugement dernier* (Vienne, Akademie) ; J. B. Zimmermann, la fresque du *Christ Juge* (plafond de la Wieskirche, Bavière). Voir aussi Cornelius à Lapide 1865, I, p. 134.

23 Ripa 1611, pp. 198-199. L'origine de l'emblème n'a pas été retrouvée par Mandowsky (1939), et pourrait être de l'invention de Ripa. Pourtant un bijou élisabéthain aurait montré une figure de VIRTUTE (ou VIRGO) tenant un compas et debout sur un arc-en-ciel (Graziani 1972, p. 251, n. 9)

24 Butlin 1981, n° 268-271. L'emblème de Ripa est mentionné par Blunt (1938, pp. 53 sqq.) en relation avec ce dessin, mais Navnavutty (1952, p. 261) conteste l'idée que Blake ait connu Ripa. Le rapport entre le *Newton* de Blake et le *Jugement* de Ripa est sémantique et non iconographique.

25 Ripa 1611, pp. 198-199. Sur Campanella, *cf.* Garin 1950, p. 275.

26 Ripa 1611, pp. 275-277.

27 Richter 1970, I, pp. 229-230, 300.

28 Carli 1960, pl. coul. 126 ; le dessin des Offices (Florence) est reproduit dans Van Marle 1923-1938, XIV (1933), p. 269, ill. 176. Carli (1974, p. 12) soutient que l'arc de Pinturricchio dérive d'une fresque de Sodoma. Voir également Piccolomini 1960, pp. 30, 36.

29 C. Gilbert 1952, pp. 202-216 ; Gombrich 1966, pp. 107-121. Il y a, par exemple, un arc-en-ciel dans la *Décollation de saint Jean-Baptiste* de Niklaus Manuel l'Aîné (Bâle, Kunstmuseum).

30 Castiglione 1946, p. 127 ; Sorte in Barocchi 1960-1962, I, p. 275. La plupart des textes du XVIe siècle semblent dériver de Castiglione.

31 Wethey 1969-1975, III (1975), n° 11 (v. 1566), 43, 44, (v. 1560-1565).

32 Valla 1501, XXI, xxxvii ; XXII, xxiii.

33 Brucioli 1537-1538, II, xix, 32v-35v. Brucioli fut un traducteur important d'Aristote. Ses *Dialoghi* ont été brièvement étudiés par C. Dionisotti, « Tiziano e la letteratura », in Pallucchini 1978, pp. 268-269.

34 Weixlgärtner 1962, p. 93.

35 Reynolds 1991, p. 82 ; Leslie 1951, p. 299.

36 Roger de Piles 1743, pp. 127-128.

37 Teyssèdre 1963, pp. 266-267. Piles fait référence à l'arc-en-ciel pour en distinguer la coloration de celle des nuages (1743, p. 129). Deperthes (1822, pp. 4-5) qualifie Rubens de maître es accidents de lumière, mais sans mentionner l'arc-en-ciel.

38 Adler 1982, n° 29, 36, 39, 40, 47, 54, 55.

39 Cologne, Wallraf-Richartz Museum. *Le Sacrifice de Noé* de König (Berlin, Staatliche Museen, Dahlem, 1843) présente un arc double (sans inversion) avec une triade en blanc, jaune et gris-bleu, similaire sur une esquisse à la gouache (Hazlitt, Gooden & Fox, *European Drawings : Recent Acquisitions*, Londres, 1988, n° 48 en coul.).

40 Teyssèdre 1963, p. 267 ; Glück 1945, n° 15. La version conservée à l'Ermitage du *Paysage champêtre avec arc-en-ciel* semble être un exemple précoce d'une observation précise du ciel plus sombre à l'extérieur de l'arc.

41 Parkhurst 1961, pp. 34-50.

42 Lettre de Peiresc à Rubens du 27 oct. 1622, in Rubens 1887-1909, II, p. 57. Le contenu de l'échange ne nous est pas parvenu, mais il pouvait se rapporter au *Mariage de Marie de Médicis avec Henri IV à Lyon*, puisque Peiresc enchaîne avec une remarque sur une « victoria romana in habito di Minerva » ; ce qui concorde avec la figure montée sur un char, dans cette image.

43 Paradin 1557, p. 64 ; Picinello 1687, ch. XVIII, § 255. À coup sûr, c'était un signe peu approprié à la reine qui présida au massacre de la Saint-Barthélemy en 1572.

44 Sur la confusion par Rubens des signes astrologiques des reines, *cf.* Rubens 1887-1909, III, pp. 10-11.

45 Sur Descartes, *cf.* Boyer 1959, ch. 8.

46 Lettre de Goethe à Eckermann du 18 avril 1827, in Gage 1980 b, pp. 205-206.

47 Ruskin 1900-1912, XXII, p. 212, note. Le tableau est le n° 55 in Adler 1982.

48 Finberg 1909, I, p. 192. Le tableau est le n° 40, *ibid.*

49 J. Smith 1829-1842, VI (1835), pp. 25-26.

50 J. W. Goethe, *Ruysdael poète*, in Gage 1980 b, pp. 213-215. Goethe ne mentionne pas l'arc-en-ciel, qui n'apparaît pas dans la copie sépia due à C. Lieber dans la collection de Goethe. Il n'était peut-être pas visible dans le tableau, que Smith dit être très sombre à cette époque. Pour une interprétation plus ancienne dans la même veine, *cf.* C. F. von Ramdohr in Friedrich 1968, p. 153 ; sur la lecture moralisante de Constable d'autres toiles de Ruysdael, *cf.* Leslie 1951, p. 319.

51 Rosenberg 1928, pp. 31-32 et ill. 59-60 Les deux dessins furent gravés en 1670. Voir l'étude récente de leur contexte de création par Sutton 1987, p. 100.

52 Sur *Le Triomphe de la peinture* et *L'Été*, tiré des *Quatre saisons* (Cropper 1984, ill. 56), conservés dans la collection de Goethe, *cf.* Schuchardt 1848-1849, I, p. 87, n° 833-834.

53 Baldinucci V, 1728, pp. 479-480.

54 Pour une étude comparée des interprétations de la mort de Testa, *cf.* Sutherland-Harris 1967, pp. 35-69.

55 Cropper 1984, p. 236, et p. 218, 240, 244.

56 Lopresti 1921, p. 75, ill. 10.

57 Bottari 1822/1882, pp. 450-451.

58 Sur les voyages de Gilpin, *cf.* Barbier 1963 ; sur son influence, Hussey 1927 et

Manwaring 1925. Sur sa palette, Barbier 1959a, n° 71, 81 ; sur le traitement par Clark de *Gilpin's Day*, Barbier 1963, p. 85.
59 Barbier 1959b, pp. 25-26.
60 Hussey 1927, p. 124. Une autre figure du mouvement pittoresque, Uvedale Price, renvoie aussi aux effets atmosphériques de Rubens, les qualifiant de « sublimes et pittoresques » (Price 1810, I, pp. 130-131).
61 Valenciennes 1800, p. 217 ; Rehfues 1804-1810, IV, pp. 150-151 ; Rogers 1956, p. 275.
62 Wilson 1927, I, p. 253.
63 Carus 1835, II, pp. 64-65 ; Rogers 1956, pp. 205-206.
64 Voir son étude pour *Obere Staubbachfall im Lauterbrunnental* (Aarau, Kantonale Kunstsammlung, Raeber 1979, n° 181), son tableau *Das Wehr bei Mühletal östlich Innerkirchen* (1776, Zurich, Landesmuseum, *ibid.*, n° 252) et les deux versions de *Schneebrücke und Regenbogen in Gadmental* (1778, Bâle, Kunstmuseum, et Berne, Kunstmuseum, *ibid.* n° 381-382).
65 Byron, Journal, 23 sept. 1816. Il accroît aussi la réputation des arcs-en-ciel de Terni en les insérant dans *Childe Harold's Pilgrimage*, IV, pp. 69-72, et note.
66 Decker 1957, p. 132. L'esquisse n° 174 (ill. 325) correspond fidèlement à ce texte.
67 Miquel 1962, p. 87.
68 Leslie 1860, I, pp. 193-194 ; voir aussi Valenciennes 1800, p. 217.
69 Kitson 1937, p. 166.
70 Grigson 1960, p. 15. Quelques pages plus loin, dans le même carnet, Palmer fit l'essai d'un arc-en-ciel spectral (Butlin 1962, p. 163), mais on ne lui connaît aucune composition avec ce sujet.
71 Bierhaus-Rödiger 1978, n° 251, 467, 615, 626.
72 Friedrich ressentait fortement la signification religieuse de l'arc, cela se voit bien à l'emploi qu'il en fait derrière un crucifix dans un dessin (Börsch-Supan & Jähnig 1973, p. 229) et à certaines de ses remarques vers 1830 (Friedrich 1968, p. 112). Une enluminure attribuée à Pinturricchio, conservée au Vatican, montre aussi un arc à trois bandes juste derrière la Croix (Vat. Bibl. Barberini, Lat. 614, folio 219v). Pour une interprétation de celui de Friedrich comme un arc de lune, *Caspar David Friedrich* 1974, n° 80. Pour une étude des arcs de lune en Allemagne à cette époque, Gilberts Annalen der Physik, XI, p. 480 ; Schweiggers Journal, LIII, 1828, p. 126, cité par Menzel 1842, p. 274.
73 *Artists' Repository*, III, 1808, p. 93.
74 Butlin & Joll 1984, n° 347. Le halo fut identifié pour la première fois par Bell en 1901, n° 182.
75 Gage 1980a, n° 288. Turner ne fait pas mention du halo.
76 Farington 1978-1984, 13 juil. 1813. C'est probablement West qui conseilla à Constable que ses ciels soient « un drap blanc jeté derrière les objets » (Leslie 1951, p. 85, *cf.* p. 14).
77 [Pott] 1782, pp. 52-53. Voir aussi Turner sur les avantages du climat britannique, dans une conférence de l'Académie vers 1810 (Gage 1969, pp. 213-214).
78 Miquel 1962, pp. 112-113.
79 Butlin 1981, n° 368 ; Blake 1956, p. 633.
80 *Cf.* Valenciennes 1956-1957, les études n° 3 et 4 sont au dos de calendriers pour les années 1785 et 1786 ; les n° 17 et 86 sont datés de 1817 ; les n° 72 et 100 comprennent des arcs-en-ciel. Voir aussi Valenciennes 1800, pp. 219-220, 227, 260.
81 Musper 1935, pp. 182-185. Koch rapporte que les chutes passaient pour supérieures à celles de Terni, mais son esquisse ne montre pas d'arc-en-ciel (p. 183).
82 Francfort, Städel Institute ; la version de 1814-1815 est à Berlin, au château de Charlottenburg (Jaffé 1905, p. 37).
83 Sur Koch et Rubens, *cf.* Jaffé *ibid.*., p. 321. La version de Karlsruhe date peut-être de 1805 (*ibid.*, pp. 42-43) et le tableau de Munich de 1815 ; sur *le Cavalier* de Stuttgart, *cf.* *The Romantic Movement* 1959, n° 235.
84 Rottmann a copié dans sa jeunesse le paysage de Koch conservé à Munich (Decker 1957, n° 14). *Le Château d'Heidelberg* de Wallis, qui comprend un arc-en-ciel, est au Goethe-Haus de Francfort ; pour un dessin en rapport, *cf.* Baudissen 1924, p. 38, ill. 17. D'autres paysages avec arc-en-ciel sont référencés (n° 12, 20). Sur la relation entre Koch et Wallis, *ibid.* p. 17. Olivier faisait partie du cercle de Koch à Vienne vers 1816 (Grote 1938, p. 122, 156-157), quand il peignit un arc-en-ciel dans son *Hubertuslegende* (*ibid.* pp. 127-130, ill. 67) et plus tard dans sa *Captivité à Babylone* (1825-1830, *ibid.* pp. 335-336, ill. 213).
85 Abrams 1958, p. 300.
86 Haydon 1926, I, p. 269 ; plus sèchement dans Haydon 1960-1963, II, p. 173.
87 Haydon 1876, II, pp. 54-55 ; Abrams (1958, p. 306) oublie que Wordsworth finit par lever son verre.
88 Voir son émerveillement devant un lever de soleil dans le Devon, rapporté par Redding 1858, I, p. 123.
89 Ruskin, *Praeterita*, I, iii, §63.
90 Ruskin, *Peintres modernes*, III, 1856, 4e partie, chap. xvii, §42.
91 Sur Goethe, Barry, Runge et Turner, voir ci-dessus les pages 108-115. Sur Palmer, *cf.* Palmer 1892, p. 314, 319, 328 ; sur Olivier, voir son poème *Schönheit in Grote* 1938, p. 4 ; sur Overbeck, *cf.* Overbeck 1843, p. 10, où Raphaël est habillé de blanc « en symbole de son génie universel, réunissant toutes les qualités que nous admirons chez d'autres de manière séparée, de même que les rayons de lumière contiennent les sept couleurs du prisme ».
92 Rosetti 1895, II, p. 328, 19 janv. 1876.
93 Hunt 1905, I, pp. 159-160.
94 Newton 1730, I, ii, prop. V, théorème iv, expérience 15. Dans la 9e expérience, sont implicites au moins 5 primaires.
95 Field 1845, pp. 182-185.
96 Barry 1783, p. 116, 120-121 ; pour une étude du tableau, *cf.* Pressly 1981, pp. 113-122, 294-298.
97 Barry 1809, I, pp. 524-526 (1793 ?). Voir aussi Dayes 1805, p. 299.
98 Novalis 1956, p. 100. Sur Smart, *cf.* Greene 1953, pp. 327-352.
99 J'ai étudié longuement cette question : Gage 1971, pp. 375-376.
100 J. T. Smith 1920, II, p. 384 ; voir ce qu'en dit Palmer, in Palmer 1892, p. 243.
101 Field 1845, p. 69, 116-118 ; sur l'identification de Turner, voir l'index de Field. Sur Martin, *cf.* *Somerset House Gazette*, 15 mai 1824, p. 81.
102 Léonard de Vinci 1721, p. 72 (réimp. 1956, § 185).
103 Sur les couleurs « nobles » de l'arc-en-ciel, par opposition aux pigments, *cf.* Pecham 1970, p. 236, d'après les *Météorologiques* d'Aristote, 372a ; ainsi que Grosseteste 1912, *De Iride*, p. 77. Voir aussi Pecham (*ibid.*, p. 234) sur la noblesse de ces couleurs « porteuses de lumière ». Il semble que Vinci ait adopté à un moment une position contraire à Aristote sur la représentation picturale de l'arc-en-ciel : il soutient que le principe même du mélange des couleurs pourrait permettre d'expliquer le phénomène (Richter 1970, I, p. 229, § 287). Il signale aussi la fusion des couleurs au centre de l'arc (manuscrit E, frontispice, verso, cité par Duhem 1906-1913, I, pp. 173-174, où l'approche de Vinci est comparée à celle de Timon le Juif, XIVe siècle ; sur ce dernier, voir Crombie 1961, pp. 261 sqq.).
104 Lewis 1987, pp. 71 sqq.
105 Menzel 1842, p. 265.
106 Boèce 2004, p. 321. Sa source est dans *les Harmoniques* de Ptolémée, *cf.* Barker II, 1989, p. 283 (où les couleurs ne sont pas précisées, cependant). Sur la connaissance qu'avait Vinci du traité de Boèce *Sur la Musique*, *cf.* Solmi 1976, p. 104.
107 Junius 1638, p. 280 (avec une référence à Boèce, V, 4). Voir aussi p. 258 : le terme *harmogē* est un emprunt à la musique. Une autre analyse du terme, assez improbable, avance la signification de fusion optique (Keuls 1978, pp. 77-78). Voir p. 227 ci-dessus.
108 Barbaro 1568, p. 176.
109 Van Mander 1973, pp. 188-191 (VII, 22-2).
110 Farington 1978-1984, 24 mars 1804.
111 *Ibid.* 4 déc. 1817. D'après les notes prises par Calcott à cette conférence, nous savons qu'à part les étudiants et lui-même étaient aussi présents Henry Howard, Fuseli, Turner, Thomson, Chalon, Mulready et le prince Hoare (manuscrit de l'Ashmolean Museum, Oxford, cote AWC 1h, folios 1701, pp. 204 sqq.). Nous pouvons supposer que Leslie y était également, puisqu'il fut l'informateur de Farington.
112 *Annals of the Fine Arts*, II, 1818, pp. 537-538.
113 *Sur le portrait*, *cf.* Schweizer 1982, p. 437.
114 Callcott, voir note 111 ci-dessus, pp. 205v-207v.
115 « Durant ses observations sur l'Annanias [*sic*], M. West souligna dans le traitement de la couleur bleue entre le rouge et le jaune, sur les principaux Apôtres, le sentiment de Raphaël pour composer de belles formes en couleurs, remarquant qu'afin d'éviter de faire deux pointes de bleu sur la poitrine et sous la tunique jaune de saint Pierre, il avait non seulement prolongé le bleu au disciple voisin, mais encore à celui qui suivait » (folio 207v). Après la conférence, Howard demanda à West quel était le rouge le plus brillant dans le tableau ; à quoi West répondit celui de droite. Howard objecta en retour que ce n'était pas le rouge le plus proche de la source lumineuse du tableau, comme sa théorie l'exigeait. West répondit à cela ainsi qu'à une objection similaire (à savoir que le jaune le plus brillant était sur saint Pierre) en affirmant que Raphaël avait voulu diriger l'attention du spectateur sur ces deux personnages (folio 205v).
116 Forster-Hahn 1967, pp. 381-382. L'amorce d'une théorie combinant les couleurs chaudes et froides à partir de l'arc-en-ciel est suggérée dès 1774 par Copley, le peintre américain et associé de West (Copley 1914, p. 240). À la fin des années 1770, les étudiants de la Royal Academy apprenaient (peut-être par West) que le modelé de fruits comme les pêches et les poires présentait aussi une séquence prismatique (Sowerby 1809, pp. 3-4). Voir également la recette pour peindre un coucher de soleil dans Hayter 1815, p. 168.
117 Galt 1820, II, p. 115 ; Farington 1978-1984, 11 déc. 1797.
118 Leslie 1860, I, pp. 57-58. Pour un paysage de West avec arc-en-ciel, *cf.* Von Erffa & Staley 1986, n° 478.
119 Voir la version qui figure dans le traité de l'aquarelliste John Thirtle (1777-1839), in Allthorpe-Guyton 1977, p. 31, et n° 20 pour une aquarelle avec un arc de 6 couleurs. Thirtle semble s'inspirer surtout de Léonard de Vinci et Van Mander. Sur Cézanne, *cf.* p. 210 ci-dessus.
120 J.-B. Descamps, *Les Vies des peintres flamands* 1753, I. Hogarth 1955, p. 133 ; Reynolds, *Discours* VI, 1774.
121 *Musée de Montpellier : la Galerie Bruyas* 1876, pp. 361-363. Pour une ill. coul., Johnson 1963, pl. 5. Sur le tableau (maintenant au Louvre), Johnson 1981-1989, n° 100 et pl. II.
122 Sand 1896, pp. 84-85.
123 Delacroix 1980, 13 janv. 1857.
124 Runge 1959, p. 62, 111 ; voir aussi lettre du 16 janv. 1803, in Runge 1840-1841, II, p. 195.
125 Runge 1959, pp. 20-21, 24, 49, 92 ; *cf.* Howard 1848, p. 155.
126 Runge 1840-1841, I, pp. 60-61 ; éd. fr. : 1991, p. 160. Voir aussi lettre à Steffens, mars 1809, p. 151.
127 *Ibid.*, p. 61.
128 D. Runge in Runge *ibid.* p. 228 ; Milarch (1821) *ibid.*, II, p. 533.
129 Traeger 1975, n° 272, 282a-b.
130 Gage 1969, pp. 186-187.
131 Howard 1848, pp. 154-155.
132 Galton 1799, pp. 509-513. Il affirmait que les proportions découvertes pourraient établir l'harmonie du vêtement et de la décoration intérieure ; ses idées furent diffusées par le poète Erasmus Darwin (1806, I, pp. 257-260). Young (1800, p. 393) nota, comme Galton, que pour le mélange au disque les proportions de Newton n'étaient pas fiables car elles dépendaient du spectre horizontal.
133 Priestley 1772, II, pp. 588-630 ; *cf.* Boyer 1959, pp. 276-278.
134 Priestley *ibid.*, pp. 590-591 ; Boyer *ibid.*, p. 278.
135 Faust II, « Anmutige Gegend », trad. Th. Gautier.
136 Femmel 1958-1973, Va (1963), p. 7 et n° 352.
137 *Farbenlehre, Polemischer Teil* (1810), § 609.
138 Goethe 1953, pp. 661-665 ; voir aussi son *Tagebuch*, 19 août 1797 (Weimar éd. III Abt., vol. 2, 1888, p. 83) et une lettre de Dornburg à son fils du 14 juil. 1828 sur l'importance du bandeau sombre d'Alexandre (Weimar éd. IV Abt. vol. 44, 1909, p. 191).
139 Goethe, *Poésie et vérité : souvenirs de ma vie*, trad. P. du Colombier, 1941 (rééd. 1991, p. 300).
140 Goethe, *Gespräche mit Eckermann*, 1er fév. 1827.
141 Goethe à Boisserée, 25 fév. 1832 (Weimar éd. IV Abt. vol. 49, 1909, p. 250).

142 Carus 1948, pp. 18-19, 27-28, 38-39.
143 Shirley 1949, surtout p. 87, 171-172.
144 Reynolds 1984, n° 36.14 ; *cf.* Leslie 1951, p. 304. Le dessin de Constable, réalisé d'après une estampe sépia, présente un arc en rose, jaune et bleu-gris à partir du sommet.
145 Bonacina 1937, pp. 485-487.
146 Reynolds 1961, n° 117.
147 Beckett IV, 1966, p. 427.
148 Shirley 1949, pp. 171-172 ; Boulton 1984, pp. 29-44. Pour un résumé, voir Parris & Fleming-Williams 1991, n° 210.
149 Syndow 1921, p. 247.
150 Lettre de Schinkel à Grass, 1804, in Baudissen 1924, p. 17.
151 Schinkel III, 1863, p. 158.
152 Conseil de l'Europe 1959, note au n° 235.
153 Reynolds 1984, réf. 29.13, 29.42, 29.43, 31.2-5.
154 Par ex. Reynolds 1961, n° 183a ; 1984, réf. 27.11 ; Parris & Fleming-Williams 1991, n° 206 à 209.
155 Par ex. Londres, Clore Gallery for the Turner Bequest, TB, CI, n° 40 ; CXLI, n° 17a-18 ; CLX, n° 73a-74.
156 Bonacina 1937. Schweizer (1982, p. 427) a signalé l'impossibilité de certains effets d'arc-en-ciel de Constable.
157 Lettre de Constable à Lucas, 19 janv. 1837, in Beckett IV, 1966, p. 433.
158 Lettre de Constable à Lucas, 6 sept. 1835, *ibid.*, p. 421.
159 Shirley 1930, n° 39, p. 202.
160 Reynolds 1984, réf. 36.3, 36.4, 36.6. La topographie s'appuie sur une esquisse à l'encre de 1820, sur laquelle ne figure pas d'arc-en-ciel (20.17).
161 *Ibid.*, réf. 33.49 à 52. Sur l'intérêt de Constable pour la météorologie scientifique, *cf.* Thornes 1979, pp. 697-704.
162 Millais 1899, I, p. 240. L'aquarelle de Glover porte la mention « peint d'après nature, pendant la durée du phénomène ».
163 Shirley 1949, p. 192.
164 Bonacina (1938) a étudié l'arc-en-ciel sous l'angle météorologique : il souligne l'inexactitude de la clarté externe et interne des arcs (p. 605). Seibold est plus indulgent sur ce point (1990, pp. 80-81). L'esquisse aquarellée de Turner (Londres, Clore Gallery, TB, XXV, n° 84) a été commentée par Ziff en regard de la légende du peintre (1982, pp. 2-4). Trad. du poème de Thomson par N. Frémin de Beaumont 1806, pp. 11-12. Trad. de la strophe de Turner par A. Wilton 1984, p. 254.
165 Londres, Clore Gallery, TB, CLXVI, n° 52a.
166 Georges Jones in Gage 1989a, p. 8. Sur le tableau, voir *Daniel Maclise*, 1972, cat. expo. Londres, Arts Council, n° 98.
167 Butlin & Joll 1984, n° 428. Le tableau était encore assez brillant en 1898 pour qu'on puisse constater dans l'arc secondaire une séquence chromatique erronée.
168 Thomas Campbell, « To the Rainbow » (1ère version, 1819) in *Poetical Works* 1837, pp. 102-103. Les aquarelles de Turner pour ce livre sont conservées à la National Gallery of Scotland, Édimbourg.
169 Sur le tableau, *cf.* Butlin & Joll 1984, n° 376 ; sur le thème, Gage 1987, pp. 224-225.
170 Sur ce thème, Gage 1969, pp. 186-187.
171 Butlin & Joll 1984 (éd. fr.), n° 430, p. 292. Le tableau, détruit au cours du XXe siècle, n'est connu que par une médiocre photographie en noir et blanc. L'arc-en-ciel (qui n'est pas mentionné par Butlin & Joll) avait été signalé par Bell 1901, n° 266.
172 Voir *Murnau avec arc-en-ciel* (1909) de Kandinsky à Munich (Roethel & Benjamin 1982, n° 310) et son tableau *Section de la Composition* IV (1910-1911) à Londres (*ibid.*, n° 367). Le dessin de Franz Marc, *Paysage avec animaux et arc-en-ciel*, de Vienne, servit pour une peinture sous verre de 1911, où les couleurs ont été réorganisées (L.-G. Buchheim, *Der Blaue Reiter*, 1959, p. 53, 143). Voir un autre dessin de Marc, *Chevaux bleus avec arc-en-ciel*, ill. 86. Robert Delaunay, qui fut proche du Blaue Reiter, a peint plusieurs scènes avec arc-en-ciel avant la Première Guerre mondiale (*La Flèche de Notre-Dame*, 1909-1914, pl. coul. in Francastel 1957, n° 145 ; voir aussi n° 126, 127, 147) et, en 1925, un étonnant arc à 11 couleurs (*ibid.* n° 752 ; pl. coul. in *Robert et Sonia Delaunay*, 1985, cat. expo. Paris, Musée d'Art moderne de la Ville de Paris, n° 98). La rareté de l'arc-en-ciel dans l'œuvre des impressionnistes et des post-impressionnistes est frappante. J'en ai trouvé dans l'un des premiers Monet, *Jetée au Havre* (1868, in J. Rewald, *The Historiy of Impressionism*, 4e éd. 1973, p. 155) et dans le tableau de Pissarro, *La Plaine à Épluches (arc-en-ciel)* (1877, in C. S. Moffett, *The New Painting : Impressionism 1874-1886*, 1986, p. 232). Parmi les post-impressionnistes, je n'en ai repéré que dans une étude de Seurat pour sa *Baignade à Asnières* (1884, Berggruen Bequest to National Gallery, Londres ; *cf.* P. Smith 1990, p. 384 sur son idéalisme) et dans le tableau de Signac, *Entrée dans le port de Honfleur* (1899, Indianapolis Museum of Art). Le problème tenait peut-être à la permanence de l'usage symbolique de l'arc-en-ciel dans la peinture française de la fin du XIXe siècle, par ex. dans *Le Printemps* de J.-F. Millet (1873, Paris, Musée d'Orsay).
173 Klee faisait grand cas de l'arc-en-ciel, comme « représentation linéaire des couleurs » (Klee 1964, pp. 467-469).

7 La controverse entre *disegno* et *colore*

1 Ugo Panziera, *Della mentale azione*, cit. in Assunto 1961, p. 223. Voir aussi Abelard 1927, pp. 316-317 ; Vincent de Beauvais 1624, XI, chap. xix.
2 Baxandall 1986, p. 62. Antonio de Ferrariis, dit le Galateo, humaniste plus tardif, associait le goût pour les livres décorés, qu'il jugeait déplacé, à un style d'écriture très chargé tout aussi inconvenant (*Il Galateo*, v. 1500, in Garin 1982, pp. 110 sq.).
3 Sur le rejet des couleurs dans l'image chez saint Donat de Besançon, Assunto 1963, p. 74. Sur la présence de grisaille pendant le carême, Smith 1957/1959, pp. 43-54 ; Philippot 1966, pp. 225-242. Sur le *Parament de Narbonne*, *Fastes* 1981/1982, n° 324 ; voir aussi la mitre n° 324 bis. Les enluminures en grisaille du *Livre d'Heures de Jeanne d'Évreux* (*ibid.*, n° 239), un peu plus anciennes, sont peintes sur des fonds colorés et s'apparentent plus à la technique des émaux sur argent qu'à celle du dessin. Plus anciennes encore, les fresques à la grisaille de Giotto pour la chapelle des Scrovegni à Padoue imitent la sculpture monochrome.
4 Cohen et Gordon 1949, pp. 99 sqq. ; Bornstein 1975, p. 416 ; Ratlif 1976, p. 321 ; Mollon 1989, pp. 31-32.
5 *Cf.* par exemple le *modello* d'Andrea Vicentino pour le décor peint de la Sala del Maggior Consiglio du palais des Doges (v. 1577), aujourd'hui à l'Institute of Arts de Minneapolis, *Gray is the Color* 1973/1974, n° 19. Le goût prononcé pour les esquisses monochromes à l'huile, en particulier à Venise, a été étudié par Bauer 1978, pp. 45-59.
6 Mazzei 1880, II, p. 404.
7 Chez Hills 1987, pp. 52-54, *cf.* son interprétation remarquable de l'usage subordonné de la couleur par rapport au dessin dans la chapelle des Scrovegni. L'examen technique a montré que les fresques recouvrent une sous-couche en clair-obscur dans les tons noir et marron (L. Tintori, « Tempera colors in mural painting of the Italian Renaissance », in Hall 1987, p. 69).
8 Cennini 1933, p. 46 ; 1971, lxvii, p. 78. Les qualités de peintre de Cennini n'ont fait l'objet d'aucune attribution certaine (Boscovits 1973, pp. 201-222). Vasari décrit les peintures murales de Taddeo Gaddi dans la chapelle Baroncelli comme particulièrement « fraîches » (Ladis 1982, p. 33). Sur la couleur du maître de Cennini, Cole 1977, p. 41.
9 Cennini 1971, xxvii-xxxiv, surtout xxxi. *La Présentation au temple* de Gaddi (pl. 96) est commentée par Ames-Lewis 1981.
10 Les deux versions sont maintenant disponibles ensemble, in Alberti 1960-1973, III (1973). Sur leurs liens, Simonelli 1972, pp. 75-102, dont l'idée selon laquelle la version italienne précéderait la version latine n'a pas été retenue par Grayson (Alberti *ibid.*, p. 305, note 2) ni par C. Parkhurst, « Leon Battista Alberti's place in the history of colour theories », in Hall 1987, p. 185, note 1. Mes citations sont légèrement corrigées à partir d'Alberti 1972.
11 Alberti *ibid.*, pp. 88-95.
12 *Cf.* chap. 9 *infra*.
13 Gavel 1979, pp. 49-51. Son argumentaire a été largement étendu au terme *cenericcio* par Parkhurst, in Hall 1987, pp. 187-188, note 8.
14 Alberti 1960-1973, III (1973), p. 311 (italiques rajoutées par l'auteur du présent ouvrage). La notion de terre en tant que *fex elementorum*, la lie de tous les autres éléments, a été étudiée par Bacon dans son *Liber de Sensu et Sensato* (1937, p. 30).
15 Müntz et Frothingham 1883, p. 65.
16 Maltese 1976, p. 245, est donc proche de la vérité quant il interprète le terme *cenericcio* par « contenu gris », bien qu'il utilise le concept ostwaldien du XXe siècle qui n'exprime pas tout à fait la conception d'Alberti.
17 Alberti 1966, pp. 503-505.
18 *Ibid.*, p. 509. Giovanni Ruccellai, mécène pour lequel Alberti conçut un palais à Florence, montra également un goût prononcé pour les mosaïques anciennes, bien qu'on ne lui connaisse aucune commande en ce sens. Pour ses propos sur les mosaïques de Sainte-Constance à Rome, Ruccellai 1960, p. 74. Sur Doni, Barocchi 1971-1977, I (1973), pp. 587-589.
19 P. W. Lehmann, « The sources of meaning of Mantegna's *Parnassus* », in Lehmann 1973, p. 90. Des contacts personnels entre Alberti et Mantegna ont été suggérés par Srutkova-Odell 1978, pp. 101 sqq., qui voit dans *L'Agonie du Christ au jardin des oliviers* de Londres un lien avec ces écrits sur l'art du drapé.
20 Sur la notion de variété, Zubov 1958, pp. 260 sqq. D. Summers, « The stylistics of color », in Hall 1987, p. 207, a invoqué les écrits d'Alhazen I, 3, p. 120, et Witelo 1572, IV, p. 48, qui, dans les théories médiévales sur la beauté, indiquent l'association du rose et du vert bien que ni l'un ni l'autre de ces textes ne parle de juxtaposition. S.Y. Edgerton, le chercheur contemporain a avoir le plus défendu la thèse de l'attitude médiévale d'Alberti par rapport à la couleur, voit dans cette association une référence aux drapés du Christ dans la chapelle Brancacci de Masaccio, seul peintre cité par Alberti dans *Della Pittura* (uniquement dans sa version italienne) : S.Y. Edgerton 1969, p. 110, note 1 ; mais la restauration a montré que ces couleurs associées étaient en fait du rose et du bleu (Berti et Foggi 1989, pp. 98-99). Le héraut Sicile, qui traite dans un chapitre de la beauté des couleurs juxtaposées, n'aimait pas l'association du rouge et du vert bien qu'il remarque qu'on les retrouve souvent sur les livrées ; par contre, il apprécie fortement l'association du blanc à diverses couleurs et pense qu'en peinture le vert « resjouyst » les autres couleurs (héraut Sicile 1860, pp. 113 sq., 116). Pour des exemples tirés des romans chevaleresques, Michel 1852-1854, I, pp. 190 sqq.
21 Antoine de Pise 1976 ; Antoine emprunte également à Alberti le terme *onore* pour faire référence aux effets du vert.
22 Alberti 1960-1973, I, p. 202.
23 La meilleure édition est aujourd'hui celle de Bergdolt 1988, qui retrace dans le détail l'emploi de sources antérieures.
24 *Ibid.*, p. 4, emprunté à Witelo 1572, II, définition I, p. 61.
25 J'ai donné des exemples in Gage 1972, pp. 364-365 ; voir aussi Hapsburg 1965.
26 Hills 1987, p. 67.
27 C'est le terme utilisé dans l'une des sources de Ghiberti les plus fréquentes, John Pecham 1970, p. 86.
28 Bergdolt 1988, p. 20. La source immédiate est Alhazen I, 4, 20 (1989, p. 64), qui donne les couleurs rouge, lapis lazuli, lie-de-vin, pourpre. Les nuances de bleu de Ghiberti semblent venir de la teinture (Rebora 1970, p. 8). Sur une observation semblable au sujet du changement de couleur dans l'obscurité par un contemporain de Ghiberti, Giovanni da Fontana (v. 1395-1455), Canova 1972, p. 23.
29 Gage 1972, pp. 364-365.
30 Rosinska 1986, p. 127, note 40. Sandivogius souligne que la vue ne peut pas nous indiquer ce qu'est une couleur, seuls « le débat et la science » en sont capables ; il donne l'exemple des couleurs vues dans l'obscurité qui semblent noires et non pas vertes ou rouges comme elles peuvent l'être. Sur l'importance cruciale d'Alhazen (source principale de Ghiberti) pour le développement de l'optique dans l'Italie du XIVe siècle, Vescovini 1965, surtout p. 18. Aux pp. 33 sq. Vescovini montre combien Ghiberti a développé les références concrètes à la couleur dans sa version d'un passage d'Alhazen. Voir aussi Vescovini 1980, pp. 370, 373.
31 *Cf.* le débat in Hills 1987, pp. 81-83 et pl. coul. XIII et XV. Sur les visions scotocopique et photopique (conale), Barlow et Mollon 1982, pp. 103-104. Ce caractère du mécanisme optique ne fut pas identifié avant le XIXe siècle.
32 Cette évolution a été notée par Weale 1974, p. 27.

33 Sur la collaboration de Ghiberti et de Fra Angelico au *Tabernacle des Linaiuoli* (1433), Middeldorf 1955, pp. 179-194.
34 Baxandall 1988, p. 81.
35 Equicola 1525, p. 183.
36 F. P. Morato, *Del Significato de Colori*, Venise, 1535, in Barocchi 1971-1977, II (1973), p. 2177 ; Dolce 1565, p. 36r.
37 Baxandall 1988, II. *Cf.* les pl. coul. in Wyld et Plesters 1977, p. 16. Dans sa 1re édition (1972, pp. 10-11) Baxandall s'est servi par mégarde du panneau ici reproduit.
38 Wyld et Plesters *ibid.*, p. 11.
39 Thomas de Celano 1904, p. 12 ; Wyld et Plesters *ibid.*, p. 11 pour *kermes*.
40 Gargiolli 1868, p. 30 ; Herald 1981, p. 151.
41 Guasti 1877, pp. 5 sq.
42 Gargiolli 1868, pp. 53 sq., 78 sq.
43 Mazzei 1880, II, pp. 385 sq., 412 sq. ; Merrifield 1849, II, p. 400 (§§ 56-57).
44 Sur le rôle des guildes dans les contrats, Glasser 1977, p. 29.
45 Pour Florence (1316), Fiorilli 1920, p. 48 ; pour Sienne (1356) et Pérouge (1366), Manzoni 1904, pp. 32 sq., 87 sq. Les règles siennoises furent renouvelées en 1405.
46 Pope-Hennessy 1939, p. 156 ; Neri di Bicci 1956, p. 225 (1464) ; Rosenauer 1965, p. 85.
47 Kristeller 1901, p. 487, document 53. Une ambiguïté linguistique fait que nous ne savons pas si les pigments mentionnés (dont la liste n'apparaît pas dans la version qui a survécu) furent commandés pour ou par Mantegna. Pour une analyse des matériaux utilisés par Mantegna et d'autres artistes pour le Studiolo d'Isabelle d'Este à Mantoue, Delbourgo *et al.* 1975, pp. 21-28.
48 Langton Douglas 1902, p. 163, document II. Une illustration du *Tabernacle* figure dans Baxandall 1988, p. 9.
49 Pour le contrat de San Agostino en traduction anglaise intégrale, Meiss 1941, pp. 67-68. Sur la lettre de Lippi au sujet de son retable, saint Michel y compris, Baxandall *ibid.*, pp. 3-4.
50 Bresc-Bautier 1979, p. 216.
51 Shearman 1965, II, p. 391, document 30 ; White 1979, p. 35. Sur la Vierge en couleurs de Lorenzetti, Hills 1987, pl. XXII.
52 Conrad-Martius 1929, p. 362 ; c'est une référence à Goethe 1957, § 779 ; Bruckner 1982, p. 23.
53 Par exemple D. Dini et G. Bonsanti, « Fra Angehico e gli Affreschi del Convento di San Marco » (v. 1441-1450), in Borsook et Superbi Gioffredi 1986, p. 17 (Vierge en rouge clair) ; J. Ruda, « Color and representation of space in paintings by Fra Filippo Lippi », in Hall 5987, p. 42 (Virgin en bleu lavande ou en vert) ; M. Barasch, « Renaissance color conventions : liturgy, humanism, workshops », in Hall *ibid.*, p. 141 (L'*Espolio* du Gréco à Tolède, Vierge en violet foncé).
54 Coulton 1953, pp. 264, 550 sqq. (exemples surtout français).
55 Hennecke et Schneemelcher 1959-1964, I, (1959), pp. 284 sq.
56 Sur la tradition juive ancienne, Scholem 1974, pp. 10 sq.
57 Hughes de Saint-Victor, *Sermon* 46, in *Patrologia Latina* 1844-1855, CLXXVII, col. 1025.
58 Cameron 1981, pp. 51-53. Parmi les Vierges vêtues de pourpre de la tradition occidentale, on compte : le crucifix de 1257 de Simone et Machilone de Spoleto (Rome, Musée national du Palais Barberini) ; un autre crucifix attribué au Maître du Bigallo (même collection) ; et la fresque de Fra Angelico de Fiesole (Paris, Louvre, n° 1294). Ce type de Vierges endeuillées est habituellement paré de violet mais il existe aussi une *Vierge à l'Enfant* de Gentile da Fabriano (Washington, National Gallery) où la Vierge est vêtue de pourpre et où l'Enfant porte du bleu. Sur les connotations impériales des Vierges vêtues de pourpre aux VIe et VIIe siècles, Nilgen 1981, surtout p. 20.
59 Nixdorff et Müller 1983, p. 129.
60 Au début du XXe siècle, un chercheur a remarqué que la Vierge de Lucca de Van Eyck comportait de nombreux rouges, y compris un rouge profond, qui contribuaient à son extraordinaire richesse (von Bodenhausen 1905, p. 63).
61 Dans *De Pictura* II, 48 Alberti emploie les termes latins *purpureus* et *rubeus* pour décrire l'habit des nymphes mais dans la version italienne, les deux termes sont rendus par celui de *rosato* (Alberti 1960-1973, III (1973), p. 86).
62 Newton 1988, p. 84 ; aussi pp. 18, 26 pour les rouges du deuil. Mais même Sanudo confond parfois les termes *cremesino* et *scarlatto* (86).
63 R. Sachtleben, « Mit den Farbstoffen durch die Jahrhunderte », in Kramer et Matschoss 1963, p. 254.
64 On trouve certains exemples du traitement uniforme en vermillon du chapeau et de la robe dans les fresques d'Ugolino dans la cathédrale d'Orvieto, une illustration du *Concistoro Papale* au Vatican, MS Vat. Lat. 5389 3v (Conti 1981, pl. coul. xxviii) ; le saint Jérôme du retable de *Valle Romita* de Gentile da Fabriano (v. 1410-1412, Christiansen 1982, pl. coul. A) ; le *saint Jérôme* d'Antonio da Fabriano (1455, Baltimore, Walters Art Gallery). Pour des couleurs distinctes *cf. Annonciation et Saints* (v. 1360) attribué à Barna de Sienne, Berlin (Dahlem) ; la miniature de Lorenzo da Voltolina sur l'éducation d'Henri d'Allemagne (1380, même collection). *Les Funérailles et la canonisation de saint François* de Bartolommeo di Tommaso (Baltimore, Walters Art Gallery) et *La Reconnaissance de l'ordre franciscain* de Sassetta (Londres, National Gallery) utilisent les deux conventions, apparemment dans un souci d'organisation spatiale ; la miniature sur le Consistoire papal du « Maître de 1328 » (New York, Pierpont Morgan Library) présente des cardinaux vêtus de gris, de bleu et de rose pâle mais ils sont tous coiffés de vermillon.
65 Sur Venise, centre du commerce des pigments, L. Lazzarini, « The use of colour by Venetian painters, 1480-1580 », in Hall 1987, pp. 117-119.
66 Borsook 1971, p. 803 ; Chambers 1970, pp. 26-27. Sur l'achat de couleurs de Gentile da Fabriano à l'apothicaire *(spezier)* Armanino da Nola, à Venise, durant sa période d'activité à Brescia en 1414, Christiansen 1982, pp. 150 sqq. Sur la commande de bleu de Domenico Veneziano de Florence à Venise en 1439 (à partir d'une branche de la banque des Médicis), Wohl 1980, p. 34 ; de même, pour la commande de Raphaël en 1518, Golzio 1971, pp. 75 sq. ; pour celle des frères Dossi à Ferrare, Gibbons 1968, documents 9, 29, 176. Sur la visite du Parmesan à Venise pour l'achat de pigments en 1530, A. E. Popham, *Burlington Magazine*, XCI, 1949, p. 176. Sur les transactions des Lotto avec un marchand de couleurs flamand à Venise, Lotto 1969, pp. 170-171, 211-212, 221, 316. Quand Michael Coxie, des Pays-Bas, eut besoin d'« azure » pour sa copie du polyptique de *L'Agneau mystique* de la cathédrale de Gand, ce n'est qu'à Venise qu'il put l'obtenir (van Mander 1916, p. 200v), peut-être par le fournisseur de Lotto.
67 Guareschi 1907, pp. 343 sqq.
68 Uccelli 1865, et surtout Bensi 1980, pp. 33-47. Après la destruction du couvent au cours du siège de Florence en 1529, leurs recettes tombèrent dans le domaine public, Alessio Piemontese 1975 et 1977, pp. 84v sqq. et surtout 5 sqq.
69 Sur le vermillon, Thompson 1933, pp. 62 sqq. ; Gettens *et al.* 1972, pp. 45 sqq.
70 Milanesi 1872. Un autre document de juil. 1481 indique que Léonard leur acheta une once de bleu et une once de jaune (*giallolino*).
71 Pino 1954, pp. 47-48.
72 Eastlake 1847-1869, I, pp. 9-10, 327-328.
73 Urso de Salerne 1976, pp. 115 sq. ; *Sic et pictores colores suos cum oleo et clara ovi et lacte ficus conficiunt, ut accidentali viscositate parietibus vel lignis inseparabiliter hereant illiniti* (Ainsi les peintres font leurs couleurs avec de l'huile, du blanc d'œuf, et du lait de figue, afin que les touches de peinture, grâce à ce mélange gluant, aient pour qualité d'adhérer aux murs ou aux panneaux de bois sans se séparer). Ce mélange d'œuf et de pousses de figues était encore utilisé sur les murs du temps de Cennini (1933, lxxii, xc) et, comme l'a indiqué Eastlake, cette technique était déjà citée chez Pline dans un contexte médical (XXIII, lxiii, 119). Urso étant médecin, il est tentant d'imaginer que lui ou l'un de ses collègues initièrent les peintres à cette technique. À Salerne, aucun panneau peint antérieur à la seconde moitié du XIIIe siècle n'a survécu (Garrison 1949, pp. 229, 489A ; Bologna 1955, pp. 3, 4) et la technique qu'ils utilisent n'a pas été analysée. Les premières peintures à l'huile sur panneau de bois connues, remontant à la fin du XIIIe siècle en Scandinavie, ont été étudiées par L. E. et U. Plahter, « The technique of a group of Norwegian Gothic oil paintings », in Bromelle et Smith 1976, pp. 36-42.
74 Johnson et Packard 1971, pp. 145 sqq. ; Bowron 1974, pp. 380 sqq. Pour un débat sensé sur l'usage des techniques mixtes du XIVe au XVIe siècle, del Serra 1985, pp. 4-16.
75 J. A. van de Graaf, « Development of oil paint and the use of metal plates as a support », in Bromelle et Smith 1976, pp. 45-48.
76 Taubert 1978, p. 19, cite la recette de base quant au séchage de la peinture à l'huile sur les statues. Pour l'usage de vernis sur de l'argent dans le maître-autel de Herlin (1466), Bachmann *et al.* 1970, pp. 381 sqq. Sur les statues peintes de Robert Campin et de Rogier van der Weyden, Rolland 1932, pp. 335-345. Un contrat particulièrement détaillé pour un retable sculpté de Tournai de 1516 dit que dans la *Crucifixion* et dans la scène du *Christ portant sa croix* le fond doit être d'or fin et mat « et le reste glacié à olle » (de la Grange et Cloquet 1888, pp. 233-235). Pour le maître-autel de Saint-François, Sassetta (*cf. supra* p. 129) fit un vernis sur argent à l'aide non pas d'une technique à l'huile mais de peinture à l'œuf.
77 Wolfthal 1989, surtout pp. 27, 32, pour la technique. On a opposé *La Mise au tombeau* de Bouts qui utilise cette technique à sa *Vierge à l'Enfant* à l'huile (toutes deux à la National Gallery de Londres), in Bomford *et al.* 1986, pp. 39-57.
78 Coremans 1950, p. 114, note 3. Les propos de Vasari selon lesquels les peintures de Van Eyck avaient une odeur ont laissé penser qu'il utilisait des diluants instables, Zihoty 1947, p. 142. Pour une vue générale de la littérature plus récente sur la peinture à l'huile aux Pays-Bas, Périer-d'Ieteren 1985, pp. 15 sqq. Le grand nombre de peintures murales de la fin du XIVe siècle et du début du XVe à avoir été égarées, ainsi que leur lien avec la statuaire peinte, a été mis en avant par Hagopian van Buren 1986, pp. 101-103, 112.
79 Ames-Lewis 1979, pp. 255-273 ; Wright 1980, surtout pp. 42-46 ; Ruda 1984, pp. 210-236, adopte un point de vue beaucoup plus prudent sur la dette de l'Italie à l'Europe du Nord mais s'intéresse plus à l'iconographie qu'à la technique.
80 Fortuna 1957, p. 43.
81 Filarete 1972, II, pp. 667 sq. Bugatti séjourna à Bruxelles avec son maître de 1460 à 1463 et l'on pense que Filarete termina son traité en 1464.
82 Bromelle 1959/1960, p. 94 (couche d'apprêt rouge orangé) ; Massing et Christie 1988, pp. 35-36. Sjöblom 1928, pp. 47 sq. et 84 sqq. cite le récit de Filarete et souligne que Van Eyck et d'autres maîtres hollandais utilisaient également des fonds sombres. On ne saurait l'avancer aujourd'hui.
83 Degenhart et Schmitt IV, 1968, n° 302 et pl. 278.
84 Vasari 1960, p. 213.
85 Dürer à Jacob Heller, 1508/1509, in Uhde-Bernays 1960, pp. 9-11.
86 *Cf.* les têtes de chapitres sur la couleur du traité qu'il envisageait d'écrire (vers 1508), in Dürer 1956-1969, II, pp. 94 sq. ; pour le passage sur le drapé, *cf.* chap. 2, note 66 *supra*.
87 Baxandall 1980, pp. 42-48.
88 *Cf.* le passage assez triste dans lequel Léonard se décrit comme un retardataire, ne ramassant que ce que les autres avant lui ont rejeté (cit. in Garin 1965, p. 58).
89 *Cod. Atlant.* 207va, trad., Kemp 1981, p. 529. Sur le texte original de Pecham et la traduction de Léonard, Solmi 1976, pp. 226-227.
90 Ristoro d'Arezzo (1282), II, 8, 16, 1976, pp. 220 sqq.
91 Richter 1970, I, pp. 237-238, § 300. Ristoro résume les idées d'Al-Kindi, auteur arabe, tandis que Léonard part de l'analyse beaucoup plus sophistiquée d'Alhazen (Spies 1937, pp. 17-19).
92 Ces deux thèmes ont été abordés dans le détail par Veltman 1986 ; sur les montagnes, pp. 278 sqq. ; sur la fumée, p. 317.
93 Jaffé et Groen 1987, pp. 168 sq.
94 Maltese 1983, p. 218.
95 Veltman 1986 et Farago 1991 ont vaillamment tenté de mettre de l'ordre dans les notes concernant plusieurs aspects de la perspective aérienne et du clair-obscur.
96 Steinberg 1977, p. 85, où l'on trouve aussi une dicussion sur la citation tirée du *De Divinis Nominibus* à propos d'un tableau

de 1509 de Fra Bartolommeo. Voir aussi *Firenze e La Toscana* [...] 1980, n° 79 (en couleurs), 84 *(Madonna della Misericordia)*. Il se peut que l'étonnant et sombre Dieu le père de *L'Assomption* de Titien (1516/1518) ait une signification dyonisienne, bien que Goffin 1986, pp. 96 sq., pense qu'il est la source de lumière dans la peinture. Ailleurs (pp. 94, 103), elle remarque avec justesse qu'il est dans un nuage comme dans le passage de l'Exode 16:10. À la fin du siècle à Venise, Annibale Carrache se plaignait car la lumière éblouissante qui provenait des deux grandes fenêtres du chœur empêchait de voir le tableau (Fanti 1979, p. 160). Pour un bon débat sur les connotations théologiques des nuages dans la peinture de la Renaissance, Shearman 1987, I, pp. 657-658. Shearman (p. 661) cite le commentaire de Grégoire le Grand sur Ézéchiel, où sont décrits des nuages brillants comme l'électrum (un alliage d'or et d'argent), passage où l'auteur paraphrase le Pseudo-Denys (*Hiérachie céleste* 336 A-C ; 1987, p. 188).

97 Kemp 1985, p. 97 ; éd. fr. : *Les Carnets de Léonard de Vinci*, 1942, p. 206. Richter 1970, I, § 119. Voir aussi les propos de Barasch 1978, pp. 53-54.

98 Richter *ibid.*, § 121. Sur les catégories d'ombres de Léonard, Barasch *ibid.*, p. 53 et note 38.

99 *Ibid.*, pp. 177 sq.

100 Richter *ibid.*, I, § 548. Pour un autre débat sur le concept aristotélicien d'infini en relation avec le *sfumato*, Zubov 1968, p. 67.

101 Meder 1923, pp. 116, 122 sqq., 136. Pour un dessin à la sanguine sur papier teinté en rouge pour Judas en couleurs, Ames-Lewis 1981, pl. VII.

102 Sur les matériaux utilisés, Harding *et al.* 1989, pp. 22-24.

103 Brachert 1970, pp. 84 sqq ; 1974, pp. 177 sqq. ; 1977, pp. 9 sqq.

104 Sur les dessins, Meder 1923, p. 92 ; sur les peintures, Brachert 1977, p. 12 ; Hours 1954, pp. 17-18 ; 1962, pp. 124 sqq. Pour l'apprêt noir assez inhabituel de la manche rouge du Christ dans *La Cène*, Matteini et Moles 1979, pp. 130 sqq.

105 *Traité* § 144 : Léonard de Vinci 1956, p. 73. Sur le fond vert, Richter 1970, I, § 628.

106 Verbraeken 1979, pp. 91 sqq. *Traité* §§ 6, 43 *(questo è il chiaroscuro, che i pittori dimandono lume et ombra)*. Pour l'idée selon laquelle ces passages auraient été ajoutés par les éditeurs du texte, Folena 1951, p. 65.

107 Shearman 1962, pp. 30, 44, note 44.

108 Léonard de Vinci 1956, §§ 196, 215, 226, 241.

109 *Ibid.*, § 590. Pourtant, aux §§ 187 et 188 Léonard a écrit que *toutes* ces couleurs étaient du meilleur effet lorsqu'elles étaient éclairées.

110 Veltman 1986, pp. 329 sq.

111 Léonard de Vinci 1956, § 108 ; *cf.* §§ 110, 434.

112 Sur l'harmonie du jaune et du bleu, *ibid.*, § 182. Sur l'étude des drapés, Cadogan 1983, pp. 27-62.

113 Vasari 1903, pp. 34-35. Vasari n'avait pas vu cette œuvre de ses propres yeux : Pedretti 1957, p. 5. Sur l'éclairage, Filipczak 1977, pp. 518 sqq. Le *Saint Jean* de l'Ambrosiana a été publié par Bora 1987, ill. en couleurs p. 13.

114 Léonard 1956, § 872 ; *cf.* §§ 192 et 765 sur l'éclairage du paysage peint à la manière du paysage naturel. Les dessins de montagnes annotés de Windsor illustrent ce travail d'après nature (n° 12.412 et 414) ; à leur sujet, *cf.* Gould 1947, pp. 239 sqq. Ils sont, cependant, à la sanguine avec des rehauts blancs sur papier teinté.

115 Richter 1970, I, § 566. Léonard part d'une idée d'Alhazen (I, 3, 116 : 1989, p. 44).

116 Pedretti 1968, pp. 28, 50. Pour une analyse générale contenant de plus amples références, Zubov 1968, p. 141.

117 Agostini 1954, p. 20.

118 Richter 1970, I, § 520. Sur la connaissance qu'avait Léonard des écrits d'Alberti, Zubov 1960, pp. 1-14.

119 Sur les mélanges, *cf.* surtout Richter *ibid.*, § 659. Sur les huiles, Marazza 1954, p. 53. Sur la technique de la peinture murale à l'huile, Travers Newton 1983, pp. 71-88.

120 Milanesi 1872, p. 229. La seule analyse technique disponible pour l'instant est Sanpaolesi 1954, pp. 40 sqq. Sur les vernis, Maltese 1982, pp. 172 sq.

121 Vasari 1962-1966, III (1963), pp. 505 sq.

122 Vasari 1878-85, VI, p. 203, parle de ces œuvres « solamente disegnata ed aombrata con l'acquarehho in su gesso » de Fra Bartolommeo que termina Bugiardini. À propos du retable, *Firenze e La Toscana* [...] 1980, n° 80. Shearman 1965, I, p. 136, considère que la notion de couleurs coupées fut transmise à Andrea del Sarto depuis Venise par l'intermédiaire de Fra Bartolommeo qui y séjourna en 1509.

123 Poggi *et al.* I, 1965, pp. 66-67. Sur le plafond de la Chapelle Sixtine, Mancinelli 1983, pp. 362-367 ; Chastel *et al.* 1986, surtout p. 223, au sujet de la palette et p. 244 pour la technique. Pour la tonalité du Quattrocento, G. Colalucci, « Le lunette di Michelangelo nella Capella Sistina (1508-1512) », in Borsook et Superbi Gioffredi 1986, p. 78 ; Mancinelli 1988, p. 12. Pour des opinions divergeantes, Conti 1986 ; Beck 1988, pp. 502-503. Sur le *Tondo Doni*, *Il Tondo Doni* [...] 1985 ; Buzzegoli 1987, pp. 405-408.

124 Sur Sarto, Shearman 1965, chap. VIII : « Colour » ; sur Pontormo et Rosso, Maurer 1982, pp. 109 sqq. ; Caron 1988, pp. 355-378 ; Rubin 1991, pp. 175-191. Sur Bronzino, *cf.* surtout sa *Sainte Famille* très colorée (v. 1525, Washington, National Gallery) avec Marie en rouge, vert et bleu foncé et Joseph en orange et violet.

125 Roskill 1968, pp. 208.

126 *Ibid.*, pp. 154-155, voir aussi Pino 1954, p. 62.

127 Aretino 1957-1960, I, pp. 45 sq., 57. En prenant l'exemple des fraises et des escargots, L'Arétin se réfère aux marges des livres d'heures français et flamands de la fin du XVe siècle, par exemple Harthan 1977, pp. 118-119, 123.

128 Aretino *ibid.*, II, p. 235.

129 Pino 1954, p. 69.

130 *Ibid.*, pp. 46-47. Voir aussi les propos de Cristoforo Sorte, artiste véronais de la fin du XVIe siècle, sur la représentation d'un feu (tâche que Pino trouvait particulièrement difficile en peinture), qui révèle les mélanges précis qu'il employa dans différents endroits de l'œuvre (Barocchi, 1960-1962, I, pp. 291-292).

131 L. Lazzarini, « The use of color by Venetian painters, 1480-1580: materials & technique », in Hall 1987, surtout pp. 120 sqq. Voir les remarques sur les mélanges spontanés, in Piccolpasso 1934, pp. 63-64.

132 Sur l'invention vénitienne des papiers teintés dans la pâte, Meder 1923, pp. 112-113, et Pino 1954, p. 43, sur les différents usages unificateurs de ces *carte tinte*. Sur « Giorgione », Ruhemann 1955, p. 281 ; pour les fresques de Sebastiano del Piombo, Tantillo 1972, pp. 33-43 ; sur Le Tintoret, Plesters 1980, pp. 36, 39, 41.

133 Bellori 1976, p. 206. Les procédés techniques de Barocci sont résumés par Emiliani 1975, liv-v. L'étude en clair-obscur pour l'*Absolution de saint François* se trouve à l'Ermitage, à Saint-Pétersbourg, et le carton en couleurs est à la Galleria Nazionale delle Marche (Emiliani *ibid.*, n° 74). Sur l'importance des études à l'huile d'après nature, Pillsbury 1978, pp. 570-573. M. A. Lavin (*Art Bulletin*, XLVI, 1964, pp. 252-253) a fait remarquer l'élément systématique dans le traitement de la couleur chez Barocci et a suggéré qu'il a pu avoir accès aux extraits sur l'ombre et la lumière du premier manuscrit du *Traité* de Léonard qui se trouvait à la bibliothèque ducale d'Urbino jusqu'en 1626.

134 La composition méthodique des toiles de Barocci se voit dans sa *Lamentation*, œuvre tardive restée inachevée (Emiliani 1975, n° 280). Pour la technique de la peinture comme au pastel, Lavin 1956, pp. 435-439 ; C. Dempsey, « Federico Barocci and the discovery of pastel », in Hall 1987, pp. 62-64.

135 Il semble que le sculpteur Baccio Bandinelli, élève d'Albertinelli, pensait qu'Andrea del Sarto avait un « modo di colorire » très particulier et il tenta en vain d'en apprendre le secret ; il n'y parvint pas et nous ne savons rien sur ce procédé (Vasari 1962-1966, IV (1963), p. 302).

136 F. Pacheco 1649, in Fernandez Arenas 1982, p. 166. Voir aussi les notes du Gréco sur les difficultés de la couleur dans sa copie de l'édition Barbaro de Vitruve (Mariàs et Bustamente 1981, pp. 78 sqq.).

137 Bauer 1978, p. 52. On trouve de nombreuses esquisses monochromes de Bassetti au sein de la collection de la famille royale d'Angleterre. (Blunt et Croft-Murray 1957, n° 1-24 ; voir aussi Brugnoli 1974, pp. 311 sqq.).

8 La plume de paon

1 George Ripley *Twelve Gates*, in E. Ashmole (éd.), *Theatrum Chemicum Britannicum*, 1652, I, i, 188, cit. in Read 1939, p. 5. Sur Ripley, Holmyard 1957, pp. 182-185.

2 La meilleure édition des papyrus de Leyden et de Stockholm, que l'on fait désormais remonter au début du IVe siècle, est celle de Halleux I, 1981. Halleux est moins catégorique que Pfister 1935, pp. 7-53, qui soutient que ces textes n'eurent jamais de fonction pratique. A. Wallert, « Alchemy and medieval art technology », in Martels 1990, pp. 154-161, a suggéré une adéquation beaucoup plus étroite entre l'alchimie et la technologie du haut Moyen Âge. L'article de Wallert est notamment probant dans l'analyse d'une curieuse recette « d'or espagnol » de Théophile, III, xlviii (1961, pp. 96-98), qu'il dit être fondée sur une version alchimique de la théorie souffre-mercure des métaux ; cette analyse est aussi très éclairante à propos de la recette « d'azur artificiel » d'un manuscrit bolognais du XVe siècle (Merrifield 1849, II, p. 387), probablement à base de vermillon et non de bleu, et qui est également une forme du composé alchimique souffre-mercure.

3 Sarton 1954, pp. 170 sqq.

4 Wallert, in Martels 1990, pp. 155-156, soutient de façon convaincante que, même avant la diffusion de l'alchimie arabe en Occident, beaucoup de ses concepts étaient retransmis dans des textes comme les *Compositiones Lucenses* et la *Mappae Clavicula* du VIIIe siècle. Il cite les recettes pour la fabrication du vermillion à partir de souffre et de mercure (sur ce sujet, *cf. infra*).

5 Aujourd'hui à Sainte Marguerite, Hildesheim ; Tschan, II, 1951, pp. 129-140. Je n'ai pas trouvé le *Secretum Secretorum quod sub poena aeternae damnationis relinquo meis successoribus*, cit. in J. M. Kratz *Der Data zum Hildesheim*, 1840, p. III, II et note 1.

6 Bacon 1859, pp. 39 sqq. ; voir aussi son récit plus exhaustif *De Expositione Enigmatum Alkimie*, in idem 1912, pp. 85 sq., sur l'application de la doctrine des éléments et des humeurs, et p. 84, où la fabrication de l'or est décrite comme un « rougissement » et celle de l'argent comme un « blanchissement ». Pour une phase ultérieure de la réévaluation artistique, *cf. supra* pp. 75-76.

7 Thompson 1933, pp. 62-69. La fabrication du vermillon fut étudiée au XIVe siècle dans le *Liber Claritatis Totius Alkimicae Artis*, 1925/1927, VII (1926), p. 265, où le vermillon artificiel est décrit comme *lapide quem occultaverunt philosophi*. Ce traité est attribué à Jâbir Ibn Hayyân (Geber), auteur arabe du IXe siècle et principal adepte de la théorie souffre-mercure (Read 1939, pp. 17-18).

8 Hopkins 1938, p. 343.

9 Sur l'imagerie religieuse, *cf. infra* ; sur l'héraldique, Obrist 1983, pp. 170 sqq. ; sur l'emprunt de pseudonymes, Pseudo-d'Aquin 1977, pp. 22-114 ; Kibre 1942, pp. 502-505.

10 Les études principales sont toujours celles de Jung 1953, et surtout 1963. Pour une vue d'ensemble, Luther 1973, pp. 10-20.

11 Sur Duchamp, Golding 1973, pp. 85-93 ; J. H. Mofflit, « Marcel Duchamp : Alchemist of the Avant-Garde », in Tuchman 1986, pp. 257-271. Sur Chagall, Compton 1985, n° 22 : *Homage to Appollinaire* 1911/1912. Sur Beckmann, C. Schiff, « Max Beckmann : die Ikonographie der Triptychen », in Buddensieg et Winner 1968, p. 276.

12 Paul de Taranto *Theorica et Practica*, cit. in Newman 1989, pp. 434, 442-444.

13 Eamon 1980, pp. 204-209.

14 Hopkins 1938 ; *ibid.*, 1927, pp. 10-14. Le terme pour l'alambic alchimique, *Korotakis*, étant le même que celui de la palette pour la peinture à la cire, Hopkins (pp. 11-12) suggère un lien avec la palette quadrichrome attribuée aux peintres grecs (*cf.* chap. 2 *supra*).

15 Siméon de Cologne 1918, p. 65. Un auteur du XVe siècle décrit une « eau d'or » qui aurait résulté de la cuisson pendant 170 jours d'une séquence de noir, de rouge, de jaune et de vert « couleur paon » : Forbes 1961, pp. 17-20. Pour un usage plus tardif de cette séquence de couleurs, Read 1939, pp. 145-148. Un texte tardif dit même obtenir du bleu en dernière étape : *Tractatus Aureus Hermetis*, cit. in Jung 1963, p. 14. Dans les enluminures, le bleu est souvent la couleur de l'argent (Obrist 1983, pp. 210 sq.).

16 Crosland 1962, pp. 30-32, 66-73.

17 Cit. Read 1939, p. 26.
18 Reusner 1588, pp. 48-50.
19 Cit. Maguire 1987, p. 30.
20 Dobbs 1975, p. 178 ; sur le texte latin et ses symboles alchimiques, *ibid.*, p. 251. Sur l'image de l'arbre dans l'alchimie traditionnelle, Szulakowska 1986, pp. 53-77.
21 *Reallexikon zur deutschen Kunstgeschichte*, IV, col. 743 sq., s.v. « Ei ».
22 *De Lapide Philosophorum*, in Zetner, 1659, IV, p. 858. Sur l'achat de cette compilation de 6 volumes par Newton, Dobbs 1975, pp. 131 sqq.
23 Sur la théorie de Newton et ses antécédents immédiats, Sabra 1967, surtout pp. 67, 242. Dobbs (*ibid.*, pp. 224 sq., 231) attribue à l'expérience d'alchimiste de Newton son idée selon laquelle les plus petites particules de métal étaient noires (Newton 1730, pp. 259-260) et sa foi en la transmutation de la lumière d'abord en matière puis de nouveau en lumière.
24 Tieck 1798, IV, chap. iv.
25 Version légèrement corrigée d'après I. A. Richter 1952, pp. 10-11. Le texte italien se trouve in Reti 1952, p. 722. C. Vasoli, « Note su Leonardo e l'alchimia », in *Leonardo e l'etá della ragione : Atti del Convegno, Milan* 1982, pp. 69-77, suggère que le scepticisme de Léonard de Vinci était également partagé par certains auteurs alchimiques, tel Pierre Bon de Ferrare (*cf. supra* p. 143). Le mélange d'or et de pierre bleue est mentionné par Barthélémi l'Anglais, *De Proprietatibus Rerum*, XIX, viii.
26 Vasari 1878-1885, VI (1881), pp. 606-609. Vasari nous dit que lorsqu'il travaillait à la statue de bronze de *Saint Jean entre le Publicain et le Pharisien* (1509, Florence, Orsanmichele), il ne tolérait que la compagnie de Léonard, qui l'aida également (p. 604).
27 J. P. Richter 1970, I, p. 641. L'autre passage sur le « vernis » est § 637. La traduction de Richter mélange certaines métaphores et donne le « fer » pour « Jupiter ». Ces termes reviennent aussi dans un contexte pictural dans un traité portugais du XIIIe siècle, le *Livro de como se fazan as Côres*, I, 1930, pp. 71-83 ; 1928-1929, pp. 97-135, qui traite également des termes pp. 119 sqq. Pedretti 1977, II, pp. 18-19 fait remonter les notes de Léonard de Vinci v. 1515 et les associe à son travail sur le miroir. Boni 1954, p. 405, suggère qu'elles portent sur la patine du bronze. Il se pourrait que la note, qui n'est pas de la main de Léonard dans le *Codice Atlantico*, 244vb, et qui comporte le terme alchimique *sole* pour « or », fût fournie par Rustici (Reti 1952, p. 664).
28 Vasari 1903, p. 41.
29 Carbonelli 1925, ix-xi. Sur les connaissances de Léonard au sujet de Hermès Trismegistus, Sulmi 1976, pp. 142 sq.
30 Pour une description détaillée du dessus de table et de l'ensemble de ses correspondances, Scheckenburger-Broschek 1982, p. 52.
31 Baxandall 1986, pp. 106 et 165 pour le latin.
32 *Experimenta de Coloribus*, in Merrifield 1849, I, pp. 66-69. La vaste collection des manuscrits de Le Bègue se trouve *ibid.*, pp. 16-321.
33 L. Campbell, *National Gallery Catalogues: the Fifteenth Century Netherlandish Schools*, 1998, surtout pp. 197 sq. Cette excellente étude exhaustive décrit le tableau avec une précision sans précédent et passe en revue les nombreuses interprétations antérieures.
34 *Ibid.*, p. 174.
35 Campbell (*ibid.*, pp. 186-187) a identifié ce fruit comme étant une cerise, ce qui me paraît très peu probable étant donnée la façon dont il pend à la branche. Sur l'orange, fruit du Paradis, Purtle 1983, p. 125.
36 Campbell, p. 200, interprète la bougie soit comme une source de lumière en l'honneur des visiteurs, soit comme un pur exercice de virtuosité picturale.
37 Sur la brosse, Campbell, p. 187. Campbell, p. 186, adopte l'identification plus traditionnelle de la sainte à sainte Marguerite, patronne des naissances (qu'on a parfois associée à la grossesse présumée mais peu vraisemblable de la femme) ; pour une identification avec sainte Marthe, *cf.* Bedaux 1986, pp. 19-21.
38 Héraut Sicile 1860, pp. 38 sq., 46 sq., 56 sqq., 83 sq., 87 sqq.
39 Héraut Sicile 1860, pp. 43 sq., 86 sq.
40 Héraut Sicile 1860, pp. 47 sq., 85 sq. Sicile, natif du Hainault, a copié la définition d'Isidore de Séville sur le pourpre en tant que lumière dans la version française du traité de Barthélémi l'Anglais traduit par Jean Corbichon en 1372 (M. Salvat, « Le Traité des couleurs de Barthélémi l'Anglais », in CUERMA 1988, p. 384). Sur l'écarlate de Gand, R. van Uytven, « Cloth in mediaeval literature of western Europe », in Hatte et Punting 1983, pp. 158-159.
41 Panofsky 1966, I, p. 203, soutient que les perles sont de cristal et qu'elles font référence à la pureté de la femme mais elles sont nettement jaunes et ont été identifiées à de l'ambre par Eastlake 1847-1869, I, pp. 289 sq., qui en parle à propos du développement précoce du vernis à l'ambre ; voir aussi Schabaker 1972, p. 396, note 54, qui signale que Bruges est un centre de fabrication des chapelets en ambre.
42 Le *Buch der Heiligen Dreifaltigkeit* suggérait l'assimilation du rouge au feu et du vert à l'eau (Ganzenmüller 1956, p. 245). Pour d'autres équivalences, *cf.* pp. 32-33 *supra*.
43 *Cf.* l'interdiction de la pratique de l'alchimie pour les négociants qui devaient seulement s'intéresser aux *cose stabili*, in Cotrugli, 1602, p. 83.
44 Pierre Bon, *Pretiosa Margarita Novella*, chap. IX, cit. in Zetzner 1622, p. 661. Il en existe une nouvelle édition italienne de 1976 par Crisciani qui a publié en anglais une introduction à Pierre Bon (1973), pp. 165-181 ; voir aussi Holmyard 1957, pp. 138-145.
45 Bon cit. in Zetzner 1622, p. 709. Un autre texte alchimique de la fin du XIVe siècle, le *Liber Phoenicis* (1399), attribue à Salomon l'idée que la pierre philosophale était à la fois « mari et femme » et cite « Aristote » au sujet de l'association de l'humide, du sec, du froid et du chaud et un certain « Mircherio » (Mercure ?) sur le lien entre le feu et l'eau (Carbonelli 1925, pp. 9, 59).
46 Bon cit. in Zetzner *ibid.*, pp. 648-650, 661 et 668.
47 *Cf.* les beaux détails, in Dahnens 1980, pp. 200 et 203. Au début du XVe siècle, le *Buch der Heiligen Dreifaltigkeit* fait aussi une analogie entre la Passion du Christ et le Grand Œuvre et ajoute un certain nombre de scènes peu orthodoxes au cycle habituel (Ganzenmüller 1956, pp. 244-246).
48 Vasari 1878, III, p. 190.
49 Sur cette commande, Ettlinger 1965, pp. 25-28 ; et la reproduction du contrat : pp. 120-121.
50 Vasari 1878-1885, III, pp. 187-189.
51 Vasari, *Vita di Bernardino Pintoricchio*, in Vasari III, 1971, Testo pp. 574 sq. (1550).
52 Steinmann 1901-1905, I, pp. 201, 222. La direction du groupe de peintres a fait débat. Vasari a déclaré que Botticelli le dirigeait, mais Ettlinger (1965, pp. 30-31) soutient de façon convaincante que Pérugin tenait ce rôle. Mesnil 1938, p. 79, souligne que l'on doit l'unité stylistique de la série à Ghirlandaio ; il n'en reste pas moins que Rosselli a bien réalisé une scène de plus que les autres. Horne 1908, p. 103, a remarqué l'emploi d'or et de couleurs vives chez ce groupe d'artistes avant cette commande.
53 Ettlinger *ibid.*, pp. 89-90.
54 Ficin, *Della Religione cristiana, prima versione in lingua toscana dello stesso Ficino*, Florence 1568, p. 112, cit. in Calvesi 1962, pp. 236-237.
55 Monfasani 1983, II. Ce récit, d'Andreas Trapezuntius, date d'avril/mai 1482. Pour les étapes du projet, Ettlinger 1965, pp. 27-28.
56 Condivi 1997, p. 92. En fait, Michel-Ange reçut le double de la somme pour ce travail et l'argent perçu pour les dépenses de couleurs nous semble bien modeste.
57 Vasari VII, 1965, pp. 139-141. On a traduit le terme *campi* par « touches de peinture », Stumpel 1988, p. 228, mais ses arguments ne me semblent pas convaincants.
58 Conti 1986, pp. 42-45, mais *cf.* Mancinelli 1988, p. 15 les médaillons furent fortement restaurés au XVIIIe siècle. Condivi (1964, p. 50) est étonnamment ambigu quant à l'emploi d'or sur ces médaillons ; il écrit : « *si son detti* finti di metalli » (italiques du présent auteur). Sur l'usage d'or chez Michel-Ange pour le *Tondo Doni*, Buzzegoli 1987, pp. 405-408.
59 Roskill 1968, pp. 207-209 : lettre non datée de Dolce à Gaspare Ballini.
60 Ottonelli et Berrettini 1973, pp. 58 sq., [Bottari] 1772, pp. 234 sqq. Cette anecdote est attribuée à Carlo Maratta, peintre de la fin du baroque.
61 Vasari, IV, 1976, Testo pp. 543-545. Cette histoire est rapportée plus longuement dans la 2e édition des *Vite* ; les arguments en sa faveur ou à son encontre sont avancés par Freedberg 1950, p. 143, qui a tendance à les réfuter et par Fagiolo dell'Arco 1970, qui s'en sert pour élaborer toute une interprétation alchimique sur l'iconographie de Parmigianino.
62 L'interprétation la plus complète de la *Mélancolie* de Dürer en tant qu'allégorie alchimique est celle de Calvesi 1969, pp. 37-96, qui pêche pourtant quelque peu par excès documentaire. Son identification de l'arc du fond avec l'arc-en-ciel a été contestée par Horst 1953, pp. 426, 431, note 9, qui soutient que c'est un anneau de Saturne parfait. Sur Dürer et l'alchimie, voir aussi Ploss *et al.* 1970, pp. 24-26, qui est probablement, à tout point de vue, la meilleure étude générale sur l'alchimie.
63 Cela a été remarqué par Hartlaub 1953, p. 65. Ce dessin a été étudié par Tietze et Tietze-Conrat 1970, n° 579.
64 Hind 1910, p. 492.
65 Kristeller 1907, p. 3.
66 *Ioannis Aurelii Augurelli P. Ariminensis Chrysopoeia Libri III*, 1515. Il existe une trad. française de 1550. Augurelli y cite Campagnola comme peintre de paysage ; sur ce lien, Pavanello 1905, pp. 96-97.
67 Sur les pigments vert, jaune et rouge extraits des mines du Veneto, Lazzarini, in Hall 1987, p. 118 ; voir aussi la référence d'Augurelli au « *pigmentum aureum* » (c'est-à-dire à l'orpiment) des peintres à la fin du Livre I.
68 Freedberg 1950, pp. 80, 141.
69 Pour une étude générale, Weise 1957, pp. 170 sqq.
70 Aretino 1539, 9v, 16, 17v, 29 sq. Ce livre fut régulièrement réédité jusqu'en 1945.
71 *Ibid.*, 69v-70, 80, 117v .
72 *Ibid.*, 100v, 118.
73 Joret 1892, pp. 242, 246, 255. Sur le *Roman de la Rose*, Kirsop 1961, p. 146.
74 Evans 1922, pp. 22, 24, 36, 185.
75 Dronke 1972, p. 98. Sur les diagrammes, Meier 1972, pp. 245-355.
76 Saran 1972, pp. 228 sqq et surtout 231 sq., sur le cinabre, où l'auteur cite un livre de recettes de la fin du XVe siècle écrit à Nuremberg par des dominicaines qui utilisent la terminologie alchimique pour une recette de vermillon. (Ploss 1962, pp. 121-122). L'inventaire de Grünewald de 1528 fut imprimé pour la première fois par Zülch 1938, pp. 373-375. Ses effets personnels comportaient également une certaine quantité de « alchemy grün », c'est-à-dire de vert artificiel.
77 Luther, *Sämmtliche Werke*, LXII, IVe partie, vol. X, 1854, pp. 27 sq., cit. in H. C. von Tavel, « Nigredo-Albedo-Rubedo : ein Beitrag zur Farbsymbolik der Dürerzeit », in Hering-Mitgau *et al.* 1980, p. 310 ; éd. fr. : *Propos de table*, 1992, p. 341. Cette étude importante concerne l'iconographie alchimique d'un panneau du *Retable de saint Éloi* de Niklaus Manuel, exact contemporain du retable d'Issenheim de Grünewald.
78 Le seul parallèle que j'ai découvert se trouve dans le ciel du double portrait de Justinien et Anna von Holzhausen peint par Konrad Faber von Kreutznach (Francfort, Städel-Museum, n° 1729).
79 Pour une vue d'ensemble, Read 1952, pp. 286-292.
80 Gilchrist 1942, p. 303.
81 Sur cette technique, Essick 1980, chap. 9.
82 Blake 1956, p. 187.
83 J. Glauber, *The Prosperity of Germany*, cit. in Crosland 1962, pp. 9, 16.
84 Blake 1956, p. 388. *Cf.* Nurmi 1957, pp. 206-207, pour une identification avec l'arc-en-ciel. Sur le serpent en chimie, J. J. Becher *Oedipus Chemicum*, 1669, cit. in Crosland 1962, p. 17. Les coloris extrêmement variés des diverses copies des ouvrages de Blake rendent l'interprétation de ses couleurs impossible. En tant que tels, ils nous rappellent combien l'interprétation que l'auteur faisait du symbolisme pouvait fluctuer.
85 Blake 1956, p. 1915.

9 La couleur sous contrôle

1 Goclenius 1613, pp. 393 sqq.
2 C. T. Bartholin, *Specimen Philosophiae Naturalis*, Oxford 1703, chap. VII (trad. Kuchni 1981, pp. 230 sqq.).
3 Kepler 1980, pp. 114 sq. Kepler a établi sa théorie en s'appuyant sur un croquis de Lindberg, qui avait dressé une ébauche de la théorie de Kepler 1986, pp. 29-36. L'incertitude de Kepler quant à la lumière propre de l'escarboucle représente un vestige de la

vision médiévale (*ibid.*, p. 134).

4 Prins 1987, pp. 293-294.

5 M. Mersenne, *Questions théologiques, physiques, morales et mathématiques*, Paris 1634, p. 105, cit. in Darmon 1985, pp. 89 sq. ; Marcus Marci, *Thaumantias*, Prague, 1648, p. 98 et F. M. Grimaldi, *Physico-Mathesis de Lumine, Coloribus et Iride*, Bologne, 1665, p. 399, cit. in Marek 1969, pp. 393-406.

6 Barrow 1860, pp. 107-108. Newton a édité les conférences de Barrow en vue de leur publication.

7 Shapiro I, 1984, p. 83, n° 10.

8 [Digby] 1658, p. 321 ; Hoogstraten 1678, p. 224. C'est Francis Hall (alias Line) qui a montré ces expériences à Digby vers 1640. Thomas Harriot a mené des expériences similaires vers la fin du XVIe siècle ; Newton les a reproduites et elles sont la base de l'anti-newtonianisme de Goethe. Sur Hoogstraten et son utilisation des verts mélangés, Plesters 1987, p. 82, et sur son utilisation du glacis, p. 83. Le fait qu'il exclut la couleur orange de ses mélanges binaires peut être lié au fait qu'il pensait qu'il s'agissait d'un rouge.

9 Il existe un autre exemple frappant de palette en rouge-jaune-bleu au Moyen Âge, l'une des dernières œuvres issues de l'atelier de Giotto : le *Polyptique*, vers 1333-1334 (Bologne, Pinacothèque).

10 Sur la perspective, *cf.* Kemp 1990, pp. 126-127. L'utilisation programmatique des couleurs primaires et secondaires dans *Les Aveugles de Jéricho* de Nicolas Poussin a été avancée par O. Bätschmann in « Farbgenese und Primärfarbentrias in Nicholas Poussin Die Heilung der Blinden », Hering-Mitgau 1980, pp. 329-336, traduit in Bätschmann 1990.

11 Scarmilionius 1601, pp. 111-112. Sur sa gamme, il place son *puniceus* entre *flavus* et *viridis* (p. 117). Cette gamme comprend aussi un *purpureus* mais pas de *ruber* sous cette forme. J'interprète donc *puniceus* comme « orange ».

12 Boyle 1664, pp. 219-221, 232.

13 Sir William Petty, « An Apparatus to the History of & common Practices of Dying », in Sprat 1959, pp. 295-302.

14 Sur Le Blon, Lilien 1985 ; Gage 1956, pp. 65-67. Sur les impressions en couleurs en général, Friedman 1978 ; S. Lambert 1987, pp. 87-106.

15 Voir, par exemple, le musée de Tradescant, in Allan 1964, p. 263 : noirs, jaunes, rouges, bleus, blancs tels qu'ils sont utilisés par les teinturiers et par les peintres.

16 Shapiro 1, 1984, pp. 436 sq., 460 sq., 506 sq. ; aussi Westfall 1962, p. 357.

17 Hooke 1961, pp. 74 sq.

18 Huyghens, in *Philosophical Transactions* XLVI, 1673, réédité in Cohen 1958, p. 136.

19 Kuhn 1968, pp. 155-202, surtout p. 168 sur l'utilisation inhabituelle par Vermeer du bleu outremer ; Sonnenburg 1973, après 11. La fascination de Vermeer pour la lumière a toujours été remarquée mais, à ce sujet, *cf.* surtout Seymour 1964, pp. 323-331. Sur l'opinion de Charles Le Brun sur le jaune et le bleu en tant que couleurs de l'air et de la lumière, *cf.* Félibien, cit. in Badt 1969, p. 339.

20 Pour la présentation de cette question par Hooke, Hooke 1961, pp. 76-78.

21 Plesters 1983, pp. 38-46. Kemp 1990, p. 104, soutient que la peinture illustre de près plusieurs idées d'Aguilon sur la lumière. La palette de dix pigments, dont 4 bleus, et la complexité des mélanges de palette dans *La Descente de Croix* d'Anvers ont été étudiées par Coremans et Thissen 1962, pp. 121 sqq., 126. Le portrait *La famille Gerbier* utilise environ 20 pigments et des mélanges complexes (Feller 1973, pp. 59-64). Un ensemble de toiles de toutes périodes à Munich a révélé l'utilisation de 15 pigments (Sonnenburg et Preusser 1979). La collection de matériaux de Rubens conservée à Anvers comprend 14 pigments (Hiler 1969, p. 137).

22 Aguilonius 1613, p. 41. Sur les mélanges veinés, « Optische Farbwirkungen », in Sonnenburg et Preusser 1979. La collaboration de Rubens a été examinée par Jaeger 1976 ; Judson et Van de Velde 1978, pp. 101-115. Parkhurst 1961, pp. 37-48 a établi le lien avec *Junon et Argus* ; Jaffé 1971, pp. 365-366, l'a associé à l'*Annonciation* de Vienne (1609-1610). Voir aussi Held 1979, pp. 257-264 et, pour un compte rendu général en anglais sur Aguilon, Ziggelaar 1983.

23 Delbourgo et Petit 1960, surtout pp. 52-54 ; Rees-Jones 1960, p. 307 ; Plesters et Mahon 1965, p. 203.

24 Pour les rapports sur *De Lumine et Colore* de Rubens, qui ont survécu sous forme de manuscrit jusqu'au XVIIIe siècle, Gage 1969, p. 222, n° 10. L'autoportrait de 1649 de Poussin (Berlin) le montre avec un livre portant le titre *De Lumine et Colore* mais on ne sait pas s'il s'agit de son propre ouvrage ou des larges extraits qu'il a pris de Zaccolini. Son biographe, Félibien, affirme qu'il n'a rien écrit par lui-même (Pace 1951, p. 16). Voir aussi Cropper 1980, pp. 570-583.

25 Mancini 1956, I , p. 162 *(disegno come essere individuale)* ; Bellori 1976, p. 632 *(disegno come principio formale)*. L'imprimé didactique de Maratta de 1680 environ résume son point de vue : les élèves se fatiguent au dessin, à la perspective, à l'anatomie et à l'étude de l'art antique, tandis que leurs brosses et palettes restent inactives (Kutschera-Woborsky 1919, pp. 9-28). Voir aussi le Dominiquin à Angeloni vers 1632, in Mahon 1947, p. 120. Dans tous les cas, ces remarques naissent de la proposition du théoricien milanais G. P. Lomazzo (*Trattato dell'Arte della Pittura*, Milan, 1584, p. 24) selon laquelle en peinture, le dessin est la *materia* et la couleur est la *forma*. Voir aussi Le Brun en 1672 selon lequel le *dessin* imite les *choses réelles* et la couleur seulement les *accidentels* (Imdahl 1987, p. 36). Sur Locke, 1975, pp. 295, 300-301. Il ne s'agissait que d'un approfondissement du débat ancien sur la couleur des éléments (*cf.* chap. 2, pp. 32-33).

26 Teyssèdre 1965, pp. 206-207.

27 Le Blond de la Tour (1669) cit. in Teyssèdre *ibid.*, p. 71 ; de Piles (1672), in *ibid.*, p. 194, note 3 et p. 491, note 2.

28 Pace 1981, p. 25. Cette attitude a peut-être influencé la réticence de Félibien à croire que Poussin avait écrit sur le sujet. Il est néanmoins d'accord avec les scientifiques sur le fait que les couleurs primaires sont le rouge, le jaune et le bleu (Teyssèdre *ibid.*, p. 308).

29 *Sopra i colori delle veste*, Campanella 1956, p. 852.

30 Piponnier 1970, surtout pp. 89, 264 ; Scott 1981, pp. 171 sqq. Sur l'Italie du XVIe siècle, Newton 1988, pp. 9, 72 ; Bombe 1928, p. 53 (Florence en 1534). La plupart des recettes du *Plictho*, le manuel des teinturiers vénitiens de la moitié du XVIe siècle s'appliquaient au noir ou au rouge (Rosetti 1969, xvi). En 1530, l'Arétin écrivit au duc de Mantoue pour le remercier d'un habit noir et or qu'il appela « gli abiti dei principi » Gregori, « Tziano e l'Aretino », in Pallucchini 1978, p. 282). À la fin du XVIIe siècle, les lois somptuaires prescrivaient le noir pour les hommes comme pour les femmes.

31 Van Gogh 1958, n° 428 (1886), cit. in F. S. Jowell, « The rediscovery of Frans Hals », in *Frans Hals* 1989, p. 77. La ville de Hals, Haarlem, était connue en particulier pour sa fabrication de tissu noir (B. M. Dumortier, « Costume in Frans Hals », in *ibid.*, p. 58, note 36).

32 J. B. Oudry (l'élève de Largillière), in Rosenfeld 1981, p. 320.

33 Browne 1658, chap. III. Rzepinska 1986, p. 107, cite un traité d'alchimie par Blaise Viguère, *Traité de feu et de sel*, Paris, 1618, qui contient certaines idées sur le sombre très proches de celles de Browne

34 Kepler 1980, cit. in Rzepinska *ibid.*, p. 102. L'importance des ombres en astronomie avait stimulé l'étude de leur projection dans l'Antiquité et au Moyen Âge (Kaufmann 1975, pp. 262-267).

35 Kircher 1646, livre II, partie ii, p. 54, cit. in Rzepinska., *ibid.*, III.

36 Reynolds 1852, II, pp. 332-333. Selon lui, même Rubens n'avait introduit de lumière que sur un peu plus d'un quart de sa toile. On trouve des exemples de ce mode d'étude dans le carnet de croquis de Reynolds, Sir John Soane's Museum, Londres, fos 155, 159, 162, 177-178.

37 Mancini 1956, I, p. 108.

38 Mahon 1947, p. 37, notes 39, 65, 95.

39 Guidobaldo del Monte *Perspectivae Libri Sex*, Pise, 1600, I, 2, cit. in Spezzaferro 1971, pp. 83, 89 sq. Sur la formation du Caravage, Baumgart 1955, p. 63.

40 Bellori 1976, p. 229.

41 Röttgen 1965, pp. 48, 49 sq. Voir aussi le contrat de 1602 (p. 54). Sur une stipulation semblable dans le contrat de 1591 du Cavalier d'Arpin pour les fresques de la même chapelle, Röttgen 1964, p. 205. Il existe un exemple particulièrement intéressant de cette pratique dans le contrat de 1612 des fresques du Dominiquin sur la vie de sainte Cécile, pour la chapelle Polet, même église : le commanditaire y acceptait de fournir du bleu outremer selon les désirs du peintre *(sia tenuto darlo lui* [*Dominiquin*] *a suo gusto, tanto della quantita, quanto della qualita come a lui* [*Dominiquin*] *meglio parera* : Spear 1982, p. 328). Au début des années 1620, le Guerchin supplia le pape Grégoire XV pour obtenir le salaire de son retable gigantesque, *Sainte Pétronille* (aujourd'hui à Rome, Musée du Capitole), y compris une prime spéciale pour la grande quantité de bleu outremer utilisée sur plusieurs personnages « puisqu'il est inhabituel pour un peintre de le payer lui-même » (Pollack II, 1931, p. 564). Pour un exemple plus tardif, *cf.* les fresques de la Casa Bartholdy à Rome (aujourd'hui à Berlin à la Nationalgalerie), peintes par un groupe de nazaréens en 1816-1817 et pour lesquelles Niebuhr, le commanditaire, fournit le bleu outremer (Seidler 1875, p. 304).

42 Sur la chapelle Cetasi, Hibbard 1983, pp. 118 sqq.

43 P. Accolti *Lo Inganno degli Occhi*, Florence, 1625, p. 150, cit. in Cropper 1980, pp. 577 sq.

44 Malvasia 1841, I, p. 2. Voir aussi la remarque du théoricien espagnol Palomino (1715-1724) qui explique que pour parvenir à l'effet souhaité on peut même utiliser la boue de la rue (Veliz 1986, p. 164). Palomino (p. 154) mentionne aussi avec désapprobation que le commanditaire fournissait toujours les couleurs les plus coûteuses. Il est peut-être important de noter qu'aucun contrat espagnol stipulant l'usage de couleurs spécifiques n'a encore été trouvé (McKim Smith *et al.* 1988, p. 97), même si un exemple de Madrid parle de « couleurs belles et vives » (p. 59) ; à cette époque le bleu outremer a pu être utilisé pour le manteau de la Vierge (Veliz *ibid.*, p. 118). Sur les principes de couleur en Espagne, Soehner 1955, surtout pp. 12 sq. ; Spinner 1971, p. 173. Sur les palettes de Vélasquez et Zurbarán, Sonnenburg 1970 ; Veliz 1981, pp. 278-283.

45 Mancini 1956, I, pp. 108-11 ; Ottonelli et Berrettini 1973, pp. 25 sq. Les intérêts de Cortone pour la couleur ont été mis en lumière par Poirier 1979, pp. 23-30. Sur les travaux du Cavalier d'Arpin dans la chapelle Contarelli, nettoyée en 1966, *Il Cavaliere d'Arpino* 1973, p. 177. La juxtaposition de fresques par Raphaël et Sebastiano del Piombo dans la villa Farnésine de Rome a dû sembler tout aussi choquante et stimulante pour les spectateurs de la Haute Renaissance mais ne semble pas avoir créé de comparaisons semblables.

46 Bernini 1982, pp. 44 sq. et ill.33-41. Les fresques de la voûte ont été nettoyées en 1959.

47 Pour une description précoce de la coupole de Lanfranco qui met en avant sa gamme de tons du clair au sombre, Turner 1971, surtout p. 323. Sur Baciccio, Engass 1964, pp. 31-43.

48 Pour sa tonalité de jaune-brun-blanc, Baciccio pourrait s'être inspiré de la fresque de la coupole de Federico Zuccari, laquelle représentait la Vierge adorant la Sainte Trinité, datant de la fin du XVIe siècle, dans une chapelle voisine.

49 Molière X, 1949, p. 209, l. 153-156.

50 Pour Hipparque, Padgham et Saunders 1975, p. 57. Chalcidius 1963, pp. 375 sq. Le compte rendu d'Alexandre d'Aphrodisie sur l'arc-en-ciel (*cf. supra* p. 31), même s'il implique une pensée scalaire, ne formait pas encore d'échelle cohérente.

51 Urso von Salerno 1976, p. 185.

52 Bacon 1937, pp. 70-77.

53 *Avicenne* 1972, pp. 205 sq. Lorsqu'il identifie le *pallidus* comme un jaune, Bacon ne se base en aucun cas sur le texte d'Avicenne. Cela était généralement considéré comme achromatique (*cf. supra* p. 74). Il paraît possible que le procédé en 12 étapes, chacune en rouge et vert, examiné par Théophile (I, 16) au début du XIIe siècle pour peindre l'arc-en-ciel soit influencé par Avicenne, même s'il semble que la traduction ait été faite plus tard que son ouvrage. Il y décrivait bien évidemment l'arc standard rouge-vert du début du Moyen Âge. Pour un décryptage complet de ce procédé, *cf.* Théophile 1963, pp. 23-25.

54 Vincent de Beauvais 1624, *Speculum Naturae* II, chap. lxviii.

55 Sur Albert le Grand, *De Sensu*, II, 2, cit. in Hudeczek 1944, p. 130 ; sur al Tûsî, Wiedemann 1908, pp. 85 sq.

56 Le compte rendu de Théodoric, in *Des couleurs* VI, toutefois, n'inclut pas de notion d'échelle de gris, comme le suggère Parkhurst (Hall 1987, pp. 174-176) puisqu'il considère le contenu noir et blanc des teintes comme des teintes. Je n'ai pas pris en considération la théorie de Robert Grosseteste, que Parkhurst a essayé de reconstruire en tant que solide en trois dimensions (*ibid.*, pp. 168-172). Grosseteste a proposé une liste de 7 teintes sans nom qui pouvaient être séquencées du blanc vers le noir, ainsi que 7 *autres* teintes sans nom, du noir vers le blanc (Parkhurst affirme qu'il n'y avait qu'une seule série de 7). Mais comme Parkhurst lui-même le reconnaît, cette combinaison était truffée de difficultés pratiques et, sur ces critères, fut attaquée par Bacon (1937, pp. 74-75). Voir surtout Parkhurst *ibid.*, note 18.

57 Barasch 1978, pp. 178-180. Sur les gammes de la Renaissance, voir aussi Gavel 1979, pp. 45-46.

58 Voir, par exemple, la gamme avancée prudemment par Vossius 1662, pp. 61 sqq., qui s'étalonne du blanc au noir, en passant dans l'ordre par le vert pâle, le jaune, le rouge, le violet et le bleu.

59 Forsius 1952, pp. 316 sqq. Une traduction en anglais, in Feller et Stenius 1970, pp. 48-51, comprend quelques dessins plutôt trompeurs d'après les diagrammes de Forsius, réédités par Parkhurst, in Hall 1987, p. 183.

60 Glisson 1677, chap. IX : « De coloribus pilorum », pp. 54-61. Sur le *bice* bleu, Harley 1982, pp. 48-49. Zahn 1658, fond. I, synt. 2, chap. IX, montre la progression des tonalités du noir vers le blanc. Le vert, par exemple, donne : blanc, jaune pâle, jaune, vert, bleu, bleu-noir et noir.

61 Chandler 1934, p. 69 ; Cage 1984, p. 256.

62 Sur Zaccolini, Bell 1985, pp. 227-258. Mon compte rendu se base sur Bell 1983, le texte italien du traité Zaccolini.

63 Bell 1983 *ibid.*, pp. 295, 356-364.

64 *Ibid.*, pp. 307, 335, 340-341.

65 *Ibid.*, pp. 295, 311, 326.

66 Sandrart 1925, pp. 209 sq. ; éd. fr., 1922. Le passage a été examiné en détail par Gowing 1974, pp. 90-96, et Conisbee 1979, pp. 415-419.

67 Conisbee *ibid.*, p. 424.

68 Berger IV, 1901, pp. 122-124. Sur *schitgeel*, *cf.* note 91 *infra*.

69 J. H. Bourdon *Conférence sur la lumière* (1669), in Watelet et Levesque I, 1792, pp. 405-406, 413. Bourdon parle d'une rencontre avec Claude Lorrain, dont il admirait beaucoup les levers de soleil (p. 406).

70 Sutton 1987, pp. 10-11 et 430 sur *Paysage de neige près d'une ferme* de Rembrandt.

71 Goclenius 1613, pp. 393 sq. On peut remarquer qu'il a regroupé *glaucus*, *coesius*, *lividus*, *cinericius* et *pallidus* sous *caeruleus*.

72 Merrifield 1849, II, pp. 650-657.

73 Cette pratique est identifiée depuis le Tintoret déjà (Plesters 1980, pp. 36, 39) ; sur son utilisation par le jeune Rembrandt, van de Wetering 1977, p. 63 ; sur Jan Steen vers 1660, Butler 1982/1983, p. 46.

74 Sur le Caravage, Greaves et Johnson 1974, p. 20 ; sur Rubens, Coremans et Thissen 1962, p. 126.

75 Junius 1638, p. 272. L'ouvrage est paru en latin, en anglais et en néerlandais. Sur la possibilité que Rembrandt l'ait connu vers la fin des années 1630, Gage 1969, p. 381. Voir aussi Félibien sur les « couleurs rompues », en 1676 (Pace 1981, p. 167, note 115.1).

76 Sandrart 1925, p. 203. J'ai effectué cette traduction libre d'un passage difficile. La pensée de Sandrart est proche de l'attitude vénitienne du XVIe siècle (*cf. supra* p. 137). Dans son *Bon Samaritain* (Milan, Brera) on peut clairement voir son appréciation du style et de la technique de Rembrandt. Voir aussi l'accent mis sur l'harmonie par le mélange chez l'élève de Rembrandt, Hoogstraten 1678, pp. 223, et 291 sur la technique de Rembrandt.

77 Groen 1977, p. 74 ; Coremans 1965, pp. 183 sq. ; Kuhn 1976, pp. 27 sq. Pour des catalogues substantiels des œuvres de Rembrandt, avec analyses techniques, *cf.* de Vries *et al.* 1978, et Bomford *et al.* 1988.

78 Voir note 19 *supra* et Froentjes 1969, pp. 233-237 ; Sonnenburg 1976, p. 11. Cette technique se remarque dans les travaux d'Holbein (à la feuille d'agent) au cours du XVIIe siècle (Mayerne, p. 110) et a été utilisée localement au cours du XVe siècle (*cf. supra* p. 129).

79 Kuhn 1977, p. 226.

80 Van do Werering *et al.* 1976, pp. 95 sq.

81 Restout 1863. Hagedorn 1775, II, p. 170, a une interprétation assez différente de l'influence de la palette sur le style : selon lui, « ressentir la palette » dans une peinture c'est ressentir la fausseté et l'exagération des couleurs locales, qui doivent être modifiées grâce au mélange.

82 Schapiro I, 1984, pp. 460 sq., émet l'hypothèse plausible selon laquelle Newton voulait écrire *puniceus* au lieu de *purpureus*.

83 Harris 1708-1710, I, s.v. « Couleur ». In II, un article sur la « Couleur » est aussi tiré de l'*Optique*.

84 Taylor 1719, pp. 67-70. Sur ses toiles et sa collaboration avec Newton sur la théorie de la musique, *cf.* P. S. Jones, *Dictionary of Scientific Biography*, XIII, 1976, pp. 265-268.

85 Le Blon 1725, p. 6. La date a été établie par Lilien 1985, pp. 140-141, qui a aussi fait paraître un fac-similé de cette 1re édition.

86 Gage 1983, pp. 19-20 et 1986, p. 67. Francesco Algarotti, l'un des premiers à avoir vulgarisé l'*Optique* de Newton, montra dès 1737 que Le Blon avait laissé son papier blanc faute de pouvoir le créer avec ses couleurs primaires. (Algarotti 1969, pp. 11, 150). Voir aussi Cominale 1754, p. 133.

87 Wagner 1967, p. 42.

88 Scheuchzer I, 1731, p. 61. La tradition poétique d'*Optique* a été explorée par Nicolson 1946 ; Greene 1953, pp. 327-352 ; Murdoch 1958, pp. 324-333 ; Guerlac 1971. La tradition visuelle d'éloge de Newton a été moins étudiée, à part Haskell 1967, pp. 218-231 et *The European Face of Isaac Newton* 1973/1974.

89 Turnbull 1740, pp. 145-146. Le lien avec l'*Optique* a été établi v. 133-134.

90 Waller 1686, p. 25. Voir aussi Harley 1982, p. 36. Le seul précédent à cet atlas de couleurs serait apparemment celui d'Elias Brenner 1680 mais, comme l'a précisé Waller, cet atlas, qui fournissait 31 échantillons de couleurs, classés en six catégories (blanc, jaune, rouge, vert, bleu et noir) et n'était à l'origine destiné qu'à des miniaturistes, ne traitait que de couleurs « simples ». Waller avait rassemblé environ 120 échantillons.

91 E. W., in *A Garden of Flowers ; Wherein Very Lively is Contained a True et Perfect Discription of al the Floures Containd in these Foure Followinge Bookes, as also the Perfect True Manner of Colouring the same, with their Naturall Coloures* [...], Utrecht, 1615, fin du livre IV. *Schijtgeel* est recommandée en tant que bonne couleur de glacis par C. P. Biens (1639), cit. in de Klerk 1982, pp. 55-56 (sommaire en anglais pp. 57 sqq.). Arber 1940, p. 803, a traité de la difficulté d'interpréter les couleurs dans les herbiers du XVIe siècle. Sur certaines anciennes tentatives de cataloguer les animaux en utilisant des noms de couleur de manière plus ou moins systématique, Charleton 1677, pp. 61-71, qui se base sur le système de Glisson (*cf. supra* p. 167) ; Buonanni 1681, pp. 87-96, qui fait référence à Savot 1609. On notera que Buonanni, dont les travaux se fondent sur une collection de coquillages laissée au collège jésuite de Rome par Athanase Kircher, n'a pas retenu la théorie des trois couleurs de l'ouvrage de Savot (*cf.* note 97, p. 273) mais a par contre choisi comme couleurs primaires le blanc, le noir, le jaune, le rouge, le violet, le vert et le bleu *(turchino)*.

92 J. Pitton de Tournefort (1694), cit. in Dagognet 1970, pp. 31 sq. Sur le point de vue selon lequel la couleur n'a pas d'importance taxinomique, Linnaeus 1938, pp. 138-142.

93 C. F. Prange, *Farbenlexicon*, Halle, 1782 et recension, in *Miscellaneen artistischen inhalts* de Meusel, IX, 1781, cit. in Rehfus-Dechêne 1982, pp. 15 sq. L'ouvrage *Entwurf einer allgemeinen Farbenverein* par J. C. Scäffer, Regensburg, 1769, établissait de nouveaux standards destinés à l'origine aux naturalistes.

94 Schiffermüller, 1772, pp. 6-7. Pour la date et le contexte, Lersch 1984, pp. 301-316. Schiffermüller a co-écrit avec M. Denis *Systematisches Verzeichniss der Schmetterlinge der Wiener Gegend*, Vienne, 1776, dans lequel, malgré les références habituelles aux problèmes de terminologie (pp. 38-39), il n'y a aucune référence à son système.

95 Gage 1990, p. 538.

96 Williams 1787, pp. 39 sq. La science anglaise était encore désorganisée en 1823, quand on sait que, encore après la publication de Symes en 1821, un météorologue pouvait encore s'attendre à « une organisation systématique des couleurs [...] faisant référence à des fleurs et autres substances standard. Il serait bien que nous ayons une nomenclature pour les couleurs qui les décrive en faisant référence à la proportion des teintes primitives qui les composent » (Forster 1523, p. 85, note).

97 Goncourt 1948, p. 89. Sur la mode des collections de coquillages dans le cercle de Boucher, Dance 1966, p. 61.

98 Scopoli 1763. Scopoli se servait d'un disque divisé en 8 segments égaux. Ses couleurs « primaires » étaient le vermillon, la gomme-gutte, le bleu de Prusse, le noir *(atramentum indicum)* et le blanc de céruse, avec un vert mélangé. Certains de ses mélanges sont surprenants, comme son *corallius* composé de 6 parts de rouge et de 4 de vert. Le *Insecta Musei Graecensis* du jésuite N. Poda (1761) n'utilise pas de notation de couleurs, alors que Scopoli y est mentionné en tant qu'ami, ce qui induit que la technique a dû être établie au début des années 1760. Schiffermüller, 1772, p. 20, demeurait très critique à l'égard de ces expériences. Celles de Peter Shaw dans les années 1730 paraissent n'avoir eu d'autre but que de tester la théorie de Newton sur la dimension hétérogène de la lumière blanche (Shawn 1755, p. 304).

99 Par conséquent, la couleur ne joue aucun rôle dans l'étude de G. Cantor, *Optics after Newton, Theories of Light in Britain et Ireland, 1704-1840*, 1983.

100 Isidore 1960, pp. 15-17, 202 bis, 212 bis, 216 bis, 296 bis. Pour des diagrammes in Cassiodore et Joachim de Flore, Esmeijer 1978, pp. 38, 125 sq. Voir aussi Evans 1980, pp. 32-35.

101 Voir D. Hub, « Du crocus au jus de poireau : remarques sur la perception des couleurs au Moyen Âge », in CUERMA 1988, pp. 165 sqq. Sur Fludd, Godwin 1979, p. 65, qui recense une version du XVe siècle à Oxford, bibliothèque bodléienne, manuscrit Savile 39, folio 7v.

102 Sur la bibliographie complexe de « Boutet », Parkhurst et Feller 1982, p. 229, note 14. Une seconde roue dans le traité a élevé le nombre de tons mélangés à 8.

103 Frisch (1788), cit. in Letsch 1984, p. 314 ; Bezold 1876, p. 114 ; sur Ostwald *cf. supra* p. 247.

104 Gavel 1979, p. 95. C'était vrai d'un grand nombre de propositions ultérieures. R. Agricola, dans un débat sur la *Différence* a catégorisé le bleu et le jaune comme *contrarii* et l'indigo, le rouge et le vert comme fortement séparés. (Agricola 1967, I, xxvii, p. 161). Zahn 1658, fond. I, synt. 2, chap. IX, affirme que les couleurs les plus opposées constituaient les juxtapositions les plus vives, mais il ne les a pas spécifiées. *Tableau sur la couleur* par H. Testelin (1696) annonce que le rouge et le vert, le jaune et le bleu, étaient particulièrement efficaces pour souligner chacune la brillance de l'autre (cit. in Teyssèdre 1965, p. 298). Lairesse 1778, pp. 120-121, offre une longue liste de paires harmonieuses mais, comme celles de Léonard de Vinci, elles étaient très fluctuantes : par exemple le jaune pâle convenait au violet mais aussi au mauve et au vert et le rouge pâle s'associait au vert et au bleu.

105 Cohen 1958, p. 85.

106 *Ibid.*, p. 206 (1675).

107 Newton 1730, I, ii, prop. V., théor. iv, expérience 15. Voir Shapiro 1980, p. 234 ; H. G. Grassmann (1853), in MacAdam 1970, pp. 57 sqq. Sur l'histoire des travaux de Newton sur les couleurs des plaques minces, Westfall 1962-1965, pp. 181-196 ; Sabra 1967, chap. 13.

108 Rumford 1802, I, pp. 319-340. Matthaei 1962, pp. 72-74, attribue le terme au scientifique français Hassenfratz (1801).

109 R. W. Darwin 1785, réédité in E. Darwin 1796, I, p. 568. R. W. Darwin fit remarquer que son travail avait commencé avec une analyse de la roue de couleurs de Newton. Rumford avait pratiqué des expériences similaires en 1793 (Rumford *ibid.*, pp. 336-337) et elles devinrent aussi la base d'une théorie de l'harmonie par Venturi 1801, pp. 13 sqq. Sur Goethe, *cf. infra* chap. 11.

110 J'ai daté l'ouvrage de Harris au début des années 1770 parce qu'il est dédié à sir Joshua Reynolds, qui a été adoubé en 1769, mais ne parle pas de l'ouvrage *Exposition of English Insects* de 1776 dans un long titre qui fait pourtant référence à d'autres publications de Harris. L'*Exposition* utilisait une version modifiée du *Natural System*, dont il reste une copie à Yale et une autre à Munich (Bayerische Staatsbibliothek). Aucune des deux dernières ne possède la dernière planche avec les échantillons de mélanges de couleurs.

La copie de Yale a été reproduite en fac-similé et éditée par F. Birren en 1963 mais avec des planches de couleurs retravaillées et trompeuses. Les planches de la copie de Munich sont reproduites in Lersch 1984, pl. 3a, b.
111 Repton 1803, p. 218.
112 Régnier 1865, pp. 13-15. Ce point de vue a déjà été avancé plus prudemment par Rumford (1802, I, p. 336) ; en 1792, un jeune peintre anglais, Henry Howard, avait remarqué les « oppositions » par exemple du cramoisi et du vert brunâtre, sur une toile du Titien à Venise (Howard 1848, liii).
113 Chevreul 1854, §§ 16, 237. Sur l'influence d'Ampère, Chevreul 1969, iv.
114 Aquin 1952, p. 630, § 289. Voir aussi Alhazen 1989, I, p. 99 ; II, p. 58.
115 Voir *Le Magasin Pittoresque*, II, 1834, pp. 63, 90-91 ; « Dr E. V. », « Cours sur le contraste des couleurs par M. Chevreul », *L'Artiste*, 3e série, I, 1842, pp. 148-150, 162-165 ; C. E. Clerget, « Lettres sur la théorie des couleurs », *Bulletin de l'Ami des Arts*, II, 1844, pp. 29-36, 54-62, 81-91, 113-121, 175-185, 393-404. En 1842 on faisait de la publicité pour les conférences de Chevreul au Salon parisien (Herbert 1962, p. 77).
116 J'ai traité ces associations in F. Viénot et G. Roque (éds), «Michel-Eugène Chevreuil : un savant, des couleurs ! », 1997.
117 Pour Vernet, *cf.* le catalogue bien illustré *Horace Vernet*, 1980, Académie de France à Rome.
118 Delacroix 1980, 6 mai 1852, *cf.* 2 sept. 1854.
119 Pour la note de Delacroix, Dittmann 1987, p. 284, et, en version anglaise, avec le triangle, par Kemp 1990, p. 308. Mérimée et lui-même avaient été membres d'un comité gouvernemental en 1831 (L. Rosenthal 1914, p. 5) et il possédait une aquarelle de Mérimée représentant des chevaux. (Bessis 1971, p. 213, n°123).
120 Sur le cercle de 1839, Johnson 1963, p. 56, pl. 34. Il s'agit toujours de la meilleure étude des couleurs de Delacroix, mais voir aussi Badt 1965, pp. 46-74 ; Howel 1982, pp. 37-43.
121 Les notes de cours, dans un cahier d'exercices, se trouvent à présent dans le Cabinet de Dessins du Louvre (manuscrits anonymes I d. 80). Elles ne sont pas de la main de Delacroix mais comportent des corrections qu'il pourrait bien avoir faites. Le cercle de 24 couleurs qu'on y trouve pourrait être lié au *cadran* décrit par Sylvestre 1926, I, p. 48. Pour la visite que le peintre se proposait de faire à Chevreul, Signac 1964, p. 76. Dans la mesure où Delacroix, qui vécut jusqu'en 1863, ne semble pas avoir essayé une deuxième fois de lui rendre visite, il est possible que cette rencontre ait eu moins un but didactique que social : à cette époque, Delacroix faisait campagne pour devenir membre de l'Institut, dont Chevreul était président.
122 Notes de cours, 13 janv. 1848, *cf.* les mémoires de l'assistant de Delacroix sur certains de ces procédés, Planet 1928, pp. 399, 435 sq.
123 Vollard 1938, p. 215.
124 Van Gogh 1958, lettre 503. Sur le plafond, Johnson 1951-1959, V, pp. 115-131 ; Matsche 1984, surtout pp. 478-482. Pour des détails sur la collection, Sérullaz 1963, pl. 105, 108.
125 Du Camp 1962, p. 270 ; Delacroix 1980, surtout le 7 sept. 1856.
126 Sur Blanc et Delacroix, Matsche 1984, p. 470 ; Delacroix 1935-1938, II, pp. 374 sq., 391, 526. Voir aussi 1967, pp. 95, 163, note 7.
127 Blanc 1867, pp. 24, 595-598, 600-604 ; 1876, pp. 62-64.
128 Blanc 1867, pp. 22, 24, 608 sqq.
129 Blanc *ibid.*, pp. 604 sqq. Sur l'orientalisme, *ibid.*, pp. 595, 606 sq. ; 1876, pp. 72-74 ; 1882, pp. 222, 390, 404 sq., 473 sqq.
130 Sur *Femmes d'Alger*, Blanc 1876, pp. 68 sqq. ; Johnson 1963, p. 69 ; pour les accessoires, Blanc 1867, pp. 609 sq.
131 Sur *Femmes d'Alger*, Johnson 1963, pp. 42-43, pl. 23-24 ; *ibid.*, 1981-1989, III, n° 356. Pour les copies de Delacroix de sources authentiquement orientales, Johnson 1965, pp. 163 sq. ; 1978, pp. 144 sqq. ; H.A. Rosenthal 1977, pp. 505-506.
132 Voir surtout les remarques de Chevreul sur la traduction en anglais de ses travaux au début des années 1820 (1879, 2e sec., LXI, 241 sq.). Pour de nouvelles versions, *cf.* surtout la plus splendide d'entre elles, en 1864, et l'édition de 1889 de *De la loi du contraste simultané*, réédité en 1969. L'un des derniers manuels de couleur sur le modèle de Chevreul semble être celui de Lacouture 1890, dédié à sa mémoire.
133 Voir surtout Maxwell (1856), in Maxwell I, 1990, pp. 412-413. La distinction entre mélange additif et soustractif a été clairement décrite par Forbes 1849, p. 165 et Hayter 1826, p. 6, y a fait allusion. Le « paradoxe » du mélange de lumière bleue ou jaune avec du blanc avait aussi été rapporté bien auparavant par le mathématicien allemand J. H. Lambert (1760, p. 528). Forbes connaissait aussi l'autre publication majeure de Lambert, la *Farbenpyramide* de 1772 (Forbes *ibid.*, pp. 161 sq., 166).
134 Chevreul 1879, pp. 14, 55, 178 sqq., 248 sqq., faisait appel à l'expérience des peintres pour les exposer. Ce développement a été débattu par Sherman 1981.
135 Laugel 1869, qui recommandait (p. 7, note 1) le *Handbook of Physiological Optics* (1867) de Helmholtz comme étant le meilleur guide.
136 Jamin 1857, pp. 624-642. *Cf.* Sheon 1971, pp. 434-455. Cette opinion n'était pas si éloignée de celle de Helmholtz, lorsqu'il écrivit son « On the relation of optics to painting », dans les années 1850, in Helmholtz 1900, II, pp. 73-138.
137 E. Duranty, *La Nouvelle Peinture*, 1876, in Geffroy 1922, pp. 88-90. Sur Duranty et Guillemin, Marcussen 1979, p. 29. Duranty était aussi propriétaire d'un autre ouvrage, qui suivait les préceptes de Helmholtz sur les couleurs primaires et secondaires et il réimprima son essai sur la peinture : Brücke 1878.
138 Véron 1878, p. 266. Sur Véron et Huysmans, Reutersvärd 1950, pp. 108-109. Durant ces années, Guéroult 1882, p. 174, est aussi à l'origine d'un compte rendu en français sur les complémentaires de Helmholtz. Pour les mêmes textes lus à cette époque par les peintres de plein air en Italie, Broude 1970, pp. 406-412.
139 Véron 1878, p. 289.
140 Sur impressionniste-luministe, Seurat à Signac 1887, in Dorra et Rewald 1959, lx ; pour le chromo-luminarisme, « cher à Seurat », Signac 1964, p. 151. Sur la peinture optique, Seurat à Fénéon, 1889, in de Hauke et Brame 1961, I, xx.
141 M. Schapiro in Meyerson 1957, p. 251. Camille Pissarro a reconnu l'importance de cette touche nouvelle, impersonnelle, quasi-mécanique mais il trouva qu'à long terme le sacrifice était trop important (Anquetin 1970, p. 430). À ce jour, le compte rendu le plus complet de la genèse de la *Un dimanche après-midi à la Grande Jatte* est in Thompson 1985, p. 971.
142 Thompson *ibid.*, pl. coul. 114.
143 Minervino 1972, pl. coul. xvii.
144 Le cercle de couleur de Rood, dont Seurat possédait un calque, est reproduit avec une copie dans Homer 1970, p. 41 (légendes inversées). Pour l'interprétation que Seurat fait de Rood, Gage 1987, p. 449. Dans cet article (p. 451, note 24), j'ai réduit l'influence de Rood sur *Un dimanche après-midi à la Grande Jatte* mais je pensais alors au déploiement de points contrastés à petite échelle, plutôt qu'aux grandes zones de couleur abordées ici. Pour la rencontre de Seurat avec Henry, Fénéon 1970, I, xv ; pour l'intérêt qu'Henry portait à Helmholtz et son attaque contre le cercle de Chevreul, en 1885, Argüelles 1972, pp. 94 sq.
145 La meilleure reproduction en couleurs de cette image disponible à ce jour, prise avec ses marges, après nettoyage, se trouve au Art Institute de Chicago, *Museum Studies*, XIV, 1989, pl. 2, 6, 8, 12.
146 Minervino 1972, pl. coul. xxviii. Le cadre pointillé actuel n'est pas celui de Seurat, qui était blanc (R. Alley, *Catalogue of the Tate Gallery's Collection of Modern Art*, 1981, pp. 682 sq., n° 6067). Le professeur R. L. Herbert fut le premier à me faire remarquer le mélange de complémentaires de Chevreul et de Helmholtz dans le petit tableau *Les Poseuses* (P. Smith 1990, p. 383, pl. coul. II).
147 La lettre est traduite in Broude 1975, p. 16. La description la plus complète de la version du peintre est in Herbert *et al.* 1991, pp. 384-393.
148 Pour la note de Seurat, de Hauke et Brame 1961, I, xxiv et Blanc 1867, pp. 599 sq. Pour la lumière du soleil orange, Gage 1987, pp. 449-450 ; Blanc *ibid.*, p. 608. Régnier avait déjà lancé une attaque soutenue contre la notion « scientifique » de lumière du soleil blanche et il affirmait qu'il s'agissait d'un « jaune pâle, légèrement orangé » (1865, pp. 2-3).
149 Herbert *et al.* 1991, pp. 394-396. Pour l'un des croquis annotés de Seurat, Russell 1965, ill. 69.
150 Piron 1865, pp. 416 sqq. Pour la copie de Seurat dans les archives de Signac, Herbert *ibid.*, p. 23.
151 Sutter 1880. Sur la croix de Seurat, Roy 1931, p. 128.
152 Sutter *ibid.*, pp. 218-219. Pour le cercle de couleur de Seurat, Gage 1987, pp. 450-451.
153 Fénéon 1970, 1, p. 117, cit. in Halperin 1988, p. 101.
154 Halperin *ibid.*, p. 139.
155 Sur les lettres à Durand-Ruel, Bailly-Herzberg 1980, II, (1986), p. 75. Le cercle de Hayet était en n° 28 in *Artists, Writers, Politics* [...] 1980. Pour la lettre désespérée de Hayet à ce sujet, Dulon et Duvivier 1991, p. 60. Les deux sont à présent au Ashmolean Museum d'Oxford et le cercle a été reproduit en couleurs par Dulon et Duvivier, *ibid.*, 169. La préférence de Pissarro pour le mélange optique de tons proches les uns des autres sur le cercle a parfois été reliée à son passé d'impressionniste (Herbert 1970, p. 29 ; *cf.* Brown 1950, p. 15) mais Rood a aussi recommandé les harmonies du « petit intervalle » (Gage 1987, p. 453).
156 Laugel 1869, pp. 151-152.
157 Voir surtout sa lettre à Lucien du 23 fév. 1887 (Bailly-Herzberg 1980, II (1986), p. 131).
158 M. Schapiro, in Meyerson 1957, p. 248 ; Weale 1972, pp. 16 sqq. ; Lee 1987, pp. 203-226 ; voir aussi les réponses de D. A. Freeman et de moi-même, *Art History*, XI, 1988, pp. 150-155, 597.
159 Pissaro à Van de Velde (1896), in *Pissaro* 1981, p. 124.
160 Comme Brücke 1866, pp. 282 sqq., l'a fait remarquer.
161 Gage 1987, p. 452.
162 Brücke 1878, p. 7.

10 La palette, « mère de toutes les couleurs »

1 Kandinsky 1974, p. 115.
2 Voir, par ex., « Instruments in Experiment », in Gooding, Pinch & Schaffer 1989, pp. 31-114.
3 L'un des exemples les meilleurs et les plus utiles de ce genre d'études est le livre d'Ayres (1985). Deux accessoires importants du peintre, le pot et le pinceau, ont fait l'objet d'une enquête par Harley (1971, pp. 1-12) ; *cf.* aussi « Artists' brushes – historical evidence from the sixteenth to the nineteenth century », in Bromelle & Smith 1976, pp. 61-66.
4 Voir surtout la collection des 300 photographies réunies par Faber Birren, conservée à Yale. Kaufmann (1974, pp. 51-72) en fournit des illustrations miniatures.
5 La « palette » de 6 couleurs décrite par Bazin *et al.* (1958, pp. 3-22) n'est qu'une zone du panneau utilisée pour tester des pigments ; aucun d'eux n'est mélangé.
6 Voir le manuscrit de Jacobus, *Omne bonum* (British Library MS Roy 6EVI, folio 329r), où les 9 soucoupes contiennent 5 ou 6 teintes (ill. in Martindale 1972, p. 20), et celui de la *Rhétorique* de Cicéron (Bibliothèque de l'université de Gand, MS 10, folio 16v ; ill. coul. in Bellony-Rewald & Peppiatt 1983, p. 25).
7 Baticle *et al.* 1976, pp. 9-10. Le manuscrit Marcia, BN MS Fr 12420, folio 101v, est reproduit en coul. in Behrends & Kober 1973, p. 12.
8 *De trençoirs en bois pour iceulx mettre couleurs à olle et pour les tenir à la main.* Laborde 1851, II, p. 354, n° 4669.
9 Voir, par ex., la palette pour un drapé bleu du *Saint Luc peignant la Vierge* (1487), pl. coul. in Kaufmann 1974, p. 53 ; la palette (?) en 9 teintes pour un drapé rouge dans le *Saint Luc peignant la Vierge* de Derick Baegert (1485-1490), pl. coul. in Herbst des Mittellalters 1970, pl. VI et n°39 ; le *Saint Luc peignant la Vierge* d'un disciple de Quentin Metsis (v. 1500), Londres, National Gallery (n° 3902), qui a une palette pour la chair en 6 teintes, dont un vert-bleu (*cf.* Stout 1933, p. 191) ; le *Saint Luc* de Colÿn de Coter (avant 1493), avec une palette pour un drapé bleu, pl. coul. in Perier d'Ieteren 1985, ill. 27, et pp. 55 sq.
10 Kühn 1977, pp. 160-167.
11 Stout 1933, pp. 186-190. Stout suggère que c'est un arrangement fantaisiste, car il y a trop peu de couleurs à disposition, et notamment aucun rouge ; mais cela ne

serait pas un problème s'il s'agissait d'une palette « locale ».

12 Effet symptomatique de ces nouvelles méthodes, la Guilde de Saint-Luc à 's-Hertogenbosch (Hollande) tenta en 1546 de préserver la technique à l'huile de la tradition flamande, par glacis superposés, en interdisant le nouvel usage d'une couche unique de pigments mélangés, procédé plus rapide, moins cher, mais moins durable. *Cf.* Miedema 1987, pp. 141-147 (avec un sommaire anglais).

13 Vasari 1981-1989 (éd. Chastel), tome 5 (1983), p. 347. Trad. M.-J. Barbodi pour cette vie.

14 Voici quelques exemples, pour l'Italie : Dosso Dossi, *Jupiter et Mercure* (v. 1530), Vienne, Kunsthistorisches Museum ; les autoportraits d'Alessandro Allori (1535-1607) et de Gregorio Pagani (1558-1605) à la Galerie des Offices, Florence ; celui de Palma le Jeune, Milan, Brera (*cf. The Genius of Venice* 1983-1984, n° 69) ; d'Annibal Carrache, l'*Autoportrait avec autres figures* (v. 1585), Brera (Posner 1971, n° 25) ; son *Autoportrait au chevalet* (v. 1604), Saint-Pétersbourg, Ermitage (Posner n° 143), et sa copie aux Offices, repr. coul. in Bonafoux 1985, p. 83 ; son *Apparition de la Vierge à saint Luc et sainte Catherine* (1592), Paris, Louvre. Pour les artistes du Nord, Marten van Heemskerk, *Saint Luc peignant la Vierge* (v. 1530-1550), Rennes (pl. coul. in Bellony-Rewald & Peppiatt 1983, p. 26 ; voir aussi *Le Dossier d'un tableau* 1974, Havel 1979, pl. IV et p. 45) ; Katharina van Hemessen, *Autoportrait au chevalet* (1548), Bâle, Kunstmuseum (pl. coul. in Bonafoux 1985, p. 102) ; Joseph Heintz l'Ancien, *Autoportrait avec ses filles Muriel et Salomé* (1596), Berne, Kunstmuseum (pl. coul. in *Prag um 1600*, 1988, n° 128 et pl. 31). Ces exemples ont été étudiés par Schmid (1948, pp. 73-75), mais ses informations techniques sont dépassées ; il confond de plus palette « restreinte » et palette « locale ». D'autres exemples : Antonis Mor (1517-1576), Offices (Kaufmann 1974, n° 7) ; Joachim Wtewael, *Autoportrait* (1601) Utrecht, Centraal Museum (pl. coul. in Lowenthal 1986, front.). La palette de Jorge Theotocopuli dans le portrait peint par El Greco (v. 1600-1605), Séville, montre un petit nombre de pigments, comme dans la palette du Gréco reconstituée par Lane & Steinitz (1942, p. 23), bien que leur disposition me semble une construction abstraite.

15 G. B. Armenini 1988, p. 144 (1977, p. 193).

16 Beal 1984, p. 244 ; pour les autres réf., pp. 140 sq., 225, 247.

17 Pour une ill. coul., Von Simson 1968, p. 19.

18 Voir surtout Van de Wetering 1977, p. 65, et idem, « Painting materials and working methods » in de Bruyn *et al.* 1982, p. 24.

19 L'identification du modèle comme Rembrandt a été discutée par W. Sumowski (*Gemälde der Rembrandt-Schüler*, I, 1983, n° 262), mais l'image sur le chevalet est clairement peinte dans son premier style. Les autoportraits de Dou lui-même (New York, Metropolitan Museum, et coll. part.) suivent le même schéma (Kaufmann 1974, n° 39 ; pl. coul. in Ayres 1985, p. 53).

20 Cela est bien illustré dans le portrait de B. van de Helst par Paul Potter (v. 1654) : les couleurs brillantes sont placées au milieu d'une palette étonnamment petite pour cette époque (Kaufmann 1974, n° 38). Une variante intéressante dans l'ordre des couleurs claires se voit dans l'œuvre de Frans Francken II, qui aimait placer le jaune pâle avant le blanc, puis le vermillon et les jaunes sombres (voir son *Allégorie chrétienne*, Budapest, Musée des Beaux-Arts, et son *Intérieur de galerie*, Berlin-Dahlem, Gemäldegalerie).

21 Mayerne, pp. 108-109, 130.

22 Bate 1977, p. 132.

23 Merrifield 1849, II, pp. 770-773.

24 Slive 1970-1974, III, n° D69. La palette d'une autre artiste majeure de cette époque, Artemisia Gentileschi, que l'on voit dans son autoportrait (Rome, Galerie nationale du palais Barberini), est clairement une palette tonale. La palette du peintre espagnol Esteban March, dans son autoportrait du Prado (Kaufmann 1974, n° 26), donne un autre exemple de disposition pour peindre la chair, avec le blanc au centre.

25 [De Piles] 1684, pp. 40-41. Sur sa collaboration avec Corneille, *cf.* Picart 1987, p. 30, 147. Schmid (1948, pp. 47-51) donne un résumé des points principaux du traité, qu'il persiste à attribuer à Corneille.

26 [De Piles] 1684, pp. 46-49, 70.

27 Kirby Talley 1981, p. 333, 342. Pour des ex. fr., Martin Lambert, *Portrait de H. et C. Beaubrun* (1675), ill. coul. in Ayres 1985, p. 118 ; Jean-Charles Nocret (1647-1719), *Portrait des deux Nocret* in Havel 1979, pl. XVII.

28 Oudry 1861, p. 109. Voir sa palette dans son *Allégorie des arts* (1713, Schwerin, ill. coul. in Venzmer 1967, pl. I).

29 Voir les palettes d'après la vue de l'atelier de David par M. Cochereau (Paris, Louvre) et d'après le dessin de J.-H. Cless (v. 1800, Musée Carnavalet ; ill. in Levitine 1978, ill. 17). La palette de David donnée par Lane & Steinitz (1942) présente 17 pigments, sans aucun mélange.

30 Corri 1983, pp. 210 sq. avec ill. coul. en face de la p. 195. L'attribution à Gainsborough n'est pas unanimement acceptée.

31 Voir sa première palette dans le portrait de Wilson par A. R. Mengs (1752, Cardiff, National Museum of Wales ; ill. in Constable 1954, front.) ; pour la disposition utilisée en fin de carrière, voir l'esquisse de Paul Sandby, reconstituée par Whitley 1968, I, p. 384.

32 Williams 1937, pp. 19 sq.

33 Thénot 1947, pp. 2 sq. (palettes de David, Gros, Ingres, Watelet, Lapito, Thénot, Bouton, Renoux, Dauzats, Gudin, Bracarsat, Werboekhoven) ; Moreau-Vauthier 1923, pp. 23-24 (palettes de Dagnan, David, Delacroix, Derain, Aman-Jean, André, Bail, Bonnat, Bouguereau, Carolus-Duran, Chabas, Collin, Cormon, Cottet, Desvallières, d'Espagnet, Doigneau, Dupré, Denis, Domergue, Gaudura, Girardot, Gérome, Harpignies, Ingres (différente de la liste de Thénot), Lévy-Dhurmer, Maillart, Matisse, Maufra, Ménard, Millet, Morot, Picard, Pissarro, Point, Ricard, Renoir, Rixens, Roll, T. Rousseau, Saint-Gernier, Simon, Ulmarin, Vallotton, Whistler, Zuloaga) ; A. Ozenfant, in *Encyclopédie française* 1935, XVI, pp. 30-36 (palettes de Signac, Renoir, Bonnard, Matisse, Utrillo, Dufy, Derain (différente de la liste de Moreau-Vauthier), Braque, Lhote, Léger, De Chirico).

34 Pl. coul. in *Manners and Morals* 1987, n° 73.

35 Hogarth 1963, p. 121.

36 Hogarth 1991, pp. 150-152. La palette du premier associé d'Hogarth, Joseph Highmore, dans un autoportrait (v. 1725-1735) conservé à Melbourne, ne présente que du blanc, du rouge, du bleu et du jaune.

37 Voir le portrait in Cooper 1982, n° 33. Détail de la palette p. 93.

38 Cooper 1982, n° 114 (v. 1802, ill. coul. en couv.) ; n° 124 (v. 1821), conservés à la Yale University Art Gallery.

39 Conisbee 1979, p. 421. Je n'ai pu trouver d'ill. de la disposition de la palette de Desportes.

40 Voir par ex. *Dell'Arte Historica* de A. Mascardi (Rome 1636, p. 403), où l'identification des artistes à partir de leurs couleurs est dénigrée comme pure intuition (cité par Cropper 1984, p. 143).

41 Oudry 1861, p. 111. Parmi les « flamands » figurait peut-être Gerard Edelinck, dont Largillière fit le portrait vers 1690 (Norfolk, Virginie, Chrysler Museum), et où l'on voit une palette offrant une gamme étonnamment large de 10 pigments, copieusement mélangés (pl. coul. in Rosenfeld 1981, couv.).

42 Ainsi Dupuy du Grez 1699, Restout 1863. Un autoportrait de Jean Jouvenet, à qui Restout fait ici référence, se trouve au musée de Rouen : il montre une palette tonale traditionnelle.

43 Hagedorn 1775, II, p. 170 ; également Laugier 1972, p. 152 ; Hoppner 1908, p. 102. Pour des expressions plus tardives de la même idée, Bon 1826, s.v. « Palette » ; Sutter 1880, xcv & xcvii, où l'auteur affirme que les relations chromatiques sont très difficiles à juger sur la palette.

44 Joseph Wright of Derby in Carey 1809, p. 20 ; Farington 1978, 16 juin 1798.

45 Landseer 1978, I, pp. 123-127.

46 R. P. Knight, *Edinburgh Review*, XXIII, 1814, p. 292.

47. Bouvier 1828, pp. 165-167, 249 ; voir aussi Paillot de Montabert 1829, VII, p. 390.

48 Redon, 1979, p. 156. Sur la palette de Fantin-Latour, voir *Fantin-Latour* 1982, p. 56. Sur la dimension « wagnérienne » du divisionisme de Seurat, voir Smith 1991, pp. 26-28.

49 Pennell 1908, II, p. 25, 231, 274 sq. La reconstitution par Lane & Steinitz (1942, p. 25) n'est pas fiable.

50 Storey, « Technical Notes », *The Portfolio*, VI, 1875, p. 111. Voir aussi Morley Fletcher 1936, p. 37.

51 Delacroix, 1923, I, p. 75. Voir aussi son *Journal*, au 21 août 1850 : « Ma palette fraîchement arrangée et brillante du contraste des couleurs suffit pour allumer mon enthousiasme » (éd. Joubin 1950, I, p. 392 ; ne figure pas dans l'édition de 1980).

52 Le premier exemple de palette préparée pour un tableau particulier est celle donnée à Louis Planet pour exécuter une copie de la *Noce juive à Alger* (1841) de Delacroix. Planet insiste sur le fait que Delacroix refuse que ses couleurs et ses tons préparés soient mélangés davantage sur la palette (Planet 1928, pp. 388 sq.). Planet donne également une description détaillée des 11 mélanges que Delacroix prépara pour une œuvre dans la bibliothèque du Palais Bourbon en 1843 (pp. 435 sq.).

53 Louvre, Cabinet des dessins, *Autographes de Delacroix* (C. D. A. Boîte 4).

54 Piot 1931, p. 2. L'une des reconstitutions les plus détaillées d'une palette de Delacroix se trouve dans Lane & Steinitz 1942, p. 23.

55 Huet 1911, p. 229.

56 Piot 1931 ; Rouart (1945, p. 46) affirme que l'enthousiasme de Degas fut suscité par les nombreuses descriptions de palettes dans le *Journal* de Delacroix, qu'il se faisait lire par sa bonne. Gigoux (1885, p. 80) signale des photographies de ces « dessins de la palette », qui rendent compte des « colorations », mettant en avant leur qualité tonale.

57 Blanc 1876, pp. 66 sq.

58 Piot 1931, pp. 67-68.

59 Thénot 1847, pp. 54-58.

60 Voir les tableaux in *Chardin* 1979, n°30, 123, 125, et dans la Hammer Collection. Le regain d'intérêt pour Chardin chez les peintres français de nature morte du XIXe siècle a été analysé par McCoubrey 1964, pp. 39-53.

61 G. Courbet *L'Atelier du peintre* (1855, Paris, Musée d'Orsay) ; A. Stevens, *Le Peintre et son modèle* (1855, Baltimore, Walters Art Gallery).

62 Sur Moreau, voir les palettes chargées conservées dans sa maison-musée à Paris (Mathieu 1977, p. 223) ; sur Ensor, *cf.* Haeserts 1957, p. 22, 98, 141, 166 ; sur Burne-Jones, voir son portrait de 1898 par P. Burne-Jones, Londres, National Portrait Gallery ; sur Sargent, *Un artiste dans son atelier* (1904), Boston (Bellon-Rewald & Peppiatt 1983, p. 32) ; sur Corinth, *Autoportrait en blouse blanche* (1918), Cologne, Wallraf-Richartz Museum ; *Autoportrait au chevalet*, Berlin, Nationalgalerie ; *Autoportrait à la palette* (1923), Stuttgart, Staatsgalerie ; dans chaque tableau, les palettes sont disposées différemment. Corinth est l'auteur d'un manuel, *Das Erlernen der Malerei* (3e éd. 1920), que je n'ai pu consulter.

63 Sur le portrait de Sargent, *cf.* House 1986, p. 140. Voir aussi le portrait de Monet par Renoir, en 1875, ill. coul. in Moffett 1986, p. 185.

64 Sur le tableau de Renoir, *Bazille à son chevalet* (1867), *cf.* Callen 1982, pp. 50-53 ; voir aussi l'autoportrait de Bazille, de 2 ans antérieur, Chicago Art Institute (Kaufmann 1974, n° 203) ; l'*Autoportrait* de J.-B. Guillaumin (1878), Amsterdam, Rijksmuseum.

65 Shiff (1984, p. 206) décrit ainsi la palette, en partant du trou pour le pouce : blanc de plomb, jaune de chrome ou de zinc, vermillon, carmin d'alizarine, bleu outremer, vert émeraude. La palette de Pissarro dans les années 1890 était globalement la même sauf qu'il avait remplacé l'alizarine par de la laque, l'outremer par du cobalt, l'émeraude par du vert Véronèse (Rewald 1973, p. 590).

66 W. Schadow, *Autoportrait avec son frère Rudolf et Thorvaldsen* (v. 1815-1818, Berlin, Nationalgalerie). Je n'ai pas pu lire l'article de Schadow, « Meine Gedanken über eine folgerichtige Ausbildung des Malers », *Berliner Kunstblatt*, sept. 1828, mais son titre laisse penser que la disposition de la palette pouvait avoir un certain poids théorique.

67 Richardson *et al.* 1982, p. 103.

68 Paillot de Montabert 1829, IX, pp. 184-188.

69 Libertat Hundertpfund (pseudonyme ?), 1849, pl. 2 et p. 26.

70 W. I. Homer, « Notes on Seurat's Palette » in Broude 1978, p. 117.

71 Signac (1935) in Homer 1970, p. 151. La palette que tient Signac, dans une photographie de 1883 environ, semble être tonale (*Gazette des Beaux-arts*, 6e pér., XXXVI,

1949, p. 98). Une curieuse palette pointilliste, avec une disposition aléatoire à première vue, figure dans le *Portrait d'Anna Boch* de Théo Van Rysselberghe (v. 1889, Springfield, MA, Museum of Fine Arts).

72 Vibert affirmait que cette palette, conçue pour rendre plus facile la disposition des couleurs complémentaires, ne serait pas utile tout le temps à cause des impuretés dans les pigments (Vibert 1892, p. 56). La première édition, en français, de cet ouvrage date de 1891, mais il semble qu'il enseignait déjà à l'École des Beaux-Arts avant cette publication. Robert (1891, pp. 77 sq.) déclare que Vibert donna son cours sur la technique « cette année », mais je n'ai pas pu vérifier s'il figure déjà dans l'édition de 1878. Sur le rejet par Vibert des impressionnistes ou « éclatistes », voir sa nouvelle, *The Delights of Art, Century Magazine*, XXIX, 1895-1896, pp. 940-941.

73 Sur la palette tardive de Monet (environ 8 couleurs, dont un ocre-jaune, et beaucoup de blanc), *cf.* Gimpel 1927, p. 174. La dernière palette de Renoir était similaire : voir son portrait par Albert André au Art Institute de Chicago : on y voit une palette de 7 couleurs allant du blanc au bleu foncé, et comprenant aussi un ocre-jaune (Kaufmann 1974, n° 249). Dans sa critique très convaincante de la palette spectrale, l'artiste et conservateur écossais D. S. McColl démontre que les impressionnistes ne s'étaient pas restreints aux 3 primaires, « et si on dépasse le nombre trois, il n'y a aucune raison théorique pour s'en tenir à six plutôt qu'à soixante ou six cents. » (« *On the spectral palette and optical mixture* », in McColl 1902, p. 167)

74 Vollard 1959, p. 223.

75 Guichetau 1976, p. 116, note 164. Sur les deux palettes, *cf.* Sérusier 1950, pp. 119-122, 169, et surtout Boyle-Turner 1983, pp. 151-152.

76 Matisse 1972, p. 46, note 9.

77 Deux des cinq palettes de Matisse (conservées à Nice, Musée Matisse) sont reproduites en couleurs in *Les Chefs-d'œuvre du Musée Matisse et les Matisses de Matisse*, Tokyo, 1987-1988 (cat. N. Watkins) ; une autre se trouve à Moscou, Musée Pouchkine. Un autoportrait avec palette (1918) est reproduit en couleurs in Watkins 1984, p. 148. Deux descriptions de sa palette sont données par Matisse en 1923 (Moreau-Vauthier 1923, p. 30, repr. par Morse 1923, p. 26 : 12 couleurs) et en 1935 (*Encyclopédie française* 1935, XVI : 17 couleurs).

78 P. Klee, *Tagebuch*, 1957, mars 1910, § 873.

79 Kandinsky 1989, p. 105-107. Dès la fin des années 1890, quand ils étaient ensemble élèves du peintre munichois Franz Stück, Klee remarqua déjà avec quelle attention Kandinsky examinait sa palette (F. Klee 1962, p. 5). Une palette tardive de Kandinsky est reproduite en couleurs in *Kandinsky I*, 1980, pl. 28. Sa disposition est difficile à discerner.

80 Une palette chargée utilisée par Van Gogh à Auvers, à la fin de sa vie, est maintenant au Musée d'Orsay (Rewald 1978, p. 376). Pour des reproductions de palettes dans ses autoportraits de 1885 à 1889, *cf.* Erpel 1964, p. 1, 31, 39-40.

81 Piot 1931, p. 63, 82-83. Sur le brun « Vandyke » (terre de Cassel), dont l'appellation n'est pas antérieure au XVIIIe siècle, *cf.* Harley 1982, pp. 149-150.

82 *Le Courier français*, 15 janv. 1888, cité par Welsch-Ovcharov 1976, p. 197 ; voir aussi *ibid.*, p. 220.

83 Vibert 1892, p. 63.

11 Les couleurs de l'esprit

1 Newton 1730, bk. I, pt. II, prop. III, prob. I. « L'assistant » fit son apparition sous l'expression « d'autres juges » dans les conférences de Newton à Cambridge en 1669, et comme « ami » dans sa lettre à la Royal Society en 1675 (Shapiro I, 1984, pp. 538-539).

2 Newton 1955, livre I, IIe partie, prop. VII, théor. V., p. 181.

3 Le premier à critiquer Newton violemment pour son ignorance du savoir chromatique des peintres et des teinturiers fut le jésuite français, inventeur de le « clavecin oculaire », Louis-Bertrand Castel (*cf.* Castel 1739, surtout p. 807 ; et sur son instrument, voir le chap. 13). Le texte le plus complet sur les premières recherches sur les couleurs subjectives est celui de Plateau 1878. Une source importante qu'il ne mentionne pas est B. Castelli, *Discorso sopra la vista* (1639) : voir Ariotti 1973, pp. 4 sq.

4 Petrini 1815, p. 1-2. Il fait référence à l'édition de 1651 du *Traité* de Léonard de Vinci (§ 328, 332). Petrini avait déjà étudié les ombres colorées en 1807, et il était très savant sur la peinture antique (*cf.* Petrini 1821-1822). La curiosité pour les couleurs « accidentelles », très répandue au XVIIIe siècle, se mesure au long texte qui leur est accordé dans le supplément de l'*Encyclopédie*, 1776, I, pp. 636-641. Pour un cas précoce d'artiste démontrant un effet de contraste à un savant (Caspar David Friedrich à Carl Gustav Carus, au début du XIXe siècle), *cf.* Friedrich 1968, p. 203.

5 Petrini 1815, pp. 51-52.

6 Lairesse 1778, p. 118, 123. Lairesse enjoignait aussi ses étudiants de prendre des notes détaillées sur la juxtaposition des couleurs et des tons, et leurs forces, durant leur observation des maîtres anciens (pp. 284-285). Son livre fut publié à cinq reprises en hollandais entre 1707 et 1740, en français en 1787, en allemand en 1728 et 1784 et en anglais en 1738 et 1778, sans parler de plusieurs éditions dans d'autres langues au XIXe siècle. Il est étudié par Kaufmann III, 1955-1957, pp. 153-196. Sur les tableaux de Lairesse, *cf.* D. P. Snoep, « Classicism and history painting in the late seventeenth century » in Blankert *et al.* 1980, pp. 237-245.

7 De Piles 1708, pp. 271-272.

8 Oudry 1844, p. 39. Sur Largillière, *ibid.*, pp. 42-43. Il est tentant d'imaginer que c'est la publication de cette conférence en 1844 qui engagea Courbet à peindre un vase blanc sur une nappe blanche, une tâche si difficile qu'elle nécessita 50 séances (Courthion 1950, II, p. 61). Sur la réception enthousiaste du *Canard blanc* d'Oudry, *cf.* cat. expo. *J.-B. Oudry, 1686-1755*, Paris, Grand Palais, 1982-1983, n° 152.

9 C. N. Cochin (1780), cité par Conisbee 1986, p. 59.

10 *Cf.* cat. expo. *Claude Joseph Vernet* [...] 1976, annexes. Cette « lettre » fut publiée d'abord en 1817, puis dans Cassagne (1886, pp. 142 sq.) où Van Gogh l'a trouvée. Delacroix (1980, p. 881) attribuait cette perception des verts à Constable.

11 Purkinje 1918, pp. 118-119.

12 P. de la Hire, *Dissertation sur les différens accidens de la Vuë*, I, v (1685), cité par Baxandall 1985, p. 90.

13 Sur Northcote, *cf.* Fletcher 1901, pp. 217-218 ; sur Turner, *cf.* Gage 1969, p. 206. Le graveur John Burnet déplorait l'habitude qu'avaient prise ses confrères de regarder les images dans la pénombre afin de « détecter » la lumière et l'ombre pour les reproduire : cela induisait chez eux une vision faussée des relations entre le rouge et le bleu (Burnet 1845, p. 23) ; voir aussi Paillot de Montabert 1829, VII, pp. 394-395.

14 Rood 1879, p. 189 ; voir aussi Laugel 1869, p. 96 ; Forichon 1916, p. 137 (qui s'inspire copieusement de Rood). Sur Matisse, *cf.* Barr 1974, p. 136. Cette ignorance est assez étonnante, car Matisse s'est servi du livre de Rood dans son enseignement en 1908 (Flam 1986, p. 223).

15 Monge 1789, surtout pp. 133-147 ; sur les travaux de Monge à l'École du Génie dans les années 1770, *cf.* Vallée 1821, pp. 349-350, 412-413. Pour une étude récente sur la constance chromatique, *cf.* Beck 1972, ch. 1.

16 Milizia 1781, pp. 107-108. Voir aussi Brües 1961, pp. 69-113.

17 Vallée 1821, pp. 302 sq.

18 Monge 1820, II, pp. 130-136.

19 Vallée 1821, pp. 304-305, 341, 349-350, 374-375. Milizia souligne aussi le fossé entre les moyens de la nature et ceux de la peinture (Milizia 1781, p. 108).

20 Voir en particulier la conversation « Eugène Delacroix » rapportée par Blanc (1867, p. 23-24), un passage qui fut très stimulant pour Van Gogh (*cf.* Van Uitert 1966-1967, pp. 106 sq.). Blanc connaissait également bien la *Géométrie descriptive* de Monge (Blanc 1867, p. 600).

21 Delaborde 1984, p. 133. Une version légèrement différente fut publiée par Boyer d'Agen (1909, p. 492) ; voir aussi pp. 487-488. D'autres passages de Delaborde (*ibid.*, p. 137 et 152) semblent trahir des changements d'avis.

22 Sur leur amitié, *cf.* Naef 1964, pp. 249-263. Ingres qualifiait d'« admirable » le travail d'Hittorff sur la polychromie, dans une lettre de 1851 (cité in Montauban 1980, p. 86).

23 Sand 1896, pp. 77-79. Il faut noter que Delacroix considérait la couleur « locale » appropriée à l'ébauche, qui était transformée par des couleurs « accidentelles » dans les finitions (Delacroix 1980, (mai 1852). Une autre version colorée d'*Antiochus et Stratonice*, sur papier (1866), est conservée au Musée Fabre de Montpellier (Londres 1984, pp. 60 sq.).

24 Sur le théâtre, voir surtout Baldassare Orsini, *Della Geometria e prospettiva prattica* (1771), cité par Mariani 1930, p. 80. Celui-ci fait un rapprochement avec le « divisionnisme » du XIXe siècle, bien qu'Orsini fasse seulement appel au « buon gusto » et aux gradations de la nature. Le « pointillisme » était recommandé au peintre de miniature par Catherine Perrot, *Traité de la mignature* (1693), in Félibien 1725, lxxxv, mais sans aucune analyse théorique : le procédé était nécessaire pour peindre à l'aquarelle sur des surfaces non absorbantes comme l'ivoire. Pour une étude très claire de la « mosaïque » des points pratiquée par Chardin, *cf.* Bachaumont 1767, cité par Denis 1993, p. 146.

25 Mottez 1911, p. 173. Sur les pratiques du XVIIe siècle, *cf.* Briganti *et al.* 1987, pp. 237-38 (Annibal Carrache et Pierre de Cortone) ; Camesasca 1966, p. 271 (Le Dominiquin et Baciccio) ; Rehfus-Dechêne 1982, p. 57, citant J. S. Halle, *Werkstätte der heutigen Künste* [...], Brandenbourg/Leipzig, 1761, I, p. 313.

26 Lettre de Purkinje à Goethe du 7 fév. 1823, in Kruta 1968, p. 39 ; dédicace à *Beobachtungen und Versuche zur Physiologie der Sinne*, Purkinje 1918, § 41.

27 Sur Harriott, *cf.* J. A. Lohne in *Dictionary of Scientific Biography*, VI, p. 125 : en mesurant la largeurs des franges, Harriot a pu calculer les indices de réfraction des rayons vert, orange et rouge. [Digby] 1658, p. 321, 329. Sur Hodierna, *cf.* Serio *et al.* 1983, pp. 67-68. Léonard de Vinci avait déjà signalé les franges aux couleurs d'arc-en-ciel visibles autour d'objets observés à travers un béryl (Richter 1970, I, § 288).

28 Goethe 1840, p. 420. La traduction [anglaise] est reprise à la fin de l'édition Matthaei (Goethe 1971), bien que les traductions complémentaires dues à Herb Aach ne soient pas fiables. La traduction d'Eastlake sera abrégée ci-dessous par TC.

29 TC, § 52. Le diagramme à l'aquarelle assez problématique, reproduit dans Goethe 1971, p. 84, semble être inspiré de cette expérience.

30 Grand nombre d'études modernes sont parues en anglais : Wells 1967-1968, pp. 69-113 ; Wells 1971, pp. 617-626 ; Ribe 1985, pp. 315-335 ; Burwick 1986 ; G. Böhme, « Is Goethe's theory of color science ? » et D. C. Sepper, « Goethe against Newton : towards saving the phenomenon » in Amrine *et al.* 1987, pp. 147-173, 175-193 ; Sepper 1988 ; Duck 1988, pp. 507-519. Pour une brève étude de la réception tardive de la *Farbenlehre* de Helmholtz à Heisenberg, *cf.* Gögelein 1972, pp. 178-200, et Mandelkow 1980, pp. 174-200.

31 Goethe, *Gespräche mit Eckermann*, 15 mai 1831.

32 L'omission de Young dans la bibliographie de Goethe est très révélatrice, alors que le compte rendu de la *Farbenlehre* dans les *Gilberts Annalen der Physik* (XXXIX, 1811, p. 220) attire l'attention sur le rapport des idées de Goethe avec celles développées par Young dans un texte de 1802. Une relation professionnelle du poète, l'ophtalmologiste Karl Himly, était en contact avec Young et c'est son exemplaire du texte de 1802 que Goethe put lire (Ruppert 1958, n° 5295). Le physicien Thomas Seebeck parla du travail de Young à Goethe, mais celui-ci ne fut pas encouragé à approfondir par les difficultés de compréhension avouées de son correspondant (lettre de Seebeck à Goethe, 25 avril 1812 in Bratranek 1874, II, pp. 318-319). Young, de son côté, critiqua férocement la *Farbenlehre* dans un article anonyme du *Quaterly Review* (X, 1814, pp. 427-428), concluant que c'était « un exemple frappant de la perversion des facultés humaines ». Seebeck signala ce compte rendu à Goethe en 1814, mais le poète l'ignora pendant plus d'une année (*cf.* Nielsen 1989, pp. 163-164).

33 TC, § 160. Sur les recherches de Young en 1801, *cf.* Wells 1971, p. 618. Ernst Brücke, qui enquêta sur le phénomène dans les années 1850, tout en notant qu'il avait été étudié depuis Aristote, en attribuait le renouveau d'intérêt à Goethe (Brücke 1866, p. 94 ; voir aussi idem 1852, pp. 530-549).

34 Voir Müller 1826, ch. VII, et idem 1840, II, p. 292 (plus critique sur Goethe). Leurs relations personnelles ont été étudiées par Scherer 1936. Sur les liens entre Goethe et Hering et sur les travaux ultérieurs en perception de la couleur, *cf.* Jablonski 1930, pp. 75-81. La conception du vert par Hering comme couleur primaire avait été anticipée in TC, § 802. Le rôle majeur de Goethe dans les premières études sur le daltonisme a été analysé par Jaeger (1979, pp. 27-38). Pour un panorama américain de son influence sur la physiologie, *cf.* Boring 1942, pp. 112-119.

35 Schelling III, 1959, pp. 160-161. Sur ses rapports avec Goethe entre 1798 et 1804, *cf.* Goethe (Leopoldina Ausgabe) 1957, II, 3, 1961, xxxiv-xliii (ci-après LA).

36 Schopenhauer 1816 ; aussi id. 1851, II, ch. VII, § 103. Sa correspondance avec Goethe entre 1815 et 1818 a été rassemblée par Hübscher (1960, pp. 30-55). Voir aussi Borsch 1941, pp. 167-168.

37 Hegel VI, 1927, pp. 175-176 ; IX, p. 343. Sur Henning, R. Matthaei in Zastrau 1961, col. 2263-2266 ; Hegel 1935-75, I (1970), pp. 363-364. Voir aussi M. J. Petry, « Hegels Verteidigung von Goethes Farbenlehre gegenüber Newton » in Petry 1987, II, pp. 323-348.

38 TC, § 851 ; *Konfession des Verfassers*, in LA, I, 6, 1957, p. 416. Ingres aussi fut impressionné par ce mode de travail, qu'il attribuait aux Vénitiens (Boyer d'Agen 1909, p. 485, 492) et apparemment à Raphaël : voir son tableau *Raphaël et la Fornarina* (1814) au Fogg Museum, et sa version en grisaille de la *Grande Odalisque* (1824-1834) au Metropolitan Museum, New York.

39 Sur Marat et Kauffmann, *cf.* Farington 1978-1984, 27 oct. 1793 ; Brissot 1877, p. 174 ; sur la conception de Marat du jaune et du bleu comme, respectivement, les rayons les plus et les moins « déviables », voir *Découvertes sur la lumière* (1780), cité par *The Monthly Review or Literary Journal*, LXVII, 1782, p. 294. Goethe attire l'attention sur cette idée dans son chapitre sur Marat, in LA, I, 6, 1957, p. 394.

40 Le tableau de Meyer, *Castor et Pollux enlevant les filles de Leucippe* (1791, auj. disparu), fut exposé à Weimar en 1792, comme étant peint « selon les nouvelles expériences au prisme de Goethe » (LA, II, 3, 1961, p. 51). Plusieurs autres dessins d'expérience sont mentionnés dans une lettre de Goethe de 1793 (*ibid.*, p. 61). Meyer interpréta aussi l'œuvre des maîtres anciens pour Goethe : dans une lettre de 1796, son analyse des bandes colorées au bas de la peinture romaine, *les Noces Aldobrandines*, aboutit à la suggestion qu'il s'agit d'une sorte de « clé » harmonique de toute l'image. Le fait que leur séquence (jaune et bleu sur les bords et *purpur* au milieu, *ibid.* pp. 92-93) soit l'inverse de celle de l'arc-en-ciel frappa Goethe particulièrement ; mais ce n'est plus la séquence visible aujourd'hui (Maiuri 1953, p. 30).

41 Voir les conseils de Meyer sur le paysage, donnant des exemples des types d'harmonie chromatique en France en 1792 (LA, I, 3, 1951, pp. 116-117). Goethe recourut ensuite à l'aide d'un autre peintre, C. L. Kaaz, pour résoudre des questions techniques sur la couleur (Geller 1961, pp. 17-25).

42 LA, I, 3, 1951, p. 437 (1805-1806)

43 *Cf. Goethes Werke*, XIII, 1954, p. 157, 196. L'article sur les méthodes de Jean-Baptiste Forestier, « Neue Art die Mahlerey zu lernen », fut publié in *Propyläen*, III, 1800, pp. 110 sq. (réimp. 1965, voir pp. 824-825, 827).

44 Meyer 1799, pp. 156-157 (réimp. 1965, pp. 694-695) ; sur l'école de Weimar, *cf.* Schenk zu Schweinsberg 1930, p. 22. Voir également le programme conventionnel d'étude de la couleur, proposé par Goethe in « Gutachten über die Ausbildung eines jungen Malers » (1798) in *Goethes Werke*, XIII, 1954, p. 132.

45 Scheidig 1958, pp. 491-492.

46 C. F. Schlosser décrit, dans une lettre à Goethe (2 sept. 1811, in Dammann 1930, pp. 54 sq.), l'intérêt qu'on avait à Rome pour la *Théorie*, juste après avoir mentionné l'arrivée des nazaréens. L'étude que Passavant fit du livre à Paris, avant de se rendre à Rome, est évoquée par Cornhill (1864, I, p. 56). L'un de ses compagnons à Paris était le peintre berlinois Wilhelm Wach, qui aida Purkinje dans les années 1820 à comprendre les effets de neutralisation des complémentaires (lettre de Purkinje à Goethe, 27 nov. 1825, in Bratranek 1874, II, pp. 195-196).

47 M. Klotz, *Gründliche Farbenlehre*, Munich 1816, cité par Rehfus-Dechêne 1982, p. 88. Goethe avait été en contact avec Klotz, de manière indirecte depuis 1797 (LA, II, 6, 1956, pp. 339-405).

48 Beuther 1833 ; sur Goethe, p. 8, 57.

49 Sur les années 1840, *cf.* Hundertpfund 1849, pp. 41-42 ; sur les années 1850, *cf.* Bähr 1860, surtout pp. 6-7.

50 Lettre de Runge à son frère Daniel, 7 nov. 1802, in Runge 1840-1841 (*Hinterlassene Shriften*), I, p. 17 (ci-après HS). Ces couleurs étaient liées au matin, au midi et au soir ; mais en janv. 1803, Runge préférait considérer le rouge comme symbole du matin (*cf.* pl. 162) et du soir, et le bleu comme celui du jour (*ibid.*, p. 32). Cette interprétation trinitaire des couleurs primaires peut se rattacher de loin à l'une des principales sources spirituelles de Runge, le mystique allemand du XVIIe siècle, Jacob Boehme (*cf.* Steig 1902, p. 662, et Mösender 1981, pp. 29-30). Mais Matile (1979, p. 132) signale que les couleurs « primaires » de Boehme ne se réduisent pas à trois.

51 L'étude de la théorie de Runge la plus complète est celle de Matile 1979.

52 LA, I, 4, 1955, p. 257. *Cf.* Gage 1979, pp. 61-65. Mon interprétation n'est pas celle de Matile (p. 219-249).

53 Voir un brouillon de lettre à Schelling, du 1er fév. 1810, HS, I, pp. 159-160.

54 *Cf.* lettre de Runge à Goethe du 19 avril 1808, in Runge 1940, pp. 80-84. Runge avait déjà expérimenté les mélanges au disque, qu'il décrivit dans une lettre à Goethe, du 21 nov. 1807 (*ibid.*, pp. 70-76). De façon révélatrice, dans une lettre à Meyer du 1er déc., Goethe attribue cela à la pression des « newtoniens » : « Je ne puis vraiment pas m'expliquer, ni à lui, ni à d'autres. » (Goethe 1919, pp. 201-202)

55 Lettre de Runge à Klinkowström, du 24 fév. 1809 (HS, I, p. 172). Sur *L'Heure du jour* comme expression fondamentale du rapport entre opacité et transparence, *cf.* la lettre de Runge à Ludwig Tieck du 29 mars 1805 (*ibid.*, pp. 60-61). Voir aussi Rehfus-Dechêne 1982, pp. 116 sq.

56 F. von Klinkowström 1815, pp. 195-196 Sur Runge et sa copie, *cf.* A. von Klinkowström 1877, pp. 200-201. Sur le jugement prudent qu'en fit Klinkowström en 1807, voir sa lettre à Runge in HS, II, p. 344.

57 Voir la peinture du groupe central du *Jour* par Runge (1803, ill. coul. in Traeger 1975, n° 285 et pl. 6). Sur les fonds d'or du Corrège, *cf.* Fiorillo II, 1800, pp. 284-285, citant l'opinion de Benedetto Luti (1666-1724).

58 Le cercle chromatique de Moïse Harris (*cf.* ci-dessus, p. 190) se présente aussi sous la forme d'un solide, avec des teintes saturées à sa circonférence et blanchissant vers le centre ; mais sa reproduction en plan semble avoir empêché qu'on l'interprète de cette façon. Sur l'histoire ultérieure de la *Farben-Kugel*, *cf.* Matile 1979, p. 360, note 437.

59 Lettre de Runge à G. Runge, du 22 nov. 1808 (HS, II, p. 372).

60 Voir la conférence V de 1818, in Gage 1969, p. 206 et aussi p. 210 (v. 1827). Dans sa contribution au livre de Runge (p. 59), Steffens proposait également un schéma de matin rouge, midi jaune et soir violet.

61 Gage 1969, p. 210.

62 TC, § 696. Les notes de Turner ont été intégralement publiées in Gage 1984, pp. 34-52. Cette édition comporte aussi une brève étude de la pensée anti-newtonienne en Angleterre au début du XIXe siècle.

63 Gage 1984, p. 49 (TC, § 821) ; voir aussi p. 47 (TC, § 744 et 745). Il est remarquable que James Baker Pyne, l'épigone le plus fidèle de Turner, publia au même moment et peut-être sans avoir lu Goethe un exposé anti-newtonien de la production naturelle de couleurs en milieu trouble (Pyne 1846, pp. 243-244, 277).

64 Voir p. 84 et note 72.

65 Craig 1821, p. 173. L'édition de Lairesse par Craig date de 1817.

66 Howitt 1886, I, p. 81. Pforr évoque le caractère inné de chaque couleur et prend soin de préciser qu'il parle des personnes libres dans leurs choix vestimentaires. Il modifia ses idées dans sa peinture « de l'amitié », *La Sulamite et Marie* (1811, Schweinfurt, coll. Schäfer). Une première tentative de fonder les valeurs morales de la couleur sur des considérations anthropologiques se lit chez Bernardin de Saint-Pierre, « Des couleurs » in *Études de la Nature* (1784) in Bernardin de Saint-Pierre 1818, IV, pp. 78-85. Il conclut de manière assez moderne que le noir, le blanc et le rouge sont les couleurs ayant la plus forte résonance culturelle.

67 Gage 1969, p. 206. Il se peut que Turner vise autant Craig que Lairesse, car l'aquarelliste donnait des cours à la Royal Academy depuis des années et ses idées y étaient largement tournées en ridicule (Farington 1978-1984, 27 fév., 14-15 mars, 3 juin 1806, 17 oct. 1811).

68 Oxford, Ashmolean Museum, manuscrit AXC, I, d, folios 46r-47v.

69 Humbert de Superville 1827, pp. 9-10 ; Stafford 1979, p. 62, 77, note 172, où il cite un essai inédit, *De la valeur morale des couleurs* (1828).

70 Stafford 1979, p. 74, note 16.

71 *Vier Elemente*, in LA, I, 3, 1951, p. 507. Sur la *Temperamentrose*, pp. 387-388.

72 Lettre de Schiller à L. Tieck, in Landsberger 1931, pp. 156-157.

73 Voir P. Schmidt 1965, pp. 69-72.

74 En France, au XVIIIe siècle, les opposants à la théorie de Newton comptaient L.-B. Castel, J. Gautier d'Agoty et J.-P. Marat ; Goethe étudia les écrits de chacun d'eux. Sur l'époque romantique, voir par ex. Déal 1827 qui insiste largement sur l'étude des couleurs dans le paysage. Sur les tempéraments et la couleur dans la peinture, *cf.* Pernety 1757, p. 69 : les mélancoliques seraient attirés par les tons jaunes ou gris-vert, les flegmatiques par les tons crayeux et les tempéraments sanguins, évidemment, par les tons vifs dans la peinture de la chair.

75 Le théoricien suisse David Sutter semble avoir été le premier en France à introduire les idées de Goethe dans le débat pictural sur la couleur : voir Sutter 1858, d'après ses cours à l'École des Beaux-Arts (pp. 262-263 pour le diagramme complémentaire de Goethe, p. 271 pour les couleurs et les humeurs). Les équivalences données par Sutter en 1880 (cité par Homer 1970, p. 44) n'étaient pas exactement celles de Goethe. Voir également Faivre (1862, p. 49) sur le rejet des théories de Goethe au début du siècle ; pour un panorama sur ce point, pp. 166-233. Faivre était largement redevable à la traduction anglaise d'Eastlake (1840), laquelle était destinée aux artistes, comme il le souligne (p. 344). Sur Blanc (1867), *cf.* p. 600 sur les couleurs complémentaires, où il cite le *Gespräche* d'Eckermann. Une étude tentant de suggérer que Delacroix connaissait la théorie de Goethe (Trapp 1971, pp. 330-331) n'est pas convaincante.

76 Blanc 1876, p. 62.

77 HS, II, p. 44 ; sur Forestier *cf.* note 43.

78 Van Gogh 1990, n° 371 (ci-après CG). Sur l'emprunt, *cf.* CG R.48, sur Van Rappard, *cf.* Brouwer *et al.* 1974. Dès 1876, Blanc soulignait (pp. 62-64) la maîtrise intuitive qu'avait Delacroix des lois scientifiques de la couleur et Gigoux, dont le livre était aussi un des préférés de Van Gogh, avait repris l'idée en 1885 (p. 184). Sur sa lecture de Gigoux, CG n° 399, 401, 403, R. 58.

79 Cassagne 1886, p. 22, 29 ; voir CG n° 146 sur le livre de Cassagne et Van Rappard. Van Gogh résume ce que dit Cassagne du noir et du gris dans une lettre à Théo du 31 juil. 1882 (CG n° 221) et il y revient en 1885 (CG n° 371). Voir aussi CG B6 (juin 1888) sur le noir et le blanc en complémentaires. Van Gogh appréciait beaucoup aussi le livre du graveur et céramiste Bracquemond, proche des impressionnistes mais méfiant face à leur obsession de la couleur. Dans son étude de 1885, il rejetait à la fois Chevreul et Helmholtz comme guides et faisait appel aux savants pour établir une gamme objective de gris (pp. 46-47, 244). Van Gogh lut son livre plusieurs fois en 1885 et 1886 (CG n° 424, 456, R. 58). Sur les idées de Bracquemond en général, *cf.* Bouillon 1970, pp. 161-177 ; Kane 1983, pp. 118-121.

80 Cassagne 1886, pp. 270-285. Il n'accorde pas de couleurs à l'été, le considérant comme la saison du dessinateur et non celle du peintre. Voir la lettre de Van Gogh à Théo de 1884 (août ?), CG n° 372.

81 Il paraphrase Blanc (1867, p. 598) dans une lettre avec : « les grands principes auxquels croyait Delacroix » (CG n° 401).

82 Roskill 1970, pp. 266-267.

83 *Cf.* cat. expo. *Post-Impressionism* [...] 1979-1980, n° 80.

84 Il y a débat sur la date de leur rencontre : Rewald (1978, p. 502) propose l'automne 1886, mais sans documents ; Cooper (1983, p. 17) suggère une rencontre possible par l'intermédiaire de Bernard avant avril 1887 ; mais la date la plus unanimement acceptée est novembre 1887, après le retour de Gauguin de Martinique. Il est clair qu'ils étaient devenus proches vers cette époque : Gauguin possédait plusieurs toiles réalisées par Van Gogh à Paris (Cooper *ibid.*, pp. 27-28).
85 Cat. Seurat (1991, p. 448, annexe P). Le statut de ce fameux « papier de Gauguin » reste indéterminé ; Fénéon rapporte en 1914 qu'on le croit généralement de la main de Gauguin lui-même, même s'il reste dubitatif (*ibid.* p. 282). Les preuves en ont été recensées de manière précise par Roskill (1970, pp. 267-268) et par Herbert *et al.* (1991, pp. 397-398). Certaines idées dans ce « papier » sont très proches de la description que fait Blanc des procédés orientaux en 1867 (pp. 606-607).
86 Voir sa note sur Van Gogh de 1894 et une lettre à Fontainas de sept. 1902 in Gauguin 1974, p. 294. Voir aussi les remarques à Daniel de Monfreid in Chassé 1969, p. 50.
87 Amsterdam, Rijksmuseum (F. 371). Ce procédé de renforcement des contrastes a été analysé par Fred Orton dans son étude majeure sur Van Gogh et l'estampe japonaise (Orton 1971, pp. 10-11) ; sur les autres copies, *cf.* cat. expo. *Van Gogh à Paris*, 1988, n° 62.
88 Lettre de Gauguin à Van Gogh du 22 sept. 1888 in Gauguin I, 1984, p. 232. L'ange en bleu et jaune est proche des costumes insérés dans le motif d'Hiroshige (ill. coul. et documentation in cat. expo. *Gauguin* 1989, n° 50).
89 Gauguin 1974, p. 24. Voir aussi ce qu'il écrit à Van Gogh sur la couleur d'un sujet similaire de 1888, *Enfants luttant*, dont la palette est pourtant très atténuée (cat. expo. *Gauguin* 1989, n° 48 ; Gauguin I, 1984, p. 201).
90 F. 476. Pour une ill. coul. et l'étude des résultats d'une restauration récente, *cf.* Kodera 1990, pp. 56 sq. et pl. IV.
91 F. 486. Même la technique assez sèche du fond absorbant est étroitement liée à Gauguin (Laugui 1947, p. 37). Émile Bernard, compagnon de Gauguin à Pont-Aven et l'un des principaux modèles de Van Gogh pour le style cloisonniste, affirma bien plus tard que c'était lui-même qui avait stimulé l'intérêt de Vincent pour les tableaux avec une seule tonalité chromatique en à-plat lorsqu'il lui avait présenté le travail de Louis Anquetin à Paris (Bernard 1934, pp. 113-114 ; sur Anquetin, *cf.* cat. expo. *Van Gogh à Paris*, 1988, n° 71-73).
92 Expression en français dans la lettre CG n° 428 ; Van Gogh l'attribuait à Silvestre, mais sa source est Bracquemond 1885, pp. 85-86 (« une teinte bistrée, violacée de nuance innommable »).
93 Bracquemond 1885, p. 55. Voir aussi Vibert 1902, p. 72. Sur l'importance des dénominations dans la mémoire des couleurs, *cf.* Bornstein 1976, pp. 269-279.
94 Bracquemond 1885, p. 244.
95 F. Melzer passe à côté de ce dilemme quand il évoque d'un côté la « stricte codification » néo-médiévale de la couleur dans la poésie symboliste, et de l'autre le retrait quasi musical d'un « signifié prescrit » (Melzer 1978, p. 259).
96 Voir le dessin *Une nuit à Vaugirard* (1881) in Gauguin, I, 1984, pl. II.
97 L'esquisse pour *Régates à Asnières* (1887, F. 1409) comporte une liste de 15 couleurs, dont trois seulement sont des noms de pigments. D'un autre côté, il décrit à Théo (CG n° 489) sa *Nature morte à la cafetière* (F. 410) avec les termes ordinaires de bleu, orange, rouge, etc. Mais dans sa description à Émile Bernard (CG B.5), l'un des bleus devient « cobalt » et dans le croquis adjoint, il y a des « chromes 1, 2 et 3 », un « citron vert pâle », un « bleu de roi », un « bleu myosotis » et une « mine orange ».
98 Sur la copie de Gauguin, *cf.* Roskill 1970, p. 267 ; Blanc 1867, ill. p. 599, d'après Ziegler 1850, p. 199. La dérivation n'est pas reconnue, mais Blanc cite bien le livre de Ziegler, pp. 603-604 (d'après Ziegler 1850, p. 230). Ziegler publia à nouveau son étoile en 1852, p. 16. Sa référence au jaune cadmium doit être l'une des premières de ce pigment, qui ne se banalisa qu'au milieu des années 1840 (Feller I, 1986, pp. 67-68).
99 *Diverses choses* (1896-1898) in Gaugin 1974, p. 179. L'étude la plus complète de la couleur chez Gauguin est celle de Hess 1981, pp. 50-68. Sur *Manao Tupapau*, *cf.* cat. expo. *Gauguin* 1989, n° 154.
100 Féré 1887, pp. 43-46. Il renvoie aussi à l'emploi de verre bleu ou violet pour le vitrage des cellules psychiatriques. Les effets thérapeutiques de la couleur sont évoqués à l'époque romantique par Edward Dayes, un aquarelliste au tempérament déséquilibré, qui se suicida (Dayes 1805, pp. 307-308, note). Pour une brève histoire de la chromothérapie, *cf.* Howat 1938, p. 1 ; et deux études plus récentes sur le sujet : Anderson 1979 ; Kaiser 1984, pp. 29-36 (très critique).
101 Par ex. Raehlmann 1902, p. 37 ; Goldstein 1942, p. 150 ; Heiss 1960, pp. 381-382.
102 Malkowsky 1899, Beilage, p. 2. Voir également Berger 1911, p. 140 ; Friedländer 1916, p. 88 ; id. 1917-1918, pp. 141 sq. Deux artistes ont adopté la théorie de Goethe pendant un certain temps : Arthur Segal (*cf.* son *Lichtprobleme der bildende Kunst* 1925, n.p.) et Auguste Herbin (*cf.* son livre, *L'Art non-figuratif, non-objectif* 1949, pp. 23 sq. surtout). Sur l'importance des idées physiologiques de Goethe, *cf.* J. H. Schmidt 1932, pp. 109-124.
103 Gordon 1968, p. 16. Sur l'impact de Goethe sur Kirchner, *cf.* cat. expo. *Goethe, Kirchner, Wiegers* [...] 1985.
104 Sur la poésie expressionniste, *cf.* Mantz 1957, pp. 198-237, surtout p. 209 ; Motekat 1961, surtout pp. 43-46. Les couleurs aux mouvements libres de la peinture expressionniste ont été brièvement décrites par L. Dittmann in *Künstler dei Brücke* 1980, p. 45. Sur le débat à propos de la couleur et des associations, *cf.* Cohn 1894, pp. 565-566 ; Müller-Freienfels 1907, pp. 241 sq. ; Stefănescu-Goanga 1912, pp. 284-335, surtout p. 332. Toutes ces études renvoient à Goethe.
105 Brass 1906, p. 120. Brass entretenait une relation ambiguë avec les peintres décoratifs de Munich (voir sa nécrologie par A. Piening in *Technische Mitteilungen für Malerei*, XXXII, 1915-1916, pp. 157-159 ; voir aussi Richter 1938, pp. 7-10).
106 Selon un associé de Kandinsky à cette époque, il ne fit pas une lecture approfondie de la *Théorie* de Goethe avant 1912, et seulement dans l'espoir d'en justifier l'interprétation de Steiner (Harms 1963, p. 36, 41, 90). La relation de Steiner avec Kandinsky a été étudiée par Ringbom (1970, p. 79, 81-82) et les notes prises sur le *Lucifer-Gnosis* de Steiner ont été publiées par Ringbom in Zweite (1982, pp. 102-105, et p. 89, ill. 1). Steiner avait publié la *Farbenlehre* de Goethe pour la revue de Kürschner, *Deutsche National-Literatur* (*Goethes Werke* XXV : *Naturwissenschaftliche Scriften*, III, 1891), avec une introduction polémique et des notes insistant sur la « reconnaissance unanime » qu'elle avait trouvée chez les artistes (p. 317, § 900).
107 Kandinsky 1989, V, p. 111.
108 Ringbom 1970, p. 86 et pl. 23 ; Kandinsky 1982, I, p. 178. Le glissement du rouge au jaune fut probablement influencé par Steiner, qui lui avait transmis l'idée de Goethe d'une paire « primaire » fondamentale.
109 Par ex. Scheffler 1901, p. 187 ; cit. in Kandinsky 1982, I, p. 161, note ; Gérome-Maësse (Alexis Mérodack-Jeanneau) 1907, p. 657, cit. in Kandinsky *ibid.*, I, p. 196, note. Voir Fineberg 1979, pp. 221-246, pour les liens de Kandinsky avec Gérome-Maësse.
110 Hering 1878, p. 110 : « chaque couleur simple a pour contraire une couleur simple, et chaque couleur composée une couleur composée pour contraire. » *Cf.* Kandinsky 1982, I, p. 189. Selon Hering, pourtant, le vert était une couleur simple, et non composée.
111 Wundt 1902-1903, II, p. 329 ; *cf.* Kandinsky 1982, I, pp. 174-189.
112 Kandinsky 1982, I, p. 179, note.
113 Lettre de Marc à Macke, 12 déc. 1910, in Macke 1964, pp. 28-30. Difficile de saisir, dans ce contexte, ce que veut dire Marc par « analyse spectrale ». Dans les années 1920, Kandinsky considérait le jaune comme masculin et le bleu comme féminin (Kandinsky 1984, pp. 52-54).
114 Certes, la valeur spirituelle du bleu et la brutalité du rouge sont des lieux communs des écrits théosophiques, mais il semble exagéré d'y faire remonter la vision de Marc, comme le tenta Moffitt (1985, pp. 107 sq.).
115 HS, I, p. 164.
116 *Ausstellung* 1906, I, xix.
117 Stefănescu-Goanga 1912, p. 320. Dans cette étude, plusieurs individus jugent le jaune doux et féminin, et le rouge sérieux et masculin.
118 Allesch 1925, pp. 1-91, 215-81.
119 Il faut redire avec insistance que la question des préférences chromatiques en Europe est toujours épineuse, même si de nombreux auteurs la croient résolue. Un ordre moyen de préférence pour les couleurs simples (bleu, rouge, vert, violet, orange, jaune) a été proposé par l'étude à grande échelle de Eysenck (1941, pp. 385-394), fondée sur un échantillon de 21 060 cas ; mais très peu d'entre eux ont été testés par Eysenck lui-même. Sur les paires chromatiques, *cf.* Granger 1952, pp. 778-780. Pour une étude plus récente des couleurs simples, *cf.* McManus *et al*, pp. 651-656, qui place aussi le bleu et le jaune aux extrêmes, mais redistribue l'ordre des teintes intermédiaires. Pour un panorama de cette littérature, *cf.* Ball 1965, pp. 441 sq. La batterie de tests psychologiques sur la couleur la plus récente et la plus diffusée, le test Lüscher, recourt également à la notion de préférence (voir la version anglaise de poche, in Scott 1971) : il a été critiqué pour son abstraction excessive par Heimendahl 1961, pp. 185-189 ; Pickford 1971, pp. 151-154 ; Lakowski & Melhuish 1973, pp. 486-489. Pourtant, l'artiste suisse néo-constructiviste Karl Gerstner a inclus ce test parmi les dispositifs utiles aux artistes, et Lüscher a admiré son travail (Stierlin 1981, p. 10, 164 sq.).
120 Cohn 1894, p. 601. Sur *l'Almanac*, *cf.* Lankheit 1974.
121 Kandinsky 1982, I, p. 372.
122 La meilleure étude historique en est toujours celle de Mahling 1926, pp. 165-257, avec son imposante bibliographie. Il est à noter que Mahling reproche à Kandinsky d'en admettre trop sans preuves (pp. 256-257). Voir aussi le texte populaire de Binet (1892, pp. 586 sq.). La question semble être passée de mode chez les physiologues dans les années 1940, peut-être à cause de l'incertitude des résultats (Barron-Cohen *et al.* 1987, p. 761) ; mais elle est étudiée d'assez près par Marks 1978, pp. 83-90.
123 Scheffler 1901, p. 187 ; Gérome-Maësse 1907 (lequel s'appuie sur la première collecte large de données, celle de Suarez de Mendoza 1890). Sur les notes de Kandinsky à partir de l'étude synesthésique de F. Freudenberg, *cf.* Ringbom in Zweite 1982, p. 93, ill. 7 ; *cf.* Kandinsky 1982, I, p. 158, note. Sur Schlegel, *cf.* « Betrachtungen über Metrik » in Schlegel I, 1962, pp. 199-200 : ses analogies sont plus symboliques que synesthésiques, comme l'interprétation des « Voyelles » de Rimbaud par Starkie (1961, pp. 163 sq.).
124 Gérome-Maësse 1907, p. 656 (il mentionne aussi le basque, comme langue fructueuse à cet égard).
125 La linguistique radicalement réductrice de Velimir Khlebnikov et ses rapports à l'abstraction radicale de Malevitch ont été étudiés par Crone (1978, surtout pp. 147 sq.). Pour une approche en anglais de « l'audition colorée » selon Khlebnikov, *cf.* Cooke 1987, pp. 84-85. Malevitch était également ami avec le linguiste Roman Jakobson (Barron & Tuchman 1980, p. 18 ; Padrta 1979, pp. 40-41). Jakobson continua à s'intéresser à « l'audition colorée » sous l'angle de la phonétique (Jakobson 1968, pp. 82-84 ; Jakobson & Halle 1975, p. 45, note). Voir aussi Vallier 1975, pp. 284 sq. Dans les années 1920, ce furent les ateliers d'art russes qui s'inspirèrent le plus des laboratoires de psychologie expérimentale et furent très attentifs aux relations entre forme et couleur (Lodder 1983, pp. 125 sq. ; voir aussi Belaïev-Exemplarsky, de l'Institut de Psychologie à Moscou, 1925, p. 425).
126 Kandinsky 1984, p. 230 (texte de 1928).
127 TC xxxvii-xxxix (Goethe 1971, pp. 213-214). Voir aussi p. 202 ci-dessus. Le poète Jules Laforgue emploie des termes similaires dans un texte de 1883 sur l'impressionnisme : « L'impressionniste voit et rend la nature telle qu'elle est – c'est-à-dire toute entière dans la vibration de la couleur. Sans dessin, lumière, modelé, perspective ou clair-obscur [...] » (cité par Bomford *et al.* 1990, p. 84).
128 Voir *An Essay towards a New Theory of Vision*, 1709, § CLVIII. Morgan (1977, surtout pp. 70 sq. sur Condillac) a étudié en détail le débat sur le rôle de l'esprit dans la mise en forme du monde visible, au XVIIIe siècle.
129 Perry 1987, p. 460.
130 Ruskin 1857, I, § 5 note : « Le pouvoir technique de la peinture dépend tout entier

de notre capacité à recouvrer une sorte d'*innocence de l'œil* ; c'est-à-dire une sorte de perception enfantine de ces taches de couleur, dans leur simplicité et leur platitude, sans conscience de ce qu'elles signifient – comme un aveugle les verrait si la vue lui était subitement rendue. » Sur la fortune des *Éléments* en France, *cf.* Signac 1964, p. 117. Monet aurait dit en 1900 que « 90 % de la théorie impressionniste se trouve dans les *Éléments du dessin* » (Dewhurst 1911, p. 296). Voir en gén. Autret 1965, pp. 77 sq.

131 Ruskin 1906, pp. 21-22. Son idée de la presbytie de Turner a été confirmée par l'analyse des lunettes de ce dernier, conservées par Ruskin et auj. à l'Ashmolean Museum d'Oxford (Trevor-Roper 1988, p. 92).

132 Sur *les Peupliers*, *cf.* Perry 1927, p. 121 ; sur *Cathédrale de Rouen*, lettre de Monet à Alice Hoschedé, du 29 mars 1893, in Wildenstein 1979, p. 273.

133 Signac écrivait en 1894 : « Non, Monsieur Monet, vous n'êtes pas un naturaliste [...] Bastien-Lepage est bien plus proche de la nature que vous ! Les arbres dans la nature ne sont pas bleus, les gens ne sont pas violets [...] » (cité par House 1986, p. 133). Dix ans plus tôt, les premiers analystes des impressionnistes étaient prêts à affirmer que leur surabondance de violet était parfaitement naturelle : voir les textes réunis par Reutersvärd 1950, pp. 106-110. L'étude la plus complète sur ces questions techniques est de loin celle de House 1986 ; p. 110, il souligne que le peintre était réputé pour ne pas se soucier de théorie ; voir aussi Bernard 1934, pp. 111-112. La connaissance du contraste complémentaire par Monet est attestée par un entretien de 1888 (cité par Bomford *et al.* 1990, p. 88).

134 « Human vision », 1855, cité par Pastore 1978, p. 357.

135 Helmholtz 1901, surtout p. 242, 263-264. Ces conférences furent traduites en français en 1869. Voir aussi Pastore 1973, pp. 194-196.

136 Lettre de Cézanne à Émile Bernard du 23 oct. 1906 (Cézanne 1978, p. 315). Voir aussi les remarques transmises par Bernard : « dans la peinture, il faut deux choses : l'œil et le cerveau ; l'un doit aider l'autre : nous devons travailler à leur développement mutuel, l'œil par sa vision de la nature et le cerveau par la logique des sensations organisées qui donne les moyens de l'expression. » (cité par Doran 1978, p. 36)

137 Le seul ouvrage scientifique enregistré dans l'inventaire de ses biens est une compilation du XVIIIe siècle ; mais il semble avoir lu Regnier 1865, et des livres d'anatomie et de perspective (Reff 1960, pp. 303-309 ; de Beucken 1955, p. 304). Sur la théorie, voir la lettre de Cézanne à Émile Solari du 2 sept. 1897, et celle au peintre Charles Camoin du 22 fév. 1903 (Cézanne 1978, p. 261, 293) et la lettre de Camoin à Matisse du 2 déc. 1905 (Giraudy 1971, pp. 9-10).

138 Gasquet 1921 in Doran 1978, p. 110. Doran a des réserves légitimes sur l'authenticité de cette conversation, telle que la rapporte le bavard Gasquet. Sur Helmholtz et Kant, *cf.* Pastore 1974, surtout pp. 376-386.

139 Giraud 1902, p. 188. Shiff (1978, surtout p. 339) cite Taine en référence à Cézanne, mais sans explorer les implications dans le style de Cézanne.

140 Taine 1870, I, pp. 76-85. Sur Lecoq, *cf.* Chu 1982, pp. 278-280.

141 Taine 1870, II, pp. 86 sq. Sur Taine et Helmholtz, *cf.* Pastore 1971, pp. 179-182.

142 Taine 1870, II, p. 122. Pour l'emploi du terme « tache » dans la critique d'art française des années 1860 aux années 1880, *cf.* Bomford *et al.* 1990, pp. 92-93.

143 Doran 1978, p. 36.

144 Lettre de Cézanne à Émile Bernard du 15 avr. 1904 (Cézanne 1978, p. 299-300).

145 Sur la vision cézannienne, *cf.* Frankl 1975, pp. 125-130 ; Damisch 1982, p. 42.

146 Un bon exemple de cette amorce du travail est *La Montagne Sainte-Victoire* vue des Lauves, 1904-1906, in Rubin 1977, n° 63 ; et pour l'aquarelle, *La Montagne Sainte-Victoire vue du nord d'Aix*, *ibid.*, p. 130.

147 Bomford *et al.* 1990, p. 97.

148 Doran 1978, p. 59. Voir aussi les instructions de Cézanne à Bernard pour peindre une nature morte : commencer « par les tons presque neutres » et « aller en montant toujours la gamme et en serrant davantage les chromatismes » (*ibid.*, p. 73). Cette méthode est étudiée avec finesse par Badt 1943, p. 247.

149 Voir surtout G. Geffroy in 1901, cit. in Shiff 1978b, p. 79. Geffroy semble s'être inspiré d'une lettre que lui avait envoyée Monet en 1893, où le peintre expliquait avoir abandonné les toiles de Rouen seulement quand il en eut assez (Wildenstein 1979, III, p. 272). Sur le débat autour du « fini » dans la dernière période de Cézanne, *cf.* Reff in Rubin 1977, pp. 36-37. Ernst Strauss a rétabli la lecture moderniste de ces toiles tardives, avec de grandes zones nues, comme des toiles achevées (Strauss 1983, p. 182).

150 La façon dont Cézanne « édite » le motif peut se mesurer dans les paysages qu'il réalisa en parallèle avec Armand Guillaumin (*cf.* Rewald 1985, pp. 110-111, 114-115 ; 1986, pp. 132-133) ; ses arrangements complexes de nature morte à la fin des années 1890 ont été rapportés par Louis Le Bail (Rewald 1986, p. 228).

151 Doran 1978, p. 8. Ill. coul. in Rubin 1977, n° 4 ; sur les brosses et la méthode picturale, *cf.* Vollard 1938, p. 60.

152 Helmholtz reconnaît que du blanc sur un tableau, en intérieur, n'aurait qu'un vingtième ou un quarantième de sa puissance de réflexion à la lumière du jour (Helmholtz 1901, II, pp. 97-98). Voir aussi, avec de multiples observations, Jamin 1857, surtout pp. 632 sq., 641-642 ; Laugel 1869, pp. 89-100 ; Brücke 1878, p. 105 ; Guéroult 1882, p. 176 ; Vibert 1902, pp. 68-69.

153 Bernard in Doran 1978, p. 61. Sur Whistler, *cf.* p. 185 ci-dessus.

154 Doran 1978, pp. 72-73. Pissarro suggérait dans les années 1870 de s'en tenir aux trois primaires et à leurs dérivées ; ce conseil rapporté par J. Gasquet (*Paul Cézanne*, 1926, pp. 148-149) ne semble pas avoir été suivi (voir Shiff 1984, p. 206, 299-300, note 23 ; Bomford *et al.* 1990, p. 200). Sur la palette de Bernard, restreinte à deux couleurs, *cf.* lettre de Bernard à Ciolkowski (1908) in Chassé 1969, p. 80 ; Doran 1978, p. 61.

155 Doran 1978, p. 46 (lettre 8) et Cézanne 1978, p. 324 (lettre du 8 sept. 1906). Dans une lettre à son fils du 3 août 1906, Cézanne « regrette [son] âge avancé vu [ses] sensations colorantes » (p. 318), ce qui peut signifier aussi bien le sentiment d'une incapacité visuelle, ou celui de ne pouvoir rendre ce qui est vu. Hamilton (1984, pp. 230 sq.) suggère de façon peu convaincante que le diabète de Cézanne (voir Doran 1978, p. 24) a affecté sa peinture à la fin de sa vie.

156 Cartier 1963, p. 351.

157 Lettre de Matisse à Camoin (1914), citée in Matisse 1972, p. 94. Matisse ajoute que cet aspect de sa personnalité était en conflit avec son romantisme, ce qui l'épuisait.

158 Voir *Table et buffet* (1899) in Watkins 1984, pp. 36-38.

159 Matisse 1972, p. 49 ; voir aussi son entretien avec R.W. Howe, in Matisse 1978, p. 123.

160 Sur Denis, *cf.* Flam 1986, p. 121 ; sur Cross, *cf.* lettre de Matisse à Tériade (1929-1930) in Matisse 1978, p. 58 ; voir aussi *ibid.*, p. 132 ; lettre de Derain à Vlaminck du 28 juil. 1905, in Derain 1955, pp. 154-155, 161. L'attitude de Matisse à l'égard des néo-impressionnistes a été étudiée en détail par Bock 1981.

161 Sur Chevreul et les autres théoriciens, *cf.* Flam 1986, p. 223 ; sur le spectre, *cf.* Duthuit, cité par Watkins 1984, p. 63 ; il suggère que la palette en rouge, vert et bleu de la *Danse* (1910) dépendait de ce savoir (p. 94), et que les gris de la *Leçon de piano* (1916) ont pu être choisis parce qu'ils résultaient du mélange au disque des complémentaires du tableau : rouge-vert, orange-bleu (p. 138). Le chapitre de Rood sur les théories de la vision de Young et de Helmholtz adopte globalement les primaires lumineuses de Young, en rouge-vert-violet (voir par ex. Rood 1879, pp. 113 sq.), mais il renvoie également à la théorie de Maxwell en rouge-vert-bleu (p. 121). L'attrait qu'avait Matisse pour la triade en rouge-vert-bleu, porteuse de lumière, a été remarqué dans ses papiers découpés, par J. H. Neff in Cowart *et al.* 1977, p. 33. Voir aussi Flam 1986, p. 283.

162 Matisse 1972, p. 46.

163 Van Gogh, CG, n° 429 : « Il m'arrive bien encore, et souvent, de me cogner la tête aux murs quand j'entreprends quelque chose, mais les couleurs suivent comme d'elles-mêmes ; et, prenant une couleur comme point de départ, ce qui en dérive et comment en tirer de la vie se présente clairement à mon esprit. »

164 *Le Chemin de la couleur* (1947) in Matisse 1972, p. 204. Dans d'autres textes, par ex. Matisse 1978, p. 100 (1945), il parle de la couleur comme d'un moyen de libération.

165 Pour le premier état, *cf.* Flam 1986, ill. 229 et p. 230.

166 Sur la *Musique*, *cf.* Flam 1986, ill. 288-289 ; pour les années 1930, voir le *Nu rose* (1935) in Barr 1974, p. 472 (ill. coul. in Watkins 1984, pl. 169), et la *Musique* (1939) in Watkins *ibid.*, p. 187, 189.

168 Elderfield 1978, pp. 86-88.

169 Matisse 1976, p. 92.

170 *Ibid.* p. 112 (1952)

171 *Ibid.* pp. 94-95 (1919). Un visiteur passant en juin 1912 parla des « fleurs flamboyantes » (Elderfield 1978, p. 86).

172 Severini 1917, in *Archivi del Futurismo* 1958, I, p. 214. La conversation portait sur une esquisse marocaine « d'après nature », vraisemblablement *Le Marabout* (1912-1913), ill. coul. in Cowart *et al.* 1990, n° 3.

173 Matisse 1972, p. 52.

174 Sur le contact probable entre Kandinsky et les mécènes et associés de Matisse à Paris, *cf.* Fineberg 1984, pp. 49-50. Il renvoie à une version allemande des *Notes* dans *Du Spirituel dans l'art* (Kandinsky 1982, I, p. 151).

175 Kandinsky *ibid.*, I, pp. 386-387 (1913). Sur le tableau et ses ébauches, *cf.* Roethel & Benjamin, I, 1982, n° 464, et Hanfstaengl 1974.

12 La substance de la couleur

1 Redon 1979, p. 128.

2 Cette description s'appuie sur les trois versions conservées du « procédé », dont les détails diffèrent largement de l'une à l'autre. La seule version publiée est la paraphrase faite par Stephen Rigaud à partir de l'exemplaire vendu par Provis à son père, John Francis Rigaud (Rigaud 1984, pp. 99-103). Un exemplaire manuscrit vendu à Joseph Farington, accompagné de notes de sa main, retraçant peut-être des échanges avec Provis, se trouve à la bibliothèque de la Royal Academy à Londres. Le *Journal* de Farington est notre principale source sur le déroulement de l'affaire : il en donne presque un état quotidien entre déc. 1796 et mai 1797. Une troisième version, sans doute la plus ancienne, est le manuscrit intitulé *The Venetian manner of Painting particularly laid down, relating to the Practice, by A. J. P.*, dans la collection du Dr Jon Whiteley, qui m'a généreusement permis de l'étudier. Il n'y est pas fait mention de l'« ombre titianesque », mais d'une « Teinte grise négative, composée de Noir d'ivoir, d'Indigo et de Laque ». Les références dans les deux manuscrits aux bleu de Hongrie ou de Prusse et au bleu d'Anvers, comme des pigments-clés, suggère la nouveauté du « secret vénitien », puisque ce sont là des pigments du XVIIIe siècle. Pour un récit du scandale, *cf.* Gage 1964, pp. 38-41.

3 Les tableaux de West réalisés selon le « procédé » sont *Cicéron et les magistrats découvrant la tombe d'Archimède* (Von Erffa & Staley 1986, n° 22), vendu chez Christie's le 22 nov. 1985 (69) ; *Cupidon piqué par une abeille* (Von Erffa & Staley 1986, n° 133), *Portrait de Raphaël avec Benjamin West* (Von Erffa & Staley 1986, n° 543) et une *Crucifixion* perdue (Von Erffa & Staley 1986, n° 356).

4 Malone 1797, I, xxxii-xxxiii, note ; 1798, I, lvi-lviin.

5 Farington, 7 juin 1797. Sur les expériences de Reynolds, *cf.* M. Kirby Talley, «"All good pictures crack" : Sir Joshua Reynolds' practice and studio » in Penny 1986, pp. 55-57, 62-67.

6 Le texte de Sheldrake, *Dissertation of Painting in Oil*, « d'une façon similaire à celle qui était pratiquée par l'ancienne École Vénitienne », fut soumis à la Society of Arts au printemps 1797, et remporta l'année suivante la « Grande Palette d'Argent » (*Transactions of the Society of Arts*, XVI, 1798, pp. 279-299). Il pensait que sa méthode était proche de celle de Provis (p. 297), mais cela fut discuté par un de ses mécènes (Society of Arts, *Minutes of the Committee of Polite Arts*, 22 nov. 1797, p. 98). Sa *Dissertation* fut reproduite in *The Artist's Assistant, or the School of Science*, 1801. Grandi, qui avait été formé par un maître vénitien, affirmait également que ses fonds sombres étaient absorbants comme ceux de Provis (Farington, 21 mai 1797). En 1806, Grandi gagna une

médaille d'argent pour sa méthode « dans le vieux style vénitien » (*Transactions*, XXIV, 1806, p. 85 ; repr. in Fielding, *Painting in Oil*, 1839, pp. 79-80).
7 *Cf.* Farington, 19 janv., 26 fév. 1801 ; 10 juil., 28 nov., 6 et 9 déc. 1802 ; 6 juin, 25 juil. 1803. On trouve les explications détaillées de Farington sur l'emploi du médium dans un carnet conservé au Victoria & Albert Museum (P88-1921, folio 72v, daté du 26 fév. 1801), mais il n'y donne pas les ingrédients. C'était probablement le « vrai médium vénitien » découvert par l'académicien John S. Copley, selon le rapport de son fils en août 1802 (Amory 1882, pp. 230-231).
8 Gage 1964, p. 40. Sur Westhall, *cf.* Wainewright 1880, pp. 253-255 ; sur Beaumont et Provis, *cf.* Owen & Brown 1988, p. 94.
9 Lettre de Sandby au colonel Gravatt, d'oct. 1797, in Sandby 1892, p. 93.
10 Armenini 1820, xxxv ; voir aussi pp. 108-109, note.
11 Sur Blake, *cf.* Gilchrist 1942, pp. 359-360. John Linnell, qui prêta son exemplaire de Cenini à Blake vers 1822, prétendait que c'était le premier disponible en Angleterre. Il est possible que l'un ou l'autre ait montré l'ouvrage à Constable, qui en a copié un passage (traduit) tiré du chap. xxviii sur la nature comme guide parfait (note non datée, Leslie 1951, p. 275). Haydon le connaissait vers 1824 (*Diary*, éd. Pope II, 1960, p. 489) et en utilisait des recettes dès 1827 (*ibid.*, III, p. 227, et voir V, p. 84, 260 (1841, 1843)). Sur l'achat du livre par Ingres en 1840, *cf.* Ternois 1956, p. 173.
12 Voir le document de Leiden, datant de 1643, in Martin 1901, pp. 86 sq. Cornelis de Bie affirmait en 1661 qu'un seul fabriquant de couleurs pouvait fournir une gamme très large de pigments (De Bie 1971, II, pp. 208-211). Sur une boutique de couleurs à Londres en 1633, *cf.* Bate 1977, p. 132.
13 Bouvier 1828, p. 9 ; Van Gogh CG, n° 419a, lettre à Furnée, marchand de couleurs à La Haye (3 août 1885) : « Je n'emploie que des couleurs que je fais broyer ici. »
14 Voir la lettre de Delacroix à Mme Haro, du 29 oct. 1827, lui commandant 18 vessies de couleurs, toutes « plus liquides que les couleurs que vous préparez pour les autres » (Delacroix 1935-1938, I (1935), p. 200). Voir aussi Planet (1928, p. 47) sur la préférence de Delacroix pour les couleurs liquides, à la fin de sa carrière. Sauvaire (1978) a étudié sa longue relation avec la famille Haro. Une couleur que les artistes fabriquaient eux-mêmes d'ordinaire, le bleu de Prusse calciné appelé « brun de Prusse », était fourni à Delacroix par Haro (lettre du 21 mars 1846, in Delacroix 1935-1938, II (1936), p. 266) ; sur la pratique courante, *cf.* Goupil 1858, p. 30.
15 Voir surtout CG, n° 501, 503, 642, et 527, 532, 533, où Van Gogh espère que Tasset fera des expériences sur le degré de broyage nécessaire pour développer toutes les qualités de certains pigments. Sur le marchand de couleurs Tanguy, *cf.* Bernard 1908, pp. 600-614. La seule étude sur la manufacture industrielle de pigments au XIXe siècle semble être celle de Kühn (1982, pp. 35 sq.) ; voir aussi Bomford *et al.* 1990, pp. 34-43, 50-72, et surtout l'importante mise au point de Callen (1991, pp. 602-603).
16 On peut recenser en Angleterre plusieurs tentatives pour enseigner la chimie aux peintres : en 1770, l' Incorporated Society of Artists employa un certain Dr Aussiter pour faire cours sur le sujet (Jones 1946-1948, p. 23) et, en 1807, un jeune étudiant de la Royal Academy, Andrew Robertson, suivait ailleurs des conférences sur la chimie, « un art absolument nécessaire à connaître pour un peintre » (Robertson 1897, p. 150). Dans les années 1840, le célèbre chimiste Michael Faraday vint en aide à C. Eastlake dans ses recherches sur la fresque (Faraday 1971, I, pp. 423-425) ; Faraday aida également Turner en matière de pigments (Gage 1987, p. 225). À Rome, en 1813, les nazaréens étaient impatients de lire un nouvel ouvrage sur les couleurs dû à un chimiste et à un restaurateur, L. Marcucci et P. Palmaroli : *Saggio analytico chimico sopra i colori minerali* (Howitt 1886, I, pp. 316-317).
17 Lemaistre 1889, pp. 43-44 ; Prache 1966, p. 234 ; sur le laboratoire, *cf.* Moreau-Vauthier 1923, p. 103. Des notes sur la conférence de Pasteur du 10 avril 1865, portant sur « l'obscurcissement de la peinture à l'huile », ont été publiées dans le *Bulletin du laboratoire du Musée du Louvre* (suppl. de la *Revue des Arts*, juin 1956, pp. 3-4).
18 Sur la vie de Mérimée, *cf.* Pinet 1913.
19 Mérimée 1830, ix.
20 *Ibid.*, pp. 7-8 ; sur la date des recherches, *cf.* Pinet 1913, p. 72.
21 Sur Prud'hon et le moine Théophile, *cf.* Mérimée 1830, p. 34, 71-75, 92.
22 *Ibid.*, p. 168 ; Chaptal 1907, III, p. 373.
23 Berthollet 1824, II, pp. 106-107 ; M. de L*** v. 1829, p. 83. L'étude de Mérimée sur la garance constitue l'une des plus longues sections de son ouvrage (1830, pp. 144-165).
24 *Ibid.*, p. 293.
25 Grégoire v. 1812, pp. 60-61. Pour la date, *cf.* Forichon 1916, p. 63. Les idées de Grégoire (pp. 51-52) sur les complémentaires sont essentiellement les mêmes que celles exprimées par Mérimée.
26 Grégoire v. 1812, p. 6, 45. En 1830, Mérimée ne fabriquait pourtant plus son carmin à partir de garance mais de kermès (pp. 124 sq.). Il ne nomma pas les pigments qu'il considérait comme primaires, mais le rouge aux reflets bleutés de son diagramme pourrait bien être un carmin.
27 Mérimée, *Mémoire sur les lois générales de la coloration appliquées à la formation d'une échelle chromatique à l'usage des naturalistes*, in Brisseau de Mirbel 1815, II, pp. 909-924.
28 Pinet 1913, p. 81.
29 *Ibid.*, p. 68. Cela semble une réaction à *La Mort de Sardanapale* de Delacroix (1827). Mérimée semble avoir eu des contacts directs avec le peintre dans les années 1820, puisque son ami Rochard donna en 1825 à Delacroix une lettre à lui porter (Ephrussi 1891, p. 461).
30 Mérimée 1830, pp. 29-30. Sur ses expériences anglaises, *cf.* Pinet 1913, pp. 57-62. Il traduisit les conférences de Füssli à l'Academy, mais ces versions ne furent publiées que longtemps après sa mort : en 1844, trois d'entre elles parurent dans *Les Beaux-Arts*. Sur Constable, *cf.* Pinet 1913, p. 63.
31 Thornbury 1877, p. 262. Sur Mérimée et le paysage anglais, *cf.* Pinet 1913, p. 61 ; pour son rapport à Constable en 1817, *cf.* Ephrussi 1891, p. 462. On trouve une allusion rapide à Mérimée, peut-être en lien avec la traduction anglaise de son livre en 1839, dans l'introduction de Field à *Chromatics* (1845, xn). Mérimée n'est cependant pas mentionné dans la grande collection des carnets de Field, désormais conservée par MM. Winsor et Newton.
32 La description suivante de la carrière de Field s'appuie sur Gage 1989.
33 Field, *Chromatics*, 1808, manuscrit Winsor & Newton n°5, folio 540-541. Field pensait toujours de la sorte des décennies plus tard (Field 1845, p. 161). Sur un autre ingénieur anglais anti-newtonien, *cf.* Bancroft 1813.
34 Gage 1989, p. 30.
35 *Chromatics*, 1808, folio 522v. Vers le milieu des années 1830, Field avait développé un alcalin jaune citron et utilisait un substrat d'alumine pour ses laques de garance, d'où l'association exagérée entre cette couleur et l'alumine. Il avait également consacré beaucoup d'efforts à la production d'un outremer naturel de haute qualité, une pierre de silice.
36 Massoul 1797, p. 123. Voir aussi pp. 126 sq. pour les couleurs groupées par catégories animale, végétale et minérale. Massoul fut aussi un remarquable ingénieur dans la mesure où il prit en compte le texte de Newton sur les couleurs (pp. 120 sq.) sans tenter de l'intégrer à son étude des pigments. Le principal texte de Field sur la triade est celui de 1816, considérablement augmenté en 1846. Cet aspect de sa pensée est étudié par Brett (1986, pp. 336-350), bien que ce dernier pousse trop loin son rapport avec la théorie moderniste.
37 Gage 1989, n° 52.
38 Castel 1739, p. 813.
39 Gage 1986, p. 67. Le Blon avait fini par ajouter une quatrième plaque, noire, et terminer la coloration de ses estampes à la main.
40 Dossie 1764, II, pp. 182 sq. Dossie affirme que Le Blon devait parfois employer deux impressions pour renforcer les couleurs. Sur le Rose Brun, *cf.* Harley 1982, pp. 112-114.
41 Pfannenschmidt & Schulz 1792, p. 32. Selon la *Biographie universelle* de Michaud, une première éd. all. de ce livre fut publiée à Hanovre en 1781, et une seconde à Leipzig en 1799. Je n'ai pas trouvé d'exemplaires de cette version allemande, et l'éd. fr. est également rarissime. Un exemplaire de la première éd. fr. (Lausanne 1788) figure à la bibliothèque de la National Gallery de Washington, et un exemple de la seconde dans la Bibliothèque Cantonale de Lausanne.
42 Pfannenschmidt & Schulz 1792, p. 34-35.
43 *Ibid.*, pp. 142-144.
44 *Ibid.*, pp. 37-40.
45 Lamarck 1797, p. 86. La référence à Pfannenschmidt se trouve p. 78 n.5. Le système de Lamarck fut republié presque mot pour mot in Latreille 1802, I, pp. 349 sq. Latreille espérait que le Musée d'Histoire naturelle encouragerait des peintres célèbres à participer à la réalisation de l'échelle de Lamarck, ce qui ferait progresser le travail essentiel d'étalonnage chromatique (p. 350). Il opta pour un cercle à 10 sections, plutôt que 12 selon l'adaptation de Lamarck à partir de Pfannenschmidt.
46 Harris v. 1776 ; Sowerby 1809, pp. 38-39 ; Field 1817, p. 56.
47 Grégoire v. 1812, p. 45 ; Paillot de Montabert 1829, IX, pp. 184-188. Voir aussi Hundertpfund (1849, pp. 27-31), qui ne considère comme « primaire », parmi les couleurs de base sélectionnées, que l'outremer naturel (les autres étant le jaune de Naples et la garance).
48 Gage 1989, pp. 59-64. La préhistoire de la spectroscopie est étudiée par Bennett 1984.
49 Gage 1989, p. 40.
50 Merrifield 1844, xi. Merrifield cite également la *Chromatographie* de Field aux p. 117, 120, 123, 125, 138, 157. Par ex. p. 123, elle juge les garances développées par Field supérieures à celles de Cennini, qui supportent mal le contact avec le plomb. Page 157, elle cite Field sur l'emploi du mélange optique au pointillé pour obtenir plus de brillant (probablement une citation de Field 1841, p. 47).
51 Sur les préraphaélites et Field, *cf.* Gage 1989, n° 21, 59-63. Dans une lettre du 27 oct. 1879 (Oxford, Bodleian Library), William Holman Hunt signale qu'il a lu la traduction de Cennini par Merrifield et l'édition de 1841 de la *Chromatographie* de Field. Que Millais ait lu Field dès 1847, cela est suggéré par la palette qu'il tient dans un autoportrait (Liverpool, Walker Art Gallery) : elle présente une séquence de noir, blanc, rouge, jaune et bleu. L'intérêt de Rossetti pour les idées de Field sur les primaires s'observe non seulement dans la palette de *Ecce Ancilla domini* (1850, Tate Gallery), mais aussi dans une aquarelle de 1853, *Dante dessinant un ange* (Oxford, Ashmolean Museum), où l'on voit trois pots de couleurs primaires sur le rebord de la fenêtre.
52 Vibert 1902, p. 87, 103-107, 143. Vibert déclarait que son livre, qui connut huit tirages dans la seule année 1891, était « le fruit de trente années d'étude et d'expériences ». Sur le laboratoire de l'École des Beaux-Arts, *cf.* note 17 ci-dessus.
53 Recouvreur 1890, p. 83. Cet ouvrage s'attarde sur les constituants chimiques des couleurs et des médiums, et affirme que tout peintre devrait faire l'effort de se former sur les matériaux (p. 8).
54 Recouvreur 1890, p. 105 ; Vibert 1902, pp. 149-155. Matisse note qu'il utilise le vernis à retoucher de Vibert (Moreau-Vauthier 1923, p. 84).
55 Averroès 1949, pp. 20-21. Sur Léonard de Vinci, *cf.* Vinci 1956, I, p. 291 ; sur Runge, *cf.* HS, I, p. 81, 180-181 ; sur Monet, *cf.* p. 209 ci-dessus. Monet n'était pas toujours content de ses matériaux : dans plusieurs lettres des années 1880, il reprend la complainte courante sur leur inadéquation (Wildenstein 1979, II, lettres 394, 403, 460, 671). Pourtant, il ne semble pas avoir réfléchi aux moyens d'affronter ces difficultés.
56 Bourdon in Watelet & Levesque I, 1792, pp. 409-411.
57 Félibien, admirateur de Poussin, affirme que le noir et le blanc sont incapables d'embrasser les extrêmes de luminosité et d'obscurité naturelles (*Entretiens* 1725, V (1979), p. 5) ; sur Roger de Piles (1677), *cf.* Puttfarken 1985, p. 69. Roger de Piles pensait que seule la luminosité était inimitable. Voir aussi Hoogstraten 1678, p. 224.
58 La distinction entre les images de camera oscura et les images peintes fut analysée par Hamilton 1738, II, pp. 384-385. Pour un jugement extrémiste de la supériorité de la camera oscura sur la peinture, *cf.* Gautier d'Agoty 1753, pp. 81-82. Un autre illustrateur d'histoire naturelle, Schiffermüler, démontrait la supériorité de la nature

sur l'art en matière de richesse et d'éclat (1772, pp. 4 sq.). Pour l'argument selon lequel l'art peut vaincre ces manques par la manipulation, appliquée surtout aux valeurs d'ombre et de lumière, *cf.* Barry 1809, I, pp. 527-528.

59 Monge 1820, pp. 130-131. Voir aussi Vallée 1821, pp. 374-375, sur la liberté de l'artiste à manipuler son sujet pour compenser – une vision qui anticipe sur la pratique de Cézanne à la fin du siècle.

60 Jamin 1857, pp. 632-638.

61 *Ibid.* pp. 641-642.

62 Helmholtz 1901, II, pp. 121-122. Cette opinion fut reprise et approuvée par Brücke (1878, p. 105 ; voir aussi p. 125), qui publia aussi une traduction fr. de la conférence de Helmholtz. *Cf.* aussi Brücke 1866, pp. 153-154.

63 Guéroult 1882, p. 176.

64 Field 1845, pp. 119-120. Regnier aussi (1865, iii, pp. 115-116) fit bon accueil aux nouveaux pigments, employés avec prudence, tout en considérant comme seuls pigments « purs » (c'est-à-dire primaires) les traditionnels jaune de Naples, garance et outremer (p. 116).

65 La description de ces nouvelles techniques est expliquée par Bomford *et al.* 1990.

66 Trévise 1927, pp. 49-50. Sur le remplacement des jaunes de chrome par des cadmiums, *cf.* Bomford *et al.* 1990, pp. 63-64 et Jones 1977, p. 6. Pissarro était aussi soucieux de permanence (Fénéon 1970, I, pp. 55-56), mais il continua d'employer le jaune de chrome jusqu'à la fin de sa vie (Rewald 1973, p. 590).

67 Bomford *et al.* 1990, p. 201 (n° 11).

68 Le jaune de Naples apparaît sur la palette de Renoir au milieu des années 1880 (Bomford *et al.* 1990, p. 201, n° 14) ; sur le retour de cette couleur, *ibid.* pp. 68-70. Tabarant (1923, p. 289) se souvient que Renoir en employait beaucoup dans les années 1890 ; voir aussi Wainewright, Taylor & Harley, « Lead antimonate yellow » in Feller, I, 1986, pp. 219-226, 229-235. Renoir note que l'ocre jaune, le jaune de Naples et la terre de Sienne n'étaient « que des tons intermédiaires » et pouvaient être remplacés par des mélanges de couleurs plus vives (Renoir 1962, p. 342). Voir aussi M. H. Butler, « Technical notes » in *Paintings by Renoir* 1973, p. 210. L'identification du *giallorino* de Cennini avec le jaune de Naples avait été faite par Mérimée (1830, pp. 110-113) et surtout par Mottez en 1858 (1911, p. 33, note).

69 R. L. Herbert (éd.), *Nature's Workshop : Renoir's Writings on the Decorative Arts*, 2000, p. 250, 258 ; Mottez 1911, viii. Sur la date probable où Renoir acquit le livre de Cennini traduit par Mottez, *cf.* Herbert, *ibid.*, p. 42. Dans l'édition anglaise de la présente étude, je suggérais à la suite de nombreux chercheurs de mettre en rapport cette lecture de Renoir avec son projet de « Grammaire d'art » en 1884 ; mais le brouillon de cet ouvrage inabouti, désormais publié par Herbert (pp. 213-234) ne renvoie ni à la couleur ni à la technique. Il faut noter que Degas, qui fit aussi usage du jaune de Naples dans ses pastels, était lecteur de Cennini (Reff 1971, pp. 162-163 ; sur les pastels, Maheux 1988, p. 87).

70 cat. expo. *Paintings by Renoir* 1973, n° 83.

71 Matisse 1976, p. 101.

72 Kühn 1969.

73 Robert 1891, p. 115.

74 Vibert 1895-1896, pp. 940-941.

75 Vibert 1902, p. 33. Un sujet avec un cardinal posé dans un jardin, *La Réprimande* (1874), est reproduit dans Vibert 1895-1896, p. 721 ; il semble y avoir très peu de ses œuvres dans les collections publiques.

76 Pour les analyses de conservation des tableaux des années 1880, *cf.* Bomford *et al.* 1990, p. 201 (n° 15) ; Butler 1973, pp. 77-85. Pour les listes de pigments dans les carnets de Cézanne, Rewald 1951, p. 51 ; Gowing 1988, p. 91 ; Reff & Shoemaker 1989, p. 30, 133, 239.

77 Doran 1978, p. 61, 72-73.

78 Van Gogh, CG, n° 475. Vibert (1902, pp. 284-291) précise utilement les ingrédients de ces couleurs, vendues souvent sous des étiquettes commerciales peu fiables. Cézanne renvoya son vert de cinnabre à un marchand en 1905 (Cézanne 1976, p. 314).

79 Van Gogh, CG, n° 476. Dans une précédente lettre (n° 474), il évoquait le brunissement des paysages de Théodore Rousseau, si bien que « ses tableaux sont aujourd'hui méconnaissables ». Voir aussi CG, n° 430, sur la cherté des couleurs stables. La décoloration de ses œuvres est étudiée par Cadorin *et al.* 1987, pp. 267-273.

80 Lettre de Signac à Lucien Pissarro d'août 1887, in Dorra & Rewald 1959, LXI. Sur *Un dimanche après-midi sur l'île de la Grande Jatte*, *cf.* Russell 1965, pp. 229-230 ; Fénéon 1970, I, p. 212. Sur ses pigments, *cf.* Fiedler 1984, pp. 44-50 et 1989, pp. 176-178.

81 Sur l'histoire et les caractéristiques du pigment, *cf.* Feller I, 1986, pp. 201-202.

82 Lettre de Camille à Lucien Pissarro du 31 mai 1887, in Bailly-Herzberg II, 1986, p. 178.

83 Sur la palette de Signac, *cf.* Homer 1970, p. 151. Sur le bleu céruléen, *cf.* Bomford *et al.* 1990, pp. 56-57 ; sur la réputation du bleu céleste, *cf.* Vibert 1902, p. 288. Vibert le rapproche notamment du bleu de Prusse, en tant que ferrocyanide ferrique, ce qui révèle les difficultés que rencontre Vibert (et les historiens) à traduire les étiquettes commerciales en substances identifiables. Je ne veux pas démontrer que le céruléen était un bleu instable (le fait que Signac le conserve sur sa palette suggère qu'il en était content, et sa production industrielle a pu s'améliorer avec le temps), mais qu'il était considéré comme instable dans les années 1890. C'est donc une indication que des peintres comme Seurat étaient prêts à prendre des risques pour des couleurs brillantes. En 1891, Fénéon rapporte que Signac privilégiait pour leur stabilité les couleurs du fabriquant belge Jacques Blockx, broyées dans un médium d'ambre (Fénéon 1970, I, p. 197) ; dans les années 1930, Signac spécifiait toujours des verts mélangés de Blockx (*Encyclopédie française*, 1935, 16°, 30-5-6). Les couleurs de Blockx, surtout les verts, étaient aussi très employées par Matisse (Moreau-Vauthier 1923, p. 30 ; *Encyclopédie* 1935, loc. cit.), lequel, on le sait, avait été proche de Signac vers 1904. Homer a identifié l'un des trois rouges sur la palette conservée de Seurat : c'est un cramoisi d'alizarine (Broude 1978, p. 117), une couleur synthétique produite dans les années 1860 et relativement stable. Les pigments présents sur cette palette n'ont pas encore été analysés et demeurent un mystère. Il n'était pas question d'employer des matériaux bon marché : le fournisseur de Seurat, la Maison Édouard, où Tanguy avait été formé, était plus cher que Tasset et L'Hôte (sur Seurat, client d'Édouard, voir la note sur un dessin de 1885-1886 in Herbert 1962, p. 188, n° 168 et Herbert *et al.* 1991, p. 179, note 2 ; sur la boutique, Bomford *et al.* 1990, pp. 41-42 ; sur les prix, Van Gogh, CG, n° 507). Cézanne acheta du vert émeraude chez Édouard (Reff & Shoemaker 1989, p. 133), bien que son fournisseur principal semble avoir été Gustave Sennelier (Daval 1985, pp. 108-109).

84 Le manque d'éclat chromatique d'*Un après-midi sur l'île de la Grande Jatte* était remarqué dès 1886 par Émile Hennequin (Broude 1978, p. 42), mais il ne pouvait pas l'expliquer. Signac, qui s'en inquiétait fort en 1892 (Cachin 1971, pp. 71-72), découvrit l'explication théorique vers la fin de la décennie (Signac 1964, p. 42) et s'en servit dans sa défense du divisionnisme. Dans une lettre de 1914, Severini utilisa le même argument pour opposer l'effet grisâtre du pointillisme français à la luminosité soutenue des tons similaires dans le *divisionismo* italien (*Archivi del Divisionismo* 1968, I, p. 312) ; mais le futuriste Boccioni pensait en 1916 que même les Italiens n'échappaient pas à l'effet de gris (*ibid.* p. 58). Une lecture attentive de la *Grammaire* de Blanc aurait permis de prédire l'effet de gris de points juxtaposés de couleurs complémentaires, puisque ses mélanges optiques de bandes, d'étoiles et de points servaient précisément à montrer cela (Blanc 1867, pp. 604-606 ; voir aussi Blanc 1882, pp. 103-105). Amédée Ozenfant, qui étudia les œuvres de Seurat pendant de longues années, pensait qu'elles devenaient de plus en plus grises (Ozenfant 1968, p. 50).

85 Sur l'emploi de couleurs atténuées par William Beechey, *cf.* Sully 1965, pp. 36-37. Les preuves antérieures au XVIIe siècle ont été collectées par Kockaert 1979, pp. 69-72. Sur les XVIIe et XVIIIe siècles, *cf.* O. Kurz, « Varnishes, tinted varnishes and patina », *Burlington Magazine*, CIV, 1962, pp. 56-59 ; 1963, p. 95.

86 Beal 1984, pp. 143-144.

87 Conti 1988, p. 96. Au XVIIIe siècle, on voyait seulement en Véronèse un maître qui laissait le temps harmoniser ses tableaux (Algarotti 1764, pp. 56-58). Voir aussi Fletcher 1979, pp. 25-26, pour un Giorgione « fumé » au XVIIe siècle.

88 Sur l'anticipation par les peintres, *cf.* Roger de Piles 1708 in Puttfarken 1985, p. 69 ; sur A. Sacchi, *cf.* Dowley 1965, pp. 76-77, note 119 ; sur F. Pacheco, *cf.* McKim Smith *et al.* 1988, p. 110. Sur le XVIIIe siècle, *cf.* Laugier (1771) 1972, pp. 154-155.

89 Goethe 1871, p. 261.

90 Hogarth 1992, p. 153, note 1. Cela fut aussi noté par Mérimée (1830, p. 282). Celui-ci jugeait que Rubens avait compté sur le temps pour faire de ses tableaux des Titien (p. 297) ; mais Rubens a fourni l'un des exemples les plus frappants de retrait d'un vernis atténué (du XIXe siècle). Sa *Famille Gerbier* (Washington, National Gallery) était recouverte d'un tel vernis jusqu'aux années 1970 ; le critique Roger Fry en avait tiré une leçon sur « une harmonie chromatique entièrement et presque exclusivement construite sur des rouges cuivrés et des bruns rougeâtres, et sur un gris presque neutre [...] ». Le retrait de ce vernis a changé les gris en bleus et les rouges en verts (Buck 1973, pp. 49-51).

91 Delacroix 1980, 23 fév. 1852.

92 Lettre sans date in Goldwater & Treves 1976, p. 309. La meilleure analyse des surfaces des impressionnistes est due à Bomford *et al.* 1990, pp. 93-98. Pour une plus large étude de la texture, *cf.* Hackney 1990, pp. 22-25.

93 Nakov & Pétris 1972, pp. 11-12. Voir aussi pp. 118-124, surtout la remarque selon laquelle « le peintre moderne se distingue par le respect profond qu'il porte aux matériaux ». Voir aussi A. Shevchenko in Bowlt 1976, pp. 51-52, et surtout D. Burliuk, *Texture* (1912) in Barron & Tuchman 1980, pp. 129-130. Pour Burliuk, l'un des exemples les plus importants était une *Cathédrale de Rouen* de Monet, dans la collection Shchukin.

94 Le diagramme circulaire des cours du Bauhaus, conçu pour l'exposition de 1923 (Wingler 1975, p. 52, ill. 17), réunissait la théorie chromatique – en conjonction avec l'espace et la composition – et les « couleurs » – avec le bois, le métal, etc. Ce dispositif avait peut-être été conçu par Klee, dont se rapproche le diagramme de 1922 (Wingler 1975, ill. 1) ; mais il peut également renvoyer aux cours sur la couleur comme matériau donnés à Weimar par Théo van Doesburg, et détaillés dans un article (1923, pp. 12-13). Il comparait les contrastes entre le bleu et le jaune, par ex., aux tensions entre le béton et le bois.

13 Le son de la couleur

1 Pour cette caractérisation, *cf.* le traité anonyme non daté (Bellerman Anon. II, 26), in Najok 1972, pp. 84-85.

2 Gaudentios, *Introduction à l'harmonie* (IIIe ou IVe siècle), cité par Gavaert 1875, I, pp. 85 sq. Gavaert a interprété la *couleur* en tant que fonction dynamique ou harmonique, mais selon Palisca 1985, p. 129, il s'agit de « qualités qui modifient les sons de la même hauteur et de la même durée ».

3 *Topics*, 106a, 9-32 ; 106b, 4-9 ; 107a, 11-17, in Barker, II, 1989, pp. 69-70. *Sur l'audition* d'Aristote 801a-801b (*ibid.*, pp. 101-103). L'ouvrage perdu de Théophraste, *De la musique*, semble avoir assimilé les couleurs claires aux sons aigus (*ibid.*, p. 115).

4 *Les Lois* de Platon, 653c-660c, in Barker I, 1984, p. 143 et note 61 dans lequel cet usage est interprété comme un « ton-couleur » ou comme des nuances de ton. Sur *tonos* et *harmoge*, Pline XXXV, xi, 29.

5 Pour Ptolémée, *Harmoniques*, III, vi, in Barker II, 1989, p. 378 ; voir aussi Aristoxène, *Éléments harmoniques*, I, 23B (*ibid.*, p. 141) ; Vitruve 1521 V, iv, 3 ; Najok 1972, pp. 84-85 ; Adraste d'Aphrodisie, in Barker, *ibid.*, p. 216 ; et au sujet de la lâcheté, *cf.* le papyrus de Hebih' du IVe siècle (?) qui rend compte d'une opinion de l'époque et la conteste (Barker I, 1984, pp. 2, 184). Le *Manuel d'Harmoniques* de Nicomaque (IIe siècle ?) soutient que la gamme chromatique ressemblait aux gens versatiles dont on disait qu'ils avaient de la « couleur » (XII, 263, in Barker II, 1989, p. 268).

6 Clément d'Alexandrie, *Le Pédagogue* II, iv, 1970, p. 97. Voir aussi, au IXe siècle, le commentaire de Rémi d'Auxerre sur *Le Mariage de la philologie et de Mercure* par Martianus Capella qui, dans le livre IX, a transmis une grande partie de la théorie musicale grecque à l'Occident latin (Rémi, 1965, II, p. 347). Macrobe, dans son *Commentaire sur le rêve de Scipion* de la fin du IVe siècle (un ouvrage à l'influence certaine pendant le Moyen Âge et la Renaissance), rendait compte du fait que, bien souvent, on désapprouvait l'idée du genre chromatique, à cause de la volupté que cela entraînait.

7 Aristide Quintilien, *Sur la Musique*, I, ix, in Barker II, 1989, p. 418 ; Athénée, *Deipnosophistae (Le Banquet des sophistes)*, XIV, 638a, in Barker 1984, p. 300. On disait que le style de Lysandre ressemblait à celui de l'aulos, un instrument à vent qui avait la capacité rarissime de rendre la gamme enharmonique, encore plus nuancée (Comotti 1989, pp. 26 sq.). Aristide affirmait que la gamme enharmonique ne pouvait être jouée que par des musiciens d'exception.

8 *De la musique*, I, i ; II, iv, in Barker A. II, 1989, pp. 400, 460-461 ; éd. fr. : Quintilien 1999, p. 195 sq.

9 *De la musique*, III, viii, in Barker *ibid.*, p. 506.

10 Pollitt 1974, p. 225 suggère que le *tonos* peut être comparé au volume ou à la hauteur en musique. Cependant, Pline le caractérise comme se situant entre la lumière et l'ombre, ce qui laisse entendre un autre genre de gamme. Il s'agissait de l'une des différences acceptions de *tonos* en théorie musicale (Aristoxène, *Éléments harmoniques*, II, 37, in Barker 1989, pp. 153-154 et surtout pp. 17-27). *Harmoge* voulait dire « assortir » et, en théorie musicale, cela était aussi lié au mouvement d'une note discrète à l'autre. Étant donné que les *harmonai* étaient liées à des modes musicaux (lesquels, pensait-on, avaient un effet sur les émotions), cette idée pourrait être liée au pouvoir affectif d'une combinaison particulière de couleurs dans les compositions (*cf.* Barker I, 1984, pp. 163-168).

11 *Cf.* Gaiser 1965, p. 212, note 65 et pp. 189 sqq. Sorabji 1972, pp. 295-304 indique que dans *Métaphysique* (1093a, 26) Aristote reconnaît d'autres accords. Voir aussi Crocker 1963, p. 192.

12 *La République*, 616b-617d, in Barker II, 1989, pp. 57-58. Les couleurs en question étaient « blanchâtre », « rougeâtre » et « jaunâtre ». Pour une analyse de cette description très complexe, Lippman, 1963, pp. 16 sq. Le mythe de Platon fut le sujet d'un divertissement, créé par Bernardo Buontalenti pour le mariage du grand-duc Ferdinand de Médicis à Florence en 1589 (Palisca 1985, pp. 188-190).

13 Rodolphe de Saint-Trond 1911, p. 98. Apparemment, il n'existe rien de comparable, dans la tradition médiévale occidentale, à l'assimilation que font les Arabes entre les couleurs, les quatre humeurs et les quatre cordes du luth. Pour ce dernier point, *cf.* Farmer 1926, pp. 18, 20.

14 Gaffurio 1518, livre IV, chap. IV, p. lxxxiv v ; chap. V, pp. lxxxv v, lxxxvi r. Pour l'interprétation de Gaffurio des modes grecs en termes médiévaux, Palisca 1985, pp. 11-12, 293-298 ; sur l'*ethos* des modes, p. 345.

15 Par exemple Bate 1960, pp. 124-125, et Clichtove 1510, 218v, qui ont tout deux traduit le *halourgon* d'Aristote par *coccineus*. Sur les compétences de Bate en tant que musicien et théoricien de la musique, Goldine 1964, pp. 10-27.

16 Vincent de Beauvais 1624, I, livre II, chap. lxvii. Göller 1959, pp. 29-34, a étudié sa théorie musicale mais pas ses couleurs.

17 Wagner 1983, surtout T.C. Karp, « Music », p. 169-195 ; Whitney 1990, pp. 1-169.

18 Bryenne 1970, pp. 174-179.

19 Pour la comparaison des arts par Aristide, *cf. De la musique*, I, in Barker II 1989, p. 400 ; *De la musique*, II, iv, in *ibid.*, p. 460. Aristide affirme que la musique était supérieure en tant qu'art d'*imitation* et, dans la Venise du XVIe siècle, on compara sur les mêmes bases (Palisca 1985, pp. 398-399). Pour l'utilisation d'Aristide par Gaffurio, *ibid.*, pp. 174 sqq., 204, 224 sq. Voir aussi son *De l'harmonie*, p. lxxxvii r, sur les besoins d'harmonie en musique, en peinture, en médecine et dans les relations sociales. Il s'agit là d'une paraphrase d'Aristide, qui a aussi beaucoup servi dans l'encyclopédie de Giorgio Valla. Ce dernier enseignait à Milan alors que Léonard de Vinci s'y trouvait encore, au début des années 1480 (Palisca *ibid.*, pp. 72 sqq. ; pour l'utilisation de Valla par de Vinci, Kemp 1981, pp. 250-251).

20 Richter 1970, I, pp. 76-81 ; Pacioli (1509) 1889, I, p. 3, comme Gaffurio, a traité de la couleur. Onians 1984, pp. 413-418, 421-423, a exploré ce qui liait les carrières et le mode de pensée de Vinci, Pacioli et Gaffurio. Pour Vinci et Gaffurio, voir aussi Brachert 1971, pp. 461-466.

21 Boèce, *De la musique*, I, i (Boèce 1989, p. 8). Boèce parlait des « lettrés » qui percevaient la couleur ; ce passage a été repris au XVIe siècle par Zarlino 1573, Proême 2, mais il ne le considérait que comme un prétexte pour traiter de la théorie et de la pratique ensemble. Voir aussi le revivaliste Galilei 1602, pp. 82-83, 86, qui comparait les rythmes simples, qu'il préférait au dessin *(disegno)*, et la hauteur, qu'il préférait à la couleur.

22 Richter 1970, I, pp. 31-32 (§§ 1-2). Pour un excellent argumentaire sur les préoccupations de Vinci à propos de la continuité, Koenigsberger 1979, pp. 68-75.

23 Vinci, tout comme Franciscus Junius au XVIIe siècle, pouvait bien avoir à l'esprit le *harmoge* décrit par Pline : Solmi 1976, pp. 235-248 a démontré qu'il était très au fait de la traduction de l'*Histoire naturelle* par Landino. Pour l'effet de la pratique polyphonique sur un sens de l'harmonie non pas en tant que « gamme » mais en tant qu'agréable mélange de sons simultanés, Crocker 1962, surtout p. 4.

24 Richter 1970 , I, pp. 77-78 (§ 34).

25 Pour la *lira da braccio*, Winternitz 1982, pp. 25-38, et pour la flûte, pp. 192-193. Vinci était aussi un excellent chanteur.

26 Zarlino 1573, I, chap. xiii sq., *cf.* Crocker 1962, pp. 17-19. Un traité anglais anonyme du XVe siècle, qui tente de créer un lien entre les notes de musique et les blasons, énumère l'or, l'argent, le rouge, le vert et le noir comme couleurs musicales à une « proportion égale » dont proviennent toutes les proportions inégales. Cependant, il semble que cela soit une théorie isolée (*Distinctio inter colores musicales et armorum Heroun*, in Hawkins 1853, I, pp. 247 sqq.).

27 Pino 1954, pp. 32-34. Pour l'empirisme musical, Lowinsky 1966, pp. 136-141 ; Palisca 1985, pp. 20 sq., 235 sqq. Koenigsberger 1979, pp. 199 sq.

28 Bellori 1976, p. 206 ; voir aussi la comparaison entre la couleur et le chant, in Armenini 1988, p. 126, qui, comme le remarque Gorreri, est fondée probablement sur Vasari 1878-1885, I (1878), pp. 179-181.

29 Pour les identifications, Badt 1981, pp. 155, 181, note 1. Pour Titien, N. Pirotta « Musiche intorno a Tiziano », in *Tiziano*, 1976, pp. 29-34 ; M. Bonicatti, « Tiziano e la cultura musicale del suo tempo », in *ibid.*, pp. 461-477. Pour le Tintoret, Weddingen 1984, pp. 67-92. La musicalité dans la manière dont Jacopo Bassano gère la couleur, « comme un instrument bien tempéré touché d'une "main experte" » est rapportée par Boschini 1674, préf.

30 P. Preiss, « Farbe und Klang in der Theorie und Praxis der Manierismus », in Pecman 1970, p. 167. Le rôle de Comanini en tant que chef des chœurs des Augustiniens de Milan n'est pas mentionné dans sa biographie par M. Coccia, in *Dizionario Biografico degli Italiani*, mais Coccia fait état d'une publication, *Canzoniere spirituale, morale e d'onore*, Mantoue, 1609.

31 G. Comanini, *Il Figino, ovvero del fine della Pittura*, Mantoue 1591, in Barocchi 1960-1962, III (1962), pp. 368-370.

32 *Cf.* la biographie par E. Polovedo in *Dizionario Biografico degli Italiani*. La gamme de gris d'Arcimboldo a été reconstruite par Caswell 1980, pp. 157-158, qui traduit entièrement le texte de Comanini en anglais mais, malheureusement, sépare la partie qui traite de la gamme de teintes de son contexte (p. 159).

33 Barasch 1978, pp. 179-180. Cardano (1570, prop. 168, 175) décrit un système d'échelle de valeurs très proche de celui de de Vinci, en ce qui concerne la perspective aérienne.

34 Caswell 1980, p. 161, note 19, fait remarquer que cette conclusion repose sur une mauvaise compréhension du système pythagoricien. Zarlino 1588, livre IV, chap. XVII, pp. 174 sq. Cette analyse, publiée après le retour d'Arcimboldo à Milan, ne permettait pas de division de la couleur sur une surface, sinon en divisant la surface elle-même. Pour l'assimilation, plus prévisible, entre la lumière et les notes aiguës et entre l'ombre et les notes graves, *cf.* Testa, in Cropper 1984, pp. 205, 223, et commentaires pp. 138 sqq. ; Mersenne 1636-1637, I, livre II, prop. VI, pp. 100 sqq.

35 Kemp 1990, p. 274, traduit inexplicablement *morello* (une couleur sombre, proche de la couleur de la mûre) par « rouge ». Gavel 1979, p. 93 et pl. III, a tenté une reconstruction en couleurs du système d'Arcimboldo mais ignore totalement la preuve d'une gamme de gris.

36 L. Levi, « L'Arcimboldi musicista », in Geiger 1954, pp. 91-93. Cette interprétation a été justement remise en cause par Preiss, in Pecman 1970, p. 168.

37 *Cf.* surtout Kaufmann 1989 et, pour l'environnement intellectuel, Evans 1973, surtout chap. VIII.

38 Scarmilionius 1601, pp. 111-112. Ailleurs (p. 117) Scarmilionius propose une gamme de *albus, flavus, puniceus, viridis, purpureus, caeruleus, niger*. Il a dédié son ouvrage à l'empereur et signale (p. 4) qu'il a visité Prague. Pour de Boodt, Parkhurst 1971, pp. 3 sqq. ; Evans 973, pp. 216 sq. La source principale sur la couleur est de Boodt 1609, livre 1, chap. 15

39 Kepler à Mästlin, 19-20 août 1599, in Kepler XIV, 1969, pp. 50-51. Ces idées sur la couleur ne semblent pas revenir dans les ouvrages ultérieurs de Kepler. Voir aussi Dickreiter 1973, pp. 27-33.

40 Disertori 1978, pp. 53-68 ; aussi Spear 1982, pp. 40 sqq.

41 Malvasia 1678, II, p. 339.

42 Pour Canini, Beal 1984, pp. 140 sqq. ; pour Zaccolini, Cropper 1984, p. 144. Pour le *archicembalo* de Nicola Vicentino, construit en 1561, capable de jouer des microtons sur 132 touches et auquel Domenichino semblait être habitué, Maniates 1979, pp. 120, 141 sqq. Le travail de Domenichino au clavier trouve un écho dans les travaux d'un autre musicien du même cercle, G.B. Doni ; *cf.* C.V. Palisca, « G. B. Doni, musicological archivist and his "Lyra Barberina" », in Olleson 1980, pp. 186-189.

43 Pour les capacités de Carraci au luth et autres instruments à cordes, *cf.* sa notice nécrologique, in Malvasia 1678, I, p. 428, mais son intérêt pour la théorie musicale semble avoir été purement mathématique. Bril a travaillé à Rome mais pour d'autres peintres-musiciens hollandais dans le Nord, Raupp 1978, pp. 106-129.

44 Cureau de la Chambre 1650, pp. 170 sqq.

45 Mersenne 1636-1637, pp. 100 sqq. Descartes, lui aussi, considérait le vert comme le produit d'une « action modérée » équivalant à l'octave (Darmon 1985, p. 97), comme Athanase Kircher dans son système complexe de correspondances basé sur les diagrammes d'Aguilon (Kemp 1990, p. 280 ; *cf. Musurgia Universalis* 1650, livre IX, partie II, chap. V, qu. II ; livre VII, chap. I). Pour un essai d'interprétation de la gamme de Kircher en termes modernes, Wellek 1963, p. 168. Pour les activités musicales des mathématiciens de l'époque, Cohen 1984.

46 Cureau de la Chambre 1650, pp. 203 sqq. Pour son influence, Teyssèdre 1967, pp. 208-210 ; Kemp 1990, p. 281.

47 *Chromatices, tertia pars Picturae*, in C.A. Du Fresnoy, *De Arte Graphica*, reproduit in Sir Joshua Reynolds, *The Literary Works*, 1852, II, p. 273. Roger de Piles 1708, p. 163, semble déjà avoir une idée de l'utilisation picturale de la « chromatique » et l'assimiler aux dissonnances ou au coloris en général.

48 Pour l'une des premières études des modes grecs, Newton 1959, I, p. 388, note 14 et, pour la collaboration avec Taylor et Pepusch, P. S. Jones, in *Dictionary of Scientific Biography*, XIII, s.v. « Taylor ». Le manuscrit *On Musick* se trouve parmi les essais de Taylor à Saint John's College, Cambridge ; D. Hartley (1749, I, p. 195) les connaissait et il remarqua que ces essais concernaient toujours en premier lieu la gamme de cinq tons et deux demi-tons de Dorian.

49 Shapiro 1984, 1, pp. 544 sqq.

50 Shapiro 1979-1980, p. 109, n° 38 ; 1984, 1, pp. 542 sq.

51 Pour l'indigo, Biernson 1972.

52 Shapiro 1984, I, p. 546, n° 27. Dans un autre brouillon, Newton nota « l'harmonie et la discorde que les peintres les plus talentueux observent dans leurs couleurs » (n° 28).

53 Wellek 1963, p. 170. Robert Smith, mathématicien de Cambridge, observa en 1749 que la gamme musicale de Newton convenait assez bien aux couleurs prismatiques mais n'était pas « le système d'harmonie le plus approprié », parce qu'il créait une tierce majeure, deux tierces mineures et une quinte et, de fait, était « imparfait d'un comma ».

54 Cohen 1984, p. 171. Le lien entre les

deux cercles a été fait par Sargant-Florence 1940, pp. 103, 112, 172 sqq. Pour illustrer son système d'accord en six parties, Zarlino a utilisé une série de diagrammes circulaires et ce, dès 1573 (pp. 31-21, 41, 43). Grâce à une correspondance, on a pu faire remonter l'intérêt de Newton pour un ordre circulaire à 1694 (Newton 1959, III (1961), pp. 345-346).

55 Pour Georges Vantongerloo vers 1920, *cf.* p. 259. Plus récemment encore, Carl Loef se déclarait en faveur de l'adaptation du système de couleurs moderne, qui coordonne le ton, la saturation et la valeur de l'octave moderne (« Die Bedeutung der Musik-Oktave im optisch-visuelen Bereich der Farbe », in Hering-Mitgau 1980, pp. 227-236).

56 Newton 1730, livre III, pt. I, qu. 15.

57 *Cf.* C. Avison, *An Essay on Musical Expression*, 1753, reproduit in Le Huray et Day 1981, p. 61. En 1771, Benjamin Stillingfleet était encore perplexe quant aux bases de l'analogie de Newton mais il l'acceptait tout de même, puisque cela « entretenait, d'une manière ou d'une autre, la perfection de l'univers » (1771, p. 146, § 196).

58 Castel 1723, pp. 1428-1450. Pour l'aide supposée de Newton, Castel oct. 1735, p. 2032 sq. Dans le compte rendu complet de la manière dont l'*Optique* de Newton a été reçu en France vers 1719, il n'existe aucune référence à Castel et on n'a aucune trace de correspondance entre les deux hommes (Newton, 1959, VII (1977), pp. 116 sq.). Dans son article annonçant ses travaux sur le clavecin, Clavel signale la « vérification » importante de Newton sur le lien entre la couleur et le son, dans son « excellent » ouvrage, mais il mentionne également sa propre dette envers Kircher (*Mercure de France*, nov. 1725, p. 257, pp. 260 sq.). L'étude moderne la plus importante de Castel est encore Schier 1941, mais sa bibliographie des ouvrages de Castel est toutefois peu fiable.

59 Ferris 1959, surtout pp. 234, 239. Le compte rendu de Castel sur le *Traité* (*Journal de Trévoux*, oct. 1722), in Rameau 1967-1972, I, xxviii sqq. Castel a aussi effectué un compte rendu du *Nouveau Système de Musique Théorique* (1726) simplifié, de Rameau (Castel 1728, in Rameau, *ibid.*, II, xvii sqq.).

60 Pour l'encouragement de Rameau, Castel août 1735, p. 1640 (in Rameau 1967-1972, VI, pp. 70 sqq.). La gamme de Castel est présentée de manière plus complète in Castel 1740, pp. 221-224.

61 Pour le blanc fondamental, Castel 1726, pp. 462 sq. ; pour le noir fondamental, Castel 1735, pp. 1630 sq., 1662, 2033-2035 ; Castel 1740, pp. 68, 73-77 ; sur les pratiques des teinturiers et des peintres, *ibid.* 1661 ; pour Le Blon, *cf.* le compte-rendu de *Coloritto* par Castel 1737, 1442 sq.

62 Castel 1740, pp. 284-297.

63 Pour Félibien, Castel 1735, p. 1447, 1632 ; pour les idées de de Piles, qui n'est pas cité, *ibid.*, p. 1453, extrait de de Piles 1715, chap. XXI, pp. 51 sq. Castel observa que le vermillon se situait entre le rouge orangé et le rouge feu à 7,5 degrés de ton *(coloris)*, et 8 ou 9 degrés sur la gamme de valeurs (Castel 1739, p. 819). Castel s'est souvent appuyé sur de Piles sans jamais le citer : *cf.* son compte-rendu sur le manque d'intérêt relatif pour l'étude de la couleur in Castel 1740, pp. 21-22, fondé sur de Piles (1989, p. 166).

64 G. P. Telemann, *Beschreibung der Augenorgel oder des Augenclavicimbals* (1739) ; reproduit in Mizler 1743, II, pp. 269-275. Il s'agit d'une traduction du français, mais la version française, in Castel 1740, pp. 482-483 est elle-même une re-traduction de la version allemande de Telemann.

65 *Cf.* le traité anonyme *Explanation of the Ocular Harpsichord upon Shew to the Public* (1757) 1762, que Schier (1941, p. 183, n° 158) a attribué à Rondet. L'histoire de l'instrument de Castel a été retracée par Erhardt-Siebold 1931-1932, pp. 353-357, et particulièrement Wellek 1935, pp. 347-375 et 1963, pp. 171-176, qui cite un manuscrit de Castel non publié et non daté, *Journal des Travaux pour son clavecin oculaire* (Bruxelles, Bibliothèque Royale). Le compte rendu de Mason 1958-1959, pp. 103-116, provient totalement de Wellek.

66 Guyot 1769, pp. 234-240. C'est grâce à la gentillesse de John Mollon que je connais son existence et que je suis en possession d'une photocopie.

67 Plateau 1849, pp. 563-567. Pour les grandes lignes des travaux de Plateau sur la couleur et le mouvement, Roque 1990. Ses travaux paraissent avoir incité l'infatigable Chevreul à conduire des expériences semblables avec des disques en rotation et, en accord avec un organiste parisien, il finit par rejeter la gamme de Castel (Chevreul 1879 ; pp. 183, 237 sqq.)

68 F. Webb, *Panharmonicon, designed as an illustration of an engraved plate in which is attempted to be proved, that the principles of harmony more or less prevail throughout the whole system of nature, but more especially in the Human Frame: and that where these principles can be applied to works of art, they excite the pleasing and satisfying ideas of proportion and beauty*. Pour le lien avec Hussey, pp. 1-2, 10 sq. Le système chromatique de Hussey a été publié in Hussey 1756, p. 852. Il n'existe pas d'étude moderne de Hussey, mais il reste d'intéressants dessins de lui au British Museum, ainsi qu'une peinture, à Syon House dans le Middlesex. Ses sources d'inspiration les plus importantes sont : G. Vertue, *Notebook*, déc. 1745 (*Walpole Society*, XXII, 1933-1934, pp. 127-128) ; Maton 1797, I, pp. 33-41 ; *Monthly Magazine*, oct. 1799, pp. 725-726 ; Webb, in Hutchins IV, 1815, pp. 154-159.

69 Ozias Humphry, *Pocket Book I*, British Library Add., manuscrit 22949, f°s 105v-106v. Certains des dessins de Duane Hussey ont été achetés par West (Webb, pp. 10 sq. ; Hutchins IV, 1815, note 159.

70 Field 1820, pp. 199, 202-203.

71 *Ibid.*, p. 204. Pour son refus du système de Castel, p. 226.

72 Field 1845, pp. 56-60.

73 Le peintre Giuseppe Bossi a évoqué aussi bien Rameau que Tartini dans l'une des premières études systématiques du contraste complémentaire, Bossi 1821, pp. 294-314.

74 Le poète et scientifique Erasmus Darwin a déjà utilisé la nature séquentielle des images rémanentes, étudiée par son fils Robert Waring Darwin en 1786 comme indicateur d'un lien nécessaire avec la séquence des sons musicaux (*The Botanic Garden, II, The Loves of the Plants, 1789*, Interlude III, in Darwin 1806, II, pp. 167-181). Le comte Rumford avait également ressenti que les relations harmoniques palpables des complémentaires donneraient un nouvel élan aux « instruments pour qu'ils produisent cette harmonie pour le plaisir des yeux, d'une manière semblable à celle que ressentent les oreilles grâce aux notes de musique » (Rumford 1794, pp. 107 sq.) ; un autre scientifique, sir David Brewster, remarqua en 1819 que le kaléidoscope, qui présente une succession de formes colorées harmonisées selon les principes de complémentarité, « réalise de la manière la plus complète l'idée autrefois chimérique d'un clavecin oculaire » (Brewster 1819, pp. 68-69, 131-135). Le kaléidoscope est devenu un genre de *topos* dans le débat sur la couleur non-figurative au XIXe siècle : le critique musical Eduard Hanslick l'a comparé à certaines « absurdités sans intérêt » comme l'orgue à couleurs en 1854. Vingt ans plus tard, le psychologue et esthète G.T. Fechner reprit l'idée de manière plus positive en y ajoutant ses expérience avec un appareil mélangeur à disque proche de celui de Plateau (cit. in tous deux in Bujic 1988, pp. 19-20, 287-289). Ce jouet fournissait toujours un modèle de couleurs non figuratives en mouvement pour les premiers théoriciens italiens du film abstrait, Arnaldo Ginna et Bruno Corra (*cf.* p. 245), *Arte dell'Avvenire*, 2e édition, 1911 reproduit in Verdone 1967, p. 185.

75 Jameson 1844, cit. in Klein 1937, p. 188. Klein est le seul écrivain moderne à avoir débattu du pamphlet de Jameson, dont il cite des passages pp. 2-4, 80 et 188-189.

76 Jameson 1844, p. 20. Pour les emprunts à Goethe et Field, Klein 1937, p. 80. Les équivalents trouvés par Field ont été publiés in Field 1835 (*cf.* Gage 1989, n° 45 et 46).

77 *Cf.* surtout Bouvier 1828, pp. 165 sq., 249 et Storey, in *The Portfolio* IV, 1875, p. 111.

78 Johnson 1981-1989, V (1989), n° 13a.

79 Chenavard à Redon, in Redon 1979, p. 63. Pour Mengs, Wittkower 1962, p. 149.

80 Johnson 1981-1989, I (1981), n° 93 et particulièrement Kemp 1970, pp. 49 sqq. De la même manière, Reynolds a soutenu que la pratique du dessin devait être aussi constante que celle d'un instrument de musique (Reynolds 1975, p. 33).

81 Delacroix à Chopin, janv. 1841, in Sand 1896, pp. 81 sqq. Cette idée se rapproche de celle de Hegel dans ses conférences sur l'esthétique (Hegel XIV, 1927-1928, pp. 73-74). Certains liens entre Delacroix et le courant de pensée des musiciens romantiques allemands ont été proposés par Mras 1963, pp. 270-271. Voir aussi le recueil de remarques du peintre sur la musique, in Würtenberger 1979, pp. 56-63.

82 A. Kerssemakers, in Van Gogh 1958, II, p. 447.

83 Van Gogh *ibid.*, n° 539 (sept. 1888 ?). Voir aussi chap. 10, p. 186, note 53. Pour le culte de Wagner parmi les artistes symbolistes, Vaughan 1984, pp. 38-48.

84 Le Huray et Day 1981, pp. 100 sq. Voir aussi Herder, *Kalligone* (1800), in *ibid.*, p. 256.

85 Pour Fechner, Bujic 1988, pp. 288-289 ; aussi Fechner II, 1898, p. 216. Pour un débat moderne sur la corrélation entre la lumière et le son, Garner 1978, pp. 225 sq. ; Davis 1979, pp. 218 sq.

86 J. L. Hoffmann, *Versuch einer Geschichte der malerischen Harmonie überhaupt und der Farbenharmonie insbesondere, mit Erläuterungen aus der Tonkunst, und vielen praktischen Anmerkungen*, Halle, 1786, in Goethe LA, I, 6, 1957, pp. 395-399. Hoffmann a aussi publié un *Farbenkunde für Mahler und Leibhaber der Kunst*, Erlangen, 1798.

87 Par exemple Suarez de Mendoza 1890, p. 16 (répété par Gérome-Maësse 1907, p. 657).

88 Locke 1975, livre III, chap. IV, sect. II. Pour l'histoire de cet exemple en Angleterre, Maclean 1936, pp. 106 sqq. ; voir aussi Fechner II, 1898, p. 216 ; Suarez de Mendoza 1890, p. 20 (répété par Gérome-Maësse 1907, p. 658).

89 Marks 1975 en a remarqué un exemple dans l'œuvre de Ludwig Tieck ; Wundt 1902-1903, II (1902), p. 352, note 1, cite une référence in C. Hermann, *Aesthetische Farbenlehre*, 1876, pp. 45 sq. ; de Rochas 1885, pp. 406 sq. ; Suarez de Mendoza 1890, p. 20 ; Souriau, 1895, p. 860 ; Gérome-Maësse 1907, p. 658.

90 Kandinsky 1982, I, p. 182.

91 De Rochas 1885 tout comme Wundt 1902-1903, II (1902), p. 331, ont mis en lumière le fait que le timbre était la caractéristique première de la musique ressentie par synesthésie. Voir aussi Fischer 1907, p. 525 ; Dehnow 1919, I, p. 182.

92 Pour une photographie du jeune Kandinsky au violoncelle, Roethel et Benjamin I, 1982, p. 32. Pour le bleu, Kandinsky 1982, I, p. 182.

93 Matisse à Tériade, 1929-1930, in Matisse 1978, p. 58. Jusque dans les années 1950, Matisse concevait ses travaux décoratifs à grande échelle comme une réalisation orchestrale de la « partition » de la maquette et refusait qu'ils soient vus ensemble (Matisse à A. Barr (1954), in Cowart *et al.* 1977, pp. 280 sq.).

94 Marc à Macke, 14 janv. 1911, in Macke 1964, pp. 40-41. Voir aussi sa lettre à Maria Marc, 5 fév. 1911, in Golleck 1980, p. 116. Paul Sérusier avait déjà fait de la dissonance un élément majeur de sa théorie de la couleur dans les années 1890 : *cf.* sa lettre à Verkade de 1896, in Sérusier 1950, pp. 72-75, aussi 20 nov. 1905 (pp. 119-122). Macke étudiait la théorie de Sérusier en 1911 (Erdman-Macke 1962, p. 171 et *cf.* Vriesen 1957, p. 315 et n° 254).

95 Marc à Maria Marc, 10 fév. 1911, in Golleck 1980, p. 117.

96 Kandinsky 1982, I, p. 193. Sa lettre à Schoenberg est traduite par Hahl-Koch 1984, p. 21. Voir aussi P. Vergo, in *Towards a New Art* 1980, pp. 55-58.

97 *Cf.* Arnheim 1974, pp. 346-350. ; Whitfield et Slatter 1978, pp. 199-206. Pour la caractérisation de la palette par Ostwald, basée sur son système d'orgue à couleurs, Ostwald 1931-1933, I, pp. 166 sq., 173. Le tour d'horizon le plus complet des théories de l'harmonie en relation avec la musique des couleurs, in Klein 1937, pp. 61-117.

98 Goethe en avait fait la remarque à Riemer en mai 1807 et cela avait ensuite été réédité in Goethe 1907, p. 94. Voir aussi Goethe à Meyer, 30 juin 1807, in Goethe 1919, p. 193. Kandinsky l'a cité dans *Du spirituel dans l'art* (1982, I, pp. 162, 176, 196) et dans l'*Almanach* du Blaue Reiter (Lankheit 1974, pp. 112, 170). Goethe avait eu cette idée à la lecture de Diderot, qui avait parlé de l'arc-en-ciel comme d'une *basse fondamentale* de la peinture (*Essai sur la peinture* (1766) in Diderot 1965, p. 678) ; mais il avait mal interprété sa source et il est allé jusqu'à imaginer que Diderot avait parlé d'artistes qui disposaient leurs palettes dans l'ordre du spectre, ce dont il n'est pas question dans le texte original

(Goethe 1962, I, pp. 139-140). Pour la manière dont il traite l'essai de Diderot en général, Rouge 1949, pp. 227-236.
99 Schoenberg 1966, pp. 8-9. Il est vrai que dans l'une de ses références à *Generalbass* en 1912, Kandinsky s'est montré sceptique quant à la possibilité d'un tel principe fixe dans le monde moderne (1982, I, p. 196).
100 *Material for a Thorough-Bass of Painting* par Eggeling a été publié dans *Antologie Dada*, 15 mai 1919 : *cf.* O'Konor 1971, pp. 201-204. Même s'il connaissait bien les écrits de Kandinsky (*ibid.*, pp. 75 sq.), il réagit en premier lieu grâce aux conversations avec le compositeur Ferruccio Busoni. La 2ᵉ édition du *Entwurf einer neuen Aesthetik der Tonkunst* de ce dernier a été publiée en 1916 (*cf.* les extraits traduits in Bujic 1988, pp. 388-394 et O'Konor 1971, pp. 39, 101). Eggeling travaillait sur la lumière et était donc plus intéressé par les primaires substractives que par les additives mais, jusqu'à sa mort en 1925, il travailla presque exclusivement en noir et blanc (O'Konor *ibid.*, pp. 45, 56, 98). Le *Thorough-Bass of Painting* de Van Doesburg a été illustré dans la revue *G : Zeitschrift für elementare Gestaltung*, 1923 (reproduit in *Towards a New Art* 1980, p. 140). C'était un admirateur d'Eggeling et il a souvent débattu de ses travaux in *De Stijl* (IV, 5, 1921, pp. 71-75 ; VI, 5, 1923, pp. 58-62) et a aussi publié un article de Hans Richter sur lui, lequel inclut une définition de *Generalbass* en tant que langage de forme (*De Stijl*, IV, 7, 1921, p. 110). Pour l'intérêt précoce de Van Doesburg pour Kandinsky, Baljeu 1974, p. 16.
101 *Cf.* Schmoll 1974, pp. 325-343 ; Würtenberger 1979, pp. 172-183, et surtout F.T. Bach, « Johann Sebastian Bach in der klassischen Moderne », in Von Maur 1985, pp. 328-329.
102 Marc à Kandinsky, 5 oct. 1912, in Lankheit 1983, p. 193 ; Klee 1976, p. 108.
103 Levin 1978, p. 44.
104 *Ibid.*, p. 129. Pour les goûts musicaux de Russell, voir aussi Levin, in von Maur 1985, pp. 328-329.
105 Levin 1978, p. 23. *Four-Part Synchromy* est reproduite à l'envers, in Von Maur 1985, p. 95. Pour un débat sur l'arrangement des panneaux, Agee 1965, p. 53.
106 Tudor Hart 1918, pp. 452-456, 480-486. En 1920, le *Cambridge Magazine* a publié une analyse musicale de la nature morte de Duncan Grant selon les principes de Tudor Hart (X, p. 61 et ill. face p. 1) et en 1921 Tudor Hart a publié une critique d'Ostwald (*ibid.*, pp. 106-109). Pour une critique de sa propre théorie, Klein 1937, pp. 102-106. Pour des reproductions en couleurs des travaux de Tudor Hart, MacGregor 1961.
107 Levin 1978, p. 14.
108 Notes d'une conférence de Klee à Dessau, 1927-1928, cit. in Triska 1979, p. 78, note 80. Voir aussi les souvenirs contradictoires du violoniste Karl Grebe et de Lyonel Feininger, in Grote 1959, pp. 63, 75 ; pour l'aversion de Klee pour le jazz, *ibid.* pp. 53, 70. Voir aussi l'analyse par C. Geelhaar, in von Maur 1985, pp. 423, 425. Grebe remarqua la façon de jouer désuète de Klee (*cf. Klee et la musique*, 1985-1986, p. 161).
109 Pour les 13 fugues de Feininger, F. T. Bach, in von Maur 1985, pp. 331-332 et H.H. Stuckenschmidt in *ibid.*, p. 410, qui reproduit aussi (p. 35) la *Fugue en rouge* de Klee en couleurs. Feininger avait l'impression que son amour pour Bach « [s'exprimait] aussi dans [sa] peinture » (Hess 1961, pp. 97 sq.). Pour l'enseignement des gammes de valeur par Klee en 1924, Klee 1973, pp. 335-407.
110 Pour une analyse structurelle de *New Harmony*, Kagan 1983, p. 76 ; et pour *Ad Parnassum*, pp. 85 sqq.
111 Journal, 3 nov. 1918, in Rotzler 1972, p. 61 ; P. Baumann, « Das entscheidende Jahr », in *Johannes Itten* 1980, pp. 31-34 ; pour une analyse structurelle de *Der Bach-Sänger*, peinture d'Itten de 1916, F.T. Bach, in von Maur 1985, p. 331.
112 D. Bogner « Musik und bildende Kunst in Wien », in von Maur, *ibid.*, pp. 350-352 et pl. coul. p. 67.
113 Journal, juil. 1920, in Rotzler 1972, p. 72. Pour une reproduction de la sphère de couleurs, *Der Hang zum Gesamt-kunstwerk* 1983, p. 379. Itten semble avoir conçu sa gamme de gris selon une progression géométrique (Journal, 5 juil. 1919, in Rotzler *ibid.*, p. 65).
114 *Cf.* Itten, in *Johannes Itten* 1984, pp. 176-177 ; et pour un recueil de ces harmonies, Itten 1961.
115 Mondrian, « Jazz and Neo-Plastic », in Hotlzmann et James 1987, p. 219.
116 Troy 1984, p. 645. Pour la toile de 1918-1919 de Van Doesburg, Blotkamp *et al.* 1986, pp. 25-27. Le style de danse « abstrait » de Mondrian a été expérimenté à Paris par Nelly van Doesburg (1971, pp. 180-181) et à New York par Max Ernst (1944, p. 25).
117 *Cf.* Hotlzmann et James 1987, p. 222. Pour la toile *Fox-Trot* de Mondrian (1920), Troy 1983, p. 93 ; pour les autres, K. von Maur, « Mondrian und die Musik im "Stijl" », in Von Maur 1985, p. 402.
118 Rosenfeld 1981, p. 62.
119 Guest 1948, pp. 53-56.
120 Bishop 1893, p. 17. Parmi les tentatives de Bishop pour développer son instrument, présenté à New York en 1881, figura la destruction par le feu de trois versions antérieures.
121 S. Stein 1983, pp. 61 sqq. Pour Appia, Bablet 1965, p. 263.
122 Pour la gamme de Scriabine, Motte-Haber 1990, p. 67. La gamme théosophique se trouve dans Besant et Leadbeater 1961, frontispice. Boris de Schloezer, le beau-frère de Scriabine, confirma qu'il connaissait cet ouvrage (de Schloezer 1987, p. 66) ; pour ses liens avec la théosophie en général, H. Weber, « Zur Geschichte der Synästhesie, oder, von der Schwierigkeiten, die lucestimme in *Prometheus* zu interpretieren », in Kolleritsch 1980, pp. 54-55. En 1912, Kandinsky décrivait le système de Scriabine comme assez proche de celui du théosophe russe A. Zakharine-Unkowsky. Pour la relation de ce dernier avec Kandinsky, *cf.* R.C. Washton-Long, « Expressionism, Abstraction and the search for Utopia in Germany », in Tuchman 1986, p. 202. Un tableau comparatif des associations de couleurs de Scriabine, Steiner, Kandinsky et Schoenberg a été dressé par D. Eberlein, « Ciurlionis, Skrjabin und der osteuropaïsche Symbolismus », in Von Maur 1985, p. 342.
123 Besant et Leadbeater 1925, pp. 106.
124 *Cf.* l'analyse de la partition annotée de Scriabine (Bibliothèque Nationale, Paris) par J.-H. Lederer, « Die Funktion der Luce-Stimme », in Kolleritsch 1980, pp. 130 sq.
125 Myers 1915, p. 112. Scriabine n'était pas d'accord avec Rimsky à propos du fa dièse qu'il voyait violet et que Rimsky voyait vert ; le chef d'orchestre de la première représentation de la *Symphonie Prométhée* à Moscou et Saint-Pétersbourg, Koussevitsky, le ressentait comme un rouge fraise (Klein 1937, p. 42).
126 De Schloezer 1987, p. 85 ; Eberlin, in von Maur 1985, p. 342. Pour les expériences de Kandinsky pendant la révolution russe avec le danseur Alexander Sakharoff, qui créa des danses qui traduisaient les aquarelles du peintres en mouvements, J. Hahl-Koch, in Von Maur *ibid.*, p. 355.
127 Klein 1937, p. 9. La guerre étant déclenchée, son concert ne put avoir lieu. Les correspondances de couleurs de Rimington se fondaient sur des analogies entre la gamme musicale et le spectre ; elles étaient par conséquent différentes de celles de Scriabine : son fa dièse était vert et son mi était jaune (A.W. Rimington, *Colour-Music, The Art of Mobile Colours*, 1911, p. 177).
128 Plummer 1915, pp. 343, 350-351.
129 *New York Times*, 21 mars 1915, cit. in Klein 1937, p. 248.
130 Comme le montrait Washton-Long 1980, pp. 57 sqq. Pour Scriabine, Weber et Lederer, Kolleritsch 1980, pp. 54, 134-136.
131 Hahl-Koch 1984, p. 96. Pour le lien avec Kandinsky, Crawford 1974, pp. 587-594.
132 *Cf.* le journal de Schlemmer, déc. 1912, in Schlemmer 1972, pp. 7-8 ; pour la correspondance de 1912 avec Schoenberg, von Maur 1979, I, p. 39. Pour la mise en scène de *Die Glückliche Hand* par Schlemmer, Curjel 1975, p. 378.
133 *Cf.* son compte rendu in Kandinsky 1982, II, pp. 750-751. La mise en scène était du fils de Paul Klee, Felix : *cf.* sa partition annotée au Centre Pompidou à Paris (reproduite in Derouet et Boissel 1985, p. 314) ; voir aussi N. Kandinsky 1976, p. 153.
134 Hahl-Koch 1984, p. 101. On suggéra aussi Alfred Roller, un autre peintre que Schoenberg connaissait pour ses éclairages innovants.
135 Ginna, in Verdone 1967, p. 21. Ginna et Corra citèrent Wagner en exemple à plusieurs reprises dans leur *Arte dell'Avvenire* (1910), 2ᵉ édition reproduite in *ibid.*, pp. 178, 183. Ginna a cité le *Thought Forms* de Besant et Leadbeater qu'il jugeait d'un esprit semblable à celui de la peinture moderne dans *Pittura dell'Avvenire* (1915) (*ibid.*, p. 208).
136 Pour des pièces de théâtre chromatiques, Ginna et Corra (1910), in Verdone 1967, pp. 185-187. Ils considéraient l'accompagnement lumière de la danseuse américaine Loïe Fuller comme un précédent. Cette dernière, dans la tradition de Féré, a décrit comment les différentes lumières la poussaient à faire des mouvements différents (L. Fuller, *Quinze ans de ma vie* (1908), cit. in Popper 1967, p. 28). Pour le piano-couleur, Corra (1912), in Verdone *ibid.*, p. 246).
137 Corra (1912), in Verdone 1967, p. 250. Trad. par Appolonio 1973, p. 69. *Cf.* Fischinger, *Composition in Blue* (1935), dont on peut voir certaines photos reproduites in W. Moritz, « Abstract Film and Color Music », in Tuchman 1986, pp. 296, 302.
138 S. Selwood mentionne leur collaboration dans « Farblichtmusik und abstrakter film », in von Maur 1985, p. 420, note 40. Pour Fischinger, voir aussi Moritz, in Tuchman 1986, pp. 301-303, et Motte-Haber 1990, pp. 212-213.
139 Pour Ostwald, László 1925a, viii. La gamme de gris de László est reproduite in von Maur 1985, n° 341b. Ostwald et lui avaient le même éditeur, Unesma de Leipzig. Ostwald créa son propre appareil de couleur-lumière-musique à la fin des années 1920 et l'offrit à Gropius au Bauhaus. Ise Gropius nota qu'il était meilleur que celui de László (Journal, 10 juin 1927, aimablement transmis par Anna Rowland). László *ibid.*, viii, semble confondre la *Fugue en rouge* de Klee avec une œuvre de Feininger. Pour le ressenti, László 1925b, II, pp. 680-683.
140 *Cf.* la bibliographie de Mahling 1926, pp. 170-171, et Anschütz 1926, p. 138 ; pour la réponse négative d'un professionnel de la psychologie expérimentale, Goldschmidt 1927-1928, 8, II, pp. 31-32.
141 *Cf.* Von Maur 1985, p. 212 ; pour Fischinger et sa *Motion Painting n° 1* (1947) inspirée par Bach, *ibid.*, p. 226.
142 *Cf.* la longue liste très éclairante de licences allemandes pour des appareils de couleur-musique, in Goldschmidt 1927-1928, pp. 71 sqq.
143 Le piano-couleur créé par un élève d'Itten est une exception. Il est décrit dans une lettre à Hauer en nov. 1919 (cit. in Rotzler 1972, p. 67). Il est très possible que cet élève soit Ludwig Hirschfeld-Mack, qui semble avoir rejoint la classe d'Itten au Bauhaus en oct..
144 *Cf.* von Maur 1985, pp. 216-217. Le compte-rendu le plus détaillé sur les origines de ces compositions se trouve dans une lettre de Hirschfeld-Mack à Standish Lawder en 1965, cit. in Gilbert 1966, pp. 13 sq. Les formes sont proches de certaines des aquarelles de Klee de 1921, comme *Fugue en Rouge*. En 1967, des reconstitutions de plusieurs compositions de Schwertfeger ont été filmées et on peut en trouver des copies dans plusieurs vidéothèques d'état allemandes. Les compositions de Hirschfeld-Mack intéressent aussi les psychologues et son dernier concert a été donné sur l'invitation de Georg Anschütz au Congrès de Psychologie sur la synesthésie Couleur-son à Hambourg en 1930. Voir aussi Goldschmidt 1927-1928, pp. 8, 31.
145 Cette piste a été explorée efficacement par Moritz, in Tuchman 1986, pp. 297-311.
146 Greenewalt 1918, p. 2. Pour un concert dans une église en 1939, Greenewalt 1946, p. 262.
147 La partition lumière de 1919 pour la sonate de Beethoven en rouge, vert et mauve est reproduite in Greenewalt 1946, p. 401 ; pour Debussy, Greenewalt 1918, p. 15.
148 Zilczer 1987, p. 122.
149 Pour l'orgue de Bragdon, qu'il abandonna très vite, Cheney 1932, p. 187.
150 Bragdon 1918, p. 130 ; pour l'autonomie, p. 139.
151 Wilfred 1947, p. 252. Pour la conception, Stein 1971, p. 75 ; pour l'Institut, Bornstein 1975, p. 251.
152 Moholy-Nagy 1922, p. 100. Certaines compositions assez simplistes de Wilfred, auxquelles Moholy pourrait faire référence, ont été publiées dans le *Theatre Arts Magazine* en 1922 et sont reproduites par L. Henderson, « Mysticism, Romanticism and the fourth dimension », in Tuchman 1986,

p. 227.

153 Klein 1937, pp. 18, 20. Pour le peu d'intérêt de Bragdon pour les effets industriels et son goût pour les effets naturels, Bragdon 1918, pp. 127, 140. Pour la succession rapide des instruments chez Wilfred, Stein 1971, pp. 12-14 ; pour les représentations par Fennimore Gerner, l'élève de Wilfred, à l'Exposition des Arts Décoratifs de Paris en 1925, Moritz, in Tuchman 1986, p. 229.

154 Cheney 1932, pp. 180, 188.

155 Wilfred 1948, p. 90.

156 Wright 1923, p. 68.

157 Goldschmidt 1927-1928, passim.

158 *Cf.* les exemples illustrés des deux, in Jones 1972, pp. 24, 26, 28-30, 96.

159 C. Scott *Music, its Secret Influence throughout the Ages* (1958), cit. in Godwin 1986, p. 286.

14 La couleur sans théorie

1 Von Seidlitz, 1900, p. 52. La même tendance a été reconnue par un opposant à l'impressionnisme, qui reliait le goût pour la couleur à la « matière brute » (Caussy 1904, p. 639).

2 Scheffer 1901, p. 187. Kandinsky a cité cet article en 1912 (Kandinsky 1982, I, p. 161).

3 Cit. G. Kahn « Seurat » (1891), in Broude 1978, p. 22.

4 Blanc 1867, p. 595. L'idée que la couleur, contrairement au dessin, ne puisse s'enseigner remonte au moins aussi loin que Le Gréco (*cf.* chap. 7, p. 138 et Pacheco 1956, I, p. 440) ; Le Blond de la Tour et de Piles, in Teyssèdre 1965, p. 69, note 3, p. 194, note 3 ; Lairesse 1738, p. 155 ; Castel 1740, pp. 21-22 ; Valenciennes 1800, pp. 402-403 ; sur la « grammaire » de la couleur, Field 1850, Guichard 1882. Les Puristes semblent être les derniers à avoir défendu la vieille dichotomie entre *disegno* et *colore* en faveur du *disegno* (Ozenfant et Jeanneret 1918, p. 55).

5 *Cf.* son assistant Arnaud sur sa « langue universelle des couleurs » (1886), in Reynes 1981, p. 181.

6 Kandinsky 1982, I, p. 161. Voir aussi le poète autrichien Hugo von Hofmannsthal *Briefe des Zurückgekerhten* (1901), in Hofmannsthal 1951, p. 352.

7 Ostwald 1926-1927, III, p. 355. Le supplément I du *Dictionary of Scientific Biography (1978)* contient un article important sur Ostwald.

8 Pour la réception générale de l'ouvrage, *cf.* Ostwald, *ibid.*, III. Il a été traduit en anglais sous le titre *Letters to a Painter on the Theory and Practice of Painting*, Boston, 1907. Sur Klee, *cf.* Klee 1979b, I, p. 430. L'entrée concernant mai-juin 1904 (Klee 1957, note 561) est bien moins positive.

9 Ostwald 1926-1927, I, p. 30 et III, pp. 358, 403 ; sur la rencontre avec Munsell, III, pp. 63 sq. Voir aussi Nickerson 1976, p. 70.

10 Sur le *Farbschau* de 1914, *cf.* Ostwald 1917, p. 367. Une édition ultérieure du *Farbenfibel* d'Ostwald a été traduite par F. Birren, sous le titre *The Color Primer*.

11 Ostwald, « Normen », *Jahrbuch des Deutschen Werkbundes*, 1914, p. 77, reproduit in *Junghanns* 1982, p. 172.

12 Sur les « normes » dans la conception esthétique japonaise, Ostwald, in *Junghanns* 1982, p. 172. Sur les « améliorations » citées par Ostwald, *cf.* Ostwald 1922, pp. 2-3. Cet ouvrage (p. 111) contient une attaque contre l'expressionnisme.

13 Holtzmann et James 1987, p. 13. Sur les scènes de plage de Mondrian et Toorop, *cf.* Herbert 1968, n° 147, 174.

14 R. P. Welsh, « Sacred geometry : French Symbolism and early Abstraction », in Tuchman 1986, p. 83.

15 Welsh et Joosten 1969, p. 21.

16 « The new Plastic in Painting » (1918), in Holtzmann et James 1987, p. 36. L'ouvrage dont est tiré l'article fut rédigé pour la plus grande part en 1914 et 1915 (*ibid.*, p. 27). Mondrian utilise les même termes pour son argumentation à la fin des années 1920 : *cf.* E. Hoeck, « Piet Mondrian », in Blotkamp *et al.* 1986, p. 69.

17 « Natural reality and abstract reality » (1919/1920), in Holtzman et James 1987, pp. 86, 100.

18 Besant et Leadbeater 1925, p. 86, ill. 40 ; pour une pl. coul. de *Evolution*, C. Blotkamp, « Annunciation of the new mysticism: Dutch Symbolism and early Abstraction », in Tuchman 1986, p. 101, ill. 17.

19 Schuré 1912, II, p. 61. La lumière blanche qui tourbillonne autour de la figure centrale de Mondrian peut être assimilée à Mitra, la « lumière intelligible » femelle (*ibid.*, pp. 38-39).

20 Holtzmann et James 1987, p. 36.

21 Schuré 1921, VI, p. 309, citant l'ouvrage de Reichenbach, *Researches on Magnetism Electricity and Light*, 1850. Pour un bref compte rendu sur Reichenbach, *cf.* W. V. Farrar, in *Dictionary of Scientific Biography*.

22 Schoenmakers 1913, p. 94 ; voir aussi p. 97 pour le principe mâle conçu comme intellectuel et le principe femelle comme corporel.

23 Schoenmakers 1915, pp. 223-227. Concernant le mouvement radial, *cf.* Schoenmakers 1913, p. 94.

24 Holtzmann et James 1987, p. 36. Schoenmakers s'était référé au *Traité des couleurs, partie didactique*, §§ 765, 780, 794, 802.

25 *Cf.* sa lettre mentionnant la *Doctrine secrète* à Van Doesburg en 1918 (Blotkamp et Tuchman 1986, p. 103) ; de même, Hoeck, in Blotkamp *et al.* 1986, p. 49. *The Secret Doctrine*, 1888, I, pp. 125, 464, et II, pp. 622, 628-629. Cet ouvrage avait été traduit en hollandais en 1908-1909.

26 La meilleure étude en anglais sur Van der Leck a été menée par C. Hilhorst, in Blotkamp *et al.* 1986, pp. 153-185. Pour connaître son point de vue sur la couleur et la lumière, *cf.* son essai « De plaats van het moderne schilderen in de architectuur », *De Stijl*, I, i, 1917, aussi disponible dans sa traduction française, in *Bart Van der Leck* 1980, pp. 57-58.

27 *Cf.* Hilhorst, in Blotkamp *et al.* 1986, p. 163. Pour les reproductions en couleurs du travail de van der Leck à cette époque, *cf.* R. W. D. Oxenaar, « Van der Leck and de Stijl, 1916-1920 », in Friedman 1982, pp. 68-79.

28 *Cf.* Huszár « Iets over die Farbenfibel van W. Ostwald », *De Stijl*, I, 10, 1918, pp. 113-118.

29 Lettre à C. Beekman, sept. 1917, in Ex et Hoeck 1985, p. 196.

30 Il existe une reproduction du cercle en couleurs in Ex et Hoeck *ibid.*, p. 168, ill. 67. Le triangle se trouve à 00 (en jaune), 67 (en bleu) et 33 (en cramoisi), tout comme celui reproduit au pinceau par Van Doesburg dans sa copie de 1918 (Doig 1986, p. 88, ill. 33). Les peintures de Huszár se trouvent reproduites in S. Ex, « Vilmos Huszár », in

Blotkamp *et al.* 1986, pp. 98-101, qui contient la meilleure critique en anglais ; voir aussi Bajkay 1984, pp. 311-316, qui offre un aperçu imaginatif de l'usage d'Ostwald par Huszár.

31 *Cf.* Ostwald 1931-1933, I, p. 83, sur le rôle du vert. Dans une lettre adressée à Beekman du 4 mars 1919, Huszár écrit qu'Ostwald lui a montré que les couleurs primaires n'étaient pas au nombre de trois mais qu'il y en avait une infinité. (Ex et Hoeck 1985, p. 203).

32 Pour le gris, *cf.* le compte rendu qu'en fait Huszár en 1918 (*supra*, note 28), p. 115. La meilleure reproduction se trouve in Ex et Hoeck 1985, p. 48, ill. 72, et *cf.* p. 49-50 pour un débat général à son sujet. *Cf.* la reproduction par Ex, in Blotkamp *et al.* 1986, p. 98, ill. 85.

33 Planche 215

34 *De Stijl*, II, 12, 1919, p. 143.

35 « Die Harmonie der Farben », *De Stijl*, III, 7, 1920, p. 61. L'article a été publié à l'origine dans *Innen-Dekoration* en 1919.

36 Sur Mondrian et la symétrie, *cf.* « The new Plastic and Painting » (1917), in Holtzmann et James 1987, p. 40. Cette affirmation a été reproduite in *De Stijl*, V, 12, 1922, p. 183.

37 Ex, in Blotkamp *et al.* 1986, p. 99.

38 Holtzmann et James 1987, p. 36. Le gris est demeuré un concept difficile pour de Stijl : Van Doesburg le considérait comme un équivalent non chromatique du rouge, ce qui impliquerait de sa part une vision plus goethéenne de la relation du bleu au jaune qu'il ne semble avoir eue (Van Doesburg 1969, ill. I et p. 15). Ce débat sur la couleur n'est pas apparu dans la première version de cet ouvrage (1919), (1983, p. 22).

39 Mondrian à Van Doesburg, 13 fév. 1919, cit. in Hoeck, in Blotkamp *et al.* 1986, pp. 54-55. L'ambivalence quant à la relation de Mondrian à la « Nature » était très marquée à cette époque (*ibid.*, p. 50).

40 Mondrian à Van Doesburg, 3 sept. 1918, cit. in Ex, in Blotkamp *et al.* 1982, p. 107. Ce passage n'est pas inclus dans la version de la lettre traduite in Blotkamp *et al.* 1986, p. 103. Pour Vantongerloo, *cf.* N. Gast, in *ibid.*, p. 249.

41 Blotkamp 1975-1976, p. 103.

42 Schumann 1900, pp. 11-12.

43 *Cf.* par exemple les anecdotes, in Holtzman et James 1987, p. 7.

44 Westphal 1910, surtout pp. 226-229. Westphal signale l'expérience picturale d'au moins un observateur faisant ces confusions. Pour d'autres toiles de Mondrian appartenant à des collections publiques et utilisant du jaune-vert et du vert à la même époque, *Composition avec rouge, bleu et jaune-vert* (1920), Ludwigshafen, musée Wilhem-Hack (reprod. in K. S. Champa, *Mondrian Studies*, 1985, p. 83 et pl. 14) ; *Composition XIII* (1920), coll. privée, reprod. galerie Gmurzynska, Cologne. *Mondrian und De Stijl*, 1979, p. 181.

45 Hoeck, in Blotkamp *et al.* 1986, p. 59.

46 Carmean 1979, pp. 79, 83. Ce catalogue comprend une analyse technique de *Composition dans le carreau avec rouge, jaune et bleu* (1921), qui a été repeint en 1922/1924, 1925 et 1925/1927.

47 Doig 1986, p. 90. *cf.* par exemple *Composition dissonante* (1918) et les décors du cinéma et de la salle de danse au Café Aubette à Strasbourg en 1927 (Baljeu 1974,

pp. 36, 172-173). In *De Stijl*, VII, 1926, pp. 40 sq. Van Doesburg n'a pas montré d'hostilité, en théorie et en pratique, à utiliser des couleurs de terre comme « variantes ». À la fin des années 1920, il a montré un intérêt marqué pour la théorie de la couleur, et espérait publier un second livre au Bauhaus, une *Neue Gestaltungslehre* qui commencerait par un nouveau volume sur la couleur (Doesburg à Moholy-Nagy, 16 août 1928, in Van Doesburg 1983, pp. 118 sq.).

48 M. Küper, « Gerrit Rietvelt », in Blotkamp *et al.* 1986, pp. 272-273.

49 « Insight », Rietvelt (1928), in Brown 1958, p. 160.

50 Mondrian à Van Doesburg, 5 sept. 1920, in Holtzmann et James 1987, p. 133.

51 *Composition*, reproduite en noir et blanc par Gast, in Blotkamp *et al.* 1986, p. 244, ill. 229, où elle est datée de 1918.

52 *Ibid.*, p. 249.

53 « Unité » (1920), in Vantongerloo 1924, pp. 26-29, 37. Pour la présentation la plus complète de la théorie de Vantongerloo, *cf.* Roque 1983, pp. 105-128.

54 Vantongerloo 1924, p. 39.

55 « L'art ancien et l'art nouveau » (1921), in Vantongerloo 1924, pp. 18-19. Le tableau est reproduit par Gast, in Blotkamp *et al.* 1986, p. 253, ill. 240 (noir-et-blanc).

56 « Unité », in Vantongerloo 1924, p. 40. Il est révélateur que le seul ouvrage de physique retrouvé dans la bibliothèque de Vantongerloo soit un livre français publié l'année de sa naissance, en 1886 (Gast, in Blotkamp *et al.* 1986, p. 257, note 58).

57 « Unité » (1920), in Vantongerloo 1924, pp. 29, 36. Son usage tardif, très précis et structurel de l'algèbre a été analysé par Couwenbergh et Dieu 1983, pp. 86-104.

58 Henry, surtout VII, pp. 728-736 sur les couleurs complémentaires.

59 Mondrian à Van Doesburg, 19 avril 1920, cit. in Gast, in Blotkamp *et al.* 1986, p. 248.

60 Mondrian à Van Doesburg (1920), in *ibid.*, p. 254.

61 Huszár 1918 (*supra*, note 28), p. 115. En 1931, Vantongerloo se montrait soucieux de se détacher des idées des autres membres de De Stijl, et de démontrer qu'ils n'avaient quasiment pas de contact entre eux (lettres à B. Oud, in *Internationaal Centrum voor Structuuranalyse en Constructivisme*, Cahier I, 1983, surtout pp. 132, 138, 149).

62 A. Hoelzel, « Einziges über die Farbe in ihrer Bildharmonischen Bedeutung und Auswertung » reproduit in Venzmer 1982, pp. 222, 223-225.

63 Hoelzel 1919, p. 580.

64 Ostwald 1926-1927, III, pp. 394, 437 sq. Pour la version d'Hoelzel concernant cette affaire, *cf.* Hoelzel 1919, pp. 577-580. Un de ces « historiens » est probablement P. F. Schmidt, qui a publié un compte rendu sévère sur la présentation d'Ostwald (Schmidt 1919, pp. 704 sqq.). Pour le contexte du Werkbund et l'ambiance de la conférence de Stuttgart, voir aussi Campbell 1978, pp. 138-139, et Parris 1979, pp. 67-76.

65 Van de Velde 1962, pp. 293-294 ; voir aussi Van de Velde 1902, pp. 187 sq. Pour sa peinture, Herbert 1968, pp. 187-190.

66 Hoelzel 1919, p. 577.

67 *Cf.* Gropius à sa mère vers avril 1919, in Isaac I, 1983, p. 212 ; aussi à Ernst Hardt, 14 avril (*ibid.*, p. 208). Bruno Adler, l'éditeur de la publication d'Itten à Weimar, *Utopia : Dokumente der Wirklichkeit*, qui publie son étoile chromatique, affirme que son intérêt hoelzelien pour la « grammaire » de l'art le distingue des expressionnistes (Adler, in Baird 1969, pp. 16 sq.). Voir aussi Muche 1965, p. 166 sur « le motif "pédagogique" en échiquier », fondement de son enseignement formel au Bauhaus.

68 Pour les contrastes, *cf. Fragmentarisches* de Itten (1916), in Rotzeler 1972, p. 211 ; pour Runge, *cf.* Adler 1921, pp. 79-81 ; pour étoile chromatique, *cf.* note 67.

69 Pour Schlemmer et Runge, O. Schlemmer 1927, I ; voir aussi T. Schlemmer 1972, p. 121. Pour Klee jugeant Runge le théoricien le plus pertinent pour les peintres, *cf.* Petitpierre 1957, p. 53. Voir aussi Poling 1976, p. 18 ; Klee 1979a, transcription n°81 ; Triska 1979, pp. 59-60.

70 Pour Itten, *cf.* sa lettre du 1er juil. 1920 à un autre membre du cercle de Hoelzel, Hans Hildebrandt, in Rotzeler 1972, p. 72. Pour Klee, Petitpierre 1957, p. 53 ; lettre à Hildebrandt, in Klee 1961, p. 522. La restriction qu'a avancée Klee sur la notion des lois chromatiques et sur le gris contenu dans les couleurs dans les années 1921/1922 dans ses conférences du Bauhaus sont clairement dirigées à l'encontre d'Ostwald (Klee 1979a, transcription n°101-102).

71 Pour Muche à l'école Sturm, *cf.* Muche 1965, pp. 163 sq., 229, et Jacoba van Heemskerk à H. Walden, 15 août 1917, in *Jacoba van Heemskerk* 1983/1984, p. 108, note 45. Pour Klee, van Heemskerk à Walden, 27 août 1916, in *ibid.*, p. 102, note 30. Le travail de Muche pouvait être très proche de celui de Klee à la fin de la guerre : *cf.* par exemple son *Dreiklang* (1919, Nationalgalerie, Berlin).

72 Je dois cette information à la gentillesse de Anna Rowland. Voir aussi C. Wilk, 1981, p. 20, note 12.

73 Wingler 1975, pp. 44-45. C'est essentiellement le contexte de l'étude de la couleur dans le prospectus de 1919 (*ibid.*, p. 33).

74 *Cf.* surtout les exercices d'étudiants par Hirschfeld-Mack et Vincent Weber au Bauhaus-Archiv à Berlin (Berlin, *Bauhaus Archiv-Museum* 1981, notes 33-35, 38-40). Parmi les anneaux expérimentaux de l'« optischer Farbmischer », produits depuis 1923 environ dans l'atelier de menuiserie, et maintenant disponibles en reproduction au Bauhaus-Archiv, se trouvent des cercles chromatiques inspirés de Goethe, Schopenhauer et Von Bezold, tels que les utilisent Hoelzel. Le souvenir le plus récent d'Itten inclut l'emploi d'échiquiers (dès 1917) « afin d'affranchir l'étude des effets colorés des associations formelles », mais aucun ne peut à présent être identifié (Itten 1964, p. 41). R. Wick, se fondant sur les souvenirs de Muche, affirme que Mack reprit l'enseignement de la couleur en conjonction avec le *Vorkurs* d'Itten, dès 1922-1923, et que Itten l'avait enseigné auparavant ; mais, selon lui, le cours commence en 1919, et de fait, il n'est pas fiable (Wick 1982, pp. 99-100, 110, note 90).

75 *Cf.* Poling 1982, p. 712, et ill. 61.

76 R. Wick, in *Johannes Itten* 1984, p. 120.

77 Klee 1979a, transcription n°93. Pour le schéma de Goethe, *cf.* la reconstruction moderne, in Goethe 1971, ill. 122.

78 Klee 1979a, II, p. 1019, où il parle de « la satanée *Vorlehre* » (1926) ; pour le calendrier de la *Grundlehre* en 1925/1926, comprenant son « elementare Gestaltung », *ibid.*, p. 1035. Voir aussi p. 1078 pour le *Vorkurs* en 1928. La *Grundlehre*, qui inclut les échelles de valeurs, les couleurs primaires, les sphères chromatiques et les échelles de couleurs périphériques (p. 1020), semble être enseignée seulement aux étudiants tisserands (pp. 1077-1079 ; *cf.* Gunta Stölzl 1987, p. 129) ; dans un programme de cette année-là, elle n'est pas mentionnée parmi les cours élémentaires obligatoires (Wingler 1975, p. 144).

79 Kandinsky 1982, I, p. 460.

80 Wingler 1975, p. 80.

81 Kandinsky 1982, II, p. 501.

82 Le questionnaire a été reproduit pour la première fois par Rudenstine 1981, p. 111, et analysé par C. V. Poling, in *Kandinsky: Russian and Bauhaus Years* 1983, pp. 27-28, et Lodder 1983, pp. 80 et 280, note 46. Pour la traduction allemande de l'ensemble, *cf. Wassily Kandinsky* 1989.

83 Kandinsky *Du spirituel dans l'art*, in 1982, I, pp. 163, 180-189.

84 Bowlt 1973/1974, pp. 20-29.

85 Wick, in *Johannes Itten* 1984, p. 116. Hoelzel a proposé un cercle rouge, un carré bleu et un triangle jaune.

86 Hirschfeld-Mack 1963, p. 6. Lors d'une expérience conduite par le psychologue R. H. Goldschmidt, apparemment durant la plus grande partie des années 1920, un observateur unique, subissant des tests séparés à plus d'un an de distance, associait le jaune avec le triangle (mais une fois avec le carré), le bleu avec le cercle et le rouge avec le carré (excepté une fois où l'association se fit avec le triangle). Le vert était associé à l'ellipse ; les corrélations formelles avec les couleurs secondaires dans ce type d'expérimentation en Allemagne et en Russie étaient relativement peu standardisées et souvent insolites (*cf.* pl. 217). Malheureusement Goldschmidt ne donne aucun détail concernant ses procédures (Goldschmidt 1927/1928, p. 38).

87 Lodder 1983, p. 280, note 46.

88 G. Pap, in Neumann 1970, p. 79. À la fin, toutefois, Klee adopte les équivalences de Kandinsky (Triska 1979, p. 77, note 53).

89 T. Schlemmer 1972, p. 188. « L'instinct » de Schlemmer était aussi celui de Hoelzel (*cf.* note 85).

90 Kandinsky 1982, II, pp. 591-592.

91 Von Maur 1979, II, n° A, 318a.

92 Wingler 1975, p. 164.

93 Whitford 1984, p. 102. L'emploi du temps montre que Klee enseignait la forme une heure, Moholy-Nagy les études formelles huit heures, Klee le dessin et le modèle vivant deux heures chacun, Kandinski le dessin analytique deux heures et Albers les exercices pratiques dix heures : cela met d'une certaine manière en perspective le rôle de la couleur aux premiers temps du Bauhaus.

94 T. Lux Feiniger, in Famer et Weiss 1971, p. 47. On ne trouve aucune référence à la couleur dans le compte rendu le plus complet de l'enseignement d'Albers de son cours de base : Herzogenrath 1979-1980, surtout pp. 257-264.

95 Wingler 1975, p. 144.

96 *Ibid.*, p. 64. L'affirmation de Grohmann selon laquelle Ostwald enseigna au Bauhaus à Weimar et à Dessau (1958, pp. 175, 201) n'est pas référencée ; les points de vue sévères et anti-ostwaldiens de deux autres maîtres de Weimar, Schlemmer et Schreyer, sont bien attestés. (Von Maur 1979, II, p. 344 ; Schreyer 1929, p. 276).

97 Soupault 1963, p. 54.

98 Pour les conférences, Isaacs I, 1983, p. 415. Ceci aurait pu se produire à l'invitation du dessinateur Herbert Bayer (Cohen 1984, p. 341). Les conférences de Kandinsky ont été médiocrement traduites et éditées en français par P. Sers (*Écrits* III, 1975), et séparément, en format de poche : Kandinsky 1984. L'analyse des conférences d'Ostwald se trouve p. 84 dans cette dernière version, prise en sandwich entre les notes de 1925 et celles de 1929, et il y a une autre référence à la conférence en juin 1927, p. 221. Pour l'usage que Kandinsky fait d'Ostwald, *cf.* Poling 1982, pp. 60, 66-67. L'une des sources les plus importantes de cette époque, *Neue Psychologische Studien* (le journal de Felix Krueger), n'était pas exempte de critiques vis-à-vis d'Ostwald.

99 Wingler 1975, p. 145 et pour les photographies, *cf.* pp. 466-467. Voir aussi Poling 1973, p. 33.

100 Klee 1979b, II, p. 1151.

101 Poling 1973, p. 32.

102 Hahn 1985, pp. 24-25, 63, 102.

103 Von Effa 1943, pp. 16-18. La traduction de l'article de Grunow, « The creation of living form through colour, form and sound », publiée dans le catalogue de l'exposition de 1923, se trouve in Wingler 1975, pp. 69-71.

104 Ostwald 1926-1927, III, pp. 409 sq.

105 Le scientifique en question est l'ophtalmologiste L. Guaita, dont *La Scienza dei colori e la pittura* avait été publiée en 1893 : *cf. Archivi* 1968, I, pp. 288 sq. pour la lettre de Previati à son frère du 24 janv. 1894. Guaita a été cité néanmoins in Previati 1926, p. 60.

106 Previati 1929, pp. 201 sq.

107 Pour la datation de *Street Lamp* (MoMA, New York), C. Green, in *Abstraction: Towards a New Art* 1980, p. 102, qui le date de 1912 ; Lista 1982, n° 208, le date de 1910/1911 et suggère (n° 202) qu'une étude au pinceau, conservée aussi à New York, est reliée formellement aux décors de Düsseldorf.

108 Lista 1982, n° 247-250, 256-281, 395. La lettre (n° 248) est citée p. 505. À cette époque, de nombreux points communs unissaient les idées de Balla et de Previati. Le tableau divisionniste de Balla, *Fenêtre à Düsseldorf* (Lista, n° 251) semble avoir été inspiré par le passage devant une fenêtre encadrant un paysage lumineux in Previati (1929, pp. 154 sqq.). Son expression pour qualifier les expériences de Düsseldorf, « Compenetrazioni », était utilisée fréquemment par Previati (*cf.* Fagiolo dell'Arco 1970, p. 47, note 12) ; les formes iridescentes ont été souvent mises en rapport avec les illustrations de Previati de plaques de mica et de verre chauffé puis refroidi (1929, pp. 71-72 ; voir aussi Martin 1968, p. 176, note 1).

109 Il est notable qu'un autre futuriste italien, Gino Severini, voit le bleu et le jaune comme complémentaires (Severini 1913, in Apollonio 1973, p. 124). Le *Manifesto del Colore* de Balla lui-même (1918, Lista 1982, p. 473) se contentait de généralités. Voir aussi l'étude assez bien documentée que fait Severini autour d'un système d'ordre chromatique, citant le schéma primaire de Charles Henry ainsi que ceux de Helmholtz et Maxwell (Severini 1921, pp. 92-99). Le bleu et le jaune était aussi considérés comme complémentaires par le réalisateur de films abstraits Bruno Corra (*cf.* p. 245) : *cf.* son essai « Musica Cromatica » (1912) reproduit in Verdone, p. 248. Il est frappant de voir que Ginna, le frère cadet de Corra, lors de l'exposition de deux toiles abstraites à Florence en 1912, les cataloguait comme « décors pour un salon », bien que leurs titres, *Neurasthenia* (1908) et *Romantic Walk* (*Passeggiata Romantica*, 1909), aient été très descriptifs.

110 Previati, *Les Principes scientifiques du divisionnisme (les techniques de la peinture)*, Paris, 1910. Voir aussi la notice de l'édition italienne originale, in *Les Tendances nouvelles*, XXIX (1907), pp. 537-539.

111 R. Delaunay, « La lumière » (1912), in R. Delaunay 1957, p. 147. Pour l'usage général du terme « pointillisme » en France, *cf.* Severini à G. Spovieri, 16 janv. 1914, in *Archivi* 1958, I, p. 312. Signac avait eu du mal à expliquer la différence entre la touche « divisée » et le simple « point », mais il n'utilisa pas le terme « divisionniste ». (Signac 1964, pp. 103-112).

112 *Fenêtre n° 3* reproduite en couleurs in *Guggenheim Museum* 1971, pp. 92-93. Un des exemplaires les plus précoces et les plus représentatifs de la série dans le style non pointillé est reproduit en couleurs in *Robert et Sonia Delaunay* 1985, p. 64, n° 29. Ce catalogue reproduit un certain nombre de numéros de la série, et l'on trouve d'autres reproductions couleur in Vriesen et Imdahl 1967, ill. 7-9, et *Robert Delaunay* 1976, pp. 127-134. Les études les plus complètes se trouvent dans Spate 1979, pp. 187-203, pour la datation, *cf.* pp. 375-376 ; voir aussi Winter 1984, pp. 34-42. Pour le développement que fait Previati sur la transparence et ses techniques, 1929, pp. 77, 142 sqq. ; voir aussi A. Morbelli, *La Via Crucis del Divisionismo* (1912/14), in *Archivi* 1968, I, pp. 142-144, qui cite les exemples de vitraux médiévaux, d'un grand intérêt pour Delaunay aussi (Buckberrough 1979, surtout p. 110).

113 Il s'agit là des couleurs que remarque tout particulièrement August Macke dans une lettre de 1913 (Vriesen 1957, p. 116, note 8). Delaunay a cité Rood en référence au contraste simultané en 1912 (R. Delaunay 1957, p. 159) ; sur sa connaissance du texte, Buckberrough 1982, pp. 125-131.

114 R. Delaunay 1957, pp. 182-183, et pour la date, Spate 1979, p. 355, note 14. Il répondait alors à une lettre non datée de Marc concernant son essai « La Lumière », cit. in Hess 1961.

115 Elle affirma bien plus tard qu'avec Robert ils n'étaient que des « continuateurs » du fauvisme (Oppler 1976, p. 385).

116 Le plus ancien de ceux-ci semble être le *Contraste simultané* (1913 ?), collage et gouache, reproduit en couleurs in *Sonia Delaunay* 1980, p. 135, n° 47.

117 S. Delaunay 1956, p. 19. Buckberrough, in *Sonia Delaunay* 1980, p. 113, note 67, affirme que Robert a subi cette influence ; voir aussi Spate 1979, p. 201, et Cohen 1975, p. 61.

118 S. Delaunay (1978), in *Sonia Delaunay* 1980, p. 40 ; voir aussi p. 82 sur leurs discussions dans les années 1930.

119 Pour la date de *Disque* et l'ensemble de la série, *cf.* Spate 1979, pp. 376-377.

120 R. Delaunay 1957, p. 184 (1913) ; voir aussi p. 60 (v. 1924). L'analyse formelle la plus détaillée de *Disque* se trouve in Albrecht 1974, pp. 30-36.

121 R. Delaunay 1957, p. 217. Pour les révisions, Buckberrough 1982, pp. 223-226.

122 Reproduction couleur in Vriesen et Imdahl 1967, pl. 13. Sur la sculpture de 1913 et son installation, Spate 1979, p. 223, ill. 169.

123 *Cf.* surtout Delaunay à Macke, début 1913, in R. Delaunay 1957, p. 186 ; pour la date, Vriesen 1957, p. 265. Les *Disques* de Delaunay contrastent avec les *Disques de Newton* de Frantz Kupka, bien plus empreints de théorie (1911-1912 ; Paris, Musée national d'Art moderne et Philadelphia Museum of Art) ; *cf.* Rowell 1975, pp. 67-76, et Kupka 1989, pp. 156-157 pour les « Disques de Newton » en dix parties, conçus v. 1910. Kupka semble les avoir considérés comme des disques rotatifs.

124 Le meilleur ouvrage sur la vie et le travail d'Albers est actuellement *Josef Albers* 1988.

125 Albers 1967, p. 10. Pour le travail mené à Bottrup en Westphalie, Weber 1984, p. 5. Pour la reproduction de peintures sur papiers découpés, *cf.* Albers 1963, carton XIX, pp. 1-3, 16-17 et commentaire n°38.

126 Pour le Triangle de Goethe, Albers 1963, carton XXIV–I, commentaire n°45 et texte 68. Sur la proximité d'Albers avec Hirschfeld-Mack, *cf.* sa lettre à R. Arnheim du 14 mars 1963, cit. in *Leonardo*, XV, 1982, p. 174, et Torbruegge 1974, p. 198. La version que donne Mack du triangle se trouve au Bauhaus-Archiv à Berlin (n° 3818/12 : *cf.* Poling 1982, p. 152, note 84). Albers mentionne aussi à Arnheim que Mack lui a montré l'ouvrage de Carry Van Biema sur Hoelzel, qui inclut l'analyse la plus complète sur le « Triangle en neuf parties » dans la section « Einige Hauptbegriffe aus Goethes Farbenlehre » (Van Biema 1930, pp. 107 sqq.). Arnheim (*Leonardo*, XV, 1982, p. 175) affirme que le diagramme est « plus informatif qu'instructif », puisqu'il n'inclut que trois des six couleurs tertiaires et qu'elles sont « choisies arbitrairement ». Dans l'édition de poche révisée d'Albers 1963 (1975, p. 66), le nom de Goethe a été remplacé par « équilatéral ». Un concept largement répandu au Bauhaus, « moins est plus », crucial pour l'approche d'Albers pourrait se rapporter à la phrase d'Hoelzel : « quelques lignes (*Striche*) peuvent souvent être bien plus » (Hoelzel 1915, cit. in Parris 1979, p. 266 et pl. 83).

127 Pour la relativité, Fiedler 1926, surtout pp. 390 sqq. Pour la transparence, Fuchs 1923, pp. 145-235 (traduit par « On transparency », in W. D. Ellis (éd.), *A Source-Book of Gestalt Psychology*, 1950). Les figures de Fuchs pp. 154 et 166 sont proches de certaines de celles des cours de Kandinsky.

128 *Cf.* l'entretien avec D. Mahlow, « Statt eines Vorworts », dans une édition allemande de poche de *L'Interaction de la couleur*, Cologne, 1970, p. 8. Néanmoins, Albers sentait qu'Ostwald fournissait « un système très complet des harmonies chromatiques » (Albers 1963, commentaire n°47). À la fin des années 1920, Malevitch avait aussi porté le même jugement sur Ostwald, dont le travail était très utilisé en Russie (Malevitch 1977, p. 116).

129 Albers 1963, texte n°10. L'idée avait déjà été définie dans un contexte académique par Reynolds et Turner (Gage 1969, p. 53).

130 Pour le travail de Tadd, O. Stelzer, « Erziehung durch manuelles Tun », in Wingler 1977, p. 51.

131 Lisle 1986, p. 233.

132 De Kooning 1950, p. 40.

133 Pour la loi de Weber-Fechner, Albers 1963, carton XX, texte n°58-62, commentaire n°39-41. L'erreur d'interprétation commise par Albers a été soulignée par Lee 1981, pp. 102. Cette loi aurait été le sujet de quelques remarques de H. Holl et F. Hausgirg au Black Mountain College, ce qui conduit Albers à quitter la salle et certains de ses élèves à abandonner son cours (Harris 1987, p. 126, et *cf.* p. 20 (v. 1941)). Le mathématicien de Yale Charles E. Rickart lutta pour que l'artiste s'intéresse à l'interprétation mathématique qu'il avait faite de son œuvre (« A Structural Analysis of some of Albers' Work », *Josef Albers* 1988, p. 58). Une analyse moderne de certains des phénomènes d'interaction optique exploités par Albers utilise des exemples provenant du travail de Richard Anuskiewicz, un de ses étudiants à Yale (Jameson et Hurvich 1975, pp. 125-131 ; et pour des souvenirs de Anuskiewicz sur l'enseignement d'Albers, *Paintings by Josef Albers*, 1978, pp. 22-23).

134 Welliver 1966, p. 68.

135 *Cf.* le compte rendu de 1952 reproduit in *Josef Albers* 1988, p. 12, et celui de 1949 sur la série des *Variant*, cit. in Gomringer 1968, pp. 104 sq.

136 Welliver 1966, pp. 68-69.

137 Holloway et Weil 1970, p. 463.

138 On trouve des exemples de biseautage dans *Homage to the Square : Insert*, 1959, National Museum of American Art, Washington D. C., et *Homage to the Square: Mitered*, 1962, Bottrup, Albers Museum (in *Josef Albers* 1988, n° 212). Il s'agit d'un type qui n'est pas considéré dans la taxonomie de la série élaborée par Albrecht 1974, pp. 70-96, bien que celui-ci traite de la perspective des autres types (p. 78).

139 Fuller 1978. Voir aussi les photographies des cours à Black Mountain en 1944 et 1948 (Harris 1987, p. 82 ; *Josef Albers* 1988, p. 290). Pour ce qui est de l'empirisme implicite dans les changements opérés tout au long de la création de certains tableaux de la série *Homage*, Weber, in *Josef Albers ibid.*, p. 40. Patrick Heron, peintre anglais adepte des rayures, était aussi plus conscient du rôle de la forme et du bord (Knight 1988, p. 34 (1969).

140 Moffet 1977, p. 15.

141 Moffet *ibid.*, p. 39. Pour la conférence d'Albers en 1940, Dubermann 1972, p. 60.

142 Noland, in Johnson 1982, p. 50. Les toiles structurées font directement référence au travail de Frank Stella du milieu des années 1960, mais Noland n'utilise ce moyen sculptural qu'une décennie plus tard.

143 Moffet 1977, p. 50.

144 Albers 1963, carton XVIII, pp. 7-10. La taxonomie des peintures à rayures a été analysée par Kerber 1970, surtout pp. 251, note 9, 10.

145 *Josef Albers* 1965/1966, p. 9.

146 Tucker 1971, p. 16, *cf.* Noland : « Vous pouvez tout à fait choisir votre point de départ de manière arbitraire [...]. Je choisis une couleur et je continue avec elle. » (Moffet 1977, p. 45). Pour l'avis de Davis sur la « loi d'interaction chromatique » d'Albers, qu'il rejette « parce que cette loi met en avant l'intelligibilité des images avant de mettre l'accent sur leur caractère stimulant – à la limite de l'excitation chaotique », Serwer 1987, p. 44.

147 *Cf.* par exemple *Josef Albers* 1965/1966, p. 30 ; *Josef Albers* 1988, pp. 37-38, 40.

148 *Josef Albers* 1988, p. 44 et n° 246 ; *Josef Albers* 1965/1966, p. 29. Albers affirmait que son instinct pour les matériaux et la technique lui venait de son père, artisan accompli (in *Josef Albers* 1988, p. 15).

149 Burliuk 1912, in Barron et Tuchman 1980, p. 129 sq. ; Shevchenko 1913, in Bowlt 1976, pp. 51-52.

150 Taraboukine, in Nakov et Pétris 1972, p. 124. Voir aussi le groupe d'A. Grischenko de 1918/1919 « Colour dynamics and tectonic primitivism », in Bowlt 1976, p. 43, et le projet de Rodchenko d'intégrer la *faktura* dans le programme des *Vkhutemas* ; Lodder 1983, pp. 123-124.

151 *Cf.* un article de 1919 reproduit in Gassner et Gillen 1979, p. 44.

152 Von Maur 1979, I, pp. 283-294, II, G, pp. 605-657.

153 Sur le caractère bon marché des matériaux, Franz Kline 1979, pp. 12, 21, 24, note 11. Kline raconte que quand il fut pris en charge par le marchand d'art en vogue Sidney Janis en 1956, ce dernier lui demanda d'utiliser des matériaux plus conventionnels qui seraient financés par la galerie.

154 Pour les décors peints de Rothko, Hobbs et Levin 1981, p. 116. L'instabilité des pigments utilisés dans ce type de peinture éphémère est mentionnée in Polunin 1927, note 22. Pour d'autres exemples d'expériences menées par Rothko avec de la colle, de la peinture à l'œuf et des peintures synthétiques modernes, Clearwater 1984, p. 42 ; Cranmer 1987a, pp. 189-197 ; Cranmer 1987b, pp. 283-285 ; Cohn 1988, surtout pp. 10, 17, 27 ; Barnes 1989, pp. 39, 58-61 ; Mancusi-Ungaro 1990.

155 Rose v. 1972, pp. 54-55 ; Moffett 1977, pp. 101 sq., note 3. Noland a aussi noté l'inspiration de Pollock quant à l'utilisation de peintures et de techniques non conventionnelles, « avec le même genre de qualités intrinsèques que l'on peut retrouver par l'emploi de matériaux » (Moffett *ibid.*, p. 19). Sur Pollock, E. Franck, « Notes on technique », in O'Connor et Thaw 1978, IV, p. 264.

156 Entretien avec Paul Cummings, 8 juin 1978 : transcrit dans *Archives of American Art*, p. 35 ; et p. 39 pour Louis en tant que « client régulier » des « fonds de cuve » gratuits.

157 Bocour loc. cit., pp. 33, 50. Voir aussi Elderfield 1986, pp. 34, 182 sq.

158 Klein, in *Yves Klein* 1983, p. 194. L'IKB fut développé par Edouard Adam, qui pouvait produire cette peinture synthétique outremer à un coût moindre et en plus large quantité que d'autres fournisseurs. Klein déposa un brevet pour la formule en 1960, bien qu'il décrivît le mélange incorrectement dans ses spécifications techniques.

159 Paris, Galerie Beaubourg, reproduction couleur in *Colour since Matisse* 1985, p. 46. Voir aussi Gerhard Richter, *256 Farben*, 1974, peinture-polymère sur toile, reproduction couleur in J. van der Marck, « Inside Europe outside Europe », *Artforum,* XVI, 1977, p. 51.

160 Stella, in Johnson 1982, p. 116.

161 Rubin 1970, p. 76 ; Stella 1986, p. 164.

162 Rubin *ibid.*, p. 82.

163 Stella 1986, p. 71.

164 Je pense ici tout particulièrement à l'usage que fait le constructiviste suisse Karl Gerstner du système Lüscher (Stierlin 1981, pp. 164 sqq., 193). Je n'ai pas tenu compte de

l'aversion pour la technologie dont peuvent faire preuve certains expressionnistes abstraits, qui a été étudiée par Craven 1990, pp. 72-103, ni de celle pour le discours verbal, étudiée par Gibson 1990, pp. 195-211. Il y eut, bien sûr, des programmes expérimentaux bien plus poussés sur la couleur, menés par certains artistes modernes que je n'ai pas mentionnés, par exemple Louis Fernandez, dont *L'Apprentissage élémentaire de la peinture* (v. 1933) inclut une section méticuleusement conçue sur la mesure de la couleur, dont on trouve des extraits dans *Abstraction-Création, Art non-Figuratif* II, 1933, pp. 14 sq. ; cependant, ces recherches n'ont jamais contribué au courant pictural dominant.

165 Pour une analyse de l'approche de Lohse quant à la structure des couleurs, Albrecht 1974, pp. 114-155 ; *cf.* surtout p. 126 pour le sentiment d'Albrecht sur le fait que Lohse s'inspirait quelque peu de « la théorie de la couleur et de la technologie de son temps ».

166 Wright 1981, pp. 236-237. Certains documents relatifs à l'histoire de la réception du noir et de son langage dans l'art ont été rassemblés par Stephanie Terrenzio, in *Motherwell and Black*, 1980 ; voir aussi H. Weitemeier Schwartz, Düsseldorf, Kunsthalle, 1981.

BIBLIOGRAPHIE

AALEN, S., *Die Begriffe Licht und Finsternis im alten Testament, im Spätjudentum, und im Rabbinismus,* 1951.

ABEL, F. M., « Gaza au VIᵉ siècle d'après le rhéteur Choricus », *Revue biblique,* XL, 1931.

ABÉLARD, *Glossae super Peri Ermeneias,* B. Geyer (éd.), 1927.

ABRAMS, M. H., *The Mirror and the Lamp,* 1958.

Abstraction : Towards a New Art. Painting 1910-1920, Londres, Tate Gallery, 1980.

ACOCELLA, N., « La Basilica Cassinense di Desiderio in un carme di Alfano da Salerno », *Napoli Nobilissima,* III, 1963.

Ad faciendum emallum, D. Way (éd.), *Archaeological Journal,* III, 1846.

ADLER, B. (éd.), *Utopia : Dokumente der Wirklichkeit,* 1921.

ADLER, W., *Landscapes (Corpus Rubenianum Ludwig Burchard XVIII, I),* 1982.

AETHELWULF, *De Abbatibus,* A. Campbell (éd.), 1967.

AGEE, W., *Synchromism and Color Principles in American Painting,* 1965.

AGOSTINI, A., *Le Prospettive e le ombre nelle opere di Leonardo da Vinci,* 1954.

AGRICOLA, R., *De Inventione Dialectica (1523),* facsimilé réimp., 1967.

AGUILON, F., *Opticorum Libri Sex,* Anvers, 1613.

ALAIN DE LILLE, *Anticlaudianus,* 1955.

Josef Albers : a Retrospective, New York, Guggenheim, cat. expo., 1988.

Josef Albers : the American Years, Washington, Gallery of Modern Art, cat. expo., 1965-1966.

ALBERS, J., « My course at the Hochschule für Gestaltung at Ulm » (1954), *Form,* IV, 1967.

—, *Interaction of Color,* 1963 (éd. de poche rév. 1975) ; éd. fr. : *L'Interaction de la couleur,* 1974.

ALBERT LE GRAND, *De Anima,* C. Stroick (éd.) (*Opera Omnia* VII, i), 1968.

—, *Le Monde minéral : les pierres,* 1995.

—, *Super Dionysum De Divinis Nominibus,* P. Simon (éd.)(*Opera Omnia* XXXVII, i), 1972.

ALBERTI, L. B., *De Re Aedificatoria,* G. Orlandi et P. Portoghesi (éds) 1966.

—, *On Painting and On Sculpture,* C. Grayson (éd.), 1972.

—, *Opere volgari,* C. Grayson (éd.), 1960-1973 ; éd. fr. : *Œuvres complètes,* 2002, 3 vol.

ALBRECHT, H. J., *Farbe als Sprache : Robert Delaunay, Josef Albers, Richard Paul Lohse,* 1974.

ALESSANDRI, L. et PENACCHI, F., « I piu antichi inventari della sacristia del sacro convento di Assisi (1338-1433) », *Archivum Franciscanum Historicum,* VII, 1914.

ALESSIO PIEMONTESE, *The Secretes of the Reverende Master Alexis of Piemont* (1555 et 1563), 1975 et 1977.

ALESSIO, F., « La filosofia e le "artes mechanicae" nel secolo XII », *Studi Medievali,* 3 sér., VI, 1965.

ALEXANDER, P. J., *The Patriarch Nicephorus,* 1958.

ALEXANDER, S. M., « Medieval recipes describing the use of metal in MSS », *Marsyas,* XII, 1964-1965.

ALEXANDRE D'APHRODISIAS, *In Librum de Sensu Commentarium,* P. Wendland (éd.), 1901.

ALGAROTTI, F., *An Essay on Painting,* Londres, 1764.

—, *Newtonianismo per le Dame,* (1737) in E. Bonora (éd.), *Illuministi Italiani,* 1969, 2 vol.

ALHAZEN, *Optics,* trad. angl. A. I. Sabra, 1989, 2 vol.

ALLAN, M., *The Tradescants : their Plants, Gardens and Museum,* 1964.

ALLENDE-SALAZAR, J., « Don Felipe de Guevara, coleccionista y escritor de arte del siglo XVI », *Archivo español de Arte y Arqueología,* I, 1925.

ALLESCH, G. J. VON, « Die ästhetische Erscheinungsweise der Farben », *Psychologische Forschung,* VI, 1925.

ALLTHORPE-GUYTON, M., *John Thirtle : Drawings in Norwich Castle Museum,* 1977.

AL-RAZI, *Secreta Secretorum,* J. Ruska (éd.), 1912.

AMES-LEWIS, F., « Early Medicean Devices », *Journal of the Warburg and Courtauld Institutes,* XLII, 1979.

—, « Filippo Lippi and Flanders », *Zeitschrift für Kunstgeschichte,* XLII, 1979.

—, *Drawing in Early Renaissance Italy,* 1981.

AMORY, M. B., *The Domestic and Artistic Life of John Singleton Copley,* 1882.

AMRINE, F., ZUCKER, F. J. et WHEELER, H., *Goethe and the Sciences: a Reappraisal,* 1987.

ANASTOS, M., « The argument for Iconoclasm in the Council of 754 », *Late Classical and Medieval Studies in honor of A. M. Friend, Jr,* K. Weitzmann (éd.), 1955.

ANDALORO, M., « I mosaici di Cefalu dopo il restauro » in *III Colloquio internazionale sul mosaico antico,* 1980, I, 1983.

ANDERSON, M., *Colour Healing : Cromotherapy and how it Works,* 1979.

ANDRE, J., *Etude sur les termes de couleur dans la langue latine,* 1949.

ANDREESCU, I., « Torcello III : La chronologie relative des mosaïques pariétales », *Dumbarton Oaks Papers,* XXX, 1976.

ANNAS, J. et BARNES, J., *The Modes of Scepticism : Ancient Texts and Modern Interpretations,* 1985.

Anonymous Prologomena to Platonic Philosophy, L. G. Westerinck (éd.), 1962.

ANQUETIN, L., *De l'Art,* 1970.

ANSCHÜTZ, G., « Untersuchungen über komplexe musikalische Synopsie », *Archiv für die gesamte Psychologie,* LIV, 1926.

ANTOINE DE PISE, *Trattato sulla fabbricazione delle vetrate artistiche,* S. Pezzella (éd.), 1976.

ANTONIN, *Summa Major* (1740), 1959, 4 vol.

APOLLONIO, U., *Futurist Manifestos,* 1973.

AQUIN, THOMAS D', *In Librum Beati Dionysii De Divinis Nominibus Expositio,* C. Pera (éd.), 1950.

—, *Meteorologicorum,* R. M. Spiazzi (éd.), 1952.

ARBER, A., « The colouring of Sixteenth-century herbals », *Nature,* CXLV, 1940.

Archivi del Divisionismo, T. Fiori (éd.), 1968.

Archivi del Futurismo, M. Drudi Gambillo et T. Fiori (éds), 1958, 2 vol.

ARETINO, P., *I Quattro libri de la humanità di Christo,* Venice, 1539.

—, *Lettere sull'arte,* E. Camesasca (éd.), 1957-60, 4 vol.

ARGOTE DE MOLINA, G., *Nobleza de Andalucía* (1579), 1957.

ARGUELLES, J. A., *Charles Henry and the formation of a Psycho-Physical Aesthetic,* 1972.

ARIOTTI, P. E., « A little-known early seventeenth-century treatise on vision: Benedetto Castelli's "Discorso sopra la Vista" », *Annals of Science,* XXX, 1973.

ARMENINI, G. B., *De'Veri Precetti della Pittura* (1587), M. Gorreri (éd.), 1988.

—, *De'Veri precetti della pittura… con note di Stefano Ticozzi,* 1820.

ARNHEIM, R., *Art and Visual Perception (The New Version),* 1974.

ARNOLD DE SAXE, *De Finibus Rerum Naturalium,* E. Stange (éd.), 1905.

ARRHENIUS, B., *Merovingian Garnet Jewellery,* 1985.

Artists, Writers, Politics. Camille Pissarro and his Friends, Oxford, Ashmolean Museum, cat. expo., 1980.

ASSUNTO, R., *Die Theorie des Schönen im Mittelalter,* 1963.

—, *La Critica d'arte nel pensiero medievale,* 1961.

ASTORRI, G., « Nuove osservazioni sulla tecnica dei mosaici romani della Basilica di S. Maria Maggiore », *Rivista di archeologia cristiana,* XI, 1934.

AUGUSTI, S., *I colori pompeiani,* 1967.

Ausstellung deutscher Kunst aus der Zeit von 1775-1875, cat. expo., Berlin, 1906.

AUSTIN, H. D., « Dante Notes XI: the rainbow colours », *Modern Language Notes,* XLIV, 1929.

AUTRET, J., *Ruskin and the French before Marcel Proust,* 1965.

AVERROÈS, *Averrois Cordubensis Compendia Librorum Aristotelis qui Parva Naturalia Vocantur,* A. L. Shields (éd.), 1949.

AVERY, W. T., « The Adoratio Purpurae and the importance of the Imperial Purple », *Memoirs of the American Academy in Rome,* XVII, 1940.

Avicenna Latinus : Liber de Anima seu Sextus de Naturalibus, S. van Riet (éd.), 1972.

AVICENNE (IBN SINA), *De Anima (Psychologie d'Ibn Sina d'après son œuvre As Sifa),* J. Bakos (éd.), 1956, 2 vol.

AYRES, J., *The Artist's Craft,* 1985.

AZCONA, T. DE, *Fundación y Construcción de San Telmo de San Sebastian,* 1972.

BABLET, D., *Esthétique générale du décor de théâtre de 1870 à 1914,* 1965.

BACH, A. (éd.), *Das Rheinische marienlob : Eine deutsche Dichtung des 13. Jahrhundert,* 1934.

BACHMANN, K.-W., OELLERMANN, E. et TAUBERT, J., « The conservation and technique of the Herlin Altarpiece », *Studies in Conservation,* XV, 1970.

BACON, R., *Opera Hactenus Inedita,* R. Steele (éd.), 1937.

—, *Opus Majus,* R. Bridges (éd.), 1897-1900, 3 vol.

—, *Opus Tertium,* A. G. Little (éd.), 1912.

—, *Opus Tertium,* J. S. Brewer (éd.), 1859.

BADT, K., « Cézanne's watercolour technique », *Burlington Magazine,* LXXXIII, 1943.

—, *Die Kunst des Nicholas Poussin,* 1969.

—, *Eugène Delacroix : Werke und Ideale,* 1965.

—, *Paolo Veronese,* 1981.

BAEUMKER, C., *Witelo : ein Philosoph und Naturforscher des XIII Jh.,* 1908.

BAHR, J. K., *Der dynamische Kreis,* 1860.

BAILLY-HERZBERG, J., *Correspondance de Camille Pissarro,* 1980-, 4 vol.

BAINES, J., « Color terminology and color classification in ancient. Egyptian color terminology and polychromy », *American Anthropologist,* LXXXVII, 1985.

BAIRD, G., « Former members of the Bauhaus talk to George Baird about their memories of the School », *The Listener,* LXXXI, 1969.

BAJKAY, E., « A Hungarian founder of the Dutch Constructivists », *Acta Historiae Artium Academia Scientiarum Hungaricae,* XXX, 3-4, 1984.

BALDINUCCI, F. V., *Notizie de'professori del disegno da Cimabue in qua,* Florence, 1728.

BALDWIN, C. SEARS., *Ancient Rhetoric and Poetic,* 1924.

BALJEU, J., *Theo van Doesburg,* 1974.

BALL, V. K., « The aesthetics of color: a review of fifty years' experimentation », *Journal of Aesthetics and Art Criticism,* XXIII, 1965.

BANCROFT, E., *Experimental Researches concerning the Philosophy of Permanent Colours,* 1813.

BARASCH, M., *Light and Color in the Italian Renaissance Theory of Art*, 1978.

BARATHA IYER, K. (éd.), *Art and Thought*, 1947.

BARB, A. A., « Lapis adamas : der Blutstein » in J. Bibauw (éd.), *Hommages à Marcel Renard*, 1969.

BARBARO, D., *Della Perspettiva*, Venise, 1568.

—, *I dieci libri dell'architettura di M. Vitruvio* (1556/1557), Venise, 1629.

—, *In Plinii Naturalis Historia Libros Castigationes* (1493), Bâle, 1534.

BARBIER, C. P. (1959a), *William Gilpin*, cat. expo., Londres, Kenwood, 1959.

—, (1959b), *Samuel Rogers and William Gilpin*, 1959.

—, *William Gilpin*, 1963.

BARDWELL, T., *The Practice of Painting*, 1756.

BARKER, A., *Greek Musical Writings*, I: *The Musician and his Art*, 1984.

—, *Greek Musical Writings*, II, 1989.

BARKER, J. R. V., *The Tournament in England, 1100-1400*, 1986.

BARLOW, H. B. et MOLLON, J. D. (éds), *The Senses*, 1982.

BARNES, S., *The Rothko Chapel: an Act of Faith*, 1989.

BAROCCHI, P. (éd.), *Scritti d'arte del cinquecento*, 1971-1977, 3 vol.

— (éd.), *Trattati d'Arte del cinquecento*, 1960-1962, 3 vol.

BARR, A., *Matisse : his Art and his Public* (1951), 1974.

BARRAL Y ALTET, X., (éd.), *Artistes, artisans et production artistique au moyen âge*, I, *Les Hommes*, 1986.

—, *Les Mosaïques de pavement médiévales de Venise, Murano, Torcello*, 1985

—, « Poésie et iconographie : un pavement du XIIe siècle décrit par Baudri de Bourgueil », *Dumbarton Oaks Papers*, XLI, 1987.

BARRON, S. et TUCHMAN, M. (éds), *The Avant-Garde in Russia, 1910-1930: a New Perspective*, 1980.

BARRON-COHEN, S., WYKE, M. A. et BINNIE, C., « Hearing words and seeing colours: an experimental investigation of a case of synaesthesia », *Perception*, XVI, 1987.

BARROW, I., *Lectiones Opticae (1669) in The Mathematical Works*, W. Whewell (éd.), 1860 ; trad. angl. : *Optical Lectures*, A. G. Bennett et D. F. Edgar (éds), 1987.

BARRY, J., *An Account of a Series of Pictures in the Great Room of the Society of Arts…*, 1783.

—, *The Works*, 1809, 2 vol.

BARTHOLOMEUS ANGELICUS, *De Proprietatibus Rerum*, vers 1230.

BARTOLOMÉE DE BOLOGNE, *Tractatus de Luce*, I. Squadrani (éd.), *Antonianum*, VII, 1932.

BARTSCH, K., « Das Spiel von den sieben Farben », *Germania*, VIII, 1863.

BATE, Heinrich, de Mecheln, *Speculum Divinarum quorundam Naturalium*, E. van de Vyver (éd.), 1960.

BATE, J., *The Mysteries of Nature and Art* (1633), 1977.

BATICLE, J., GEORGEL, P. et WILLK-BROCARD, N., *Technique de la peinture – l'atelier* (Musée du Louvre, Les Dossiers du Dépt des Peintures), 1976.

BÄTSCHMANN, O., *Nicholas Poussin : The Dialectics of Painting*, 1990.

BATTISCOMBE, C. F. (éd.), *The Relics of St Cuthbert*, 1956.

BAUDISSEN, K. GRAF VON, G. A. Wallis, 1924.

BAUDRI DE BOURGUEIL, *Carmina*, K. Hilbert (éd.), 1979.

BAUER, H., « Die Psychologie Alhazens auf Grund van Alhazens Optik », *Beiträge zur Geschichte der Philosophie des Mittelalters*, X, 5, 1911.

BAUER, L., « Quanto si disegna, si dipinge ancora », *Storia dell'Arte*, XXXII, 1978.

BAUMGART, F., *Caravaggio : Kunst und Wirklichkeit*, 1955.

BAXANDALL, M., *Giotto and the Orators*, 2e éd., 1986.

—, *Painting and Experience in Fifteenth-Century Italy*, 2e éd., 1988.

—, *Patterns of Intention : on the Historical Explanation of Pictures*, 1985 (éd. fr. : *Formes de l'intention : sur l'explication historique des tableaux*, trad. C. Fraixe, 1991).

—, *The Limewood Sculptors of Renaissance Germany*, 1980.

BAZIN, C., HOURS, M., PETIT, J., et RUDEL, J., « Une palette du XIVe siècle découverte sur un panneau du musée du Louvre », *Bulletin du Laboratoire du Musée du Louvre*, III, 1958.

BEAL, M., « Richard Symonds in Italy : his meeting with Nicholas Poussin », *Burlington Magazine*, CXXVI, 1984.

—, *A Study of Richard Symonds: his Italian Notebooks and their Relevance to Seventeenth Century Painting Techniques*, 1984.

BEARE, A. C., « Color-name as a function of wavelength », *American Journal of Psychology*, LXXVI, 1963.

BEARE, J. I., *Greek Theories of Elementary Cognition from Alcmaeon to Aristotle*, 1906.

BEATUS DE GÉRONE, *In Apocalypsin Libri Duodecim*, H. A. Sanders (éd.), 1930.

BECCATTI, G., *Arte e gusto negli scrittori latini*, 1951.

—, « Plinio e l'Aretino », *Arti figurativi*, II, 1946.

BECK, I., « The first mosaics of the Capella Palatina in Palermo », *Byzantion*, XL, 1970.

BECK, J., « The final layer : "L'ultima mano" on Michelangelo's Sistine ceiling », *Art Bulletin*, LXX, 1988.

—, *Surface Color Perception*, 1972.

BECKETT, R. B. (éd.), *John Constable's Correspondence*, IV, 1966.

BECKSMANN, R. *Die architektonische Rahmung des Hochgotischen Bildfenster : Untersuchungen zur oberrheinischen Glasmalerei von 1250 bis 1350*, 1967.

BEDAUX, J. B., « The reality of Symbols: the question of disguised symbolism in Jan van Eyck's *Arnolfini Portrait* », *Simiolus*, XVI, 1986.

BEHLING, L., « Neue Forschungen zu Grünewalds Stuppacher Maria », *Pantheon*, XXVI, 1968.

BEHRENDS, R. et KOBER, K.-M., *The Artist and his Studio*, 1973.

BELAIEW-EXEMPLARSKY, S., « Über die sogenannten "hervortretenden Farben" », *Zeitschrift für Psychologie*, XCVI, 1925.

BELL, C. F., *The Exhibited Works of J. M. W. Turner*, 1901.

BELL, J., « The Life and Works of Matteo Zaccolini », *Regnum Dei*, XLI, 1985.

—, *Color and Theory in Seicento Art :*

Zaccolini's « Prospettiva del Colore » and the Heritage of Leonardo, thèse de doctorat, Brown University, 1983.

BELLONY-REWALD, A. et PEPPIATT, M., *Imagination's Chamber : Artists and their Studios*, 1983.

BELLORI, G. P., *Le Vite de'pittori, scultori ed architetti moderni* (1672), E. Borea (éd.), 1976.

BELTING, H., *Die Oberkirche von San Francesco in Assisi*, 1977.

—, MANGO, C. et MOURIKI, D., *The Mosaics and Frescoes of St Mary Pammakaristos (Fetiye Camii) at Istanbul*, 1978.

BENNETT, J. A., *The Celebrated Phenomena of Colours*, Cambridge, Whipple Museum of the History of Science, 1984.

BENSI, P., « La tavolozza di Cennino Cennini », *Studi di storia dell'arte*, II, 1978-1979.

—, « Gli arnesi dell'arte. I Gesuati di San Giusto aile Mura e la pittura del Rinascimento a Firenze », *Studi di Storia dell'Arte*, III, 1980.

BENTLEY, G. E. Jr., *Blake Records*, 1969.

BENTLEY, J. H., *Politics and Culture in Renaissance Naples*, 1988.

BERCHEM, E., FREIHERR VON, GALBREATH, D. L. et HUPP, O., *Beiträge zur Geschichte der Heraldik*, 1939.

BERENSON, B., *Aesthetics and History*, 1950.

—, *Esquisse pour un portrait de soi-même*, 1955.

—, *The Selected Letters of Bernard Berenson*, A. K. McComb (éd.), 1965.

BERGDOLT, K., *Der dritte Kommentar Lorenzo Ghibertis : Naturwissenschaften und Medizin in der Kunsttheorie der Frührenaissance*, 1988.

BERGER, E., *Beiträge zur Entwicklungsgeschichte der Maltechnik*, 1901.

—, « Goethes Farbenlehre und die modernen Theorien », *Die Kunst*, XXIII, 1911.

—, *Die Maltechnik des Altertums* (1904), 1975.

—, *Die Wachsmalerei des Apelles und seiner Zeit*, 1917.

BERLIN, B. et KAY, P., *Basic Color Terms*, 1969.

BERLIN, BAUHAUS ARCHIV-MUSEUM, *Sammlungskatalog*, 1981.

BERMELIN, E., « Die kunsttheoretischen Gedanken in Philostrats Apollonius von Tyana », *Philologus*, LXXXVIII, 1933.

BERNARD, E., « Julien Tanguy », *Mercure de France*, LXXVI, 1908.

—, « Louis Anquetin », *Gazette des Beaux-Arts*, XL, 1934.

BERNARDIN DE SAINT-PIERRE, J. H., *Œuvres complètes*, 1818, 12 vol.

BERNINI, G.-P., *Giovanni Lanfranco*, 1982.

BERTHOLLET, C. L. et A. B., *Elements of the Art of Dyeing*, trad. A. Ure, 2e éd., 1824, 2 vol.

BERTI, L. et FOGGI, R., *Masaccio : catalogo completo*, 1989.

BERTRAND, E., *Études sur la peinture et la critique d'art dans l'antiquité*, 1893.

BESANT, A. et LEADBEATER, C. W., *Thought Forms* (1901), 1961 ; éd. fr. : *Les Formes-Pensées*, 1925.

BESSIS, H., « L'Inventaire d'après décès d'Eugène Delacroix », *Bulletin de la Société de l'histoire de l'art français* 1969, 1971.

BETTEMBOURG, J. M., « Problèmes de la conservation des vitraux de la façade occidentale de la Cathédrale de Chartres », *Les Monuments historiques de la France*, 1977.

BEUCKEN, J. DE, *Un portrait de Cézanne*, 1955.

BEUTHER, F., *Ueber Licht und Farbe, die prismatischen Farben und die Newton'sche Farbenlehre*, 1833.

BEZBORODOV, M. A., *Chemie und Technologie der antiken und mittelalterlichen Gläser*, 1975.

BEZOLD, WILHELM VON, *The theory of Color in its Relation to Art and Art-Industry*, 1876.

BIALOSTOCKI, J., « Ars Auro Prior », *Mélanges de littérature comparée et de philologie offerts à M. Brahmer*, 1967.

BIE, C. DE, *Het Gulden Cabinet van de Edel Vry Schilderconst* (1661), G. Lemmens (éd.), 1971.

BIEBER, M. et RODENWALT, G., « Die Mosaiken des Dioskurides von Samos », *Jahrbuch der Kaiserlichen deutschen Archäologischen Instituts*, XXVI, 1911.

BIEMA, C. VAN, *Farben und Formen als lebendige Kräfte*, 1930.

BIERHAUS-RÖDIGER, E., *Carl Rottmann 1797-1850 : Monographie und Kritischer Werkkatalog*, 1978.

BIERNSON, G., « Why did Newton see Indigo in the spectrum ? », *American Journal of Physics*, XL, 1972.

BIERWALTES, W., « Die Metaphysik des Lichts In der Philosophie Plotins », *Zeitschrift für philosophische Forschung*, XV, 1961.

—, « "Negati Affirmatio", or the world as metaphor. A foundation for mediaeval aesthetics from the writings of John Scotus Eriugena », *Dionysius*, I, 1977.

—, *Lux Intelligibilis. Untersuchungen zur Lichtmetaphysik der Griechen*, thèse de doctorat, université de Munich, 1957.

BIGI, V. C., « La dottrina della luce in S. Bonaventura », *Divus Thomas*, LXIV. LXIV, 1961.

BIHL, P. M., « Statuta Generalia Ordinis », *Archivum Franciscanum Historicum*, XXXIV, 1941.

BILLOT, M. F., « Recherches aux XVIIIe et XIXe siècles sur la polychromie de l'architecture grecque » in *Paris, Rome, Athènes : le voyage en Grèce des architectes français au XIXe et XXe siècles*, cat. expo., Paris, École des Beaux-Arts, 1982.

BINDMAN, D., *Blake as an Artist*, 1977.

—, *The Complete Graphic Works of William Blake*, 1978.

BINET, A., « Le problème de l'audition colorée », *Revue des Deux Mondes*, CXIII, 1892.

BIONDO, M., *Della Nobilissima Pittura*, Venise, 1549.

BIRREN, F., *History of Color in Painting. With New Principles of Color Expression*, 1965.

BISCHOFF, B., *Anecdota Novissima. Texte des Vierten bis sechzehnten Jahrhunderts (Quellen und Untersuchungen zur Lateinischen Philologie des Mittelalters*, VII), 1984.

BISHOP, B., *A Souvenir of the Colour Organ, with some suggestions in Regard to the Soul of the Rainbow and the Harmony of Light*, 1893.

BISTORT, G., *Il Magistrato alle pompe nella*

repubblica di Venezia, 1912.

BLAKE, W., *Notebook*, D. Erdman (éd.), 1973.

—, *Poetry and Prose*, G. Keynes (éd.), 1956.

BLANC, Ch., *Grammaire des arts décoratifs*, 2ᵉ éd., 1882.

—, *Grammaire des arts du dessin*, 1867.

—, *Les Artistes de mon temps*, 1876.

BLANCKENHAGEN, P. H. VON et ALEXANDER, C., « The paintings from Boscotrecase, with an appendix on technique by G. Papadopulos », *Mitteilungen des deutschen Archäologischen Instituts,* Römische Abteilung, Ergänzungsheft 6, 1962.

BLANKERT, A. *et al.*, *Gods, Saints and Heroes : Dutch Painting in the Age of Rembrandt*, cat. expo., Washington, National Gallery, 1980.

BLAVATSKY, H. P., *The Secret Doctrine : the Synthesis of Science, Religion and Philosophy*, 2ᵉ éd., 1888, 2 vol.

BLONSKY, M. (éd.), *On Signs*, 1985.

BLOTKAMP, C., recension in *Simiolus*, VIII, 1975-1976.

— et al., *De Stijl, The Formative Years, 1917-1922*, 1986.

— et al., *De Beginjaren van De Stijl*, 1982.

BLÜMNER, H., « Die Farbenbezeich-nungen bei den römischen Dichtern », *Berliner Studien für Classische Philologie und Archäologie*, XIII, 1891.

—, *Technologie und Terminologie der Gewerbe und Künste der Griechen und Römern*, 2ᵉ éd., 1912, 4 vol. (un seul publié).

BLUNT, A., « Blake's "Ancient of Days" », *Journal of the Warburg and Courtauld Institutes*, II, 1938.

— et CROFT-MURRAY, E., *Venetian Drawings of the XVII and XVIII Centuries at Windsor Castle*, 1957.

BOCK, C. C., *Henri Matisse and Neo-Impressionism, 1898-1908*, 1981.

BODENHAUSEN, E. VON, *Gérard David und seine Schule*, 1905.

BOÈCE, A. M. S., *Traité de la musique*, C. Meyer (trad.), 2004 ; éd. angl. : *Fundamentals of Music*, C. M. Bower (trad.), 1989.

—, *In Isagogen Porphyrii commenta*, S. Brandt (éd.), 1906.

BOIGEY, M., *La Science des couleurs et l'art du peintre*, 1923.

BOLL, F., *Antike Beobachtungen farbiger Sterne* (Abhandlungen der königliche Bayerische Akademie der Wissenschaften, Philosophische, Philologische und Historische Klasse, XXX, I), 1918.

BOLLACK, J., *Empédocle*, 1965-1969, 3 vol.

BOLOGNA, F., *Opere d'arte nel salemitano dal XII al XVIII secolo*, 1955.

BOLTON, R., « Black, white and red all over. The riddle of color term salience », *Ethnology*, XVII, 1978.

BOMBE, W., *Nachlass-Inventare des Angelo da Uzzano und des Lodovico di Gino Capponi*, 1928.

BOMFORD, D. et al., *Art in the Making : Impressionism*, Londres, National Gallery, 1990.

—, BROWN, C. et ROY, A., *Art in the Making : Rembrandt*, Londres, National Gallery, cat. expo., 1988.

—, ROY, A. et SMITH, A., « The techniques of Dieric Bouts : two paintings contrasted », *National Gallery Technical Bulletin*, X, 1986.

BON, J.-B., MARQUIS BOUTARD, *Dictionnaire des arts du dessin*, 1826.

BONACINA, L. C. W., « John Constable's centenary : his position as a painter of weather », *Journal of the Royal Meteorological Society*, LXIII, 1937.

—, « Turner's portrayal of weather », *ibid.*, LXIV, 1938.

BONAFOUX, P., *Les Peintres et l'autoportrait,* 1984 ; éd. angl. : *Portraits of the Artist*, 1985.

BONAVENTURE, SAINT, *Opera*, 1882-1902, 10 vol.

BONI, B., « Leonardo da Vinci e l'alchimia », *Chimica*, XXX (IX), 1954.

BONNER, G., *Saint Bede in the Tradition of Western Apocalyptic Commentary* (Jarrow Lecture 1966), 1968.

BONO, P. DA FERRARA, *Preziosa Margarita Novella*, C. Crisciani (éd.), 1976.

BOODT, A. B. DE, *Gemmarum et Lapidum Historia*, Hanau, 1609.

BORA G., *Due Tavole Leonardesche*, 1987.

BORENIUS, T., *The Picture Gallery of Andrea Vendramin*, 1923.

BORGHINI, R., *Il Riposo*, Florence, 1584.

BORING, E. G., *Sensation and Perception in the History of Experimental Psychology*, 1942.

BORNSTEIN, M. H., « Name codes and color memory », *American Journal of Psychology*, LXXXIX, 1976.

—, « On light and the aesthetics of color : Lumia kinetic art », *Leonardo*, VII, 1975.

—, « Qualities of color vision in infancy », *Journal of Experimental Child Psychology*, XIX, 1975.

BORRELLI, L., « Qualche scheda sulla tecnica della pittura greca », *Bolletino dell'Istituto Centrale del Restauro*, II, 1950.

BORSCH, R., *Schopenhauer : sein Leben in Selbstzeugnissen, Briefen und Berichten*, 1941.

BÖRSCH-SUPAN, H. et JÄHNIG, K. W., *Caspar David Friedrich, Gemälde, Druckgraphik und bildmässige Zeichnungen*, 1973.

BORSOOK, E., « Documents for Filippo Strozzi's Chapel in S. Maria Novella and other related papers », *Burlington Magazine*, CXII, 1971.

—, *Ambrogio Lorenzetti*, 1966.

—, *The Mural Painters of Tuscany*, 2ᵉ éd., 1980.

— et SUPERBI GIOFFREDI, F. (éds), *Tecnica e Stile*, 1986.

BOSCHINI, M., *Le Ricche Miniere della pittura veneziana*, Venise, 1674.

BOSCOVITS, M., « Cennino Cennini : pittore non-conformista », *Mitteilungen des Kunsthistorischen Instituts in Florenz*, XVII, 1973.

BOSSI, G., « Saggi di ricerche intorno L'armonia cromatica naturale ed artificiale », *Memorie dell'Imperiale Regia Istituto del Regno Lombardo-Veneto*, 1814, 1815, II, 1821.

[BOTTARI, G.], *Dialoghi sopra le tre arti del disegno (1754)*, 2ᵉ éd., Naples, 1772.

BOTTARI, G. I., *Raccolta di lettere sulla pittura*, 2ᵉ éd., 1882.

BOTTARI, S., « Per la cultura di Oderisi da Gubbio e di Franco Bolognese » in *Dante e Bologna nei Tempi di Dante,* faculté des lettres et de philosophie de l'université de Bologne, 1967.

BOUCHON, C., BRISAC, C., LANTIER, E. et ZALUSKA, Y., « La "Belle Verrière" de Chartres », *Revue de L'art*, XLVI, 1979.

BOUILLON, J.-P., « Une visite de Félix Bracquemond à Gaston La Touche », *Gazette des Beaux-Arts*, LXXV, 1970.

BOULENGER (BULENGERUS), J. C., *De Pictura, Plastica & Statuaria*, Lyon, 1627.

BOULTON, S., « Church under a cloud : Constable and Salisbury », *Turner Studies*, III, 3, 1984.

BOULY DE LESDAIN, L., « Les plus anciennes armoiries françaises (1127-1300) », *Archives héraldiques suisses,* XI, 1897.

BOUTON, V. (éd.), *Wapenboek ou armorial de 1334 à 1372*, III, 1884.

BOUVIER, P. L., *Manuel des jeunes artistes et amateurs en peinture*, 1827.

BOVET, H., *L'Arbre des batailles*, H. Biu (éd.), 2005 ; *The Tree of Battles*, G. W. Coopland (éd. et trad. angl.), 1949 ;

BOVINI, G., (1964a), *Storia e architettura degli edifici paleocristiani di culto di Ravenna*, 1964.

—, (1964b), « Il mosaico absidiale di S. Stefano Rotondo a Roma », *Corsi d'arte Ravennata e Bizantina*, XI, 1964.

—, « Antichi rifacimenti nei mosaici di S. Apollinare Nuovo », *Corsi d'arte Ravennata e Bizantina*, XIII, 1966.

—, « Note sulla successione delle antiche fasi di lavoro nella decorazione musiva del Battistero degli Ariani », *Felix Ravenna*, LXXV, 1957

—, « Origine e tecnica del mosaico parietale paleocristiana », *Felix Ravenna*, 3ᵉ série, XIV, 1954.

—, *Antichita cristiane di Milano*, 1970.

BOWLT, J. (éd. et trad.), *Russian Art of the Avant-Garde : Theory and Criticism 1902-1934*, 1976.

—, « Concepts of Color and the Soviet avant-garde », *The Structurist*, 13/14, 1973-1974.

BOWRA, C. M., *Greek Lyric Poetry*, 2ᵉ éd., 1961.

BOWRON, E. P., « Oil and tempera mediums in early Italian paintings : a view from the laboratory », *Apollo*, C., 1974.

BOYER D'AGEN, *Ingres d'après une correspondance inédite*, 1909.

BOYER, C. B., *The Rainbow : from Myth to Mathematics*, 1959.

BOYLE, R., *Experiments & Considerations Touching Colours*, Londres, 1664.

BOYLE-TURNER, C., *Paul Sérusier*, 1983.

BRACHERT, T., « A distinctive aspect in the painting technique of the "Ginevra de" Benci » and of Leonardo's early works », *Washington National Gallery of Art : Report and Studies in the History of Art 1969*, 1970.

—, « A musical canon of proportion in Leonardo's Last Supper », *Art Bulletin*, LIII, 1971.

—, « Die beiden Felsgrottenmadonnen von Leonardo da Vinci », *Maltechnik*, LXXXIII.

—, « Radiographische Untersuchungen am Verkündigungsbild von Monte Oliveto », *Maltechnik/Restauro*, LXXX, 1974.

BRACQUEMOND, F., *Du Dessin et de la couleur*, 1885.

BRAGDON, C., *Architecture and Democracy*, 1918.

BRANCA, V., « Ermolao Barbaro e l'Umanesimo Veneziano » in *Umanesimo Europeo e Umanesimo Veneziano*, 1963.

BRANDI, C., *Il Restauro della « Maesta » di Duccio*, 1959.

BRASS, A., *Untersuchungen über das Licht und die Farben*, I Teil (un seul vol. publié), 1906.

BRATRANEK, F. T., *Goethes Naturwissenschaftliche Correspondenz*, 1874, 2 vol.

BRAULT, G. J., *Early Blazon : Heraldic Terminology in the 12th and 13th Centuries with Special Reference to Arthurian Literature*, 1972.

—, *Eight 13th. Century Rolls of Arms in French and Anglo-Norman Blazon*, 1973.

BRAUN, J., *Die liturgische Gewandung im Occident und Orient*, 1907.

BRAYLEY, E. W. et BRITTON, J., *The History of the Ancient Palace and late Houses of Parliament at Westminster*, 1836.

BREHIER, L., « Les mosaïques à fond d'azur », *Études byzantines*, III, 1945.

BREMER, D., « Hinweise zum griechischen Ursprung und zur europäischen Geschichte der Lichtmetaphysik », *Archiv für Begriffsgeschichte*, XVII, 1973.

—, « Licht als universales Darstellungsmedium », *idem*, XVIII, 1974.

BRENDEL, O., « Origin and Meaning of the Mandorla », *Gazette des Beaux-Arts*, XXV, 1944.

BRENK, B., « Early gold mosaics in Christian art », *Palette*, XXXVIII, 1971.

—, Die frühchristlichen Mosaiken in S. Maria Maggiore zu Rom, 1975.

BRENNER, E., *Nomenclatura et Species Colorum*, Stockholm, 1680.

BRERETON, G. E. et FERRIER, J. M., *Le Ménagier de Paris*, 1981.

BRESC-BAUTIER, G., *Artistes, patriciens et confréries. Production et Consommation de l'œuvre d'art à Palerme et en Sicile 1348-1460*, 1979.

BRETT, D., « The aesthetical science : George Field and the "Science of Beauty" », *Art History*, IX, 1986.

BREWSTER, D., *Treatise on the Kaleidoscope*, 1819.

BRIEGER, MEISS, M. et SINGLETON, C., *Illuminated Manuscripts of the Divine Comedy*, 1959.

BRIEGER, P., *The Trinity College Apocalypse*, 1967.

BRIGANTI, G. et al., *Gli Amori degli Dei : nuovi indagini sulla Galleria Farnese*, 1987.

BRISSEAU DE MIRBEL, C. F., *Éléments de physiologie végétale et de botanique*, 1815, 3 vol.

BRISSOT DE WARVILLE, J. P., *Memoires*, A. de Lescure (éd.), 1877.

BROMELLE, N., « Saint George and the Dragon », *The Museums Journal*, LIX, 1959/1960.

— et SMITH, P. (éds), *Conservation and Restoration of Pictorial Art*, 1976.

BROOKE, R. B., *Early Franciscan Government*, 1959.

BROUDE, N., « Realism, popular science and the re-shaping of Macchia Romanticism, 1862-1886 », *Art Bulletin*, LII, 1970.

— (éd.), *Seurat in Perspective*, 1978.

BROUWER, J. W. et al., *Anton van Rappard*, 1974.

BROWN, E. A. R. et COTHREN, M. W., « The twelfth-century Crusading

Window of the Abbey of St Denis »,
*Journal of the Warburg and Courtauld
Institutes*, XLIX, 1986.
BROWN, K. R., « The mosaics of San
Vitale : evidence for the attribution of
some Early Byzantine jewellery to Court
workshops », *Gesta*, XVIII, 1979.
BROWN, R. F., « Impressionist technique :
Pissarro's optical mixture », *Magazine of
Art*, January, 1950.
BROWN, T. M., *The Work of Gerrit
Rietveld, Architect*, 1958.
BROWNE, T., *Cyrus Garden, or the
Quincunx Mistically Considered*, Londres,
1658.
BRUCIOLI, A., « Del Arco Celeste » in
*Dialoghi di Antonio Brucioli della naturale
philosophia*, Venise, 1537-1538, 4 vol.
BRÜCKE, E., « Über die Farben, welche
trübe Medien im auffallenden und
durchfallenden Lichte zeigen »,
*Sitzungsberichte der Wiener Akademie der
Wissenschaften (Mathematische-
Naturwissenschaftliche Klasse)*, IX, 1852.
—, *Physiologie der Farben*, 1866 ; éd. fr. : *Des
couleurs au point de vue physique,
physiologique, artistique et industriel*, 1866.
—, *Principes scientifiques des beaux-arts*, 1878.
BRÜCKNER, W., « Farbe als Zeichen.
Kulturtradition im Alltag », *Zeitschrift für
Volkskunde*, LXXVIII, 1982.
BRÜES, E. « Die Schriften des Francesco
Milizia », *Jahrbuch für Ästhetik und
allgemeine Kunstwissenschaft*, VI, 1961.
BRUGNOLI, P. (éd.), *Maestri di pittura
veranese*, 1974.
BRUNEAU, P., « Les mosaïstes antiques
avaient-ils des cahiers de modèles ? »,
Revue archéologique, II, 1984.
—, *Les Mosaïques de Delos*, 1972.
BRUNO, V. J., *Form and Colour in Greek
Painting*, 1977.
—, *Hellenistic Painting Techniques : the
Evidence of the Delos Fragments*, 1985.
BRUSATIN, M., *Histoire des couleurs*, 1986.
BRUYN, J. DE, HAAK, B., VAN THIEL,
J. et VAN DE WETERING, E.,
A Corpus of Rembrandt Paintings, I, 1625-
31, 1982.
BRUYNE, E. DE, *Études d'esthétique
médiévale*, 3 vol., 1946.
BRUYNE, L. DE, « La décoration des
baptistères paléochrétiens », in *Actes du
Ve congrès international d'archéologie
chrétienne, 1954*, 1957.
BRYENNIUS, MANUEL, *Harmonics*, éd.
et trad. angl. G. H. Jonker, 1970.
BRYER, A. et HERRIN, J. (éd.),
Iconoclasm, 1977.
BUCK, R. D., « Rubens's *The Gerbier
Family* : examination and treatment »,
Studies in the History of Art (Washington,
National Gallery), 1973.
BUCKBERROUGH, S. A., « The
simultaneous content of Robert
Delaunay's Windows », *Arts Magazine*,
sept. 1979.
—, *Robert Delaunay : the discovery of
Simultaneity*, 1982.
BUDDENSIEG, T. et WINNER, M. (éds),
Minuscula Discipulorum, 1968.
BUJIC, B., *Music in European Thought, 1851-
1912*, 1988.
BULTMANN, P., *Scholia antiqua in Homeri
Odysseam*, 1821.
BULTMANN, R., « Zur Geschichte der
Lichtsymbolik im Altertum », *Philologus*,
XCVII, 1948.

BUONANNI, F., *Ricreatione dell'occhio e
della mente nell'osservation delle chiocciole*,
Rome, 1681.
BURCHARD, J., *Diarium*, 3 vol.,
L. Thuasne (éd.), 1884.
BURFORD, A., *Craftsmen in Greek and
Roman Society*, 1972.
BURNE-JONES, G., *Memorials of Edward
Burne-Jones*, 1912, 2 vol.
BURNET, J., *Practical Hints on Composition
in Painting (1822)*, 6e éd., 1845.
BURWICK, F., *The Damnation of Newton :
Goethe's Color Theory and Romantic
Reception*, 1986.
BUTLER, M., « Pigments and techniques
in the Cézanne painting *Chestnut Trees*
(Minneapolis Institute of Arts) », *Bulletin
of the American Institute for Conservation of
Artistic Works*, XIII, 1973.
BUTLER, M. H., « An investigation of the
techniques and materials used by Jan
Steen », *Philadelphia Museum of Art
Bulletin*, LXXVIII, 1982/1983.
BUTLIN, M., *Samuel Palmer's sketchbook of
1824*, 1962.
—, *The Paintings and Drawings of William
Blake*, 1981.
—, et JOLL, E., *The Paintings of J. M.
W. Turner*, 2e éd., 1984 ; éd. fr. *J. M. W
Turner, Vie et œuvre*, 1984.
BUZZEGOLI, E., « Michelangelo as a
colourist revealed in the Conservation
of the Doni Tondo », *Apollo*, CXXVI,
1987.
CACHIN, F., *Signac*, 1971.
CADOGAN, J. K., « Linen drapery studies
by Verocchio, Leonardo and
Ghirlandaio », *Zeitschrift für
Kunstgesellichte*, XLIV, 1983.
CADORIN, P., VEILLON, M., et
MÜHLETHALER, B., « Décoloration
dans la couche picturale de certains
tableaux de Vincent van Gogh et de Paul
Gauguin » in K. Grimstad (éd.),
*International Council of Museums
Committee for Conservation : 8th Triennial
Meeting, Sydney, Australia*, I, 1987.
CAGIANO DI AZEVEDO, M., « Il colore
nella antichità », *Aevum*, XXVIII, 1954.
CAHN, W., *Masterpieces : Chapters in the
History of an Idea*, 1979.
CAIGER-SMITH, A., *Lustre Pottery.
Technique, Tradition and Innovation in Islam
and the Western World*, 1985.
CALABI-LIMENTANI, I., *Studi sulla
società romana : il lavoro artistico*, 1958.
CALLEN, A., « Impressionist techniques
and the politics of spontaneity », *Art
History*, XIV, 1991.
—, *Techniques of the Impressionists*, 1982.
CALVESI, M., « A Noir (Melencholia I) »,
Storia dell'Arte, IV, 1969.
—, « La Tempesta di Giorgione come
ritrovamento di Mosé », *Commentari*,
XIII, 1962.
CAMERON, A., « The Virgin's robe : an
episode in the history of early seventh-
century Constantinople », in *Continuity
and Change in Sixth-Century Byzantium*,
1981.
CAMERON, M. A. S., JONES, R. E. et
PHILIPPAKIS, S. E., « Analysis of Fresco
samples from Knossos », *Annual of the
British School at Athens*, LXXII, 1977.
CAMESASCA, E., *Artisti in bottega*, 1966.
CAMP, M. DU, *Souvenirs littéraires*, 1962.
CAMPANELLA, T., *Opere di Giordano
Bruno e di Tomaso Campanella*, A. Guzzo

et R. Amerio (éds), 1956.
CAMPBELL, J., *The German Werkbund*,
1978.
CAMPBELL, L. et STEER, F., *A Catalogue
of the Manuscripts in the College of Arms*, I,
1988.
CANOVA, G. M., « Riflessioni su Jacopo
Bellini e sul libro dei disegni del
Louvre », *Arte Veneta*, XXVI, 3, 1972.
CAPIZZI, C., *PANTOKRATOR : Saggio
d'esegesi letterario-iconografica*, 1964.
CARANDINI, A., *Ricerche sullo stile e la
cronologia dei mosaici della Villa di Piazza
Armerina* (Seminario di Archeologia e
Storia dell'Arte Greca e Romana
dell'Università di Roma : *Studi
Miscellanei*, VIII), 1961-1962.
CARBONELLI, G., *Sulle fonti storiche della
chimia e dell'alchimia in Italia*, 1925.
CARDANO, G., *Opus Novum de
Proportionibus Liber V*, Bâle, 1570.
CAREY, W., *Letter to Ixxx Axxxxx A
Connoisseur in London*, Manchester, 1809.
CARLI, E., *Il Pintoricchio*, 1960.
—, *Il Sodoma a Sant'Anna in Caprena*, 1974.
CARMEAN, E. A., Jr., *Mondrian : the
Diamond Compositions*, Washington,
National Gallery of Art, 1979.
CARON, L., « The use of color by Rosso
Fiorentino », *Sixteenth Century Journal*,
XIX, 3, 1988.
CARTIER, J. A., « Gustave Moreau,
Professeur à l'École des Beaux-Arts »,
Gazette des Beaux-Arts, LXI, 1963.
CARUS, C. G., *Goethe (1842)*, W.-E.
Peuckert (éd.), 1948.
—, *Reise durch Deutschland, Italien und die
Schweitz im Jahre 1828*, 1835, 2 vol.
CARUS-WILSON, E., « La guède
française en Angleterre : un grand
commerce du moyen-âge », *Revue du
Nord*, XXXV, 1953.
CASSAGNE, A., *Traité d'aquarelle (1875)*,
2e éd., 1886.
CAST, D., *The Calumny of Apelles: a Study
of the Humanist Tradition*, 1981.
CASTEL, L. B., [compte rendu de]
I. Newton, *Traité d'optique, Mémoires de
Trévoux*, août 1723.
—, [compte rendu de] J. C. Le Blon,
Coloritto, Mémoires de Trévoux, août 1737.
—, [compte rendu de] J. P. Rameau,
« Nouveau système de musique
théorique », *Journal de Trévoux*, mars 1728.
—, [compte rendu de] J. P. Rameau, « *Traité
de l'harmonie* », *Journal de Trévoux*, oct.-
nov. 1722.
—, « Difficultés sur le clavecin oculaire
avec leurs réponses », *Mercure de France*,
mars 1726.
—, « Lettre à M. D [ecourt] », *Mercure de
France*, nov. 1725.
—, « Nouvelles expériences d'optique et
d'acoustique, part. II-IV », *Mémoires de
Trévoux*, août-oct. 1735.
—, « Projet d'une nouvelle optique des
couleurs, fondée sur les observations, et
uniquement relative à la peinture, à la
teinture, et aux autres arts coloristes »,
Mémoires de Trévoux, avril 1739.
—, *L'Optique des Couleurs*, 1740.
—, « Projet d'une nouvelle optique des
couleurs fondée sur les observations et
uniquement relative à la peinture, à la
teinture et aux autres arts coloristes »,
*Mémoires pour l'histoire des sciences et des
beaux-arts (Journal de Trévoux)*,
avril 1739.

CASTIGLIONE, B., *Il Libro del Cortegiano*,
V. Cian (éd.), 1946.
CASWELL, A. B., « The Pythagoreanism
of Arcimboldo », *Journal of Aesthetics and
Art Criticism*, XXXIX, 1980.
CAUSSY, F., « Psychologie de
l'Impressionnisme », *Mercure de France*,
déc. 1904.
Il Cavaliere d'Arpino, Rome, Palazzo
Venezia, cat. expo., 1973.
CENNINI, C., *Le Livre de l'art ou traité de
la peinture*, trad. V. Mottez (1858), 2e éd.,
1911 (réimp. 1978 ; 1982) (éd. ital. : *Il
Libro dell'arte*, F. Brunello (éd.), 1971 ; éd.
et trad. angl. D. V. Thompson, 1933).
CENTRE UNIVERSITAIRE DES
ÉTUDES et DE RECHERCHES
MÉDIÉVALES D'AIX, *Les Couleurs au
Moyen-Âge*, 1988.
CÉZANNE, P., *Correspondance*, J. Rewald
(éd.), 1978.
CHALCIDIUS, *Platonis Timaeus interprete
Chalcidio*, J. Wrobel (éd.), 1963.
CHAMBERS, D. S., *Patrons and Artists in
the Italian Renaissance*, 1970.
CHANDLER, A. R., *Beauty and Human
Nature*, 1934.
CHAPANIS, A., « Color names for color
space », *American Scientist*, LIII, 1965.
CHAPTAL, J. A., *Chimie appliquée aux arts*,
1807, 4 vol.
Chardin, cat. expo. Paris, Grand Palais, 1979.
CHARLETON, W., *Exercitationes de
Differentiis & Nominibus Animalium*,
Oxford, 1677.
CHARLTON, W., *Aristotle's Physics, Books I
and II*, 1970.
CHASSE, C., *The Nabis and their Period*,
1969.
CHASTEL, A. et al., *La Capella Sistina, I :
Primi restauri, la scoperta del colore*, 1986.
CHENEY, S., *A Primer of Modern Art
(1924)*, 7e éd., 1932.
CHEVREUL, E., *De la loi du contraste
simultané des couleurs*, 1839, rééd. 1889
(*Principles of Harmony and Contrast of
Colours*, trad. angl. C. Martel, 1854)
—, « Complément des études sur la vision
des couleurs », *Mémoires de 1'Académie des
Sciences*, 2e sér., XLI, 1879.
—, *Des couleurs et de leurs applications aux
arts industriels*, 1864.
CHRÉTIEN DE TROYES, *Érec et Énide*,
C. W. Carroll (éd. et trad.), 1987.
CHRISTE, Y. (éd.) *L'Apocalypse de Jean*,
1979.
— et JAMES, M. R., *Apocalypse de Jean.
Fac-simile du Manuscrit Douce 180*, 1981.
CHRISTIANSEN, K., *Gentile da Fabriano*,
1982.
CHRISTINE DE PISAN, *The Book of
Fayttes of Armes and of Chivalrye*, A. T.
P. Byles (éd.), 1937.
CHU, P. TEN-DOESSCHATE, « Lecoq
de Boisbaudran and memory drawing:
a teaching course between idealism
and naturalism » in G. P. Weisberg (éd.),
The European Realist Tradition, 1982.
CHYDENIUS, J., *The Theory of Medieval
Symbolism*, 1960.
CIAN, V., « Del significato dei colori e dei
fiori nel Rinascimento Italiano », *Gazetta
Letteraria*, 13-14, 1894.
—, *Un Illustre Nunzio Ponteficio, Baldassare
Castiglione*, 1951.
CIOTTI, A., « Alano e Dante », *Convivium*,
XXVIII, 1960.
CLAUSSEN, P. C., « Goldschmiede des

Mittelalters », *Zeitschrift des deutschen Vereins für Kunstwissenschaft*, XXXII, 1978.

CLAVIJO, *Embassy to Tamerlane, 1403-1406*, trad. angl. G. Le Strange, 1928.

CLEARWATER, B., *Mark Rothko : Works on Paper*, 1984.

CLICHTOVE, J., *Philosophiae Naturalis Paraphrasis*, Paris, 1510.

COHEN, A. A., *Herbert Bayer : the Complete Works*, 1984.

—, *Sonia Delaunay*, 1975.

COHEN, H. F., *Quantifying Music : the Science of Music in the First Stage of the Scientific Revolution, 1580-1650*, 1984.

COHEN, I. B. (éd.), *Isaac Newton's Papers and Letters on Natural Philosophy*, 1958.

COHEN, J. et GORDON, D. A., « The Prevost-Fechner-Benham subjective colors », *Psychological Bulletin*, 1949.

COHEN, M. B. (éd.), *Mark Rothko's Harvard Murals*, Center for Conservation and Technical Studies, Harvard University Art Museums, 1988.

COHN, J., « Experimentelle Untersuchungen über die Gefühlsbetonung der Farbenhelligkeiten und ihre Combinationen », *Philosophische studien*, X, 1894.

COLE, B., *Agnolo Gaddi*, 1977.

COLISH, M. L., « A twelfth-century Problem » *Apollo*, LXXXVIII, 1968.

COLLARD, G., « On the tragedian Chaeremon », *Journal of Hellenic Studies*, XC, 1970.

Colour Since Matisse, festival international d'Édimbourg, cat. expo., 1985.

COMINALE, C., *Anti-Newtonianismi Pars Prima, in qua Newtoni de Coloribus Systema ex Propriis Principiis Geometrice Evertitur*, Naples, 1754.

COMOTTI, G., *Music in Greek and Roman Culture*, 1989.

COMPTON, S., *Chagall*, Londres, Royal Academy, cat. expo., 1985.

CONANT, K. J., « Édifices marquants dans l'ambiance de Pierre le Vénérable et Pierre Abélard » in *Pierre Abélard, Pierre le Vénérable, les courants philosophiques, littéraires et artistiques en Occident au milieu du XIIᵉ siècle* (Cluny, 1972), 1975.

CONDIVI, A., *Vie de Michelangelo Buonarotti*, (1553), B. Faguet (trad.), 1997.

CONISBEE, P., « Pre-Romantic plein-air painting », *Art History*, II, 1979.

CONISBEE, P., *Chardin*, 1986.

CONRAD-MARTIUS, H., « Farben : ein Kapitel aus der Realontologie », *Festschrift für Edmund Husserl (Ergänzungsband zum Jahrbuch für philosophische und phänomenologische Forschung)*, 1929.

CONSEIL DE L'EUROPE, *The Romantic Movement*, cat. expo., Londres, Conseil de l'Europe, 1959.

CONSTABLE, W. G., *Richard Wilson*, 1954.

CONSTANTIN VII PORPHYROGÉNÈTE, *Le Livre des Cérémonies*, A. Vogt (éd.), 1935-1940, 4 vol.

CONTI, A., *La Miniatura bolognese : scuole e botteghe, 1270-1340*, 1981.

—, *Michelangelo e la pittura a fresco. Tecnica e conservazione della volta Sistina*, 1986.

—, *Storia del restauro*, 2ᵉ éd., 1988.

COOK, B., « Painted panel from Saqqâra », *British Museum Yearbook*, II, 1977.

COOKE, D., *Collected Works of Velimir Khlebnikov*, 1987.

COOMARASWAMY, A. K., « Medieval Aesthetic I : Dionysius the Pseudo-Areopagite and Ulrich Engelberti of Strassburg », *Art Bulletin*, XVII, 1935.

—, « Medieval Aesthetic II : St Thomas Aquinas on Dionysius and a note on the relation of beauty to truth », *Art Bulletin*, XX, 1938.

COOPER, D., *Paul Gauguin : 45 Lettres à Vincent, Théo et Jo Van Gogh*, 1983.

COOPER, H. A., *John Trumbull : the Hand and Spirit of a Painter*, cat. expo. New Haven, Yale University Art Gallery, 1982.

COOPER, J., « John Gibson and his Tinted Venus », *Connoisseur*, CLXXVIII, 1971.

COPLEY, J. S., *Letters and Papers of John Singleton Copley and Henry Pelham*, 1914.

COREMANS, P., « L'autoportrait de Rembrandt à la Staatsgalerie de Stuttgart », *Jahrbuch der taatliche Kunstsammlungen in Baden-Württemberg*, II, 1965.

—, « Technische inleiding tot de studie van de Vlaamse Primitieven », *Gentse Bijdragen tot de Kunstgeschiednis*, XII, 1950.

— et THISSEN, J., « Composition et structure des couches originales » in « *La Descente de Croix de Rubens. Étude préalable au traitement* », *Bulletin de l'Institut Royal du Patrimoine Artistique*, V, 1962.

CORIPPUS, FLAVIUS CRESCENTIUS, *In Laudem Justini Augusti Minoris*, A. Cameron (éd. et trad.), 1976.

CORMACK, R. S., « The mosaic decoration of S. Demetrios, Thessaloniki », *Annual of the British School in Athens*, LXIV, 1969.

— et HAWKINS, E. J. W., « The mosaics of St Sophia at Istanbul : the South-West Vestibule and Ramp », *Dumbarton Oaks Papers*, XXXI, 1977.

CORNELIUS A LAPIDE, *Commentaria in Scripturam Sacram*, 1865, 24 vol.

CORNFORD, F. M., *Plato's Cosmology*, 1937.

CORNILL, A., *Johann David Passavant*, 1864, 2 vol.

CORRI, A., « Gainsborough's early career : new documents and two portraits », *Burlington Magazine*, CXXV 1983.

COTRUGLI, B., *Della Mercatur del mercante perfetto (1458)*, Brescia, 1602.

COULTON, G. G., *Art of the Reformation*, 2ᵉ éd., 1953.

COURTHION, P., *Courbet raconté par lui-même et par ses amis*, 1950, 2 vol.

COUWENBERGH, P. et DIEU, J., « Les œuvres algébriques de 1930-1935 : de l'unité vers l'infinité », *ICSAC Cahier*, I, 1983.

COWART, J. et al., *Henri Matisse Paper Cut-outs*, 1977.

—, *Matisse in Morocco : the Paintings and Drawings, 1912-13*, 1990.

CRAIG, W. M., *A Course of Lectures on Drawing, Painting and Engraving*, 1821.

CRAMP, R., « Decorated window-glass from Monkwearmouth », *Antiquaries Journal*, L, 1970.

—, « Glass finds from the Anglo-Saxon Monastery of Monkwearmouth and Jarrow » in R. J. Charleston, W. Evans et A. E. Werner (éds), *Studies in Glass History and Design*, 1968.

CRANMER, D., « Ephemeral paintings on "permanent view" : the accelerated ageing of Mark Rothko's paintings », comité de restauration ICOM, rencontre de la 8ᵉ triennale, Sydney, *Preprints* I, 1987b.

—, « Painting materials and techniques of Mark Rothko : consequences of an unorthodox approach » in *Mark Rothko 1903-70*, Londres, Tate Gallery, 1987a.

CRAVEN, D., « Abstract Expressionism, Automatism and the age of Automation », *Art History*, XIII, 1990.

CRAWFORD, J. C., « Die Glückliche Hand : Schoenberg's Gesamtkunstwerk », *Musical Quarterly*, LX, 1974.

CRISCIANI, C., « The conception of alchemy as expressed in the "Pretiosa Margarita Novella" of Petrus Bonus of Ferrara », *Ambix*, XX, 1973.

CROCKER, R. L., « Discant, Counterpoint and Harmony », *Journal of the American Musicological Society*, XV, 1962.

—, « Pythagorean mathematics and music », *Journal of Aesthetics and Art Criticism*, XXII, 1963.

CROMBIE, A. C., *Robert Grosseteste and the Origins of Modern Science*, 1961.

CRONE, R., « Zum Suprematismus – Kasimir Malevič, Velimir Chlebnikov und Nicolai Lobačevski », *Wallraf-Richartz Jahrbuch*, XL, 1978.

CROPPER, E., « Poussin and Leonardo : the evidence of the Zaccolini MSS », *Art Bulletin*, LXII, 1980.

—, *The Ideal of Painting : Pietro Testa's Düsseldorf Notebook*, 1984.

CROSBY, S. McK., « An international workshop in the twelfth century », *Journal of World History*, X, 1966.

—, HAYWARD, J., LITTLE, C. T. et WIXOM, W. D., *The Royal Abbey of Saint-Denis in the Time of Abbot Suger*, New York, Metropolitan Museum of Art, 1981.

CROSLAND, M. P., *Historical Studies in the Language of Chemistry*, 1962.

CROWE, J. et CAVALCASELLE, G., *The Life and Times of Titian*, 2ᵉ éd., 1881, 2 vol.

CUMONT, F., *Lux Perpetua*, 1949.

CUREAU DE LA CHAMBRE, M., *Nouvelles Observations et conjectures sur l'iris*, Paris, 1650.

CURJEL, H., *Experiment Krolloper, 1927-1931*, 1975.

CURTIUS, L., *Die Wandmalerei Pompeis*, 2ᵉ éd., 1960.

CYRILLE D'ALEXANDRIE, *Catéchèses mystagogiques*, P. Paris (trad.), 2004.

DAGOGNET, F., *Le Catalogue de la vie*, 1970.

DAHNENS, E., *Van Eyck*, 1980.

DAMISCH, H., « La Géométrie de la couleur » in C. de Pedretti (éd.), *Cézanne, ou la peinture en jeu* (Colloque d'Aix), 1982.

DAMMANN, O., « Goethe und C. F. Schlosser », *Jahrbuch der Goethe-Gesellschaft*, XVI, 1930.

DANCE, S. P., *Shell-Collecting : an Illustrated History*, 1966.

DANIEL DE MORLEY, *Liber de Naturis Inferionum et Superionum*, K. Sudhoff (éd.), in *Archiv für die Geschichte der Naturwissenschaften und der Technik*, VIII, 1917.

DARBY, E., « John Gibson, Queen Victoria, and the idea of sculptural polychromy », *Art History*, IV, 1981.

DARMON, A., *Les Corps immatériels. Esprits et images dans l'œuvre de Marin Cureau de la Chambre*, 1985.

DARWIN, E., *Poetical Works*, 1806, 3 vol.

—, *Zoonomia*, 2ᵉ éd., Londres, 1796, 2 vol.

DARWIN, R. W., « On the ocular spectra of light and colours », *Philosophical Transactions of the Royal Society*, LXXVI, 1785.

DATI, C., *Vite dei pittori antichi*, 1667.

DAUPHIN, C., « Byzantine pattern-books : a re-examination of the problem », *Art History*, I, 1978.

DAVAL, J.-L., *Oil Painting*, 1985.

DAVID D'ANGERS, P.-L., *Carnets*, A. Bruel (éd.), 1958, 2 vol.

DAVIS, J. W., lettre in *Leonardo*, XII, 1979.

DAVIS-WEYER, C., *Early Medieval Art, 300-1150*, 1971.

DAYES, E., *Works*, E. W. Brayley (éd.), 1805.

De Arte Illuminandi, F. Brunello (éd.), 1975 (éd. fr. *L'Art d'enluminure*, 1890).

De David à Delacroix, cat. expo., Paris, Grand Palais, 1974-1975.

DE KOONING, E., « Albers paints a picture », *Art News*, XLIX, nov. 1950.

DÉAL, J.-N., *Nouvel essai sur la lumière et les couleurs… ouvrage utile aux opticiens et aux peintres…* (1823), 2ᵉ éd, 1827.

DEAN, R. J., « An early treatise on heraldry in Anglo-Norman » in V. T. Kolmes (éd.), *Romance Studies in Memory of E. Billings Ham*, 1967.

DECKER, H., *Carl Rottmann*, 1957.

DEGENHART, B. et SCHMITT, A., *Corpus der italienischen Zeichnungen 1300-1450*, part. I, IV, 1968.

DEHNOW, F., « Hörbare Farben », *Allgemeine Musik-Zeitung*, XLVI, 1919.

DEICHMANN, F., *Frühchristlichen Bauten und Mosaiken von Ravenna*, 1958.

—, *Ravenna : Hauptstadt des spätantiken Abendlandes*, II, 1974.

DELABORDE, H., *Notes et pensées de J. A. D. Ingres*, 1984 (rééd. d'après *Ingres : sa Vie, ses Travaux, sa Doctrine*, 1870).

DELACROIX, E., *Correspondance générale*, A. Joubin (éd.), 1935-1938, 5 vol.

—, *Journal*, A. Joubin (éd.), 2ᵉ éd., 1980.

—, *Œuvres littéraires*, 1923.

Sonia Delaunay : a Retrospective, Buffalo, Albright-Knox Art Gallery, cat. expo., 1980 ; éd. fr. : cf. aussi *Nous irons jusqu'au soleil*, J. Damase et P. Raynaud (éds), 1978.

DELAUNAY, S., « Collages de Sonia et de Robert Delaunay », *XXᵉ siècle*, janv. 1956.

DELAUNAY, R., *Du Cubisme à l'Art Abstrait*, P. Francastel (éd.), 1957.

Robert Delaunay, Baden-Baden, Staatliche Kunsthalle, cat. expo., 1976.

Robert et Sonia Delaunay, Paris, Musée d'Art Moderne de la Ville de Paris, cat. expo., 1985.

DELBOURGO, S. et PETIT, J., « Application de l'analyse microscopique et chimique à quelques tableaux de Poussin », *Bulletin du Laboratoire du Musée du Louvre*, V, 1960.

—, RIOUX, J. P. et MARTIN, E., « L'analyse des peintures du "Sudiolo" d'Isabelle d'Este, II : étude analytique de la matière picturale », *Annales du Laboratoire des musées de France*, 1975.

DELCOURT, M., *Pyrrhos et Pyrrha :*

recherches sur les valeurs du feu dans les légendes helléniques, 1965.

DELISLE, L., *Inventaire des manuscrits de la Bibliothèque Nationale : fonds de Cluni*, 1884.

DELORT, R., *Le Commerce des fourrures en Occident à la fin du Moyen Âge*, 1978.

DELVOYE, C., « Les Tissus byzantins », *Corsi d'arte Ravennata e Bizantina*, XVI, 1969.

DEMUS, O., « The ciborium Mosaics of Parinzo », *Burlington Magazine*, LXXXVII, 1945.

—, *The Church of S. Marco in Venice : History, Architecture, Sculpture*, 1960.

—, *The Mosaics of Norman Sicily*, 1949.

—, *The Mosaics of S. Marco in Venice*, 1984.

DENIS L'ARÉOPAGITE, *Œuvres complètes*, M. de Gandillac (éd.), 1995.

DENIS, M., *Le Ciel et l'Arcadie*, J.-P. Bouillon (éd.), 1993.

DENNYS, R., *The Heraldic Imagination*, 1975.

DENYS DE FOURNA, *The painter's Manual*, P. Hetherington (trad.), 1974.

DEPERTHES, J.-B., *Histoire de l'Art du paysage*, 1822.

DERAIN, A., *Lettres à Vlaminck*, 1955.

DEROUET, C. et BOISSEL, J., *Œuvres de Vassily Kandinsky (1866-1944)*, 1985.

DEWHURST, W., « What is Impressionism ? », *Contemporary Review*, XCIX, 1911.

DICKREITER, M., *Der Musiktheoretiker Johannes Kepler*, 1973.

Dictionnaire d'archéologie chrétienne et de liturgie, XII, 1935.

Dictionnaire de spiritualité, C. Baumgartner (éd.), 1953-1995, 20 vol.

DIDEROT, D., *Œuvres esthétiques*, P. Vernière (éd.), 1965.

— et D'ALEMBERT, J., *Encyclopédie*, 2ᵉ éd., 1751-1765, 17 vol.

DIDRECK DE BERNE, *Die Geschichte Thidreks von Bern*, F. Erichsen (trad.), 1924.

—, *Saga*, G. Jonsson (éd.), 1951.

DIEHL, C., *Manuel d'art byzantin*, 1910.

DIEHL, E. (éd.), *Inscriptiones Latinae Christianae Veteres* (1925), 1963.

DIELS, H., *Doxographi Graeci*, 1879.

DIETERICI, F., *Alfarabis philosophische Abhandlungen*, 1802.

[DIGBY, K.], *Two Treatises : in the one of which, the Nature of Bodies… is looked into…* (1644), 2ᵉ éd., 1658.

DIMMICK, F. L. et HUBBARD, M. R., « The spectral location of psychologically unique yellow, green and blue », *American Journal of Psychology*, LII, 1939.

DISERTORI, B., « Il Domenichino pittore, trascrittore di musiche e musicologo » in *La Musica nei Quadri Antichi*, 1978.

DITTMANN, L., *Farbgestaltung und Farbtheorie in der abendländischen Malerei*, 1987.

DIX, G., *The Shape of the Liturgy*, 1945.

DOBBS, B. J. T., *The Foundations of Newton's Alchemy, or The Hunting of The Greene Lyon*, 1975.

DODDS, E. R., *The Greeks and the Irrational*, 2ᵉ éd., 1971 (trad. fr. : *Les Grecs et l'irrationnel*, 1977).

DODWELL, C. R., *Anglo-Saxon Art – a New Perspective*, 1982.

DOESBURG, N. VAN, « Some memoirs of Mondrian », Studio International,

CLXXXII, 1971.

DOESBURG, T. VAN, « Von der neuen Aesthetik zur materiellen Verwirklichung », De Stijl, VI, 1923 (réimp. 1968).

—, Principles of Neo-Plastic Art (1925), d'après Grondbegrippen van de nieuwe beeldende Kunst (1919), S.V. Barbieri, C. Boekrad, J. Leering (éds) 1983, 1969.

DOIG, A., *Theo van Doesburg : Painting into Architecture, Theory into Practice*, 1986.

DOLCE, L., *Dialogo nel quale si ragiona della qualità, diversità e proprietà dei colori*, Venise, 1565.

DÖLGER, F. J., « Die Sonne der Gerechtigkeit und der Schwarze », *Liturgiegeschichtliche Forschungen*, II, 1918.

—, « Lumen Christi : Untersuchungen zum abendlichen Lichtsegen in Antike und Christentum », *Antike und Christentum*, V, 1936.

—, « Sol Salutis », *ibid.*, IV-V, 1925.

DONI, A. F., *Disegno*, Venise, 1549.

DORAN, M. (éd.), *Conversations avec Cézanne*, 1978.

DORRA, H. et REWALD, J., *Seurat*, 1959.

DOSSIE, R., *The Handmaid to the Arts* (1758), 2ᵉ éd., Londres, 1764, 2 vol.

Le Dossier d'un tableau : Saint Luc peignant la Vierge de Martin van Heemskerk, cat. expo. Rennes, Musée des Beaux-Arts, 1974.

DOUET D'ARCQ, L., « Un traité du blason du XVᵉ siècle », *Revue Archéologique*, XV, 1858.

DOWLEY, F. H., « Carlo Maratti, Carlo Fontana and the Baptismal Chapel in St Peter's », *Art Bulletin*, XLVII, 1965.

DOWNEY, G., « Ekphrasis » in *Reallexikon für Antike und Christentum*, IV, 1959.

DRACHENBERG, E., MAERCKER, K.-J. et SCHMIDT, C., *Die mittelalterliche Glasmalerei in den Ordenskirchen und im Angermuseum zu Erfurt* (Corpus Vitrearum Medii Aevi-DDR, I, i), 1976.

DRONKE, P., « Tradition and Innovation in mediaeval western colour imagery », *Eranos Yearbook*, XLI, 1972/1974.

DU FRESNOY, C. A., *De Arte Graphica*, Paris, 1667.

DUBERMANN, M., *Black Mountain : an Exploration in Community*, 1972.

DUBY, G., *La Société aux XIᵉ et XIIᵉ siècles dans la région mâconnaise*, 2ᵉ éd., 1971.

DUCK, M. J., « Newton and Goethe on colour : physical and physiological considerations », *Annals of Science*, XLV, 1988.

DUELL, P. et GETTENS, R. J., « A method of painting in Classical times », *Technical Studies in the Field of Fine Arts*, IX, 1940.

DUHEM, P., *Léonard de Vinci*, 1906-1913, 3 vol.

DULON, G., et DUVIVIER, C., *Louis Hayet. 1864-1940*, 1991.

DUPUY DU GREZ, B., *Traité sur la peinture pour en apprendre la théorie et se perfectionner dans la pratique*, Paris-Toulouse, 1699.

DURAND DE MENDE, *Rationale Divinorum Officiorum*, V. d'Avino (éd.), 1859.

DÜRBECK, H., *Zur Charakteristik der griechischen Farbenbezeichnungen*, 1977.

DÜRER, A., *Schriftlicher Nachlass*, H. Rupprich (éd.), 1956-1969, 3 vol.

DYGGVE, E., « Sui mosaici pavimentali », *Stucchi e mosaici alto medioevali*

(Atti dell'ottavo congresso di studi sull'arte dell'alto medioevo), I, 1962.

EAMON, W., « New light on Robert Boyle and the discovery of color indicators », *Ambix*, XXVII, 1980.

EASTLAKE, C. L., *Contributions to the Literature of Fine Arts*, 1848.

—, *Materials for a History of Oil Painting*, 1847-1869, 2 vol.

EASTWOOD, B S., « Grosseteste's "quantitative" law of refraction », *Journal of the History of Ideas*, XXVIII, 1967.

—, « Robert Grosseteste's theory of the rainbow: a chapter in the history of non-experimental science », *Archives Internationales d'Histoire des Sciences*, XIX, 1966.

EBERSOLT, J., *Les Arts somptuaires de Byzance*, 1923.

ECO, U., *Art and Beauty in the Middle Ages*, 1988.

EDDIUS, S. *The Life of Bishop Wilfrid*, B. Colgrave (éd.), 1927.

EDGERTON, M. F., « Tractatus de Coloribus », *Mediaeval Studies*, XXV, 1963.

EDGERTON, S. Y. Jr., « Alberti's Colour Theory: a Mediaeval Bottle without Renaissance Wine », *Journal of the Warburg and Courtauld Institutes*, XXXII, 1969.

EDGEWORTH, R. J., « Does purpureus mean "bright" ? » *Glotta*, LVII, 1979.

ÉGÉRIE, *Itinerarium Egeriae*, O. Prinz (éd.), 1960.

—, *Journal de voyage*, Diaz y Diaz Manuel (trad.), 1982 (trad. angl. : *Travels*, J. Wilkinson (trad.), 1971).

EGGENBERGER, C., « Ein spätantike Virgil-Handschrift : Die Miniaturen des Vergilius Romanus (Cod. Vat. Lat. 3867) », *Sandoz-Bulletin*, XXIX, 1973.

EHRLE, F., « Zur Geschichte des Schatzes, der Bibliothek und des Archivs der Päpste im 14 Jh. », *Archiv für Literatur- und Kirchengeschichte des Mittelalters*, I., 1885.

ELDERFIELD, J., *Matisse in the Collection of the Museum of Modern Art*, 1978.

—, *Morris Louis*, 1986.

ELLENIUS, A., *De Arte Pingendi : Latin Art Literature in Seventeenth-century Sweden and its International Background*, 1960.

EMILIANI, A., *Mostra di Federico Barocci*, Bologne, Museo Civico, 1975.

Enciclopedia dell'arte antica, classica e orientale, II, 1959.

Encyclopédie Française – Arts et Littératures, XVI, 1935.

ENGASS, R., *The Painting of Baciccio. Giovanni Battista Gaulli, 1639-1709*, 1964.

ENGELBERTI, U., *De Pulchro*, M. Grabmann (éd.), *Sitzungsberichte der Bayrischen Akademie der Wissenschaften : Philos., Philol., und Hist. Klasse*, V, 1925.

ENGELS, I. I., *Zur Problematik der Mittelaltearlichen*, 1937.

ENGEN, J. VAN, « Theophilus Presbyter and Rupert of Deutz : the Manual arts and Benedictine theology in the early twelfth century », *Viator*, XI, 1980.

ENGLEFIELD, H. C., « An account of two haloes, with parhelia », *Journal of the Royal Institution*, II, 1802.

English Romanesque Art, 1066-1200, Londres, Hayward Gallery, cat. expo., 1984.

EPHRUSSI, C., « S.-J. Rochard », *Gazette des Beaux-Arts*, 3ᵉ pér. VI, 1891.

EQUICOLA, M., *Libro de Natura de Amor*, Venise, 1525.

Erasmi epistolae, P. S. Allen (éd.), 1906-1958, 12 vol.

ERDMAN-MACKE, E., *Erinnerungen an August Macke*, 1962.

ERFFA, H. VON, « The Bauhaus before 1922 », *College Art Journal*, III, 1943.

— et STALEY, A., *The Paintings of Benjamin West*, 1986.

ERHARDT-SIEBOLD, E. VON, « Some inventions of the Pre-Romantic period and their influence upon literature », *Englische Studien*, LXVI, 1931-1932.

ERIGÈNE, JEAN SCOT dit, *Periphyseon (De Divisione Naturae)*, 3 vol., I. P. Sheldon-Williams (éd.), 1968-1981.

ERNST, M., « As Ernst remembers Mondrian », *Knickerbocker Weekly*, 14 fév. 1944.

ERPEL, F., *Van Gogh: the Self-Portraits*, 1964.

ESMEIJER, A. C., *Divina Quaternitas*, 1978.

ESSICK, R. N., *William Blake, Printmaker*, 1980.

ETTINGHAUSEN, R., *Arab Painting*, 1962.

ETTLINGER, L. D., *The Sistine Chapel before Michelangelo*, 1965.

EULER, W., *Die Architekturdarstellung in der Arena-Kapelle. Ihre Bedeutung für das Bild Giottos*, 1967.

EVANS, B. C., « Physiognomics in the Ancient World », *Transactions of the American Philosophical Society*, N.S., LIX, pt 5, 1969.

EVANS, J., *Dress in Mediaeval France*, 1952.

—, *Magical Jewels of the Middle Ages and the Renaissance*, 1922.

EVANS, M., « An illustrated Fragment of Peraldus's Summa of Vice », *Journal of the Warburg and Courtauld Institutes*, XLV, 1982.

EVANS, M. W., « The Geometry of the Mind », Architectural Association Quarterly, XII, 4, 1980.

EVANS, R. J. W., *Rudolf II and His World*, 1973.

EVANS, R. M., *Introduction to Color*, 1948.

EVELYN, J., *Sculptura* (1662), C. F. Bell (éd.), 1906.

EX, S. et HOEK, E., *Vilmos Huszar, Schilder en Ontwerper 1884-1960*, 1985.

EYSENCK, H. J., « A critical and experimental study of color preferences », *American Journal of Psychology*, LIV, 1941.

FAGIOLO DELL'ARCO, M., *Futurballa*, 1970.

—, *Il Parmigianino : saggio sull'Ermetismo nel cinquecento*, 1970.

FAIVRE, E., *Œuvres scientifiques de Goethe*, 1862.

FAKHRY, M., *A History of Islamic Philosophy*, 1970.

FALK, F., *Edelsteinschliff und Fassungsform*, 1975.

FALKE, O. VON, *Kunstgeschichte der Seidenweberei*, 1921.

FALLANI, G., « Postilla su Oderisi e Franco », *Studi danteschi*, L, 1973.

—, « Ricerca sui protagonisti della miniatura dugentesca », *Studi danteschi*, XLVIII, 1971b.

—, *Dante e la cultura Figurativa medioevale*, 1971a.

FANTI, M., « Le postille Carraccesche alle

"Vite" del Vasari : il testo originale », *Il Carrobbio*, V, 1979.

Fantin-Latour, cat. expo. Paris, Grand Palais, 1982.

FARADAY, M., *Selected Correspondence*, L. Pearce Williams (éd.), 1971, 2 vol.

FARAGO, C. J., « Leonardo's color and chiaroscuro reconsidered: the visual force of painted images », *Art Bulletin*, LXXIII, 1991.

FARAL, E., *Les Arts poétiques du XIIe et du XIIIe siècle*, 1924.

FARINGTON, J., *The Diary of Joseph Farington*, K. Garlick, A. Macintyre et K. Cave (éds), 1978-1984.

FARMER, H. G., *The Influence of Music: from Arabic Sources* (conférence de la Musical Association), 1926.

FARMER, J. D. et WEISS, G., *Concepts of the Bauhaus: the Busch-Reisinger Museum Collection*, 1971.

Les Fastes du Gothique, Paris, Grand Palais, cat. expo., 1981-1982.

FAVATI, G. (éd.), « Il "Voyage de Charlemagne en Orient" », 1965.

FECHNER, G. T., *Vorschule der Aesthetik (1876-1877)*, 2e éd., II, 1898.

FÉLIBIEN, A., « Vie de Poussin », in *Vies de Poussin*, S. Germer (éd.), 1994 (trad. angl. : *Life of Poussin*, C. Pace (éd.), 1981)

—, *Entretiens sur les vies et les ouvrages de plus excellens peintres anciens et modernes (1666-1688)*, 1725 (éd. facsimile 1967).

FELLER, R. L. (éd.), *Artists' Pigments: a Handbook of their History and Characteristics*, I, 1986.

—, « Rubens's The Gerbier Family: technical examination of the pigments and paint layers », Washington, National Gallery of Art, *Studies in the History of Art*, 1973.

— et STENIUS, A., « On the color space of Sigfrid Forsius 1611 », *Color Engineering*, VIII, 3, 1970.

FEMMEL, G. (éd.), *Corpus der Goethezeichnungen*, 1958-1973.

FÉNELON, F., *Œuvres plus que complètes*, J. Halperin (éd.), 1970, 2 vol.

FÉRÉ, C., *Sensation et mouvement*, 1887.

FERNANDEZ ARENAS, J. (éd.), *Renacimiento y Baroco en Espana*, 1982.

FERRIS, J., « The evolution of Rameau's harmonic theories », *Journal of Musical Theory*, III, 1959.

FIEDLER, I., « A technical evaluation of the *Grande Jatte* », The Art Institute of Chicago, *Museum Studies*, XIV, 1989.

—, « Materials used in Seurat's *La Grande Jatte* including color changes and notes on the evolution of the artist's palette », American Institute of Conservation of Historical and Artistic Works, 1984.

FIEDLER, K., « Das Schwarz-Weiss Problem », *Neue Psychologische Studien*, II, 1926.

FIELD, G., *Aesthetics, or the Analogy of the Sensible Sciences Indicated, with an Appendix on Light and Colors (The Pamphleteer, XVII)*, 1820.

—, *Chromatics (1817)*, 2e éd., 1845.

—, *Chromotography (1835)*, 2e éd., 1841.

—, *Rudiments of the painter's Art; or a Grammar of Colouring*, 1850.

—, *TRITOGENIA, or a Brief Outline of the Universal System (1816 ; The Pamphleteer, IX, 1817)*, 2e éd., 1846.

FIELDING, T. H., *Painting in Oil*, 1839.

FILARETE (A. AVERLINO), *Trattato di architettura (1461/1462-1464)*, A. M. Finoli et L. Grassi (éds), 1972, 2 vol.

FILIPCZAK, Z. Z., « New light on Mona Lisa : Leonardo's optical knowledge and his choice of lighting », *Art Bulletin*, LIX, 1977.

FILIPPAKIS, S. E., PERDIKATSIS, B. et ASSIMENOS, K., « X-Ray analysis of Pigments from Vergina, Greece (Second Tomb) », *Studies in Conservation*, XXIV, 1979.

—, PERDIKATSIS, B. et PARADELLIS, T., « An analysis of blue pigments from the Greek Bronze Age », *Studies in Conservation*, XXI, 1976.

FINBERG, A. J., *Complete Inventory of Drawings in the Turner Bequest*, 1909, 2 vol.

FINEBERG, J., « Les Tendances nouvelles, the Union Internationale des Beaux-Arts, des Lettres, des Sciences et de l'Industrie and Kandinsky », *Art History*, II, 1979.

—, *Kandinsky in Paris, 1906-1907*, 1984.

FIORENTINI RONCUZZI, I., *Arte e tecnologia nel mosaico*, 1971.

FIORILLI, C., « I dipintori a Firenze nell'arte dei Medici, Speciali e Merciai », *Archivio Storico Italiano*, LXXVIII, ii, 1920.

FIORILLO, J. D., *Geschichte der zeichnende Künste*, II, 1800.

Firenze e La Toscana dei medici nell'Europa del cinquecento : il primato del Disegno, Florence, 1980.

FISCHER, O., « Über Verbindung von Farbe und Klang. Ein literar-psychologische Untersuchung », *Zeitschrift für Aesthetik*, II, 1907.

FISCHER, W., *Farb- und Formenbezeichnungen in der Sprache der altarabischen Dichtung*, 1965.

FITTON BROWN, A. D., « Black wine », *Classical Review*, N. S., XIII, 1962.

FLAM, J., *Matisse : the Man and his Art, 1869-1918*, 1986.

FLAXMAN, J., *Lectures on Sculpture*, 2e éd., 1838.

FLETCHER, E. (éd.), *Conversations of James Northcote with James Ward*, 1901.

FLETCHER, J., « Marco Boschini and Paolo del Sera – collectors and connoisseurs of Venice », *Apollo*, CX, 1979.

FLURY-LEMBERG, M. et STOLLEIS, K (éds), *Documenta Textilia : Festschrift für S. Muller Christiansen*, 1981.

FOERSTER, R., *Scriptores Physiognomici*, 1893, 2 vol.

FOLENA, G., « Chiaroscuro leonardesco », *Lingua Nostra*, XII, 1951.

FORBES, J. D., « Hints towards a classification of colours », *Philosophical Magazine*, 3e sér., XXXIV, 1849.

FORBES, R. J., « Alchemy, dye and colour », *CIBA Review*, 1961.

—, *Studies in Ancient Technology*, 2e éd., 1964-1972, 9 vol.

FORICHON, F., *La Couleur : manuel du coloriste*, 1916.

FORLATI, F., « La tecnica dei primi mosaici Marciani », *Arte Veneta*, III, 1949.

FORMIGE, J., *L'Abbaye royale de Saint-Denis : recherches nouvelles*, 1960.

FORSIUS, S. A., *Physica*, J. Nordström (éd.), *Uppsala Universitäts Arsskrift*, X, 1952.

FÖRSTER, R., « Die Verläumdung des Apelles in der Renaissance », *Jahrbuch der Preussischen Kunstsammlungen*, VIII, 1887.

FORSTER, T., *Researches about Atmospheric Phenomena*, 3e éd., 1823.

FORSTER-HAHN, F., « The source of true taste. Benjamin West's instructions to a young painter for his studies in Italy », *Journal of the Warburg and Courtauld Institutes*, XXX, 1967.

FORSYTH, G. H. et WEITZMANN, K., *The Monastery of St Catherine at Mount Sinai*, 1965.

FORTUNA, A. M., *Andrea del Castagno*, 1957.

FRANCASTEL, P., *Du Cubisme à l'art abstrait : les cahiers de Robert Delaunay*, 1957.

FRANCESCO DA BARBERINO, *Del Reggimento e de costumi de donne*, 1875.

FRANKL, G. R. J., « How Cézanne saw and used colour » (1951) in J. Wechsler (éd.), *Cézanne in Perspective*, 1975.

Franse Kerkramen, Amsterdam, Rijksmuseum, cat. expo., 1973-1974.

FREEDBERG, S. J., *Parmigiano*, 1950

FREEMAN, K., *Ancilla to the Pre-Socratic Philosophers*, 1966.

FRIEDLÄNDER, L., *Darstellungen aus der Sittengeschichte Roms (1922)*, 1964.

FRIEDLÄNDER, S., « Das Prisma und Goethes Farbenlehre », *Der Sturm*, VIII, 1917-1918.

—, « Nochmals Polarität », *Der Sturm*, VI, 1916.

FRIEDMAN, J. M., *Color Printing in England, 1486-1870*, New Haven, Yale Center for British Art, 1978.

FRIEDMAN, M. (éd.), *De Stijl : 1917-1931, Visions of Utopia*, 1982.

Caspar David Friedrich, cat. expo., Hambourg, Kunsthalle, 1974.

FRIEDRICH, C. D., *Briefe und Bekenntnisse*, S. Hinz (éd.), 1968.

FRISCH, T. G., *Gothic Art 1140-c.1450*, 1971.

FRODL-KRAFT, E., « Die Farbsprache der gotischen Malerei », *Wiener Jahrbuch für Kunstgeschichte*, XXX-XXXI, 1977-1978.

—, *Die Glasmalerei*, 1970.

FROENTJES, W., « Schilderde Rembrandt op goud ? », *Oud Holland*, LXXXIV, 1969.

FROLOW, A., « Deux églises byzantines », *Etudes byzantines*, III, 1945.

—, « La mosaïque murale byzantine », *Byzantino-Slavica*, XII, 1951.

FUCHS, R., « Gedanken zur Herstellung von Farben und der Überlieferung von Farbrezepten in der Antike, am Beispiel der in Ägypten verwendeten Blaupigmente », *Festschrift Roosen-Runge*, 1982.

FUCHS, W., « Experimentelle Untersuchungen über das simultane Hintereinandersehen auf derselben Sehrichtung », *Zeitschrift für Psychologie*, XCI, 1923 (trad. angl. : « On Transparency » in W. D. Ellis (éd.), *A Source-Book of Gestalt Psychology*, 1950).

FUHRMANN, H., *Philoxenos von Eretria*, 1931.

FULLER, B., « Josef Albers (1888-1976) », *Leonardo*, XI, 1978.

GAFFURIO, F., *De Harmonia Musicorum Instrumentorum Opus*, Milan, 1518, (réimp. 1972).

GAGE, J., « Blake's Newton », *Journal of the Warburg and Courtauld Institutes*, XXXIV, 1971.

—, « Colour in history : relative and absolute », *Art History*, I, 1978.

—, « Jacob Christoph Le Blon », *Print Quarterly*, III, 1986.

—, « Magilphs and Mysteries », *Apollo*, LXXX, 1964.

—, « Runge, Goethe and the *Farbenkugel* » in H. Hohl (éd.), *Runge, Fragen und Antworten*, 1979.

—, « Turner's annotated Books: Goethe's Theory of Colours », *Turner Studies*, IV, 2, 1984.

—, « Color in western art: an issue ? », *Art Bulletin*, LXXII, 1990.

—, « A note on Rembrandt's "Meeste ende die natureelste Beweechgelickheijt" », *Burlington Magazine*, CXI, 1969.

—, « Colour and its history », *Interdisciplinary Science Reviews*, IX, 1984.

—, « Ghiberti's *Third Commentary* and its background', *Apollo*, XCV, 1972.

—, « Jacob Christoph Le Blon », *Print Quarterly*, III, 1986.

—, « Newton and painting » in M. Pollock (éd.), *Common Denominators in Art and Science*, 1983.

—, « The *technique* of Seurat : a reappraisal », *Art Bulletin*, LXIX, 1987.

—, *Collected Correspondence of J. M. W. Turner*, 1980a.

—, *Colour in Turner: Poetry and Truth*, 1969.

—, *George Field and his Circle from Romanticism to the Pre-Raphaelite brotherhood*, cat. expo., Cambridge, Fitzwilliam Museum, 1989.

—, *Goethe on Art*, 1980b.

—, *J. M. W. Turner: « A Wonderful Range of Mind »*, 1987.

GAISER, K., « Platons Farbenlehre », *Synusia : Festgabe für Wolfgang Schadewalt*, 1965.

GALAVARIS, G., *The Illustrations of the Liturgical Homilies of Gregory Nazianzenus*, 1969.

GALIEN, *In Hippocrates Librum de Humoribus Commentarii*, Venise, 1562.

—, *Œuvres médicales choisies*, A. Pichot (éd.), 1994.

GALILÉE, V., *Dialogo della Musica Antica e della Moderna (1581)*, Florence, 1602.

GALLAVOTTI, C., « Nomi di Colori in Miceneo », *La Parola del passato*, XII, 1957.

GALLO, R., *Il Tesoro di San Marco e la sua storia*, 1967.

GALT, J., *The Life of Benjamin West*, 1820, 2 vol.

GALTON, S., « Experiments on colours », *Monthly Magazine*, VIII, août 1799.

GANZ, P., *Geschichte der heraldischen Kunst in der Schweiz*, 1899.

GANZENMÜLLER, W., *Beiträge zur Geschichte der Chemie und der Alchimie*, 1956.

GARDNER, J., « Pope Nicholas IV and the decoration of Santa Maria Maggiore », *Zeitschrift für Kunstgeschichte*, XXXVI, 1973.

GARGIOLLI, G. (éd.), *L'Arte della seta in Firenze : trattato del XV secolo*, 1868.

GARIN, E., *L'Umanesimo italiano*, 1950

—, *La Disputà delle arti nel quattrocento*, 2e éd., 1982.

GARIN, E., *Scienza e vita civile nel rinascimento italiano*, 1965.

GARNER, W., « The relationship between colour and music », *Leonardo*, XI, 1978.

GARRISON, E., *Italian Romanesque Panel Painting*, 1949.

GASSNER, H. et GILLEN, E., *Zwischen Revolutionskunst und Sozialistischen Realismus*, 1979.

GÄTJE, H. (éd.), « Die arabische Übersetzung der Schrift des Alexander von Aphrodisias über die Farbe », *Nachrichten der Akademie der Wissenschaften in Göttingen (Phil-Hist Klasse)*, 1967.

—, « Zur Farbenlehre in der muslimische Philosophie », *Der Islam*, XLIII, 1967.

Gauguin, cat. expo., Paris, Grand Palais, 1989.

GAUGUIN, P., *Correspondance*, V. Merlhès (éd.), I, 1984.

—, *Oviri : écrits d'un sauvage*, D. Guérin (éd.), 1974.

GAUTHIER, M.-M., « Émaux gothiques », *Revue de L'art*, LI, 1981.

—, *Émaux du moyen-âge occidental*, 1972.

GAUTIER D'AGOTY, J., *Observations sur l'histoire naturelle, sur la Physique et sur la peinture*, VIIIᵉ partie, 1753.

GAUTIER, H., *L'Art de laver, ou la nouvelle manière de peindre sur le papier* (1687), 2ᵉ éd., 1708.

GAVEL, J., *Colour : A Study of its Position in the Art Theory of the Quattro- and Cinquecento*, 1979.

GEFFROY, G., *Claude Monet*, 1922.

GEIGER, B., *I Dipinti Ghiribizzosi di Giuseppe Arcimboldi*, 1954.

GEILMAN, W., « Beiträge zur Kenntnis alter Gläser VII : Kobak als Färbungsmittel », *Glastechnische Berichte*, XXXV, 1962.

GELL, W., *Pompeiana. The Topography, Edifices and Ornaments of Pompeii*, 1817-1819.

GELLER, H., *C. L. Kaaz : Landschafts-Maler und Freund Goethes, 1773-1810*, 1961.

The Genius of Venice, cat. expo. Londres, Royal Academy, 1983-1984.

GEORGE, W. S., *The Church of Saint Eirene of Constantinople*, 1912.

GÉROME-MAËSSE (ALEXIS MÉRODACK-JEANNEAU), « L'audition colorée », *Les Tendances nouvelles*, 1907.

GERSCHEL, R., « Couleur et teinture chez divers peuples indo-européens », *Annales économies, sociétés, civilisations*, XXI, 1966.

GERSON, P. L. (éd.), *Abbot Suger and St Denis*, 1986.

GERVAIS DU BUS, *Le Roman de Fauvel*, A. Langfors (éd.), 1914/1919.

GETTENS, R. J., FELLER, R. L. et CHASE, W. T., « Vermilion and Cinnabar », *Studies in Conservation*, XVII, 1972.

GEVAERT, F., *Histoire et Théorie de la Musique dans L'Antiquité*, 1875, 2 vol.

GHIBERTI, L., *I Commentari*, O. Morisani (éd.), 1947.

GIBBONS, F., *Dosso and Battista Dossi*, 1968.

GIBSON, A., « Abstract Expressionism's evasion of language » in D. et C. Shapiro, *Abstract Expressionism: a Critical Record*, 1990.

GIGOUX, J., *Causeries sur les artistes de mon temps*, 1885.

GILBERT, B., « The reflected light compositions of Ludwig Hirschfeld-Mack », *Form* (Cambridge), II, 1966.

GILBERT, C. (éd.), *Renaissance Art*, 1970.

GILBERT, C., « Subject and Non-Subject in Italian Renaissance Pictures », *Art Bulletin*, XXXIV, 1952.

—, « The Archbishop on the painters of Florence », *Art Bulletin*, XLI, 1959.

GILBERT, O., *Die Meteorologischen Theorien des griechischen Altertums*, 1907.

Gilberts Annalen der Physik, XXXIX, 1811.

GILCHRIST, A., *A Life of William Blake*, R. Todd (éd.), 1942.

GIMPEL, R., « At Giverny with Claude Monet », *Art in America*, XV, 1927.

GIOSEFFI, D., « Giorgione e la pittura tonale » in *Giorgione : Atti del Convego Internazionale*, Venise, 1979.

GIOVANNONI, G., « Opere dei Vasselletti marmorari romani », *L'Arte*, XI, 1908.

GIPPER, H., « Purpur », *Glotta*, XLII, 1964.

GIRAUD, V., *Essai sur Taine*, 1902.

GIRAUDY, D., « Correspondance Matisse-Camoin », *Revue de l'art*, XLI, 1971.

GLADSTONE, W. E., « The Colour-sense », *The Nineteenth Century*, II, 1877.

—, *Studies on Homer and the Homeric Age*, 1858, 3 vol.

GLASER, H., « Wilhelm von Saint-Denis : ein Humanist aus der Umgebung des Abt Suger und die Krise seiner Abtei von 1151 bis 1153 », *Historisches Jahrbuch*, LXXXV, 1965.

GLASS, D. F., *Studies on Cosmatesque Pavements*, 1980.

GLASSER, H., *Artists' Contracts of the Early Renaissance*, 1977.

GLISSON, FRANCIS, *Tractatus de Ventriculo et Intestinis*, Londres, 1677.

Glossaria Latina, H.J. Thomson and W.M. Lindsay (éd.), IUSSU Academiae Britannicae, 1926-1931, 5 vol.

GLOYE, E. E., « Why are there primary colours », *Journal of Aesthetics and Art Criticism*, XVI, 1957-1958.

GLÜCK, G., *Die Landschaften von Peter Paul Rubens*, 1945.

GMELIN, *Handbuch der Anorganischen Chemic : Ergänzungsband Kobalt*, 1961.

GNOLI, D., *Marmora Romana*, 1971.

GOCLENIUS, R., *Lexicon Philosophicum*, (facsimilé réimp. 1964), 1613.

GODDARD, E. R., *Women's Costume in French Texts of the 11th and 12th Centuries*, 1927.

GODWIN, J. (éd.), *Music, Mysticism and Magic : a Sourcebook*, 1986.

—, *Robert Fludd : Hermetic Philosopher and Surveyor of Two Worlds*, 1979.

GOETHE, J. W. VON *Schriften zur Kunst* (Gesamtausgabe 33), 1962, 2 vol.

—, « Aufsätze über bildende Kunst », *Jahrbücher für Kunstwissenschaft*, IV, 1871.

—, *Goethe im Gespräch*, F. Diebel et F. Gundelfinger (éds) 3ᵉ éd., 1907.

—, *Le Traité des couleurs*, H. Bideau (trad.), 1973 (éd. all. : *Farbenlehre*, H. Wohlbold (éd.), 1953).

—, *Zur Farbenlehre. Historischer Teil* (Leopoldina Ausgabe der Schriften zur Naturwissenschaft), D. Kuhn (éd.), 1957.

—, « Neue Art die Mahlerey zu lernen », *Propyläen* III, 1800 (réimp. 1965).

—, *Goethe's Colour Theory*, R. Matthaei (éd.), 1971.

—, *Goethes Briefwechsel mit Heinrich Meyer*, M. Hecker (éd.) (Schriften der Goethe-Gesellschaft XXXIV), 1919.

—, *Goethes Werke : Gedenkausgabe*, E. Beutler (éd.), 1949, 24 vol.

—, *Theory of Colours* (1810), C. L. Eastlake (trad.), 1840.

Goethe, Kirchner, Wiegers : de Invloed van Goethes Kleurenleer, Groningen Museum, 2ᵉ éd., 1985.

GOFFIN, R., *Piety and Patronage in Renaissance Venice*, 1986.

GÖGELEIN, C., *Zu Goethes Begriff von Wissenschaft auf dem Wege der methodik seiner Farbstudien*, 1972.

GOLDINE, N., « Henri Bate, chanoine et chantre de la Cathédrale Saint-Lambert à Liège et théoricien de la Musique », *Revue Belge de Musicologie*, XVIII, 1964.

GOLDING, J., *Marcel Duchamp : the Bride Stripped Bare by her Batchelors Even*, 1973.

GOLDSCHMIDT, R. C., *Paulinus' Churches at Nola*, 1940.

GOLDSCHMIDT, R. H., « Postulat der Farbwandelspiele », *Sitzungsbericht der Heidelberger Akademie der Wissenschaften, Philosophische-Historische Klasse*, XVIII, 1927/1928.

GOLDSTEIN, K., « Some experimental observations concerning the influence of colors on the functions of the organism », *Occupational Therapy and Rehabilitation*, XXI, 1942.

GOLDWATER, R. et TREVES, M., *Artists on Art from the 14th Century to the 20th Century*, 1976.

GOLLEK, R., *Franz Marc 1880-1916*, Munich, Stadtische Galerie im Lenbachhaus, 1980.

GOLLER, A., « Vincenz von Beauvais und sein Musiktraktat in Speculum Doctrinale », *Kölner Beiträge zur Musik-Forschung*, XV, 1959.

GOLZIO, V., *Raffaello nei Documenti*, 2ᵉ éd., 1971.

GOMBRICH, E. H., « Controversial Methods and Methods of Controversy », *Burlington Magazine*, CV, 1963.

—, « Renaissance artistic theory and the development of Landscape Painting » in *Norm and Form : Studies in the Art of the Renaissance*, 1966.

—, *The Heritage of Apelles*, 1976.

—, « Dark Varnishes : variations on a theme from Pliny », *Burlington Magazine*, CIV, 1962.

GOMRINGER, E., *Josef Albers*, 1968.

GONCOURT, E. et J. DE, *Arts et artistes*, 1997.

—, *L'Art du XVIII siècle*, (trad. angl. : *French XVIII Century Painters*, R. Ironside (trad.), 1948)

GOODING, D., PINCH, T. et SCHAFFER, S., *The Uses of Experiment : Studies in The Natural Sciences*, 1989.

GORDON, D. E., *Ernst Ludwig Kirchner*, 1968.

Gospel of Philip, W. C. Till (éd.), 1963.

GOTTSCHALK, H. B., « The De Coloribus and its Author », *Hermes*, XCII, 1964.

GOULD, C., « Leonardo da Vinci's notes on the colour of rivers and mountains », *Burlington Magazine*, LXXXIX, 1947.

GOUPIL, F. A. A., *Manuel complet et simplifié de la peinture à l'huile*, 1858.

GOUSSET, M.T. et STIRNEMANN, P., « Indications de couleur dans les manuscrits médiévaux » in *Pigments et colorants de l'Antiquité et du Moyen Âge. Teinture, peinture, enluminure : études historiques et physico-chimiques* (Colloque International du CNRS), 1990.

GOWEN, R. P., « The Shrine of he Virgin in Tournai, I : Its restoration and state of conservation », *Aachener Kunstblätter*, XLVII, 1976.

GOWING, L., « Nature and the ideal in the art of Claude », *Art Quarterly*, XXXVII, 1974.

—, *Paul Cézanne : the Basel Sketchbooks*, New York, Museum of Modern Art, 1988.

GRABAR, A., « La verrerie d'art byzantine au moyen-âge », *Monuments Piot*, LVII, 1971.

—, « Plotin et les origines de l'esthétique médiévale », *Cahiers archéologiques*, I, 1946.

—, « The Virgin in a mandorla of light », *Late Classical and Medieval Studies in Honor of A. M. Friend, Jr*, K. Weitzmann (éd.), 1955.

—, *L'Iconoclasme byzantin : dossier archéologique*, 1957.

— et NORDENFALK, C., *Le Haut Moyen Âge*, 1957.

GRABAR, O., « Islamic art and Byzantium », *Dumbarton Oaks Papers*, XVIII, 1964.

—, *The Formation of Islamic Art*, 1973.

GRANGE, A. DE LA et CLOQUET, L., « Etudes sur l'art à Tournai », *Mémoires de la Société historique et littéraire de Tournai*, XXI, 1888.

GRANGER, G. W., « Objectivity of colour preferences », *Nature*, CLXX, 1952.

GRANSDEN, K. W., « The interpolated text of the Vitruvian Epitome », *Journal of the Warburg and Courtauld Institutes*, XX, 1957.

GRANT, E., *A Source Book in Medieval Science*, 1974.

GRANZIANI, R., « The "Rainbow Portrait" of Queen Elizabeth I and its religious symbolism », *Journal of the Warburg and Courtauld Institutes*, XXXV, 1972.

GRAS, P., « Aux origines de L'héraldique : la décoration des boucliers au début du XIIᵉ siècle d'après la bible de Citeaux », *Bibliothèque de L'École des Chartes*, CIX, 1951.

Gray is the Color, Houston, Texas, Rice Museum, cat. expo., 1973-1974.

GRAY, R.D., *Goethe the Alchemist*, 1952.

GREAVES, J. et JOHNSON, M., « Technical studies relating to the attribution of Caravaggio's *The Conversion of the Magdalene* in the Detroit Institute of Arts », *Bulletin of the American Institute for Conservation*, XIV, 2, 1974.

Greek Anthology, (Polybe) W. K. Paton (trad.), I (1916), 1969 ; *Histoire*, 2003.

GREENE, D. J., « Smart, Berkeley, the scientists and the poets », *Journal of the History of Ideas*, XIV, 1953.

GREENEWALT, M. H., « Light : fine art the sixth », *Transactions of the Illuminating Engineers Society*, xiii/7, 10 oct. 1918.

—, « Nourathar : the Fine Art of Light Color Playing*, 1946.

GREENLER, R., *Rainbows, Haloes and Glories*, 1980.

GRÉGOIRE DE NYSSE, *La Vie de Moïse*, J. Daniélou (éd. et trad.), 2000.

—, *Le Cantique des Cantiques*, Devailly et Bouchet (trad.), 1992.

—, *Lettres*, P. Maraval (trad.)., 1990.

GRÉGOIRE, G., *Théorie des couleurs, contenant explication de la Table des*

Couleurs, vers 1812.

GREGOIRE, P., *Syntaxeon Artis Mirabilis*, 2ᵉ éd., Leyde, 1576.

GRENDLER, P. F., *Critics of the Italian World, 1530-1560*, 1969.

GRIGSON, G., *Samuel Palmer's Valley of Vision*, 1960.

GRINNELL, R., « Iconography and philosophy in the Crucifixion window at Poitiers », *Art Bulletin*, XXXVIII, 1946.

GRISEBACH, F., *C. F. Schinkel*, 1924.

GRODECKI, L., « Un vitrail démembré de la Cathédrale de Soissons », *Gazette des Beaux-Arts*, XLII, 1953.

—, « Le vitrail et l'architecture au XIIᵉ et au XIIIᵉ siècle », *Gazette des Beaux-Arts*, XXXVI, 1949.

—, « Les vitraux allégoriques de Saint-Denis », *Art de France*, I, 1961a.

—, « Les vitraux de la Cathédrale de Poitiers », *Congrès archéologique de France*, CIX, 1951.

—, « Les vitraux de la Cathédrale du Mans », *Congrès archéologique de France*, CXIX, 1961b.

—, « Les vitraux de Saint-Denis : L'enfance du Christ » in M. Meiss (éd.), *De Artibus Opuscula XL : Essays in Honor of Erwin Panofsky*, 1961c.

—, *La Sainte Chapelle*, 2ᵉ éd., 1975.

—, *Le Moyen Âge retrouvé, de l'an mil à l'an 1200*, 1986.

—, *Le Vitrail roman*, 1977.

—, *Les vitraux de Saint-Denis : histoire et restitution* (Corpus Vitrearum Medii Aevi- France : Études, I), 1976.

GROEN, K., « Technical aspects of Rembrandt's earliest paintings : microscopical observations and the analysis of paint samples », *Oud Holland*, XCI, 1977.

GROHMANN, W., *Wassily Kandinsky, Leben und Werk*, 1958.

GROSSETESTE, R., *Die Philosophischen Werke*, L. Bauer (éd.), 1912.

GROSSMANN, M., *Colore e lessico*, 1988.

GROTE, L. (éd.), *Erinnerungen an Paul Klee*, 1959.

—, *Die Brüder Olivier*, 1938.

GRUNEWALD, M., *Das Kolorit in der venezianische Malerei*, I : *Die Karnation*, 1912.

GUARESCHI, I., « Industria dei colori a Venezia » in *Storia della chimica. VI : sui colori degli antichi : part. II : dal secolo XV al secolo XIX*, (Supplimento Annuale alla Encidopedia di Chimica, XXIII), 1907.

GUASTI, C. (éd.), *Lettere di una gentildonna fiorentina del secolo XV*, 1877.

GUERLAC, H., « An Augustan monument : the *Opticks* of Sir Isaac Newton » in P. Hughes and D. Williams (éds), *The Varied Pattern : Studies in the Eighteenth Century*, 1971.

GUÉROULT, G., « Formes, couleurs, mouvements », *Gazette des Beaux-Arts*, 2ᵉ pér., XXV, 1882.

GUEST, I., « Babbage's ballet », *Ballet*, V, 1948.

GUICHARD, É., *La Grammaire de la couleur*, 1882.

GUICHETEAU, M., *Paul Sérusier*, 1976.

GUILLAUME D'AUVERGNE, *Opera*, Orléans, 1674, 2 vol.

GUNDERSHEIMER, W., *Art and Life at the Court of Ercole I d'Este*, 1972.

—, *Ferrara : the Style of Renaissance Despotism*, 1973.

GÜNTER, R., *Wand, Fenster und Licht in der Trierer Palastaula und in spätantiken Bauten*, 1968.

GUYOT, E. G., « Musique oculaire » in *Nouvelles Recréations physiques et mathématiques*, III, 1769.

HAAS, A. E., « Antike Lichttheorien », *Archive für Geschichte der Philosophie*, XX, 1907.

HACKNEY, S., « Texture and application : preserving the evidence in oil paintings » in *Appearance, Opinion, Change : Evaluating the Look of Paintings*, United Kingdom Institute of Conservation/Association of Art Historians Conference, 1990.

HADAMAR VON DER LABER, *Die Jagd der Minne*, J. A. Schmeller (éd.), 1850.

HAEBERLEIN, F., « Grundzüge einer nachantiken Farbikonographie », *Römisches Jahrbuch für Kunstgeschichte*, III, 1939.

HAESERTS, P., *James Ensor*, 1957.

HAGEDORN, C. L. VON, *Réflexions sur la peinture*, 1775, 2 vol.

HAGOPIAN VAN BUREN, A., « Thoughts, old and new, on the sources of early Netherlandish painting », *Simiolus*, XVI, 1986.

HAHL-KOCH, J., *Arnold Schoenberg-Wassily Kandinsky. Letters, Pictures and Documents*, 1984.

HAHM, D. E., « Early Hellenistic theories of vision and the perception of colour » in P. Machamer et R. G. Turnbull (éds), *Perception : Interrelations in the History and Philosophy of Science*, 1978.

HAHN, P. (éd), *Bauhaus Berlin*, 1985.

HAHNLOSER, H. (éd.), *Il Tesoro di San Marco*, 1965-1971, 2 vol.

HALBERTSMA, K. T. A., *A History of the Theory of Colour*, 1949.

HALL, M. B. (éd.), *Color and Technique in Renaissance Painting : Italy and the North*, 1987.

HALLEUX, R. (éd. et trad.), *Les Alchimistes grecs*, I, 1981.

HALPERIN, J. U., *Félix Fénéon, Aesthete and Anarchist in Fin-de-Siècle Paris*, 1988.

Frans Hals, Washington, National Gallery, cat. expo., 1989.

HAMEL, C. DE, *A History of Illuminated Manuscripts*, 1986.

HAMILTON, G H., « The dying of the light: the late work of Degas, Monet and Cézanne » in J. Rewald et F. Weitzenholfer (éds), *Aspects of Monet: A Symposium on the Artist's Life and Times*, 1984.

HAMILTON, J., *Stereography*, 1738, 2 vol.

HANDSCHUR, E., *Die Farb- und Glanzwörter bei Homer und Hesiod*, 1970.

HANFSTAENGL, E., *Wassily Kandinsky, Zeichnungen und Aquarelle. Katalog der Sammlung in der städtische Galerie im Lenbachhaus, München*, 1974.

Der Hang zum Gesamtkunstwerk, Zurich, Kunsthaus, cat. expo., 1983.

HANKE, W., *Kunst und Geist, das philosophischen Gedankengut der Schrift « De Diversis Artibus » des Priesters und Mönachus Theophilus*, thèse de doctorat, université de Bonn, 1962.

HAPSBURG, G. W. VON, *Die Rundfenster des Lorenzo Chiberti*, thèse de doctorat, université de Fribourg, 1965.

HARDEN, A. R., « The carbuncle in mediaeval literature », *Romance Notes*, II, 1960.

HARDEN, D. B., « Mediaeval glass in the West », *Eighth International Congress on Glass*, 1968, éd. 1969.

HARDING, E., BRAHAM, A., WYLD, M. et BURNSTOCK, A., « The Restoration of the Leonardo Cartoon », *National Gallery Technical Bulletin*, XIII, 1989.

HARLEY, R. D., « Oil-colour containers : development work by artists and colourmen in the nineteenth century », *Annals of Science*, XXVII, 1971.

—, *Artists' Pigments, c. 1600-1835*, 2ᵉ éd., 1982.

HARMS, E., « My association with Kandinsky », *American Artist*, XXVII, 1963.

HARRIS, J., *Lexicon technicum, or A Universal English Dictionary of Arts and Sciences*, Londres, 1708-1710, 2 vol.

HARRIS, M. E., *The Arts at Black Mountain College*, 1987.

HARRIS, M., *The Natural System of Colours*, vers 1776 (réimp. 1963).

HART, H. V., « Chemical analysis of the Fayum portrait », *North Carolina Museum of Art Bulletin*, XIV, 1980.

HARTE, N. B. et PONTING, K. G. (éds), *Cloth and Clothing in Mediaeval Europe*, 1983.

HARTHAN, J., *Books of Hours*, 1977.

HARTLAUB, G. F., « Zu den Bildmotiven des Giorgione », *Zeitschrift des deutschen Vereins für Kunstwissenschaft*, VII, 1953.

HARTLEY, D., *Observations on Man*, 1749, 2 vol.

HASKELL, F., « The apotheosis of Newton in art », *Texas Quarterly*, X, 1967.

HAUKE, C. DE et BRAME, P., *Seurat et son œuvre*, 1961, 2 vol.

HAUPT, G., *Die Farbensymbolik in der Sakralen Kunst des abendländischen Mittelalters*, 1941.

HAVEL, M., *La Technique du tableau*, 2ᵉ éd., 1979.

HAWKINS, E. J. W., « Further observations on the narthex mosaic in St-Sophia in Istanbul », *Dumbarton Oaks Papers*, XXII, 1968.

HAWKINS, J., *A General History of the Science and Practice of Music* (1776), 1853, 2ᵉ éd. (réimp. 1963).

HAYDON, B. R., *Diary*, W. B. Pope (éd.), 1960-1963, 5 vol.

—, *Autobiography and Memoirs*, T. Taylor (éd.), 2ᵉ éd., 1926, 3 vol.

—, *Correspondence and Table-Talk*, F. W. Haydon (éd.), 1876, 2 vol.

HAYDUCK, M. (éd.)., *Commentaria in Aristotelem Graeca*, II, ii, 1899.

HAYE, G., *Prose Works*, J. H. Stevenson (éd.), 1901.

HAYTER, C., *A New Practical Treatise on the Three Primary Colours*, 1826.

—, *A New Practical Treatise on the Three Primitive Colours*, 1826.

—, *An Introduction to Perspective*, 1815.

HEATON, N., « The mural paintings of Knossos, an investigation into the methods of their production », *Journal of the Royal Society of Arts*, LVIII, 1910.

HEDERER, O., *Leo von Klenze*, 1964.

HEGEL, G. W. VON, *Philosophy of Nature*, M. J. Petry (éd. et trad.), 1970.

—, *Sämmtliche Werke*, H. Glockner (éd.) (1935-1975), VI-IX, 1927, 26 vol.

HEIMENDAHL, E., *Licht und Farbe : Ordnung und Funktion der Farbwelt*, 1961.

HEISS, R., « Über psychische Farbwirkungen », *Studium Generale*, XIII, 1960.

HELD, J., « Rubens and Aguilonius : new points of contact », *Art Bulletin*, LXI, 1979.

HÉLIOT, P., « Les origines et les débuts de l'abside vitrée (XIᵉ-XIIIᵉ siècles) », *Wallraf-Richartz Jahrbuch*, XXX, 1968.

HELLMANN, G., *Neudrücke von Schriften und Karten über Meteorologie und Erdmagnetismus, XV : Denkmäler mittelalterliche Meterorologie*, 1904.

HELMHOLTZ, H. VON, « Recent progress in the theory of vision », in *Popular Lectures on Scientific Subjects*, I, 1901.

—, « On the relation of optics to painting » in *Popular Lectures on Scientific Subjects*, II, E. Atkinson, 1900.

—, *Optique physiologique*, 1867.

HEMPEL, J., « Die Lichtsymbolik im alten Testament », *Studium Generale*, XIII, 1960.

HENDERSON, G., « Late Antique influences in some illustrations of Genesis », *Journal of the Warbourg and Courtauld Institutes*, XXV, 1962.

—, *From Durrow to Kells : The Insular Gospel-books 650-800*, 1987.

HENNEKE, E. et SCHNEEMELCHER, W., *Neutestamentliche Apokryphen*, 1959-1964, 2 vol.

HENRY, C., « La lumière, la couleur, la forme », *L'Esprit Nouveau*, 6-9, s. d.

HERALD, J., *Renaissance Dress in Italy, 1400-1500*, 1981.

HERBERT, R. L., « Seurat's theories », in J. Sutter (éd.), *The Neo-Impressionists*, 1970.

—, *Barbizon Revisited*, 1962.

—, CACHIN, F., DISTEL, A., STEIN, S. A. et TINTEROW, G., *Georges Seurat, 1859-1891*, New York, Metropolitan Museum of Art, 1991.

—, *Neo-Impressionism*, New York, Guggenheim, 1968.

—, *Seurat's Drawings*, 1962.

HERBIN, A., *L'Art non-figuratif-non-objectif*, 1949.

Herbst des Mittelalters, cat. expo. Cologne, Kunsthalle, 1970.

HERING, E., *Die Lehre vom Lichtsinne*, 1878.

HERING-MITGAU, M. et al. (éds), *Von Farbe und Farben : Albert Knoepfli zum 70. Geburtstag*, 1980.

HERNE, G., *Die Slavischen Farbenbenennungen* (Publications de l'Institut Slave d'Upsal, IX), 1954.

HERRADE DE LANDSBERG, *Hortus Deliciarum*, R. Green, M. Evans, B. Bischoff et L. Curschmann (éds), 1979, 2 vol. ; éd. fr. : *Hortus deliciarum : reconstitution du manuscrit du XIIᵉ siècle de Herrade dite de Landsberg*, 1990.

HERZOGENRATH, W., Josef Albers und der "Vorkurs" am Bauhaus, 1919-1933 » *Wallraf-Richartz Jahrbuch*, XLI, 1979/1980.

HESS, H., *Lyonel Feininger*, 1961.

HESS, T. B. et ASHBERY, J., *Light from Aten to Laser, Art News Annual*, XXXV, 1969.

HESS, W., *Das Problem der Farbe in den Selbstzeugnissen der Maler von Cézanne bis Mondrian*, 2ᵉ éd., 1981.

HEWISON, R., *John Ruskin : The Argument of the Eye*, 1976.

HEYD, W., *Histoire du commerce du Levant au Moyen-Âge*, 1936.

HIBBARD, H., *Caravaggio*, 1983.

HILER, H., *Notes on the Technique of Painting*, éd. rév., 1969.

HILL, P. M., *Die Farbwörter der russischell und bulgarischen Schriftsprache*, 1972.

HILLS, P., *The Light of Early Italian Painting*, 1987.

HIND, A. M., *Catalogue of Early Italian Engraving in the British Museum*, 1910.

HIND, A., *Early Italian Engraving*, 1938-1949, 7 vol.

HIRSHFELD-MACK, L., *The Bauhaus*, 1963.

HITTORFF, J. I., *De l'architecture polychrome chez les Grecs*, 1830.

HOBBS, R. C. et LEVIN, G., *Abstract Expressionism : the Formative Years*, 1981.

HOBERG, H., *Die Inventare des Päpstlichen Schatzes in Avignon*, 1944.

HOCHEGGER, R., *Die Geschichtliche Entwicklung des Farbsinnes*, 1884.

HOELZEL, A., « Zur Farbe » *Das Gelbe Blatt*, I, 1919.

HOEPFFNER, E., « Pers en ancien français », *Romania*, XLIX, 1923.

HOFMANN, K., « Sugers "Anagogisches" Fenster in St Denis », *Wallraf-Richartz Jahrbuch*, XXX, 1968.

HOFMANN, W. J., *Über Dürers Farbe*, 1971.

HOFMANNSTHAL, H. VON, *Prosa*, II, 1951.

HOGARTH, W., *The Analysis of Beauty* (1753), J. Burke (éd.), 1955 (trad. fr. *L'Analyse de la Beauté*, H. Jansen et S. Chauvin (éds), 1991).

HOLLOWAY, J. H. et WEIL, J. A., « A conversation with Josef Albers », *Leonardo*, III, 1970.

HOLMES, U., « Medieval Gem Stones », *Speculum*, IX, 1934.

HOLMYARD, E. J., *Alchemy*, 1957.

HOLTZMAN, H. et JAMES, M. (éds), *The New Art-The New Life : The Collected Writings of Piet Mondrian*, 1987.

HOMER, W. I., *Seurat and the Science of Painting*, 2ᵉ éd., 1970.

HOOGSTRATEN, S. VAN, *Inleyding tot de hooge Schoole der Schilderkonst*, Rotterdam, 1678 (facsimilé réimp. 1969).

HOOKE, R., *Micrographia* (1665), 1961.

HOORN, W. VAN, *Ancient and Modern Theories of Visual Perception*, 1972.

HOPKINS, A. J., « A study of the kerotakis process as given by Zosimus and later chemical writers », *Isis*, XXIX, 1938.

—, « Transmutation by colour » in J. Ruska (éd.), *Studien zur Geschichte der Chemie : Festgabe E. O. von Lippman*, 1927.

HOPPNER, J., *Essays on Art*, F. Rutter (éd.), 1908.

HORNE, H., *Sandro Botticelli*, 1908.

HORST, R. W., « Dürers "Melencholia I" : ein Beitrag zum Melencholia-Problem », *Forschungen zur Kunstgeschichte und Christlichen Archäologie*, 1953.

HOURS, M., « À propos de l'examen au laboratoire de *La Vierge aux Rochers* et du *Saint-Jean-Baptiste* de Léonard », *Raccolta Vinciana*, XIX, 1962.

—, « Études analytiques des tableaux de Léonard de Vinci au laboratoire du Musée du Louvre », in *Leonardo saggi e ricerche*, 1954.

HOUSE, J., « Renoir's worlds », in *Renoir*, cat. expo. Londres, Arts Council of Great Britain, 1985.

—, *Monet : Nature into Art*, 1986.

HOWARD, H., *A Course of lectures on Painting*, F. Howard (éd.), 1848.

HOWAT, R. D., *Elements of Chromo-Therapy*, 1938.

HOWELL, J. B., « Eugène Delacroix and color : practice, theory and legend », *Athanor* (Florida State University), II, 1982.

HOWITT, M., *Friedrich Overbeck*, 1886, 2 vol.

HUBERT, J., « L'"Escrain" dit de Charlemagne au Trésor de Saint-Denis », *Cahiers archéologiques*, IV, 1949.

HÜBSCHER, A. (éd.), *Arthur Schopenhauer : Mensch und Philosoph*, 1960.

HUDECZEK, M., « De lumine et coloribus (secundum S. Albertum Magnum) », *Angelicum*, XXI, 1944.

HUDSON, D., *Sir Joshua Reynolds*, 1958.

HUET, R. P. (éd.), *Paul Huet*, 1911.

HUMBERT DE SUPERVILLE, D. P. G., *Essai sur les signes inconditionnels dans les arts*, 1827.

HUMPHREY SMITH, C. R., « Purpure », *Coat of Arms*, IV, 1956.

HUMPHREY, C., « Heraldry in School Manuals of the Middle Ages », *Coat of Arms*, VI, 1960.

HUNDERTPFUND, L., *The Art of Painting restored to its Simplest and Surest Principles*, 1849.

HUNGER, H., *Reich der neuen Mitte : der christliche Geist der byzantinischen Kultur*, 1965.

HUNT, W. HOLMAN, *Pre-Raphaelitism and the Pre-Raphaelite Brotherhood*, 1905, 2 vol.

HUNTER BLAIR, C. H. (éd.), *A Visitation of the North of England c.1480-1500*, Surtees Society, CXLIV, 1930.

HUON DE MERI, *Le Tournement Antichrist*, M. D. O. Bender (éd.) , 1976.

HURAY, P. LE et DAY, J., *Music and Aesthetics in the 18th and early 19th centuries*, 1981.

HUSSEY, C., *The Picturesque*, 1927.

HUSSEY, G., « Mr Giles Hussey's System of Colours (1756) », *Monthy Magazine*, déc. 1799.

HUTCHINS, J., *The History and Antiquities of Dorset*, 2ᵉ éd., IV, 1815.

HUTH, H., *Künstler und Werkstatt der Spätgotik*, 2ᵉ éd., 1967.

HUTTON, E., *The Cosmati*, 1950.

IBN JOBAÏR, *Voyages*, M. Gaudefroy-Demombynes, 1949-1965 (trad.), 4 vol.

IHM, C., *Die Programme der Christliche Apsismalerei*, 1960.

IMDAHL, M., *Farbe : Kunsttheoretische Reflexionen aus Frankreich*, 1987.

INGRAMS, R., « Bachaumont : a Parisian Connoisseur of the 18th century », *Gazette des Beaux-Arts*, 6e sér., LXXV, 1970.

Ingres et son Influence, Actes du Colloque International de Montauban, 1980.

Ingres raconté par lui-même et par ses amis, 1947-1948, 2 vol.

Ingres, cat. expo. Paris, Petit Palais, 1967-1968.

IRWIN, E., *Colour-Terms in Greek Poetry*, 1974.

ISAACS, R. R., *Walter Gropius : der Mensch und sein Werk*, I, 1983.

ISIDORE DE SÉVILLE, *Traité de la Nature*, J. Fontaine (éd.), 1960.

Johannes Itten : Künstler und Lehrer, Berne, Kunstmuseum, cat. expo., 1984.

Johannes Itten, Münster, Westfälisches Landesmuseum, cat. expo., 1980.

ITTEN, J., *Art of Color*, 1961.

—, *Design and Form : the Basic Course at the Bauhaus*, 1964.

—, *Kunst der Farbe*, 1961.

IVANKA, I. VON, « Dunkelheit, mystische » in *Reallexikon für Antike und Christentum*, IV, 1959.

JABLONSKI, W., « Zum Einfluss der Goetheschen Farbenlehre auf die physiologische und psychologische Optik der Folgezeit », *Archiv für die Geschichte der Mathematik, der Naturwissenschaft und der Technik*, XIII, 1930.

JACKOBSON, R., *Child Language, Aphasia and Phonological Universals*, 1968.

— et HALLE, M., *Fundamentals of Language*, 2ᵉ éd., 1975.

JACKSON-STOPS, G., *The Treasure House of Britain*, cat. expo. Washington, National Gallery, 1985.

Jacoba van Heemskerk 1976-1923 ; eine expressionistische Künstlerin, La Haye, Gemeentemuseum, 1983-1984.

JACQUES D'ÉDESSE, *Book of Treasures*, A. Mingana (éd. et trad.), 1935.

JAEGER, W., « Goethes Untersuchungen an Farbenblinden », *Heidelberger Jahrbücher*, XXIII, 1979.

—, *Die Illustrationen des Peter Paul Rubens zum Lehrbuch der Optik des Franciscus Aguilonius*, 1976.

JAFFE, E., *Josef Anton Koch*, 1905.

JAFFÉ, M., « Rubens and optic some fresh evidence », *Journal of the Warburg and Courtauld Institutes*, XXXIV, 1971.

— et GROEN, K., « Titian's "Tarquin and Lucretia" in the Fitzwilliam », *Burlington Magazine*, CXXIX, 1987.

JAMES, L. et WEBB, R., « To understand ultimate things and enter secret places : ekphrasis and art in Byzantium », *Art History*, XIV, 1991.

JAMESON, D. D., *Colour-Music*, 1844.

JAMESON, D. et HURVICH, L., « From contrast to assimilation : In art and in the eye », *Leonardo*, VIII, 1975.

JAMIN, J., « L'Optique de la peinture », *Revue des Deux Mondes*, XXVII, 2ᵉ pér., VII, 1857.

JAYNE, S., *John Colet and Marsilio Ficino*, 1963.

JENKINS, I. D. et MIDDLETON, A. P., « Paint on the Parthenon sculptures », *Annual of the British School at Athens*, LXXXIII, 1988.

JENSEN, L. B., « Royal Purple of Tyre », *Journal of Near Eastern Studies*, XXII, 1963.

JEX-BLAKE, K. et SELLERS, E., *The Elder Pliny's Chapters on the History of Art*, 2ᵉ éd., 1968.

JOHNSON, E. H., *American Artists on Art from 1940 to 1980*, 1982.

JOHNSON, J. R., *The Radiance of Chartres*, 1964.

JOHNSON, L., « Towards Delacroix's oriental sources », *Burlington Magazine*, CXX, 1978.

—, « Two sources of oriental motifs copied by Delacroix », *Gazette des Beaux-Arts*, 6ᵉ pér., LXV, 1965.

—, *Delacroix*, 1963.

—, *The Paintings of Eugène Delacroix: A Critical Catalogue*, 1981-1989, 6 vol.

JOHNSON, M. et PACKARD, E., 1971. « Methods used for the identification of binding media in Italian paintings of the fifteenth and sixteenth centuries », *Studies in Conservation*, XVI.

JOLY, D., « Quelques aspects de la mosaïque pariétale au Iᵉʳ siècle de notre ère. D'après trois documents pompéiens » in *La Mosaïque gréco-romaine : Colloques internationaux, Paris, 1963*, 1965.

JONES, E. H., *Monet Unveiled : a New Look at Boston's Paintings*, 1977.

JONES, E. J. (éd.), *Mediaeval Heraldry*, 1943.

JONES, T., *Memoirs*, A. P. Oppé (éd.), *Walpole Society*, XXXII, 1946-1948.

JONES, T. DOUGLAS, *The Art of Light and Color*, 1972.

JORDAN, L., « Physiognomische Abhandlugen : Die Theorie der Physionomik im Mittelalter », *Romanische Forschungen*, XXIX, 1911.

JORET, C., *La Rose dans l'Antiquité et au Moyen-Âge*, 1892.

JÜCKER, H., *Vom Verhältnis der Römer zur bildenden Kunst der Griechen*, 1950.

JUDSON, J. R. et VAN DE VELDE, C., *Book Illustrations and Title-Pages (Corpus Rubenianum Ludwig Burchard, XXI)*, 1978.

JUNG, C. G., *Mysterium Coniunctionis*, 1963.

—, *Psychology and Alchemy*, 1953 (éd. fr. : *Psychologie et alchimie*, 1994).

JUNGHANNS, K., *Der deutsche Werkbund : sein erstes Jahrzehnt*, 1982.

JUNIUS, F., *The Painting of the Ancients*, Londres, 1638.

KAGAN, A., *Paul Klee : Art and Music*, 1983.

KÄHLER, H., *Hagia Sophia*, 1967.

KAISER, P. K., « Physiological response to colour : a critical review », *Color Research and Application*, IX, 1984.

Wassily Kandinsky : Die erste sowejetische Retrospektive, Francfort, Schirn Kunsthalle, cat. expo., 1989.

Kandinsky : Russian and Bauhaus Years, 1915-1933. New York, Guggenheim, cat. expo., 1983.

KANDINSKY, N., *Kandinsky und Ich*, 1976.

KANDINSKY, W. I., *Die gesammelte Schriften*, H. Roethel et J. Hahl-Koch (éds), 1980 (éd. angl. : *Complete Writings on Art*, K. Lindsay et P. Vergo (éds), 1982, 2 vol.).

—, *Du spirituel dans l'art et dans la peinture en particulier*, P. Sers (éd.), 1989.

—, *Regards sur le passé et autres textes 1912-1922*, J.-P. Bouillon (éd.), 1974.

—, *Cours du Bauhaus*, P. Sers (éd.), 1984.

KANE, E., « Marie Bracquemond : the artist time forgot », *Apollo*, CXVII, 1983.

KANTOROWICZ, E., « Oriens Augusti – Lever du Roi », *Dumbarton Oaks Papers*, XVII, 1963.

KARAGEORGHIS, V., *The Ancient Civilisation of Cyprus*, 1969.

KARPP, H., *Die frühchristlichen und mittelalterlichen Mosaiken in Santa Maria Maggiore zu Rom*, 1966.

KAUFFMANN, G., « Studien zum grossen Malerbuch des Gérard de Lairesse », *Jahrbuch für Aesthetik und allgemeine Kunstwissenschaft*, III, 1955-1957.

KAUFMANN, R. C., « The photo-archive of color palettes », *Yale University Library Gazette*, XLIX, 1974.

KAUFMANN, T. DA C. « The perspective of shadows : the history of the theory of shadow projection », *Journal of the Warburg and Courtauld Institutes*, XXXVIII, 1975.

—, *The School of Prague : Painting at the Court of Rudolph II*, 1989.

KAWERAU, G. et WIEGAND, T., *Die Paläste der Hochburg (Altertümer von Pergamon, V)*, 1930.

KEEN, M., *Chivalry*, 1984.

KEMP, M., « Ingres, Delacroix and Paganini : exposition and improvisation in the creative process », *L'Arte* N. S., III, 1970.

—, *Leonardo da Vinci : the Marvellous Works of Nature and Man*, 1981.

KEMP, M., *The Science of Art : Optical Themes in Western Art from Brunelleschi to Seurat*, 1990.

KENDRICK, T. D. et al., *Codex Lindisfarnensis*, 1960, 2 vol.

KENNEDY, R. W., « Apelles Redivivus », *Essays in Memory of Karl Lehmann*, 1964.

KEPLER, J., *Gesammelte Werke*, M. Caspar (éd.), XIV, 1969.

—, *Les Fondements de l'optique moderne : paralipomènes à Vitellion*, (1604), C. Chevalley (trad.), 1980.

KERBER, B., « Streifenbilder. Zur Unterscheidung ähnlicher Phänomene », *Wallraf-Richartz Jahrbuch*, XXXII, 1970.

KEULS, E., « Skiagraphia once again », *American Journal of Archaeology*, LXXIX, 1975.

—, *Plato and Greek Painting*, 1978.

KHATCHATRIAN, A., *Les Baptistères paléochrétiens*, 1962.

KHITROWO, B. DE, *Itinéraires russes en Orient*, 1889.

KIBRE, P., « Alchemical writings ascribed to Albertus Magnus », *Speculum*, XVII, 1942.

KIDSON, P., « Panofsky, Suger and St Denis », *Journal of the Warburg and Courtauld Institutes*, L, 1987.

KIRBY TALLEY, M., *Portrait Painting in England : Studies in the Technical Literature before 1700*, 1981.

— et GROEN, K., « Thomas Bardwell and his Practice of Painting », *Studies in Conservation*, XX, 1975.

KIRCHER, A., *Ars Magis Lucis et Umbrae*, Rome, 1646.

KIRSCHBAUM, E., « L'angelo rosso e l'angelo purchino », *Rivista di archeologia cristiana*, XVII, 1940.

KIRSOP, W., « The legend of Bernard Palissy », *Ambix*, IX, 1961.

KITSON, S. O., *The Life of John Sell Cotman*, 1937.

KITZINGER, E., « The hellenistic heritage in Byzantine art », *Dumbarton Oaks Papers*, XVII, 1963.

—, *The Mosaics of Monreale*, 1960.

—, *Byzantine Art in the Making*, 1977.

Klee et la musique, Paris, Centre Georges Pompidou, cat. expo., 1985-1986.

KLEE, F., *Paul Klee : his Life and Work in Documents*, 1962.

KLEE, P., *Beiträge zur bildnerische Formlehre*, J. Glaesemer (éd.), 1979a.

—, *Briefe an die Familie*, (éd.) F. Klee., 1979b ; éd. fr. : *cf.* aussi *Le temps des inventions : lettres, 1903-1905*, A.-S. Petit-Emptaz (éd.), 2005.

—, *Diaries*, F. Klee (éd.), 1957.

—, *Notebooks II : the Nature of Nature*, J. Spiller (éd.), 1973.

—, *Schriften, Rezensionen und Aufsätze*, C. Geelhaar (éd.), 1976.

—, *The Thinking Eye* (1961), J. Spiller (éd.), 2ᵉ éd., 1964.

Yves Klein, Paris, Centre Georges Pompidou, cat. expo., 1983.

KLEIN, A. B., *Coloured Light : an Art Medium*, 1937.

KLEIN, P. K., *Der ältere Beatus-Kodex Vitr. 1401 der Biblioteca Nacional zu Madrid. Studien zu Beatus – Illustration und der Spanischen Buchmalerei des 10 Jh.*, 1976.

KLEINBAUER, W. E., « The Iconography and the date of the mosaics of the Rotunda of Hagios Georgios, Thessaloniki », *Viator*, III, 1972.

KLERK, E. A. DE « De Teechen-Const, een 17de eeuws Nederlands traktaatje », *Oud Holland*, XCVI, 1982.

KLESSE, B., *Seidenstoffe in der Italienischen malerei des 14 Jh.*, 1967.

Franz Kline : the Colour Abstractions, Washington, Phillips Collection, cat. expo., 1979.

KLINKOWSTRÖM, A. VON, *F.A. von Klinkowström und seine Nachkommen*, 1877.

KLINKOWSTRÖM, F. VON, « Über das Wesen der Malerey », *Friedensblätter* II, 1815 (réimp. 1970).

KNIGHT, V. (éd.), *Patrick Heron*, 1988.

KOCH, J., « Augustinischer und Dionysischer Neu-Platonismus und das Mittelalter », *Kant-Studien*, XLVIII, 1956-1957.

KOCKAERT, L., « Note on the green and brown glazes of old paintings », *Studies in Conservation*, XXIV, 1979.

KODERA, T., *Vincent van Vogh : Christianity versus Nature*, 1990.

KOENIGSBERGER, D., *Renaissance Man and Creative Thinking : a History of Concepts of Harmony, 1400-1700*, 1979.

KÖHALMI, K. U., « Die Farbbezeichnungen der Pferde in den Mandschu-Tungusischen Sprachen », *Acta Orientalia Academiae Scientiarum Hungaricae*, XIX, 1966.

KOLDEWEY, R., « Das Bad von Alexandria-Troas », *Athenische Mitteilungen*, IX, 1884.

KOLLERITSCH, O. (éd.), *Alexander Skrjabin*, 1980.

KONDAKOFF, N., « Les Costumes orientaux à la cour byzantine », *Byzantion*, I, 1924.

KÖNIG, J., « Die Bezeichnung der Farben », *Archiv für die gesamte Psychologie*, LX, 1927.

KOSTOF, S. K., *The Orthodox Baptistry of Ravenna*, 1965.

KOUWER, B., *Colors and their Character : a Psychological Study*, 1949.

KRAMER, H. et MATSCHOSS, O. (éds), *Farben in Kultur und Leben*, 1963.

KRANZ, W., « Die ältesten Farbenlehren der Griechen », *Hermes*, XLVII, 1912.

KREMPEL, U., « Das Remaklus Retabel in Stavelot und seine künstlerischen Nachfolge », *Münchener Jahrbuch der Bildende Kunst*, XXII, 1971.

KRIS, E., *Meister und Meisterwerke der Steinschneidekunst in der italienischen Renaissance*, 1929.

KRISTELLER, P. O., *Giulio Campagnola*, 1907.

KRISTELLER, P., *Andrea Mantegna*, S. A. Strong (éd.), 1901.

KRUTA, V. (éd.), *Básmik & Vûdec. Johann Wolfgang Goethe/Jan Evangelista Purkynú*, 1968.

KUEHNI, R. G., « What the educated person knew about color A.D. 1700 », *Color Research and Application*, VI, 1981.

KÜHN, H., « Die Technik der Farbenherstellung in der Neuzeit », *Maltechnik*, LXXXVIII, 1982.

—, « Farbmaterial und technischer Aufbau der Gemälde von Niklaus Manuel », *Maltechnik*, LXXXIII, 1977.

—, « A study of the pigments and the grounds used by Jan Vermeer », Washington, National Gallery of Art, *Report and Studies in the History of Art*, II, 1968.

—, « Untersuchungen zu den Pigmenten und Malgründen Rembrandts, durchgeführt an den Gemälden der Staatlichen Kunstsammlungen Kassel », *Maltechnick/Restauro*, LXXXII, 1976.

—, « Untersuchungen zu den Pigmenten und Malgründen Rembrandts, durchgeführt an den Gemalden der Staatlichen Kunstsammlungen Dresden », *Maltechnik/Restauro*, LXXXIII, 1977.

—, *Die Pigmente in den Gemälden der Schack-Galerie* (annexe à E. Ruhmer et al., *Schack-Galerie*, II), 1969.

Künstler der Brücke, cat. expo., Saarbrück, Moderne Galerie des Saarland-Museums, 1980.

KUPKA, F., *La Création dans les arts plastiques* (1923) ; éd. et trad. angl. : E. Abrams, 1989.

KURELLA, A. et STRAUSS, I., « Lapis lazuli und natürliches Ultramarin », *Maltechnik/Restauro*, LXXXIX, 1983.

KURZ, O., « Time the Painter », *Burlington Magazine*, CV, 1963.

KUSCHEL, R. et MONBERG, T., « "We don't talk much about colour here": a study of colour semantics in Bellona Island », *Man*, IX, 1974.

KUSPIT, D. B., « "Melancthon and Dürer" : the search for the simple style », *Journal of Medieval and Renaissance Studies*, III, 1973.

KUTSCHERA-WOBORSKY. O., « Ein kunsttheoretisches Thesenblatt Carlo Marattas und seine ästhetische Anschauungen », *Mitteilungen der Gesellschaft für vervielfältigende Kunst*, 1919.

LABORDE, COMTE DE, *Les Ducs de Bourgogne : études sur les lettres, les arts et l'industrie pendant le XVᵉ siècle*, 1851, vol. II, 2ᵉ partie.

LACOUTURE, C., *Répertoire chromatique*, 1890.

LADIS, A., *Taddeo Gaddi*, 1982.

LAFOND, J., « Découverte de vitraux historiés du Moyen Âge à Constantinople », *Cahiers archéologiques*, XVIII, 1968.

LAFONTAINE-DOSOGNE, J., « L'évolution du programme décoratif des églises de 1071 à 1261 », *Actes du XVᵉ congrès international d'études byzantines, 1976*, I, 1979.

LAIRESSE, G. DE, *Le Grand Livre des peintres…*, J. Hendrick (trad.), Paris, 1787.

—, *The Art of Painting* (1738), 2ᵉ éd., Londres, 1778.

LAKOWSKI, R. et MELHUISH, P., « Objective analysis of the Luscher Colour Test », International Colour Association, *Colour 73*, 1973.

KRUTA, V. (éd.), ...

LAMARCK, J.-B., « Sur l'état de combinaison des principes dans les différentes molécules essentielles des composites », in *Mémoires de physique et d'histoire naturelle*, Paris, 1797.

LAMBERT, J. H., *Beschreibung einer mit Calauschem Wachse ausgemalten Farben pyramide*, Augsburg, 1772.

—, *Photometria, sive de Mensura et Gradibus Luminis, Colorum et Umbrae*, Augsbourg, 1760.

LAMBERT, S., *The Image Multiplied : Five Centuries of Printed Reproductions of Paintings and Drawing*, 1987.

LANDSBERGER, F., *Die Kunst der Goethezeit*, 1931.

LANDSEER, T. (éd.), *Life and Letters of William Bewick (Artist)* (1871), 1978, 2 vol.

LANE, C. W. et STEINITZ, K., « Palette Index », *Art News*, XLI, 1942.

LANGE, G., *Bild und Wort : die katechetischen Funktionen des Bildes in der griechischen Theologie des 6. bis 9. Jahrhunderts*, 1969.

LANGTON DOUGLAS, F., *Fra Angelico*, 2ᵉ éd., 1902.

LANKHEIT, K. (éd.), *The Blaue Reiter Almanac* (1912), 1974.

— (éd.), *Wassily Kandinsky-Franz Marc Briefwechsel*, 1983.

LASSBERG VON FREIHERR, J. M. C. (éd.), *Lieder-Saal*, 1820/1825, 4 vol.

LASZLO, A., *Die Farblichtmusik*, 1925a.

—, « Die Farblichtmusik », *Die Musik*, XVII/9, juin, II, 1925b.

LATINI, BRUNETTO, *Il Tesoro*, B. Giamboni (trad. it) et L. Gaiter (éd.), 1878-1883, IV, 1883.

LATREILLE, P. A., *Histoire naturelle générale et particulière des crustacés et des insectes*, Paris, 1802, 14 vol.

LAUGEL, A., *L'Optique et les arts*, 1869.

LAUGIER, M.-A., *Manière de bien juger des ouvrages de peinture* (1771), 1972.

LAUGUI, E., « Vincent van Gogh : la technique », *Les Arts Plastiques*, I, 1947.

LAVAGNE, H., « "Luxuria inaudita" : Marcus Æmilius Scaurus et la naissance de la mosaïque murale », in *Mosaïque : recueil d'hommages à Henri Stern*, 1983.

—, « Histoire de la mosaïque. I : Les mosaïstes antiques », *Annuaire de l'École pratique des Hautes Études*, IVᵉ sect., 1977-1978.

LAVIN, M. A., « The joy of the Bridegroom's friend: smiling faces in Fra Lippo Lippi, Raphael and Leonardo » in M. Barasch et L. Freeman Sandler (éds), *Art the Ape of Nature : Studies in Honor of H. W. Janson*, 1981.

—, « Colour study in Barocci's drawing », *Burlington Magazine*, XCVIII, 1956.

LAZAREV, V., *Old Russian Paintings and Mosaics*, 1966.

—, *Storia della Pittura Bizantina*, 1967.

LAZZARINI, L. et al. (éds) *Giorgione : La Pala di Castelfranco Veneto*, 1978.

LE BLON, J. C., *Coloritto ; or the Harmony of Colouring in Painting reduced to Mechanical Practice, under Easy Precepts, and Infallible Rules* [Londres], [1725].

LECOY DE LA MARCHE, A., *Œuvres complètes de Suger*, 1867.

LEE, A., « A critical account of some of Josef Albers' concepts of color », *Leonardo*, XIV, 1981.

—, « Seurat and Science », *Art History*, X, 1987.

LEGGETT, W. F., *Ancient and Medieval Dyes*, 1944.

LEHMANN, K., « The Dome of Heaven », *Art Bulletin*, XXVII, 1945.

LEHMANN, P. W. et K. L., *Samothracean Reflections*, 1973.

LEHMANN-BROCKHAUS, O., *Lateinische Schriftquellen zur Kunst in England, Wales und Schottland*, 1955-1960, 5 vol.

—, *Schriftquellen zur Kunstgeschichte des 11. und 12. Jh. für Deutschland, Lothringen und Italien*, 1938.

LEJEUNE, A., *Euclide et Ptolémée : deux stades de l'optique géométrique grecque*, 1948.

LEMAISTRE, A., *L'École des Beaux-Arts*, 1889.

LEMBERG, M. et SCHMEDDING, B., *Abegg-Stiftung Bern in Riggisberg*, II, *Textilien*, 1973.

LÉONARD DE VINCI, *A Treatise on Painting*, Londres, 1721 ; A. P. McMahon (éd. et trad.), 1956, 2 vol. ; éd. fr. : *Traité de la peinture*, 1987.

LEPIK-KOPACZYNSKA, W., *Apelles, der berühmteste Maler der Antike*, 1963.

LERSCH, T., « Von der Entomologie zur Kunsttheorie », *De Arte et Libris : Festschrift Erasmus 1934-1984*, 1984.

LESLIE, C. R., *Autobiographical Recollections*, T. Taylor (éd.), 1860, 2 vol. (éd. facsimile, 1978).

LESLIE, C. R., *Memoirs of the Life of John Constable*, J. Mayne (éd.), 1951.

LEVI, D., *Antioch Mosaic Pavements*, 1947, 2 vol.

LEVIN, G., *Synchromism and American Color Abstraction 1910-1925*, 1978.

LÉVI-STRAUSS, C., *Le Cru et le cuit*, 1964.

LEVITINE, G., *The Dawn of Bohemianism*, 1978.

LEWIS, S., *The Art of Matthew Paris in the « Chronica Majora »*, 1987.

LEWY, H., *Chaldean Oracles and Theurgy*, 1956.

Liber Claritatis Totius Alkimiae Artis, E. Darmstaedter (éd.), *Archaeion*, VI-IX, 1925/1927.

Liber Pontificalis, L. Duchesne (éd.), 1886-1957, 3 vol.

LICHTENBERG, H., *Die Architekturdarstellungen in der mittelhochdeutschen Dichtung*, 1931.

LIGHTBOWN, R., *Secular Goldsmith's Work in Mediaeval France*, 1978.

LILIEN, O., *Jacob Christophe Le Blon, 1667-1741. Inventor of Three and Four-Colour Printing*, 1985.

LILLICH, M. P., « The band-window : a theory of origin and development », *Gesta*, IX, 1970.

LINDBERG, D. C., « The cause of refraction in mediaeval optics », *British Journal for the History of Science*, IV, 1968/1969.

LINDBERG, D. C., « The Genesis of Kepler's Theory of Light : light metaphysics from Plotinus to Kepler », *Osiris*, N. S. II, 1986.

—, *Studies in the History of Medieval Optics*, 1983.

—, *Theories of Vision from Alkindi to Kepler*, 1976.

LINNAEUS (CARL VON LINNÉ), *Critica Botanica* (1737), éd. angl. : A. Hort et M. L. Green (trad.), 1938.

LIPINSKY, A., « La simbologia del gemme », *Atti del i congresso nazionale di studi danteschi*, 1962.

LIPPMAN, E. A., « Hellenic conceptions of harmony », *Journal of the American Musicological Society*, XVI, 1963.

LISKAR, E. (éd.), *Europäische Kunst um 1300* (Akten des XXV Internationalen Kongresses für Kunstgeschichte, Vienne 1983), VI, 1986.

LISLE, L., *Portrait of an Artist : a Biography of Georgia O'Keeffe*, 2ᵉ éd., 1986.

LISTA, G., *Balla*, 1982.

Livro de como se fazan as Côres, Todd Memorial Volumes, I, 1930 ; trad. angl. : D. S. Blondheim, *Jewish Quarterly Review*, XIX, 1928-1929.

LOCKE, J., *An Essay Concerning Human Understanding* (4ᵉ éd. 1700), P. H. Nidditch (éd.), 1975.

—, *Essay on Human Understanding* (1690), P. H. Nidditch (éd.), 1975.

LODDER, C., *Russian Constructivism*, 1983.

LOGVIN, H., *Kiev's Hagia Sophia*, 1971.

LONDON, H. S., « Rolls of Arms, Henry III », *Aspilogia*, II, 1967.

LONDON, P., *In Pursuit of Perfection : the art of A. D. Ingres*, 1984.

LOPEZ, R. S., « The silk industry in the Byzantine Empire », *Speculum*, XX, 1945.

LOPRESTI, L., « Pietro Testa incisore e pittore », *L'Arte*, XXIV, 1921.

LOTTO, LORENZO, *Il Libro di spese diversi*, P. Zampetti (éd.), 1969.

LOUMYER, G., *Traditions, techniques de la peinture médiévale*, 1914.

LOWENTHAL, A., *Joachim Wtewael and Dutch Mannerism*, 1986.

LOWINSKY, E. E., « Music of the Renaissance as viewed by Renaissance musicians » in B. O'Kelley (éd.), *The Renaissance Image of Man and the World*, 1966.

LUBECK, K., « Die liturgische Gewandung der Griechen », *Theologie und Glaube*, IV, 1912.

LUCAS, A. et PLESTERS, J., « Titian's "Bacchus and Ariadne" », *National Gallery Technical Bulletin*, II, 1978.

LUCY, J. A. et SCHWEDER, R. A., « Whorf and his critics : linguistic and nonlinguistic influences on color naming », *American Anthropologist*, XXXI, 1979.

LUGLI, G., « Studi topografichi intorno alle antichi ville suburbane – VI. Villa Adriana », *Bollettino della Commissione Archeologica Communale di Roma*, LV, 1928.

LUTHER, H. M., « A history of the psychological interpretation of alchemy », *Ambix*, XX, 1973.

Lˣˣˣ, M. DE, *Manuel du peintre en miniature, à la gouache et à l'aquarelle*, vers 1829.

LYDGATE, J., *Temple of Glas*, J. Schick (éd.), 1891.

MacADAM, D. L., in *Color Research and Application*, XI, 1986.

— (éd.), *Sources of Color Science*, 1970.

MacGREGOR, A. A., *Percyval Tudor Hart*, 1961.

MACKE, W. (éd.), *August Macke – Franz Marc, Briefwechsel*, 1964.

MacLEAN, K., « De Kleurentheorie der Arabieren » et « De kleurentheorie in West-Europa van ca. 600-1200 », *Scientiarum Historia*, VII, 1965.

—, « De Kleurentheorie in West-Europa (1200-1500) », *Scientiarum Historia*, VIII, 1966.

MacLEAN, K., *John Locke and English Literature in the Eighteenth Century*, 1936.

MacMULLEN, R., « Some pictures in Ammianus Marcellinus », *Art Bulletin*, XLVI, 1964.

MACRIDES, R. et MAGDALINO, P., « The architecture of Ekphrasis: construction and context of Paul the Silentiary's *ekphrasis* of Hagia Sophia », *Byzantine and Modern Greek Studies*, XII, 1988.

MACROBE, *Commentary on the Dream of Scipio*, W. H. Stahl (éd. et trad.), 1952 ; éd. fr. : *Commentaire au Songe de Scipion*, Armisen-Marchetti, M. (éd. et trad.), 2001.

MAGUIRE, H., *Earth and Ocean : the terrestrial World in Byzantine Art*, 1987.

—, « Truth and Convention in Byzantine descriptions of works of art », *Dumbarton Oaks Papers*, XXVIII, 1974.

MAHEUX, A. F., *Degas Pastels*, Ottowa, National Gallery of Canada, 1988.

MAHLING, F., « Das Problem der "audition colorée" », *Archiv für die gesamte Psychologie*, LVII, 1926.

MAHON, D., « Miscellanea for the Cleaning Controversy », *Burlington Magazine*, CIV, 1962.

—, *Studies in Seicento Art and Theory*, 1947.

MAIER, A., *An der Grenze von Scholastik und Natur-Wissenschaft*, 2ᵉ éd., 1952.

MAIER, J.-L., *Le Baptistère de Naples et ses mosaïques*, 1964.

MAINSTONE, R., *Hagia Sophia. Architecture, Structure and Liturgy of Justinian's Great Church*, 1988.

MAIURI, A., *Roman Painting*, 1953.

MAKSIMOVIC, I., « Iconography and Programme of the Mosaics at Porec », *Recueils des travaux de l'Institut d'études byzantines (Mélanges G. Ostrogorsky*, II), 1964.

MALAGUZZI VALERI, F., « La miniatura a Bologna dal XIII al XV secolo », *Archivio storico italiano*, XVIII, 1896.

MALÉVITCH, K., *Le Miroir suprématiste*, J.-C. Marcadé, 1977.

MALIN, D. et MURDIN, P., *Colours of the Stars*, 1984.

MALKOWSKY, G., « Goethes Farbenlehre und die moderne Malerei », *Moderne Kunst*, XIII, 1899.

MALONE, E., *The Works of Sir Joshua Reynolds*, 1797 (2ᵉ éd., 1798).

MALTESE, C., « Colore, luce e movimento nello spazio Albertiano », *Commentari*, N. S., XXVII, 1976.

—, « Il colore per Leonardo dalla pittura alla scienza » in *Leonardo e l'età della ragione : Acti del Convegno*, Milan., 1982.

—, « Leonardo e la teoria dei colori », *Römisches Jahrbuch für Kunstgeschichte*, XX, 1983.

MALVASIA, C., *Felsina Pittrice* (1678), 2ᵉ éd., 1841, 2 vol.

MANCINELLI, F., « La technique de Michel-Ange et les problèmes de la Chapelle Sixtine : la Creation d'Ève et le Péché Originel », *Revue de L'Art*, LXXXI, 1988.

—, « The technique of Michelangelo as a painter. A note on the cleaning of the first lunettes in the Sistine Chapel », *Apollo*, CXVII, 1983.

MANCINI, G., *Considerazioni sulla Pittura*, A. Marucchi (éd.), 1956, 2 vol.

MANCUSI-UNGARO, C., « The Rothko Chapel: treatment of the Black-Form, Triptychs » in J. S. Mills et P. Smith, *Cleaning, Retouching and Coatings* (IIC Preprints of the Brussels Congress), 1990.

MANDELKOW, R. K., *Goethe in Deutschland : Rezeptionsgeschichte eines Klassikers, I, 1773-1918*, 1980.

MANDER, K. VAN, *Den Grondt der edel vry Schilder-Const*, H. Miedema (éd. et trad.), 1973.

—, *Het Schilderboeck* (1604), R. Hoecker (éd.), 1916.

MANDOWSKY, E., *Ricerche intorno all'iconologia di Cesare Ripa*, 1939.

MANGO, C., « Antique Statuary and the Byzantine Beholder », *Dumbarton Oaks Papers*, XVII, 1963.

—, *The Art of the Byzantine Empire 312-1453*, 1972.

—, *The Mosaics of St Sophia at Istanbul*, 1962.

—, et HAWKINS, F. J. W., « The apse mosaics of St Sophia at Istanbul », *Dumbarton Oaks Papers*, XIX, 1965.

—, et PARKER, J., « A twelfth-century description of St Sophia », *Dumbarton Oaks Papers*, XIV, 1960.

MANIATES, M. R., *Mannerism in Italian Music and Culture, 1530-1630*, 1979.

MANN, M., « La couleur perse en ancien français et chez Dante », *Romania*, XLIX, 1923.

Manners and Morals : Hogarth and British Painting, 1700-1760, cat. expo. Londres, Tate Gallery, 1987.

MANTZ, K., « Die Farbensprache der expressionistische Lyrik », *Deutsche Vierteljahrschrift für Litteraturwissenschaft und Geistesgeschichte*, XXXI, 1957.

MANWARING, E. W., *Italian Landscape in Eighteenth-Century England*, 1925.

MANZONI, L., *Statuti e matricole dell'arte dei pittori della città di Firenze, Perugia, Siena*, 1904.

Mappae Clavicula, C. Smith et J. G. Hawthorne (éds), *Transactions of the American Philosophical Society*, LXIV, part. 4, 1974.

MARAZZA, A., « Gli studi di L. Reti sulla chimica di Leonardo » in *Leonardo saggi e ricerche*, 1954.

MARBODE DE RENNES, *De Lapidibus*, J. M. Riddle (éd.), 1977.

MARCHINI, G., *Le Vetrate dell'Umbria* (Corpus Vitriarum Medii Aevi-Italia, I), 1973.

MARCUSSEN, M., « Duranty et les Impressionnistes, II », *Hafnia*, VI, 1979.

MAREK, J., « Newton's report ("New theory about Light and Colours") and its relation to results of his predecessors », *Physis*, XI, 1969.

MARIANI, V., *Storia della Scenografia Italiana*, 1930.

MARÍAS, F. et BUSTAMANTE, A., *Las Ideas artísticas de El Greco*, 1981.

MARIUS, *On the Elements*, R. C. Dales (éd.), 1976.

MARKS, L. E., *The Unity of the Senses*, 1978.

MARKS, L., « On colored hearing synaesthesia : cross-modal translations of sensory dimensions », *Psychological Bulletin*, 82, 1975.

—, *The Unity of the Senses*, 1978.

MARLE, R. VAN, *The Development of the Italian Schools of Painting*, 1923-1938, 19 vol.

MARTELS, Z. R. W. M. VON (éd.), *Alchemy Revisited*, 1990.

MARTENE, E. et DURAND, U., *Thesaurus Novus Anecdotorum*, Paris, 1717, 5 vol.

MARTIN, M., *Futurist Art and Theory*, 1968.

MARTIN, W., « Een "Kunsthandel" in een Klappermanswachthuis », *Oud Holland*, XIX, 1901.

MARTINDALE, A., *Simone Martini : Complete Edition*, 1988.

—, *The Rise of the Artist in the Middle Ages and Early Renaissance*, 1972.

MARTINELLI, P. A., « Il costume femminile nei mosaici ravennati », *Corsi d'arte Ravennata e Bizantina*, XVI, 1969.

MASON, W., « Father Castel and his color clavecin », *Journal of Aesthetics and Art Criticism*, XVII, 1958/1959.

MASSING, A. et CHRISTIE, N., « The Hunt in the Forest by Paolo Uccello », *Hamilton Kerr Institute Bulletin*, I, 1988.

MASSING, J. M., *Du texte à l'image. La calomnie d'Apelle et son iconographie*, 1990.

MASSOUL, C. DE, *A Treatise on the Art of Painting and Composition of Colours*, Londres, 1797.

MATHEW, G., « The aesthetic theories of Gregory of Nyssa » in G. Robertson et G. D. S. Henderson (éds), *Studies in Memory of David Talbot Rice*, 1975.

—, *Byzantine Aesthetics*, 1963.

MATHEWS, T. F., *The Early Churches of Constantinople : Architecture and Liturgy*, 1971.

MATHIEU, P.-L., *Gustave Moreau : Complete Edition of the Finished Paintings, Watercolours and Drawings*, 1977.

MATILE, H., *Die Farbenlehre Philipp Otto Runges*, 2ᵉ éd., 1979.

—, « Autres Propos de Henri Matisse », D. Fourcade (éd.), *Macula*, I, 1976.

—, *Écrits et propos sur l'art*, D. Fourcade (éd.), 1972.

MATON, *Observations relative chiefly to the Natural History, Picturesque Scenery and Antiquities of the Western Counties of England*, 1797, 2 vol.

MATSCHE, F., « Delacroix als Deckenmaler », *Zeitschrift für Kunstgeschichte*, XLVII, 2, 1984.

MATTEINI, M. et MOLES, A., « A preliminary investigation of the unusual technique of Leonardo's mural "Last Supper" », *Studies in Conservation*, XXIV, 1979.

MATTHAEI, R., « Complementäre Farben : zur Geschichte und Kritik eines Begriffes », *Neue Hefte Zur Morphologie*, IV, 1962.

MATTHEWS, T., *John Gibson*, 1911.

MATTHIAE, G., « I mosaici di Grottaferrata », *Rendiconti pontificia archaeologia*, XLII, 1969-1970.

—, *Mosaici medioevale delle chiese di Roma*, 1967.

MAUR, K. VON, *Oskar Schlemmer, Monographie and Œuvrekatalog*, 1979, 2 vol.

—, *Vom Klang der Bilder. Die Musik in der Kunst des 20 Jh.*, 1985.

MAURER, E., « Zum Kolorit von Pontormos Deposizione » in *15 Aufsätze zur Geschichte der Malerei*, 1982.

MAXWELL, J. CLERK. I, *The Scientific Papers of James Clerk Maxwell*, P. M. Harman (éd.), 1990.

MAXWELL-STUART, P. G., *Studies in Greek Colour Terminology II*, 1981.

MAY, F. L., *Silk Textiles of Spain : Eight to Fifteenth Century*, 1957.

MAYERNE, THÉODORE TURQUET DE, *Le Manuscrit de Turquet de Mayerne*, C. Versini et N. Faidutti (éds), s. d.

MAZZEI, SER LAPO, *Lettere di un Notaro a un mercante*, C. Guasti (éd.), 1880, 2 vol.

McCOLL, D. S., *Nineteenth-Century Art*, 1902.

McCOUBREY, J., « The revival of Chardin in French still-life painting », *Art Bulletin*, XLVI, 1964.

McGINNIS, H., « Cast shadows in the Passion Cycle at S. Francesco, Assisi : a note », *Gazette des Beaux-Arts*, XXVII, 1971.

McGUCKIN, J. A., *The Transfiguration of Christ in Scripture and Tradition*, 1986.

McKEON, C. K., *A Study of the Summa Philosophiae of the Pseudo-Grosseteste*, 1948.

McKIM SMITH, G., ANDERSON-BERGDOLL, G. et NEWMAN, R., *Examining Velásquez*, 1988.

McKINNON, J. (éd.), *Music in Early Christian Literature*, 1987.

McLAREN, K., lettres in *Colour Research and Application*, 1986.

—, « Newton's Indigo », *Color Research and Application*, X, 1985.

McMANUS, I., JONES, A. C. et COTTRELL, J., « The aesthetics of colour », *Perception*, X, 1981.

McNALLY, R. E., « The Three Holy Kings in Early Irish Latin writing », in P. Granfield et J. A. Jungmann (éds), *Kyriakon : Festschrift Johannes Quasten*, II, 1970.

McNEILL, N. B., « Colour and colour terminology », *Journal of linguistics*, VIII, 1972.

MEDER, J., *Die handzeichnung*, 2ᵉ éd., 1923.

MEDICO, H. E. DEL, « Les mosaïques de Germigny-des-Prés », *Monuments Piot*, XXXIX, 1943.

MEGAW, A. H. S., « Notes on recent work of the Byzantine Institute in Istanbul », *Dumbarton Oaks Papers*, XVII, 1963.

— et HAWKINS, E. J. W., *The church of the Panagia Kanakaria at Lythrankomi in Cyprus : its Mosaics and Frescoes*, 1977.

MEIER, C., « Das Problem der Qualitätsaliegorese », *Frühmittelalterliche Studien*, VIII, 1974.

—, « Die Bedeutung der Farben im Werk Hildegards von Bingen », *Frühmittelalterliche Studien*, VI, 1972.

—, *Gemma Spiritualis : Methode und Gebrauch der Edelsteinallegorese von frühen Christentum bis ins 18 Jahrhundert*, I, 1977.

MEIER, H., « Ein dunkles Farbwort » in H. M. and H. Schommodau (éds), *Wort und Text : Frestschrift für Fritz Schalk*, 1963.

MEISS, M., « A documented altarpiece by Piero della Francesca », *Art Bulletin*, XXIII, 1941.

MELIS, F., *Aspetti della vita economica medioevale*, 1962.

MELLINK, M. J., « Excavations at Karatas-Samayuk and Elmah, Lycia, 1970 », *American Journal of Archaeology*, LXXV, 1971.

MELZER, F., « Color as cognition in Symbolist verse », *Critical Inquiry*, V, 1978.

MÉNARD, P., *Le Rire et le sourire dans le roman courtois en France au Moyen-Âge, 1150-1250*, 1969.

MENENDEZ Y PELAYO, M., *Historia de las Ideas Esteticas en España*, II, 1910.

MENESTRIER, C. F., *L'Art du blason justifié*, Lyon, 1661.

MENTRÉ, M., « Espace et couleur dans les Beatus du Xᵉ siècle », *Cahiers de Saint-Michel de Cuxa*, XIV, août 1983.

—, *La Peinture mozarabique*, 1984.

MENZEL, W., « Die Mythen des Regenbogens » in *Mythologische Forschungen und Sammlungen*, 1842.

MÉRIMÉE, J.-F.-L., *De la peinture à l'huile*, 1830 (réimp. 1981).

MERKEV, G. S., « The rainbow mosaic at Pergamon and Aristotelian color theory », *American Journal of Archaeology*, LXXI, 1967.

MERRIFIELD, M. P., *A Treatise on Painting written by Cennino Cennini in the year 1437*, 1844.

—, *Original Treatises on the Arts of Painting*, 1849, 2 vol.

MERRIN, C. B., CATLIN, J. et ROSCH, E., « Development of the Structure of Color Categories », *Developmental Psychology*, II, 1975.

MERSENNE, M., *Harmonie Universelle*, Paris, 1636/1637, 2 vol.

MÉSARITÈS, N., « Description of the Church of the Holy Apostles », éd. G. Downey, *Transactions of the American Philosophical Society*, N.S., XLVII, 1957.

MESNIL, J., *Botticelli*, 1938.

MÉTHODE D'OLYMPE, *Le Banquet*, H. Musurillo (éd.) et V.-H. Debidour (trad.), 1958.

MEYENDORFF, J., « Byzantine views of Islam », *Dumbarton Oaks Papers*, XVIII, 1964.

MEYER, H. B., « Zur Symbolik frühmittelalterlicher Majestasbilder », *Das Münster*, XIV, 1961.

MEYER, H., « Über Lehranstalten zu Gunsten der bildenden Künste », *Propyläen*, III, ii 1799 (réimp. 1965).

MEYERSON, I. (éd.), *Problèmes de la couleur*, 1957.

MICHEL, F., *Recherches sur le commerce, la fabrication et l'usage des étoffes de soie, d'or et d'argent*, 1852-1854.

MICHELIS, P. A., « Comments on Gervase Mathew's *Byzantine Aesthetics* », *British Journal of Aesthetics*, IV, 1964.

MICHELIS, P. A., « L'esthétique d'Hagia-Sophia », *Corsi d'arte Ravennata e Bizantina*, X, 1963.

MICHELIS, P. A., *An Aesthetic Approach to Byzantine Art*, 1955.

—, « Neo-Platonic Philosophy and Byzantine art », *Journal of Aesthetics and Art Criticism*, XI, 1952.

MIDDELDORF, U. (intro.), *Il Tesoro della Basilica di San Francesco ad Assisi*, 1980.

—, « L'Angelico e la scultura », *Rinascimento*, II, 1955.

MIDDLETON, R., « Perfection and colour : the polychromy of French architecture in the eighteenth and nineteenth centuries », *Rassegna*, XXIII, 1985.

MIEDEMA, H., « Over kwaliteitsvoorschriften in het St. Lukasgilde ; over doodverf », *Oud Holland*, CI, 1987.

MIELSCH, H., *Buntmarmore aus Rom im Antikenmuseum Berlin*, 1985.

MILANESI, G., « Documenti inediti riguardanti Leonardo da Vinci », *Archivio Storico Italiano*, ser. III, XVI, 1872.

—, *Documenti sulla storia dell'arte senese*, 1854-1856, 3 vol.

MILESI, A., [compte rendu de] G. Previati, *Principi scientifici del divisionismo* in *Les Tendances nouvelles*, XXIX, 1907.

MILIZIA, F., *Dell'Arte di vedere nelle Belle Arti del disegno*, Venise, 1781 (éd. facsimile 1983).

MILLAIS, J. G., *Life and Letters of Sir J. F. Millais*, 1899, 2 vol.

MINERVINO, F., *L'Opera completa di Seurat*, 1972.

MINGAZZINI, P., « Una copia dell'Alexandros Keraunophonos di Apelle », *Jahrbuch der Berliner Museen*, III, 1961.

MINTO, A., *Le Vite dei pittori antichi di C. R. Dati e gli studi erudito-antiquari nel seicento*, 1953.

MIQUEL, P., *Paul Huet*, 1962.

Mittelalterliche Schatzverzeichnisse, I, Zentralinstitut für Kunstgeschichte, Munich, 1967.

MIZLER, L., *Musikalische Bibliothek*, 1743.

MOFFETT, C. S., *The New Painting : Impressionism 1874-1886*, 1986.

MOFFETT, K., *Kenneth Noland*, 1977.

MOFFITT, J. F., « "Fighting Forms: the Fate of the Animals" : the occultist origins of Franz Marc's "Farben-theorie" », *Artibus & Historiae*, XII, 1985.

MOHOLY-NAGY, L., « Produktion-Reproduktion », *De Stijl*, V, n°7, 1922.

MOLIÈRE (JEAN-BAPTISTE POQUELIN), *Œuvres complètes*, G. Michaut (éd.), X, 1949.

MOLINIER, E., « Inventaire de Trésor du Saint-Siège sous Boniface VIII (1295) », *Bibliothèque de l'École des Chartes*, XLVI, 1885 ; XLVII, 1886.

MOLLON, J. D., « "Tho she kneel'd in that Place where they grew…". The uses and origins of Primate colour vision », *Journal of Experimental Biology*, CXLVI, 1989.

— et SHARPE, L. T. (éds), *Colour Vision, Physiology and Psychophysics*, 1983.

MONFASANI, J., « A description of the Sistine Chapel under Pope Sixtus IV », *Artibus & Historiae*, VII, 1983.

MONGE, G., *Géométrie descriptive* (1795), 4ᵉ éd., 1820 (réimp. 1922).

—, « Mémoire sur quelques phénomènes de la vison », *Annales de Chimie*, III, 1789.

MONTESQUIOU-FEZENSAC, B. DE, *Le Trésor de Saint-Denis : Inventaire de 1634*, 1973.

MONTJOSIEU, L. (Demontiosius), *Commentarius de Pictura (Gallus : Romae Hospes, 1585)* in Vitruvius, *De Architectura*, J. de Laet (éd.), Anvers, 1649.

Monumenta Germaniae Historica Scriptores Rerum Germanicarum, N. S. XII, H. F. Haefelde (éd.), 1960.

MORASSI, A., *G. B Tiepolo : A Complete Catalogue of the Paintings*, 1962.

—, *G. B. Tiepolo*, 1955.

MORE, T., *Utopia*, R. Robinson (trad.), 1551 ; éd. fr. : *L'Utopie*, 1999.

MOREAU-VAUTHIER, C., *Comment on peint aujourd'hui*, 1923.

MORGAN, M. J., *Molyneux' Question : Vision, Touch and the Philosophy of*

Perception, 1977.

MORGAN, N. J., *The Mediaeval Painted Glass of Lincoln Cathedral*, 1983.

MORGENSEN, M. F., et ENGLISH, H. B., « The apparent warmth of colors », *American journal of psychology*, XXXVII, 1926.

MORLEY FLETCHER, C., *Colour-Control. The Organisation and Control of the Artist's Palette*, 1936.

MORSE, C. R., « Matisse's Palette », *Art Digest*, VII, 1923.

MORTET, V., *Recueil de textes relatifs à l'histoire de l'architecture… en France*, XIe-XIIe siècles, 1911.

MÖSENDER, K., *Philipp Otto Runge und Jakob Böhme*, 1981.

MÖTEKAT, H., « Variations in Blue », *Yearbook of Comparative and General Literature*, X, 1961.

MOTTE-HABER, H. DE LA, *Musik und bildende Kunst : von der Tonmalerei zur Klangskulptur*, 1990.

MOURIKI, D., *The Mosaics of Nea Moni on Chios*, 1985.

MRAS, G., « Ut pictura musica : a study of Delacroix's *Paragone* », *Art Bulletin*, XLV, 1963.

MUCHE, G., *Blickpunkt*, 1965.

MUGLER, C., *Dictionnaire historique de la terminologie optique des Grecs*, 1964.

MÜLLER, J., *Handbuch der Physiologie des Menschen*, 3e éd., 1840, 2 vol.

—, *Zur vergleichenden Physiologie des Gesichtsinnes*, 1826.

MÜLLER-CHRISTENSEN, S., *Das Grab des Papstes Clemens II im Dom zu Bamberg*, 1960.

MÜLLER-FREIENFELS, R., « Zur Theorie der Gefühlstöne der Farbenempfindungen », *Zeitschrift für Psychologie*, XLVI, 1907.

MUNDÓ, A. M. et SANCHEZ MARIANA, M., *El Commentario de Beato al Apocalipsis. Catalogo de los Codices*, 1976.

MUNSELL, A., *A Color Notation*, 1905.

MÜNTZ, E. et FROTHINGHAM, A. L., *Il Tesoro della Basilica di S. Pietro*, 1883.

MURARO, M., « The statutes of the Venetian *Arti* and the Mosaics of the Mascoli Chapel », *Art Bulletin*, XLIII, 1961.

MURDOCH, R. T., « Newton and the French Muse », *Journal of the History of Ideas*, XIX, 1958.

Musée de Montpellier : La Galerie Bruyas, 1876.

MUSPER, T., « Das Reiseskizzenbuch von J. A. Koch aus dem Jahre 1791 », *Jahrbuch der preussischen Kunstsammlungen*, LVI, 1935.

MYERS, C. S., « Two cases of synaesthesia », *British Journal of Psychology*, VII, 1915.

NAEF, H., « Ingres und die Familie Hittorff », *Pantheon*, XXII, 1964.

NAHM, M. C., *Selections from Early Greek Philosophy*, 4e éd., 1964.

NAJOK, D., *Drei anonyme griechische Traktate uber die Musik*, 1972.

NAKOV, A. B. et PÉTRIS, M. (éds), *Le Dernier Tableau*, 1972.

NANAVUTTY, P., « Black and Emblem Literature », *Journal of the Warburg and Courtauld Institutes*, XV, 1952.

NAPOLI, M., *La Tomba del Tuffatore*, 1970.

NERI DI BICCI, *Le Ricordanze*, B. Santi, 1976.

NEUBURGER, A., *The Technical Arts and Sciences of the Ancients*, 1969.

NEUMANN, E., *Bauhaus and Bauhaus People*, 1970.

NEWMAN, W., « Technology and alchemical debate in the late Middle Ages », *Isis*, LXXX, 1989.

NEWTON, C. T., *A History of the Discoveries at Hallicarnassus*, 1862.

NEWTON, I., *Opticks* (1704), 4e éd., 1730 (réimp. 1952).

—, *Correspondance*, H. W. Turnbull, J. F. Scott et A. R. Hall (éds), 1959.

NEWTON, S. M., *The Dress of the Venetians 1495-1525*, 1988.

NICHOLSON, R. A., *The Mystics of Islam*, 1914.

NICKERSON, D., « History of the Munsell Color System, Company and Foundation », II, *Color Research and Application*, I, 1976.

NICOLSON, M. H., *Newton Demands the Muse: Newton's « Opticks » and the Eighteenth-Century Poets*, 1946.

NIELSEN, K., « Another kind of light : the work of T. J. Seebeck and his collaboration with Goethe », *Historical Studies in the Physical and Biological Sciences*, XX, I, 1989.

NIETO ALCAIDE, V., *La Luz, Símbolo y Sistema Visual (El Espacio y la Luz en el Arte Gótico y del Renacimiento)*, 1978.

NILGEN, U., « Maria Regina : ein politischer Kultbildtypus », *Römisches Jahrbuch für Kunstgeschichte*, XIX, 1981.

NIXDORFF, H. et MÜLLER, H., *Weisse Westen-Rote Roben : von der Farbordnung des Mittelalters zum individuellen Farbgeschmack*, Berlin, Staatliche Museen preussischer Kulturbesitz, 1983.

NOCHLIN, L., *Impressionism and Post-Impressionism, 1874-1904*, 1966.

NONNOS DE PANOPOLIS, *Dionysiaques*, B. Gerlaud (éd. et trad.), 1994.

NORDHAGEN, P. J., « The mosaics of John VII », *Acta Instituti Romani Norvegiae*, II, 1965.

—, « The penetration of Byzantine mosaic technique into Italy in the sixth century A.D. », *III Colloquio Internazionale sul Mosaico Antico, 1980*, 1983.

NORDSTRÖM, C.-O., *Ravenna Studien*, 1953.

NORDSTRÖM, F., « Peterborough, Lincoln and the Science of Robert Grosseteste : a Study in thirteenth-century architecture and iconography », *Art Bulletin*, XXXVII, 1955.

NORTHCOTE, J., *The Life of Sir Joshua Reynolds*, 2e éd., 1818, 2 vol.

NOVALIS (FRIEDRICH VON ARDENBERG), *Die Christenheit oder Europa* (1799), W. Rehm (éd.), 1956.

NURMI, M. K., *Blake's Marriage of Heaven and Hell : a Critical Study*, 1957.

NUSSENSVEIG, H. M., « The theory of the rainbow », *Scientific American*, CCXXXVI, avril 1977.

O'CONNER, F. V. et THAW, E. V. (éds) *Jackson Pollock : a Catalogue Raisonné*, 1978, 4 vol.

O'KONOR, L., *Viking Eggeling 1880-1925*, 1971.

OAKESHOTT, W., *The Mosaics of Rome*, 1967.

OBERMILLER, J., « Die Purpurfarbe im Sprachgebrauch », *Archiv für die Geschichte der Mathematik, der Naturwissenschaft und der Technik*, XIII, 1931.

OBRIST, B., *Les Débuts de l'imagerie alchimique, XIVe-XVe siècles*, 1983.

OHLY, F., « Die Geburt der Perle aus dem Blitz » in *Schriften zur Mittelalterlichen Bedeutungsforschung*, 1977.

OIDTMANN, H., *Die Rheinische Glasmalereien vom 12 bis zum 16 Jahrhundert*, 1929.

OLLESON, E. (éd.), *Modern Musical Scholarship*, 1980.

OMAN, C., *The Gloucester Candlestick*, 1958.

ONASCH, K., *Das Licht in der Ikonenmalerei Andrej Rublevs* (Berliner Byzantinische Arbeiten, XXVIII), 1962.

ONIANS, J., « On how to listen to High Renaissance art », *Art History*, VII, 1984.

OPPENHEIM, P., *Das Mönchskleid im christlichen Altertum*, 1931.

OPPLER, E. C., *Fauvism Re-Examined*, 1976.

ORANGE, H. P., L', « L'adorazione della luce nell'arte tardo-antica ed alto-medioevale », Atti della Pontifica Accademia Romana di Archeologia, 3e série, XLVII, 1974-1975.

—, et NORDHAGEN, P. J., *Mosaics*, 1965.

ORDERIC VITAL, *Ecclesiastical History*, M. Chibnall (éd.), II, 1969 ; éd. fr. : *Histoire de Normandie*, II, 2003-2004.

ORIBASE, *Œuvres*, U. C. Bussemaker et C. V. Daremberg (éds), 1851-1876, 6 vol.

—, *Oribasius Latinus*, H. Morland (éd.), 1940, I.

ORLANDOS, A., *Paragoritissa tis Artis* (avec un résumé en fr.), 1963.

ORTON, F., « Vincent's interest in Japanese Prints », *Vincent*, III, 1971.

OSBORNE, H., « Colour concepts of the ancient Greeks », *British Journal of Aesthetics*, VIII, 1968.

OSTWALD, W., « Beiträge zur Farbenlehre », *Abhandlungen der mathematische-physikalische Klasse der sächsischen Gesellschaft der Naturwissenschaften*, XXXIV, 1917.

—, *Colour Science*, 1931-1933, 2 vol.

—, *Die Harmonie der Formen*, 1922.

—, *Lebenslinien*, 1926-1927, 3 vol.

—, *Malerbriefe* (éd. angl. : *Letters to a Painter on the Theory and Practice of Painting*, H. W. Morse (trad.), Boston, 1907), 1904.

—, *The Color Primer*, F. Birren (éd.), 1969.

OTTONELLI, G. D. et BERRETTINI, P., *Trattato della pittura e scultura : usa et abuso loro (1652)*, V. Casale (éd.), 1973.

OUDRY, J.-B., « Discours sur la pratique de la peinture », *Le Cabinet de l'amateur*, N.S., 1861.

—, « Réflexions sur la manière d'étudier la couleur en comparant les objects les uns avec les autres », *Le Cabinet de l'amateur*, III, 1844.

OURSEL, R., « Pierre le Vénérable, Suger et la lumière gothique », *Annales de l'Académie de Mâcon*, XLIV, 1958/1959.

OVERBECK, F., *Account of the Picture representing Religion Glorified by the Fine Arts*, 1843.

OVITT, G., Jr., « The Status of the mechanical arts in medieval classifications of learning », *Viator*, XIV, 1983.

OWEN, F. et BROWN, D. B., *Collector of Genius : A Life of Sir George Beaumont*, 1988.

OWEN-CROCKER, G., *Dress in Anglo-Saxon England*, 1986.

OZENFANT, A., *Mémoires 1886-1962*, 1968.

— et JEANNERET, C. E., *Après le Cubisme*, 1918.

PACE, C., *Félibien's Life of Poussin*, 1981.

PACHECO, F., *Arte de la Pintura*, F. Sanchez Canton (éd.), 1956, 2 vol.

PACIOLI, L., *De Divina Proportione* (1509), C. Winterberg (éd.), 1889.

PADGHAM, C. A. et SAUNDERS, J.-E., *The Perception of Light and Colour*, 1975.

PADRTA, J., « Malévitch et Khlebnikov » in J.-C. Marcadé (éd.), *Malévitch : Actes du Colloque International*, 1979.

PAILLOT DE MONTABERT, J.N., *Traité complet de la peinture*, 1829, 9 vol.

Paintings by Josef Albers, New Haven, Yale University Art Gallery, cat. expo., 1978.

Paintings by Renoir, cat. expo. Chicago Art Institute, 1973.

PALISCA, C.V., *Humanism in Italian Renaissance Musical Thought*, 1985.

PALLUCCHINI, R. (éd.), *Tiziano e il manierismo europeo*, 1978.

PALMER, A. H., *Life and Letters of Samuel Palmer*, 1892.

PALMER, A., « The inauguration anthem of Hagia Sophia at Edessa: a new edition and translation with historical and architectural notes and a comparison with a contemporary Constantinopolitan Kontakion », *Byzantine and Modern Greek Studies*, XII, 1988.

PANOFSKY, E., « "Nebulae in Pariete" : Notes on Erasmus' eulogy of Dürer », *Journal of the Warburg and Courtauld Institutes*, XIV, 1951.

—, « Erasmus and the Visual Arts », *Journal of the Warburg and Courtauld Institutes*, XXXII, 1969.

—, *Abbot Suger on the Abbey Church of St Denis and its Art Treasures*, 2e éd., 1979 ; éd. fr. : *Architecture gothique et pensée scolastique, (précédé de) L'Abbé Suger de Saint-Denis*, P. Bourdieu (éd.), 1974.

—, *Early Netherlandish Painting*, 1966, 2 vol.

—, Notes on a controversial passage in Suger's De Consecratione Ecclesiae Sancti Dionysii », *Gazette des Beaux-Arts*, XXVI, 1944 ; éd. fr. : *cf.* aussi Gaspari, F., *Suger*, 1996.

—, *Problems in Titian, mostly Iconographic*, 1969.

PARADIN, C., *Devises héroïques*, Lyon, 1557 (éd. facsimile, 1971).

PARIS, M., *Chronica Majora*, Rolls Series, H. R. Luard (éd.), VI, 1882.

PARKHURST, C., « A color theory from Prague : Anselm de Boodt, 1609 », *Allen Memorial Art Museum Bulletin*, XXIX, 1971.

—, « Aguilonius' Optics and Rubens' Colour », *Nederlands Kunst-Historisch Jaarboek*, XII, 1961.

—, « Camillo Leonardi and the Green-Blue Shift in sixteenth-century painting » in P. Bloch *et al.* (éd.), *Intuition und Kunstwissenschaft. Festschrift für H. Swarzenski*, 1973.

—, « Louis Savot's nova-antiqua color theory, 1609 », *Album Amicorum J. G. van Gelder*, 1973.

— et FELLER, R. L., « Who invented the color-wheel ? », *Color Research and Application*, VII, 1982.

PARRIS, L. et FLEMING-WILLIAMS, I., *Constable*, cat. expo. Londres, Tate Gallery, 1991.

PARRIS, N. G., *Adolf Hoelzel's Structural and Color Theory and its Relationship to the Development of the Basic Course at the Bauhaus*, thèse de doctorat, université de Pennsylvanie, 1979.

PASSERA, E., « Le cognizioni oftalmologiche di Dante », *Archivio di Storia della scienze*, III, 1921.

PASTORE, N., « Helmholtz on the projection or transference of sensation » in P. K. Machamer et R. G. Turnbull (éds), *Perception: Interrelationships in the History of Philosophy and Science*, 1978.

—, « Helmholtz's Popular Lectures on Vision », *Journal of the History of the Behavioural Sciences*, IX, 1973.

—, « Re-evaluation of Boring on Kantian influence : nineteenth-century nativism, gestalt psychology, and Helmholtz », *Journal of the History of the Behavioural Sciences*, X, 1974.

—, *Selective History of Theories of Visual Perception, 1650-1950*, 1971.

PASTOUREAU, M., « Formes et couleurs du désordre : le jaune avec le vert », *Médiévales*, IV, 1983 (repris in M. Pastoureau, *Figures et couleurs*, 1986).

—, « Rouge, jaune et gaucher : notes sur l'iconographie médiévale de Judas » in *Couleurs, images, symboles*, [1989].

—, « L'Église et la couleur des origines à la Réforme », *Bibliothèque de l'École des Chartes*, CXLVII, 1989b.

—, *Armoriale des chevaliers de la table ronde*, 1983.

—, *Couleurs, images, symboles : études d'histoire et d'anthropologie*, 1989a.

—, *Figures et couleurs : études sur la symbolique et la sensibilité médiévales*, 1986.

—, *L'Hermine et le sinople : études d'héraldique médiévale*, 1982.

Patrologia Latina, J.-P. Migne (éd.), 1844-1855 ; et *Patrologia Graeca* (id.), 1857-1866.

PAUL LE SILENTIAIRE, *Description de Sainte-Sophie de Constantinople*, Fayant et Chuvin (éd.), 1997.

PAULY-WISSOWA, *Real Encyclopaedie zur Altertumswissenschaft*, 1894-1978.

PAUSANIAS, *Description de la Grèce*, M. Casevitz (éd.), 2002-2005 (trad. angl. : P. Levi, *Guide to Greece*, 1971)

PAVANELLO, G., *Un Maestro del quattrocento (Giovanni Aurelio Angurello)*, 1905.

PECHAM, J., *Perspectiva Communis*, in D. C. Lindberg (éd.), *John Pecham and the Science of Optics*, 1970.

PECMAN, R. (éd.), *Mannerism and Music of the Sixteenth and Seventeenth Centuries* (Colloquium Musica Bohemica et Europea Brno), 1970.

PEDRETTI, C., « Le note di pittura di Leonardo da Vinci nei manoscritti inediti a Madrid », *Lettura Vinciana*, VIII, 1968.

—, « Storia della Joconda » in *Studi Vinciani*, 1957.

—, *Commentary on the Literary Works of Leonardo da Vinci*, 1977, 2 vol.

—, *Leonardo da Vinci on Painting ; a Lost Book*, 1965.

PELAKANIDIS, S., *Gli affreschi Paleocristiani ed i piu antichi mosaici Parietale di Salonicco*, 1963.

PENNELL, E. R. et J., *The Life of James*

McNeill Whistler, 1908.

PENNY, N. (éd.), *Reynolds*, cat. expo. Londres, Royal Academy, 1986.

PÉRIER D'IETEREN, C., *Colyn de Coter et la technique picturale des peintres flamands du XVᵉ siècle*, 1985.

PERLER, O., *Die Mosaiken der Juliergruft im Vatikan* (Freiberger – Universitätsreden, N.F. XVI), 1953.

PERNETY, A. J., *Dictionnaire Portatif de Peinture, Sculpture et Gravure*, Paris, 1757.

PERRY, L. C., « Reminiscences of Claude Monet from 1889-1909 », *American Magazine of Art*, XVIII, 1927.

—, *Claude Monet, sa vie, son œuvre*, 1987.

PETITPIERRE, P., *Aus der Malklasse von Paul Klee*, 1957.

PETRINI, P., « Ricerche sulla produzione de colori immaginari nelle ombre », *Memorie della Società Italiana delle Scienze*, XIII, 2ᵉ partie, 1807.

—, « Sulla pittura degli Antichi », *Antologia*, II, III, IV (1821) ; V, VI, VII (1822), 1821-1822 (réimp. vol. réunis 1873).

—, *Dei colori accidentali ed i loro, ossia della generazione dei colori ne'vari accidenti d'ombra e di luce*, Pistoia, 1815.

PETRY, M. J. (éd.), *Hegel und die Naturwissenschaften*, 1987.

PFANNENSCHMIDT, A. L. et SCHULZ, E. R., *Essai sur la manière de mélanger et composer toutes les couleurs au moyen du bleu, du jaune et du rouge*, 2ᵉ éd., Lausanne, 1792.

PFISTER, R., « Teinture et alchimie dans l'orient hellénistique », *Seminarium Kondakovium*, VII, 1935.

PHILANDER, G., *In Decem Libros M. Vitruvii Pollionis de Architectura Annotationes*, Rome, 1544.

PHILIPPOT, P., « Les grisailles et les "degrés de réalité" de l'image dans la peinture flamande des XVᵉ et XVIᵉ siècles », *Bulletin des Musées Royaux des Beaux-Arts de Belgique*, XV, iv, 1966.

PHILLIPS, K. M., « Subject and technique in Hellenistic-Roman mosaics : a Ganymede mosaic from Sicily », *Art Bulletin*, XLII, 1960.

PHILLIPS, T., *Lectures on the History and Principles of Painting*, 1833.

PHOTIUS, *Bibliothèque*, R. Henry (éd. et trad.), 1959-1977, 8 vol.

—, *The Homilies*, C. Mango (éd. et trad.), 1958.

PICART, Y., *La Vie et l'œuvre de Jean-Baptiste Corneille*, 1987.

PICCOLOMINI, A S., *Memoirs of a Renaissance Pope*, L. C. Gabel (éd.), 1960.

PICCOLPASSO, C., *The Three Books of the Potter's Art* (1548), B. Rackham et A. van de Put (trad.), 1934.

PICINELLO, D. P., *Mundus Symbolicus*, Cologne, 1687.

PICKFORD, R. W., « The Lüscher Test », *Occupational Psychology*, XLV, 1971.

PIERRE DE POITIERS, *Allegoriae super Tabarnaculam Moysi*, P. S. Moore et J. A. Corbett (éds), 1938.

PIERRE LE VENERABLE, *Letters*, G. Constable (éd.), 1967 ; éd. fr. : *Lettres*, É. Oddoul (trad.) 1980-, 2 vol.

[PILES, R. DE], *Les Premiers élémens de la peinture pratique*, 1684 (éd. facsimile 1973).

PILES, R. DE, *Abrégé de la Vie des Peintres*, Paris, 1699 ; 2ᵉ éd., 1715.

—, *Cours de peinture par principes*, Paris, 1708

(réimp. 1989) (trad. angl. : *The Principles of Painting*, Londres, 1743).

PILLSBURY, E., « The oil studies of Federico Barocci », *Apollo*, CVIII, 1978.

PINET, G., *Léonor Mérimée, Peintre (1757-1836)*, 1913.

PINO, PAOLO, *Dialogo di pittura* (1548), E. Camesasca (éd.), 1954.

PIOT, R., *Les Palettes de Delacroix*, 1931.

PIPONNIER, F., *Costume et vie sociale. La Cour d'Anjou, XIVᵉ-XVᵉ siècle*, 1970.

PIRON, A., *Delacroix, sa vie et ses œuvres*, 1865.

Pissarro, Paris, Grand Palais, cat. expo., 1981.

PLANET, LOUIS DE, *Souvenirs*, A. Joubin (éd.), *Bulletin de la Société de l'Histoire de l'Art français*, II, 1928.

PLATEAU, J., « Bibliographie analytique des principaux phénomènes subjectifs de la vision, depuis les temps anciens jusqu'à la fin du XVIIIᵉ siècle », *Mémoires de l'Académie royale belge*, XLIII, 1878.

—, « Ueber eine neue sonderbare Anwendung des Verweilens der Eindrücke auf die Netzhaut », *Annalen der Physik und Chemie*, LXXVIII, 1849.

PLATNAUER, M., « Greek colour-perception », *Classical Quarterly*, XV, 1921.

PLESTERS, J., « Dark Varnishes – some further comments », *Burlington Magazine*, CIV, 1962.

—, « "Samson and Delilah" : Rubens and the art and craft of painting on panel », *National Gallery Technical Bulletin*, VII, 1983.

—, « The materials and techniques of the "Peepshow" in relation to Hoogstraten's book », *National Gallery Technical Bulletin*, XI, 1987.

—, « Tintoretto's paintings in the National Gallery, II : Materials and Techniques », *National Gallery Technical Bulletin*, IV, 1980.

— et MAHON, D., « The dossier of a picture : Nicholas Poussin's "Rebecca al Pozzo" », *Apollo*, LXXXI, 1965.

PLINE L'ANCIEN, *Histoire de la peinture ancienne extraite de l'Histoire Naturelle de Pline*, Liv. XXXV, Londres, 1725.

—, *Naturkunde*, XXXV, trad. all. : R. König et G. Winkler (éds), 1978.

PLOMMER, W. H., *Vitruvius and Later Roman Building Manuals*, 1973.

PLOSS, E., « Die Fachsprache der deutschen Maler im spätmittelalter », *Zeitschrift für deutschen Philologie*, LXXIX, 1960.

—, *Ein Buch von Alten Farben*, 1962.

—, ROOSEN-RUNGE, H., SCHIPPERGES, H. et BUNTZ, H., *Alchimia : Ideologie und Technologie*, 1970.

PLUMMER, H. C., « Color-Music », *Scientific American*, CXII, 1915.

POERCK, G. DE, *La Draperie médiévale en Flandre et en Artois*, 1951.

POGGI, G., BAROCCHI, P. et RISTORI, R. I., *Il Carteggio di Michelangelo*, 1965-1983, 5 vol.

POIRIER, M., « Pietro da Cortona e il dibattito disegno-colore », *Prospettiva*, XVI, 1979.

POLING, C. V., *Bauhaus Color*, Atlanta, High Museum of Art, 1976.

—, *Color Theories of the Bauhaus Artists*, thèse de doctorat, université de Columbia, 1973.

—, *Kandinsky-Unterricht am Bauhaus*, 1982 (trad. angl. 1987).

POLLACK, O., II, *Die Kunsttätigkeit unter Urban VIII*, 1931.

POLLITT, J. J., *Art and Experience in Classic Greece*, 1972.

—, *The Ancient View of Greek Art : Criticism, History and Terminology*, 1974.

—, *The Art of Greece 1400-31 B.C., Sources and Documents in the History of Art*, 1965.

POLUNIN, V., *The Continental Method of Scene Painting*, 1927.

POPE-HENNESSY, J., *Sassetta*, 1939.

POPPER, F., *Naissance de l'Art cinétique*, 1967 ; version angl. 1970.

PORTAL, F., *Des Couleurs symboliques dans l'antiquité, le Moyen-Âge et les temps modernes* (1837), 1979.

POSNER, A., *Annibale Carracci : A Study of the Reform of Italian Painting around 1590*, 1971.

Post-Impressionism: Cross Currents in European Painting, cat. expo., Londres, Royal Academy, 1979-1980.

[POTT, J. H.], *An Essay on Landscape Painting*, Londres, 1782.

PRACHE, A., « Souvenirs d'Arthur Guéniot », *Gazette des Beaux-Arts*, VIᵉ pér., LXVII, 1966.

Prag um 1600, cat. expo. Essen, Villa Hügel, 1988.

PRANDI, A., « Pietro Cavallini in S. Maria in Trastevere », *Rivista dell'Istituto Naziorlale d'Archeologia e dell'Arte*, I, 1952.

PRESSLY, W., *The Life and Art of James Barry*, 1981.

PREUSSER, F., GRAEVE, V. VON et WOLTERS, C., « Malerei auf griechischen Grabsteinen », *Maltechnik/Restauro*, LXXXVIII, 1981.

PREVIATI, G., *Principi scientifici del Divisionismo*, 1906, 2ᵉ éd., 1929 ; éd. fr. : *Les Principes scientifiques du divisionnisme (la technique de la peinture)*, Rossi-Sacchetti, V. (trad.) 1910.

PRICE, U., *Essays on the Picturesque*, 1810, 3 vol. (éd. facsimile 1971).

PRIESTLEY, J., *History and Present State of Discoveries relating to Vision, Light and Colours*, Londres, 1772, 2 vol.

PRINET, M., « Le langage héraldique dans le "Tournement Antichrist" », *Bibliothèque de L'École des Chartes*, LXXXIII, 1922.

PRINS, J., « Kepler, Hobbes and Mediaeval Optics », *Philosophia Naturalis*, XXIV, 1987.

PROFI, S., PERDIKATSIS, B. et FILIPPAKIS, S. E., « X-Ray analysis of Greek Bronze-Age Pigments from Thera (Santorini) », *Studies in Conservation*, XXII, 1977.

—, WEIER, L. et FILIPPAKIS, S. E., « X-Ray analysis of Greek Bronze-Age Pigments from Mycenae », *Studies in Conservation*, XIX, 1974.

—, WEIER, L. et FILIPPAKIS, S. E., « X-Ray analysis of Greek Bronze-Age Pigments from Knossos », *Studies in Conservation*, XXI, 1976.

PSELLOS, M., *Chronographie*, E. Renauld (éd. et trad.), 1928 (éd. angl. : *Chronographia*, E. Sewter (trad.), 1953).

—, *De Lapidum Virtutibus*, M. Galigani (éd. et trad. it.), 1980.

PSEUDO D'AQUIN, *Von der Multiplikation*, D. Goltz, J. Telle et H. J. Vermeer (éds), *Sudhoffs Archiv*, Beiheft 19, 1977.

PSEUDO-ARISTOTE, *Das Steinbuch des Aristoteles*, J. Ruska (éd.), 1912.

PSEUDO-DIONYSIUS (PSEUDO-DENYS), *The Complete Works*, C. Luibheid (trad.), 1987.

—, *Dionysiaca*, P. Chevallier (éd.), 1950, 2 vol.

PSEUDO-KODINUS, *Traité des offices*, J.V. Verpeaux (éd.), 1966.

PTOLÉMÉE, *L'Optique de Claude Ptolémée* A. Lejeune (éd.), 1956.

PÜCKLER-MUSKAU, H., *Briefe eines Verstorbenen*, 1831-1836, 4 vol.

PUECH, H. C., « La ténèbre mystique chez le Pseudo-Denys », *Études Carmélitaines*, XXIII, ii, 1938.

PURKINJE, J. E., *Beobachtungen und Versuche zur Physiologie der Sinne*, II (1825), (*Opera Omnia*, I), 1918.

PURTLE, C. J., *The Marian Paintings of Jan van Eyck*, 1982.

PUTTFARKEN, T., *Roger de Piles' Theory of Art*, 1985.

PYNE, J. B., « Letters on Landscape, VI », *The Art Union*, VIII, 1846.

QUINTILIEN, *De la musique*, 1999.

RABELAIS, F., *Gargantua*, 6ᵉ éd., J. Plattard (éd.), 1966.

RADLOFF, W., « Die Haustiere der Kirgisen », *Zeitschrift für Ethnologie*, III, 1871.

RADULPHUS PHISICUS, *De nobilitate domni Sugerii abbatis et operibus eius*, R. B. C. Huyghens (éd.), *Studi Medievali*, 3 sér., III, 1962.

RAEBER, W., *Caspar Wolf, 1735-1783. Sein Leben und sein Werk*, 1979.

RAEHLMANN, E., *Farbsehen und Malerei*, 1902.

RAMEAU, J.-P., *Complete Theoretical Writings*, E. R. Jacobi (éd.), 1967-1972, 6 vol.

RAMER, B., « The technology, examination and conservation of the Fayum Portraits in the Petrie Museum », *Studies in Conservation*, XXIV, 1979.

RATLIF, F., « On the psychophysiological bases of universal color terms », *Proceedings of the American Philosophical Society*, CXX, 1976.

RAUPP, H.-J., « Musik im Atelier : Darstellungen musizierender Künstler in der niederländischen Malerei des 17 Jh. », *Oud Holland*, XCII, 1978.

READ, J., « Alchemy and Art », *Proceedings of the Royal Institution of Great Britain*, XXXV, 1952.

—, *Prelude to Chemistry*, 2ᵉ éd., 1939 ; éd. fr. : *cf.* aussi *Les Douze Portes d'Alchimie, La vision du Chevalier George, Le traité du Mercure*, 1979

Reallexikon zur deutschen Kunstgeschichte, VII, 1981.

REALLI, G. (éd.), *Sul Modo di tagliare ed applicare il musaico* (vers 1415 ?), 1858.

REBORA, G., *Manuale di tintoria del quattrocento*, 1967.

RECOUVREUR, A., *Grammaire du peintre*, 1890.

REDDING, C., *Fifty Years' Recollections*, 1858, 3 vol.

REDON, O., *À Soi-même : Journal 1867-1915*, 1979.

REES-JONES, S., « Notes on radiographs of five paintings by Poussin », *Burlington Magazine*, CII, 1960.

REEVES, M. et HIRSCH-REICH, B., *The « Figurae » of Joachim of Flora*, 1972.

REFF, T., « Reproductions and books in Cézanne's studio », *Gazette des Beaux-*

Arts, LVI, 1960.

—, « The technical aspects of Degas' Art », *Metropolitan Museum Journal*, IV, 1971.

— et SHOEMAKER, I. H., *Paul Cézanne : Two Sketchbooks*, Philadelphia Museum of Art, 1989.

Regenbögen für eine bessere Welt, cat. expo., Stuttgart, Württemburgischer Kunstverein, 1977.

RÉGNIER, J.-D., *De la lumière et de la couleur chez les grands maîtres anciens*, 1865.

REHFUES, P. J., *Briefe aus Italien*, 1804-1810, 4 vol.

REHFUS-DECH NE, B., *Farbengebung und Farbenlehre in der deutschen Malerei um 1800*, 1982.

REINACH, A., *Textes grecs et latins relatifs à l'histoire de la peinture ancienne* (1921), A. Rouveret (éd.), 1985.

REINHOLD, M., *The History of Purple as a Status Symbol in Antiquity*, 1970.

REITER, G., *Die Griechischen Bezeichnungen der Farben Weiss, Grau und Braun*, 1962.

RÉMI D'AUXERRE, *Commentum in Martianum Capellam*, C. E. Lutz (éd.), 1965, 2 vol.

RENOIR, J., *Renoir*, 1962 ; éd. angl. : *Renoir my Father*, 1962.

REPTON, H., *Observations on the Theory and Practice of Landscape Gardening*, 1803.

REQUENO, V., *Saggi sul ristabilimento dell'antica arte de' greci e romani pittori*, 2ᵉ éd., Parme, 1787, 2 vol.

RESTOUT, J., *Essai sur les principes de la peinture*, A.-R. R. de Formigny de la Lande (éd.), 1863.

RETI, L., « Leonardo e l'alchimia » et « Le arti chimiche di Leonardo da Vinci », *La Chimica e l'Industria*, XXXIV, 1952.

REUSNER, H. (FRANCISCUS EPIMETHEUS), *Pandora : Das ist die edelst Gab Gottes…*, Bâle, 1588.

REUTERSVARD, O., « The Violettomania of the Impressionists », *Journal of Aesthetics and Art Criticism*, IX, 1950.

REUTERSWÄRD, P., *Studien zur Polychromie*, II, *Griechenland und Rom*, 1960.

REWALD, J., *Carnets de Cézanne*, 1951.

—, *Cézanne : a Biography*, 1986.

—., *History of Impressionism*, éd. revue, 1973.

— *Post-Impressionism from Van Gogh to Gauguin*, 2ᵉ éd., 1978.

—, *Studies in Impressionism*, 1985.

REY, R., *La Renaissance du sentiment classique*, 1931.

REYNES, G., « Chevreul interviewé par Nadar (1886) », *Gazette des Beaux-Arts*, XCVIII, 1981.

REYNOLDS, C. D. (éd.), *Texts and Transmission*, 1983.

REYNOLDS, G., *Catalogue of the Constable Collection in the Victoria and Albert Museum*, 1961.

REYNOLDS, J., *Discours sur la peinture*, L. Dimier (trad.), 1991.

—, *Discourses on Art*, R. Wark (éd.), 1975.

—, *The Later Paintings and Drawings of John Constable*, 1984.

—, *The Literary Works*, H. Beechey (éd.), 1852, 2 vol.

RIBE, N. M., « Goethe's critique of Newton : a reconsideration », *Studies in the History and Philosophy of Science*, XVI, 1985.

RICHARDSON, E. P., HINDLE, B. et

MILLER, C. B., *Charles Willson Peale and his World*, 1982.

RICHTER, G. M. A., « Polychromy in Greek Sculpture », *American Journal of Archaeology*, XLVIII, 4 (Suppl.), 1944.

—, *Giorgione da Castelfranco*, 1937.

RICHTER, I. A., *Selections from the Notebooks of Leonardo da Vinci*, 1952 ; éd. fr. : *Les Carnets de Léonard de Vinci*, E. Mac Curdy (éd.) et L. Servicen (trad.) 1942.

RICHTER, J. P., *Quellen der Byzantinischen Kunstgeschichte*, 1897.

—, *The Literary Works of Leonardo da Vinci*, 3ᵉ éd., 1970, 2 vol.

RICHTER, M., *Das Schrifttum über Goethes Farbenlehre*, 1938.

RIDOLFI, C., *Le Meraviglie dell'arte* (1648), D. Fr. von Hadeln (éd.), 1914, 2 vol.

RIGAUD, S. F. D., *Facts and Recollections of the 18th Century in a Memoir of John Francis Rigaud Esq. R. A.* (1854), W. Pressly (éd.), *Walpole Society*, L, 1984.

RIGHT, W. H., *The Future of Painting*, 1923.

RINGBOM, S., *The Sounding Cosmos*, 1970.

RIPA, C., *Iconologia*, Padoue, 1611 ; éd. fr. : *Iconologie*, 1999.

RIST, J. M., *Epicurus : an Introduction*, 1972.

RISTORO D'AREZZO, *La Composizione del mondo colle sue cascioni*, A. Morino (éd.), 1976.

ROBERT, K. (G. MEUSNIER), *Traité pratique de la peinture à l'huile (paysage)*, 5ᵉ éd., 1891.

ROBERTSON, C. H., « Greek Mosaics », *Journal of Hellenic Studies*, LXXXV, 1965.

ROBERTSON, E. (éd.), *Letters and Papers of Andrew Robertson*, 1897.

ROBERTSON, M., *A History of Greek Art*, 1975, 2 vol.

ROCHAS, A. DE, « L'Audition colorée », *La Nature*, I, 1885.

RODOLPHE DE ST TROND, *Quaestiones in Musica*, R. Steglich (éd.), 1911.

ROETHEL, H. K. et BENJAMIN, J. K. I., *Kandinsky : Catalogue Raisonné of the Oil Paintings*, I, 1900-1915, 1982.

ROGAN, I., « Quelques fresques caractéristiques des églises byzantines du Magne », *Actes du XVᵉ congrès international d'études byzantines*, 1976.

ROGERS, S., *Italian Journal*, J. Hale (éd.), 1956.

ROLLAND, P., « Une sculpture encore existante polychromée par Robert Campin », *Revue Belge d'Archéologie et d'Histoire de L'Art*, II, 1932.

Roman de Perceforest, J. Lods (éd.), 1951.

ROOD, O., *Modern Chromatics*, 1879 ; éd. all. : *Die Moderne Farbenlehre*, 1880.

ROOSEN-RUNGE, H., *Farbgebung und Technik frühmittelalterlichen Buchmalerei*, 1967, 2 vol.

ROQUE, G., « Couleur et mouvement » in R. Bellour (éd.), *Cinéma et Peinture : approches*, 1990.

—, « … d'un espace limité à un univers illimité », *ICSAC Cahier*, I, 1983.

ROSAND, D. (éd.), *Interpretazioni veneziane : Studi di storia dell'arte in onare di Michelangela Muraro*, 1984.

RÖSCH, S., « Der Regenbogen in der Malerei », *Studium Generale*, XIII, 1960.

ROSE, B., *Frankenthaler*, v. 1972.

ROSE, V., « Aristoteles *de Lapidibus* und

Arnoldus Saxo », *Zeitschrift für deutsches Altertum*, N. F., VI, 1875.

ROSENAUER, A., « Zum Stil frühen Werke Domenico Ghirlandaios », *Wiener Jahrbuch für Kunstgeschichte*, XXII, 1965.

ROSENBERG, J., *Jakob van Ruisdael*, 1928.

ROSENFELD, M. N., *Largillière and the eighteenth-century French Portrait*, Montréal, Museum of Fine Arts, 1981.

ROSENFELD, S., *Georgian Scene Painters and Scene Painting*, 1981.

ROSENTHAL, D. A., « A Mughal portrait copied by Delacroix », *Burlington Magazine*, CXIX, 1977.

ROSENTHAL, E., *The Illuminations of the Vergilius Romanus*, 1972.

ROSENTHAL, F., *The Classical Heritage of Islam*, 1975.

ROSENTHAL, L., *Du romantisme au réalisme*, 1914.

ROSETTI, G., *The Plictho of Giovanventura Rosetti*, S. M. Edelstein et H. C. Borghetty (éd. et trad. angl.), 1969.

ROSINSKA, G., *Fifteenth century Optics between Medieval and Modern Science* (*Studia Copernicana*, XXIV ; éd. pol. mais résumé angl.), 1986.

ROSKILL, M., *Dolce's « Aretino » and Venetian Art Theory of the Cinquecento*, 1968.

—, *Van Gogh, Gauguin and the Impressionist Circle*, 1970.

ROSSETTI, D. G., *Family letters*, W. M. Rossetti (éd.), 1895, 2 vol.

RÖTTGEN, H., « Die Stellung der Contarini-Kapelle in Caravaggios Werk », *Zeitschrift für Kunstgeschichte*, XXVIII, 1965.

—, « Giuseppe Cesari, die Contarini-Kapelle und Caravaggio », *Zeitschrift für Kunstgeschichte*, XXVII, 1964.

ROTZLER, W. (éd.), *Johannes Itten : Werke und Schriften*, 1972.

ROUART, D., *Degas à la recherche de sa technique*, 1945.

ROUGE, J., « Goethe et l'essai sur la peinture de Diderot », *Études germaniques*, IV, 1949.

ROUSE, M. A. et R. H., « The texts called Lumen Animae », *Archivum Fratrum Predicatorum*, XLI, 1971.

ROWELL. M., *Frantisek Kupka : a Retrospective*, New York, Guggenheim, 1975.

RUBENS, P. P., *Correspondence*, M. Rooses (éd.), 1887-1909, 6 vol.

RUBIN, J., « New documents on the Méditateurs : Baron Gérard, Mantegna and French Romanticism c.1800 », *Burlington Magazine*, CXVIII, 1975.

RUBIN, P., « The art of color in Florentine painting of the early sixteenth century : Rosso Fiorentino and Jacopo Pontormo », *Art History*, XIV, 1991.

RUBIN, W. (éd.), *Cézanne : the Late Works*, 1977.

—, *Frank Stella*, 1970.

RUCCELLAI, G., *Zibaldone*, A. Perosa (éd.), 1960.

RUDA, J., « Flemish painting and the early Renaissance in Florence : Questions of influence », *Zeitschrift für Kunstgeschichte*, XLVIII, 1984.

RUDENSTINE, A., *Russian Avant-Garde Art : the George Costakis Collection*, 1981.

RUDOLPH, C., *Artistic Change at St Denis : Abbot Suger's Program and the Early Twelfth-century Controversy over Art*, 1990.

RUHEMANN, H., « The cleaning and restoration of the Glasgow Giorgione », *Burlington Magazine*, XCVII, 1955.

RUMFORD, B. THOMPSON, « An account of some experiments upon coloured shadows », *Philosophical Transactions of the Royal Society*, 1794.

—, *Philosophical Papers*, I, 1802.

RUMPF, A., « Classical and Post-Classical Greek Painting », *Journal of Hellenic Studies*, LXVII, 1947.

—, « Zum Alexander Mosaik », *Mitteilungen des deutschen Archäologischen Instituts (Athenische Abteilung)*, LXXVII, 1962.

RUMPF, K., *Kobalt (Gmelins Handbuch der Anorganischen Chemie : Ergänzungsband)*, 1961.

RUNCIMAN, S., *Byzantine Style and Civilisation*, 1975.

RUNGE, P. O., *Philipp Otto Runges Briefwechsel mit Goethe*, H. Freiherr von Maltzahn (éd.) (Schriften der Goethe-Gesellschaft LI), 1940.

—, *Farbenkugel*, J. Hebing (éd.), 1959.

—, *Hinterlassene Schriften*, D. Runge (éd.), 1840-1841, 2 vol. (éd. facsimilé 1965).

—, *Peintures et écrits*, Paris, 1991.

RUPPERT, B., *Goethes Bibliothek : Katalog*, 1958.

RUSKIN, J., *Modern Painters*, I, 1843.

—, *Modern painters*, II, 1846.

—, *Modern Painters*, IV, 1856.

—, *Pre-Raphaelitism* (1851), 1906.

—, *The Elements of Drawing*, 1857 (réimp. 1971).

—, *The Stones of Venice*, II, 1853.

—, *The Works*, A. Cook et E. T. Wedderburn (éd.), 1900-1912, 39 vol.

—, *Seurat*, 1965.

RUSSELL, R. A. et WINTERBOTTOM, M. (éds), *Ancient Literary Criticism*, 1972.

RÜTH, U. M., *Die Farbgebung in der Byzantinischen Wandmalerei der spätpaläologischen Epoche (1341-1453)*, thèse de doctorat, Bonn, 1977.

RZEPINSKA, M., *Historia Koloru w dziejach malarstwa europejskiego*, 3ᵉ éd., 1989, 2 vol.

—, « Tenebrism in Baroque painting and its ideological background », *Artibus & Historiae*, VII, 1986.

SABBE, E., « L'importation des tissus d'Orient en Europe occidentale au haut moyen-âge », *Revue belge de philologie et d'histoire*, XIV, 2, 1935.

SABRA, A. I., *Theories of Light from Descartes to Newton*, 1967.

SACOPOULO, M., *La Theotokos à la Mandorle de Lythrankomi*, 1975.

SAHAS, D. J., *Icon and Logos : Sources in Eighth-Century Iconoclasm*, 1986.

SAHLINS, M., « Colors and Cultures », *Semiotica*, XVI, 1976

SALAZAR DE MENDOZA, P., *Origen de las Dignidades Seglares de Castilla y Leon*, Toledo, 1618.

SALZMAN, L. F., « The glazing of St Stephen's Chapel. Westminster, 1351-2 », *Journal of the British Society of Master Glass Painters*, I, II, 1926/1927.

SALZMANN, D., *Untersuchungen zur den Antiken Kieselmosaiken*, 1982.

SAND, G., *Impressions et Souvenirs* (1873), 2ᵉ éd., 1896.

SANDBY, W., *Thomas and Paul Sandby*, 1892.

SANDRART, J. VON, *Academia Nobilissimae Artis Pictoriae*, Nuremberg et Francfort, 1683.

—, *Claude Gellée, dit Le Lorrain…*, 1922.

—, *Academie der Bau- Bild- und Mahlerey-Künste* (1675), A. R. Peltzer (éd.), 1925.

—, *L'Academia Todesca della Architectura & Pittura oder Teutsche Academie der Edlen Bau, Bild und Mahlerey Künste*, Nuremberg et Francfort, 1675.

SANPAOLESI, P., « I dipinti di Leornado agli Uffizi » in *Leonardo saggi e ricerche*, 1954.

SARAN, B., « Der Technologe und Farbchemiker "Matthias Grunewald" », *Maltechnik*, IV, 1972.

SARGANT-FLORENCE, M., *Colour Co-ordination*, 1940.

SARTON, G. « Ancient Alchemy and Abstract Art », *Journal of the History of Medicine*, IX, 1954.

SAUER, J., *Symbolik des Kirchengebäudes*, 1924.

SAUVAIRE, N., *Le Rôle de la famille Haro, marchands de couleurs, dans l'œuvre de Delacroix* (Maîtrise d'Histoire de l'Art, université de Paris IV), 1978.

SAVOT, L., *Nova, seu Verius Nova-antiqua de Causis Colorum Sententia*, Paris, 1609.

SCALIGER, J. C., *De Subtilitate, ad Hieronymum Cardanum* (1576), Francfort, 1601.

SCANLON, G. T., « Fustat and the Islamic art of Egypt », *Archaeology*, XXI, 1968.

SCARMILIONIUS, V. A., *De Coloribus*, Marbourg, 1601.

SCHABAKER, P., « De matrimonio ad morganaticum contracto : Jan van Eyck's "Arnolfini" portrait reconsidered », *Art Quarterly*, XXV, 1972.

SCHAPIRO, M., *Late Antique, Early Christian and Mediaeval Art : Selected Papers*, 1979.

—, *Romanesque Art : Selected Papers*, 1977.

SCHARF, A., *Filippino Lippi*, 1950.

SCHECKENBURGER-BROSCHEK, A., *Die Altdeutsche Malerei*, 1982.

SCHEFFERUS, J., *Graphice, id est Arte Pingendi*, Nuremberg, 1669.

SCHEFFLER, K., « Notizen über die Farbe », *Dekorative Kunst*, IV, 1901.

—, « Notizen über die Farbe », *Dekorative Kunst*, IV, 1901.

SCHEFOLD, K., « The choice of colour in Ancient Art », *Palette*, XIII, 2, 1963.

—, « The significance of colour in Greek vase painting », *Palette*, XXII, 2, 1966.

SCHEIBLER, I., « Die "Vier Farben" der griechischen Malerei », *Antike Kunst*, XVII, 1974.

—, « Zum Koloritstil der griechischen Malerei », *Pantheon*, XXXVI, 1978.

SCHEIDIG, W., *Goethes Preisaufgaben für bildende Künstler* (Schriften der Goethe-Gesellschaft LVII), 1958.

SCHELLER, R. W., *A Survey of Mediaeval Model Books*, 1963.

SCHELLING, F. W. I., *Werke*, M. Schröter (éd.), III (Ergänzungsband), 1959.

SCHENK ZU SCHWEINSBERG, E., FREIHERRN, G. M. Kraus (Schriften der Goethe-Gesellschaft XLIII), 1930.

SCHERER, C., *Zum Briefwechsel zwischen Goethe und Johannes Müller*, 1936.

SCHEUCHZER, J. J., *Physica Sacra*, Augsbourg et Ulm, I, 1731.

SCHIER, D. S., *L. B. Castel, Anti-Newtonian Scientist*, 1941.

SCHIFFERMÜLLER, I., *Versuch eines Farbensystems* (1771), 1772.

SCHINKEL, K. F., *Aus Schinkels Nachlass*, A. von Wolzogen (éd.), III, 1863.

SCHLAUCH, M., « The palace of Hugon de Constantinople », *Speculum*, VII, 1932.

SCHLEGEL, A. W., *Kritische Schriften und Briefe*, I, 1962.

SCHLEMMER, O., « Bühne », *Bauhaus* n°3, 1927.

—, *Letters and Diaries*, T. Schlemmer (éd.), 1972.

SCHLEMMER, T. (éd.), *The Letters and Diaries of Oskar Schlemmer*, 1972.

SCHLOEZER, B. DE, *Scriabin : Artist and Mystic* (1923), 1987.

SCHLOSSER, J. VON, *Quellenbuch zur Kunstgeschichte des abendländischen Mittelalters*, 1986.

SCHMID, F., *The Practice of Painting*, 1948.

SCHMID, H. R., *Lux Incorporata : zur omologischen Begründung einer Systematik des farbigen Aufbaus in der Malerei*, 1975.

SCHMID, H., *Enkaustik und Fresko auf antiker Grundlage*, 1926.

SCHMIDT, J. H., « Zur Farbenlehre Goethes », *Zeitschrift für Kunstgeschichte*, I, 1932.

SCHMIDT, P., *Goethes Farbensymbolik*, 1965.

SCHMIDT, P. F., « Werkbund Krisis », *Cicerone*, XI, 1919.

SCHMIDT, W. A., « Die Purpurfärberei und der Purpurhandel im Altertum » in *Die griechischen Papyrusurkunden der königlichen Bibliothek zu Berlin*, 1842.

SCHMOLL, EISENWERTH, J. A. « Hommage à Bach : ein Thema der bildenden Kunst des 20 Jh. » in *Convivium Musicorum : Festschrift Wolfgang Boetticher*, H. Hüschen et D.-R. Moser (éds), 1974.

SCHOENBERG, A., *Harmonielehre* (1911), J. Rufer (éd.), 1966.

SCHOENMAEKERS, M. H. J., *Het Nieuwe Wereldbeeld*, 1915.

—, *Mensch en Natuur : een mystische Levensbeschouwing*, 1913.

SCHOLEM, G., « Farben und ihre Symbolik in der jüdischen Überlieferung und Mystik », *Eranos Yearbook XLI, 1972*, 1974.

SCHÖNE, W., « Studien zur Oberkirche van Assisi », in B. Hackelsberger, F. Himmel-Leber et M. Meier (éds), *Festschrift Kurt Bauch*, 1957.

—, *Über das Licht in der Malerei*, 5ᵉ réimp., 1979.

SCHOPENHAUER, A., *Parerga und Paralipomena*, 1851.

—, *Über das Sehn und die Farben*, 1816.

SCHREYER, L., « Anmerkungen zu Goethes Farbenlehre », *Bühne und Welt*, XXXI, i, 1929.

SCHROEDER, B., *Kleinere deutsche Gedichte des XI und XII Jahrhunderts*, 1972, 2 vol.

SCHUCHARDT, C., *Goethes Kunstsammlungen*, 3 parties, 1848-1849.

SCHUHL, P., *Platon et l'art de son temps*, 2ᵉ éd., 1952.

SCHULTZ, W., *Das Farbempfindungssystem der Hellenen*, 1904.

SCHUMANN, F., « Beiträge zur Analyse der Gesichtswahrnehmungen », *Zeitschrift für Psychologie und Physiologie der Sinnesorgane*, XXIII, 1900.

SCHURÉ, E., *The Great Initiates* (1889), 1912, 2 vol. ; éd. fr. : *Grands Initiés, esquisse de l'histoire secrète des religions*, 1921.

SCHWEIZER, P. D., « John Constable, rainbow science and English color theory », *Art Bulletin*, LXIV, 1982.

SCHWYZER, E., « Germanisches und ungedeutetes in Byzantinischen Pferdenamen », *Zeitschrift für deutsches Altertum*, LXVI, 1929.

SCIARETTA, V., *Il Battistero di Albenga*, 1966.

SCOPOLI, G. A., *Entomologia Carnioloca*, Vienne, 1763.

SCOTT, I., *The Lüscher Colour Test*, 1971.

SCOTT, M., *The History of Dress Series : Late Gothic Europe, 1400-1500*, 1981.

SEGAL, A., *Lichtprobleme der bildende Kunst*, 1925.

SEIBOLD, U., « Meteorology in Turner's paintings », *Interdisciplinary Science Reviews*, XV, 1990.

SEIBT, W., *Helldunkel I : von den Griechen bis Correggio*, 1885.

SEIDLER, L., *Erinnerungen und Leben*, H. Uhde (éd.), 1875.

SEIDLITZ, W. VON, *Über Farbengebung*, 1900.

SELTMAN, C. T., *Athens : Its History and Coinage before the Persian Invasion*, 1924.

SEMPER, G., *Vorläufige Bemerkungen über bemalte Architektur und Plastik bei den Alten*, 1834.

SEPPER, D. L., *Goethe contra Newton : Polemics and the Project for a New Science of Colour*, 1988.

SERIO, G. F., INDORATO, L. et NASTALI, P., « Light colors and the rainbow in Giovanni Battista Hodierna (1597-1660) », *Annali dell'Instituto e Museo di Storia della Scienza di Firenze*, VIII, 1983.

SERJEANT, R. B., *Islamic Textiles : Materials for a History up to the Mongol Conquest*, 1972.

SERRA, A. DEL, « A conversation on painting techniques », *Burlington Magazine*, CXXVII, 1985.

SÉRULLAZ, M., *Les Peintures murales de Delacroix*, 1963.

SÉRUSIER, P., *ABC de la Peinture*, 3ᵉ éd., 1950.

SERWER, J. D., *Gene Davis : a Memorial Exhibition*, Washington, National Museum of American Art, 1987.

SEVERINI, G., « La peinture d'avant-garde-II » (1917) in M. Drudi Gambillo et T. Fiori (éds), *Archivi del Futurismo*, I, 1958.

—, *Du Cubisme au Classicisme*, 1921.

SEXTUS AMARCUS, *Sermones*, K. Manitius (éd.) (Monumenta Germaniae Historica : Deutsche Geschichtsquellen des Mittelalters), 1969.

SEYLER, G. A., *Geschichte der Heraldik*, 1889, réimp. 1978.

SEYMOUR, C., « Dark chamber and light-filled room. Vermeer and the camera obscura », *Art Bulletin*, XLVI, 1964.

SEZNEC, J., *La Survivance des dieux antiques*, 1993 ; éd. angl. : *The Survival of the Pagan Gods*, 1953.

SHAPIRO, A. E., « The evolving structure of Newton's theory of white light and color », *Isis*, LXXI, 1980.

—, *The Optical Papers of Isaac Newton*, I, 1984.

—, « Newton's "achromatic" dispersion law : theoretical. background and experimental evidence », *Archive for*

History of Exact Sciences, XXI, 2, 1979/1980.

SHAW, P., *Chemical Lectures*, 1755.

SHEARMAN, J., « Leonardo's Colour and Chiaroscuro », *Zeitschrift für Kunstgeschichte*, XXV, 1962.

—, « Raphael's clouds, and Corregio's » in M. S. Hamoud et M. L. Strocchi (éds), *Studi su Raffaello*, 1987, 2 vol.

SHEARMAN, J., *Andrea del Sarto*, 1965, 2 vol.

SHELDRAKE, T., « Dissertation on Painting in Oil », *Transaction of the Society of Arts*, XVI, 1798.

SHEON, A., « French art and science in the mid-nineteenth century: some points of contact », *Art Quarterly*, XXXIV/4, 1971.

SHERMAN, P. D., *Colour Vision in the Nineteenth Century : The Young-Helmholtz-Maxwell Theory*, 1981.

SHIFF, R., « The end of Impressionism: a study in theories of artistic expression », *Art Quarterly*, N.S., I., 1978a.

—, « Seeing Cézanne », *Critical Inquiry*, IV, 1978b.

—, *Cézanne and the End of Impressionism*, 1984.

SHIRLEY, A., *The Published Mezzotints of David Lucas after John Constable*, 1930.

—, *The Rainbow : a Portrait of John Constable*, 1949.

SHORE, A. F., *Portrait Painting from Roman Egypt*, 1972.

HÉRAUT SICILE, *Le Blason des couleurs en armes, livrées et devises*, H. Cocheris (éd.), 1860.

—, *Parties inédites de l'œuvre de Sicile, héraut d'Alphonse V*, P. Roland (éd.), 1867.

SIEGEL, R. E., « Theories of vision and color perception of Empedocles and Democritus : some similarities to the modern approach », *Bulletin ofthe History of Medicine*, XXXIII, 1959.

SIGNAC, P., *D'Eugène Delacroix au néo-impressionnisme* (1899), F. Cachin (éd.), 1964.

SILVESTRE, H., « Le Ms Bruxellensis 10147-58 (s. XII-XIII) et son "Compendium artis picturae" », *Bulletin de la Commission Royale d'Histoire*, CXIX, 1954.

SILVESTRE, T., *Les Artistes français*, 2ᵉ éd., 1926, 2 vol.

SIMEON DE COLOGNE, *Speculum Alchimiae Minus*, chap. VI : *De omnibus coloribus accidentibus in opere*, K. Sudhoff (éd.), *Archiv für die Geschichte der Naturwissenschaften und der Technik*, IX, 1918.

SIMONELLI, M. P., « On Alberti's treatises and their chronological relationship », *Yearbook of Italian Studies* (1971), 1972.

—, « Allegoria e simbolo dal Convivio alia Commedia sullo sfondo della cultura bolognese » in *Dante e Bologna nei tempi di Dante*, faculté des lettres et de philosophie de l'université de Bologne, 1967.

SIMSON, O. VON, « Opere superante materiam : zur Bedeutung der Sainte-Chapelle zu Paris », *Mélanges Jacques Stiennon*, 1982.

—, *Il Ciclo di Maria de' Medici*, 1968.

—, *The Gothic Cathedral*, 3ᵉ éd., 1988.

SIRAT, C., « Les pierres précieuses et leurs prix au XVᵉ siècle en Italie, d'après un manuscrit hébreu », *Annales Économies,*

Sociétés, Civilisations, 1968.

SJÖBLOM, A., *Die koloristische Entwicklung in der niederländischen Malerei des XV und XVI Jahrhunderts*, 1928.

SKINNER, Q., « Ambrogio Lorenzetti : the artist as political Philosopher », *Proceedings of the British Academy*, LXXII, 1986.

SLIVE, S., *Frans Hals*, 1970-1974, 3 vol.

SMALLEY, B., *The Study of the Bible in the Middle Ages*, 2ᵉ éd., 1952.

SMET, A. J., *Alexandre d'Aphrodisias. commentaire sur les Météores d'Aristote. Traduction de Guillaume de Moerbeke*, 1968.

SMITH, A. M., « The psychology of visual perception in Ptolemy's Optics », *Isis*, LXXIX, 1988.

—, « Witelonis Perspectivae Liber Quintus: Book V of Witelo's Perspectiva », *Studia Copernicana*, XXIII, 1983.

SMITH, J., *Catalogue Raisonné of the Works of the Most Eminent Dutch Painters*, 1829-1842, 9 vol.

SMITH, J. T., *Nollekens and his Times* (1828), W. Whitten (éd.), 1920, 2 vol.

SMITH, M. T., « The use of grisaille in Lenten observance », *Marsyas*, VIII, 1957/1959.

SMITH, P., « Seurat the natural Scientist », *Apollo*, CXXXIII, 1990.

—, « Was Seurat's art Wagnerian ? And what if it was ? », *Apollo*, CXXXIV, 1991.

SMITH, R., *Harmonics, or the Philosophy of Musical Sounds*, 1749.

SOEHNER, H., « Velasquez und Italien », *Zeitschrift für Kunstgeschichte*, XVIII, 1955.

SÖHRING, O., « Werke bildender Kunst in alt-französischen Epen », *Romanische Forschungen*, XII, 1900.

SOLINUS. *Collecteana Rerum. Memorabilium*, T. Mommsen (éd.), 2ᵉ éd., 1958.

SOLMI, E., *Scritti Vinciani*, 1976.

SOLMSEN, F., *Aristotle's System of the Physical World*, 1960.

SONNENBURG, H. VON, « Maltechnische Gesichtspunkte zur Rembrandtforschung », *Maltechnik/Restauro*, LXXXII, I, 1976.

—, « The technique and conservation of a portrait », *Metropolitan Museum Bulletin*, XXXI, 1970.

— et PREUSSER, F., « Rubens Bildaufbau und Technik, II : Farbe und Auftragstechnik », *Mitteilungen des Doerner-Instituts*, III, 1979.

SORABJI, R., « Aristotle, mathematics and colour », *Classical Quarterly*, N. S., XXII, 1972.

SOUDA, *Lexikon*, A. Adler (éd.), 1935, 5 vol.

SOUPAULT, P., « Quand j'étais l'élève de Kandinsky », *Jardin des Arts*, CIII, 1963.

SOURIAU, P., « Le symbolisme des couleurs », *La Revue de Paris*, II, ii (15 avril), 1895.

SOWERBY, J., *A New Elucidation of Colours, Original, Prismatic and Material, showing their Coincidence in Three Primitives, Yellow, Red and Blue*, 1809.

SOWERS, R., « On the blues of Chartres », *Art Bulletin*, XLVIII, 1966.

SPATE, V., *Orphism : the Evolution of non-Figurative Painting in Paris, 1910-4*, 1979.

SPATHARAKIS, I., *The Portrait in Byzantine Illuminated Manuscripts*, 1976.

SPEAR, R., *Domenichino*, 1982.

SPECIALE, L., « Indicazioni di colori in un disegno cassinese dell'XI secolo » in *Pigments et colorants de l'Antiquité et du Moyen-Âge. Teinture, Peinture, Enluminure : études historiques et physico-chimiques* (Colloque International du CNRS), 1990.

SPECTOR, J., *The Murals of Eugène Delacroix at Saint-Sulpice*, 1967.

SPEISER, J. M., *Thessalonique et ses monuments du IVᵉ au VIᵉ siècle*, 1984.

SPEZIALI, P., « Leonardo da Vinci et la Divina Proportione de Luca Pacioli », *Bibliothèque d'humanisme et de renaissance*, XV, 1953.

SPEZZAFERRO, L., « La cultura di Cardinale dal Monte e il primo tempo del Caravaggio », *Storia dell'Arte*, IX, 10, 1971.

SPIES, O., « Al-Kindi's Treatise on the cause of the blue colour of the sky », *Journal of the Bombay Branch of the Royal Asiatic Society*, N. S., XIII, 1937.

SPINNER, K. H., « Helldunkel und Zeitlichkeit. Caravaggio, Ribera, Zurbaran, de la Tour, Rembrandt », *Zeitschrift für Kunstgeschichte*, XXXIV, 1971.

SQUIBB, G. D., *The High Court of Chivalry*, 1959.

SRUTKOVA-ODELL, V., « Alberti e le nuove teorie estetiche del Mantegna », *Commentari*, N. S., XXIX., 1978.

STAFFORD, B. M., *Symbol and Myth : Humbert de Superville's Essay on Absolute Signs in Art*, 1979.

—, « Medusa, or the Physiognomy of the earth : Humbert de Superville's Aesthetics », *Journal of the Warburg and Courtauld Institutes*, XXV, 1972.

STARKIE, E., *Arthur Rimbaud* (1938), 1961.

STEENBOCK, F., *Der Kirchliche Prachteinband im frühen Mittelalter*, 1965.

STEFANESCU-GOANGA, F., « Experimentelle Untersuchungen zur Gefühlsbetonung der Farben », *Psychologische Studien*, VII (1911), 1912.

STEIG, R., « Zu Otto Runges Leben und Schriften », *Euphorion*, IX, 1902.

STEIGER, A., « Altromanische Pferdenamen "Etymologica" », *Walther von Wartburg zum Siebzigsten Geburtstag*, 1958.

STEIN, D. M., *Thomas Wilfred : Lumia. A Retrospective Exhibition*, Washington, Corcoran Gallery of Art, cat. expo., 1971.

STEIN, S., « Kandinsky and abstract stage-composition : practice and theory, 1909-1912 », *Art Journal*, XLIII, 1983.

STEINBERG, R. M., *Fra Girolamo Savonarola, Florentine Art and Renaissance Historiography*, 1977.

STEINMANN, E., *Die Sixtinische Kapelle*, 1901-1905, 5 vol.

STELLA, F., *Working Space*, 1986.

STERN, H., « Le décor des pavements et des cuves dans les baptistères paléochrétiens », *Actes du Vᵉ Congrès international d'archéologie chrétienne, 1954*, 1957.

—, « Les mosaïques de l'église de Sainte-Constance à Rome », *Dumbarton Oaks Papers*, XII, 1958.

STERNAGEL, P., *Die Artes Mechanicae im Mittelalter*, 1966.

STIERLIN, H. (éd.), *The Art of Karl Gerstner*, 1981.

STILLINGFLEET, B., *The Principles and Power of Harmony*, 1771.

STOBAEUS, J., *Eclogarum Physicarum et Ethicarum Libri Duo* (avec une trad. latine par A. H. L. Heeren), 1792.

STOKES, A., *Colour and Form*, 1937.

Gunta Stölzl, Weberei am Bauhaus und aus eigener Werkstatt, Berlin, Bauhaus Archiv-Museum, cat. expo., 1987.

STORNAJOLO, C., « Le miniature della Topografia Cristiana di Cosma Indicopleuste, Cod. Vat. Gr 699 » in *Codices e Vaticanis Selecti*, X, 1908.

STOUT, G. L., « A study of the method in a Flemish painting », *Technical Studies in the Field of Fine Arts*, I, 1933.

—, « The restoration of a Fayum Portrait », *Technical Studies in the Field of Fine Arts*, I, 1932.

STRATFORD, N., « Three English Romanesque enamelled ciboria », *Burlington Magazine*, CXXVI, 1984.

STRATION, G. M., *Theophrastus and the Greek Physiological Psychology before Aristotle*, 1917.

STRAUSS, E., *Koloritgeschichtliche Untersuchungen zur Malerei seit Giotto*, L. Dittmann (éd.), 2ᵉ éd., 1983.

STUART, J. et REVETT, J., *The Antiquities of Athens*, I, 1762.

STUDER, P. et EVANS, J., *Anglo-Norman Lapidaries*, 1924.

STUMPEL, J., « On grounds and backgrounds : some remarks about composition in Renaissance painting », *Simiolus*, XVIII, 1988.

SUAREZ DE MENDOZA, F., *L'Audition colorée : étude sur les sensations secondaires physiologiques et particulièrement sur les pseudo-sensations de couleurs associées aux perceptions objectives des sons*, 1890.

SUCHENWIRT, P., *Werke*, A. Primisser (éd.), 1827.

SULLY, T., *Hints to Young Painters* (1873), F. Birren (éd.), 1965.

SUGER, *Œuvres*, 1996.

SUMOWSKI, G. I., *Gemälde der Rembrandt-Schüler*, 1983.

SUNDBERG, H., « Horse-trading contracts in early seventeenth-century Novgorod: colour adjectives and other vocabulary in horse-descriptions », *Scando-Slavica*, XXXI, 1985.

SUTHERLAND-HARRIS, A., « Notes on the chronology and death of Pietro Testa », *Paragone*, CCXIII, 1967.

SUTTER, D., « Les phénomènes de la vision », *L'Art*, XX, 1880.

—, *Philosophie des Beaux-Arts appliquée à la peinture*, 1858.

SUTTON, P. (éd.), *Masters of Seventeenth-Century Dutch Landscape Painting*, 1987.

SVENNUNG, J., *Compositiones Lucenses : Studien zum Inhalt, zur Textkritik und Sprache*, 1941.

SWIFT, E. H., *Roman Sources of Christian Art*, 1951.

SWINDLER, M. H., *Ancient Painting*, 1929.

SYMEONIS MONACHUS, *Opera Omnia*, T. Arnold (éd.), Rolls Series, 1882-1885.

SYMES, P., *Werner's Nomenclature of Colours, adapted to Zoology, Botany, Chemistry, Mineralogy, Anatomy and the Arts*, 2ᵉ éd., 1821.

SYNDOW, E. VON, « K. F. Schinkel als Landschaftsmaler », *Monatshefte für*

Kunstwissenschaft, 1921.

SZULAKOWSKA, U., « The Tree of Aristotle : Images of the Philosophers Stone and their transference in alchemy from the fifteenth to the twentieth century », *Ambix*, XXXIII, 1986.

TABARANT, A., « Couleurs », *Bulletin de la vie artistique*, IV, 1923.

TACHAU, K. H., *Vision and Certitude in the Age of Ockham*, 1988.

TAINE, H., *De l'Intelligence*, 2ᵉ éd., 1870, 2 vol.

TALBOT-RICE, D. (éd.), *The Church of Hagia Sophia at Trebizond*, 1968.

TANTILLO, A. M., « Restauri alla Farnesina », *Bolletino d'Arte*, LVII, 1972.

TATARKIEWICZ, W., *History of Aesthetics*, 1970-1974, 3 vol.

TAUBERT, J., *Farbige Skulpturen : Bedeufung, Fassung, Restaurierung*, 1978.

TAYLOR, BROOK, *New Principles of Linear Perspective…*, 2ᵉ éd., Londres, 1719.

TERNOIS, D., « Livres de comptes de Madame Ingres », *Gazette des Beaux-Arts*, VIᵉ pér., XLVIII, 1956.

TERTULLIEN, *De Spectaculis*, E. Castorina (éd.), 1961.

TEYSSEDRE, B., « Le Cabinet du Duc de Richelieu décrit par Roger de Piles », *Gazette des Beaux-Arts*, LXII, 1963.

—, « Peinture et Musique : la notion d'harmonie des couleurs au XVIIᵉ siècle français », in *Stil und Überlieferung in der Kunst des Abendlandes* (Akten des XXI Internazionalen Kongresses für Kunstgeschichte, Bonn, 1964), III, 1967.

—, *Roger de Piles et les débats sur le coloris au siècle de Louis XIV*, 1965.

The European Face of Isaac Newton, Cambridge, Fitzwilliam Museum, cat. expo., 1973-1974.

THENOT, J.-P., *Des Règles de la peinture à l'huile*, 1847.

THEODORIC DE FREIBERG, *De Iride*, J. Würschmidt (éd.) in *Beiträge zur Geschichte und Philosophie des Mittelalters*, XII, 1914.

THÉOPHILE (le Moine), *Essai sur divers arts*, Ch. de l'Escalopier (trad.), 1843 ; éd. angl. : *De Diversis Artibus*, C. R. Dodwell (éd.), 1961. *On Diverse Arts*, trad. angl. J. G. Hawthorne et C. S. Smith, 1963.

THÉOPHRASTE, *De Lapidibus*, D. E. Eichholz (éd.), 1965.

THIEL, R., *Luther*, 1933.

THOMAS DE CANTIMPRÉ, *Liber de Natura Rerum*, H. Boese (éd.), 1973.

THOMAS DE CELANO, *Vita Prima S. Francescii Assisiensis*, H. G. Rosedale (éd.), 1904.

THOMPSON, D. V. Jr (éd.), « Liber de Coloribus », *Speculum*, I, 1926.

— (éd.), « Medieval colormaking : *Tractatus qualiter quilibet artificialis color fieri potest*, from Paris B. N. MS Latin 6749b », *Isis*, XXII, 1934-1935.

— *The Materials and Techniques of Medieval Painting*, 1936.

—, « Artificial vermilion in the Middle Ages », *Technical Studies in the Field of Fine Arts*, II, 1933.

THOMPSON, D., *Seurat*, 1985.

THORNBURY, W., *The Life of J. M. W. Turner, R.A.*, 2ᵉ éd., 1877.

THORNDYKE, L., « Other texts on colors », *Ambix*, VIII, 1960.

THORNES, J., « Constable's clouds », *Burlington Magazine*, CXXI, 1979.

TIECK, L., *Franz Sternbalds Wanderungen*, Berlin, 1798.

TIETZE, H. et TIETZE-CONRAT, E. J., *The Drawings of the Venetian Painters in the 15th and 16th Centuries*, 1970.

TIETZE-CONRAT, E., « Titian as a Letter-Writer », *Art Bulletin*, XXVI, 1944.

TILL, W. C., « Die Farbenbezeichnungen im Koptischen », *Analecta Biblica : Oriens Antiquus*, XII, 1959.

TINTORI, L. et MEISS, M., *The Painting of the Life of St Francis at Assisi*, 2ᵉ éd., 1967.

Tiziano a Venezia ; Convegno Internazionale di Studi, Venise, 1976.

To Eparchikon vivlion – le livre du Préfet, I. Dujâev (éd. trilingue), 1970.

TODD, R. B., *Alexander of Aphrodisias on Stoic Physics*, 1976.

TOMASEVIC, G. C., *Heraclea Lyncestis*, 1973.

Il Tondo Doni di Michelangelo e il suo restauro (Gli Uffizi, Studi e Richerche, 2), Florence, Uffizi, 1985.

Topographie Chrétienne, II, W. Wolska-Corms (éd. et trad.), 1970.

TORBRUEGGE, M. K., « Goethe's theory of color and practising artists », *Germanic Review*, XLIX, 1974.

TORP, H., *Mosaikkene i St Georg-rotunden*, 1963.

TORRITI, C., *Ristauri nelle Marche*, 1973.

TOULMIN, R. M., « L'ornamento nella pittura di Giotto, con particolare referimento alia Capella degli Scrovegni » in *Giotto e il suo tempo*, Rome, 1971.

Towards a New Art : Essays on the Background to Abstract Art, 1910-1920, Londres, Tate Gallery, 1980.

TOYNBEE, P., *Dante Studies*, 1902.

TRAEGER, J., *Philipp Otto Runge und sein Werk : Monographie und kritischer Katalog*, 1975.

TRAPP, F. A., *The Attainment of Delacroix*, 1971.

TRAUBE, L. (éd.), *Monumenta Germaniae Historica, Poeti Latini Ævi Carolini*, III, 1896.

TRAVERS NEWTON, H., « Leonardo da Vinci as a mural painter : some observations on his materials and working methods », *Arte Lombarda*, LXVI, 1983.

TREMLETT, T. D. (éd.), « The Matthew Paris Shields », *Aspilogia*, II, 1967.

TREVISANO, M., « De doctrina lucis apud S. Bonaventurae », *Scriptorium Victoriense*, VIII, 1961.

TRÉVISE, DUC DE, « Le pélerinage à Giverny », *Revue de l'art ancien et moderne*, janv.-fév. 1927.

TREVOR-ROPER, P., *The World through Blunted Sight*, 2ᵉ éd., 1988.

TRIMPI, W., « The meaning of Horace's Ut Pictura Poesis », *Journal of the Warburg and Courtauld Institutes*, XXXVI, 1973.

TRISKA, E.-M., « Die Quadratbilder Paul Klees » in Cologne. Kunsthalle, *Paul Klee : Das Werk der Jahre 1919-1933*, 1979.

TROWBRIDGE, M. L., *Philological Studies in Ancient Glass*, 1928.

TROY, N., 1984. « Figures of the dance in De Stijl », *Art Bulletin*, LXVI.

—, *The De Stijl Environment*, 1983.

TSCHAN, F. J., *Saint Bernward of Hildesheim*, II, 1951.

TUCHMAN, M. (éd.), *The Spiritual in Art : Abstract Painting 1890-1985*, Los Angeles County Museum of Art, cat. expo., 1986.

TUCKER, M., *The Structure of Color*, New York, Whitney Museum, 1971.

TUDOR HART. P., « A new view of colour », *Cambridge Magazine*, VII, 23 fév. 1918b.

—, « The analogy of sound and colour », *Cambridge Magazine*, VII, 2 mars, 1918a.

TURNBULL, G., *A Treatise on Ancient Painting*, Londres, 1740.

TURNER, N., « Ferrante Carlo's *Descrittione della Cupola di S. Andrea della Valle depinta da Cavalier Gios. Lanfranchi* (1627/1628) : a source for Bellori's descriptive method », *Storia dell'Arte*, XII, 1971.

TURQUET DE MAYERNE, T., *Le Manuscrit de Turquet de Mayerne*, C. Versini et N. Faidutti (éds), 1974.

UCCELLI, A., *I Libri di Meccanica di Leonardo da Vinci*, 1940.

UCCELLI, G. B., *Il Convento di S. Giusto alle Mura e i Gesuati*, 1865.

UHDE-BERNAYS, H. (éd.), *Künstlerbriefe über Kunst*, 1960.

UITERT, E. VAN, « De toon van Vincent van Gogh : opvattingen over kleur en zijn Hollandse periode », *Simiolus*, II (avec un résumé en anglais), 1966-1967.

UNDERWOOD, P. A. (éd.), *The Karije Djami*, 1967-75, 4 vol.

—, « The evidence of restorations to the sanctuary mosaics of the Church of the Dormition at Nicaea », *Dumbarton Oaks papers*, XIII, 1959.

—, et HAWKINS, E. J. W., « The mosaics of Hagia Sophia at Istanbul. The portrait of the Emperor Alexander », *Dumbarton Oaks Papers*, XV, 1961.

UPTON, N., *De Studio Militari*, E. Bysshe (éd.), 1654.

URSO DE SALERNO, *De Commixtionibus Elementorum Libellus*, W. Stürner (éd), 1976.

VALENCIENNES, P. H. DE, *Élémens de perspective pratique*, 1800 (éd. facsimile 1973).

P. H. de Valenciennes, cat. expo. Toulouse, Musée Dupuy, 1956-1957.

VALLA, G., *De Expetendis et fugiendis Rebus*, Venise, 1501.

VALLÉE, L. L., *Traité de la Science du dessin*, 1821.

VALLIER, D., « Malévitch et le modèle linguistique en peinture », *Critique*, XXXI, 1975.

—, « Le problème du vert dans le système perceptif », *Semiotica*, XXVI, 1979

Van Gogh à Paris, cat. expo., Paris, Musée d'Orsay, 1988.

VAN GOGH, V., *Collected letters*, 1958, 3 vol. ; éd. fr. : *Correspondance complète de Vincent van Gogh, enrichie de tous les dessins originaux*, M. Beerblock et L. Roëlandt (trads), 1960.

—, *Correspondance générale* (1960), préf. P. Dagen, 1990, 3 vol.

VANTONGERLOO, G., *L'Art et son avenir*, 1924.

VASARI, G., *Le Vite*, G. Milanesi (éd.), 1878-1885, 9 vol. ; Club del Libro, 1962-1966, 8 vol. ; R. Bettarini et P. Barocchi (éds), III, 1971 ; IV, 1976 ; VII, 1965 ; éd. fr. : *Vies des artistes : vies des plus excellents peintres, sculpteurs et architectes*, A. Chastel (éd.), 1989.

—, *The Life of Leonardo da Vinci*, H. Home (trad.), 1903.

Vasari on Technique, G. B. Brown (éd.), 2ᵉ éd., 1960.

VAUGHAN, G., « Maurice Denis and the sense of music », *Oxford Art Journal*, VII, 1984.

VECKENSTEDT, E., *Geschichte der griechischen Farbenlehre*, 1888.

VELDE, H. VAN DE, *Geschichte meines Lebens*, 1962.

—, *Kunstgewerblichen Laienpredigten*, 1902.

VELIZ, Z., « A painter's technique : Zurbaran's *The Holy House of Nazareth* », *Bulletin of the Cleveland Museum of Art*, LXVIII, 1981.

—, *Artists' Techniques in Golden Age Spain*, 1986.

VELTMAN, K., *Studies on Leonardo da Vinci I : Visual Perspective and the Visual Dimensions of Science and Art*, 1986.

VENTURI, G. B., *Indagine fisica sui colori*, 2ᵉ éd., 1801.

VENTURI, L., *Les Archives de l'Impressionnisme*, 1939, 2 vol.

VENZMER, E., *J.B. Oudry : Farbige Gemäldewiedergaben*, 1967.

VENZMER, W., *Adolf Hoelzel Leben una Werk, Monographie und Werkverzeichnis*, 1982.

VERBRAEKEN, R., *Clair-Obscur – histoire d'un mot*, 1979.

VERDIER, P., « Réflexions sur l'esthétique de Suger : à propos de quelques passages du *De Administratione* », *Études de civilisation mediévale (Mélanges E.-R. Labande)*, c.1974.

VERDON, T. et FRONT, W. (éds), *Monasticism and the Arts*, 1984.

VERDONE, M., « Ginna and Carra : cinema e letteratura del Futurismo », *Bianco e Nero*, XXVIII, oct.-déc. 1967.

Claude Joseph Vernet, 1714-1789, Greater London Council, 1976.

VÉRON, E., *L'Esthétique*, 1878.

VESCOVINI, G. F., « Contributo per la storia della fortuna di Alhazen in Italia : il volgarizzamento del MS Vat. 4595 e il "Commentario Terzo" del Ghiberti », *Rinascimento*, sér. II, V, 1965.

—, « Il problema delle fonti ottiche medievali del *Commentario Terzo* di Lorenzo Ghiberti » in *Lorenzo Ghiberti e il suo tempo (Atti del Convegno Internazionale di Studi 1978)*, II, 1980.

VESPASIANO DA BISTICCI, *Renaissance Princes Popes and Prelates : the, Vespasiano Memoirs*, W. George et E. Waters (trad.), 2ᵉ éd., 1963.

VIARD, J. (éd.), *Les Grandes Chroniques de France*, 1927.

VIBERT, J.-G., *La Science de la peinture* (1891), 1902 (réimp. 1981).

—, *The Delights of Art*, Century Magazine, XXIX, 1895-1896.

VINCENT DE BEAUVAIS, *Speculum Maius : Speculum Doctrinale*, 4 vol., Douai, 1624.

VITRUVE, *De Architectura*, C. Cesariano (éd.), Côme, 1521.

VLOBERG, M., *La Vierge et l'enfant dans l'art français*, II (*Le Sourire de la Vierge-Mère*), 1936.

VOLBEHR, T., « Die Neidfarbe gelb », *Zeitschrift für Aesthetick*, I, 1906.

VOLLARD, A., *En écoutant Cézanne, Degas, Renoir*, 1938.

—, *Souvenirs d'un marchand de tableaux*, 3ᵉ éd., 1959.

VOPEL, H., *Die altchristlichen Goldgläser*, 1899.

VOSS, J., *Das Mittelalter im historischen Denken Frankreichs*, 1972.

VOSSIUS, G. J., *De Quatuor Artibus Popularibus*, Amsterdam, 1650.

VOSSIUS, I., *De Lucis Natura et Proprietate*, Amsterdam, 1662.

VRIES, A. B. DE, TOTH-UBBENS, M. et FROENTJES, W., *Rembrandt in the Mauritshuis*, 1978.

VRIES, J. DE, « Rood-Wit-Zwart » (1942) in *Kleine Schriften*, 1965.

VRIESEN, G., *August Macke*, 1957.

— et IMDAHL, M., *Robert Delaunay – Licht und Farbe*, 1967.

VULSON DE LA COLOMBIERE, M., *Recueil de Plusieurs Pièces et Figures d'Armoiries… avec un Discours des Fondaments du Blason et une Nouvelle Méthode de Cognoistre les Métaulx et Couleurs sur la Taille Douce*, Paris, 1639.

WAAL, A. DE, « Figürliche Darstellungen auf Teppichen und Vorhängen in Römischen Kirchen bis zur Mitte des IX Jh. nach dem Liber Pontificalis », *Römische Quartalschrift*, II, 1888.

WAAL, H. VAN DER, « The "Linea Summae Tenuitatis" of Apelles: Pliny's phrase and its Interpreters », *Zeitschrift für Aesthetik und Allgemeine Kunstwissenschaft*, XII, 1967.

WACKERNAGEL, W., « Die Farben – und Blumen – sprache des Mittelalters » in *Kleinen Schriften*, 1872, 2 vol.

WAETZOLDT, S., *Die Kopien des 17. Jahrhunderts nach Mosaiken und Wandmalereien in Rom*, 1964.

WAETZOLDT, W., « Das theoretische und praktische Problem der Farbenbenennung », *Zeitschrift für Aesthetik und allgemeine Kunstwissenschaft*, IV, 1909.

WAGNER, A., *Heralds and Heraldry in the Middle Ages*, 2ᵉ éd., 1956.

WAGNER, D. (éd.), *The Seven Liberal Arts in the Middle Ages*, 1983.

WAGNER, M. L., « Das Fortleben einiger lateinischer bzw. vulgärlateinischer Pferdenamen in Romanischen, insbesondere im Sardischen und Korsischen », *Glotta*, VIII, 1916/1917.

WAGNER, W., *Die Geschichte der Akademie der Bildenden Künste in Wien*, 1967.

WAINEWRIGHT, T. G., *Essays and Criticism*, W. C. Hazlitt (éd.), 1880.

WALLACE, W. A., *The Scientific Methodology of Theodoric of Freiberg*, 1959.

WALLACE-HADRILL, D. S., *The Greek Patristic View of Nature*, 1968.

WALLER, R., « A catalogue of simple and mixt colours », *Philosophical Transactions of the Royal Society*, XVI, 1686.

WALSINGHAM, T. I., *Gesta Abbatum Monasterii Sancti Albani*, 1867.

WALTER-KARYDI, H., « Prinzipien der archaischen Farbgebung », *Studien zur klassischen Archäologie. Festschrift zum 60. Geburtstag von Friedrich Hiller*, 1986.

The Washington Color Painters, Washington, Gallery of Modern Art, cat. expo., 1965/1966.

WASHTON-LONG, R. C., *Kandinsky: the Development of an Abstract Style*, 1980.

WASSERMAN, G. S., *Color Vision : an Historical Introduction*, 1978.

WATELET, M. et LEVESQUE, M., *Dictionnaire des Arts de Peinture*, Paris, I, 1792, 5 vol.

WATKINS, N., *Matisse*, 1984.

WATTENBACH, W., *Das Schriftwesen im Mittelalter*, 3ᵉ éd., 1896.

WATTENWYL, A. VON AND ZOLLINGER, H., « Color naming by art students and science students », *Semiotica*, XXXV, 1981.

WEALE, R. A., « The tragedy of pointillism », *Palette*, XL, 1972.

—, *Theories of Light and Colour in Relation to the History of Painting*, thèse de doctorat, université de Londres, 1974.

WEBB, D., *An Inquiry into the Beauties of Painting*, Londres, 1760.

WEBER, N. F., *The Drawings of Josef Albers*, 1984.

WECKERLIN, J. W., *Le Drap « escarlate » au Moyen Âge*, 1905.

WEDDINGEN, E., « Jacopo Tintoretto und die Musik », *Artibus & Historiae*, X, 1984.

WEISE, G., « Manieristische und frübaroke Elemente in den religiösen Schriften des Pietro Aretino », *Bibliothèque d'Humanisme et de Renaissance*, XIX, 1957.

—, *Die geistige Welt der Gotik*, 1939.

WEISE, O., *Die Farbenbezeichnungender Indogermanen* », *Bezzenbergers Beiträge zur Kunde der Indogermanischen Sprachen*, II, 1878.

WEISWEILER, H., « Sakrament als Symbol und Teilhabe : der Einfluss des Ps-Dionysios auf die allgemeine Sakramentlehre Hugos van St Viktor », *Recherches de théologie ancienne et moderne*, XIX, 1952.

WEITZMANN, K., *Studies in Classical and Byzantine Manuscript Illumination*, 1971.

—, *The Monastery of Saint Catherine at Mount Sinai, the Icons*, I, 1976.

—, LOERKE, W. C., KITZINGER, E. et BUCHTAL, H., *The Place of Book Illumination in Byzantine Art*, 1975.

WEIXLGÄRTNER, A., *Grünewald*, 1962.

WELLEK, A., « Farbharmonie und Farbenklavier : ihre Entstehungsgeschichte im 18 Jh. », *Archiv für die gesamte Psychologie*, XCIV, 1935.

WELLEK, A., *Musikpsychologie und Musikästhetik*, 1963.

WELLIVER, N., « Albers on Albers », *Art News*, LXIV, 1966.

WELLS, G. A., « Goethe's qualitative optics », *Journal of the History of Ideas*, XXXII, 1971.

—, « Goethe's scientific methods and aims in the light of his studies in physical optics », *Publications of the English Goethe Society*, XXXVIII, 1967-1968.

WELSH, R. P. et JOOSTEN, J., *Two Mondrian Sketchbooks, 1912-1914*, 1969.

WELSH-OVCHAROV, B., *Vincent van Gogh : his Paris Period, 1886-1888*, 1976.

WENK. K., « Uber päpstliche Schatzverzeichnisse des 13. und 14. ahrhunderts und ein Verzeichniss der päpstlichen Bibliothek vom Jahre 1311 », *Mitteilungen des Instituts für österreichische Geschichtsforschung*, VI, 1885.

WENZEL, H., « Die ältesten Farbfenster in der Oberkirche von S. Francesco zu Assisi und die deutsche Glasmalerei des XIII Jh », *Wallraf-Richartz Jahrbuch*, XIV, 1952.

—, « Glasmaler und Maler im Mittelalter »,

Zeitschrift für Kunstwissenschaft, III, 1949.

WENZEL, M., « Deciphering the Cotton Genesis miniatures : preliminary observations concerning the use of colour », *British Library Journal*, XIII, 1987.

WERCKMEISTER, O. K., « Islamische Formen in spanischen Miniaturen des 10 Jh. und das Problem der mozarabischen Buchmalerei », *Settimane di Studio del Centro italiano di studi sull'alto medioevo*, XII, 1965.

WESTFALL, R. S., « Isaac Newton's coloured circles twixt two contiguous glasses », *Archive for the History of Exact Sciences*, II, 1962/1965.

—, « The development of Newton's theory of colours », *Isis*, LIII, 1962.

WESTPHAL, H., « Unmittelbare Bestimmung der Urfarben », *Zeitschrift für Sinnespsychologie (II Abteilung : Zeitschrift für Psychologie und Physiologie der Sinneserscheinungen)*, XLIV, 1910.

WESTPHAL, J., *Colour : A Philosophical introduction*, 2ᵉ éd., 1991.

WETERING, E. VAN DE, « The young Rembrandt at work », *Oud Holland*, XCI, 1977.

—, GROEN, C. M. et MOSK, J. A. « Summary report of the results of the technical examination of Rembrandt's Night Watch », *Bulletin van het Rijksmuseum*, LXXXIV, 1976.

WETHEY, H., *The Paintings of Titian*, 1969-1975, 3 vol.

WHITE, J., « Cimabue and Assisi : working methods and art-historical consequences », *Art History*, IV, 1981.

—, *Duccio : Tuscan Art and the Mediaeval Workshop*, 1979.

WHITE, H. A., Jr., « Theophilus Redivivus », *Technology and Culture*, V, 1964.

WHITFIELD, T. W. A. et SLATTER, P. E., « Colour harmony : an evaluation », *British Journal of Aesthetics*, XVII, 1978.

WHITFORD, F., *Bauhaus*, 1984.

WHITLEY, W. T., *Artists and their Friends in England*, 1968.

WHITNEY, E., « Paradise restored : the mechanical arts from Antiquity through the thirteenth century », *Transactions of the American Philosophical Society*, LXXX, part. I., 1990.

WICK, R., *Bauhaus Pädagogik*, 1982.

WICKHAM LEGG, J., « Notes on the history of the liturgical colours », *Transactions of the St Paul's Ecclesiological Society*, I, iii, 1882.

WIEDEMANN, E., « Ueber die Entstehung der Farben nach Nasîr al Dîn al Tûsî », *Jahrbuch für Photographie und Reproduktionstechnik*, XXII, 1908.

WILDENSTEIN, D., *Claude Monet : Biographie et catalogue raisonné*, 1979, 4 vol.

WILFRED, T., « Composing in the art of Lumia », *Journal of Aesthetics and Art Criticism*, VII, 1948.

—, « Light and the Artist », *Journal of Aesthetics and Art Criticism*, V, 1947.

WILK, C., *Marcel Breuer : Furniture and Interiors*, 1981.

WILLAMOWITZ-MÖLLENDORF, U. VON, « Atticismus und Asianismus », *Hermes*, XXXV, 1900.

WILLIAMS, H. W., « Romney's Palette », *Technical Studies in the Field of Fine Arts*, VI, 1937.

WILLIAMS, J., *Early Spanish Manuscript Illumination*, 1977.

WILLIAMS, W., *An Essay on the Mechanic of Oil Colours*, Bath, 1787.

WILSON, P. W., *The Greville Diary*, 1927, 2 vol.

WILSON, R. J. A., *Piazza Armerina*, 1983.

WILTON, A., *J. M. W. Turner, vie et œuvre : catalogues des peintures et aquarelles*, 1984.

WINCKELMANN, J. J., *Geschichte der Kunst des Altertums*, J. Lessing (éd.), 1882.

WIND, E., *Giorgione's « Tempesta »*, 1969.

WINFIELD, D. C., « Middle and later Byzantine wall painting methods », *Dumbarton Oaks Papers*, XXII, 1968.

WINGLER, H. M. (éd.), *Kunstschulreform 1900-1933*, 1977.

WINGLER, H., *The Bauhaus*, 3ᵉ éd., 1975.

WINTER, G., « Durchblick oder Vision. Zur Genese des modernen Bildbegriffs am Beispiel von R. Delaunays « Fenster-Bildern » », *Pantheon*, XLII, 1984.

WINTER, H., « The Optical researches of Ibn al-Haitham », *Centaurus*, III, 1954.

WINTERNITZ, E., *Leonardo da Vinci as a Musician*, 1982.

WITELO, *Perspectiva* in F. Risner (éd.), *Opticae Thesaurus*, Bâle, 1572.

WITTGENSTEIN, L., *Remarks on Colour* (1950), A. Anscombe (éd.), 1977.

WITTKOWER, R., *Architectural Principles in the Age of Humanism*, 1962.

WOHL, H., *The Paintings of Domenico Veneziano*, 1980.

WOLFSON, H. A., *The Philosophy of the Church Fathers*, 3ᵉ éd., 1970.

WOLFTHAL, D., *The Beginnings of Netherlandish Canvas Painting, 1400-1530*, 1989.

WRIGHT, F. A., « A note on Plato's definition of colour », *Classical Review*, XXXIII-IV. 1919

WRIGHT, J., « Antonello da Messina: the origins of his style and technique », *Art History*, III, 1980.

WRIGHT, M. R., *Empedocles: the Extant Fragments*, 1981.

WRIGHT, W. D., « The nature of blackness in art and visual perception », *Leonardo*, XIV, 1981.

WULFF, O., « Das Raumerlebnis des Naos in Spiegel der Ekphrasis », *Byzantinische Zeitschrift*, XXX, 1929-1930.

WUNDERLICH, E., *Die Bedeutung der roten Farbe im Kultus der Griechen und Römer, erläutert mit Berücksichtigung entsprechende Bräuche bei anderen Völkern*, Religionsgeschichtliche Versuche und Vorarbeiten, XX, 1, 1925.

WUNDT, W., *Grundzüge der Physiologischen Psychologie* (1874), 5ᵉ éd., 1902-1903, 3 vol.

WÜRTENBERGER, F., *Malerei und Musik : die Geschichte des Verhaltens zweier Kunste zueinander*, 1979.

WUTTKE, D., « Unbekannte Celtis-Epigramme zum Lobe Dürers », *Zeitschrift für Kunstgeschichte*, XXX, 1967.

WYLD, M. et PLESTERS, J., « Some panels from Sassetta's Sansepolcro

Altarpiece », *National Gallery Technical Bulletin*, I, 1977.

YOUNG, D., « The Greeks' colour sense », *Review of the Society for Hellenic Travel*, I, v, 1964.

YOUNG, M., « On the number of primitive colorific rays in solar light », *Journal of Natural Philosophy, Chemistry and the Arts*, IV, 1800.

YOUNG, S. H., « Relations between Byzantine mosaic and fresco decoration », *Jahrbuch der österreichischen Byzantinistik*, XXV, 1976.

[YOUNG, T.], « *Zur Farbenlehre*. On the doctrine of colours. By Goethe », *Quarterly Review*, X, 1814.

ZACCARIA, G., « Diario storico della Basilica e Sacro Convento di San Francesco in Assisi », *Miscellanea Francescana*, LXIII, 1963.

ZAHN, J., *Oculus Artificialis Teledioptricus…* Wurzburg, 1658.

ZAKIN, H. J., « French Cistercian grisaille glass », *Gesta*, XIII, 1974.

ZANTEN, D. VAN, *Architectural Polychromy of the 1830s*, 1976.

ZARLINO, GIOSEFFO, *Institutioni Harmoniche*, 2ᵉ éd., 1573, (réimp. 1966).

—, *Sopplimenti Musicali*, 1588, (réimp. 1966).

ZASTRAU, A. (éd.), *Goethe Handbuch*, 1961.

ZETZNER, E. (éd.), *Theatrum Chemicum*, 1659, 6 vol.

ZIEGLER, J.-C., *Études céramiques*, 1850.

—, *Traité de la couleur et de la lumière*, 1852.

ZIFF, J., « Turner's first poetic quotations : an examination of intentions », *Turner Studies*, II, 1982.

ZIGGELAAR, A., *François d'Aguilon S. J. Scientist and Architect*, 1983.

ZILCZER, J., « "Color-Music" : synaesthesia and nineteenth-century Sources for abstract art », *Artibus & Historiae*, XVI, 1987.

ZILOTY, A., *La Découverte de Jean van Eyck et l'évolution du procédé de la peinture à l'huile du Moyen-Âge à nos jours*, 2ᵉ éd., 1947.

ZINGERLE, J.V., « Farbenvergleiche im Mittelalter », *Germania*, IX, 1864.

ZIOLKOWSKI, T., « Der Karfunkelstein », *Euphorion*, LV, 1961.

ZOVATTO, P. L., *Il Mausoleo di Galla Placidia : Architettura e Decorazione*, 1968.

—, *Mosaici paleocristiani delle Venezie*, 1963.

ZUBOV, V., « Leon Battista Alberti e Leonardo da Vinci », *Raccolta Vinciana*, XVIII, 1960

—, « Léon Battista Alberti et les auteurs du moyen âge », *Medieval and Renaissance Studies*, IV, 1958.

—, *Leonardo da Vinci*, 1968.

ZÜLCH, W. K., *Der historische Grünewald : Matthis Gothardt-Neithardt*, 1938.

ZWEITE, A. (éd.), *Kandinsky und München : Begegnungen und Wandlungen*, 1982.

LISTE DES ILLUSTRATIONS

Les dimensions sont données en centimètres, la hauteur précédant la largeur.

Frontispice : gravure de I. Schiffermülhler, *Versuch eines Farbensystems*, Vienne, 1772.

1 Robert Fludd, cercle chromatique, in Fludd, *Medicina Catholica I*, Francfort, 1626.

2 John Gibson, *Vénus teintée*, 1851-1856. Marbre avec légère pigmentation. h. 173. National Museums and Galleries on Merseyside.

3 Jean-Auguste-Dominique Ingres, *Antiochus et Stratonice*, 1807. Plume et lavis brun, 29 × 40. Musée du Louvre, Paris. Photo Réunion des musées nationaux.

4 Sir Lawrence Alma-Tadema, *Phidias et la frise du Parthénon, Athènes* (détail), 1868. Huile sur panneau. Avec l'autorisation du Birmingham City Museum and Art Gallery.

5 Tombe du Plongeur, Paestum (détail), Ve siècle av. J.-C. Photo Aaron M. Levin.

6 Six conducteurs de char, fragment de papyrus, Antinoë, Égypte, v. 500. Committee of the Egypt Exploration Society. Photo Ashmolean Museum, Oxford.

7 Fragment d'un panneau peint de Saqqâra, IVe siècle av. J.-C. Peinture sur plâtre et bois, 18,4 × 6,8. Courtesy The Trustees of the British Museum, Londres.

8 Portrait du Fayoum, Égypte, IVe siècle. Tempera sur panneau, 30,1 × 18,4. Courtesy The Trustees of the British Museum, Londres.

9 Owen Jones, « Design for a temple to house Gibson's *Tinted Venus* », 1862. Encre sur papier, 47,6 × 54,9. Courtesy The Board of Trustees of the Victoria & Albert Museum, Londres.

10 Jean-Auguste-Dominique Ingres, *Antiochus et Stratonice*, 1840. Huile sur toile, 57,1 × 15,2. Musée Condé, Chantilly. Photo Lauros-Giraudon.

11 Jacques Ignace Hittorff, « Le Temple d'Empédocle à Sélinonte », 1830 : élévation, in Hittorff, *Restitution du Temple d'Empédocle à Sélinonte, ou De l'Architecture polychrome chez les Grecs*, Paris, 1851.

12 Giovanni Battista Tiepolo, *Alexandre et Campaspe dans l'atelier d'Apelle*, 1736-1737. Huile sur toile, 42 × 54. Musée du Louvre, Paris. Photo Réunion des musées nationaux.

13 Titien, *Vénus d'Anadyomène* (dite *Vénus Bridgewater*), détail, v. 1520/1525. Huile sur toile. Collection du Duke of Sutherland, prêt The National Gallery of Scotland.

14 Mazois, reconstitution d'un mur, édifice d'Eumachia, Pompéi, in Mazois, *Les Ruines de Pompei*, IIIe partie, Paris, 1829.

15 Bordure de pavement en mosaïque, Corinthe (détail), Ier siècle. Verre. Site archéologique de Corinthe, American School of Classical Studies, Athènes. Photo Madame Hassia.

16 Nicoletto Rosex, *Apelle*, v. 1507/1515. Gravure.

17 Friedrich Oeser, *Timanthe peignant « le Sacrifice d'Iphigénie »*. Gravure, 1755. Frontispice de J.-J. Winckelmann, *Gedanken über die Nachahmung der griechischen Werke in der Malerei und Bildhauerkunst (Réflexions sur l'imitation des œuvres grecques dans la peinture et la sculpture)*, Dresde et Leipzig, 1756.

18 J.-M. Langlois, *La Générosité d'Alexandre*, 1819 (détail). Huile sur toile, 257 × 318. Musée des Augustins, Toulouse.

19 William Blake, *The Man who taught Blake Painting in his Dreams*, v. 1819. Crayon, 26 × 20,6. Tate Gallery, Londres.

20 Mosaïque de scène nilotique, temple de la Fortune, Palestrina (détail), Ier-IIIe s. Palazzo Baronale, Palestrina. Photo Alinari.

21 Plafond de la chapelle Palatine, Palerme (détail), v. 1132-1189. Photo Alinari-Anderson.

22 Tapisserie polychrome, Akhmin, Égypte (détail), IVe siècle. Laine et lin. Courtesy The Trustees of the British Museum, Londres.

23 Mosaïque (amazonomachie), Antioche (détail), IIIe ou IVe siècle. Musée du Louvre, Paris. Photo Réunion des musées nationaux.

24 Panneau de mosaïque provenant de la Villa d'Hadrien, Tivoli. Copie romaine d'un original du début du IIe siècle. Museo Capitolino, Rome. Photo Alinari.

25 Voûte en mosaïque de l'abside orientale, baptistère, Albenga, Ve siècle.

26 Voûte en mosaïque du déambulatoire, Sainte-Constance, Rome, IVe siècle. Photo Scala.

27 *Deesis*, mosaïque, Saint-Sauveur-in-Chora (Kariye Djami), Istanbul (détail), v. 1320. © Bollingen Foundation, New York/Byzantine Institute, Inc.

28 Voûte en mosaïque, chapelle Saint-Zénon, Sainte-Praxède, Rome (détail), IXe siècle. Photo Georgina Masson.

29 *Léon VI s'agenouillant devant le Christ*, mosaïque du narthex, Sainte-Sophie, Istanbul, fin du IXe siècle. Photo Hinz.

30 *Le Bon Pasteur*, mosaïque, « mausolée » de Galla Placidia, Ravenne, Ve siècle.

31 *La Séparation de la lumière et des ténèbres*, mosaïque de l'atrium, Saint-Marc, Venise, XIIIe siècle. Photo Osvaldo Böhm.

32 Mosaïque absidiale, Saints-Côme-et-Damien, Rome, VIe siècle. Photo Scala.

33 *La Transfiguration du Christ*, mosaïque absidiale, monastère de Sainte-Catherine, Sinaï, v. 560. Sonia Halliday photographs. Photo Jane Taylor.

34 *L'Impératrice Theodora et ses suivantes*, mosaïque, mur sud du chœur, Saint-Vital, Ravenne, v. 540. Photo Scala.

35 *La Vierge recevant l'écheveau de laine* (détail), mosaïque, Saint-Sauveur-in-Chora (Kariye Djami), Istanbul, v. 1320. © Bollingen Foundation, New York/Byzantine Institute, Inc.

36 *Le Christ apparaissant dans les nuées*, page du *Commentaire sur l'Apocalypse* de Beatus de Liebana, v. 1109. Miniature de Saint-Dominique de Silos. Add. MS 11695, folio 21. British Library, Londres.

37 *Saint Erhard offrant la messe* (détail), page du *Codex Uta*, Regensbourg, 1002-1025. Bavarian State Library, Londres.

38 Pavement en mosaïque, Sainte-Euphénie, Grado (détail), VIe siècle. Photo Soprintendenza Archaeologica e per i Beni Ambientali Architettonici Artistici e Storici di Trieste-Friuli.

39 *L'Annonciation*, mosaïque, Daphni, v. 1080. Photo Josephine Powell.

40 *Les Rois mages*, mosaïque, Saint-Apollinaire-le-Neuf, Ravenne, VIe siècle. Photo Hirmer.

41 Verrière « anagogique », chapelle de Saint-Pérégrin, Saint-Denis (détail), v. 1140. Photo James Austin.

42 *La Jérusalem céleste*, détail de la mosaïque de l'Arc triomphal, Sainte-Marie-Majeure, Rome, Ve siècle. Photo Scala.

43 Matthieu Paris, *Les Bijoux de Saint-Alban*, 1257. Cotton Nero DI., f. 146. British Library, Londres.

44 La Coupe de Mérode, début du XVe siècle. Argent doré avec décoration martelée et émaux, 17,5 × 10. Art français ou bourguignon. Courtesy The Board of Trustees of the Victoria & Albert Museum, Londres.

45 E. Labarre, *L'Escrin de Charlemagne*, 1794. Aquarelle, 7,7 × 41,4. Cabinet des Estampes, Bibliothèque Nationale, Paris.

46 Mur nord de la baie d'Isaac, église haute, Saint-François, Assise, v. 1300. Photo Scala.

47 *Henri de Blois*, plaque, avant 1171. Émaux, diamètre 18. British Museum, Londres.

48 Vierge de Jaulnes (détail), 1334. Pierre. Cathédrale Saint-Étienne, Sens. Photo Deuchler.

49 *Ange de l'Apocalypse*, in *Douce Apocalypse* (détail), 1270. MS Douce 180, p. 32. Bodleian Library, Oxford.

50 Joute de chevaliers, *Sir Thomas Holme's Book*, XVe siècle (avant 1448). MS Harley 4205, folio 30. British Library, Londres.

51 Futur chevalier recevant ses armes, in Benoît de Saint-Maure, *Roman de Troie*, fin du XIVe siècle. MS Fr 782, folio 161. Bibliothèque Nationale, Paris.

52 Matthieu Paris, chevalier portant le « blason de la foi », in Peraldus, *Summa de Vitii*, v. 1240/1255. MS Harley 3244, folio 28, British Library, Londres.

53 Effigie funéraire de Geoffrey Plantagenêt, 1151/1160. Émail, 63 × 33. Musée Tessé, Le Mans. Photo Musées du Mans.

54 Attribué à Byrtferth de Ramsey, *Le Système quadruple du Macrocosme et du Microcosme*, v. 1080-1090. MS St John's College 17, folio 7v. The President and Fellows of St John's College, Oxford.

55 Joachim de Flore, *La Sainte Trinité*, in *Liber Figurarum*, XIIe siècle. MS CCC. 255 A, folio 7v. Courtesy The President and Fellows of Corpus Christi College, Oxford. Photo Bodleian Library, Oxford.

INDEX